MW00825328

APOCALIPSIS, EL JUICIO DE DIOS

Noé Aguilar

APOCALIPSIS
EL JUICIO DE DIOS

Dilo al Mundo

Título original en español: Apocalipsis, el juicio de Dios
Autor: Noé Martín Hiram Aguilar
Diseño de portada: Belen Mirey Romero Escamilla

ISBN 978-631-00-1095-3

Aguilar, Noé Martín Hiram
        Apocalipsis : el juicio de Dios / Noé Martín Hiram Aguilar. - 1a ed. -
Santa Rosa : Noé Martín Hiram Aguilar, 2023.
        556 p. ; 21 x 14 cm.

        ISBN 978-631-00-1095-3

        1. Religión Cristiana. 2. Apocalipsis. 3. Biblia. I. Título.
        CDD 228.064

Primera edición
© Noé Martín Hiram Aguilar

Se permite la reproducción total o parcial de esta publicación (texto, imágenes y diseño), su manipulación informática y transmisión ya sea electrónica, mecánica, por impresión, fotocopia u otros medios bajo la única condición de que se respete la integridad de las ideas planteadas.

Si desea imprimir este libro para distribución gratuita, escríbanos por correo electrónico a diloalmundo.es@gmail.com y le enviaremos los archivos que le solicitará la imprenta.

Contenido

Prefacio

A través de este libro, exponemos nuestra comprensión acerca del Apocalipsis, prestando especial atención al contexto en el que aparece cada revelación y analizando cada uno de sus versículos con el objetivo de comprender su significado actual.

En este sentido, algunas de las interpretaciones aquí presentadas podrían no ser compartidas por todos los cristianos, e incluso no ser mayoritarias dentro de nuestra denominación religiosa. Sin embargo, creemos firmemente que están basadas en lo que Dios ha revelado a través de sus profetas, y por eso, las ofrecemos a consideración.

Para ser claros, nuestra cosmovisión cristiana ha sido formada en base a los principios fundamentales de la Iglesia Adventista del Séptimo Día. Sin embargo, nuestra intención no es aferrarnos a creencias denominacionales, sino a la sólida enseñanza de la Palabra de Dios. Razón por la cual, nuestras propuestas podrían llegar a estar, en un análisis descuidado, en aparente conflicto con algunas creencias de nuestros antepasados, aunque no con la esencia de su fe.

En este sentido, aunque reconocemos a Elena de White (1827-1915) como auténtica profeta de Dios, hemos colocado sus escritos al pie de página, no porque los menospreciemos, sino para demostrar que nuestras apreciaciones surgen de la Palabra de Dios.

De igual manera, al colocar los escritos de Elena de White al margen del estudio, los lectores, además de corroborar que los análisis aquí presentados están respaldados por ellos, podrán comprobar que las palabras de esta profetiza no contradicen, sino que complementan, de una manera perfecta y maravillosa, lo revelado por los profetas bíblicos, dado que fue inspirada por el mismo Espíritu.

Por todo esto, recomendamos prestar mucha atención a los escritos colocados al pie de página, dado que ampliarán con notable destreza la correcta comprensión de las Escrituras.

Estamos seguros que, mediante este estudio, usted podrá descubrir tesoros espirituales que transformarán su vida. Sin embargo, necesitará un corazón humilde y una mente abierta a la dirección divina. Tenga en cuenta que, en la búsqueda de la verdad, es esencial estar dispuesto a considerar argumentos y evidencias contrarias a las nuestras. Por tanto, le invitamos a que ore antes de leer y permita que la Palabra de Dios y la guía del Espíritu Santo moldeen sus pensamientos y sus conclusiones.

Elena de White escribió: "Los peligros de los últimos días están sobre nosotros, y en nuestro trabajo hemos de amonestar a la gente acerca del peligro en que está. No se dejen sin tratar las solemnes escenas que la profecía ha revelado. Si nuestros hermanos estuvieran despiertos aunque fuera a medias, si se dieran cuenta de la cercanía de los sucesos descritos en el Apocalipsis, se realizaría una reforma en nuestras iglesias, y muchos más creerían el mensaje. No tenemos tiempo que perder; Dios nos pide que velemos por las almas como quienes han de dar cuenta. Presentad nuevos principios, y acumulad la clara verdad. Ella será como espada de doble filo. Pero no os manifestéis demasiado dispuestos a asumir una actitud polémica. Hay ocasiones en que hemos de quedar quietos para ver la salvación de Dios. Dejad que hablen Daniel y el Apocalipsis, y digan cuál es la verdad. Pero sea cual fuere el aspecto del tema que se presente, ensalzad a Jesús como el centro de toda esperanza, "la raíz y el linaje de David, la estrella resplandeciente de la mañana". TM 118

Con este espíritu hemos realizado este estudio, deseando que pueda ser una herramienta útil para enriquecer el conocimiento del Apocalipsis. Si en algo hemos acertado, toda la gloria es de Dios por habernos guiado. Sin embargo, si hemos cometido errores, que Dios, en su inmenso amor y paciencia, nos corrija y les preserve de ellos.

El autor.

Índice de referencias

Las citas bíblicas, salvo indicación en contrario, corresponden a la traducción Reina Valera (1960). Las notas al pie de página con comentarios de Elena de White (1827-1915) se han transcrito siguiendo las referencias publicadas en el sitio oficial Ellen G. White® Estate, acompañando, de manera abreviada, la referencia al libro y al número de página al final de cada cita. Cuando no hemos encontrado una traducción oficial al Español, la hemos efectuado con DeepL, agregando, al final de la misma, su referencia en inglés. En las citas textuales se han usado doble comillas, en las paráfrasis comillas simples.

Abreviaturas

AFC: A Fin de Conocerle
ATO: Alza tus Ojos
BJ: Biblia de Jerusalén
CBA: Comentario Bíblico Adventista
CC: De la Ciudad al Campo
CDG: Código Real, Nuevo Testamento Textual Hebraico
CE: El Colportor Evangélico
CES: Cristo en Su Santuario
CS: El Conflicto de los Siglos
CST: Nueva Versión Internacional (Castilian)
CT: El Cristo Triunfante
DHH: Dios Habla Hoy
DMJ: El Discurso Maestro de Jesucristo
DNC: Dios nos Cuida
DTG: El Deseado de Todas las Gentes
ECFP: La Edificación del Carácter
ED: La Educación
EJ: Exaltad a Jesús
EUD: Eventos de los Últimos Días

Ev: El Evangelismo

FO: Fe y Obras

HAp: Hechos de los Apóstoles

JT: Joyas de los Testimonios

KDSH: Traducción Kadosh Israelita Mesiánica

LPD: Libro del Pueblo de Dios

LtMs: Letters and Manuscripts

MCP: Mente, Carácter y Personalidad

MGD: La Maravillosa Gracia de Dios

MJ: Mensajes para los Jóvenes

MR: Manuscript Releases

MS: Mensajes Selectos

MSV: Maranata: El Señor Viene

N-C: Nácar-Colunga (1944)

NTV: Nueva Traducción Viviente

NVI: Nueva Versión Internacional

OE: Obreros Evangélicos

PE: Primeros Escritos

PP: Historia de los Patriarcas y Profetas

PR: Profetas y Reyes

PVGM: Palabras de Vida del Gran Maestro

RH: The Review and Herald

RP: Recibiréis Poder

RV: Reina Valera (1960)

RVC: Reina Valera Contemporánea

SC: Servicio Cristiano

SM: Selected Messages

SP: Spiritual Gifts

TA: Torres Amat

TI: Testimonios para la Iglesia

TLA: Traducción en Lenguaje Actual

TM: Testimonios para los Ministros

VAAn: La Verdad acerca de los Ángeles

Capítulo 1
Introducción al Apocalipsis

Cuando las personas escuchan hablar sobre el 'Apocalipsis', generalmente piensan en sucesos catastróficos y desean que no se cumpla, que sea un mito antiguo o una historia de terror que nunca ocurrirá. Sin embargo, y desde su mismo comienzo, el último libro de la Biblia nos dice que es: *"La revelación de Jesucristo, que Dios le dio, para manifestar a sus siervos las cosas que deben suceder pronto." Apocalipsis 1:1*

Revelar es quitar el velo, hacer visible y entendible algo que estaba oculto. Ahora, el Apocalipsis no es cualquier revelación. Es la revelación de Jesucristo, nuestro Salvador; la cual, a su vez, no le es propia, sino que le fue entregada por su Padre. Por lo que, a cualquiera que se diga cristiano, le debería interesar.

Autor

¿Quién lo escribió? El mismo Apocalipsis nos dice que esta revelación fue enviada *"por medio de su ángel a su siervo Juan' [el cual] ha dado testimonio de la palabra de Dios, y del testimonio de Jesucristo, y de todas las cosas que ha visto." Apocalipsis 1:1-2*

El 'Juan' al que se refiere es el apóstol Juan, quien era el menor de los discípulos y fue primeramente seguidor de otro Juan, 'el Bautista', hasta que este último proclamó a Cristo como *"el Cordero de Dios, que quita el pecado del mundo". Juan 1:29*

A partir de aquel momento, Juan siguió a Jesús desde el Jordán hasta la Cruz, durante los tres años y medio que duró su ministerio; escuchando todas sus enseñanzas y presenciando cada uno de sus milagros. Es más, hasta comía con él.

Junto con Santiago y Pedro, Juan fue uno de los discípulos que Cristo escogió para que lo acompañaran en sus momentos más álgidos, como los que vivió en el monte de la transfiguración y en el Getsemaní. Sin embargo, este apóstol, de entre todos, fue el único que se mantuvo firme contemplando de cerca a su Maestro mientras era enjuiciado por el

Sanedrín —algo así como la 'curia judía' de aquel momento— y condenado a muerte por los gobernantes romanos.

Tan cercano era a Cristo que, desde la mismísima cruz, Jesús le encomendó el cuidado de su madre. Dice la Biblia: *"Cuando vio Jesús a su madre, y al discípulo a quien él amaba [dice Juan, respecto de sí mismo], que estaba presente, dijo a su madre: Mujer, he ahí tu hijo. Después dijo al discípulo: He ahí tu madre. Y desde aquella hora el discípulo la recibió en su casa." Juan 19:26-27*

Además del Apocalipsis, la Biblia incluye tres epístolas universales de Juan —las cuales escribió como cartas destinadas a la plenitud de la iglesia— y el evangelio de San Juan, uno de los principales registros de la vida de Jesús. Una de sus frases más conocidas es: *"Porque de tal manera amó Dios al mundo, que ha dado a su Hijo unigénito, para que todo aquel que en él cree, no se pierda, mas tenga vida eterna." Juan 3:16*

Según los registros bíblicos, complementados por la tradición cristiana primitiva, Juan fue el único de los apóstoles que no murió asesinado por los gobernantes y religiosos de aquella época. Sin embargo, siendo ya un anciano de unos noventa años, fue condenado al destierro a la solitaria y agreste isla de Patmos. Allí, sin una casa tibia ni una computadora, ni siquiera un cuaderno y una lapicera, con la más ruda tecnología, el Apóstol Juan escribió palabras tan solemnes que han hecho temblar el mundo durante casi dos mil años. Él dice: *"Yo Juan, vuestro hermano, y copartícipe vuestro en la tribulación, en el reino y en la paciencia de Jesucristo, estaba en la isla llamada Patmos, por causa de la palabra de Dios y el testimonio de Jesucristo. Yo estaba en el Espíritu en el día del Señor, y oí detrás de mí una gran voz como de trompeta, que decía: Yo soy el Alfa y la Omega, el primero y el último. Escribe en un libro lo que ves, y envíalo a las siete iglesias que están en Asia..." Apocalipsis 1:9-11*
Como vemos, Cristo volvió a escoger a Juan para comunicar su Palabra. Sin embargo, él no es el autor del Apocalipsis. Él vio, oyó y escribió. Y esa fue toda su participación. Él no imaginó, no inventó, no razonó ni seleccionó bibliografía. Juan fue solo un fiel escriba de Dios, guiado por su ángel principal.

Por esto, Apocalipsis es una revelación directa de Dios, comunicada mediante el apóstol Juan; el cual, a semejanza de Moisés, escribió exactamente lo que Dios le reveló.

Destinatario

Dentro de las primeras frases del Apocalipsis, Dios pronuncia su 'bienaventuranza' para todo aquel que *"lee, y los que oyen las palabras de esta profecía, y guardan las cosas en ella escritas" (Ap 1:3),* por lo cual, todo aquel que se interese por su contenido puede ser hallado entre los destinatarios bienaventurados del mismo.

Sin embargo la voz *'como de trompeta',* que comprobaremos corresponde a Cristo, le ordena a Juan: *"Escribe en un libro lo que ves, y envíalo a las siete iglesias que están en Asia...",* encontrando en los capítulos 2 y 3 un mensaje especial de parte de Jesús a cada una de estas siete iglesias, las cuales eran: *"Éfeso, Esmirna, Pérgamo, Tiatira, Sardis, Filadelfia y Laodicea." Apocalipsis 1:11*

Estas eran iglesias reales que se encontraban en aquel momento en Asia menor. Ahora, Apocalipsis es mucho más que un mensaje para siete iglesias antiguas. En realidad, y como comprobaremos en nuestro siguiente capítulo, aquellas iglesias fueron escogidas por Dios —de entre muchas otras que existían en aquel momento— porque representaban la plenitud de su iglesia tanto en los días de Juan como a lo largo de la historia y, de manera especial, a la que estaría presente en el tiempo que precedería a la segunda venida de Jesús —dado que *"el tiempo que está cerca",* del que habla Apocalipsis 1:3, claramente corresponde al tiempo en el que *"Cristo vendrá en las nubes de los cielos y todo ojo le verá",* de Apocalipsis 1:7–.

De esta manera, la palabra profética dada por Dios en la antigüedad, constituye una especie de fractal[1] con varios planos de significado:

• Uno aplicable al tiempo en el que fue dada la profecía,

• Otro que es útil a lo largo de la historia, y

• Otro, especialmente importante para nosotros, en el fin de los tiempos; es decir, cuando la segunda venida de Jesús esté realmente cerca.

Donde, en todos los casos, los cumplimientos del pasado son maquetas ilustrativas del gran cumplimiento final que tendrá la profecía en nuestros días. En Palabras del apóstol Pablo: *"Todas estas cosas les sucedieron a ellos en figura y fueron escritas para amonestarnos a nosotros, a quienes tocó vivir en la última fase de los tiempos." 1 Corintios 10:11 N-C*

---

1   Objeto geométrico cuya estructura básica se repite a diferentes escalas. Muchas estructuras naturales son de tipo fractal, como el brócoli y la coliflor.

Saludos de Dios

Dentro del mensaje introductorio, Juan transmite un saludo de parte de Dios a su iglesia, nombrando tres entidades. Dice: *"Juan, a las siete iglesias que están en Asia: Gracia y paz a vosotros:*

1. *Del que es y que era y que ha de venir, y*
2. *De los siete espíritus que están delante de su trono, y*
3. *De Jesucristo, el testigo fiel..." Apocalipsis 1:4-5*

Como vemos, aunque Apocalipsis es *"la revelación de Jesucristo" (Apocalipsis 1:1)*, Jesús no es la única entidad divina que participa en esta comunicación. Como hemos leído, Dios Padre es el originador primario y a Él se lo describe como *"el que es y que era y que ha de venir"*. 'Es' en alusión a que existe por sí mismo, sin origen ni dependencia en ningún otro ser, 'era' porque ha existido desde la eternidad, y 'ha de venir' porque existirá por la eternidad.

Ahora, además de Jesucristo y el Padre, encontramos una tercera entidad divina que también envía saludos, identificada como *'los siete espíritus que están delante de su trono' (Ap 1:4)*. ¿De quién se trata?

La Palabra de Dios utiliza el número siete como símbolo de plenitud. Por ejemplo, hemos comentado que las siete iglesias representan la plenitud de la iglesia. Por esto, la expresión *'siete espíritus'* no hace referencia a siete espíritus diferentes, sino más bien a la plenitud del Espíritu. ¿De qué Espíritu? Pues, del Espíritu de Dios; dado que Apocalipsis, un poco más adelante, aclara que estos siete espíritus, que aquí se dice 'están delante de su trono', corresponden a 'los siete espíritus de Dios'. Dice: *"delante del trono ardían siete lámparas de fuego, las cuales son los siete espíritus de Dios." Apocalipsis 4:5*

Como podemos ver, los *'siete espíritus de Dios'* también son representados como *'siete lámparas de fuego' (Ap 4:5)* en alusión a la plenitud de luz que posee el Espíritu Santo. El mismo apóstol Juan, establece dicha conexión entre Dios y la luz, al afirmar: *"Dios es luz". 1 Juan 1:5*

Por otra parte, Apocalipsis también representa a los *'siete espíritus'* como *'siete cuernos'* y *'siete ojos'* que el Cordero *'tiene'*, afirmando, además, que serían *"enviados por toda la tierra."* Dice: *"Y miré, y vi que en medio del trono y de los cuatro seres vivientes, y en medio de los ancianos, estaba en pie un Cordero como inmolado, que tenía siete cuernos, y siete ojos, los cuales son los siete espíritus de Dios enviados por toda la tierra." Apocalipsis 5:6*

En este sentido, entendemos que el Espíritu Santo es simbolizado por 'siete cuernos' y 'siete ojos' en alusión a su poder omnipotente y su omnisciencia, respectivamente, dado que los cuernos y los ojos, en la Biblia, son emblemas de poder y conocimiento. En tanto, se dice que el Cordero como inmolado *'tiene'* estos *'siete cuernos'* y *'siete ojos'* porque en aquel hijo de María habita la plenitud de la Deidad. Dice Pablo: *"Porque en él habita corporalmente toda la plenitud de la Deidad, y vosotros estáis completos en él, que es la cabeza de todo principado y potestad." Colosenses 2:9-10*

En efecto, en cuanto al Espíritu Santo, la Biblia menciona que *"descendió sobre él en forma corporal, como paloma" (Lucas 3:22)*, en el momento de su bautismo, como una demostración visible de su unción. Un acontecimiento importantísimo en la vida del Mesías, como manifestación divina que capacitó a aquel 'Hijo del Hombre' durante todo su ministerio terrenal, aún como dispensador de aquel mismo Espíritu (Juan 20:21-22).[2]

Luego de esto, Cristo aplicó a sí mismo las palabras de Isaías 61. Dice la Biblia: *"Vino a Nazaret, donde se había criado; y en el día de reposo [es decir, el sábado] entró en la sinagoga, conforme a su costumbre, y se levantó a leer. Y se le dio el libro del profeta Isaías; y habiendo abierto el libro, halló el lugar donde estaba escrito: El Espíritu del Señor está sobre mí, por cuanto me ha ungido para dar buenas nuevas a los pobres; me ha enviado a sanar a los quebrantados de corazón; a pregonar libertad a los cautivos, y vista a los ciegos; a poner en libertad a los oprimidos; a predicar el año agradable del Señor. Y enrollando el libro, lo dio al ministro, y se sentó; y los ojos de todos en la sinagoga estaban fijos en él. Y comenzó a decirles: Hoy se ha cumplido esta Escritura delante de vosotros." Lucas 4:16-21*

De igual manera, describiendo al Mesías, este mismo profeta también hizo alusión a aquella plenitud de poder y conocimiento –proveniente del Espíritu Santo–, que estaría sobre Cristo, diciendo: *"Y reposará sobre él el Espíritu de Jehová; espíritu de sabiduría y de inteligencia, espíritu de consejo y de poder, espíritu de conocimiento y de temor de Jehová." Isaías 11:2*

Por último, tal como dice Apocalipsis, el Espíritu Santo efectivamente fue 'enviado' a la tierra como el don más grande que Cristo nos podría ofrecer de parte de su Padre.

---

2   Elena de White escribió: "El Padre dio a su Hijo su Espíritu sin medida, y nosotros podemos participar también de su plenitud. Jesús dice: "Pues si vosotros, siendo malos, sabéis dar buenas dádivas a vuestros hijos, ¿cuánto más vuestro Padre celestial dará el Espíritu Santo a los que lo pidieren de él?" Lucas 11:13." CS 469

Jesús dijo a sus discípulos: *"yo os digo la verdad: Os conviene que yo me vaya; porque si no me fuera, el Consolador no vendría a vosotros; mas si me fuere, os lo enviaré… cuando venga el Espíritu de verdad, él os guiará a toda la verdad; porque no hablará por su propia cuenta, sino que hablará todo lo que oyere, y os hará saber las cosas que habrán de venir. El me glorificará; porque tomará de lo mío, y os lo hará saber. Todo lo que tiene el Padre es mío; por eso dije que tomará de lo mío, y os lo hará saber." Juan 16:1,13-15*

Por todo esto, entendemos que la expresión simbólica 'siete espíritus de Dios' hacen alusión a la plenitud del Espíritu Santo que, como tercera persona de la Deidad, ha sido enviado a la tierra para glorificar a Cristo, haciendo productivo su infinito sacrificio.[3]

El día del Señor

El apóstol Juan afirma que él *"estaba en el Espíritu en el día del Señor..." (Ap 1:10)* al momento de recibir el Apocalipsis. Por lo que nos preguntamos, ¿cuál es el día del Señor?, y ¿qué significa 'estar en el Espíritu' en dicho día?

Según la Biblia, el sábado es el día del Señor, dado que es el día que él bendijo y santificó desde la misma creación (Génesis 2:1-3 y Éxodo 20:8-11). En este día de la semana Juan recibió el Apocalipsis.

---

3   Elena de White explica: "Al describir a sus discípulos la obra y el cargo del Espíritu Santo, Jesús trató de inspirarles el gozo y la esperanza que alentaba su propio corazón. Se regocijaba por la ayuda abundante que había provisto para su iglesia. El Espíritu Santo era el más elevado de todos los dones que podía solicitar de su Padre para la exaltación de su pueblo. El Espíritu iba a ser dado como agente regenerador, y sin esto el sacrificio de Cristo habría sido inútil. El poder del mal se había estado fortaleciendo durante siglos, y la sumisión de los hombres a este cautiverio satánico era asombrosa. El pecado podía ser resistido y vencido únicamente por la poderosa intervención de la tercera persona de la Divinidad, que iba a venir no con energía modificada, sino en la plenitud del poder divino. El Espíritu es el que hace eficaz lo que ha sido realizado por el Redentor del mundo. Por el Espíritu es purificado el corazón. Por el Espíritu llega a ser el creyente partícipe de la naturaleza divina. Cristo ha dado su Espíritu como poder divino para vencer todas las tendencias hacia el mal, hereditarias y cultivadas, y para grabar su propio carácter en su iglesia. Acerca del Espíritu dijo Jesús: "El me glorificará." El Salvador vino para glorificar al Padre demostrando su amor; así el Espíritu iba a glorificar a Cristo revelando su gracia al mundo. La misma imagen de Dios se ha de reproducir en la humanidad. El honor de Dios, el honor de Cristo, están comprometidos en la perfección del carácter de su pueblo." DTG 625

Sin embargo, la expresión *"yo estaba en el Espíritu en el día del Señor"* implica más que esto. ¿Qué quiero decir? Que no debemos conformarnos con una sola interpretación de las cosas. Este libro fue prácticamente dictado por Dios, por lo que debemos esperar encontrar en él abundante información en múltiples dimensiones. Razón por la cual debemos expandir nuestra mente a la hora de analizarlo, a fin de poder apreciar la mayor cantidad de información posible, en vez de encerrarnos en interpretaciones estrechas y limitadas.

El sábado del séptimo día de la semana es el día del Señor, ¡sí!. Pero también existe otro significado bíblico específico para *'día del Señor'*, en un claro contexto apocalíptico… y es el que refiere al tiempo profético en el cual Dios ejecutará sus juicios sobre la tierra. Dice la Biblia:

- *"Porque cerca está el día, cerca está el día de Jehová; día de nublado, día de castigo de las naciones será." Ezequiel 30:3*

- *"Porque día de Jehová de los ejércitos vendrá sobre todo soberbio y altivo, sobre todo enaltecido, y será abatido." Isaías 2:12*

- *"Aullad, porque cerca está el día de Jehová; vendrá como asolamiento del Todopoderoso." Isaías 13:6*

- *"Calla en la presencia de Jehová el Señor, porque el día de Jehová está cercano; porque Jehová ha preparado sacrificio, y ha dispuesto a sus convidados." Sofonías 1:7*

- *"¡Ah, cuán grande es aquel día! Tanto, que no hay otro semejante a él; tiempo de angustia para Jacob; pero de ella será librado." Jeremías 30:7*

- *"He aquí, el día de Jehová viene, y en medio de ti serán repartidos tus despojos." Zacarías 14:1*

- *"He aquí, yo os envío el profeta Elías, antes que venga el día de Jehová, grande y terrible." Malaquías 4:5*

- *"Vosotros sabéis perfectamente que el día del Señor vendrá así como ladrón en la noche; que cuando digan: Paz y seguridad, entonces vendrá sobre ellos destrucción repentina, como los dolores a la mujer encinta, y no escaparán." 1 Tesalonicenses 5:2–3*

- *"Pero el día del Señor vendrá como ladrón en la noche; en el cual los cielos pasarán con grande estruendo, y los elementos ardiendo serán deshechos, y la tierra y las obras que en ella hay serán quemadas." 2 Pedro 3:10*

Este particular 'día del Señor' es simbolizado, dentro de las santas convocaciones del Santuario hebreo, por el 'día de Expiación'; el cual se celebraba a los diez días del séptimo mes hebreo.

Día que también era considerado un estricto 'sábado', es decir, día de reposo, por orden de Dios, independientemente del día de la semana en que cayera. Dice la Biblia: *"Habló Jehová a Moisés, diciendo: a los diez días de este mes séptimo será el día de expiación; tendréis santa convocación, y afligiréis vuestras almas, y ofreceréis ofrenda encendida a Jehová. Ningún trabajo haréis en este día; porque es día de expiación, para reconciliaros delante de Jehová vuestro Dios. Porque toda persona que no se afligiere en este mismo día, será cortada de su pueblo. Y cualquiera persona que hiciere trabajo alguno en este día, yo destruiré a la tal persona de entre su pueblo. Ningún trabajo haréis; estatuto perpetuo es por vuestras generaciones en dondequiera que habitéis. Día de reposo será a vosotros, y afligiréis vuestras almas, comenzando a los nueve días del mes en la tarde; de tarde a tarde guardaréis vuestro reposo."* Levítico 23:26-32

Por otro lado, la expresión *"Yo estaba en el Espíritu" (Ap 1:10),* hace referencia a que se encontraba 'en visiones. De hecho, no es la única vez que aparece en el Apocalipsis:

- En el capítulo 4 dice: *"Y al instante yo estaba en el Espíritu; y he aquí, un trono establecido en el cielo, y en el trono, uno sentado." Apocalipsis 4:2*

- En el 17: *"Y me llevó en el Espíritu al desierto; y vi a una mujer sentada sobre una bestia escarlata llena de nombres de blasfemia, que tenía siete cabezas y diez cuernos." Apocalipsis 17:3*

- Y en el 21: *"Y me llevó en el Espíritu a un monte grande y alto, y me mostró la gran ciudad santa de Jerusalén, que descendía del cielo, de Dios…" Apocalipsis 21:10*

Donde, en todos estos casos, el 'estar' en el Espíritu, o 'ser llevado' en el Espíritu, claramente hacen referencia a estar en visión, o ser llevado en visión, por el Espíritu Santo, a diferentes espacios de tiempo y lugar, para contemplar determinadas escenas proféticas.

Por esto, entendemos que cuando Juan dice *"yo estaba en el Espíritu en el día del Señor" (Ap 1:10),* se refiere, principalmente, a que fue trasladado en visiones al 'día del Señor' –es decir, al tiempo del juicio Dios–, más allá de que también haya sido un sábado el día en que recibió la preciosa revelación del Apocalipsis.

Es notable como, con esto en consideración, toman mucho más significado aquellas expresiones, tales como: *"las cosas que deben suceder pronto" (Ap 1:1 y 22:6); "el tiempo está cerca" (Ap 1:3 y 22:10), "he aquí que viene con las nubes, y todo ojo le verá" (Ap 1:7);* o *"ciertamente vengo en breve" (Ap 22:20),* y muchas otras más que iremos analizando a lo largo de nuestro estudio.[4]

La revelación de Jesucristo

Jesús es el centro sobre el cual gira el Apocalipsis. Por esto, en su primer capítulo, Él se presenta con atavíos cargados de simbologías. Dice Juan: *"Yo estaba en el Espíritu en el día del Señor, y oí detrás de mí una gran voz como de trompeta que decía: Yo soy el Alfa y la Omega, el primero y el último. Escribe en un libro lo que ves, y envíalo a las siete iglesias que están en Asia… Y me volví para ver la voz que hablaba conmigo; y vuelto, vi siete candeleros de oro, y en medio de los siete candeleros, a uno semejante al Hijo del Hombre, vestido de una ropa que llegaba hasta los pies, y ceñido por el pecho con*

---

4   Elena de White escribió: "El día del Señor es el séptimo día, el sábado de la creación. En el día que Dios santificó y bendijo, Cristo declaró "por su ángel a su siervo Juan" [es decir, el Apocalipsis fue dado en un sábado semanal], cosas que deben suceder antes del cierre de la historia de este mundo [es decir, el Apocalipsis refiere al fin de los días]." 6TI 133

"A Juan, desterrado a la isla de Patmos por su fidelidad en testificar por Cristo, se le dio allí luz especial para la iglesia. En su exilio contempló a su Redentor glorificado, y vio en forma más clara que nunca antes lo que habría de ocurrir al fin de la historia de esta tierra." ATO 98

"Fue el León de la tribu de Judá quien quitó el sello del libro y le dio a Juan la revelación de lo que sucedería en estos últimos días." TM 115

Al acercarnos al fin de la historia de este mundo, las profecías que se relacionan con los últimos días exigen especialmente nuestro estudio. El último libro del Nuevo Testamento está lleno de verdades que necesitamos entender. Satanás ha cegado las mentes de muchos de manera que aceptan con gozo cualquier excusa para no hacer del libro del Apocalipsis su tema de estudio. Pero Cristo, por medio de su siervo Juan, ha declarado aquí lo que será en los últimos días; y él dice: "Bienaventurado el que lee, y los que oyen las palabras de esta profecía, y guardan las cosas en ella escritas". TM 116

"Cuando los libros de Daniel y Apocalipsis sean mejor entendidos [es decir, Apocalipsis no era bien entendido en los días de Elena de White], los creyentes tendrán una experiencia religiosa completamente distinta. Recibirán tales vislumbres de los portales abiertos del cielo que se les grabará en la mente y el corazón el carácter que todos deben desarrollar a fin de comprender la bendición que será la recompensa de los de corazón puro." TM 114

un cinto de oro. Su cabeza y sus cabellos eran blancos como blanca lana, como nieve; sus ojos como llama de fuego; y sus pies semejantes al bronce bruñido, refulgente como en un horno; y su voz como estruendo de muchas aguas. Tenía en su diestra siete estrellas; de su boca salía una espada aguda de dos filos; y su rostro era como el sol cuando resplandece en su fuerza." Apocalipsis 1:10-16

Juan, unos setenta años antes, había compartido más de tres años la vida con Jesús. Él era su gran maestro y, como hemos visto, lo siguió desde el Jordán hasta la cruz y, desde allí, al monte de la ascensión. Sin embargo, ahora no puede soportar su gloria, y dice: *"Cuando le vi, caí como muerto a sus pies. Y él puso su diestra sobre mí, diciéndome: No temas; yo soy el primero y el último; y el que vivo, y estuve muerto; mas he aquí que vivo por los siglos de los siglos, amén. Y tengo las llaves de la muerte y del Hades." Apocalipsis 1:17-18*

Sin lugar a dudas este magnífico ser es Cristo Jesús. Él es el único que no solo ha estado muerto y vivió, sino que vive –por sí mismo– por los siglos de los siglos; y el que también tiene las llaves de la muerte y del Hades. Ahora, ¿cuál es el significado de los símbolos con los que Cristo se manifiesta?

1. Voz como de trompeta: El Salmo 29 describe la voz de Dios como majestuosa y terrible. Sin embargo, entendemos que la expresión 'como de trompeta' no tiene que ver únicamente con una voz potente. Las trompetas, en la Biblia, simbolizan anuncios. Por lo que una voz 'como de trompeta' es una voz que trae anuncios. Por ejemplo, según Éxodo 19:16, la voz de Dios sonó 'como de trompeta' cuando la Ley fue dada en el Sinaí.

Además, justamente en relación al *'día del Señor'*, entendiendo éste como el período profético en que Dios entra en juicio con su pueblo, dentro de las fiestas solemnes de Jehová había un día en que sonaban trompetas para anunciar que dicho juicio se aproximaba. Dice la Biblia: *"Y habló Jehová a Moisés, diciendo: Habla a los hijos de Israel y diles: En el mes séptimo, al primero del mes tendréis día de reposo [esto es, 10 días antes del día de expiación], una conmemoración al son de trompetas, y una santa convocación. Ningún trabajo de siervos haréis; y ofreceréis ofrenda encendida a Jehová." Levítico 23:23-25*

Además de la fiesta anual de las trompetas, en el año del jubileo también sonaban trompetas en el mismo día de expiación.

Dice Levítico: *"Y contarás siete semanas de años, siete veces siete años, de modo que los días de las siete semanas de años vendrán a serte cuarenta y nueve años. Entonces harás tocar fuertemente la trompeta en el mes séptimo a los diez días del mes; el día de la expiación haréis tocar la trompeta por toda vuestra tierra. Y santificaréis el año cincuenta, y pregonaréis libertad en la tierra a todos sus moradores; ese año os será de jubileo, y volveréis cada uno a vuestra posesión, y cada cual volverá a su familia." Levítico 25:8-10.*

Por esto, entendemos que la voz 'como de trompeta' de Jesús, no solamente anuncia el día del juicio sino también el día del perdón y liberación del pueblo de Dios. Como veremos, en el Apocalipsis nada sucede por casualidad; sino que, hasta el más simple de sus símbolos alcanza un significado especial si lo relacionamos con el resto de las Sagradas Escrituras, especialmente con lo relativo al Santuario y su servicio ceremonial.

2. Siete candeleros de oro: Dios mandó colocar dentro del Lugar Santo del Santuario del pueblo de Israel un candelero de oro puro, del cual salían seis brazos adicionales, conforme al modelo celestial que le fue mostrado a Moisés: *"Harás además un candelero de oro puro... Y saldrán seis brazos de sus lados; tres brazos del candelero a un lado, y tres brazos al otro lado...Y le harás siete lamparillas, las cuales encenderás para que alumbren hacia adelante... Mira y hazlos conforme al modelo que te ha sido mostrado en el monte." Éxodo 25:31-40*

Al relacionar estos textos, podemos entender que Cristo se encontraba en el Lugar Santo del Santuario celestial cuando comienza la visión del Apocalipsis. Aunque esto, en principio, parece correcto, tampoco debemos ser de entendimiento estrecho en este punto, dado que el propio Jesús, en este mismo capítulo de Apocalipsis, anuncia cuál es el significado –es decir, que simbolizan– los siete candeleros de oro. El dice: *"El misterio de las siete estrellas que has visto en mi diestra, y de los siete candeleros de oro: las siete estrellas son los ángeles de las siete iglesias, y los siete candeleros que has visto, son las siete iglesias." Apocalipsis 1:20*

Por esto, la interpretación más apropiada para el símbolo de los 'siete candeleros de oro', es que Jesús se encuentra en medio de ellos porque es fiel a su promesa de estar velando por el bienestar de su iglesia, todos los días, hasta el mismísimo fin del mundo. Dice Mateo: *"Y Jesús se acercó y les habló diciendo: Toda potestad me es dada en el cielo y en la tierra. Por tanto, id, y haced discípulos a todas las naciones, bautizándolos en el nombre del Padre, y del Hijo, y del Espíritu Santo; enseñándoles que guarden todas las cosas que os he mandado; y he aquí yo estoy con vosotros todos los días, hasta el fin del mundo..." Mateo 28:18-20*

Entonces, si los siete candeleros representan las siete iglesias –y estas llegan hasta el fin del mundo–, debemos abrir nuestra mente a posibles cumplimientos no solo dentro del tiempo en el que Cristo ofició en el Lugar Santo –intercediendo ante el Padre como nuestro Sumo Sacerdote–; sino también en el tiempo representado por el día de expiación, en el que Jesús descorre el velo hacia el Lugar Santísimo y se presenta ante el Padre como nuestro abogado durante el juicio de Dios; quedando la iglesia *"en el lugar santo de las cosas sagradas, con el velo quitado."* [5]

3. Ropa que llegaba hasta los pies, con cinto de oro: entendemos se trata de un ropaje de lino, dado que el profeta Daniel, en una visión complementaria, dijo: *"alcé mis ojos y miré, y he aquí un varón vestido de lino, y ceñidos sus lomos de oro de Ufaz." Daniel 10:5*

Es decir, se trata de una vestimenta muy similar a aquella que debía usar el Sumo Sacerdote cuando oficiaba dentro del Lugar Santísimo durante el día de Expiación. Dijo Dios, respecto de Aarón: *"Se vestirá la túnica santa de lino, y sobre su cuerpo tendrá calzoncillos de lino, y se ceñirá el cinto de lino, y con la mitra de lino se cubrirá. Son las santas vestiduras; con ellas se ha de vestir después de lavar su cuerpo con agua." Levítico 16:4*

---

5 Elena de White escribió: "Las verdades de este libro se dirigen a los que viven en estos últimos días. Nos encontramos en el lugar santo de las cosas sagradas, con el velo quitado [escena similar a la de Apocalipsis 1, cuando presenta a Jesús en medio de los siete candeleros]. No hemos de estar afuera. Hemos de entrar, no en forma descuidada, con pensamientos irreverentes, no con pasos impetuosos, sino con reverencia y piadoso temor [en Apocalipsis 4 también se invita a Juan a entrar al lugar Santísimo]. Nos acercamos al tiempo en que las profecías del libro del Apocalipsis han de cumplirse." TM 113

"Se habla de Cristo como caminando en medio de los candeleros de oro. Así se simboliza su relación con las iglesias. Está en constante comunicación con su pueblo. Conoce su real condición. Observa su orden, su piedad, su devoción. Aunque es el sumo sacerdote y mediador en el santuario celestial, se le representa como caminando de aquí para allá en medio de sus iglesias en la tierra. Con incansable desvelo y constante vigilancia, observa para ver si la luz de alguno de sus centinelas arde débilmente o si se apaga. Si el candelero fuera dejado al mero cuidado humano, la vacilante llama languidecería y moriría; pero él es el verdadero centinela en la casa del Señor, el fiel guardián de los atrios del templo. Su cuidado constante y su gracia sostenedora son la fuente de la vida y la luz." HAp 468

Lo cual confirma, una vez más, nuestras apreciaciones. ¿Por qué? Porque, de acuerdo con Éxodo 28, durante el tiempo ordinario, el Sumo Sacerdote debía usar una vestimenta adornada con toda clase de piedras preciosas. Sin embargo, como acabamos de leer, durante el día de Expiación, este mismo Sumo Sacerdote debía colocarse una vestimenta mucho más simple –de lino fino–, muy similar a la que posee Cristo en el contexto de las visiones de Apocalipsis 1 y Daniel 10.

¿Y qué en cuánto al cinto de oro que lleva en esta ocasión? Pues constituye otro elemento simbólico que también apunta a un tiempo de juicio. Isaías dice: *"Y será la justicia cinto de sus lomos, y la fidelidad ceñidor de su cintura." Isaías 11:5*

4. Cabellos como blanca lana: en Daniel 7 se presenta a Dios Padre con una apariencia similar, diciendo: *"Estuve mirando hasta que fueron puestos tronos, y se sentó un Anciano de días, cuyo vestido era blanco como la nieve, y el pelo de su cabeza como lana limpia; su trono llama de fuego, y las ruedas del mismo, fuego ardiente. Un río de fuego procedía y salía de delante de él; millares de millares le servían, y millones de millones asistían delante de él; el Juez se sentó, y los libros fueron abiertos..." Daniel 7:9-11*

Entendemos que los cabellos como blanca lana, más que experiencia y largura de años, también describen el contexto judicial del cual trata la escena profética; dado que los jueces, en la antigüedad, usaban este tipo de atavíos durante su actuación judicial.

De hecho, aún en la actualidad, en algunos tribunales de la justicia británica, los funcionarios judiciales utilizan pelucas blancas –con pesados rulos que caen por debajo de los hombros–, para dar solemnidad a sus actuaciones.

Por esto, los 'cabellos como blanca lana' de Cristo, indican que se trata del tiempo en el cual ya habrá obtenido, por parte de su Padre, plena autoridad judicial. El dijo a quienes le perseguían: *"De cierto, de cierto os digo: No puede el Hijo hacer nada por sí mismo, sino lo que ve hacer al Padre; porque todo lo que el Padre hace, también lo hace el Hijo igualmente... Porque el Padre a nadie juzga, sino que todo el juicio dio al Hijo, para que todos honren al Hijo como honran al Padre. El que no honra al Hijo, no honra al Padre que le envió... Porque como el Padre tiene vida en sí mismo, así también ha dado al Hijo el tener vida en sí mismo; y también le dio autoridad de hacer juicio, por cuanto es el Hijo del Hombre..." Juan 5:19-27*

El apóstol Pedro, hablando de esto, dijo: *"nos mandó que predicásemos al pueblo, y testificásemos que él es el que Dios ha puesto por Juez de vivos y muertos." Hechos 10:42*

Por su parte, el apóstol Pablo también identificó a Cristo como juez en el contexto del gran día del Señor. Dice: *"Dios, habiendo pasado por alto los tiempos de esta ignorancia, ahora manda a todos los hombres en todo lugar, que se arrepientan; por cuanto ha establecido un día [el día del Señor] en el cual juzgará al mundo con justicia, por aquel varón a quien designó, dando fe a todos con haberle levantado de los muertos." Hechos 17:30-31*

5.   Ojos como llama de fuego: representan el poder escrutador de Dios, dado que La Biblia simboliza la omnisciencia de Dios mediante la figura de ojos que lo contemplan todo. Dice:

• *"He aquí el ojo de Jehová sobre los que le temen, sobre los que esperan en su misericordia, para librar sus almas de la muerte, y para darles vida en tiempo de hambre." Salmo 33:18-19*

• *"Porque los ojos de Jehová contemplan toda la tierra, para mostrar su poder a favor de los que tienen corazón perfecto para con él..." 2 Crónicas 16:9*

• *"Porque sus ojos están sobre los caminos del hombre, y ve todos sus pasos. No hay tinieblas ni sombra de muerte donde se escondan los que hacen maldad." Job 34:21-22*

• *"Y no hay cosa creada que no sea manifiesta en su presencia; antes bien todas las cosas están desnudas y abiertas a los ojos de aquel a quien tenemos que dar cuenta." Hebreos 4:13*

Por esto, a través de este aspecto de Cristo, también podemos conocer que Apocalipsis trata acerca del tiempo en el cual Cristo juzgará al mundo con justicia. Dijo Pablo: *"pero por tu dureza y por tu corazón no arrepentido, atesoras para ti mismo ira para el día de la ira y de la revelación del justo juicio de Dios, el cual pagará a cada uno conforme a sus obras... en el día en que Dios juzgará por Jesucristo los secretos de los hombres..." Romanos 2:5-6, 16*

6.   Pies semejante a bronce bruñido: debido a que su ropa le llegaba hasta los pies, las únicas partes que Juan podía contemplar de Cristo eran el rostro, las manos y los pies. De éstos últimos, Juan describe su fulgor como de 'bronce bruñido'.

El bronce es una aleación de dos –o más– metales, principalmente cobre y estaño; así como en Cristo se funden dos naturalezas, la divina y la humana. Por esto, entendemos que los pies semejante a bronce bruñido representan al Dios que se hizo humano para librar a su pueblo de sus pecados.

De hecho, esta no es la única vez que se utiliza el bronce para representar a Cristo, dado que, de acuerdo a Números 21, a Moisés se le ordenó levantar una serpiente de bronce en el desierto a fin de que cualquiera que pusiera sus ojos en ella sea sanado de las picaduras de las serpientes que atormentaban al pueblo hebreo en su transitar hacia la Canaán terrenal. Aquella serpiente de bronce representaba a Cristo, quien, como aleación divina-humana, se haría maldito como serpiente –al cargar la culpa de nuestros pecados–, para que nosotros podamos ser salvos contemplando su infinito sacrificio.

Ahora, este aspecto de Cristo también alcanza un significado muy especial en los últimos días porque, así como en la gran aflicción que les provocaba las picaduras de serpiente al pueblo hebreo –en su transitar hacia la Canaán terrenal–, todo el que miraba a la serpiente de bronce alcanzaba sanidad; todos los que miren a este Jesús con pies como de bronce bruñido, en la gran aflicción de los últimos días, alcanzarán salvación. Gran aflicción que tendrá que sufrir el pueblo de Dios en su transitar hacia la Canaán celestial, y que será provocada, justamente, por aquella *"serpiente antigua, llamada diablo y Satanás." Ap 12:9*

Entonces, que Cristo se presente con pies de bronce bruñido, en el contexto del Apocalipsis, indica que el pueblo de Dios tiene esperanza en él. Dice Joel, en relación a aquellos días: *"El sol se convertirá en tinieblas, y la luna en sangre, antes que venga el día grande y espantoso de Jehová. Y todo aquel que invocare el nombre de Jehová será salvo; porque en el monte de Sion y en Jerusalén habrá salvación, como ha dicho Jehová, y entre el remanente al cual él habrá llamado." Joel 2:31-32*

7. **Voz como estruendo de muchas aguas:** la voz de Dios es tan poderosa que los escritores bíblicos no han encontrado otra manera que describirla 'como sonido de muchas aguas' y 'ruido de muchedumbres' (Ezequiel 1:24). Conceptos que, a su vez, están muy relacionados entre sí, dado que 'muchas aguas' es el símbolo utiliza la Biblia para referirse a multitudes (Apocalipsis 17:15). De hecho, el libro de los Salmos presenta a Dios como 'tronando' sobre las 'muchas aguas', en un claro contexto apocalíptico. Dice: *"Tributad a Jehová, oh hijos de los poderosos, dad a Jehová la gloria y el poder. Dad a Jehová la gloria debida a su nombre. Adorad a*

Jehová en la hermosura de la santidad. Voz de Jehová sobre las aguas; truena el Dios de gloria, Jehová sobre las muchas aguas. Voz de Jehová con potencia; voz de Jehová con gloria. Voz de Jehová que quebranta los cedros... Voz de Jehová que derrama llamas de fuego; voz de Jehová que hace temblar el desierto... Voz de Jehová que desgaja las encinas, y desnuda los bosques. En su templo todo proclama su gloria. Jehová preside en el diluvio, y se sienta Jehová como rey para siempre. Jehová dará poder a su pueblo; Jehová bendecirá a su pueblo con paz." Salmo 29

En este mismo contexto, el profeta Joel –citado más arriba– continúa diciendo: *"Porque he aquí que en aquellos días, y en aquel tiempo en que haré volver la cautividad de Judá y de Jerusalén, reuniré a todas las naciones, y las haré descender al valle de Josafat, y allí entraré en juicio con ellas a causa de mi pueblo... Muchos pueblos en el valle de la decisión; porque cercano está el día de Jehová en el valle de la decisión. El sol y la luna se oscurecerán, y las estrellas retraerán su resplandor. Y Jehová rugirá desde Sion, y dará su voz desde Jerusalén, y temblarán los cielos y la tierra; pero Jehová será la esperanza de su pueblo, y la fortaleza de los hijos de Israel." Joel 3:1-2, 14-16*

Otra vez, el significado de la descripción que realiza el Apocalipsis sobre la voz de Cristo apunta, justamente, a aquel gran día del Señor, en el cual Dios entrará en juicio con todas las naciones.

8.   Siete estrellas en su diestra: Según Apocalipsis 1:20, las siete estrellas representan los ángeles de las siete iglesias. Ahora, ¿qué representan los 'ángeles de las iglesias'?

En la Biblia, muchas veces se utiliza la palabra *'estrella'* para referirse a seres celestiales. Por ejemplo, Apocalipsis dice en relación al diablo: *"su cola arrastraba la tercera parte de las estrellas del cielo, y las arrojó sobre la tierra… Y fue lanzado fuera el gran dragón, la serpiente antigua, que se llama diablo y Satanás, el cual engaña al mundo entero; fue arrojado a la tierra, y sus ángeles fueron arrojados con él." Apocalipsis 12-4,9*

Sin embargo, la Biblia también usa esta palabra en relación a personas que se encuentran en posiciones de liderazgo. Por ejemplo, respecto de los hermanos de José, patriarcas de las doce tribus de Israel, dice: *"Soñó [José] aun otro sueño, y lo contó a sus hermanos, diciendo: He aquí que he soñado otro sueño, y he aquí que el sol y la luna y once estrellas se inclinaban a mí. Y lo contó a su padre y a sus hermanos; y su padre le reprendió, y le dijo: ¿Qué sueño es este que soñaste? ¿Acaso vendremos yo y tu madre y tus hermanos a postrarnos en tierra ante ti?" Génesis 37:9-10*

En definitiva, la Biblia utiliza el término *'estrella'* para referirse tanto a seres celestiales como a seres humanos que ocupan posiciones de liderazgo. Cuando estos seres dejan de ser fieles al mandato divino se les considera *'estrellas caídas'*. Tal es el caso de Lucifer y sus demonios, como de otras personas que, desde la antigüedad, han intentado infiltrarse en la iglesia de Cristo para dominarla y corromperla. Dice la Biblia: *"[estos son] estrellas errantes, para las cuales está reservada eternamente la oscuridad de las tinieblas." Judas 1:13*

Por esto, que Cristo se presente teniendo las siete estrellas en su mano derecha, indica que, en este tiempo de suprema importancia, Él está al frente de su pueblo, teniendo absoluto control sobre sus ministros y maestros.[6]

9. Espada aguda de dos filos: El apóstol Pablo presenta a la Palabra de Dios como elemento de juicio, diciendo: *"La palabra de Dios es viva y eficaz, y más cortante que toda espada de dos filos; y penetra hasta partir el alma y el espíritu, las coyunturas y los tuétanos, y discierne los pensamientos y las intenciones del corazón. Y no hay cosa creada que no sea manifiesta en su presencia; antes bien todas las cosas están desnudas y abiertas a los ojos de aquel a quien tenemos que dar cuenta." Hebreos 4:12-13*

Y Jesús afirmó: *"El que me rechaza, y no recibe mis palabras, tiene quien le juzgue; la palabra que he hablado, ella le juzgará en el día postrero." Juan 12:48*

Ahora, Apocalipsis también presenta a Cristo peleando contra los impíos con la *'espada de su boca'*. En su mensaje a las iglesias,

---

6   Elena de White explica: "Cristo fue presentado como sosteniendo las siete estrellas en su mano derecha. Esto nos asegura que ninguna iglesia que sea fiel a su cometido necesita temer la destrucción; porque ninguna estrella que tiene la protección del Omnipotente puede ser arrancada de la mano de Cristo. "El que tiene las siete estrellas en su diestra ... dice estas cosas." Apocalipsis 2:1. Estas palabras son dirigidas a los maestros de la iglesia, a aquellos a quienes Dios confió pesadas responsabilidades. Las dulces influencias que han de abundar en la iglesia están vinculadas estrechamente con los ministros de Dios, quienes deben revelar el amor de Cristo. Las estrellas del cielo están bajo su dirección. Las llena de luz; guía y dirige sus movimientos. Si no lo hiciera, llegarían a ser estrellas caídas. Así es con sus ministros. Son instrumentos en sus manos, y todo lo bueno que pueden hacer es realizado por medio del poder divino. Por medio de ellos se difunde la luz del Salvador, quien ha de ser su eficiencia. Si tan solo miraran a él como él miraba al Padre, serían capacitados para hacer su obra. Cuando dependan de Dios, él les dará su esplendor para reflejarlo al mundo." HAp 468

Jesús dice: *"...tienes a los que retienen la doctrina de los nicolaítas, la que yo aborrezco [algo que explicaremos más adelante]. Por tanto, arrepiéntete; pues si no, vendré a ti pronto, y pelearé contra ellos con la espada de mi boca."* Apocalipsis 2:15-16

Más adelante, al describir el regreso de Cristo, Apocalipsis dice: *"De su boca sale una espada aguda, para herir con ella a las naciones, y él las regirá con vara de hierro; y él pisa el lagar del vino del furor de la ira del Dios Todopoderoso." Apocalipsis 19:15*

Por esto, entendemos que la espada aguda que sale de su boca, apunta nuevamente al día de expiación, dado que es en este contexto cuando Dios ejecutará su juicio sobre los impíos, destruyéndolos con el aliento de su boca. Isaías, hablando del Mesías, escribió: *"juzgará con justicia a los pobres, y argüirá con equidad por los mansos de la tierra; y herirá la tierra con la vara de su boca, y con el espíritu de sus labios matará al impío." Isaías 11:4*

10. Rostro como el sol: Dios se define a sí mismo como un Dios de luz. Dice la Biblia: *"Dios es luz, y no hay ningunas tinieblas en él." "El revela lo profundo y lo escondido; conoce lo que está en tinieblas, y con él mora la luz." "[El es] el único que tiene inmortalidad, que habita en luz inaccesible…"* 1 Juan 1:5; Daniel 2:22; 1 Timoteo 6:16

También Apocalipsis, al describir la ciudad de Dios, la nueva Jerusalén, dice: *"La ciudad no tiene necesidad de sol ni de luna que brillen en ella; porque la gloria de Dios la ilumina, y el Cordero es su lumbrera." Apocalipsis 21:23*

Sin embargo, la Biblia también vincula este aspecto del rostro de Cristo con lo que venimos exponiendo en relación a que el Apocalipsis es un libro escrito en el contexto de los juicios de Dios, más específicamente en relación a su etapa ejecutiva. Dice Malaquías: *"Porque he aquí, viene el día ardiente como un horno, y todos los soberbios y todos los que hacen maldad serán estopa; aquel día que vendrá los abrasará, ha dicho Jehová de los ejércitos, y no les dejará ni raíz ni rama. Mas a vosotros los que teméis mi nombre, nacerá el Sol de justicia, y en sus alas traerá salvación; y saldréis, y saltaréis como becerros de la manada. Hollaréis a los malos, los cuales serán ceniza bajo las plantas de vuestros pies, en el día en que yo actúe, ha dicho Jehová de los ejércitos." Malaquías 4:1-3*

Entonces, en este contexto, el rostro 'como de sol' de Cristo representa la misericordia y la salvación de Dios hacia los justos en el día de su ira, en contraste con la espada de su boca, que será la recompensa de los impíos.

En resumen, a lo largo de las 10 descripciones que da el Apocalipsis sobre el 'Hijo del Hombre', podemos apreciar, en todas ellas, atributos de Dios en la persona de Jesús, el cual se presenta ante su amado discípulo con apariencia humana pero en gloria divina, en un claro contexto del gran día de Expiación.

En este sentido, es importante destacar que el profeta Daniel ya había descrito a Jesús de una manera muy similar, unos 700 años antes, en una visión sobre lo que ocurriría con el pueblo de Dios en el fin de los días. Dice: *"El día veinticuatro del primer mes, estando a orillas del río grande, el Tigris, levanté los ojos para ver. Vi esto: Un hombre vestido de lino, ceñidos los lomos de oro puro: su cuerpo era como de crisólito, su rostro, como el aspecto del relámpago, sus ojos como antorchas de fuego, sus brazos y sus piernas como el fulgor del bronce bruñido, y el son de sus palabras como el ruido de una multitud... Quedé yo solo contemplando esta gran visión; estaba sin fuerzas; se demudó mi rostro, desfigurado, y quedé totalmente sin fuerzas... Luego me dijo: «No temas, Daniel, porque desde el primer día en que tú intentaste de corazón comprender y te humillaste delante de tu Dios, fueron oídas tus palabras, y precisamente debido a tus palabras he venido yo... y he venido a manifestarte lo que le ocurrirá a tu pueblo al fin de los días..." Daniel 10:4-14 BJ* [7]

Por todo esto, si estamos de acuerdo en que la visión del Hijo del Hombre de Apocalipsis 1 es congruente y asemejable con la de Daniel 10, y si hemos leído bien que las revelaciones dadas al profeta Daniel tienen que ver con el 'fin de los días', tenemos que comprender que esto tiene una importancia fundamental en los principios de interpretación

---

7   Elena de White comenta: "Esta descripción es similar a la que fue dada por Juan cuando Cristo se le reveló en la isla de Patmos. Un personaje nada menor que el Hijo de Dios fue el que le apareció a Daniel. Nuestro Señor viene con otro mensajero celestial para enseñar a Daniel lo que ha de acontecer en los días finales. Las grandes verdades reveladas por la palabra del Redentor están destinadas a aquellos que investigan la verdad para encontrar los tesoros escondidos. Daniel era un hombre de edad. Su vida había transcurrido entre las fascinaciones de una corte pagana, y su mente estaba fatigada con los asuntos de un gran imperio. Sin embargo, él se aparta de todas estas cosas para afligir su alma delante de Dios, y buscar un conocimiento de los propósitos del Altísimo. Y en respuesta a sus súplicas, se le envía luz de las cortes del cielo, destinada a aquellos que vivieran en los días finales. ¡Con qué fervor, pues, debiéramos buscar a Dios, a fin de que él nos abra nuestro entendimiento para comprender las verdades que nos fueron traídas del cielo!" ECFP 48

que aplicaremos al texto apocalíptico de aquí en adelante. Porque, si lo que hemos expuesto hasta aquí –en relación a que el Apocalipsis es dado en el contexto del juicio de Dios– es verdad, quizá muchas de las cosas que hayamos comprendido alguna vez acerca de este libro tengan que reconsiderarse.

El tiempo del Apocalipsis

El tiempo para el cual fue dada la revelación del Apocalipsis es un asunto de gran discusión para muchos. Algunos aplican casi todo a un pasado remoto, otros lo llevan todo a un futuro lejano y pocos lo aplican a sus vidas. Sin embargo, Jesús, desde el mismo capítulo inicial, se ocupa de aclarar este asunto, diciéndole a Juan: *"Escribe las cosas que has visto, y las que son, y las que han de ser después de estas." Apocalipsis 1:19*

Las cosas que Dios revela en el Apocalipsis claramente se aplican a un presente y a un futuro determinado. Ahora, ¿cuál es el presente del Apocalipsis? Para responder adecuadamente a esta pregunta, es necesario ahondar el concepto de 'multidimensionalidad' de la Palabra profética.

En este sentido, el Apocalipsis, como ya hemos visto, *'debía ser escrito y enviado a siete iglesias que estaban en Asia: Éfeso, Esmirna, Pérgamo, Tiatira, Sardis, Filadelfia y Laodicea' (Ap 1:11)*. Razón por la cual, alcanza un primer cumplimiento en los días de estas iglesias. *"Las cosas que son"*, en este caso, se refieren a las cosas que estaban ocurriendo en los días de Juan, más precisamente, en el día sábado en el que recibió la revelación del Apocalipsis; y 'las cosas que serían después de esas' harían referencia a los sucesos que les esperaban a estas iglesias.

Por ejemplo, cuando a Esmirna se le dice *"He aquí, el diablo echará a algunos de vosotros en la cárcel, para que seáis probados, y tendréis tribulación por diez días. Sé fiel hasta la muerte, y yo te daré la corona de la vida" (Ap 2:10)*, un primer cumplimiento lo podemos corroborar en las persecuciones que sufrió la iglesia en Esmirna en los días apostólicos.

Ahora, ya hemos explicado que los hermanos de las iglesias de Asia no eran los únicos destinatarios del Apocalipsis, puesto que existe una bienaventuranza para todo aquel que *"lee, y los que oyen las palabras de esta profecía, y guardan las cosas en ella escritas" (Ap 1:3)*. Por esto, entendemos que aquellas iglesias fueron puestas como símbolos proféticos para enseñarnos lo que ocurriría a lo largo de la historia.

Como dijo Pablo: *"Todas estas cosas les sucedieron a ellos en figura y fueron escritas para amonestarnos a nosotros, a quienes tocó vivir en la última fase de los tiempos." 1 Corintios 10:11 N-C*

En este otro sentido, también podemos entender el presente del Apocalipsis en los días de Juan, pero las cosas que sucederían después se verificarían en los sucesos que le tocaría vivir a la iglesia a lo largo de la historia, hasta el regreso de Cristo. Volviendo al ejemplo anterior, en este segundo cumplimiento profético, Esmirna vendría a representar lo que le tocaría vivir a la iglesia en un período de tiempo futuro que, como veremos, se verificaría aproximadamente entre el 100 y el 313 d.C.[8]

Pero también podemos considerar un tercer tiempo inicial del Apocalipsis, y es el que se refiere al presente profético. ¿Qué quiero decir? Que Juan fue transportado en visión a un espacio y tiempo diferente al suyo, por lo que debemos poner atención a los detalles del contexto para identificar a qué tiempo de la historia profética fue transportado el apóstol.

Ya hemos comentado que la expresión *'yo estaba en el espíritu en el día del Señor'* –que aparece en Apocalipsis 1:10–, se refiere no solo a que Juan estaba adorando a Dios en el séptimo día de la semana, sino también a

---

8   Elena de White escribió: "Juan fue fortalecido para vivir en la presencia de su Señor glorificado. Entonces ante sus maravillados ojos fueron abiertas las glorias del cielo. Le fue permitido ver el trono de Dios y, mirando más allá de los conflictos de la tierra, contemplar la hueste de los redimidos con sus vestiduras blancas. Oyó la música de los ángeles del cielo, y los cantos de triunfo de los que habían vencido por la sangre del Cordero y la palabra de su testimonio. En la revelación que vio se desarrolló una escena tras otra de conmovedor interés en la experiencia del pueblo de Dios, y la historia de la iglesia fue predicha hasta el mismo fin del tiempo. En figuras y símbolos, se le presentaron a Juan asuntos de gran importancia, que él debía registrar para que los hijos de Dios que vivían en su tiempo y los que vivieran en siglos futuros pudieran tener una comprensión inteligente de los peligros y conflictos que los esperaban... En el Apocalipsis están reveladas las cosas profundas de Dios. El nombre mismo que fue dado a sus páginas inspiradas: El Apocalipsis o la Revelación, contradice la afirmación de que es un libro sellado. Una revelación es algo revelado. El Señor mismo reveló a su siervo los misterios contenidos en dicho libro y es su propósito que estén abiertos al estudio de todos. Sus verdades se dirigen tanto a los que viven en los últimos días de la historia de esta tierra como a los que vivían en los días de Juan. Algunas de las escenas descritas en esa profecía pertenecen al pasado, otras se están cumpliendo ahora; algunas tienen que ver con el fin del gran conflicto entre los poderes de las tinieblas y el Príncipe del cielo, y otras revelan los triunfos y alegrías de los redimidos en la tierra nueva." HAp 465-466

que fue transportado en visión al tiempo del juicio de Dios –representado en el sistema festivo del Santuario terrenal por el día de expiación, auténtico sábado y día del Señor en todas sus implicancias–.

Lo cual nos llevaría a comprender un asombroso cumplimiento del Apocalipsis en el tiempo del fin, más precisamente en el contexto del juicio ejecutivo de Dios.[9]

En conclusión, vemos una vez más la necesidad de expandir nuestra mente a la hora de analizar e interpretar el Apocalipsis, dado que la Palabra de Dios es mucho más profunda y abarcante que la nuestra. Debemos, por lo tanto, comprender esto; y comprender que el 'Jesús' que reveló el Apocalipsis es el mismo que contestó sobre las señales que indicarían la inminencia de la destrucción de Jerusalén y las que anunciarían el fin del mundo en un mismo discurso.

Debemos también aprender a estudiar la Biblia y ponderar la enseñanza inspirada por sobre las meras palabras humanas, porque en la Biblia, y en todos los escritos inspirados, los profetas de Dios son claros. Por lo general somos los comentadores quienes juntamos y quienes desparramamos.

Otro punto importante, es que debemos considerar todas las citas que hablan sobre un mismo punto. Por lo general las personas suelen enfrascarse en determinadas expresiones que avalan las ideas que ellos tienen sobre la Biblia, dejando de lado las que no se corresponden con sus pensamientos. Esto debemos evitarlo.

El verdadero cristiano se acerca a la revelación profética con mente abierta, a fin de ser instruidos por el Espíritu Santo; para comprender cada texto en detalle y en conjunto, pues las distintas enseñanzas de Dios no se contradicen entre sí, sino que más bien se complementan.

---

9 Elena de White afirma: "Dios, Cristo y la hueste celestial fueron compañeros de Juan en la isla de Patmos. De ellos recibió instrucciones que impartió a aquellos que con él estaban separados del mundo. Allí escribió las revelaciones y visiones que recibió de Dios para narrar las cosas que ocurrirían en el período final de la historia de esta tierra. Cuando su voz ya no testificara más de la verdad, cuando no pudiese atestiguar más en favor de Aquel que amaba y servía, los mensajes que se le dieron en aquella costa rocosa y árida se esparcirían como una lámpara que alumbra. Toda nación, tribu, lengua y pueblo llegaría a conocer el seguro propósito del Señor, no solo con respecto a la nación judía, sino a cada nación de la tierra.–Manuscrito 150 (1899)." CT 314

Por todo esto, el propósito de nuestro trabajo es llevar a su consideración este 'cumplimiento multidimensional' que tiene Apocalipsis, con especial énfasis en las cosas que atañen a nuestro tiempo y que, por lo general, son las más desconocidas y pasadas por alto por la mayoría de la cristiandad.[10]

Vuelve a leer, ahora mismo, Apocalipsis 1 y comprueba como ya se han abierto ante tus ojos.

---

10   Elena de White escribió: "Nos hallamos en el umbral de grandes y solemnes acontecimientos. Muchas de las profecías están por cumplirse en rápida sucesión. Todo elemento de poder está por ser puesto en acción. La historia pasada se repetirá; viejos conflictos resurgirán a una nueva vida, y el peligro asediará a los hijos de Dios por doquiera.

Estudiad el Apocalipsis en relación con Daniel, porque la historia se repetirá... Nosotros, con todas nuestras ventajas religiosas, debiéramos saber hoy mucho más de lo que sabemos.

Los ángeles anhelan mirar las verdades que son reveladas a aquellos que, con corazón contrito, investigan la Palabra de Dios y oran para obtener mayores longitudes y anchuras y profundidades y alturas [notar concepto de 'multidimensionalidad'] del conocimiento que solo el Señor puede dar." TM 116

Capítulo 2
El juicio a la iglesia

Apocalipsis es un libro que, más allá de sus impresionantes revelaciones –que nos llegan desde el mismísimo trono del Padre–, es tremendamente lógico y ordenado en su desarrollo. Nada sucede por casualidad aquí, sino que, en cada detalle, encontramos el orden y la sabiduría propios de su autor.

Así como en nuestras comunicaciones actuales nosotros diferenciamos los diferentes *factores de una comunicación* –tales como el *emisor*, el *receptor*, el *canal*, el *código*, el *mensaje* y la *situación* o *contexto*–; en el capítulo inicial de Apocalipsis, Dios se presenta a sí mismo como el autor y emisor de la revelación, a Juan y su escritura el canal de comunicación escogido, y a las 'siete iglesias' como su destinatario o receptor; brindando, además, información suficiente en cuanto al contexto y al tiempo para el cual fue dado el mensaje, en códigos de símbolos, visiones y declaraciones que, desde su mismo comienzo, deben ser decodificados a través de la propia Palabra de Dios.

De la misma manera, en los capítulos subsiguientes Apocalipsis presenta el *mensaje* que Dios envía con un apartado especial en donde, antes de revelar lo que sucederá en el mundo durante el gran día de Señor, se detiene a realizar un cuidadoso examen de su pueblo –con llamados, represiones y promesas– para que pueda atravesar victorioso los terribles días que le esperan y estar de pie ante la venida del Hijo del Hombre.

En consecuencia, en este segundo capítulo se presentará el mensaje de Cristo para las iglesias de: Éfeso, Esmirna, Pérgamo y Tiatira; y en el siguiente para las de: Sardis, Filadelfia y Laodicea.

Sin embargo, Apocalipsis es mucho más que un mensaje para siete iglesias antiguas. En realidad, como hemos mencionado, aquellas iglesias fueron escogidas por Dios porque representaban no solo lo que le tocaría vivir a la plenitud de su iglesia de aquel momento sino también a lo largo de la historia y, de manera especial, a la que estaría presente en el tiempo de su segunda venida.

En efecto, en cada uno de los mensajes a las iglesias, se dice: *"El que tenga oído, oiga lo que el Espíritu dice a las iglesias" (Ap 2:7,11,17,29 y 3:6,13,22).* Puesto que todos tenemos oído, todos deberíamos prestar atención no solo a lo que el Espíritu dice a una iglesia sino a todas ellas, dado que dice: *"oiga lo que el Espíritu dice a las iglesias",* es decir, a todas ellas.

Como veremos a continuación, en todos los casos, Jesús se dirigirá en primer lugar a los líderes de su iglesia, enviando un mensaje que contiene:

• Una revelación de sí mismo;

• Un análisis de la situación particular de esa iglesia –reconociendo sus obras buenas y reprendiendo las malas–, indicando el camino que debe seguir para salir victoriosa; y

• Una promesa relacionada con la Patria Celestial, dirigida a 'los vencedores'.

Todo lo cual constituye un llamado al arrepentimiento de parte de Cristo a su iglesia, basado en el análisis que ha venido realizando –en su juicio investigador– y en consideración de la proximidad de su juicio ejecutivo. Juicio que es benigno –porque su fin es de salvación– pero veraz y certero al mismo tiempo; y que, tal como anuncia el apóstol Pedro, debe comenzar por la casa de Dios. El dijo: *"Porque es tiempo de que el juicio comience por la casa de Dios; y si primero comienza por nosotros, ¿cuál será el fin de aquellos que no obedecen al evangelio de Dios?" 1 Pedro 4:17*

Entonces, si el Apocalipsis es la revelación de lo que ocurrirá cuando Dios ejecute su juicio, y éste debe comenzar por la casa de Dios; es lógico que Apocalipsis nos presente, en primer lugar, el juicio de Dios sobre su iglesia, comenzando por sus dirigentes.

En este sentido, no por casualidad, en cada uno de los mensajes a las iglesias, Jesús se dirige a ellos, diciendo: *"Yo conozco tus obras" (Ap 2:2, 9, 13, 19 y 3:1, 8, 15).* Lo cual es muy significativo desde el punto de vista de su juicio, dado que éste se realizará en base a las obras de cada uno. Dice el mismo Apocalipsis *"Y vi un gran trono blanco y al que estaba sentado en él, de delante del cual huyeron la tierra y el cielo, y ningún lugar se encontró para ellos. Y vi a los muertos, grandes y pequeños, de pie ante Dios; y los libros fueron abiertos, y otro libro fue abierto, el cual es el libro de la vida; y fueron juzgados los muertos por las cosas que estaban escritas en los libros, según sus obras." Apocalipsis 20:11-12*

También el apóstol Pablo fue muy claro, cuando dijo: *"por tu dureza y por tu corazón no arrepentido, atesoras para ti mismo ira para el día de la ira y de la revelación del justo juicio de Dios, el cual pagará a cada uno conforme a sus obras: vida eterna a los que, perseverando en bien hacer, buscan gloria y honra e inmortalidad, pero ira y enojo a los que son contenciosos y no obedecen a la verdad, sino que obedecen a la injusticia." Romanos 2:5-8*

Por esto, nuestro estudio se enfocará en el significado que estos mensajes tienen en la actualidad, recurriendo a sus cumplimientos originales e históricos del pasado al solo efecto de poder comprender el significado presente de la Palabra de Dios para nuestra generación, dejando a interés del lector la investigación de mayores detalles de cumplimientos y aplicaciones proféticas en el pasado.

Primera iglesia: Éfeso

En el mensaje a la iglesia de Éfeso, Jesús habla presentándose como aquel que, estando en permanente cuidado de su iglesia, tiene a sus dirigentes en su mano derecha. Dice: *"Escribe al ángel de la iglesia en Éfeso [es decir, escribe a los dirigentes de ésta]: El que tiene las siete estrellas en su diestra [es decir, el que los tiene a todos ustedes en su mano más fuerte], el que anda en medio de los siete candeleros de oro [es decir, el que además también está en permanente cuidado de su iglesia], dice esto: Yo conozco tus obras, y tu arduo trabajo y paciencia; y que no puedes soportar a los malos, y has probado a los que se dicen ser apóstoles, y no lo son, y los has hallado mentirosos; y has sufrido, y has tenido paciencia, y has trabajado arduamente por amor de mi nombre, y no has desmayado. Pero tengo contra ti, que has dejado tu primer amor. Recuerda, por tanto, de dónde has caído, y arrepiéntete, y haz las primeras obras; pues si no, vendré pronto a ti, y quitaré tu candelero de su lugar, si no te hubieres arrepentido. Pero tienes esto, que aborreces las obras de los nicolaítas, las cuales yo también aborrezco. El que tiene oído, oiga lo que el Espíritu dice a las iglesias. Al que venciere, le daré a comer del árbol de la vida, el cual está en medio del paraíso de Dios." Apocalipsis 2:2-7*

Significado original

Éfeso era, en la antigüedad, una ciudad de Asia Menor situada cerca de la actual Turquía. Lo que caracterizó a la iglesia cristiana que habitó en aquella ciudad fue su celo y entusiasmo en el trabajo incansable por Cristo, haciendo que, en circunstancias de terrible oposición de parte de judíos y paganos, el Evangelio del reino se divulgara rápidamente por todo aquel territorio.[11]

Aún así, esta iglesia tuvo que sufrir muchos ataques de falsa doctrina. El apóstol Pablo, de camino en su último viaje a Jerusalén, reunió a sus dirigentes y les dijo: *"mirad por vosotros, y por todo el rebaño en que el Espíritu Santo os ha puesto por obispos, para apacentar la iglesia del Señor, la cual él ganó por su propia sangre. Porque yo sé que después de mi partida entrarán en medio de vosotros lobos rapaces, que no perdonarán al rebaño. Y de vosotros mismos se levantarán hombres que hablen cosas perversas para arrastrar tras sí a los discípulos."* Hechos 20:28-30

Luego de esto, este mismo apóstol Pablo les escribió desde prisión, diciendo: *"Yo pues, preso en el Señor, os ruego que andéis como es digno de la vocación con que fuisteis llamados... para que ya no seamos niños fluctuantes, llevados por doquiera de todo viento de doctrina, por estratagema de hombres que para engañar emplean con astucia las artimañas del error."* Efesios 4:1,14

Lo cierto es que, gracias al arduo trabajo y fidelidad de sus dirigentes, esta iglesia pudo repeler con éxito todos los ataques de falsos maestros que el enemigo intentó introducir. Por esto Jesús, en su juicio hacia ellos, le reconoce: *"Yo conozco tus obras, y tu arduo trabajo y paciencia; y que no puedes soportar a los malos, y has probado a los que se dicen ser apóstoles, y no lo son, y los has hallado mentirosos; y has sufrido, y has tenido paciencia, y has trabajado arduamente por amor de mi nombre, y no has desmayado."* Apocalipsis 2:2-3

No obstante sus buenas obras, Jesús les apunta algo de suma importancia que estaba haciendo peligrar su utilidad y su salvación, les dice: *"pero tengo contra ti, que has dejado tu primer amor" (Ap 2:4).* Al parecer, luego de tanto lidiar con tantas falsas doctrinas que intentaban introdu-

---

11   Elena de White comenta: "Al principio, la iglesia de Éfeso se distinguía por su sencillez y fervor. Los creyentes trataban seriamente de obedecer cada palabra de Dios, y sus vidas revelaban un firme y sincero amor a Cristo. Se regocijaban en hacer la voluntad de Dios porque el Salvador moraba constantemente en sus corazones. Llenos de amor para con su Redentor, su más alto propósito era ganar almas para él. No pensaron en atesorar para sí el precioso tesoro de la gracia de Cristo. Sentían la importancia de su vocación y, cargados con el mensaje: "Sobre la tierra paz; entre los hombres buena voluntad," ardían en deseos de llevar las buenas nuevas de la salvación a los rincones más remotos de la tierra. Y el mundo conoció que ellos habían estado con Jesús. Pecadores arrepentidos, perdonados, limpiados y santificados se allegaron a Dios por medio de su Hijo." HAp 462

cirse, los dirigentes de Éfeso perdieron el foco de su atención en Cristo y se enfrascaron en vanas discusiones que terminaron por apartarlos de su camino original. De esta manera, el enemigo estaba logrando su fin, dado que, aunque fue repelido en sus engaños, logró que esta iglesia se apartara de Cristo; por lo que se tornó fría y legalista.[12]

Una iglesia tal no contaba con la aprobación de Dios, por lo que Jesús, en el mensaje apocalíptico, les realiza una amorosa pero clara invitación: *"Recuerda, por tanto, de dónde has caído, y arrepiéntete, y haz las primeras obras; pues si no, vendré pronto a ti, y quitaré tu candelero de su lugar, si no te hubieres arrepentido." Apocalipsis 2:4-5*

La 'venida de Cristo', en este contexto, implica un juicio ejecutorio, dado que el hecho de 'quitar un candelero' implica rechazar a quienes están encargados de llevar la luz del evangelio. Algo que Jesús ya había efectuado con los dirigentes de la iglesia judía, cuando les dijo: *"Por tanto os digo, que el reino de Dios será quitado de vosotros, y será dado a gente que produzca los frutos de él." Mateo 21:43.*

Sin dudas, se trata de una tremenda represión de parte de Jesús a los dirigentes de esta iglesia. No obstante, en este punto de su juicio, nuestro Señor vuelve a rescatar algo que llenaba su corazón, diciéndoles: *"Pero tienes esto, que aborreces las obras de los nicolaítas, las cuales yo también aborrezco." Apocalipsis 2:6*

---

12   Elena de White comenta: "Después de un tiempo el celo de los creyentes [de Éfeso] comenzó a disminuir, y su amor hacia Dios y su amor mutuo decreció. La frialdad penetró en la iglesia. Algunos se olvidaron de la manera maravillosa en que habían recibido la verdad. Uno tras otro, los viejos portaestandartes cayeron en su puesto. Algunos de los obreros más jóvenes, que podrían haber sobrellevado las cargas de los soldados de vanguardia, y así haberse preparado para dirigir sabiamente la obra, se habían cansado de las verdades tan a menudo repetidas. En su deseo de algo novedoso y sorprendente, intentaron introducir nuevas fases de doctrina, más placenteras para muchas mentes, pero en desarmonía con los principios fundamentales del Evangelio. A causa de su confianza en sí mismos y su ceguera espiritual no pudieron discernir que esos sofismas serían causa de que muchos pusieran en duda las experiencias anteriores, y así producirían confusión e incredulidad. Al insistirse en esas doctrinas falsas y aparecer diferencias, la vista de muchos fue desviada de Jesús, como el autor y consumador de su fe. La discusión de asuntos de doctrina sin importancia, y la contemplación de agradables fábulas de invención humana, ocuparon el tiempo que debiera haberse dedicado a predicar el Evangelio. Las multitudes que podrían haberse convencido y convertido por la fiel presentación de la verdad, quedaban desprevenidas. La piedad menguaba rápidamente y Satanás parecía estar a punto de dominar a los que decían seguir a Cristo." HAp 463

¿Quienes eran los 'nicolaítas' y cuáles eran sus obras? La enciclopedia en línea Wikipedia, dice: "...es probable que el término "nicolaítas" tenga su raíz en dos palabras griegas *'nico'* y *'laos'*. *'Nico'* significa conquistar o estar sobre otros; y *'laos'* significa pueblo, gente común, y es la raíz de la palabra laico, dando a entender que es una especie de jerarquía que pretendía conquistar la iglesia primitiva." [13]

Por esto, es probable que se designe con el término 'nicolaítas' a quienes establecieron el dominio de las jerarquías sobre la iglesia, los cuales eran un grupo de personas que se consideraban a sí mismas superiores a los creyentes comunes.

En el comentario del Apocalipsis más antiguo que se conoce, escrito en el siglo II por Victorino de Petovio, se describe a los nicolaítas como «hombres falsos y turbadores que ministrando bajo el nombre de Nicolás crearon para ellos una herejía diciendo que las viandas ofrecidas a los ídolos podían ser exorcizadas y luego comidas, y que cualquiera que cometiere fornicación podía recibir la paz al octavo día».[14]

Otros, como Ireneo, afirmaron que los nicolaítas eran un grupo de gnósticos que combinaban ideas filosóficas griegas con creencias orientales. Estos gnósticos, respetados e influyentes intelectuales de los primeros siglos, se infiltraron en la iglesia cristiana primitiva difundiendo la idea de un dios inalcanzable, perfecto y distante, que no se relacionaba con seres imperfectos como los humanos. Afirmaban que los espíritus procedían de ese dios y que los seres humanos podían salvarse a sí mismos a través del conocimiento supremo [gnosis], el cual era secreto y espiritual, buscando lo divino dentro de sí mismos de manera mística e intuitiva.

También creían en la existencia de un ser malvado llamado "Demiurgo", responsable de la creación de la materia, y veían al espíritu como el bien y la materia como el mal, lo que generaba una lucha interna.

Estos "gnósticos cristianos" negaban que Jesucristo fuera el Hijo de Dios, considerándolo un hombre común, aunque altamente evolucionado, cuya verdadera misión era enseñar a los hombres el principio de salvarse a sí mismos. Según ellos, no era necesaria la obediencia a la verdad ni el perdón de los pecados, dado que lo que se hiciera con el cuerpo no afecta-

---

13   https://es.wikipedia.org/wiki/Nicolaítas

14   St. Victorinus of Pettau, Commentary on the Apocalypse, 2.1

ba la pureza del alma, por lo que practicaban toda clase de inmoralidades. Otros castigaban y maltrataban el cuerpo a fin de liberar al espíritu.[15]

Hipólito, por su parte, también afirmó que había evidencia histórica de una secta gnóstica llamada "los nicolaítas", aproximadamente un siglo después de Cristo.[16]

Todo lo cual está en consonancia con las palabras que escribió Judas –no el traidor– en la Biblia, sobre hombres corruptos de entendimiento que, por el pernicioso deseo de conquistar la iglesia, introdujeron doctrinas que pervirtieron el evangelio. Él escribió: *"Amados… me ha sido necesario escribiros exhortándoos que contendáis ardientemente por la fe que ha sido una vez dada a los santos, porque algunos hombres han entrado encubiertamente… hombres impíos, que convierten en libertinaje la gracia de nuestro Dios, y niegan a Dios el único soberano, y a nuestro Señor Jesucristo… estos soñadores mancillan la carne, rechazan la autoridad y blasfeman de las potestades superiores… blasfeman de cuantas cosas no conocen; y en las que por naturaleza conocen, se corrompen como animales irracionales. ¡Ay de ellos! Porque han seguido el camino de Caín, y se lanzaron por lucro en el error de Balaam… Estos son manchas en vuestros ágapes, que comiendo impúdicamente con vosotros se apacientan a sí mismos; nubes sin agua, llevadas de acá para allá por los vientos; árboles otoñales, sin fruto, dos veces muertos y desarraigados; fieras ondas del mar, que espuman su propia vergüenza; estrellas errantes, para las cuales está reservada eternamente la oscuridad de las tinieblas… murmuradores, querellosos, que andan según sus propios deseos, cuya boca habla cosas infladas, adulando a las personas para sacar provecho… Estos son los que causan divisiones; los sensuales, que no tienen al Espíritu." Judas 1:1-19* [17]

---

15   Ireneo de Lyon vivió entre los años 130 al 202, nació en Esmirna y fue discípulo de Policarpo (el cual a su vez fue discípulo de Juan). Es considerado como el más importante adversario del gnosticismo del siglo II. Dijo: "Juan el discípulo del Señor, predica esta fe [la divinidad de Cristo], y mediante la proclamación del Evangelio procura quitar aquel error que había sido diseminado entre los hombres por Cerinto, y mucho tiempo antes por los llamados nicolaítas, que son una rama de aquella falsamente llamada 'ciencia', a fin de poder confundirlos y persuadirlos de que solo hay un Dios que hizo todas las cosas por su Palabra" (Ireneo, Contra herejías iii. 11.1; i. 26,3)

16   Hipólito, Refutación de todas las herejías vii. 24

17   Johannes Cocceius, consideraba que el nombre Balaam [del hebreo בלע = depredador, עם = pueblo] podría ser interpretado como 'depredador o conquistador del pueblo', siendo un equivalente hebreo del término griego 'nicolaíta'. (Cocceius Johannes (1665) Cogitationes de apocalypsi S.Johannis theologi, II, v.6. p.28).

El apóstol Pedro también exhortó en este mismo sentido, diciendo: *"Hubo también falsos profetas entre el pueblo, como habrá entre vosotros falsos maestros, que introducirán encubiertamente herejías destructoras, y aun negarán al Señor que los rescató, atrayendo sobre sí mismos destrucción repentina. Y muchos seguirán sus disoluciones, por causa de los cuales el camino de la verdad será blasfemado, y por avaricia harán mercadería de vosotros con palabras fingidas. Sobre los tales ya de largo tiempo la condenación no se tarda, y su perdición no se duerme... sabe el Señor librar de tentación a los piadosos, y reservar a los injustos para ser castigados en el día del juicio; y mayormente a aquellos que, siguiendo la carne, andan en concupiscencia e inmundicia, y desprecian el señorío. Atrevidos y contumaces, no temen decir mal de las potestades superiores, mientras que los ángeles, que son mayores en fuerza y en potencia, no pronuncian juicio de maldición contra ellas delante del Señor. Pero éstos, hablando mal de cosas que no entienden, como animales irracionales, nacidos para presa y destrucción, perecerán en su propia perdición, recibiendo el galardón de su injusticia, ya que tienen por delicia el gozar de deleites cada día. Estos son inmundicias y manchas, quienes aun mientras comen con vosotros, se recrean en sus errores. Tienen los ojos llenos de adulterio, no se sacian de pecar, seducen a las almas inconstantes, tienen el corazón habituado a la codicia, y son hijos de maldición. Han dejado el camino recto, y se han extraviado siguiendo el camino de Balaam hijo de Beor, el cual amó el premio de la maldad, y fue reprendido por su iniquidad; pues una muda bestia de carga, hablando con voz de hombre, refrenó la locura del profeta. Estos son fuentes sin agua, y nubes empujadas por la tormenta; para los cuales la más densa oscuridad está reservada para siempre. Pues hablando palabras infladas y vanas, seducen con concupiscencias de la carne y disoluciones a los que verdaderamente habían huido de los que viven en error. Les prometen libertad, y son ellos mismos esclavos de corrupción."* 2 Pedro 2:1-3, 9-19

Como vemos, es evidente la intensa lucha que tuvo que librar aquella naciente iglesia contra la infiltración de doctrinas y prácticas perniciosas. En este sentido, el apóstol Pablo, justamente en su carta a los Efesios, les dijo: *"Esto, pues, digo y requiero en el Señor: que ya no andéis como los otros gentiles, que andan en la vanidad de su mente, teniendo el entendimiento entenebrecido, ajenos de la vida de Dios por la ignorancia que en ellos hay, por la dureza de su corazón; los cuales, después que perdieron toda sensibilidad, se entregaron a la lascivia para cometer con avidez toda clase de impureza. Mas vosotros no habéis aprendido así a Cristo... Sed, pues, imitadores de Dios como hijos amados. Y andad en amor, como también Cristo nos amó, y se entregó a sí mismo por nosotros, ofrenda y sacrificio a Dios en olor fragante. Pero fornicación y toda inmundicia, o avaricia, ni aun se nombre entre vosotros, como conviene a santos; ni palabras deshonestas, ni necedades, ni truhanerías, que no convienen, sino antes bien acciones de gracias. Porque sabéis esto, que ningún fornicario, o inmundo, o avaro, que es idólatra, tiene herencia en el reino de Cristo y de Dios. Nadie os engañe con palabras vanas, porque por estas cosas viene la ira de Dios sobre los hijos de desobediencia. No seáis, pues, partícipes con ellos." Efesios 4:17-20 y 5:1-7*

El apóstol Juan, también escribió: *"Amados, no creáis a todo espíritu, sino probad los espíritus si son de Dios; porque muchos falsos profetas han salido por el mundo." 1 Juan 4:1*

Todo lo cual cumplía aquellas palabras de Jesús: *"Guardaos de los falsos profetas, que vienen a vosotros con vestidos de ovejas, pero por dentro son lobos rapaces." Mateo 7:15*

Lo notable del asunto, es la casi inmediata aparición de estos falsos profetas en la naciente iglesia fundada por Cristo a través de sus apóstoles. Dado que, aún en vida de ellos, ya era evidente el inmenso peligro que amenazaba a aquella incipiente iglesia. Cosa que cumplió a cabalidad aquella parábola del trigo y la cizaña (ver Mateo 13:24-52) en la que Jesús reveló que él estaba sembrando la buena semilla para formar una iglesia pura, pero que, tras su partida, vendría el diablo para arruinar su obra sembrando la mala semilla. Y esto es justamente lo que estaba sucediendo en la iglesia de Éfeso con los llamados 'nicolaítas'.

Significado histórico profético

La mayoría de los estudiosos bíblicos están de acuerdo en que los inicios de la iglesia apostólica, desde aproximadamente el año 31 d.C. (cuando Jesucristo ascendió al cielo) hasta el año 100 d.C. (cuando falleció el apóstol Juan durante el reinado de Trajano), se refleja la experiencia de Éfeso. En otras palabras, esta iglesia representaba el comienzo de la iglesia apostólica. Por esto Dios la coloca en primer término en su mensaje a la plenitud de su iglesia, porque ella representa los inicios de su iglesia –así como Laodicea representará su final–.[18]

---

18 Elena de White comenta: "En los días de los apóstoles, los creyentes cristianos estaban llenos de celo y entusiasmo. Tan incansablemente trabajaban por su Maestro que, en un tiempo relativamente corto, a pesar de la terrible oposición, el Evangelio del reino se divulgó en todas las partes habitadas de la tierra. El celo manifestado en ese tiempo por los seguidores de Jesús fue registrado por la pluma inspi-

Significado escatológico

Estamos de acuerdo en que Éfeso representa los inicios de la iglesia, tal como lo cree la mayoría de los estudiosos bíblicos. Sin embargo, en este estudio queremos resaltar que no debemos circunscribir este mensaje solamente a la iglesia a la cual fue dado en su cumplimiento original y a su cumplimiento histórico profético durante el período apostólico; porque tiene una aplicación directa hacia todos los comienzos de las iglesias que Dios ha levantado a lo largo de la historia e, incluso, en nuestras propias vidas en particular.

Es decir, el mensaje a la iglesia de Éfeso también aplica, por ejemplo, a los inicios de aquellas iglesias que surgieron en la reforma protestante, como así también en las sucesivas reformas que Dios ha impulsado en su pueblo a lo largo de la historia –como el movimiento adventista–.

¿Qué significa esto? Que Éfeso no solo representa un período de la iglesia en la antigüedad, sino circunstancias y vivencias de la iglesia de Dios en todos los tiempos, y más especialmente en el tiempo en el que la plenitud de la iglesia de Cristo está siendo observada por aquel ante el cual tiene que rendir cuentas.

En efecto, en nuestros días también existen esos 'nicolaítas' que se infiltran en todas las iglesias a fin de conquistar al pueblo por medio de una gracia barata, dominada por el libertinaje y el pecado, que se creen superiores a las 'tontas' ovejas, a las cuales pretenden manipular para apacentarse a sí mismos, comiendo la grosura de ellas mientras las descuidan y maltratan.

Personalmente veo 'iglesias de Éfeso' no solo en los grandes movimientos que dieron origen a muchas de las iglesias que existen en la actualidad, sino también en las realidades de iglesias locales fundadas por personas comprometidas con Dios, que han trabajado arduamente no solo en la plantación y construcción de dichas iglesias sino también en su lucha contra las malignas influencias que el enemigo intenta introducir para corromper la iglesia de Cristo.

---

rada como estímulo para los creyentes de todas las épocas. De la iglesia de Éfeso, que el Señor Jesús usó como símbolo de toda la iglesia cristiana de los días apostólicos, el Testigo fiel y verdadero declara: "Yo sé tus obras, y tu trabajo y paciencia; y que tú no puedes sufrir los malos, y has probado a los que se dicen ser apóstoles, y no lo son, y los has hallado mentirosos; y has sufrido, y has tenido paciencia, y has trabajado por mi nombre, y no has desfallecido." Apocalipsis 2:2,3." HAp 462

Conozco algunas de esas iglesias, en las cuales aún permanecen sus fundadores, o hijos de aquellos, donde la verdad ha permanecido firme frente a las acechanzas del enemigo, tanto en temas doctrinales como en estilos de adoración que pervierten el culto –como la introducción de música que no alaba a Dios, shows de todo tipo, mundanalidad y cultos espiritualistas– pero que, lastimosamente, han perdido su 'primer amor'. Son iglesias con pureza doctrinal, pero frías y sin amor fraternal. Quizá un tanto legalistas, tratando de presentar buenas obras para salvarse –y juzgando las de los demás–, en vez de permanecer en el dulce y fiel amor de Cristo, el cual produce tanto el querer y el hacer por su buena voluntad.

En tales 'iglesias', nuestro Señor, también hoy, le habla a sus dirigentes, reconociéndoles sus 'buenas obras', su arduo trabajo y dedicación, pero también con duras palabras de represión por haberse alejado de Él. Les dice: 'si sigues así, si no te arrepientes, no podrás ser parte de aquellos que llevan la luz al mundo. Tendré que quitar tu candelero y dárselo a otros… Si quieres tener parte conmigo, recuerda de dónde has caído. Recuerda aquellos días en que tu amor por mí impregnaba cada aspecto de tu vida y te llevaba a hacer cualquier cosa y a sufrir cualquier pena con tal de ver una sonrisa en mi rostro, con tal de llevar a otros a mi bendita esperanza. Recuerda los días de tu primer amor por mí y arrepiéntete. Regresa, regresa a aquellos días, empezando a hacer aquellas obras.'[19]

---

19   Elena de White comenta: "Los mensajes dirigidos a las iglesias de Éfeso y Sardis me han sido repetidos con frecuencia por Aquel que me da instrucción para su pueblo… Estamos viendo el cumplimiento de estas advertencias. Nunca antes se había cumplido una escritura tan al pie de la letra como éstas." 8TI 105-106

"La iglesia remanente está llamada a atravesar una experiencia similar a aquélla de los judíos; y el Testigo fiel, que anda en medio de los siete candeleros de oro, tiene un solemne mensaje que mostrar a su pueblo. El dice: "Pero tengo contra ti, que has dejado tu primer amor. Recuerda, por tanto, de dónde has caído, y arrepiéntete, y haz las primeras obras; pues si no, vendré pronto a ti, y quitaré tu candelero de su lugar, si no te hubieres arrepentido". Apocalipsis 2:4, 5. El amor de Dios se ha estado desvaneciendo en la iglesia y, como resultado, el amor del yo ha surgido con renovado vigor. Con la pérdida del amor de Dios, ha venido la pérdida del amor por los hermanos. La iglesia puede corresponder con toda la descripción que se da de la Iglesia de Éfeso, y sin embargo faltarle la piedad vital. De ella dice Jesús: "Yo conozco tus obras, y tu arduo trabajo y paciencia; y que no puedes soportar a los malos, y has probado a los que se dicen ser apóstoles y no lo son, y los has hallado mentirosos; y has sufrido y has tenido paciencia, y has trabajado arduamente por amor de mi nombre, y no has desmayado. Pero tengo contra ti que has dejado tu primer amor". Apocalipsis 2:2-4." 1MS 454

De igual manera, este es un mensaje que también llega a los creyentes de manera individual, aquellos que han trabajado arduamente por Cristo combatiendo contra las fuerzas del mal, pero que hoy se encuentran desviados de aquel 'primer amor', envueltos quizá en discusiones sin sentido. A todos ellos, Cristo les dice: *"El que tiene oído, oiga lo que el Espíritu dice [hoy] a las iglesias. Al que venciere, le daré a comer del árbol de la vida, el cual está en medio del paraíso de Dios." Apocalipsis 2:7* [20]

Lo cual, claramente indica que el mensaje a la iglesia de Éfeso es un mensaje universal a la plenitud de su iglesia –de todos los tiempos y lugares–, para que esté prevenida ante las asechanzas del enemigo y pueda permanecer en el amor de Dios; para que, de esta manera, pueda heredar la vida eterna y disfrutar de las maravillas del cielo junto a los redimidos de Dios.

Segunda iglesia: Esmirna

En el mensaje a esta iglesia, Jesús nuevamente apela a sus dirigentes, diciendo: *"Escribe al ángel de la iglesia en Esmirna: El primero y el postrero, el que estuvo muerto y vivió, dice esto: Yo conozco tus obras, y tu tribulación, y tu pobreza (pero tú eres rico), y la blasfemia de los que se dicen ser judíos, y no lo son, sino sinagoga de Satanás. No temas en nada lo que vas a padecer. He aquí, el diablo echará a algunos de vosotros en la cárcel, para que seáis probados, y tendréis tribulación por diez días. Sé fiel hasta la muerte, y yo te daré la corona de la vida. El que tiene oído, oiga lo que el Espíritu dice a las iglesias. El que venciere, no sufrirá daño de la segunda muerte." Apocalipsis 2:8-11*

Significado original

Esmirna era una ciudad comercial de asombrosa belleza que se ubicaba 60 kilómetros al norte de la ciudad de Éfeso. Curiosamente,

---

20   Elena de White agrega: "Este mensaje es para todas las etapas históricas de nuestra iglesia… Es nuestra tarea conocer nuestras debilidades y pecados acariciados, que producen oscuridad y debilidad espiritual y han apagado nuestro primer amor. ¿Es la mundanalidad? ¿Es el egoísmo? ¿Es el amor por la estima propia? ¿Es la lucha por ser el primero? ¿Es la sensualidad lo que nos aleja de Dios? ¿Es el pecado de los nicolaítas que cambiaban la gracia de Dios por lascivia? ¿Es la indiferencia hacia la gran luz? ¿Es el mal uso o el abuso de las oportunidades y los privilegios lo que nos lleva a tener jactanciosas pretensiones de sabiduría y conocimiento religiosos, mientras la vida y el carácter son inconsistentes e inmorales? No importa qué haya sido lo que hemos acariciado y cultivado hasta tornarse fuerte y dominante, hagamos decididos esfuerzos para ser vencedores, para no perdernos y comer del árbol de la vida." RP 363

Esmirna significa 'mirra', una resina aromática que se utilizaba para aplicar a los muertos, y fue uno de los tres regalos que recibió Jesús al nacer de parte de los sabios del oriente –oro, en alusión a su majestad como Rey; incienso, en reconocimiento de su tarea de intercesión sumo sacerdotal; y mirra, en agradecimiento por la entrega de su vida–.

Coincidentemente con esto, Jesús se presenta a ella como *"el primero y el postrero, el que estuvo muerto y vivió" (Ap 2:8)*, lo cual indica que Jesús se manifiesta como alguien que conoce, en carne propia, los sufrimientos que le tocaría afrontar a esta iglesia. Razón por la cual, en sus palabras de despedida, Jesús les recuerda la bendita esperanza en la resurrección de los justos, diciéndoles: *"El que venciere, no sufrirá daño de la segunda muerte." Apocalipsis 2:8-11*

Lo cierto es que Jesús, sin efectuar ninguna represión, destaca al liderazgo de esta iglesia por poseer verdadera riqueza espiritual en medio de su pobreza. Él le dice: *"Yo conozco tus obras, y tu tribulación, y tu pobreza (pero tú eres rico)..." Apocalipsis 2:9* –en contraste con Laodicea, que se creían ricos siendo pobres en sentido espiritual–.

Lo cual está relacionado con la primera de las bienaventuranzas del Sermón del Monte, en la cual Jesús dijo: *"Bienaventurados los pobres en espíritu, porque de ellos es el reino de los cielos." Mateo 5:3*

A continuación, Jesús vuelve a revelar que el ataque del enemigo de Dios a su iglesia se manifiesta, en primera instancia, a través de personas que se infiltran en ella, haciéndose pasar por verdaderos cristianos, cuando en realidad son adoradores de Satanás. Él dice: *"Yo conozco... la blasfemia de los que se dicen ser judíos, y no lo son, sino sinagoga de Satanás. No temas en nada lo que vas a padecer." Apocalipsis 2:9-10*

¿Qué hace el diablo cuando intenta corromper a la iglesia por medio de infiltraciones pero es resistido? Pues, persigue. Él sabe que le reditúa más el engaño que la guerra, pero cuando no puede entramparnos con engaño, recurre a la guerra. Y eso es, justamente, lo que ocurrió en Esmirna.

En Éfeso, el diablo no pudo corromperlos con este tipo de infiltraciones, dado que fue resistido, pero sí pudo apartarlos de Cristo, y con eso estaba satisfecho. La 'pobre' iglesia de Esmirna, en cambio, no se apartó de su divino maestro y permaneció firme ante la mala semilla que el diablo intentó introducir en ella; por lo que le tocó afrontar la ira del diablo.

En este sentido, Dios iba a permitir que la fe de su pueblo sea probada hasta lo sumo, según lo manifiesta Cristo en el mensaje a esta iglesia, diciendo: *"No temas en nada lo que vas a padecer. He aquí, el diablo echará a algunos de vosotros en la cárcel, para que seáis probados, y tendréis tribulación por diez días. Sé fiel hasta la muerte, y yo te daré la corona de la vida." Apocalipsis 2:10*

Por esto, unos setenta años después de que Juan recibiera el Apocalipsis, Esmirna fue sede de una notable serie de martirios que se extendieron por varios días literales. El último de estos fue sobre el gran Policarpo, discípulo de Juan, que, para esa época, ya había servido al Señor como principal ministro religioso en Esmirna, por lo menos, unos cuarenta años.

La historia cuenta que, a una edad muy avanzada, Policarpo fue arrestado y conducido al anfiteatro de Esmirna, donde el gobernador Status Quadratus se sintió tan impresionado por su testimonio que trató de salvarle la vida. Al ver que sus esfuerzos no daban resultado, le pidió que maldijera a Cristo, a lo que Policarpo respondió: "durante ochenta y seis años lo he servido y Él nunca me ha hecho mal, ¿cómo puedo yo maldecir a mi Rey, que me salvó?"

La multitud presente –entre la que se encontraban miembros de la sinagoga judía –aquellos que Jesús describe como 'los que dicen ser judíos pero son sinagoga de Satanás'– pidieron a gritos que Policarpo fuera arrojado a los leones. Pero éstos estaban más que satisfechos porque pocos momentos antes se habían comido a otras víctimas… por lo que estas malas personas exigieron que Policarpo fuera quemado vivo. Cuando el gobernador consintió, aquellos judíos, en una actitud hostil y muy poco común, fueron los primeros en reunir leña para la hoguera, aunque era sábado.[21]

Significado histórico profético

En el mensaje a la iglesia de Éfeso, concluimos que las palabras que Cristo le transmitió a Juan en la isla de Patmos tenían significado no solo para aquellas iglesias que habitaban en la región del Asia Menor, en este caso, Éfeso, sino que ésta representaba simbólicamente la realidad de la totalidad de la iglesia cristiana en los días apostólicos, aproximadamente

---

21   C. Mervyn Maxwell, Apocalipsis, sus revelaciones, ACES, p.101-202.

hasta el año 100 –en el que murió Juan, el último de los apóstoles que quedaba vivo, justamente en Éfeso–.[22]

La realidad es que, en el momento en el que Juan recibe el Apocalipsis, la iglesia cristiana se encontraba en una situación muy difícil. Todos los apóstoles –a excepción de él, que se encontraba desterrado en la isla de Patmos– habían sido martirizados y las malas influencias habían causado que la iglesia se apartara de Dios, volviéndose fría y legalista. En esta hora, de supremo apuro, el Señor le envió un mensaje claro y contundente al liderazgo de su iglesia, le dijo: *"Recuerda, por tanto, de dónde has caído, y arrepiéntete…" Apocalipsis 2:5* [23]

Y la Palabra de Dios, que no vuelve vacía, caló hondo e hizo su efecto: *"Porque como desciende de los cielos la lluvia y la nieve, y no vuelve allá, sino que riega la tierra, y la hace germinar y producir, y da semilla al que siembra, y pan al que come, así será mi palabra que sale de mi boca; no volverá a mí vacía, sino que hará lo que yo quiero, y será prosperada en aquello para que la envié." Isaías 55:10-11*

Por esto, luego de que el diablo vio que su influencia a través del engaño había llegado a su fin, se encendió en ira contra la iglesia y arremetió

---

22   Según Eusebio de Cesarea, Historia eclesiástica III,1; III,17-18; III,23, Juan se trasladó a Éfeso hacia el año 62 hasta que, con la persecución del emperador Domiciano, fue desterrado a la isla de Patmos y solo pudo volver a Éfeso cuando murió Domiciano, donde siguió dirigiendo la iglesia y falleció pocos años después a una edad muy avanzada.

23   Elena de White comenta al respecto: En el comienzo de la historia de la iglesia, el misterio de iniquidad, predicho por el apóstol Pablo, comenzó a hacer su obra impía; y al insistir en sus herejías los falsos maestros, acerca de los cuales Pablo amonestó a los creyentes, muchos fueron engañados por falsas doctrinas. Algunos vacilaron bajo las pruebas, y fueron tentados a abandonar la fe. En el tiempo cuando Juan recibió esta revelación, muchos habían perdido su primer amor a la verdad del Evangelio. Pero en su misericordia Dios no dejó que su iglesia permaneciera en la apostasía. En un mensaje de infinita ternura reveló su amor hacia ella, y su deseo de que hiciera una obra segura para la eternidad. "Recuerda–rogó–de dónde has caído, y arrepiéntete, y haz las primeras obras." Apocalipsis 2:5. La iglesia tenía defectos, y necesitaba severa represión y corrección; y Juan fue inspirado a escribir mensajes de amonestación, represión y ruego a los que, habiendo perdido de vista los principios fundamentales del Evangelio, ponían en peligro la esperanza de su salvación. Pero las palabras de reproche que Dios halla necesario enviar se pronuncian siempre con tierno amor, y con la promesa de paz a cada creyente arrepentido. "He aquí, yo estoy a la puerta y llamo–dice el Señor;–si alguno oyere mi voz y abriere la puerta, entraré a él, y cenaré con él, y él conmigo." Apocalipsis 3:20. HAp 468-469

contra ella en lo que se conoce como la primera gran época de persecución, llevada a cabo por los emperadores romanos Trajano, Marco Aurelio, Séptimio Severo, Maximiano, Decio, Valerio, Aureliano y Diocleciano, entre los años 100 al 313.

Este es el período histórico profético al que hace referencia la aplicación tipológica del mensaje enviado a la iglesia de Esmirna, el cual concluyó con diez años de intensa y terrible persecución. De acuerdo con Números 14:33-34 y Ezequiel 4:6, en muchas profecías de la Biblia un día profético equivale a un año literal.

Por lo tanto, aquellos diez días de tribulación que tendría que enfrentar la iglesia de Esmirna apuntaban a aquellos diez años de terrible persecución que ocurrió durante la última y más sangrienta represión del Imperio Romano contra los cristianos, llevada a cabo desde el año 303 hasta el 313, bajo el gobierno del Emperador Diocleciano, el cual emitió un edicto para disolver las comunidades cristianas, destruir sus iglesias y quemar sus libros.

Luego de su caída, en el año 313, el Emperador Constantino, viendo que la sangre de cristianos era semilla de cristianos, emitió el Edicto de Milán, mediante el cual reconoció al cristianismo como una religión oficial, lo cual puso fin a aquellos 'diez días de tribulación' que debería afrontar la iglesia de Esmirna y dio comienzo a una nueva etapa que analizaremos dentro del mensaje a Pérgamo.

Significado escatológico

En la actualidad estamos viviendo un tiempo en el que la iglesia de Dios se encuentra apartada del primer amor de Dios, tal como se encontraba la iglesia de Éfeso en los días de Juan.

Por lo que, así las cosas, el diablo se encuentra tranquilo. Sin embargo, debido a que nos aproximamos al 'gran día del Señor', hoy como ayer, Jesús ha enviado un mensaje a su iglesia a través de su siervo Juan, diciendo: *"Recuerda, por tanto, de dónde has caído, y arrepiéntete…" Apocalipsis 2:5*

Este mensaje, enviado a la iglesia de Éfeso, volverá a hacer su efecto en nuestros días, cuando la luz del Apocalipsis vuelva a brillar sobre la iglesia de Cristo. El resultado seguro será el despertar, no solo de la iglesia, sino también de la ira del diablo sobre ella. Dijo el apóstol Pablo:

"todos los que quieren vivir piadosamente en Cristo Jesús padecerán persecución." 2 Timoteo 3:12 [24]

Por esto, Esmirna representa, en la actualidad, a aquella porción de la iglesia del último tiempo que se arrepiente y vuelve a Dios, estando dispuesta a morir por Cristo.

En este sentido, hoy como ayer, el que estuvo muerto y vivió, aquel que conoce nuestras obras y nuestra tribulación y la blasfemia de aquellos que dicen ser cristianos siendo *"habitación de demonios" (Ap 18:1-2)*, nos dice: *"No temas en nada lo que vas a padecer. He aquí, el diablo echará a algunos de vosotros en la cárcel, para que seáis probados, y tendréis tribulación por diez días. Sé fiel hasta la muerte, y yo te daré la corona de la vida." Apocalipsis 2:8-10*

Por esto, al describir este martirio que vendrá sobre la iglesia, Apocalipsis dice: *"Cuando abrió el quinto sello, vi bajo el altar las almas de los que habían sido muertos por causa de la palabra de Dios y por el testimonio que tenían. Y clamaban a gran voz, diciendo: ¿Hasta cuándo, Señor, santo y verdadero, no juzgas y vengas nuestra sangre en los que moran en la tierra? Y se les dieron vestiduras blancas, y se les dijo que descansasen todavía un poco de tiempo, hasta que se completara el número de sus consiervos y sus hermanos, que también habían de ser muertos como ellos." Apocalipsis 6:9-11*

No por error, Apocalipsis, en el contexto del mensaje del tercer ángel, también dice: *"bienaventurados de aquí en adelante los muertos que mueren en el Señor. Sí, dice el Espíritu, descansarán de sus trabajos, porque sus obras con ellos siguen." Apocalipsis 14:13*

En este sentido, debemos comentar que, a lo largo de toda la Biblia, el número diez simboliza un período de prueba o juicio. Por ejemplo, el profeta Daniel enfrentó una prueba de diez días relacionada con su alimentación, al cabo de los cuales iba a ser evaluado –es decir, juzgado (Daniel 1:14-15).

---

24   Elena de White comenta: "Cuando la tormenta de la persecución realmente se desate sobre nosotros, las verdaderas ovejas oirán la voz del verdadero Pastor. Se harán esfuerzos abnegados para salvar a los perdidos, y muchos que se habían extraviado lejos del redil regresarán para seguir al gran Pastor. El pueblo de Dios se unirá y presentará al enemigo un frente unido. Ante el peligro común, cesará la lucha por la supremacía y no habrá disputas sobre quién debe ser considerado el mayor." EUD 130

De igual manera, la simbología del número diez como un tiempo de prueba está expresada en las diez plagas que cayeron sobre Egipto, previo a la liberación del pueblo de Israel.

Sin embargo, el significado más profundo de estos diez días de prueba –que deberá soportar la iglesia representada por Esmirna en el tiempo del fin–, lo encontramos en el sistema de festividades sagradas del santuario hebreo, en los diez días que transcurrían entre el anuncio del juicio efectuado mediante la fiesta de las trompetas y el gran y terrible día de expiación. A aquellos días se los denominaba los *'Iamim Noraim'* –que significa *'los días terribles'*, en hebreo–, los cuales apuntan al tiempo de angustia que la iglesia tendrá que soportar en el tiempo del fin, antes de que se produzca la segunda venida de Jesús.

Hablando sobre aquellas tribulaciones, Jesús, en su sermón apocalíptico de Mateo 24, dijo: *"Entonces os entregarán a tribulación, y os matarán, y seréis aborrecidos de todas las gentes por causa de mi nombre. Muchos tropezarán entonces, y se entregarán unos a otros, y unos a otros se aborrecerán. Mas el que persevere hasta el fin, éste será salvo… Mas ¡ay de las que estén encintas, y de las que críen en aquellos días! Orad, pues, que vuestra huida no sea en invierno ni en día de reposo; porque habrá entonces gran tribulación, cual no la ha habido desde el principio del mundo hasta ahora, ni la habrá. Y si aquellos días no fuesen acortados, nadie sería salvo; mas por causa de los escogidos, aquellos días serán acortados." Mateo 24:9-22*

El libro del profeta Daniel, en relación a aquella gran tribulación, dice: *"Y los sabios del pueblo instruirán a muchos; y por algunos días caerán a espada, y a fuego, en cautividad y despojo… caerán para ser depurados y limpiados y emblanquecidos, hasta el tiempo determinado, porque aun para esto hay plazo." "En aquel tiempo se levantará Miguel, el gran príncipe que está de parte de los hijos de tu pueblo; y será tiempo de angustia, cual nunca fue desde que hubo gente hasta entonces; pero en aquel tiempo será libertado tu pueblo, todos los que se hallen escritos en el libro." Daniel 11:33-35 y 12:1*

Por lo que, en conclusión, Esmirna es un símbolo de los mártires de la última generación, aquellos que serán fieles a Dios *'menospreciando sus vidas hasta la muerte' (Ap 12:11).*

A todos ellos, hoy como ayer, *'el que estuvo muerto y vivió, les dice: el que venciere, no sufrirá daño de la segunda muerte.' Apocalipsis 2:8, 11*

Tercera iglesia: Pérgamo

En el mensaje a la iglesia de Pérgamo, Jesús apela nuevamente a su liderazgo, diciendo: *"Escribe al ángel de la iglesia en Pérgamo: El que tiene la espada aguda de dos filos dice esto: Yo conozco tus obras, y dónde moras, donde está el trono de Satanás; pero retienes mi nombre, y no has negado mi fe, ni aun en los días en que Antipas mi testigo fiel fue muerto entre vosotros, donde mora Satanás. Pero tengo unas pocas cosas contra ti: que tienes ahí a los que retienen la doctrina de Balaam, que enseñaba a Balac a poner tropiezo ante los hijos de Israel, a comer de cosas sacrificadas a los ídolos, y a cometer fornicación. Y también tienes a los que retienen la doctrina de los nicolaítas, la que yo aborrezco. Por tanto, arrepiéntete; pues si no, vendré a ti pronto, y pelearé contra ellos con la espada de mi boca. El que tiene oído, oiga lo que el Espíritu dice a las iglesias. Al que venciere, daré a comer del maná escondido, y le daré una piedrecita blanca, y en la piedrecita escrito un nombre nuevo, el cual ninguno conoce sino aquel que lo recibe." Apocalipsis 2: 12-17*

Significado original

Pérgamo era una ciudad del Asia Menor ubicada unos 48 kilómetros al norte de Esmirna. Su nombre, que significa 'elevación', se debía a que estaba construida en lo alto de una colina. Era la ciudad más grande de la región y llegó a ser la capital de la provincia romana de Asia Menor. Además, Pérgamo era famosa por su inmensa biblioteca que albergaba alrededor de 200 mil libros, que dio origen al nombre de *'pergaminos'*.

Llamativamente, Jesús se presenta al liderazgo de esta iglesia, con su espada lista para pelear. Dice, en su presentación: *"El que tiene la espada aguda de dos filos dice esto…" (Ap 2:12),* y en su conclusión: *"Por tanto, arrepiéntete; pues si no, vendré a ti pronto, y pelearé contra ellos con la espada de mi boca." Apocalipsis 2:16*

¿Por qué? Porque la realidad de la iglesia de Pérgamo era mucho peor que la de Éfeso. En efecto, mientras que aquella no podía soportar a los malos, probaba a los que decían ser apóstoles y no los eran, y aborrecía las obras de los nicolaítas; la iglesia de Pérgamo, en cambio, albergaba tanto a los que 'retenían la doctrina de Balaam' como a los 'nicolaítas', los cuales eran aborrecidos por el Señor.

Como hemos comentado, los nicolaítas eran gnósticos que se infiltraron dentro de la iglesia para dominarla, promoviendo doctrinas heréticas que pervertían al pueblo. Balaam, en cambio, de acuerdo con

Números 22-24, fue un personaje que, habiendo conocido al Señor, por avaricia, se vendió al enemigo y le enseñó cómo vencer a Israel por medio de perversas tentaciones.

Ambos grupos, entonces, tienen un mismo objetivo: la perversión de la iglesia. Ahora, ¿quiénes son los que retienen 'la doctrina' de Balaam? Pues aquellos que siguen sus mismas enseñanzas, es decir, su misma 'doctrina', con el objetivo de que la iglesia se aparte del Señor y pierda su protección.

Si repasamos la historia de lo que sucedió cuando *Balaam enseñó a Balac a poner tropiezo ante los hijos de Israel, invitándolos a comer cosas sacrificadas a los ídolos y a cometer fornicación' (Ap 2:14),* tal como dice el texto apocalíptico, veremos que aquello significó que el pueblo de Israel participara de cultos paganos, comiendo las cosas sacrificadas a sus ídolos, con aquellas mismas prostitutas con las cuales entraron en fornicación.

Lo cual tiene un gran significado espiritual, dado que las 'rameras' –en lenguaje profético– simbolizan iglesias apóstatas que se prostituyen detrás de los reyes de la tierra en su búsqueda del poder mundanal. Por otra parte, las cosas 'sacrificadas a los ídolos' conforman su 'comida', es decir, las enseñanzas que transmiten aquellas iglesias, también llamado 'el vino de su prostitución'.

En consecuencia, la 'doctrina de Balaam', tiene que ver con acuerdos y prácticas ecuménicas que hacen participar al pueblo de Dios con iglesias prostituidas, comiendo su 'misma comida' –ofrecida al diablo– (es decir, sus enseñanzas) y bebiendo el vino de sus prostituciones.

¿Qué está pasando en esta iglesia? ¿Cómo ha llegado hasta aquí? Lo que podemos observar, a través del propio mensaje de Jesús, es que ésta es una iglesia que ha pasado por persecuciones en el pasado, pero que, en el presente, se encuentra en calma. De hecho, lo único que Jesús resalta de ella es que ha 'retenido su nombre' y 'no ha negado su fe' ni aún en los días del martirio de Antipas…[25]

Lo que claramente nos revela que los días de persecuciones eran cosa del pasado. La realidad del presente en esta iglesia es una aparente calma

---

25 Wikipedia: Según la tradición, el apóstol Juan recomendó a Antipas como obispo de Pérgamo durante el reinado del emperador Domiciano, el cual fue martirizado y quemado en brasas ardientes en el año 92 d.C.

a costa de algunas concesiones: permitir la introducción y el desarrollo de las doctrinas de Balaam y las de los nicolaítas.

Se dice de esta iglesia que 'mora donde está el trono de Satanás' y que Antipas fue asesinado 'donde mora Satanás', por lo que nos preguntamos qué implica esto en su significado original. Si prestamos atención, la morada de Dios con los hombres se encontraba en el tabernáculo de reunión del Santuario hebreo. Ahora, de acuerdo a las propias palabras de Jesús, la morada de Satanás con los hombres –en aquel momento– se encontraba en Pérgamo.

Si esto tiene algún significado en su cumplimiento original sobre la ciudad de Pérgamo, deberíamos encontrar algunos indicios en la historia que sean congruentes con esto. Veamos si esto es así:

Pérgamo era el centro pagano de deidades antiguas, donde se encontraba el trono de Zeus, una divinidad griega considerada el «padre de los dioses y de los hombres»[26]

Pérgamo también era la sede del antiguo culto babilónico al sol, dado que cuando los babilonios fueron derrotados por los Medo-Persas, sus sacerdotes huyeron al Asia Menor y establecieron su colegio central en la altiva ciudad de Pérgamo.

También en Pérgamo se practicaba la adoración de hombres como si fueran dioses, contando con el primer templo erigido en honor al emperador romano Augusto, otro dedicado a Trajano y otro a Severo.

Pérgamo contaba además con el santuario de Asclepio (el dios de la medicina y la curación), el cual creció tanto en fama que fue considerado uno de los centros terapéuticos más famosos del mundo romano. Galeno, el médico más renombrado de la antigüedad, aparte de Hipócrates, nació en Pérgamo y recibió su formación en el Asclepeion (templo curativo consagrado al dios Asclepio[27], gestionado por sacerdotes conocidos como 'Iatromantis').

En tanto, según la mitología, la familia de Hipócrates descendía de este mismo dios. Las serpientes estaban consagradas a Asclepio por lo que eran usadas en los rituales de curación, llegando a dejarlas reptar

---

26 https://es.wikipedia.org/wiki/Zeus

27 Ídem anterior

en el suelo de los dormitorios donde los enfermos dormían. Todo lo cual constituyó la base de la medicina moderna basada en drogas, cuyo símbolo característico –una serpiente enroscada en una vara– justamente deviene de la 'vara de Asclepio[28]' –más adelante veremos el significado que todo esto alcanzará en los últimos días de nuestro mundo–.

Sin dudas, los hermanos de Pérgamo habitaban en un contexto social dominado por Satanás, en el cual permanecer fieles a Dios era todo un logro. Por esto, la promesa para aquellos que se arrepintieran de haber 'transado' con el enemigo a cambio de paz es bellísima. Dice: *"Al que venciere, daré a comer del maná escondido, y le daré una piedrecita blanca, y en la piedrecita escrito un nombre nuevo, el cual ninguno conoce sino aquel que lo recibe." Apocalipsis 2: 12-17*

Significado histórico profético

Como hemos comentado, en el año 313 concluyeron las persecuciones sobre la iglesia gracias al edicto Milán, por medio del cual el Emperador Constantino otorgó legitimidad al cristianismo por primera vez. Allí es donde, según dijimos, comienza esta nueva etapa de la iglesia representada por Pérgamo.

En este sentido, tal como explicamos en el apartado anterior, la iglesia que habitó en Pérgamo era una iglesia que había sufrido persecuciones en el pasado, pero que, en el presente, se encontraba en calma –gracias a que permitía la introducción de las doctrinas de Balaam y la de los nicolaítas–. Veamos cómo todo esto también se cumplió en la historia profética de la iglesia cristiana.

En 313, el diablo, viendo que las persecuciones sobre la iglesia no solo no la extinguía –dado que la sangre de los cristianos era semilla de nuevos cristianos–, sino que aumentaba su pureza y su fe –al punto de que Dios no tuvo reproches contra Esmirna–, decidió cambiar de estrategia e impulsó al emperador romano Constantino para que, en vez de perseguir a los cristianos, tal como sus antecesores lo habían hecho, los reconociera como una religión oficial de su imperio y los coronara de favores.

De acuerdo con Números 22-31, ¿qué pasó cuando el rey pagano Balac intentó vencer al pueblo de Dios por medio de la guerra? No logró sus fines porque Dios protegía a su pueblo. Sin embargo, cuando,

28 https://es.wikipedia.org/wiki/Asclepio

siguiendo los consejos de Balaam –quien simbólicamente aparece en el mensaje a esta iglesia–, invitó al pueblo de Dios a sus fiestas por medio de las seductoras prostitutas de su pueblo, logró que la bendición de Dios se trocara por maldición. Esa fue la estrategia que el diablo aplicó en este período de la iglesia: abrir las puertas del Imperio Romano al cristianismo para prostituirlo con su paganismo. Veamos cómo sucedieron las cosas.

Tras el edicto de Milán se abrieron nuevas vías de expansión para los cristianos, dado que se otorgaron privilegios al clero –como la exención de ciertos impuestos–, se les devolvió las iglesias confiscadas por Dioclesiano y se les permitió acceder a altas magistraturas del gobierno.

Todo lo cual, resultó en que los cristianos ganaran mayor aceptación dentro de la sociedad civil, especialmente los dirigentes de la iglesia, llegando al punto en el que los obispos terminaron adoptando posturas agresivas en temas públicos que nunca antes se habían visto en otras religiones. Lo cierto es que, a partir de ese momento, el cristianismo pasó a adquirir el estatus de religión privilegiada dentro del Imperio Romano y se iniciaron persecuciones hacia las demás religiones.

Con el transcurrir del tiempo, este favor del Imperio le continuó granjeando grandes 'beneficios'. Por ejemplo, Constantino entregó al obispo Silvestre I un palacio romano que había pertenecido a Diocleciano (quien, como ya dijimos, había sido un terrible perseguidor de la iglesia) con el encargo de construir una basílica que, actualmente, se la conoce como Basílica de San Juan de Letrán.

En el año 324, este mismo emperador hizo construir otra basílica en Roma, en el lugar donde, según la tradición cristiana, martirizaron a San Pedro: la Colina Vaticana, que actualmente acoge a la Basílica de San Pedro. En 326, apoyó financieramente la construcción de la iglesia del Santo Sepulcro en Jerusalén.

Todos estos 'beneficios' de parte de Constantino, aquel que aún ostentaba el título de 'pontífice máximo' –otorgado en la Antigua Roma al principal sacerdote del colegio de pontífices paganos–, no le fueron ofrecidos gratuitamente a la iglesia. Más mal que bien, todo esto fue a costa de usar al cristianismo como un elemento unificador de su Imperio. Pero no al cristianismo puro, sino a un cristianismo mezclado, sincretizado y pervertido con la religión pagana de su Imperio. Veamos cómo sucedió esto:

• Como hemos comentado, en el año 313, Constantino ofreció una cara amigable al cristianismo, invitándolo a unirse a su imperio, participando de sus cultos oficiales.

• En 321, Constantino introdujo al *'venerable día del sol'*, esto es, el domingo, como día de descanso obligatorio para cristianos y no cristianos (en remplazo del sábado *'judío'*) y, sesenta y dos años después, el emperador romano Teodosio le cambió el nombre de *'dies solis'* –que significa *'día del sol'* por *'dies dominicus'* –que significa *'día del Señor';* camuflando, de esta manera, aquel pagano *'día del sol'* con un lindo nombre de apariencia cristiana.

• En 325, a través del concilio de Nicea, Constantino estableció una relación estado-iglesia que permitió la expansión del cristianismo con una vitalidad inédita.

• En 375, se introdujo la veneración de ángeles y muertos –llamados *'santos'*–, y el uso de imágenes dentro de la iglesia cristiana, prácticas claramente prohibidas en la Palabra de Dios.

• En 394, se introdujo la *'misa'* como un rito de sacrificio diario; cuando, según la Palabra de Dios, Cristo fue sacrificado una sola vez para siempre (Hebreos 10:10-14).

• En 431, a través del Concilio de Éfeso, se introdujo la exaltación de María, otorgándole el atributo *'Madre de Dios'*, siendo que Dios no tiene madre –quién sí tuvo madre fue la humanidad de Jesús, no su divinidad –.

• Y en el 500, los sacerdotes y obispos cristianos directamente adoptaron las vestimentas de los sacerdotes paganos.

Como podemos ver, la apertura de Roma al cristianismo, trajo consigo la perversión de la iglesia cristiana a través de doctrinas y prácticas paganas; lo cual fue consentido por sus dirigentes a cambio del cese de las persecuciones y la prosperidad temporal de su poder terrenal.

Con el transcurrir del tiempo, los descarriados obispos de Roma, comenzaron a adquirir mayor notoriedad respecto de sus pares de otras latitudes, a tal punto que –así como en Pérgamo se practicó culto a los emperadores romanos como si fueran divinidades–, en la Roma Papal se veneran a los obispos de Roma como si fueran dioses en la tierra.

De hecho, aún al día de hoy, los obispos de Roma –actualmente llamados *'papas'*:

• Se arrogan títulos que corresponden a Dios Padre: tal como el propio título de *'papa'* –que significa 'Padre de los padres'–, 'Su Santidad', 'Santo Padre' y 'Sumo Padre'.

• También pretenden usurpar el lugar de Cristo, permitiendo que los llamen 'el dulce Cristo de la tierra'[29].

• Se atribuyen funciones que corresponden al Espíritu Santo, tales como ser el 'Vicario' o representante de Cristo en la tierra.

• Aceptan que los hombres se postren delante suyo, cosa que ni Pedro, supuestamente el primer papa, permitió que hagan con él (Hechos 10:25-26), y ni aún el arcángel Gabriel permitió que Juan lo hiciera ante él (Apocalipsis 19:10).

• Dicen tener poder para perdonar pecados, lo cual es otra blasfemia, pues solo Dios puede hacerlo (Lucas 5:21), y

• Pretenden tener poder para establecer la doctrina de la iglesia de una manera 'infalible', cuando ninguno de los apóstoles se atribuyó tal facultad, sino que buscaron la dirección del Espíritu Santo –en asambleas representativas reunidas en concilio (ver Hechos 15)–.

Es por esto que, en el mensaje a Pérgamo, se observa un claro reproche de parte de Dios hacia los dirigentes de su iglesia, por haber permitido y consentido la introducción del paganismo dentro de ella.

Por esto, el significado profético de las palabras de Jesús: *"Yo conozco tus obras, y dónde moras, donde está el trono de Satanás" (Ap 2:13)*, perfectamente se aplican a este período de la historia en el que la iglesia se unió con Roma, Imperio al cual el diablo *"le dio su poder y su trono, y grande autoridad." Apocalipsis 13:2*

No obstante, es de destacar que Dios siempre tuvo una iglesia fiel en la tierra, aún en este triste período de la historia. Cristo lo expresa, cuando, dirigiéndose a los fieles de esta iglesia, les reconoce: *"...retienes mi nombre, y no has negado mi fe, ni aun en los días en que Antipas mi testigo fiel fue muerto entre vosotros, donde mora Satanás." Apocalipsis 2:13*

---

29   Carta Apostólica en forma de «Motu Proprio» Spes Aedificandi, punto 7. https://www.vatican.va/content/john-paul-ii/es/motu_proprio/documents/hf_jp-ii_motu-proprio_01101999_co-patronesses-europe.pdf

Razón por la cual, cuando Jesús les anuncia que vendría pronto a ellos, su espada no estaría contra su iglesia fiel, sino contra aquellos que introducían las doctrinas de Balaam y las doctrinas de los nicolaítas. Dice: *"vendré a ti pronto, y pelearé contra ellos con la espada de mi boca." Apocalipsis 2:16*

Por otra parte, Antipas –quien es presentado aquí como el 'testigo fiel' de Jesús– podría simbolizar, en esta aplicación histórico profética, a todos aquellos que dieron su vida por Cristo y su evangelio puro. En este sentido, algunos sugieren que su nombre podría estar compuesto por dos palabras: *'anti'* que significa *'en contra'* y *'pas'* que podría ser una abreviatura de *'papas'*, y que señalaría a todos aquellos que se opusieron al establecimiento de este hombre de pecado como cabeza de la iglesia.

En conclusión, en esta aplicación histórico profética, Pérgamo representa la época en la cual la iglesia cristiana se unió con el Imperio Romano en 313, hasta el 538, año en el que cayó el último de los reinos que se opuso al surgimiento del papado como gobernante supremo de los reyes de la tierra, lo cual dio inicio a una nueva etapa de la iglesia que analizaremos en el mensaje a Tiatira.

Significado escatológico

El mensaje a la iglesia de Pérgamo tiene un profundo significado en nuestros días, dado que hoy como ayer, aquel que discierne los pensamientos y las intenciones del corazón, apela nuevamente a los líderes de su iglesia, portando una espada de dos filos, y les dice: *"Yo conozco tus obras, y dónde moras, donde está el trono de Satanás; pero retienes mi nombre, y no has negado mi fe." Ap 2:13*

De hecho, el trono de Satanás también se encuentra aquí, en la tierra, la cual está bajo su dominio. En este sentido, notemos que cuando el diablo tentó a Cristo en el desierto, se declaró poseedor de los reinos de la tierra, y Cristo no lo refutó. Dice: *"le llevó el diablo a un alto monte, y le mostró en un momento todos los reinos de la tierra. Y le dijo el diablo: A ti te daré toda esta potestad, y la gloria de ellos; porque a mí me ha sido entregada, y a quien quiero la doy. Si tú postrado me adorares, todos serán tuyos." Lucas 4:5-7*

Aunque claramente Jesús rechazó la tentación de recibir los reinos del mundo a cambio de postrarse ante Satanás, de ningún modo negó sus pretensiones al dominio del mundo.

Tiempo más tarde, aún luego de la muerte y resurrección de Cristo, el apóstol Juan afirmó: *"el mundo entero está bajo el maligno" (1 Juan 5:19)*, y Pablo agregó: *"porque no estamos luchando contra poderes humanos, sino contra malignas fuerzas espirituales del cielo [es decir, ángeles caídos], las cuales tienen mando, autoridad y dominio sobre el mundo de tinieblas que nos rodea." Efesios 6:12 DHH*

Con lo cual, podemos concluir que el trono de Satanás se encuentra en este mundo y que él lo da a quien quiere. Intentó entregarlo a Cristo, pero fue rechazado. Sin embargo, Apocalipsis revela quién sí aceptó su trato. Dice: *"Me paré sobre la arena del mar, y vi subir del mar una bestia que tenía siete cabezas y diez cuernos; y en sus cuernos diez diademas; y sobre sus cabezas, un nombre blasfemo. Y la bestia que vi era semejante a un leopardo, y sus pies como de oso, y su boca como boca de león. Y el dragón le dio su poder y su trono, y grande autoridad." Apocalipsis 13:1-2*

Como demostraremos en nuestro análisis de Apocalipsis 12, 13 y 17, aquella espantosa bestia de siete cabezas y diez cuernos es un símbolo del poder romano, primero pagano y luego papal. A este poder *"el dragón [es decir, el diablo] le dio su poder y su trono, y grande autoridad." Apocalipsis 13:2*

En tiempos del Imperio Romano, quienes se sentaban en el trono de Satanás, siendo adorados como dioses, eran los Emperadores de Roma –los cuales impulsaron terribles persecuciones hacia los hijos de Dios–. Luego de la caída de éstos, el enemigo ha actuado a través del Papado, quien se constituyó en el heredero de aquel trono infernal ostentado por Roma, continuando con sus persecuciones contra los verdaderos cristianos durante los 1260 años que duró su poder absoluto, durante la edad media.

Esto fue así, porque el obispo de Roma, aquel que se presenta como el representante de Cristo en la tierra –aunque está en total contradicción con Él–, aceptó también aquella propuesta que Cristo rechazó, recibiendo los reinos del mundo de manos de Satanás. Razón por la cual, el papado siempre ha pretendido el gobierno del mundo.

En este sentido, la ley canónica sostiene que la jurisdicción y supremacía del papa es universal. De igual manera, el papa Gregorio VII, resumiendo su concepción del papado en un documento titulado 'Dictatus Papae' –en el cual se alza como representante de Dios en la tierra, con poder absoluto sobre autoridades eclesiásticas y civiles–, afirma: "solamente al Pontífice Romano se le puede llamar, con derecho, 'universal'."

"Solamente él puede usar la insignia imperial." "Podría deponer empera-dores." "Nadie puede revocar una sentencia dictada por él." "Él no puede ser juzgado por nadie" [30]

También Inocencio III, en una carta dirigida al patriarca de Constantinopla en 1199, declaró: "El papa es el Vicario de Cristo, incluso de Dios mismo. No solo se le ha confiado el dominio de la Iglesia sino el gobierno del mundo entero… es rey y sacerdote al mismo tiempo." [31]

Luego, Tomás de Aquino hizo de estas pretensiones papales una parte de la teología católica, afirmando: *"el poder secular está unido al es-piritual en el papa, quien posee la cima de las dos autoridades, la espiritual y la secular."* [32]

Como es sabido, durante la Revolución Francesa, la autoridad del papa recibió una herida mortal. Sin embargo, las profecías de la Biblia afirman que esa herida sanará y que recuperará su poder. Dice: *"Vi una de sus cabezas como herida de muerte, pero su herida mortal fue sanada; y se maravilló toda la tierra en pos de la bestia, y adoraron al dragón que había dado autoridad a la bestia, y adoraron a la bestia, diciendo: ¿Quién como la bestia, y quién podrá luchar contra ella?" Apocalipsis 13:3-4*

Por esto, en la actualidad, habiendo prácticamente curado de aquella herida mortal que le implicó la Revolución Francesa, el papado continúa insistiendo en sus pretensiones al trono del gobierno mundial. En este sentido, Malachi Martin, eminente teólogo, experto en iglesia católica, ex jesuita y profesor en el Instituto Bíblico Pontificio del Vaticano, autor del best seller "Los Jesuitas", escribió en su libro 'Las llaves de esta Sangre', acerca del papa Juan Pablo II:

"Este papa está empeñado en una lucha para saber quién "poseerá y ejercerá el doble poder de la autoridad y el control sobre cada uno de nosotros como individuos y sobre todos nosotros juntos como una comunidad; sobre la totalidad de los seis mil millones de personas que los demógrafos estiman que habitarán la tierra a comienzos del tercer

30   https://es.wikipedia.org/wiki/Dictatus_Papae

31   Schaff, vol V. The Middle Ages, 1049-1294, p157.

32   Thomas Aquinas, Commentum in IV Libros Sententiarum, in Ewart Lewis, Medieval Political Ideas. London: Routledge and Kegan Paul, (1954), vol II, p567.

milenio." "Porque Juan Pablo, como pretendiente Vicario de Cristo, reclama para sí el derecho de ser la corte de último recurso sobre la sociedad de Estados como sociedad." [33]

En tanto, el papa Benedicto XVI, en el punto 67 de su encíclica *Caritas in Veritate*, afirmó:

"Para gobernar la economía mundial, para sanear las economías afectadas por la crisis, para prevenir su empeoramiento y mayores desequilibrios consiguientes, para lograr un oportuno desarme integral, la seguridad alimentaria y la paz (...) urge la presencia de una verdadera Autoridad Política Mundial."

En el texto, este mismo papa afirmó que se necesita *"un grado superior de ordenamiento internacional de tipo subsidiario para el gobierno de la globalización"*, a fin de lograr *"un orden social conforme al orden moral"* –lógicamente, aquel impulsado por el papa–.

Luego, continuando con estas pretensiones, el actual papa Francisco también ha dicho que es necesario un gobierno global, insistiendo con la idea de que 'nadie se salva solo' y presentándose, de manera solapada, como el único gran líder que puede gobernar el mundo desde la moral, el altruismo y la solidaridad. En su Encíclica Fratelli Tutti, afirma:

"La paz real y duradera solo es posible desde una ética global de solidaridad y cooperación al servicio de un futuro plasmado por la interdependencia y la corresponsabilidad entre toda la familia humana."

"Más allá de las diversas acciones indispensables, los Estados no pueden desarrollar por su cuenta soluciones adecuadas –ya que las consecuencias de las opciones de cada uno repercuten inevitablemente sobre toda la Comunidad internacional–. Por lo tanto, las respuestas solo vendrán como fruto de un trabajo común, gestando una legislación (governance) global."

"Necesitamos que un ordenamiento mundial jurídico, político y económico incremente y oriente la colaboración internacional hacia el desarrollo solidario de todos los pueblos." [34]

---

33   Malachi Martin, Las Llaves de esta Sangre, p.11 y 375.

34   Encíclica Fratelli Tutti, puntos 127, 132 y 138.

Por esto, en este contexto –en el cual la iglesia de nuestros días habita en un territorio cada vez más dominado por el representante del diablo en la tierra–, Pérgamo representa, en la actualidad, a todos aquellos que toleran la perversión de la iglesia a través del ecumenismo[35] –simbolizado por las doctrinas de Balaam– y la infiltración jesuita –representada por los nicolaítas–, los cuales se infiltran de manera disimulada en la iglesia con el propósito de contaminar al pueblo de Dios con enseñanzas y prácticas heréticas, reemplazando la gracia divina con permisividad en el pecado. Promoviendo, además, la incorporación de rituales y músicas paganas dentro de la iglesia; mientras que, al mismo tiempo, ejercen influencia política dentro de ella con el fin dominarla por medio de jerarquías humanamente establecidas.

En este sentido, el *'comer cosas sacrificadas a los ídolos' (Ap 2:14)* que se menciona en Pérgamo, implica, en su sentido simbólico, hacerse partícipes de cultos paganos por medio del 'comer y beber' con 'borrachos espirituales', es decir, aquellos cuya mente está embotada por las doctrinas y las prácticas de la iglesia apóstata.

Jesús, en su sermón escatológico, dijo: *"¿Quién es, pues, el siervo fiel y prudente, al cual puso su señor sobre su casa para que les dé el alimento a tiempo? Bienaventurado aquel siervo al cual, cuando su señor venga, le halle haciendo así. De cierto os digo que sobre todos sus bienes le pondrá. Pero si aquel siervo malo dijere en su corazón: Mi señor tarda en venir; y comenzare a golpear a sus consiervos, y aun a comer y a beber con los borrachos [entiéndaselo en términos espirituales], vendrá el señor de aquel siervo en día que este no espera, y a la hora que no sabe, y lo castigará duramente, y pondrá su parte con los hipócritas; allí será el lloro y el crujir de dientes." Mateo 24:45-51*

Esta venida a la que Jesús se refiere –en Mateo 24– corresponde al momento en el que Cristo nos visitará con sus juicios, tal como se menciona al final del mensaje a la iglesia de Pérgamo, cuando dice: *"Por tanto, arrepiéntete; pues si no, vendré a ti pronto, y pelearé contra ellos con la espada de mi boca." Apocalipsis 2:16*

Ahora, hay más cuestiones que considerar en relación a aquellos que promueven las doctrinas de Balaam, enseñando *"a poner tropiezo ante los hijos de Israel… y a cometer fornicación". Apocalipsis 2:14*

---

35   El ecumenismo es una mixtura heterogénea, contradictoria y confusa que incluye a todo tipo de religiones bajo el liderazgo del Papa, quien se presenta como el 'representante de Jesucristo' pero, en la práctica, cualquier religión le da lo mismo, con tal que reconozca su infernal autoridad.

Dentro de la concepción bíblica, la palabra *'fornicación'*, en términos literales, incluye cualquier tipo de perversión sexual; y es un pecado que siempre ha estado presente en nuestro mundo. Sin embargo, también es uno de los pecados que caracterizan nuestra época; cuando, aún mediante leyes, se sostiene que cada uno es libre para hacer lo que quiera con su sexualidad, admitiendo –y aún promoviendo– la fornicación, el adulterio y todo tipo de perversión sexual como normales y propias de la 'evolución' del ser humano.

En antaño, Balaam enseñó al pagano Balac a derrotar a Israel a través de este pecado; cuando, por medio de invitaciones a fiestas, las prostitutas del reino de Moab sedujeron al pueblo 'de los santos', haciéndole cometer un doble pecado de fornicación, primero sexual y luego espiritual –dado que terminaron sacrificando y adorando a sus dioses paganos–; lo cual, de acuerdo con Números 25 y 31, causó que el pueblo de Israel perdiera la protección de Dios y fuera derrotado por sus enemigos.

En este contexto, no debiéramos dejar de prestar atención al mensaje en su sentido 'literal', además del simbólico. En efecto, Apocalipsis presenta este pecado entre aquellos por los cuales el mundo quedará excluido de la salvación de Dios. Dice: *"Los otros hombres que no fueron muertos con estas plagas, ni aun así se arrepintieron de las obras de sus manos, ni dejaron de adorar a los demonios, y a las imágenes de oro, de plata y de bronce, de piedra y de madera, las cuales no pueden ver, ni oír, ni andar; y no se arrepintieron de sus homicidios, ni de sus hechicerías, ni de su fornicación, ni de sus hurtos…"* *"Bienaventurados los que lavan sus ropas, para tener derecho al árbol de la vida, y para entrar por las puertas en la ciudad. Mas los perros estarán fuera, y los hechiceros, los fornicarios, los homicidas, los idólatras, y todo aquel que ama y hace mentira." Apocalipsis 9:20-21 y 22:14-15*

Ahora, no solo los mundanos cometen este pecado. En la iglesia de hoy también se comete mucha fornicación y adulterio a todo nivel. De hecho, desde sacerdotes y pastores, hasta simples miembros de iglesia, caen en esta terrible abominación que mina nuestra fe y nos hace perder la bendición y la protección de Dios. Y todo a consecuencia de haber permitido la introducción de 'doctrinas nicolaítas', que hacen considerar la gracia de Dios de una manera liviana, difundiendo la creencia de que Cristo ama tanto al pecador que lo perdonará y lo bendecirá aún en sus pecados… Predicando, además, que seremos salvos aún si continuamos en ellos hasta la mismísima venida de Cristo, dado que 'es imposible ser perfecto.' Todo lo cual es un terrible engaño.

En este sentido, la Biblia es clara cuando dice: *"No erréis; ni los fornicarios, ni los idólatras, ni los adúlteros, ni los afeminados, ni los que se echan con varones, ni los ladrones, ni los avaros, ni los borrachos, ni los maldicientes, ni los estafadores, heredarán el reino de Dios." 1 Corintios 6:9-10*

Ahora, la *'fornicación',* en términos espirituales, también tiene que ver con aquellas relaciones prohibidas que tiene la iglesia con los reyes de la tierra. Dice Apocalipsis: *"Ven acá, y te mostraré la sentencia contra la gran ramera, la que está sentada sobre muchas aguas; con la cual han fornicado los reyes de la tierra, y los moradores de la tierra se han embriagado con el vino de su fornicación." Apocalipsis 17:1-2*

Y es especialmente éste el pecado que aquellos representados por Balaam enseñan a cometer a la iglesia de nuestros días, induciendo a sus dirigentes a mantener relaciones ilícitas que vinculan la iglesia con el estado de una manera incorrecta ante los ojos de Dios –haciéndola alejarse de él como su proveedor y protector, en busca de poder y prosperidad provista por otro señor, el estado–.

De este pecado es culpable el papado, símbolo máximo de prostitución eclesiástica con los reyes de la tierra. Sin embargo, casi todas las iglesias se han contaminado bajo estas mismas prácticas.

Exenciones impositivas, codiciados subsidios, jugosos contratos, donaciones, matrículas educativas y hasta simples 'codeos' con funcionarios públicos son, por lo general, más valorados por los dirigentes de las iglesias que Cristo y su Palabra. La indicación de Cristo, en este caso, es clara: *"Por tanto, arrepiéntete; pues si no, vendré a ti pronto, y pelearé contra ellos con la espada de mi boca." Apocalipsis 2:16*

Otra vez, el mensaje que Dios envía a la iglesia de Pérgamo es mucho más que un mensaje enviado a una lejana iglesia del Asia Menor. Y aún mucho más que un mensaje enviado a la plenitud de la iglesia de un antiguo período. Es un mensaje que tiene que ver con nuestro presente. Por eso dice: *"El que tiene oído, oiga lo que el Espíritu dice a las iglesias. Al que venciere, daré a comer del maná escondido, y le daré una piedrecita blanca, y en la piedrecita escrito un nombre nuevo, el cual ninguno conoce sino aquel que lo recibe." Apocalipsis 2:18*

Si quieres tener un nombre nuevo, presta atención al mensaje que Dios te envía a través de Pérgamo.

Cuarta iglesia: Tiatira

En el mensaje a la iglesia de Tiatira, Jesús apela nuevamente a sus dirigentes, diciendo: *"Escribe al ángel de la iglesia en Tiatira: El Hijo de Dios, el que tiene ojos como llama de fuego, y pies semejantes al bronce bruñido, dice esto: Yo conozco tus obras, y amor, y fe, y servicio, y tu paciencia, y que tus obras postreras son más que las primeras. Pero tengo unas pocas cosas contra ti: que toleras que esa mujer Jezabel, que se dice profetisa, enseñe y seduzca a mis siervos a fornicar y a comer cosas sacrificadas a los ídolos. Y le he dado tiempo para que se arrepienta, pero no quiere arrepentirse de su fornicación. He aquí, yo la arrojo en cama, y en gran tribulación a los que con ella adulteran, si no se arrepienten de las obras de ella. Y a sus hijos heriré de muerte, y todas las iglesias sabrán que yo soy el que escudriña la mente y el corazón; y os daré a cada uno según vuestras obras. Pero a vosotros y a los demás que están en Tiatira, a cuantos no tienen esa doctrina, y no han conocido lo que ellos llaman las profundidades de Satanás, yo os digo: No os impondré otra carga; pero lo que tenéis, retenedlo hasta que yo venga. Al que venciere y guardare mis obras hasta el fin, yo le daré autoridad sobre las naciones, y las regirá con vara de hierro, y serán quebradas como vaso de alfarero; como yo también la he recibido de mi Padre; y le daré la estrella de la mañana. El que tiene oído, oiga lo que el Espíritu dice a las iglesias."* Apocalipsis 2:18-29

Significado original

Tiatira fue una ciudad de Asia Menor construida en los límites de Lidia y Misia –actual Turquía–, famosa por su industria gremial y tintorera, especialmente por sus colores púrpura y escarlata. La Biblia, en un registro sobre aquella ciudad, dice: *"una mujer llamada Lidia, vendedora de púrpura, de la ciudad de Tiatira, que adoraba a Dios, estaba oyendo; y el Señor abrió el corazón de ella..."* Hechos 16:14

Sin embargo, es escaso el registro histórico que se dispone en relación a la iglesia cristiana que habitó allí. Un comentario bíblico expresa:

"Que la iglesia de Tiatira perdió su pureza y experimentó dificultades en los primeros siglos de la era cristiana, parece evidente por una observación de Epifanio, padre de la iglesia, quien afirma que a comienzos del siglo III toda la ciudad y sus alrededores habían abrazado la herejía montanista. Fuera de esto no es mucho lo que se sabe de la historia de la iglesia cristiana de esta ciudad.[36]

---

36   Comentario Bíblico Adventista del Séptimo Día, Tomo Apocalipsis, p90.

Significado histórico profético

Hasta aquí hemos visto cómo los mensajes a las antiguas iglesias del Asia Menor tienen una repercusión profética en las vivencias de la iglesia a lo largo de su historia. En este sentido, recordemos que:

• Éfeso representó los comienzos puros pero decadentes durante el período apostólico (hasta el año 100),

• Esmirna, los períodos de intensa persecución del Imperio Romano (del 100 al 313), y

• Pérgamo, fue símbolo del tiempo en el cual la iglesia cristiana se cobijó bajo las alas de aquel Imperio que le persiguió, haciendo terribles concesiones que introdujeron el paganismo dentro de ella (desde el 313 hasta el 538).[37]

En el año 476, el Imperio Romano fue conquistado por las 'tribus bárbaras', y estas se repartieron el territorio que antes estaba bajo el dominio de Roma. Sin embargo, el Obispo de Roma no perdió su poder; al contrario, ocupó el espacio político que el Emperador había dejado vacante de una manera aceptada y apoyada por la mayoría de los nuevos reinos surgidos tras la caída del Imperio.

En este sentido, luego de la eliminación de los tres reinos que estorbaban su poder —a saber, los Hérulos en el 493, los Vándalos en el 534 y los Ostrogodos en el 538—, el reino del papado se desarrolló en todo su apogeo. De esta manera, aquello que comenzó como una unión ilícita entre un poder religioso (la iglesia cristiana) y un poder político económico y militar (el Imperio Romano), terminó decantando en la transformación de aquel corrupto poder religioso (representado por la iglesia de Pérgamo) en un monstruo bestial que absorbió no solo el paganismo sino también el poder político del Imperio Romano; sirviéndose, además, del poder coercitivo del resto de los estados para lograr sus fines.

---

37 La aplicación de los diversos mensajes a las iglesias a períodos consecutivos de la historia implica la necesidad de utilizar una serie de fechas de transición para facilitar la coordinación de los distintos mensajes con sus respectivos períodos históricos; sin embargo, al procurar fijar tales fechas, es bueno recordar que la profecía no incluye un tiempo exacto para su cumplimiento —dado que no contiene datos cronológicos específicos—, sino que tiene que ver principalmente con las sucesivas vicisitudes que le tocarían vivir a la iglesia. Usadas con este fin, las fechas son, en el mejor de los casos, hitos útiles de un carácter más bien general sin determinar límites exactos. La verdadera transición de un período a otro ha sido un proceso gradual.

Por esto, el mensaje a la iglesia de Tiatira impacta directamente en este período de la historia, más precisamente durante los 1260 años de poderío absoluto del papado sobre el mundo cristiano –es decir, desde el 538, año en el que cayó el último de los reinos que se le opuso, hasta el 1798, año en el que la Revolución Francesa le infringió una *'herida de muerte'*, en términos de Apocalipsis 13–.

Durante todo este extenso período, la iglesia fiel se vio obligada a apartarse de la civilización y huir lugares desolados a fin de poder mantener su pureza y mantenerse a salvo de las persecuciones del papado. Dice Apocalipsis: *"Y la mujer huyó al desierto, donde tiene lugar preparado por Dios, para que allí la sustenten por mil doscientos sesenta días [o años, en su aplicación histórico-profética]." Apocalipsis 12:6*

Los valdenses, por ejemplo, eran personas que la Iglesia Romana persiguió con persistencia como herejes, que se vieron obligados a refugiarse en los valles alpinos de Francia e Italia[38], concurriendo a las ciudades disfrazados de mercaderes a fin de llevar la Palabra de Dios a las personas en ignorancia, aún a gran riesgo de sus vidas. A este tipo de cristianos, Jesús, en su mensaje a Tiatira, les reconoce sus obras, diciendo: *"Yo conozco tus obras, y amor, y fe, y servicio, y tu paciencia" Apocalipsis 2:19*

Sin embargo, la iglesia, como conjunto, toleró la acción maléfica del papado por centenares de años, sin realizar grandes esfuerzos para deshacerse de él. Recién en el siglo XVI, la Reforma Protestante se atrevió a desafiar su poder en un intento de sanear la iglesia de la apostasía en la que había caído. Es en este sentido que Jesús dice que *'sus obras postreras fueron más [o mejores] que las primeras.' Ap 2:19*

Lo cual implica que el período representado por Tiatira tiene dos partes, una primera y otra postrera, la cual es considerablemente mejor que la primera, debido al accionar de ciertas personas que dieron su vida para sanear la iglesia. Entre aquellas mejores obras de los reformadores, encontramos:

• Traducción de la Biblia al idioma popular, a fin de hacerla accesible al pueblo –en abierta oposición a la prohibición de lectura efectuada por la Iglesia Romana a todos aquellos que no formaran parte del clero, y su *'encriptación'* al latín, idioma oficial del Imperio Romano, entendido solo por el clero y algunas personas de las altas clases sociales–.

---

38 William Jones. History of the Christian Church, Vol II, p.2.

• Valoración de las Sagradas Escrituras por sobre las tradiciones y concilios, lo cual implicó:

• Rechazo de los libros deuterocanónicos como Palabra de Dios.

• Rechazo de la autoridad del papado y de la infalibilidad papal.

• Rechazo de la doctrina que establece que no hay salvación fuera de la Iglesia Católica Romana.

• Rechazo de la doctrina de salvación por las obras y la compra del perdón por dinero.

• Rechazo de la veneración de imágenes, reliquias y la mediación de los santos.

• Rechazo de la doctrina del purgatorio y, por tanto, las oraciones por los difuntos.

• Rechazo de la doctrina de la 'inmaculada concepción de la virgen María' y de su asunción en cuerpo y alma al cielo.

• Rechazo de la doctrina de la transubstanciación en el rito de la cena del Señor.

• Rechazo del bautismo de los recién nacidos.

• Rechazo de la necesidad de confesión ante autoridades religiosas para obtener perdón.

• Rechazo de la doctrina del celibato para los ministros religiosos.

La Reforma Protestante, en cambio, reconoció como su fundamento de su fe '5 solas' que produjeron un gran bien en la iglesia, las cuales son:

• Sola escritura: reconoce la Biblia como única fuente de autoridad en materia de fe.

• Sola fe: reconoce que solo mediante la fe en Cristo el hombre recibe la salvación, siendo ésta una fe viva que implica una conversión total en el creyente.

• Sola gracia: reconoce que la salvación es recibida de parte de Dios de forma gratuita por el hombre, sin que éste pueda merecerla o adquirirla por sus propias fuerzas.

• Solo Cristo: reconoce que solo hay un mediador entre Dios y los hombres, Cristo Jesús.

• Solo a Dios la gloria: reconoce que solo debemos dar gloria y adoración a Dios.

Todo esto, aunque rechazado y perseguido por la iglesia papal, representó un gran alivio para la iglesia cristiana, proveyendo aire fresco para muchos creyentes –y aún naciones–.

No obstante, desafortunadamente, esta reforma –que inició brillante– se estancó y no avanzó en otros puntos vitales, tales como la doctrina de la inmortalidad del alma –que es la base del espiritismo–, el domingo –aquel pagano día del sol– como día de descanso cristiano, el cambio de los diez mandamientos y la unificación de la Iglesia con el Estado, con sus consecuentes repercusiones sobre los disidentes.

Ahora, al considerar este período de la iglesia en su conjunto, el Hijo de Dios, habiendo examinado sus obras con ojos como de llama de fuego, realiza un gran reproche a sus dirigentes, diciéndoles: *"tengo unas pocas cosas contra ti: que toleras que esa mujer Jezabel, que se dice profetisa, enseñe y seduzca a mis siervos a fornicar y a comer cosas sacrificadas a los ídolos. Y le he dado tiempo para que se arrepienta, pero no quiere arrepentirse de su fornicación." Apocalipsis 2:20-21*

De acuerdo a la Biblia, Jezabel fue una profetiza pagana que se unió en matrimonio con Acab, rey de Israel –unos 1000 años antes de que Juan recibiera el Apocalipsis–, en el tiempo en el que el pueblo de Dios estaba dividido en dos reinos: el de Judá, con sede en Jerusalén (quienes continuaron adorando al verdadero Dios), e Israel, con sede en Samaria (quienes terminaron sirviendo a Baal). Dice la Biblia: *"Reinó Acab hijo de Omri sobre Israel en Samaria veintidós años. Y Acab hijo de Omri hizo lo malo ante los ojos de Jehová, más que todos los que reinaron antes de él. Porque le fue ligera cosa andar en los pecados de Jeroboam hijo de Nabat, y tomó por mujer a Jezabel, hija de Et-baal rey de los sidonios, y fue y sirvió a Baal, y lo adoró. E hizo altar a Baal, en el templo de Baal que él edificó en Samaria. Hizo también Acab una imagen de Asera, haciendo así Acab más que todos los reyes de Israel que reinaron antes que él, para provocar la ira de Jehová Dios de Israel." 1 Reyes 16:30-33*

Si continuamos leyendo, veremos que en el capítulo 18 de 1 Reyes, Jezabel, además de seducir a este dirigente de Israel, y de hacerlo fornicar espiritualmente, rindiendo culto a Baal, también persiguió y dio muerte a los verdaderos profetas de Dios, mediante el poder real que usurpaba de su marido. Tiempo durante el cual aparece el profeta Elías, anunciando el juicio de Dios sobre Israel; juicio que implicaba un plazo de tres años y medio (1260 días) en los cuales no habría lluvia sobre la tierra.

Esta interesante historia, que encontramos en 1 Reyes 17 al 22, es utilizada por Dios aquí, en el Apocalipsis, como una ilustración de lo que viviría el pueblo de Dios durante los 1260 años de sequía espiritual en los que su iglesia fiel, así como aquel Elías de antaño, estaría recluida en lugares apartados de la civilización. Veamos:

En la historia de Elías	*En la Iglesia de Tiatira*
El pueblo de Dios se encuentra en apostasía y paganismo a través del casamiento de su dirigente con Jezabel, una profetisa pagana –llegando a adorar a Baal en vez de a Dios–.	El pueblo de Dios se encuentra en apostasía por haber dejado entrar al paganismo dentro de la iglesia mediante relaciones ilícitas con el pagano poder mundanal –el Imperio Romano–.
Dios entra en juicio con su pueblo y otorga un plazo de 3.5 años durante el cual no llueve sobre la tierra. Durante este plazo, Jezabel no solo no se arrepiente sino que da muerte a los profetas de Dios. Elías mismo debe refugiarse en lugares desolados durante todo este tiempo.	Dios otorga 3.5 tiempos (1260 días histórico proféticos, equivalentes a 1260 años literales) para que la iglesia cristiana papal se arrepienta de su fornicación, tiempo durante el cual los hijos de Dios, al igual que Elías, deben refugiarse en lugares desolados por su persecución.
Al fin de los 3.5 tiempos asignados (1260 días literales), Dios da una herida mortal al paganismo por medio de Elías, quien hace cortar la cabeza a los profetas de Baal en Meguido.	Al fin de los 3.5 tiempos (1260 días simbólicos), la Revolución Francesa también pasó a degüello (por medio de guillotina) a millones de personas, entre ellos muchos clérigos, y tomó prisionero al papa.
Aunque Dios le infligió una terrible herida de muerte al paganismo que había dentro de su pueblo, Jezabel continuó enquistada durante algún tiempo en el liderazgo del pueblo de Israel.	El papado sufrió una herida de muerte con la Revolución Francesa, pero continuó con vida. La profecía anticipa que resurgirá del abismo para un nuevo período de poderío absoluto (Ap 17:8).
Finalmente, la maligna Jezabel fue asesinada por sus mismos sirvientes, los cuales la arrojaron por la ventana de un piso elevado y la dejaron tirada en el suelo hasta que perros devoraron sus carnes, cumpliendo la profecía de Elías (2 Reyes 9:30-37).	La profecía anticipa que los poderes del mundo, representados por los diez cuernos de la bestia, finalmente aborrecerán a la ramera (es decir, al papado), y la dejarán desolada y desnuda; devorando sus carnes, y quemándola con fuego (Ap 17:16).

Por esto, Jesús, luego de anunciar que aquel paganismo enquistado en la cúpula del gobierno de su pueblo –simbolizado por Jezabel– no quiere arrepentirse, Apocalipsis anuncia una terrible sentencia, tanto para ella como para aquellos que con ella adulteran, y aún para sus hijos, diciendo: *"He aquí, yo la arrojo en cama, y en gran tribulación a los que con ella adulteran, si no se arrepienten de las obras de ella. Y a sus hijos heriré de muerte, y todas las iglesias sabrán que yo soy el que escudriña la mente y el corazón; y os daré a cada uno según vuestras obras." Apocalipsis 2:22-23*

Ya hemos comentado a quien representa Jezabel. Sin embargo ¿a quien representan sus hijos? Pues, a todas las iglesias que, luego de haber salido de ella, han seguido sus mismas prácticas. En este sentido, Apocalipsis 17, al identificar como 'Babilonia' a esta misma iglesia apóstata, dice que es *"madre de rameras" (Ap 17:5)*, lo cual implica que tiene hijas –que han salido de ella– que también se han prostituido, tal como su madre.

De hecho, al repasar la historia de sus hijas, es decir, de aquellas iglesias fundadas por quienes se separaron de la Iglesia Católica Romana en la Reforma Protestante, vemos que también se unieron con los Estados de sus países –cometiendo así el terrible pecado de la 'fornicación' espiritual. Por ejemplo, la Iglesia Luterana llegó a ser la Iglesia Estatal en Alemania, Noruega, Suecia, Finlandia, Dinamarca, Islandia, Estonia y Letonia, la Iglesia Calvinista fue la Iglesia Estatal de Suiza y la Iglesia Anglicana la de Inglaterra. El resultado fue que estas iglesias protestantes terminaron persiguiendo a sus oponentes de la misma manera que la Iglesia Católica Romana persiguió a sus oponentes en sus dominios territoriales.

Respecto a todos ellos, a saber: la madre de las rameras, los reyes que con ella fornicaron, y sus hijas, también rameras, Dios anticipó que serían arrojados *"en cama, y en gran tribulación…" Apocalipsis 2:22*

En cumplimiento de esto, podemos observar que tanto la Iglesia Católica Romana, como sus hijas protestantes, y aún las monarquías absolutas que sostenían sus poderes, sufrieron un gran revés durante la Revolución Francesa (1798). A partir de aquel momento, el poder del papado en específico, y de la religión cristiana en general, sufrió una gran herida de muerte, dado que los religiosos fueron perseguidos y aniquilados, y se impuso la 'razón' como diosa de la revolución, dando lugar a que ateísmo domine la mayoría de los Estados desde aquel momento.

Significado escatológico

El mensaje que Jesús envía a la iglesia de Tiatira tiene un profundo y abarcante significado para los hijos de Dios de la última generación, dado que representa el 'núcleo' o principal problema que amenaza la iglesia de Dios en nuestros días. Tal como antaño, hoy también encontramos hermanos a los cuales Jesús les reconoce sus obras de amor, de fe, de servicio y de paciencia por su arduo trabajo para el Señor. Sin embargo, hoy como ayer, la iglesia de Dios tiene a Jezabel dentro de ella y la tolera.

Coincidentemente con el mensaje a Tiatira, Apocalipsis 17 anuncia una sentencia similar contra el papado de nuestros días, llamándolo, en esta ocasión, 'Babilonia la grande, la madre de las rameras y de las abominaciones de la tierra'. Dice: *Vino entonces uno de los siete ángeles que tenían las siete copas [de la ira de Dios], y habló conmigo diciéndome: Ven acá, y te mostraré la sentencia contra la gran ramera [es decir, la sentencia divina contra aquella iglesia que dejó a Cristo para unirse con los poderes de este mundo], la que está sentada sobre muchas aguas [es decir, sobre pueblos, multitudes, naciones y lenguas, de acuerdo a Ap 17:15]; con la cual han fornicado los reyes de la tierra [es decir, han tenido relaciones ilícitas entre política y religión], y los moradores de la tierra se han embriagado con el vino de su fornicación [engaños que surgen de su nefasta relación con el poder mundanal]. Y me llevó en el Espíritu al desierto; y vi a una mujer [es decir, una iglesia, en términos espirituales] sentada sobre una bestia escarlata llena de nombres de blasfemia [es una iglesia que comanda el poder que gobierna el mundo de una manera blasfema, abominable para con Dios], que tenía siete cabezas y diez cuernos [cosa que analizaremos en su momento]. Y la mujer [es decir, esta iglesia] estaba vestida de púrpura y escarlata, y adornada de oro, de piedras preciosas y de perlas, y tenía en la mano un cáliz de oro lleno de abominaciones y de la inmundicia de su fornicación [es decir, de sus terribles engaños]; y en su frente un nombre escrito, un misterio: BABILONIA LA GRANDE, LA MADRE DE LAS RAMERAS Y DE LAS ABOMINACIONES DE LA TIERRA [el énfasis es original]. Vi a la mujer ebria de la sangre de los santos, y de la sangre de los mártires de Jesús; y cuando la vi, quedé asombrado con gran asombro.* Apocalipsis 17:1-6

Si prestamos atención, la figura de aquella Jezabel que, diciéndose profetisa, enseñaba y seducía al liderazgo del pueblo de Dios a tener relaciones ilícitas con los reinos del mundo y a absorber sus cultos paganos, persiguiendo y dando muerte a los profetas de Dios, encuentra plena relación con la gran ramera de Apocalipsis 17, es decir, con aquella iglesia apóstata que ha 'fornicado con los reyes de la tierra', ha embriagado a los habitantes del mundo con el vino de sus relaciones ilícitas y está ebria de la sangre de los mártires de Jesús que ella misma ha hecho asesinar.

A raíz de esto, sobre esta Jezabel del tiempo del fin, llamada, en esta ocasión, 'Babilonia la grande', también pesa una terrible sentencia –tal como en el mensaje a Tiatira. Dice Apocalipsis: *"Después de esto vi a otro ángel descender del cielo con gran poder; y la tierra fue alumbrada con su gloria [ilustración que hace referencia al fuerte pregón llevado a cabo por quienes vendrán con el Espíritu y el Poder de Elías, "antes que venga el gran y terrible día de Jehová." Malaquías 4:5]. Y clamó con voz potente, diciendo: Ha caído, ha caído la gran Babilonia, y se ha hecho habitación de demonios y guarida de todo espíritu inmundo, y albergue de toda ave inmunda y aborrecible. Porque todas las naciones han bebido del vino del furor de su fornicación; y los reyes de la tierra han fornicado con ella, y los mercaderes de la tierra se han enriquecido de la potencia de sus deleites. Y oí otra voz del cielo, que decía: Salid de ella, pueblo mío, para que no seáis partícipes de sus pecados, ni recibáis parte de sus plagas; porque sus pecados han llegado hasta el cielo, y Dios se ha acordado de sus maldades." Apocalipsis 18:1-5*

Esta iglesia, es tan corrupta que, a sabiendas, se ha unido con el diablo para gobernar el mundo. En palabras del mensaje a la iglesia de Tiatira ellos mismos lo llaman *"las profundidades de Satanás"*, mientras que Apocalipsis 18 asegura que se ha convertido en *"habitación de demonios"*.

Por esto, sus castigos vendrán cuando menos lo espera y en poco tiempo será desbaratada. Dice la sentencia divina: *"Dadle a ella como ella os ha dado, y pagadle doble según sus obras; en el cáliz en que ella preparó bebida, preparadle a ella el doble. Cuanto ella se ha glorificado y ha vivido en deleites, tanto dadle de tormento y llanto; porque dice en su corazón: Yo estoy sentada como reina, y no soy viuda, y no veré llanto; por lo cual en un solo día vendrán sus plagas; muerte, llanto y hambre, y será quemada con fuego; porque poderoso es Dios el Señor, que la juzga." Apocalipsis 18:6-8*

Lo cual es un paralelo profético de aquellas palabras de Jesús en el mensaje a Tiatira, cuando dice, respecto de Jezabel: *"le he dado tiempo para que se arrepienta, pero no quiere arrepentirse de su fornicación. He aquí, yo la arrojo en cama, y en gran tribulación a los que con ella adulteran, si no se arrepienten de las obras de ella. Y a sus hijos heriré de muerte, y todas las iglesias sabrán que yo soy el que escudriña la mente y el corazón; y os daré a cada uno según vuestras obras." Apocalipsis 2:21-23*

No obstante, Dios tiene un pueblo inocente en medio de ella, al cual le dirige su más tiernas palabras, diciéndoles: *"Salid de ella, pueblo mío, para que no seáis partícipes de sus pecados, ni recibáis parte de sus plagas."* *Apocalipsis 18:4*

A estas personas, en el mensaje a Tiatira, Dios les realiza la siguiente promesa: *"Al que venciere y guardare mis obras hasta el fin, yo le daré autoridad sobre las naciones, y las regirá con vara de hierro, y serán quebradas como vaso de alfarero; como yo también la he recibido de mi Padre; y le daré la estrella de la mañana."* *Apocalipsis 2:26-28*

Lo cual nos revelan que Cristo compartirá su cetro de autoridad y su trono con los vencedores de esta iglesia. No por casualidad, cuando Apocalipsis describe a Cristo saliendo en conquista al fin del mundo usa expresiones similares a aquellas que encontramos en el mensaje a Tiatira. Dice: *"Entonces vi el cielo abierto; y he aquí un caballo blanco, y el que lo montaba se llamaba Fiel y Verdadero, y con justicia juzga y pelea. Sus ojos eran como llama de fuego, y había en su cabeza muchas diademas; y tenía un nombre escrito que ninguno conocía sino él mismo. Estaba vestido de una ropa teñida en sangre; y su nombre es: EL VERBO DE DIOS. Y los ejércitos celestiales, vestidos de lino finísimo, blanco y limpio, le seguían en caballos blancos. De su boca sale una espada aguda, para herir con ella a las naciones, y él las regirá con vara de hierro; y él pisa el lagar del vino del furor y de la ira del Dios Todopoderoso. Y en su vestidura y en su muslo tiene escrito este nombre: REY DE REYES Y SEÑOR DE SEÑORES [los énfasis son originales]."* *Apocalipsis 19:11-16*

Por esto, la vara de hierro con que serán regidas y quebrantadas las naciones, claramente hace referencia al castigo del juicio final sobre los impíos. Un castigo que no solo apunta a aquel que será impartido por Cristo en su segunda venida, sino a aquel que será derramado sobre ellos luego del milenio, una vez que los santos hayan participado del juicio. Dice la Biblia: *"¿O no sabéis que los santos han de juzgar al mundo? 1 Corintios 6:2-3*

En este sentido, la promesa de dar la *'estrella de la mañana'* a quienes resulten vencedores, también tiene directa relación con la tercera venida de Jesús, es decir, aquella que se producirá luego del milenio, dado que ésta representa el 'nuevo día' que vendrá luego de que el mal haya sido eliminado para siempre.

Ahora, surge la pregunta ¿será que a esta Jezabel del tiempo del fin –llamada Babilonia– también se le ha asignado un tiempo para que se arrepienta? La respuesta es sí. Refiriéndose a aquel tiempo, el profeta Daniel dice: *"También algunos de los sabios caerán para ser depurados y limpiados y emblanquecidos, hasta el tiempo determinado; porque aun para esto hay plazo." Daniel 11:35*

Y un poco más adelante: *"Y oí al varón vestido de lino, que estaba sobre las aguas del río, el cual alzó su diestra y su siniestra al cielo, y juró por el que vive por los siglos, que será por tiempo, tiempos, y la mitad de un tiempo. Y cuando se acabe la dispersión del poder del pueblo santo, todas estas cosas serán cumplidas." Daniel 12:7*

También, como ampliaremos en nuestro análisis de Apocalipsis 11, allí, cuando presenta la acción de aquellos que vendrán con el 'espíritu y el poder de Elías' para dar el último mensaje de amonestación al mundo, dice: *"Entonces me fue dada una caña semejante a una vara de medir, y se me dijo: Levántate, y mide el templo de Dios, y el altar, y a los que adoran en él [ilustración que hace referencia al juicio de Dios sobre su iglesia de los últimos días]. Pero el patio que está fuera del templo déjalo aparte, y no lo midas, porque ha sido entregado a los gentiles; y ellos hollarán la ciudad santa cuarenta y dos meses. Y daré a mis dos testigos que profeticen por mil doscientos sesenta días, vestidos de cilicio… Estos tienen poder para cerrar el cielo, a fin de que no llueva en los días de su profecía…" Apocalipsis 11:1-6*

En tanto, como explicaremos en nuestro análisis de Apocalipsis 12, allí también se presenta las dos oportunidades en que la iglesia de Dios sería perseguida. Ambas con una duración establecida y relacionadas con aquellos tres tiempos y medio de la historia de Elías. Veamos:

Apocalipsis 12:6 anuncia un plazo de 1260 días proféticos (entendidos como 1260 años) en los cuales la iglesia de Dios iba a refugiarse en el desierto, luego de la ascensión de Cristo. Dice: *"Y el dragón se paró frente a la mujer que estaba para dar a luz, a fin de devorar a su hijo tan pronto como naciese. Y ella dio a luz un hijo varón, que regirá con vara de hierro a todas las naciones [en el futuro]; y su hijo fue arrebatado para Dios y para su trono. Y la mujer huyó al desierto, donde tiene lugar preparado por Dios, para que allí la sustenten por mil doscientos sesenta días." Apocalipsis 12:4-6*

En tanto, Apocalipsis 12:14 presenta un segundo plazo de persecución en el contexto del juicio de Dios sobre la iglesia. Dice: *"Después*

[de aquel período inicial de 1260 años en los que la iglesia huiría al desierto]
hubo una gran batalla en el cielo: Miguel y sus ángeles luchaban contra el
dragón; y luchaban el dragón y sus ángeles; pero no prevalecieron, ni se halló
ya lugar para ellos en el cielo." Apocalipsis 12:7

En el análisis de este capítulo, comprobaremos que se refiere a una batalla
judicial mediante la cual Jesús y el diablo se disputarán el destino de
la iglesia de Dios. En relación a este tiempo, Apocalipsis anuncia una
segunda oportunidad en la cual la iglesia de Dios debería refugiarse en
el desierto, el cual, a esta altura, ya es considerado 'su lugar'. Dice: *"Y se*
le dieron a la mujer las dos alas de la gran águila, para que volase de delante
de la serpiente al desierto, a su lugar, donde es sustentada por un tiempo, y
tiempos, y la mitad de un tiempo." Apocalipsis 12:14

Luego, Apocalipsis 13 vuelve a presentar este mismo período como
un tiempo de autoridad que le sería otorgado a la Bestia luego de que
haya curado de su herida mortal. Dice: *"Vi una de sus cabezas como herida*
de muerte, pero su herida mortal fue sanada; y se maravilló toda la tierra en
pos de la bestia, y adoraron al dragón que había dado autoridad a la bestia,
y adoraron a la bestia, diciendo: ¿Quién como la bestia, y quién podrá luchar
contra ella? También se le dio boca que hablaba grandes cosas y blasfemias;
y se le dio autoridad para actuar cuarenta y dos meses [lo cual equivale a 3,5
tiempos y 1260 días]." Apocalipsis 13:3-5

En conclusión, el mensaje de Jesús a la iglesia de Tiatira también
alcanza un gran significado en nuestro tiempo. Hoy como ayer, la iglesia
de Dios tiene a una falsa profetiza en medio de ella y la tolera, amén de
las buenas obras de algunas personas que se mantienen firmes –aún a
costa de tener que vivir en 'exilios'–. Sin embargo, el mensaje de Jesús
incluye una severa reprensión hacia los dirigentes y maestros de su iglesia. La esperanza es que *"sus obras postreras sean mejores que las primeras"*
Apocalipsis 2:19

'*El que tenga oído, oiga lo que el Espíritu dice a las iglesias.*'
Apocalipsis 2:29

Vuelve a leer, ahora mismo, Apocalipsis 2 y comprueba como ya se
han abierto ante tus ojos.

Capítulo 3
Las últimas tres iglesias

Apocalipsis es un libro que está repleto de *'sietes'*:

- Siete ángeles: simbolizados por siete estrellas (Ap 1:20),

- Siete espíritus: simbolizados por siete lámparas (Ap 1:4 y 4:5), siete cuernos y siete ojos (Ap 5:6),

- Siete montes: donde se asienta la ramera, simbolizados por siete cabezas de una bestia (Ap 17:9),

- Siete reyes: que gobiernan la bestia, simbolizados también por sus siete cabezas (Ap 17:10).

Ahora, además de esto, Apocalipsis también contiene algunas *'series de siete'*, tales como:

- Siete iglesias: simbolizadas por siete candeleros que portan la luz de Dios (Ap 1:20)

- Siete sellos: que simbolizan siete eventos que desatarán el fin del mundo (Ap 6-8).

- Siete trompetas: que representan siete anuncios finales (Ap 8-14).

- Siete copas: que contienen siete maldiciones divinas que serán volcadas sobre la tierra (Ap 15-19).

- Siete truenos: que pronuncian siete misterios divinos que no se escriben (Ap 10:4).

El punto es que no da lo mismo si estamos ante un siete que es usado como símbolo de plenitud o ante un siete que implica una serie de circunstancias que deben desarrollarse a lo largo del tiempo. Por ejemplo: los siete ángeles representan la plenitud de los ángeles que ejecutan los designios de Dios, sin embargo, las siete iglesias, aunque también simbolizan la plenitud de la iglesia, implican un desarrollo a lo largo del tiempo, cosa que no ocurre en el caso anterior.

De igual manera, veremos como las series de iglesias, sellos y trompetas, se desarrollan de manera ordenada en grupos de cuatro-tres; donde, en los primeros cuatro elementos, encontramos las causas que hacen madurar aquello de lo cual trata la serie. Por ejemplo, en el caso de las iglesias, hemos estudiado como, en las primeras cuatro, se describen las circunstancias que llevaron a que se encuentre en un estado de completa apostasía y, en los siguientes tres elementos, estudiaremos lo que ocurrirá a consecuencia de dichas causas.

Por esto, los últimos tres elementos de estas series, constituyen lo que podríamos llamar 'el desenlace de la historia', el cual se producirá en un contexto propio del tiempo del fin. Razón por la cual, en nuestro análisis hemos unificado el cumplimiento histórico profético con el escatológico.

Quinta iglesia: Sardis

En el mensaje a la iglesia de Sardis, Jesús vuelve a apelar a sus dirigentes, diciendo: *"Escribe al ángel de la iglesia en Sardis: El que tiene los siete espíritus de Dios [es decir, la plenitud del poder del Espíritu Santo], y las siete estrellas [es decir, la plenitud del liderazgo de la iglesia en su mano derecha], dice esto: Yo conozco tus obras, que tienes nombre de que vives, y estás muerto. Sé vigilante, y afirma las otras cosas que están para morir; porque no he hallado tus obras perfectas delante de Dios. Acuérdate, pues, de lo que has recibido y oído; y guárdalo, y arrepiéntete. Pues si no velas, vendré sobre ti como ladrón, y no sabrás a qué hora vendré sobre ti. Pero tienes unas pocas personas en Sardis que no han manchado sus vestiduras; y andarán conmigo en vestiduras blancas, porque son dignas. El que venciere será vestido de vestiduras blancas; y no borraré su nombre del libro de la vida, y confesaré su nombre delante de mi Padre, y delante de sus ángeles. El que tiene oído, oiga lo que el Espíritu dice a las iglesias." Apocalipsis 3:1-6*

Significado original

Sardis fue una antigua ciudad de Asia Menor fundada por el rey Giges, algo más de seis siglos antes de Cristo, como capital del antiguo reino de Lidia. Se corresponde con la actual Sart, en la provincia turca de Manisa. Fue una ciudad muy comercial y próspera, hasta que en el año 546 a.C. cayó en manos de Ciro el persa, quien la tomó sin mayores esfuerzos porque sus puertas estaban abiertas y sin vigilancia, dado que sus moradores estaban distraídos en sus riquezas y bienestar. No disponemos de registros sobre la historia de la iglesia en aquella ciudad.

Significado histórico profético y escatológico

En nuestro capítulo anterior, comentamos que, en el cumplimiento histórico profético:

• Éfeso representó los comienzos de la iglesia durante el período apostólico (del año 31 al 100),

• Esmirna, los períodos de intensa persecución del Imperio Romano (del 100 al 313),

• Pérgamo, el tiempo en el cual la iglesia se cobijó bajo las alas del Imperio Romano, haciendo terribles concesiones que introdujeron el paganismo dentro de ella (del 313 al 538), y

• Tiatira, lo que sucedió desde aquel momento y durante los 1260 años en los que el papado ejerció su poder de manera absoluta (del 538 al 1798, año en el que la Revolución Francesa destruyó su poder al provocarle aquella *'herida de muerte'* que lo dejó, como bien anticipó Cristo en el mensaje a Tiatira, *'en cama'*).

Luego, en este capítulo, Apocalipsis presenta el mensaje de Cristo a su iglesia usando a Sardis como representación de ella, es decir, aquella ciudad que había dejado de velar por estar ocupada en los negocios de este mundo. Lo cual implicó que la fe de su iglesia se convirtió en meramente 'nominal', es decir, de nombre, pero no de realidad. Por esta causa Jesús la amonesta, diciendo: *"tienes nombre de que vives, pero estás muerto. Sé vigilante, y afirma las otras cosas que están para morir; porque no he hallado tus obras perfectas delante de Dios." Apocalipsis 3:1-2*[39]

---

39 Elena de White comenta: "A medida que el espíritu de humildad y piedad fue reemplazado en la iglesia por el orgullo y formalismo, se enfriaron el amor a Cristo y la fe en su venida… La libertad y comodidad de que gozaban todas las clases de la sociedad, el deseo ambicioso de riquezas y lujo, que creaba una atención exclusiva a juntar dinero, la ardiente persecución de la popularidad y del poder, que parecían estar al alcance de todos, indujeron a los hombres a concentrar sus intereses y esperanzas en las cosas de esta vida, y a posponer para el lejano porvenir aquel solemne día en que el presente estado de cosas habrá de acabar. Cuando el Salvador dirigió la atención de sus discípulos hacia las señales de su regreso, predijo el estado de apostasía que existiría precisamente antes de su segundo advenimiento. Habría, como en los días de Noé, actividad febril en los negocios mundanos y sed de placeres, y los seres humanos iban a comprar, vender, sembrar, edificar, casarse y darse en matrimonio, olvidándose entre tanto de Dios y de la vida futura. La amonestación de Cristo para los que vivieran en aquel tiempo es: "Mirad, pues, por vosotros mismos, no sea que vuestros corazones sean entorpecidos con la glotonería,

En consecuencia, entendemos que Sardis representa la realidad de la iglesia de nuestros días. Una realidad que es propia no solo de la iglesia romana papal –que se autodenomina cristiana y apostólica pero no sigue ni el ejemplo ni las enseñanzas de Cristo y sus apóstoles–, sino también de las iglesias que surgieron de ella durante la Reforma Protestante, pero que terminaron adoptando sus mismas prácticas. E incluso, aplica a aquellas iglesias fundadas después de 1798, como los Adventistas del Séptimo Día, que, aún desde nuestro nombre, decimos esperar el regreso de Jesús pero, en la práctica, también nos hemos dejado llevar por asuntos mundanos, profesando una fe que no es correspondida por nuestras acciones.[40]

Por esto, Jesús, amorosamente, nos amonesta, diciendo: *"Sé vigilante, y afirma las otras cosas que están para morir; porque no he hallado tus obras perfectas delante de Dios. Acuérdate, pues, de lo que has recibido y oído; y guárdalo, y arrepiéntete. Pues si no velas, vendré sobre ti como ladrón, y no sabrás a qué hora vendré sobre ti.' Apocalipsis 3:2-3*

Como vemos, el mensaje a Sardis es un mensaje que aplica directamente a nuestra generación. De hecho, en nuestros días es muy común escuchar a personas que se describen –sinceramente– como 'católicos no practicantes' (es decir, religiosos de nombre pero no de práctica). Algo similar ocurre con miembros de otras denominaciones que profesan una fe que también es meramente nominal, es decir, de adherencia a ciertos postulados teológicos que no se hacen realidad en la vida práctica de quienes los profesan.

Todos estos dicen 'creer' en Jesús –y en su evangelio–, y piensan que se salvarán aún cuando sus vidas no dan testimonio práctico y real de aquello que dicen creer.

---

y la embriaguez, y los cuidados de esta vida, y así os sobrevenga de improviso aquel día". "Velad, pues, en todo tiempo, y orad, a fin de que logréis evitar todas estas cosas que van a suceder, y estar en pie delante del Hijo del hombre" (Lucas 21:34, 36). La condición en que se hallaría entonces la iglesia está descrita en las palabras del Salvador en el Apocalipsis: "Tienes nombre que vives, y estás muerto". Y a los que no quieren dejar su indolente descuido, se les dirige el solemne aviso: "Si no velares, vendré a ti como ladrón, y no sabrás en qué hora vendré a ti" (Apocalipsis 3:1, 3)." CS 309-310

40   Elena de White escribió: "Los mensajes dirigidos a las iglesias de Éfeso y Sardis me han sido repetidos con frecuencia por Aquel que me da instrucción para su pueblo: [cita los mensajes]. Estamos viendo el cumplimiento de estas advertencias. Nunca antes se había cumplido una escritura tan al pie de la letra como éstas." 8TI 106

Por esto, en su mensaje a esta iglesia, Jesús afirma que, de entre todos los que profesan su nombre, solo *'unas pocas personas… no han manchado sus vestiduras; [por lo cual] andarán con él en vestiduras blancas, porque son dignas' (Ap 3:4),* lo cual implica que el resto, es decir, la gran mayoría de los 'fieles' se hallan en un estado de infidelidad sin par que hace totalmente vana y muerta su religión.

Dice la Biblia: *"Bienaventurado el varón que soporta la tentación; porque cuando haya resistido la prueba, recibirá la corona de vida, que Dios ha prometido a los que le aman… Pero sed hacedores de la palabra, y no tan solamente oidores, engañándoos a vosotros mismos… el que mira atentamente en la perfecta ley, la de la libertad, y persevera en ella, no siendo oidor olvidadizo, sino hacedor de la obra, este será bienaventurado en lo que hace. Si alguno se cree religioso entre vosotros, y no refrena su lengua, sino que engaña su corazón, la religión del tal es vana. La religión pura y sin mácula delante de Dios el Padre es esta: Visitar a los huérfanos y a las viudas en sus tribulaciones, y guardarse sin mancha del mundo." Santiago 1:12-27*

Por esto, la verdadera 'justificación por la fe' implica, y no deja de lado, la acción purificadora del Espíritu Santo, quien limpia el pecado y transforma la vida de todos aquellos que se entregan a Cristo. En este sentido, Jesús, aquel que se presenta a esta iglesia como quien tiene –e imparte– la plenitud del Espíritu Santo, le dijo a Pedro: *"Si no te lavare, no tendrás parte conmigo…" Juan 13:8*

Para que Dios pueda hacer esta obra, no en el símbolo del lavamiento exterior, sino en la realidad de la purificación del corazón, es necesario que el hombre reconozca su desesperada condición y su incapacidad para vencer el pecado por sí mismo; y que, luego de esto, acuda a Dios en busca de ayuda, poniendo todo lo que está de su parte a fin de abandonar el pecado.

Sin embargo, a lo largo de la historia, dos opuestos han arrastrado la vida de la gran mayoría de las personas, hundiéndolas en eterna perdición. Tanto aquellos que creen poder salvarse mientras continúan pecando, como los que pretenden ser salvos 'cumpliendo' la ley por sí mismos, se encuentran en desesperada condición. La sangre de Cristo, otorgada al pecador, es la única que tiene poder para vencer en nosotros, independientemente de la condición en la que nos encontremos.[41]

Ahora, otro de los grandes problemas de la iglesia de nuestros días es que ha dejado de velar. Por esto, Jesús nos dice, a través de su mensaje a Sardis: *"sé vigilante, y afirma las otras cosas que están para morir; porque no he hallado tus obras perfectas delante de Dios. Acuérdate, pues, de lo que has recibido y oído; y guárdalo, y arrepiéntete. Pues si no velas, vendré sobre ti como ladrón, y no sabrás a qué hora vendré sobre ti." Apocalipsis 3:2-3*

Y ésta es, justamente, la evidencia que nos indica que Sardis apunta a aquella iglesia que habitaría en la tierra en el tiempo que precedería al inminente regreso de nuestro Señor, dado que el mismo Jesús, en su sermón escatológico sobre las señales que anunciarían el fin del mundo, dijo: *"Mirad también por vosotros mismos, que vuestros corazones no se carguen de glotonería y embriaguez y de los afanes de esta vida, y venga de repente sobre vosotros aquel día. Porque como un lazo vendrá sobre todos los que habitan sobre la faz de toda la tierra. Velad, pues, en todo tiempo orando que seáis tenidos por dignos de escapar de todas estas cosas que vendrán, y de estar en pie delante del Hijo del Hombre." Lucas 21:34-36.*

La venida de Jesús que se nombra aquí, como ya hemos comentado, no refiere específicamente a la segunda venida de Jesús en gloria y majestad, sino a la llegada de sus juicios ejecutivos.[42]

41　Elena de White comenta: "¿Qué es la justificación por la fe? Es la obra de Dios que abate en el polvo la gloria del hombre, y hace por el hombre lo que éste no puede hacer por sí mismo." TM 456

"No importa cuál haya sido la experiencia del pasado ni cuán desalentadoras sean las circunstancias del presente, si acudimos a Cristo en nuestra condición actual—débiles, sin fuerza, desesperados—, nuestro compasivo Salvador saldrá a recibirnos mucho antes de que lleguemos, y nos rodeará con sus brazos amantes y con la capa de su propia justicia. Nos presentará a su Padre en las blancas vestiduras de su propio carácter. El aboga por nosotros ante el Padre, diciendo: Me he puesto en el lugar del pecador. No mires a este hijo desobediente, sino a mí." DMJ 13

42　Elena de White explica: "Jesús nos ha dejado esta palabra: "Velad, pues, porque no sabéis cuándo vendrá el Señor de la casa; si al anochecer, o a la medianoche, o al canto del gallo, o a la mañana; para que cuando venga de repente, no os halle durmiendo. Y lo que a vosotros digo, a todos lo digo: Velad". Marcos 13:35-37. Estamos esperando y velando con la mira puesta en el regreso del Maestro, que traerá el amanecer, no sea que viniendo de repente nos encuentre durmiendo. ¿A qué tiempo se refiere aquí? No a la manifestación de Cristo en las nubes del cielo para encontrar un pueblo dormido. No; sino cuando regrese de su ministerio en el

En este contexto, el profesar 'nominalmente' una fe que no se practica, puede incorporar a las personas dentro de la iglesia; sin embargo, cuando Dios realice su juicio, juzgando a cada uno de acuerdo con sus obras, todas estas personas serán zarandeadas.

Ahora, lo que torna aún más dramático este asunto, es que aquella visita que Dios realizará a su iglesia a fin de juzgar sus obras pasará totalmente inadvertida para todos aquellos que no se encuentran 'velando', es decir, guardando y atesorando la palabra que Dios nos ha enviado, en arrepentimiento de corazón. Jesús le dice a esta iglesia: *"si no velas, vendré sobre ti como ladrón, y no sabrás a qué hora vendré sobre ti." Apocalipsis 3:2-3*

Por esto, cuando la iglesia sea juzgada, todo aquel que no se encuentre velando no lo sabrá; por lo que, una vez finalizado el tiempo de gracia, los juicios de Dios caerán sobre ellos como aterradora sorpresa.[43]

---

lugar santísimo del santuario celestial, cuando deponga sus atuendos sacerdotales y se revista de atavíos de venganza, y cuando se promulgue el decreto que dice: "El que es injusto, sea injusto todavía; y el que es justo, practique la justicia todavía; y el que es santo, santifíquese todavía". Apocalipsis 22:11." 2TI 172

43   Elena de White afirma: "El juicio se lleva ahora adelante en el santuario celestial. Esta obra se viene realizando desde hace muchos años. Pronto —nadie sabe cuándo— les tocará ser juzgados a los vivos. En la augusta presencia de Dios nuestras vidas deben ser pasadas en revista. En este más que en cualquier otro tiempo conviene que toda alma preste atención a la amonestación del Señor: "Velad y orad: porque no sabéis cuándo será el tiempo". "Y si no velares, vendré a ti como ladrón, y no sabrás en qué hora vendré a ti". Marcos 13:33; Apocalipsis 3:3.

Cuando quede concluida la obra del juicio investigador, quedará también decidida la suerte de todos para vida o para muerte. El tiempo de gracia terminará poco antes de que el Señor aparezca en las nubes del cielo. Al mirar hacia ese tiempo, Cristo declara en el Apocalipsis: "¡El que es injusto, sea injusto aún; y el que es sucio, sea sucio aún; y el que es justo, sea justo aún; y el que es santo, sea aún santo! He aquí, yo vengo presto, y mi galardón está conmigo, para dar la recompensa a cada uno según sea su obra". Apocalipsis 22:11, 12

Los justos y los impíos continuarán viviendo en la tierra en su estado mortal, los hombres seguirán plantando y edificando, comiendo y bebiendo, inconscientes todos ellos de que la decisión final e irrevocable ha sido pronunciada en el santuario celestial. Antes del diluvio, después que Noé, hubo entrado en el arca, Dios le encerró en ella, dejando fuera a los impíos; pero por espacio de siete días el pueblo, no sabiendo que su suerte estaba decidida continuó en su indiferente búsqueda de placeres y se mofó de las advertencias del juicio que le amenazaba. "Así—dice el Salvador—será también la venida del Hijo del hombre". Mateo 24:39. Inadvertida como ladrón a medianoche, llegará la hora decisiva que fija el destino de cada uno,

Este asunto cobra especial relevancia al considerar que el diablo persuadirá para que –tanto desde la comunicación oficial como desde el propio ejemplo– los corruptos dirigentes del pueblo de Dios estén, por todo medio posible, predicando 'paz y seguridad'; es decir, promoviendo el adormecimiento de los sentidos espirituales del pueblo a fin de que continúen distraídos en su búsqueda de prosperidad temporal hasta que el tiempo de gracia haya concluido. Momento en el que, dirigentes y dirigidos, se encontrarán aterrorizados con su sentencia: *"Pesado has sido en balanza, y fuiste hallado falto..." Daniel 5:27.*[44]

Sin embargo, aunque terrible, aún no es desesperada la condición de la iglesia de Sardis [es decir, de nosotros], puesto que Jesús aún intercede por estos 'muertos espirituales' en su Santuario Celestial, presentándose además como *'aquel que tiene los siete espíritus de Dios' (Ap 3:1)*, es decir, la plenitud del Espíritu Santo; el cuál es el único que puede revivir y restaurar los huesos secos de su profeso pero muerto pueblo de Dios.

El profeta Ezequiel, anunciando esta obra de Dios, escribió: *"La mano de Jehová vino sobre mí, y me llevó en el Espíritu de Jehová, y me puso en medio de un valle que estaba lleno de huesos. Y me hizo pasar cerca de ellos por todo en derredor; y he aquí que eran muchísimos sobre la faz del campo, y por cierto secos en gran manera. Y me dijo: Hijo de hombre, ¿vivirán estos huesos? Y dije: Señor Jehová, tú lo sabes. Me dijo entonces: Profetiza sobre estos*

---

cuando será retirado definitivamente el ofrecimiento de la gracia que se dirigiera a los culpables.

¡Velad pues; [...] no sea que viniendo de repente, os halle dormidos!" Marcos 13:35, 36. Peligroso es el estado de aquellos que cansados de velar, se vuelven a los atractivos del mundo. Mientras que el hombre de negocios está absorto en el afán de lucro, mientras el amigo de los placeres corre tras ellos, mientras la esclava de la moda está ataviándose, puede llegar el momento en que el juez de toda la tierra pronuncie la sentencia: "Has sido pesado en la balanza y has sido hallado falto". Daniel 5:27." CS 480-481

44   Elena de White, comentando las palabras "si no velares, vendré a ti como ladrón, y no sabrás en qué hora vendré a ti" de Apocalipsis 3:2-3, escribió: "El advenimiento de Cristo sorprenderá a los falsos maestros. Están diciendo: "Paz y seguridad." Como los sacerdotes y doctores antes de la caída de Jerusalén, esperan que la iglesia disfrute de prosperidad terrenal y gloria. Interpretan las señales de los tiempos como indicios de esto. Pero ¿qué dice la Palabra inspirada? "Vendrá sobre ellos destrucción de repente." 1 Tesalonicenses 5:3. El día de Dios vendrá como ladrón sobre todos los que moran en la faz de la tierra, que hacen de este mundo su hogar. Viene para ellos como ladrón furtivo." DTG 589

huesos, y diles: Huesos secos, oíd palabra de Jehová. Así ha dicho Jehová el Señor a estos huesos: He aquí, yo hago entrar espíritu en vosotros, y viviréis. Y pondré tendones sobre vosotros, y haré subir sobre vosotros carne, y os cubriré de piel, y pondré en vosotros espíritu, y viviréis; y sabréis que yo soy Jehová. Profeticé, pues, como me fue mandado; y hubo un ruido mientras yo profetizaba, y he aquí un temblor; y los huesos se juntaron cada hueso con su hueso. Y miré, y he aquí tendones sobre ellos, y la carne subió, y la piel cubrió por encima de ellos; pero no había en ellos espíritu. Y me dijo: Profetiza al espíritu, profetiza, hijo de hombre, y di al espíritu: Así ha dicho Jehová el Señor: Espíritu, ven de los cuatro vientos, y sopla sobre estos muertos, y vivirán. Y profeticé como me había mandado, y entró espíritu en ellos, y vivieron, y estuvieron sobre sus pies; un ejército grande en extremo. Me dijo luego: Hijo de hombre, todos estos huesos son la casa de Israel. He aquí, ellos dicen: Nuestros huesos se secaron, y pereció nuestra esperanza, y somos del todo destruidos. Por tanto, profetiza, y diles: Así ha dicho Jehová el Señor: He aquí yo abro vuestros sepulcros, pueblo mío, y os haré subir de vuestras sepulturas, y os traeré a la tierra de Israel. Y sabréis que yo soy Jehová, cuando abra vuestros sepulcros, y os saque de vuestras sepulturas, pueblo mío. Y pondré mi Espíritu en vosotros, y viviréis, y os haré reposar sobre vuestra tierra; y sabréis que yo Jehová hablé, y lo hice, dice Jehová." Ezequiel 37:1-14

Esta es la descripción más nítida y vívida de nuestra mortal condición como pueblo de Dios. Un deplorable valle de huesos secos, sequísimos en gran manera, ¡muertos! y, encima, separados unos de otros. Pero, por gracia de Dios, aún nos queda una esperanza. ¡Oh! Increíble amor de Dios, *"tardo para la ira y grande en misericordia, que perdona la iniquidad y la rebelión, aunque de ningún modo tendrá por inocente al culpable." Números 14:18*

Por todo esto, según entendemos, de esta iglesia surgirán tres grupos de personas:

1. Los pocos pero fieles del inicio: es decir, aquellos respecto de los cuales Cristo dice: *"no han manchado sus vestiduras; por lo cual andarán conmigo en vestiduras blancas, porque son dignas" (Ap 3:4).* Según comprobaremos, éstos serán sellados por Dios antes de que comiencen a soltarse los vientos de aquella gran tribulación que ha de venir sobre el mundo entero (Ap 7:1-5), es decir, serán los '144000', un número con mucha carga simbólica que hace referencia al remanente escogido que proclamará el último mensaje de amonestación al mundo.

Respecto de ellos, el apóstol Juan dice: *"Después miré, y he aquí el Cordero estaba en pie sobre el monte de Sion, y con él ciento cuarenta y cuatro mil, que tenían el nombre de él y el de su Padre escrito en la frente... Estos son los que no se contaminaron con mujeres [es decir, que no participaron con los engaños ni de la madre de las rameras ni de sus hijas, también rameras...], pues son vírgenes [es decir, se han guardado para Dios, en sentido espiritual]. Estos son los que siguen al Cordero por dondequiera que va. Estos fueron redimidos de entre los hombres como primicias para Dios y para el Cordero; y en sus bocas no fue hallada mentira, pues son sin mancha delante del trono de Dios." Apocalipsis 14:1-5*

Como vemos, las palabras de Jesús respecto de los 144000 son idénticas a aquellas que pronuncia respecto de los pocos fieles de Sardis, cuando dice: *"no han manchado sus vestiduras; por lo cual andarán conmigo en vestiduras blancas, porque son dignas" (Ap 3:4).*

2. Los muertos resucitados: por gracia de Dios, una inmensa multitud de personas, que hoy conforman aquel valle de huesos secos de Ezequiel, oirá la voz de Dios –a través de la predicación de los 144000– y revivirán por la poderosa acción del Espíritu Santo, formando 'un ejército grande en extremo' (Ez 37:10). Ejército que es descrito en Apocalipsis como 'una inmensa multitud que nadie puede contar... Dice: *"Después de esto miré, y he aquí una gran multitud, la cual nadie podía contar, de todas naciones y tribus y pueblos y lenguas, que estaban delante del trono y en la presencia del Cordero, vestidos de ropas blancas, y con palmas en las manos; y clamaban a gran voz, diciendo: La salvación pertenece a nuestro Dios que está sentado en el trono, y al Cordero." Apocalipsis 7:9-10*

Por esto, y no por casualidad, la promesa de Cristo para todos aquellos que salgan vencedores de su muerte espiritual, en su mensaje a Sardis, dice: *"El que venciere será vestido de vestiduras blancas..." Apocalipsis 3:5*

Según entendemos, este segundo grupo representa a los *'obreros de la undécima hora',* de los cuales habló Jesús en Mateo 20; es decir, aquellos que ingresarán a la obra de Dios a último momento, pero que, al fin de cuentas, recibirán la misma recompensa, en justicia de Dios.

Sin embargo, aunque compartirán la paga, habrá una gran diferencia entre éstos y los primeros... dado que los 144000 serán sellados antes del inicio de la gran angustia –expresada por el *'soltar de los vientos'* en Apocalipsis 7–, mientras que esta inmensa multitud –que será vestida de ropas blancas– llegará a Cristo en medio de las persecuciones de la gran tribulación. Es decir, serán aquellos que se unirán a la iglesia cuando todo el mundo la aborrezca y persiga. Dice Apocalipsis: *"Entonces uno de los ancianos habló, diciéndome: Estos que están vestidos de ropas blancas, ¿quiénes son, y de dónde han venido? Yo le dije: Señor, tú lo sabes. Y él me dijo: Estos son los que han salido de la gran tribulación, y han lavado sus ropas, y las han emblanquecido en la sangre del Cordero. Por esto están delante del trono de Dios, y le sirven día y noche en su templo; y el que está sentado sobre el trono extenderá su tabernáculo sobre ellos. Ya no tendrán hambre ni sed, y el sol no caerá más sobre ellos, ni calor alguno; porque el Cordero que está en medio del trono los pastoreará, y los guiará a fuentes de aguas de vida; y Dios enjugará toda lágrima de los ojos de ellos." Apocalipsis 7:13-17*

3. Los muertos condenados a morir: todos aquellos que, estando muertos en sus delitos y pecados, desprecien el tierno llamado de Dios al arrepentimiento, aún en medio de las tribulaciones de los últimos días, serán contados como injustos y condenados a sufrir la ira de Dios. Dice la Biblia: *"El que venciere heredará todas las cosas, y yo seré su Dios, y él será mi hijo. Pero los cobardes e incrédulos, los abominables y homicidas, los fornicarios y hechiceros, los idólatras y todos los mentirosos tendrán su parte en el lago que arde con fuego y azufre, que es la muerte segunda. Apocalipsis 21:7-8*

Nótese aquí la importancia de ser vencedores, no por méritos propios, sino en la sangre del Cordero, pero vencedores al fin. En este sentido, concluimos que la victoria sobre el pecado, no solamente es posible por los méritos de Cristo, sino que también es necesaria para todos aquellos que deseen permanecer en pie delante de Dios.[45]

---

45   Elena de White comenta: "El yo es difícil de vencer. No es fácil someter al Espíritu de Cristo la depravación humana en cada una de sus formas. Pero todos debieran sentirse impresionados con el hecho de que a menos que se obtenga esta victoria por medio de Cristo, no hay esperanza para ellos. La victoria puede ser obtenida; porque nada es imposible para Dios. Por medio de su gracia auxiliadora, todo mal carácter, toda depravación humana, pueden ser vencidos... Podéis ser vencedores si estáis dispuestos a emprender la tarea decididamente en el nombre de Cristo."–Testimonies for the Church 4:348, 349." MGD 39

"Que nadie diga: no puedo remediar mis defectos de carácter; porque si alguien llega a esa conclusión ciertamente no alcanzará la vida eterna. La imposibilidad reside en su propia voluntad. Si usted no quiere, no podrá vencer. La verdadera dificultad proviene de la corrupción de los corazones no santificados, y de la falta de disposición para someterse al control de Dios.–The Youth's Instructor, 28 de enero de 1897." 2MCP 328

Por esto, Isaías, en el contexto del día de Dios, describe a aquellos que podrán permanecer de pie, diciendo: *"¿Quién de nosotros morará con el fuego consumidor? ¿Quién de nosotros habitará con las llamas eternas? El que camina en justicia y habla lo recto; el que aborrece la ganancia de violencias, el que sacude sus manos para no recibir cohecho, el que tapa sus oídos para no oír propuestas sanguinarias; el que cierra sus ojos para no ver cosa mala; este habitará en las alturas; fortaleza de rocas será su lugar de refugio; se le dará su pan, y sus aguas serán seguras. Tus ojos verán al Rey en su hermosura; verán la tierra que está lejos." Isaías 33:13-17*

Quiera Dios podamos ser parte de aquellos que oyen la amonestación de Cristo a la iglesia de Sardis, nos entreguemos de todo corazón a Él y seamos cubiertos por sus blancas vestiduras. Para esto, debemos abandonar el dios del progreso mundanal y clamar a Dios por su Santo Espíritu; de manera que digamos, junto con David: *"Como el ciervo brama por las corrientes de las aguas, así clama por ti, oh Dios, el alma mía. Mi alma tiene sed de Dios, del Dios vivo. ¿Cuándo vendré, y me presentaré delante de Dios?" Salmos 42:1-2*

En conclusión, una vez más, *"el que tiene oído, oiga lo que el Espíritu dice a las iglesias." Apocalipsis 4:6*

Sexta iglesia: Filadelfia

En el mensaje a la iglesia de Filadelfia, Jesús le habla a su liderazgo, diciendo: *"Escribe al ángel de la iglesia en Filadelfia: Esto dice el Santo, el Verdadero, el que tiene la llave de David, el que abre y ninguno cierra, y cierra y ninguno abre: Yo conozco tus obras; he aquí, he puesto delante de ti una puerta abierta, la cual nadie puede cerrar; porque aunque tienes poca fuerza, has guardado mi palabra, y no has negado mi nombre. He aquí, yo entrego de la sinagoga de Satanás a los que se dicen ser judíos y no lo son, sino que mienten; he aquí, yo haré que vengan y se postren a tus pies, y reconozcan que yo te he amado. Por cuanto has guardado la palabra de mi paciencia, yo también te guardaré de la hora de la prueba que ha de venir sobre el mundo entero, para probar a los que moran sobre la tierra. He aquí, yo vengo pronto; retén lo que tienes, para que ninguno tome tu corona. Al que venciere, yo lo haré columna en el templo de mi Dios, y nunca más saldrá de allí; y escribiré sobre él el nombre de mi Dios, y el nombre de la ciudad de mi Dios, la nueva Jerusalén, la cual desciende del cielo, de mi Dios, y mi nombre nuevo. El que tiene oído, oiga lo que el Espíritu dice a las iglesias." Apocalipsis 3:7-13*

Significado original

Filadelfia significa literalmente *'amor fraternal'*, y fue fundada en el año 189 a.c. por el rey Eumenes II de Pérgamo, en la ruta que unía Sardis con Colosas. En el año 17 d.C. Filadelfia fue destruida por un terremoto, siendo reconstruida por Tiberio Cesar. Como resultado de esto, quienes sobrevivieron tenían temor de vivir dentro de la ciudad y la mayoría habitaba fuera de sus murallas. Lamentablemente no disponemos de mayor información sobre las vicisitudes de la iglesia cristiana que habitó en aquella ciudad.

Significado histórico profético y escatológico

Tal como hemos visto, Sardis representó la iglesia de Cristo desde el comienzo del 'tiempo del fin', es decir, desde 1798 en adelante, constituyendo uno de los peores estados de la iglesia –por haber muerto espiritualmente por haberse desviado tras el dios del progreso mundanal–, justamente en el tiempo en el que Cristo está a punto de regresar en busca de una 'esposa' pura, que no tenga mancha ni arruga, ni cosa semejante. Se dice de Sardis que 'tiene nombre de que vive pero está muerta' (Ap 3:1) y que sus obras 'no fueron halladas perfectas delante de Dios' (Ap 3:2).

No obstante esto, aún quedaban en esta iglesia unas 'pocas personas que no habían manchado sus vestiduras; por lo cual andarían con Cristo en vestiduras blancas, porque eran dignas' (Ap 3:4), lo cual representa un grupo de personas totalmente diferentes al que predominaba en Sardis, el cual 'andaría' –en el futuro– con Cristo como aquel ejército especial que, en total pureza y en inigualable perfección, daría el último mensaje de amonestación al mundo; conocido como los 144000.

Pues bien, Filadelfia viene a representar justamente aquella iglesia triunfante que emergerá luego del zarandeo provocado –en el contexto de la marca de la bestia– por gran tribulación de los últimos días; y llegará hasta la eternidad como la esposa de Cristo, estando conformada por aquellos '144000' que serán sellados antes del comienzo de la gran tribulación –es decir, los pocos pero fieles de la iglesia de Sardis– y todos aquellos que escuchen el último llamado divino dado por éstos.[46]

---

46 Elena de White comenta: "A pesar del decaimiento general de la fe y de la piedad, hay en esas iglesias verdaderos discípulos de Cristo. Antes que los juicios de Dios caigan finalmente sobre la tierra, habrá entre el pueblo del Señor un avivamiento de la piedad primitiva, cual no se ha visto nunca desde los tiempos apostólicos.

En el mensaje a la iglesia de Filadelfia, Cristo se presenta con características que, por fin, son reflejadas por su iglesia en la Tierra. Dice: *"Escribe al ángel de la iglesia en Filadelfia: Esto dice el Santo, el Verdadero, el que tiene la llave de David, el que abre y ninguno cierra, y cierra y ninguno abre…" Apocalipsis 3:7*

Es decir, Cristo se presenta como el Santo entre los santos, el Verdadero entre los verdaderos, el que tiene la llave del Reino de los Cielos entre los que portan aquella misma llave que abre dicho reino ante los hombres.

¿Por qué creemos esto? Porque Apocalipsis dice: *"Después miré, y he aquí el Cordero estaba en pie sobre el monte de Sion, y con él ciento cuarenta y cuatro mil, que tenían el nombre de él y el de su Padre escrito en la frente… Estos son los que siguen al Cordero por dondequiera que va. Estos fueron redimidos de entre los hombres como primicias para Dios y para el Cordero; y en sus bocas no fue hallada mentira [es decir, son verdaderos como Cristo es Verdadero], pues son sin mancha delante del trono de Dios [es decir, son santos como Cristo es Santo]." Apocalipsis 14:1-5*

Como vemos, los 144000 serán *'santos'* porque *"son sin mancha delante del trono de Dios"* y *'verdaderos'* porque *"en sus bocas no fue hallada mentira"*.

Ahora, ¿por qué decimos que los santos de Filadelfia también tendrán la *'llave de David'*? Porque esta llave es un símbolo del conocimiento que abre las puertas del cielo ante quienes lo reciben; por lo que quienes imparten tal conocimiento son dotados, por parte de Dios, de una llave espiritual con la cual pueden abrir o cerrar el cielo delante de los hombres. En este sentido, Cristo dijo a Pedro: *"a ti te daré las llaves del reino de los cielos; y todo lo que atares en la tierra será atado en los cielos; y todo lo que desatares en la tierra será desatado en los cielos." Mateo 16:19*

Si repasamos el contexto en el que fueron dichas estas palabras, Jesús estaba por ser rechazado y crucificado por su propio pueblo, a instancia de los sumos sacerdotes.

El Espíritu y el poder de Dios serán derramados sobre sus hijos. Entonces muchos se separarán de esas iglesias en las cuales el amor de este mundo ha suplantado al amor de Dios y de su Palabra. Muchos, tanto ministros como laicos, aceptarán gustosamente esas grandes verdades que Dios ha hecho proclamar en este tiempo a fin de preparar un pueblo para la segunda venida del Señor. El enemigo de las almas desea impedir esta obra, y antes que llegue el tiempo para que se produzca tal movimiento, tratará de evitarlo introduciendo una falsa imitación…" CS 458

Estaba sucediendo lo que Dios había predicho por medio de Oseas, cuando dijo: *"¡No, que nadie acuse ni haga reproches! ¡Mi pleito es contigo, sacerdote! Tú tropezarás en pleno día;... Mi pueblo perece por falta de conocimiento. Porque tú has rechazado el conocimiento, yo te rechazaré de mi sacerdocio;"* Oseas 4:4-6 LPD

Era imposible para los sacerdotes judíos comunicar la verdad si ellos mismos no la recibían. Por eso Jesús les dijo: *"Por tanto os digo, que el reino de Dios será quitado de vosotros, y será dado a gente que produzca los frutos de él."* Mateo 21:43

Pedro era uno de ellos, y la llave que recibiría, sería la llave de la 'ciencia' o del conocimiento de este 'reino de Dios'. Llave que hasta ese momento poseían los eruditos judíos. Las siguientes palabras de Cristo lo dejan más que claro: *"¡Ay de vosotros, intérpretes de la ley! Porque habéis quitado la llave de la ciencia; vosotros mismos no entrasteis, y a los que entraban se lo impedisteis." "Mas ¡ay de vosotros, escribas y fariseos, hipócritas! Porque cerráis el reino de los cielos delante de los hombres; pues ni entráis vosotros, ni dejáis entrar a los que están entrando."* Lucas 11:52 ; Mateo 23:13

La llave de la ciencia, o del conocimiento de Dios, fue quitada a los sacerdotes judíos y dada a humildes discípulos de Cristo para que instruyeran al pueblo. Pedro, y todos los que siguieron al Salvador, recibieron, más tarde, la solemne comisión de llevar este evangelio 'del reino de Dios' hasta lo último de la tierra.

Aunque debemos tener en cuenta que esto no implica que un mortal pueda decidir el destino eterno de las personas. Jesucristo, como Juez infalible, es quien tiene en su mano el destino final de cada ser humano. El dijo: *"No temas; yo soy el primero y el último; y el que vivo, y estuve muerto; mas he aquí que vivo por los siglos de los siglos, amén. Y tengo las llaves de la muerte y del Hades."* Apocalipsis 1:17-18

Entonces, el resumen de lo que estamos diciendo, es que Jesús se presenta a esta iglesia que, por ser santa y verdadera porta las llaves del reino de los cielos, como el principal dentro de ellos.

Ahora, así como antaño Cristo quitó las llaves del reino de los cielos de orgullosos sacerdotes que se apacentaban a sí mismos, y que terminaron rechazando a Cristo por estar persiguiendo un reino temporal, el sacerdocio del tiempo del fin también será desconocido por Cristo y dejado de lado por similares pecados.

En este sentido, analicemos lo que la Biblia dice, en el contexto del 'día del Señor', respecto de aquellos que tienen la responsabilidad de guiar a su pueblo. Dice: *"Vino a mí palabra de Jehová, diciendo: Hijo de hombre, profetiza contra los profetas de Israel que profetizan, y di a los que profetizan de su propio corazón: Oíd palabra de Jehová. Así ha dicho Jehová el Señor: ¡Ay de los profetas insensatos, que andan en pos de su propio espíritu, y nada han visto! Como zorras en los desiertos fueron tus profetas, oh Israel. No habéis subido a las brechas, ni habéis edificado un muro alrededor de la casa de Israel, para que resista firme en la batalla en el día de Jehová. Vieron vanidad y adivinación mentirosa. Dicen: Ha dicho Jehová, y Jehová no los envió; con todo, esperan que él confirme la palabra de ellos. ¿No habéis visto visión vana, y no habéis dicho adivinación mentirosa, pues que decís: Dijo Jehová, no habiendo yo hablado? Por tanto, así ha dicho Jehová el Señor: Por cuanto vosotros habéis hablado vanidad, y habéis visto mentira, por tanto, he aquí yo estoy contra vosotros, dice Jehová el Señor. Estará mi mano contra los profetas que ven vanidad y adivinan mentira; no estarán en la congregación de mi pueblo, ni serán inscritos en el libro de la casa de Israel, ni a la tierra de Israel volverán; y sabréis que yo soy Jehová el Señor. Sí, por cuanto engañaron a mi pueblo, diciendo: Paz, no habiendo paz... Romperé asimismo vuestros velos mágicos [con que cegaban a los hermanos], y libraré a mi pueblo de vuestra mano, y no estarán más como presa en vuestra mano; y sabréis que yo soy Jehová. Por cuanto entristecisteis con mentiras el corazón del justo, al cual yo no entristecí, y fortalecisteis las manos del impío, para que no se apartase de su mal camino, infundiéndole ánimo, por tanto, no veréis más visión vana, ni practicaréis más adivinación; y libraré mi pueblo de vuestra mano, y sabréis que yo soy Jehová." Ezequiel 13:1-10 y 21-23*

"Porque han engañado a mi pueblo diciendo: '¡Paz!', cuando no hay paz". ¿Te das cuenta? El resultado y las consecuencias de dar un mensaje que endulza los oídos –pero no amonesta contra el pecado y sus consecuencias– ¡es terrible..! En este sentido, debemos saber que los profetas no son solo los que ven visiones, sino todos los que hablan en nombre de Dios. E Israel tampoco representa solamente al pueblo judío, sino que la Biblia define con este nombre a todos los que forman parte de su pueblo por medio de la fe en Cristo.

Es claro, el Señor les está hablando a aquellos que, en el tiempo inmediatamente anterior al gran día de Jehová, 'hablan en nombre' de Dios 'sin comunicar el mensaje' de Dios –aquel que prepara a las personas para el terrible tiempo de prueba que les espera–; en cambio, con palabras mentirosas, que proceden de ellos mismos, contribuyen al adormecimiento de los hermanos diciendo 'no tengan miedo', 'tranquilos', 'no se alarmen…' cuando, en la realidad, se avecinan los juicios de Dios.

Es más, además de esto, estos mismos dirigentes –dice Dios–, persiguen a los justos mientras apañan a los pecadores. ¿De qué manera podrían ser confirmados, entonces, cuando Cristo se levante para comandar la predicación del último mensaje de misericordia, el cual proclama la venida de su juicio?

En alusión a esto, Isaías profetizó que Dios realizará un cambio de sacerdocio en el tiempo del fin, a través de una ilustración en la cual el mayordomo de la casa de Israel es reemplazado por haberse apacentado a sí mismo en vez de administrar fielmente la casa de Dios. Dice: *"El Señor, Jehová de los ejércitos, llamó en este día a llanto y a endechas, a raparse el cabello y a vestir cilicio [notar contexto del día de expiación, es decir, del tiempo en el cual Dios ejecuta su juicio sobre su pueblo (ver Levítico 23:26–32)]; y he aquí gozo y alegría, matando vacas y degollando ovejas, comiendo carne y bebiendo vino, diciendo: Comamos y bebamos, porque mañana moriremos [en otras palabras, viviendo una vida libertina, despreocupada del tiempo que se aproxima]. Esto fue revelado a mis oídos de parte de Jehová de los ejércitos: Que este pecado no os será perdonado hasta que muráis, dice el Señor, Jehová de los ejércitos. Jehová de los ejércitos dice así: Ve, entra a este tesorero, a Sebna el mayordomo, y dile: …He aquí que Jehová te transportará en duro cautiverio, y de cierto te cubrirá el rostro. Te echará a rodar con ímpetu, como a bola por tierra extensa; allá morirás, y allá estarán los carros de tu gloria, oh vergüenza de la casa de tu señor. Y te arrojaré de tu lugar, y de tu puesto te empujaré. En aquel día llamaré a mi siervo Eliaquim [cuyo significado es 'Dios establece'] hijo de Hilcías [que significa 'Jehová es mi porción', es decir, el pago que busco], y lo vestiré de tus vestiduras, y lo ceñiré de tu talabarte, y entregaré en sus manos tu potestad; y será padre al morador de Jerusalén, y a la casa de Judá. [Y noten esto] Y pondré la llave de la casa de David sobre su hombro; y abrirá, y nadie cerrará; cerrará, y nadie abrirá [mismas palabras, paralelismo perfecto con el mensaje a Filadelfia]. Y lo hincaré como clavo en lugar firme; y será por asiento de honra a la casa de su padre." Isaías 22:12–23*

También el propio Jesús, en su sermón escatológico de Mateo 24, anunció que el estado del mundo, en el tiempo del fin, sería 'como en los días de Noé –en los que las personas vivían despreocupadas de la terrible tempestad que se avecinaba–. Y, en este contexto, mencionó que algunos siervos serían desechados por haberse apartado de su misión, uniéndose al mundo. El dijo: *"Mas como en los días de Noé, así será la venida del Hijo del Hombre. Porque como en los días antes del diluvio estaban comiendo y bebiendo, casándose y dando en casamiento, hasta el día en que Noé entró en el arca, y no entendieron hasta que vino el diluvio y se los llevó a todos, así será también la venida del Hijo del Hombre… [es decir, el mismo contexto que el pasaje de Isaías 22 –que acabamos de leer–, el cual es representado por Sardis]. Por tanto, también vosotros estad preparados; porque el Hijo del Hombre vendrá a la hora que no pensáis. ¿Quién es, pues, el siervo fiel y prudente, al cual puso su señor sobre su casa para que les dé el alimento a tiempo? Bienaventurado aquel siervo al cual, cuando su señor venga, le halle haciendo así. De cierto os digo que sobre todos sus bienes le pondrá [y éste es el caso de los santos de Filadelfia]. Pero si aquel siervo malo dijere en su corazón: Mi señor tarda en venir; y comenzare a golpear a sus consiervos [lo mismo que describe Ezequiel], y aun a comer y a beber con los borrachos [es decir, hiciere ecumenismo con Babilonia, bebiendo del vino de su fornicación], vendrá el señor de aquel siervo en día que este no espera, y a la hora que no sabe [es decir, le juzgará mientras éste lo ignora], y lo castigará duramente, y pondrá su parte con los hipócritas; allí será el lloro y el crujir de dientes." Mateo 24:37-39, 44-51*

De la misma manera, a través del profeta Joel, Dios anunció este cambio de sacerdocio, diciendo: *"Y después de esto derramaré mi Espíritu sobre toda carne, y profetizarán vuestros hijos y vuestras hijas; vuestros ancianos soñarán sueños, y vuestros jóvenes verán visiones. Y también sobre los siervos y sobre las siervas derramaré mi Espíritu en aquellos días [es decir, el Espíritu Santo no será derramado sobre la clase dirigente sino sobre niños, jóvenes, ancianos y siervos]. Y daré prodigios en el cielo y en la tierra, sangre, y fuego, y columnas de humo. El sol se convertirá en tinieblas, y la luna en sangre, antes que venga el día grande y espantoso de Jehová. Y todo aquel que invocare el nombre de Jehová será salvo; porque en el monte de Sion y en Jerusalén habrá salvación, como ha dicho Jehová, y entre el remanente al cual él habrá llamado." Joel 2:28-32*

Contexto que, claramente, apunta a Apocalipsis 14, donde Cristo aparece sobre el monte de Sion a la cabeza de los 144000, identificado aquí como el "remanente fiel" que Dios habrá llamado.

Por esto, entendemos que, tal como en antaño, en el tiempo del fin, Cristo quitará nuevamente 'las llaves del reino de los cielos' del liderazgo infiel y lo pondrá en manos de humildes servidores para que, tal como aquellos simples apóstoles, lleven el evangelio en el poder de Dios hasta lo último de la tierra.[47]

Situación que es descrita a través del mensaje a Laodicea, cuando Cristo les dice a los dirigentes de su iglesia: *"por cuanto eres tibio, y no frío ni caliente, te vomitaré de mi boca." Apocalipsis 3:16*

Ahora, debemos aclarar que no es nuestra intención atacar al liderazgo que Dios ha establecido sobre su pueblo, sino informar lo que la profecía dice sobre él. No para efectuar un juicio sobre nadie en particular, sino para que estemos preparados para cuando sucedan todas estas cosas.

En este sentido, aunque la mayoría de los que hoy se consideran líderes del pueblo será dejado de lado, Dios conoce el corazón de cada siervo suyo, y nadie debería atreverse a levantar su voz contra aquellos que, de acuerdo con Ap 1:16, se encuentran en la poderosa mano de Dios.

Por otra parte, en nuestra comprensión, debemos tomar todas estas declaraciones sobre el liderazgo del pueblo de Dios con una concepción amplia, es decir, considerando la totalidad del cristianismo y no enfocándonos solamente a la denominación religiosa a la cual pertenecemos, dado que el pueblo de Dios se encuentra esparcido aún dentro de muchas iglesias que serán contadas como Babilonia –por haberse apartado de la verdad–, producto, justamente, de su mala dirigencia.[48]

---

47   Elena de White afirma: "Él suscitará hombres y mujeres entre la gente corriente para hacer su obra, así como en la antigüedad llamó a pescadores para que fuesen sus discípulos. Pronto habrá un despertar que sorprenderá a muchos. Aquellos que no comprenden la necesidad de lo que debe hacerse, serán pasados por alto, y los mensajeros celestiales trabajarán con aquellos que son llamados gente común, capacitándonos para llevar la verdad a muchos lugares." Manuscript Releases 15:312 (1905). EUD 174*

* Lea todo este capítulo, el 14 de Eventos de los Últimos Días –titulado 'El fuerte clamor'– para conocer quienes recibirán el Espíritu Santo a fin de dar el fuerte pregón en el tiempo del fin.

48   Elena de White amplía esta interpretación, diciendo: "En cada generación Dios envió siervos suyos para reprobar el pecado tanto en el mundo como en la iglesia. Pero los hombres desean que se les digan cosas agradables, y no gustan de la verdad clara y pura. Muchos reformadores, al principiar su obra, resolvieron proceder con gran prudencia al atacar los pecados de la iglesia y de la nación. Esperaban que mediante el ejemplo de una vida cristiana y pura, llevarían de nuevo al pueblo a las doctrinas de la Biblia. Pero el Espíritu de Dios vino sobre ellos como había venido sobre Elías, impeliéndole a censurar los pecados de un rey malvado y de un pueblo apóstata; no pudieron dejar de proclamar las declaraciones terminantes de la Biblia

Por esto, en el mensaje a la iglesia de Filadelfia, Jesús se dirige a sus humildes discípulos del tiempo del fin que, al igual que aquellos de antaño, carecen de todo poder mundanal, y les dice: *"Yo conozco tus obras; he aquí, he puesto delante de ti una puerta abierta, la cual nadie puede cerrar; porque aunque tienes poca fuerza, has guardado mi palabra, y no has negado mi nombre." Apocalipsis 12:8*

¿A qué puerta se refiere aquí? Pues, a través del estudio del Santuario, podemos conocer que los pecadores tenían acceso a Dios a través de la intermediación de un Sumo Sacerdote que –todos los días, es decir, continuamente–, se presentaba ante Dios entrando al tabernáculo [o santuario] a través de la puerta [o velo] del Lugar Santo. Sin embargo, en el día de expiación, es decir, en el día del juicio de Dios –dentro del sistema simbólico de ritos y ceremonias dado al pueblo de Israel– el Sumo Sacerdote no oficiaba la intercesión dentro del Lugar Santo sino que tenía que introducirse, a través de un segundo velo [o puerta], al lugar Santísimo, para presentarse ante Dios delante del arca del pacto, el cual contenía los 10 mandamientos, norma por la cual seremos juzgados.

---

que habían titubeado en presentar. Se vieron forzados a declarar diligentemente la verdad y señalar los peligros que amenazaban a las almas. Sin temer las consecuencias, pronunciaban las palabras que el Señor les ponía en la boca, y el pueblo se veía constreñido a oír la amonestación.

Así también será proclamado el mensaje del tercer ángel. Cuando llegue el tiempo de hacerlo con el mayor poder, el Señor obrará por conducto de humildes instrumentos, dirigiendo el espíritu de los que se consagren a su servicio. Los obreros serán calificados más bien por la unción de su Espíritu que por la educación en institutos de enseñanza. Habrá hombres de fe y de oración que se sentirán impelidos a declarar con santo entusiasmo las palabras que Dios les inspire. Los pecados de Babilonia serán denunciados. Los resultados funestos y espantosos de la imposición de las observancias de la iglesia por la autoridad civil, las invasiones del espiritismo, los progresos secretos pero rápidos del poder papal; todo será desenmascarado. Estas solemnes amonestaciones conmoverán al pueblo. Miles y miles de personas que nunca habrán oído palabras semejantes, las escucharán. Admirados y confundidos. Oirán el testimonio de que Babilonia es la iglesia que cayó por sus errores y sus pecados, porque rechazó la verdad que le fue enviada del cielo. Cuando el pueblo acuda a sus antiguos conductores espirituales a preguntarles con ansia: ¿son esas cosas así? Los ministros aducirán fábulas, profetizarán cosas agradables para calmar los temores y tranquilizar las conciencias despertadas. Pero como muchas personas no se contentan con las meras razones de los hombres y exigen un positivo "Así dice Jehová", los ministros populares, como los fariseos de antaño, airándose al ver que se pone en duda su autoridad, denunciarán el mensaje como si viniese de Satanás e incitarán a las multitudes dadas al pecado a que injurien y persigan a los que lo proclaman." CS 591-592

Por esto, comprendiendo que desde 1844 nos encontramos en el tiempo del juicio de Dios –de acuerdo a la profecía de los 2300 días de Daniel 8:14–, entendemos que la puerta que Dios ha puesto delante de esta iglesia, la cual se encuentra abierta [es decir, no se abre en el tiempo de esta iglesia, sino que se ha abierto en el pasado], se corresponde con aquella puerta del lugar Santísimo que Dios abrió en 1844. Lo cual implica que las condiciones de perfección y santidad que Dios nos pide para tener acceso a Él son aún más elevadas que en el tiempo anterior, dado que esta iglesia habita en el tiempo en el cual los vivos deben comparecer en juicio delante de un Dios que es Santo, Santo, Santo. Santísimo.[49]

Luego de resaltar las 'buenas obras' de esta iglesia, Jesús la destaca como vencedora sobre aquellos enemigos que se infiltraron en ella a lo largo de toda su historia con el fin de dominarla y prostituirla, haciéndose pasar por cristianos, siendo adoradores de Satanás. Dice: *"He aquí, yo entrego de la sinagoga de Satanás a los que se dicen ser judíos y no lo son, sino que mienten; he aquí, yo haré que vengan y se postren a tus pies, y reconozcan que yo te he amado." Apocalipsis 3:9*

Con lo cual podemos confirmar que el momento en que esta iglesia entrará en acción es justamente en el tiempo en el que Cristo está por aparecer en las nubes de los cielos, dado que los enemigos de la verdad se postrarán a los pies de los santos en el tiempo en el que haya concluido la gracia de Dios y se estén derramando las copas de su ira.

En este sentido, Isaías dice: *"Levántate, resplandece; porque ha venido tu luz, y la gloria de Jehová ha nacido sobre ti. Porque he aquí que tinieblas cubrirán la tierra, y oscuridad las naciones; mas sobre ti amanecerá Jehová, y*

---

49   Elena de White explica: "Una luz más viva surgió del estudio de la cuestión del santuario. Vieron entonces que tenían razón al creer que el fin de los 2.300 días, en 1844, había marcado una crisis importante. Pero si bien era cierto que se había cerrado la puerta de esperanza y de gracia por la cual los hombres habían encontrado durante mil ochocientos años acceso a Dios, otra puerta se les abría, y el perdón de los pecados era ofrecido a los hombres por la intercesión de Cristo en el lugar santísimo. Una parte de su obra había terminado tan solo para dar lugar a otra. Había aún una "puerta abierta" para entrar en el santuario celestial donde Cristo oficiaba en favor del pecador. Entonces comprendieron la aplicación de las palabras que Cristo dirigió en el Apocalipsis a la iglesia correspondiente al tiempo en que ellos mismos vivían: "Estas cosas dice el que es santo, el que es veraz, el que tiene la llave de David, el que abre, y ninguno cierra, y cierra, y ninguno abre: Yo conozco tus obras: he aquí he puesto delante de ti una puerta abierta, la cual nadie podrá cerrar". Apocalipsis 3:7, 8 (VM)." CS 425

sobre ti será vista su gloria…. Y vendrán a ti humillados los hijos de los que te afligieron, y a las pisadas de tus pies se encorvarán todos los que te escarnecían, y te llamarán Ciudad de Jehová, Sion del Santo de Israel. En vez de estar abandonada y aborrecida, tanto que nadie pasaba por ti, haré que seas una gloria eterna, el gozo de todos los siglos." Isaías 60:1-2 y 14-15[50]

Ahora, la consideración especial por parte de Dios sobre esta iglesia tiene una razón que la explica: esta iglesia *'ha guardado su Palabra'. (Apocalipsis 3:8,10).*

Y he aquí un gran secreto, dado que así como Cristo venció por medio del poder de la Palabra, solo a través de ella es como nosotros también podemos alcanzar la victoria: *"Dijo entonces Jesús a los judíos que habían creído en él: Si vosotros permaneciereis en mi palabra, seréis verdaderamente mis discípulos; y conoceréis la verdad, y la verdad os hará libres." Juan 8:31-32*

En este sentido, la expresión *"has guardado la palabra de mi paciencia"*, nos revela que esta iglesia se corresponde con aquel remanente fiel de

---

50   Elena de White describe aquel momento, diciendo: "Los ministros y el pueblo ven que no sostuvieron la debida relación con Dios. Ven que se rebelaron contra el Autor de toda ley justa y recta. El rechazamiento de los preceptos divinos dio origen a miles de fuentes de mal, discordia, odio e iniquidad, hasta que la tierra se convirtió en un vasto campo de luchas, en un abismo de corrupción. Tal es el cuadro que se presenta ahora ante la vista de los que rechazaron la verdad y prefirieron el error. Ningún lenguaje puede expresar la vehemencia con que los desobedientes y desleales desean lo que perdieron para siempre: la vida eterna. Los hombres a quienes el mundo idolatró por sus talentos y elocuencia, ven ahora las cosas en su luz verdadera. Se dan cuenta de lo que perdieron por la transgresión, y caen a los pies de aquellos a quienes despreciaron y ridiculizaron a causa de su fidelidad, y confiesan que Dios los amaba." CS 637

"Pronto oímos la voz de Dios, semejante al ruido de muchas aguas, que nos anunció el día y la hora de la venida de Jesús. Los 144.000 santos vivientes reconocieron y entendieron la voz; pero los malvados se figuraron que era fragor de truenos y de terremoto. Cuando Dios señaló el tiempo, derramó sobre nosotros el Espíritu Santo, y nuestros semblantes se iluminaron refulgentemente con la gloria de Dios, como le sucedió a Moisés al bajar del Sinaí. Los 144.000 estaban todos sellados y perfectamente unidos. En su frente llevaban escritas estas palabras: "Dios, nueva Jerusalén," y además una brillante estrella con el nuevo nombre de Jesús. Los impíos se enfurecieron al vernos en aquel santo y feliz estado, y querían apoderarse de nosotros para encarcelarnos, cuando extendimos la mano en el nombre del Señor y cayeron rendidos en el suelo. Entonces conoció la sinagoga de Satanás que Dios nos había amado, a nosotros que podíamos lavarnos los pies unos a otros y saludarnos fraternalmente con ósculo santo, y ellos adoraron a nuestras plantas." PE 14-15

Apocalipsis 14, que sigue al Cordero por doquiera va, cuando dice: *"Aquí está la paciencia de los santos, los que guardan los mandamientos de Dios y la fe de Jesús." Apocalipsis 14:12*

En este sentido, el 'guardar la palabra de la paciencia de Jesús' hace referencia a guardar los mandamientos bajo el correcto entendimiento de la salvación por la fe en el sacrificio de Jesús, el cual es revelado en la Palabra de Dios como aquel *"Cordero de Dios, que quita el pecado del mundo." Juan 1:29*

En este sentido, la Palabra de Dios enseña que la sangre de nuestro Señor Jesús es puesta a disposición no solo para nuestra *'justificación'* sino también para nuestra *'santificación'*. Apocalipsis 7, hablando de la gran multitud de fieles que Dios tendrá en el último tiempo, dice: *"Estos son los que han salido de la gran tribulación, y han lavado sus ropas, y las han emblanquecido en la sangre del Cordero." Apocalipsis 7:14*

Ahora, por el hecho de que esta iglesia 'vivirá piadosamente en Cristo Jesús', de seguro padecerá la persecución del diablo. El apóstol Pablo dijo a Timoteo: *"Todos los que quieren vivir piadosamente en Cristo Jesús padecerán persecución." 2 Timoteo 3:12*

Apocalipsis registra la terrible persecución que tendrá que afrontar la iglesia fiel de Dios, en el tiempo del fin, diciendo: *"Entonces el dragón [es decir, el diablo] se llenó de ira contra la mujer [es decir, la iglesia de Cristo]; y se fue a hacer guerra contra el resto de la descendencia de ella, [¿quiénes?] los que guardan los mandamientos de Dios y tienen el testimonio de Jesucristo [es decir, aquellos que han guardado su palabra en lo más íntimo de sus corazones]." Apocalipsis 12:17*

Pero, si formamos parte de este remanente fiel de Dios, no tenemos nada que temer. Aquel que venció al diablo, promete a sus fieles de Filadelfia: *"Por cuanto has guardado la palabra de mi paciencia, yo también te guardaré de la hora de la prueba que ha de venir sobre el mundo entero, para probar a los que moran sobre la tierra." Apocalipsis 3:10*

Con lo cual, podemos corroborar que esta será la iglesia que, no solo tendrá que afrontar el juicio de los vivos –durante la gran tribulación que le espera a nuestro mundo– sino también estar firme en el tiempo de la manifestación más abarcante de los engaños del diablo, el cual llegará a falsificar la segunda venida de Jesús haciéndose pasar por Cristo.

En ese momento se probará al extremo el fundamento de los hijos de Dios y su estricta fe en la Palabra de Dios.[51]

Y de allí la importancia de atesorar la Palabra de Dios –en nuestra mente y en nuestros corazones–. Por esto, la iglesia fiel es una iglesia que guarda, es decir, que atesora la Palabra de Dios, porque entiende que en ésto consiste la verdadera salvación por la fe.

En este sentido, debemos mencionar que Adán y Eva cayeron por menospreciar la Palabra de Dios y creer en los engaños del enemigo.

---

51   Elena de White afirma: "Es inminente "la hora de la tentación que ha de venir en todo el mundo, para probar a los que moran en la tierra". Apocalipsis 3:10. Todos aquellos cuya fe no esté firmemente cimentada en la Palabra de Dios serán engañados y vencidos. La operación de Satanás es "con todo el artificio de la injusticia" a fin de alcanzar dominio sobre los hijos de los hombres; y sus engaños seguirán aumentando. Pero solo puede lograr sus fines cuando los hombres ceden voluntariamente a sus tentaciones. Los que busquen sinceramente el conocimiento de la verdad, y se esfuercen en purificar sus almas mediante la obediencia, haciendo así lo que pueden en preparación para el conflicto, encontrarán seguro refugio en el Dios de verdad. "Por cuanto has guardado la palabra de mi paciencia, yo también te guardaré" (vers. 10), es la promesa del Salvador. Él enviaría a todos los ángeles del cielo para proteger a su pueblo antes que permitir que una sola alma que confíe en él sea vencida por Satanás." CS 547

"El acto capital que coronará el gran drama del engaño será que el mismo Satanás se dará por el Cristo. Hace mucho que la iglesia profesa esperar el advenimiento del Salvador como consumación de sus esperanzas. Pues bien, el gran engañador simulará que Cristo habrá venido. En varias partes de la tierra, Satanás se manifestará a los hombres como ser majestuoso, de un brillo deslumbrador, parecido a la descripción que del Hijo de Dios da San Juan en el Apocalipsis… La gloria que le rodee superará cuanto hayan visto los ojos de los mortales. El grito de triunfo repercutirá por los aires: "¡Cristo ha venido! ¡Cristo ha venido!" El pueblo se postrará en adoración ante él, mientras levanta sus manos y pronuncia una bendición sobre ellos así como Cristo bendecía a sus discípulos cuando estaba en la tierra. Su voz es suave y acompasada aunque llena de melodía. En tono amable y compasivo, enuncia algunas de las verdades celestiales y llenas de gracia que pronunciaba el Salvador; cura las dolencias del pueblo, y luego, en su fementido carácter de Cristo, asegura haber mudado el día de reposo del sábado al domingo y manda a todos que santifiquen el día bendecido por él. Declara que aquellos que persisten en santificar el séptimo día blasfeman su nombre porque se niegan a oír a sus ángeles, que les fueron enviados con la luz de la verdad. Es el engaño más poderoso y resulta casi irresistible. Como los samaritanos fueron engañados por Simón el Mago, así también las multitudes, desde los más pequeños hasta los mayores, creen en ese sortilegio y dicen: "Este es el poder de Dios llamado grande". Hechos 8:10 (V. Nácar-Colunga)." CS 608

De allí que el único medio por el cual los redimidos de la última generación podrán vencer al diablo, es por medio de la fe en la Palabra de Dios. Por esto, Jesús anima y exhorta a los fieles de Filadelfia, diciendo: *"He aquí, yo vengo pronto; retén lo que tienes, para que ninguno tome tu corona." Apocalipsis 3:11*

¡¿Ves?! Lo que esta iglesia tiene, según se ha dicho, es la Palabra de Dios atesorada en su corazón; y eso es lo que tiene que retener para poder permanecer firme en el último día, cuando la ira y los engaños del diablo se enciendan en todo su furor contra los hijos de Dios.

En este sentido, debemos saber que en el tiempo del primer Elías, es decir, el Tisbita, al diablo se le impidió realizar grandes manifestaciones de poder para que las personas crean en él –tal como hacer descender fuego del cielo ante la vista de los hombres–. Sin embargo, en el tiempo del fin, cuando el mundo sea sometido a la última prueba, Dios sí le permitirá realizar al diablo grandes señales engañosas. Dice Apocalipsis: *"También hace grandes señales, de tal manera que aun hace descender fuego del cielo a la tierra delante de los hombres. Y engaña a los moradores de la tierra con las señales que se le ha permitido hacer en presencia de la bestia…" Apocalipsis 13:13-14*

Por esto, Jesús, en su sermón escatológico de Mateo 24, también dijo: *"Entonces, si alguno os dijere: Mirad, aquí está el Cristo, o mirad, allí está, no lo creáis. Porque se levantarán falsos Cristos, y falsos profetas, y harán grandes señales y prodigios, de tal manera que engañarán, si fuere posible, aun a los escogidos. Ya os lo he dicho antes. Así que, si os dijeren: Mirad, está en el desierto, no salgáis; o mirad, está en los aposentos, no lo creáis. Porque como el relámpago que sale del oriente y se muestra hasta el occidente, así será también la venida del Hijo del Hombre." Mateo 24:23-27*

Razón por la cual, todos aquellos que no hayan atesorado la Palabra de Dios en su corazón, no estarán preparados para enfrentar los engaños del gran día final. Sin embargo, aquellos que tienen como único fundamento de su fe un seguro 'así dice Jehová', no solo estarán más preparados para afrontar los engaños del enemigo, sino que también serán protegidos por un ejército de ángeles de Dios. Es en este contexto, que la Biblia dice: *"El que habita al abrigo del Altísimo morará bajo la sombra del Omnipotente. Diré yo a Jehová: esperanza mía, y castillo mío; mi Dios, en quien confiaré. Él te librará del lazo del cazador, de la peste destructora.*

Con sus plumas te cubrirá, y debajo de sus alas estarás seguro; escudo y adarga es su verdad. No temerás el terror nocturno, ni saeta que vuele de día, ni pestilencia que ande en oscuridad, ni mortandad que en medio del día destruya. Caerán a tu lado mil, y diez mil a tu diestra; mas a ti no llegará. Ciertamente con tus ojos mirarás y verás la recompensa de los impíos. Porque has puesto a Jehová, que es mi esperanza, al Altísimo por tu habitación, no te sobrevendrá mal, ni plaga tocará tu morada. Pues a sus ángeles mandará acerca de ti, que te guarden en todos tus caminos. En las manos te llevarán, para que tu pie no tropiece en piedra. Sobre el león y el áspid pisarás; hollarás al cachorro del león y al dragón. Por cuanto en mí ha puesto su amor, yo también lo libraré; le pondré en alto, por cuanto ha conocido mi nombre. Me invocará, y yo le responderé; con él estaré yo en la angustia; lo libraré y le glorificaré. Lo saciaré de larga vida, y le mostraré mi salvación." Salmo 91

Dice *"por cuanto en mí ha puesto su amor, yo también lo libraré…",* idénticas palabras que aquellas que son dirigidas a esta iglesia fiel, cuando Cristo le dice: *"Por cuanto has guardado la palabra de mi paciencia, yo también te guardaré de la hora de la prueba que ha de venir sobre el mundo entero…" Apocalipsis 3:10*

Es por esta razón que Dios no se avergonzará de llamarlos sus hijos y saldrá –en la plenitud de su poder– a socorrerlos cuando sus enemigos los rodeen para matarlos.

En ese día, los redimidos, habiendo creído las promesas de Dios, podrán decir confiados: *"Jehová es mi luz y mi salvación; ¿de quién temeré? Jehová es la fortaleza de mi vida; ¿de quién he de atemorizarme? Cuando se juntaron contra mí los malignos, mis angustiadores y mis enemigos, para comer mis carnes, ellos tropezaron y cayeron. Aunque un ejército acampe contra mí, no temerá mi corazón; aunque contra mí se levante guerra, yo estaré confiado. Una cosa he demandado a Jehová, esta buscaré; que esté yo en la casa de Jehová todos los días de mi vida, para contemplar la hermosura de Jehová, y para inquirir en su templo. Porque él me esconderá en su tabernáculo en el día del mal; me ocultará en lo reservado de su morada; sobre una roca me pondrá en alto. Luego levantará mi cabeza sobre mis enemigos que me rodean, y yo sacrificaré en su tabernáculo sacrificios de júbilo; cantaré y entonaré alabanzas a Jehová." Salmo 27:1-6*

En el fin del tiempo, cuando el mal del egoísmo, la búsqueda de placeres prohibidos y poder sobre los semejantes hayan llegado al extremo, corrompiéndolo todo, Dios levantará una iglesia que solo buscará *"estar en la casa de Jehová todos los días de su vida, para contemplar la hermosura de Jehová, y para inquirir en su templo"*, y justamente éste será su galardón. Dice Jesús a la iglesia de Filadelfia: *"Al que venciere, yo lo haré columna en el templo de mi Dios, y nunca más saldrá de allí." Apocalipsis 3:12*

Y esto será así porque ésta será la iglesia con la cual Jesús se unirá en matrimonio espiritual, por los días de la eternidad. La tomará por posesión suya, escogida de entre todas como iglesia virtuosa para sí, porque en ella se cumplirá el propósito de Dios en el amor de Cristo hacia nosotros. Sí, en ella se cumplirán aquellas palabras expresadas por Pablo, cuando dijo: *"Maridos, amad a vuestras mujeres, así como Cristo amó a la iglesia, y se entregó a sí mismo por ella, para santificarla, habiéndola purificado en el lavamiento del agua por la palabra, a fin de presentársela a sí mismo, una iglesia gloriosa, que no tuviese mancha ni arruga ni cosa semejante, sino que fuese santa y sin mancha." Efesios 5:25-27*

Por esto, en esta iglesia fiel, serán cumplidas todas las promesas que Dios ha registrado en la Biblia respecto a su Pueblo, tales como: *"Jehová es mi pastor; nada me faltará. En lugares de delicados pastos me hará descansar; junto a aguas de reposo me pastoreará. Confortará mi alma; me guiará por sendas de justicia por amor de su nombre. Aunque ande en valle de sombra de muerte, no temeré mal alguno, porque tú estarás conmigo; tu vara y tu cayado me infundirán aliento. Aderezas mesa delante de mí en presencia de mis angustiadores; unges mi cabeza con aceite; mi copa está rebosando. Ciertamente el bien y la misericordia me seguirán todos los días de mi vida, y en la casa de Jehová moraré por largos días." Salmo 23*

Sí, porque –por la verdadera fe en la Palabra de Dios–, aún en su poca fuerza, esta iglesia alcanzará aquel ideal que a tantos les pareció inalcanzable: la santidad de Dios, y por ésto Cristo no solo los aceptará en su Templo para siempre, sino que, como fiel esposo, le otorgará su propio nombre. Dice Jesús en el mensaje a esta iglesia *"Al que venciere, yo lo haré columna en el templo de mi Dios, y nunca más saldrá de allí; y escribiré sobre él el nombre de mi Dios, y el nombre de la ciudad de mi Dios, la nueva Jerusalén, la cual desciende del cielo, de mi Dios, y mi nombre nuevo." Apocalipsis 3:12*

Antiguamente, el nombre de las personas reflejaba el carácter que los identificaba. Por esto, cuando Dios transformó la vida de algunas personas, en numerosas ocasiones, cambió su nombre. Tal es el caso, por ejemplo, de 'Jacob', el cual significaba 'engañador', que fue cambiado por Dios a 'Israel', el cual significa 'vencedor'.

Además de este nombre, que hacía alusión al carácter, las personas llevaban también el nombre de su padre para diferenciarse de otros que tuvieran el mismo nombre. Por ejemplo, se identificaba a Santiago, el hermano de Juan, como 'hijo de Zebedeo', porque había otro Santiago dentro de los discípulos de Cristo, el cual era 'hijo de Alfeo'. Y de allí, el origen de los apellidos modernos.

Ahora, por si esto no fuera suficiente para identificar a las personas, también se usaba el nombre de la ciudad de la cual procedían como parte de su nombre. Por ejemplo, Saulo (al cual Jesús cambió su nombre por Pablo) se lo conocía como 'de Tarso', porque ésta era la ciudad de la cual él procedía.

Es por esto que Jesús, al aceptar como esposa a los santos de la iglesia de Filadelfia, escribirá sobre ellos el nombre de su Padre, el de su Ciudad, y su propio nombre nuevo, para extender, tal como los esposos de hoy, su nombre completo (y por lo tanto, su propio carácter) a su iglesia fiel, aceptada como esposa para habitar con Dios, dentro de su propia morada, por los días de la eternidad como reyes y sacerdotes.

Otro punto a considerar es que el sellamiento de los 144000 se producirá antes de la segunda venida de Cristo —y aún antes del cierre del tiempo de gracia—, siendo un evento que requiere determinado tiempo para llevarse a cabo. Apocalipsis dice: *"Después de esto vi a cuatro ángeles en pie sobre los cuatro ángulos de la tierra, que detenían los cuatro vientos de la tierra, para que no soplase viento alguno sobre la tierra, ni sobre el mar, ni sobre ningún árbol. Vi también a otro ángel que subía de donde sale el sol, y tenía el sello del Dios vivo; y clamó a gran voz a los cuatro ángeles, a quienes se les había dado el poder de hacer daño a la tierra y al mar, diciendo: No hagáis daño a la tierra, ni al mar, ni a los árboles, hasta que hayamos sellado en sus frentes a los siervos de nuestro Dios." Apocalipsis 7:1-3*

Por ésto, es esencial comprender la importancia de ser hallados verdaderos y santos hoy, cuando los vientos de destrucción aún no soplan sobre nosotros, para poder ser tenidos por dignos de escapar de la ira de Dios y formar parte de la esposa de Cristo. Luego, quizá, sea demasiado tarde.[52]

---

52   Elena de White comenta diciendo: "El mismo ángel que visitó a Sodoma está dando la amonestación: "Escapa por tu vida". Las copas de la ira de Dios no pueden ser derramadas ni destruidos los impíos y sus obras hasta que todo el pueblo

Por esto, no alcanzarían las palabras para enfatizar la importancia de comprender y asimilar el consejo que Jesús nos dio, en relación a esto: *"Mirad también por vosotros mismos, que vuestros corazones no se carguen de glotonería y embriaguez y de los afanes de esta vida, y venga de repente sobre vosotros aquel día. Porque como un lazo vendrá sobre todos los que habitan sobre la faz de toda la tierra. Velad, pues, en todo tiempo orando que seáis tenidos por dignos de escapar de todas estas cosas que vendrán, y de estar en pie delante del Hijo del Hombre." Lucas 21:34-36*

Sin embargo, aunque, efectivamente, los hijos de Dios –simbolizados por Filadelfia– velarán por sí mismos de ser hallados dignos delante de Dios, su máxima preocupación no estará en relación a su propia salvación, sino en dar gloria de Dios con sus vidas santificadas. Es decir, buscarán la gloria de Dios por sobre cualquier interés personal, dado que en ellos se habrá hecho carne la Palabra: *"Temed a Dios, y dadle gloria, porque la hora de su juicio ha llegado." Apocalipsis 14:7* [53]

¿Estás tú, hoy, buscando esa gloria de Dios por sobre cualquier interés personal? Si quieres ser parte de la 'esposa de Cristo', deberías meditar en el mensaje de Dios a la iglesia de Filadelfia. *"El que tiene oído, oiga lo que el Espíritu dice a las iglesias." Apocalipsis 3:13*

---

de Dios haya sido juzgado, y los casos de los vivos así como los de los muertos estén decididos. Y aun después que los santos hayan sido sellados con el sello del Dios vivo, sus elegidos pasarán individualmente por pruebas. Vendrán aflicciones personales; pero un ojo que no permitirá que el oro sea consumido vigila el horno estrechamente. La indeleble marca de Dios está sobre ellos. Puede afirmar que su propio nombre está escrito allí. El Señor los ha sellado. Su destino está escrito: "DIOS, NUEVA JERUSALÉN" [el énfasis es original]. Son propiedad del Señor, su posesión. ¿Será puesto este sello sobre los que tienen mentes impuras, sobre el fornicario, el adúltero, el hombre que codicia la mujer de su prójimo? Que vuestras almas contesten la pregunta: ¿Cumple mi carácter los requisitos esenciales para que pueda recibir un pasaporte que me permita ir a las mansiones que Cristo ha ido a preparar para los que sean aptos? La santidad debe estar incorporada a nuestro carácter." TM 446

53   Elena de White comenta: "Aun cuando los hijos de Dios se ven rodeados de enemigos que tratan de destruirlos, la angustia que sufren no procede del temor de ser perseguidos a causa de la verdad; lo que temen es no haberse arrepentido de cada pecado y que debido a alguna falta por ellos cometida no puedan ver realizada en ellos la promesa del Salvador: "Yo también te guardaré de la hora de prueba que ha de venir sobre todo el mundo". Apocalipsis 3:10 (VM). Si pudiesen tener la seguridad del perdón, no retrocederían ante las torturas ni la muerte; pero si fuesen reconocidos indignos de perdón y hubiesen de perder la vida a causa de sus propios defectos de carácter, entonces el santo nombre de Dios sería vituperado." CS 604

Séptima iglesia: Laodicea

En el mensaje a la iglesia de Laodicea, Jesús se dirige, como en todas las otras iglesias, a la dirigencia de su pueblo, diciendo: *"Escribe al ángel de la iglesia en Laodicea: He aquí el Amén, el testigo fiel y verdadero, el principio de la creación de Dios, Wdice esto: Yo conozco tus obras, que ni eres frío ni caliente. ¡Ojalá fueses frío o caliente! Pero por cuanto eres tibio, y no frío ni caliente, te vomitaré de mi boca. Porque tú dices: Yo soy rico, y me he enriquecido, y de ninguna cosa tengo necesidad; y no sabes que tú eres un desventurado, miserable, pobre, ciego y desnudo. Por tanto, yo te aconsejo que de mí compres oro refinado en fuego, para que seas rico, y vestiduras blancas para vestirte, y que no se descubra la vergüenza de tu desnudez; y unge tus ojos con colirio, para que veas. Yo reprendo y castigo a todos los que amo; sé, pues, celoso, y arrepiéntete. He aquí, yo estoy a la puerta y llamo; si alguno oye mi voz y abre la puerta, entraré a él, y cenaré con él, y él conmigo. Al que venciere, le daré que se siente conmigo en mi trono, así como yo he vencido, y me he sentado con mi Padre en su trono. El que tiene oído, oiga lo que el Espíritu dice a las iglesias." Apocalipsis 3:14-22*

Significado original

Laodicea fue una ciudad del antiguo imperio seléucida, establecida alrededor del año 250 a.C. por el rey Antíoco II Theos, la cual la llamó en honor de su esposa Laodice. Etimológicamente, Laodicea puede traducirse como 'pueblo juzgado', dado que Laodíkeia (en griego), es una palabra compuesta por 'Laos' que quiere decir pueblo o muchedumbre, y *díkeh* [se pronuncia daik] que significa prueba o juicio.

Laodicea estaba ubicada a unos 6 km al norte de la actual ciudad turca Denizli. Era una ciudad próspera, ubicada en la intersección de dos rutas importantes, famosa por sus industrias textiles de lana y algodón, con la cual fabricaban prendas de vestir de alta calidad.

Fue una ciudad rica y orgullosa, que hasta había desarrollado su propio sistema bancario con moneda propia, por lo que se consideraba auto suficiente. Además, Laodicea también fue famosa por el colirio que fabricaban sus habitantes y por un acueducto que les proveía agua tibia desde unas termas que se encontraban a pocos kilómetros de la ciudad.

Si bien no disponemos de información fiable respecto a la iglesia cristiana que habitó en esta ciudad, estos elementos históricos nos ayudarán a entender el significado simbólico del mensaje a esta iglesia.

Significado histórico profético y escatológico

Si, tal como hemos demostrado, Filadelfia representa la iglesia fiel de Dios de los últimos días –que se distinguirá como pura delante de Dios al llegar el zarandeo–, Laodicea es justamente lo opuesto, es decir, aquella iglesia que, habitando también en los últimos días, está a punto de ser rechazada por Dios por no alcanzar la medida requerida en su juicio.

Vale recordar que, en la iglesia de Sardis, se encontraban dos tipos de personas, una gran mayoría que tenían nombre de vivos pero que eran muertos espirituales, y unos pocos pero justos delante de Dios.

Por lo que, al llegar el zarandeo, Filadelfia representa aquello que se escoge como útil y Laodicea lo que se rechaza. No es que el estado de pureza de Filadelfia o el estado de mortandad de Laodicea se produzca a partir del zarandeo, sino que por estar en esta condición espiritual [que viene desde Sardis, y mucho antes], serán aceptadas o rechazadas por Dios durante la angustia del zarandeo.

El zarandeo, en efecto, representa el tamiz por el cual Jesús probará a su iglesia para separar la cizaña del trigo. Fue el propio Jesús quien anticipó que esto sucedería al final del tiempo, cuando *"les refirió otra parábola, diciendo: El reino de los cielos es semejante a un hombre que sembró buena semilla en su campo; pero mientras dormían los hombres, vino su enemigo y sembró cizaña entre el trigo, y se fue. Y cuando salió la hierba y dio fruto, entonces apareció también la cizaña. Vinieron entonces los siervos del padre de familia y le dijeron: Señor, ¿no sembraste buena semilla en tu campo? ¿De dónde, pues, tiene cizaña? Él les dijo: Un enemigo ha hecho esto. Y los siervos le dijeron: ¿Quieres, pues, que vayamos y la arranquemos? Él les dijo: No, no sea que al arrancar la cizaña, arranquéis también con ella el trigo. Dejad crecer juntamente lo uno y lo otro hasta la siega; y al tiempo de la siega yo diré a los segadores: Recoged primero la cizaña, y atadla en manojos para quemarla; pero recoged el trigo en mi granero… El que siembra la buena semilla es el Hijo del Hombre. El campo es el mundo; la buena semilla son los hijos del reino, y la cizaña son los hijos del malo. El enemigo que la sembró es el diablo; la siega es el fin del siglo; y los segadores son los ángeles. De manera que como se arranca la cizaña, y se quema en el fuego, así será en el fin de este siglo. Enviará el Hijo del Hombre a sus ángeles, y recogerán de su reino a todos los que sirven de tropiezo, y a los que hacen iniquidad, y los echarán en el horno de fuego; allí será el lloro y el crujir de dientes. Entonces los justos resplandecerán como el sol en el reino de su Padre. [Y… fíjate como termina] El que tiene oídos para oír, oiga [jum, te suena?]." Mateo 13:24-30, 37-43*

También Juan el Bautista dijo, respecto de Jesús: *"Yo a la verdad os bautizo en agua; pero viene uno más poderoso que yo, de quien no soy digno de desatar la correa de su calzado; él os bautizará [en el futuro] en Espíritu Santo y fuego. Su aventador está en su mano, y limpiará su era, y recogerá el trigo en su granero, y quemará la paja en fuego que nunca se apagará." Lucas 3:16-17*

Por esto, Jesús se presenta ante esta iglesia como alguien que, siendo el origen de toda creación, atestigua contra ella, diciendo: *"He aquí el Amén, el testigo fiel y verdadero, el principio de la creación de Dios, dice esto…" Apocalipsis 3:14*

'Amén' es una palabra de origen hebreo cuyo significado real es 'en verdad', 'ciertamente' o 'que conste', por lo que en este contexto específico, Jesús se está presentando como aquel que es 'la Verdad', y no solamente ésto, sino que también es el 'testigo fiel' que 'da testimonio verdadero' de todo lo que ocurre en el mundo, con la autoridad de ser el 'principio' o el origen de toda creación.

En este contexto, Jesús atestigua contra Laodicea, diciendo: *"Yo conozco tus obras, que ni eres frío ni caliente. ¡Ojalá fueses frío o caliente! Pero por cuanto eres tibio, y no frío ni caliente, te vomitaré de mi boca." Apocalipsis 3:15-16*

La sentencia es clara y contundente en sí misma. Laodicea se comporta de una manera aborrecible para Dios, al punto que le causa náuseas. Por lo que, al cabo del tiempo, los que se encuentren en esta condición serán vomitados de la boca de Dios –en el ya explicado zarandeo–.[54]

Ahora, Jesucristo, el Testigo Fiel, al comunicar esta terrible sentencia a su propio pueblo, también expone sus fundamentos, diciéndole: *'por cuanto eres tibio, y no frío ni caliente' (Ap 3:16)* y más adelante: *"Porque tú dices: Yo soy rico, y me he enriquecido, y de ninguna cosa tengo necesidad; y no sabes que tú eres un desventurado, miserable, pobre, ciego y desnudo." Apocalipsis 3:17*

---

54   Elena de White escribió: "Pregunté cuál era el significado del zarandeo que yo había visto, y se me mostró que lo motivaría el testimonio directo que exige el consejo que el Testigo fiel dio a la iglesia de Laodicea. Moverá este consejo el corazón de quien lo reciba y le inducirá a exaltar el estandarte y a difundir la recta verdad. Algunos no soportarán este testimonio directo, sino que se levantarán contra él, y esto es lo que causará un zarandeo en el pueblo de Dios." PE 270

Es decir, el estado de tibieza espiritual, sumado al orgullo y la suficiencia propia que posee esta iglesia, es lo que produce el rechazo de Dios.[55]

Jesús, estando entre nosotros, ilustró el pecado de Laodicea a través de su parábola acerca del fariseo y el publicano, diciendo: *"A unos que confiaban en sí mismos como justos, y menospreciaban a los otros, dijo también esta parábola: Dos hombres subieron al templo a orar: uno era fariseo, y el otro publicano. El fariseo, puesto en pie,* **oraba consigo mismo** *de esta manera: Dios, te doy gracias porque no soy como los otros hombres, ladrones, injustos, adúlteros, ni aun como este publicano; ayuno dos veces a la semana, doy diezmos de todo lo que gano. Mas el publicano, estando lejos, no quería ni aun alzar los ojos al cielo, sino que se golpeaba el pecho, diciendo: Dios, sé propicio a mí, pecador. Os digo que este descendió a su casa justificado antes que el otro; porque cualquiera que se enaltece, será humillado; y el que se humilla será enaltecido." Lucas 18:9-14*

Claramente, los infieles de la iglesia de Laodicea son personas que confían en sí mismas de una manera que ofende a Dios. Personas que, diciéndose, y aún creyéndose, 'pueblo de Dios', favorito entre las naciones, rechazan la gracia transformadora de Cristo desde lo más íntimo de sus almas. Son como aquella higuera frondosa que aparentaba grandeza delante de los hombres, pero que, por no tener fruto, fue maldecida por Jesús.[56]

---

55   Elena de White explica: "No hay nada que ofenda tanto a Dios, o que sea tan peligroso para el alma humana, como el orgullo y la suficiencia propia. De todos los pecados es el más desesperado, el más incurable." PVGM 119

"Una religión legal no puede nunca conducir las almas a Cristo, porque es una religión sin amor y sin Cristo. El ayuno o la oración motivada por un espíritu de justificación propia, es abominación a Dios. La solemne asamblea para adorar, la repetición de ceremonias religiosas, la humillación externa, el sacrificio imponente, proclaman que el que hace esas cosas se considera justo, con derecho al cielo, pero es todo un engaño. Nuestras propias obras no pueden nunca comprar la salvación." DTG 246

56   Elena de White comenta: "La amonestación que dio Jesús por medio de la higuera es para todos los tiempos. El acto de Cristo, al maldecir el árbol que con su propio poder había creado, se destaca como amonestación a todas las iglesias y todos los cristianos. Nadie puede vivir la ley de Dios sin servir a otros. Pero son muchos los que no viven la vida misericordiosa y abnegada de Cristo. Algunos de los que se creen excelentes cristianos no comprenden lo que es servir a Dios. Sus planes y sus estudios tienen por objeto agradarse a sí mismos. Obran solamente con referencia a sí mismos. El tiempo tiene para ellos valor únicamente en la medida en

El pueblo de Dios, en la Biblia, también es representado por un olivo. Israel fue parte de este árbol de origen divino y es llamado, por el apóstol Pablo, 'las ramas naturales'; en tanto, nuestra iglesia gentil es considerada 'una rama silvestre' injertada en el olivo natural. En este contexto, Pablo nos amonesta diciendo: *"Pues si algunas de las ramas fueron desgajadas, y tú, siendo olivo silvestre, has sido injertado en lugar de ellas, y has sido hecho participante de la raíz y de la rica savia del olivo, no te jactes contra las ramas; y si te jactas, sabe que no sustentas tú a la raíz, sino la raíz a ti. Pues las ramas, dirás, fueron desgajadas para que yo fuese injertado. Bien; por su incredulidad fueron desgajadas, pero tú por la fe estás en pie. No te ensoberbezcas, sino teme. Porque si Dios no perdonó a las ramas naturales, a ti tampoco te perdonará. Mira, pues, la bondad y la severidad de Dios; la severidad ciertamente para con los que cayeron, pero la bondad para contigo, si permaneces en esa bondad; pues de otra manera tú también serás cortado."* Romanos 11:17-22

Y ésto es justamente lo que sucede con Laodicea, que por su soberbia e incredulidad será vomitada de la boca de Dios. Con esto no queremos decir que el tiempo de gracia cesará antes de manifestarse el estado laodicense del pueblo, sino que Laodicea representa lo que Dios desechará cuando realice el juicio sobre su iglesia, en un tiempo en el que aún quedará gracia para el resto de las personas.

En este sentido, si repasamos la historia de lo que sucedió con la nación judía, comprobaremos que la paciencia de Dios sobre aquel pueblo –escogido como nación favorecida– concluyó en el día en que Jesús realizó la entrada triunfal, en vísperas de su sacrificio expiatorio.[57]

---

que les permite juntar para sí. Este es su objeto en todos los asuntos de la vida. No obran para otros, sino para sí mismos. Dios los creó para vivir en un mundo donde debe cumplirse un servicio abnegado. Los destinó a ayudar a sus semejantes de toda manera posible. Pero el yo asume tan grandes proporciones que no pueden ver otra cosa. No están en contacto con la humanidad. Los que así viven para sí son como la higuera que tenía mucha apariencia, pero no llevaba fruto. Observan la forma de culto, pero sin arrepentimiento ni fe. Profesan honrar la ley de Dios, pero les falta la obediencia. Dicen, pero no hacen. En la sentencia pronunciada sobre la higuera, Cristo demostró cuán abominable es a sus ojos esta vana pretensión. Declaró que el que peca abiertamente es menos culpable que el que profesa servir a Dios pero no lleva fruto para su gloria." DTG 536

57   Elena de White afirma: "Jerusalén había sido la hija de su cuidado, y como un padre tierno se lamenta sobre un hijo descarriado, así Jesús lloró sobre la ciudad amada. ¿Cómo puedo abandonarte? ¿Cómo puedo verte condenada a la destrucción? ¿Puedo permitirte colmar la copa de tu iniquidad? Un alma es de tanto valor

Si prestamos atención, esto ocurre 3,5 años antes de que se acabara el plazo de las 70 semanas asignadas al pueblo de Israel, de acuerdo a la profecía de Daniel 9:27.

Sin embargo, la gracia de Dios sobre esta nación favorecida, pero ingrata, estaba a punto de culminar. La gracia de Dios aún se seguiría ofreciendo a los israelitas, pero ya no como a una nación favorecida, sino a nivel individual, como a personas escogidas, hasta cumplirse el plazo asignado a este pueblo.

Pasado el tiempo −al cumplirse las 70 semanas de años asignadas al pueblo hebreo−, y ante la intensa persecución desatada contra los israelitas que habían aceptado a Jesús −iniciada con el martirio de Esteban−, el evangelio dejó de predicarse solamente en Jerusalén y se esparció hasta lo último de la tierra, según lo relata Hechos 8:1-4.

En este sentido, el mensaje a Laodicea representa justamente aquel juicio que Dios pronuncia sobre su pueblo, rechazándolo de su nivel de privilegio a nivel institucional, pero con posibilidades de arrepentimiento a nivel individual, durante el escaso tiempo de gracia que aún le quedará al mundo.[58]

---

que, en comparación con ella, los mundos se reducen a la insignificancia; pero ahí estaba por perderse una nación entera. Cuando el sol ya en su ocaso desapareciera de la vista, el día de gracia de Jerusalén habría terminado. Mientras la procesión estaba detenida sobre la cresta del monte de las Olivas, no era todavía demasiado tarde para que Jerusalén se arrepintiese. El ángel de la misericordia estaba entonces plegando sus alas para descender por los escalones del trono de oro a fin de dar lugar a la justicia y al juicio inminentes. Pero el gran corazón de amor de Cristo todavía intercedía por Jerusalén, que había despreciado sus misericordias y amonestaciones, y que estaba por empapar sus manos en su sangre. Si quisiera solamente arrepentirse, no era aún demasiado tarde. Mientras los últimos rayos del sol poniente se demoraban sobre el templo, las torres y cúpulas, ¿no la guiaría algún ángel bueno al amor del Salvador y conjuraría su sentencia? ¡Hermosa e impía ciudad, que había apedreado a los profetas, que había rechazado al Hijo de Dios, que se sujetaba ella misma por su impenitencia en grillos de servidumbre: su día de misericordia casi había pasado!" DTG 531

58   Elena de White comenta: "La nación judía era un símbolo de las personas que en todo tiempo desprecian las súplicas del amor infinito. Las lágrimas vertidas por Cristo cuando lloró sobre Jerusalén fueron derramadas por los pecados de todos los tiempos. En los juicios pronunciados sobre Israel, los que rechazan las represiones y amonestaciones del Espíritu Santo de Dios pueden leer su propia condenación.

Ahora, volvamos sobre los pecados por los cuales los dirigentes de Laodicea serán vomitados de la boca del Señor. El primero es la 'tibieza' espiritual, es decir, una persona que no se considera 'demasiado' pecadora, pero que, al mismo tiempo, no es santa. Bien podríamos decir, es 'mediocre'. Conserva las formas y la apariencia de piedad, pero carece de ella. Se acerca a la iglesia de Dios, participa en ella, y hasta pretende dirigirla, pero permanece distante de Cristo. Ora, lee la Biblia ante las personas, predica la piedad, pero carece de la eficacia de ella en su propia vida. Más aún, se compara con otros pecadores, y se considera superior, y por lo tanto, favorito de Dios.

A más de esto, se considera rico, enriquecido y sin ninguna necesidad. Es cierto que Dios le ha dado mucho a su iglesia, pero ella no lo posee porque 'no ha guardado su palabra' (de la manera que sí lo hace Filadelfia). Cree tener mucho, pero no conoce que aún lo que tenía lo ha perdido. Pero, como se cree que tiene, desprecia todo rayo de nueva luz con que Dios desea iluminarla, y así, su propia soberbia y suficiencia propia, la aleja de toda esperanza de salvación por rechazar el conocimiento.[59]

En esta generación, muchos están siguiendo el mismo camino que los judíos incrédulos. Han presenciado las manifestaciones del poder de Dios; el Espíritu Santo ha hablado a su corazón; pero se aferran a su incredulidad y resistencia. Dios les manda advertencias y reproches, pero no están dispuestos a confesar sus errores, y rechazan su mensaje y a sus mensajeros. Los mismos medios que él usa para restaurarlos llegan a ser para ellos una piedra de tropiezo.

Cristo contempló el mundo de todos los siglos desde la altura del monte de las Olivas; y sus palabras se aplican a toda alma que desprecia las súplicas de la misericordia divina. Oh, escarnecedor de su amor, él se dirige hoy a ti. A ti, aun a ti, que debieras conocer las cosas que pertenecen a tu paz. Cristo está derramando amargas lágrimas por ti, que no las tienes para ti mismo. Ya se está manifestando en ti aquella fatal dureza de corazón que destruyó a los fariseos. Y toda evidencia de la gracia de Dios, todo rayo de la luz divina, enternece y subyuga el alma, o la confirma en una impenitencia sin esperanza.

Cristo previó que Jerusalén permanecería empedernida e impenitente; pero toda la culpa, todas las consecuencias de la misericordia rechazada, pesaban sobre ella. Así también sucederá con toda alma que está siguiendo la misma conducta. El Señor declara: "Te perdiste, oh Israel." (Oseas 13:9) "Oye, tierra. He aquí yo traigo mal sobre este pueblo, el fruto de sus pensamientos; porque no escucharon a mis palabras, y aborrecieron mi ley." (Jeremías 6:19)." DTG 538-539

59   Elena de White afirma: "No debemos pensar ni por un momento que no hay más luz, ni más verdad para sernos revelada. Corremos el peligro de volvernos descuidados y de perder por nuestra indiferencia el poder santificador de la verdad,

Y he aquí un gran peligro para todo aquel que piensa estar firme, creyendo que tiene toda la luz y que no necesita volver a analizar cada Palabra que ha salido de la boca de Dios. Personas que se aferran a alguna idea humana, creída, muchas veces, a fuerza de repetición, y no se humillan ante Dios en búsqueda de mayor luz, cerrándose a cuanto argumento inspirado se le presente.

Por esto, Pablo nos amonesta, diciendo: *"Porque no quiero, hermanos, que ignoréis que nuestros padres todos estuvieron bajo la nube, y todos pasaron el mar; y todos en Moisés fueron bautizados en la nube y en el mar, y todos comieron el mismo alimento espiritual, y todos bebieron la misma bebida espiritual; porque bebían de la roca espiritual que los seguía, y la roca era Cristo. Pero de los más de ellos no se agradó Dios; por lo cual quedaron postrados en el desierto. Mas estas cosas sucedieron como ejemplos para nosotros, para que no codiciemos cosas malas, como ellos codiciaron. Ni seáis idólatras, como algunos de ellos, según está escrito: Se sentó el pueblo a comer y a beber, y se levantó a jugar. Ni forniquemos, como algunos de ellos fornicaron, y cayeron en un día veintitrés mil. Ni tentemos al Señor, como también algunos de ellos le tentaron, y perecieron por las serpientes. Ni murmuréis, como algunos de ellos murmuraron, y perecieron por el destructor. Y estas cosas les acontecieron como ejemplo, y están escritas para amonestarnos a nosotros, a quienes han alcanzado los fines de los siglos. Así que, el que piensa estar firme, mire que no caiga."* 1 Corintios 10;1-12

¿Quieres saber si estás representado por Laodicea? Jesús nos da algunas características adicionales, para que podamos auto evaluarnos:

» En primer lugar nos dice que los laodicenses 'no saben', es decir, no conocen su condición real, dado que están tan adormecidos por su tibieza y suficiencia propia que ni siquiera se dan cuenta de que están enfermos, infectados de corrupción de pies a cabeza; sin embargo, como se creen

---

consolándonos con el pensamiento: "Yo soy rico, y estoy enriquecido, y no tengo necesidad de ninguna cosa." Al paso que debemos retener firmemente las verdades que ya hemos recibido, no debemos considerar como sospechosa cualquiera nueva luz que Dios envíe." OE 325

"Esto ocasionó la ruina de los judíos y será la ruina de muchas almas en nuestros tiempos. Miles están cometiendo el mismo error que los fariseos a quienes Cristo reprendió en el festín de Mateo. Antes que renunciar a alguna idea que les es cara, o descartar algún ídolo de su opinión, muchos rechazan la verdad que desciende del Padre de las luces. Confían en sí mismos y dependen de su propia sabiduría, y no comprenden su pobreza espiritual…" DTG 246

sanos, sin necesidad de nada, se quedan tranquilos consigo mismos; y como consecuencia, rechazan todo ofrecimiento de ayuda.[60]

» Luego se dice que los laodicenses son 'desventurados'. La palabra que Jesús utiliza aparece sólo en una ocasión adicional en todo el Nuevo Testamento, cuando dice: *"¡Miserable de mí! [o, ¡desventurado soy!] ¿Quién me librará de este cuerpo de muerte?"* Romanos 7:24. Es decir, en el contexto del pasaje anterior, la segunda característica que poseen estas personas apunta a que no pueden vencer el pecado que mora en ellas.[61]

» En tercer lugar, Jesús usa una palabra que es traducida como 'miserable', que también aparece sólo una vez más en todo el Nuevo Testamento, cuando dice: *"Si nosotros hemos puesto nuestra esperanza en Cristo solamente para esta vida, seríamos los hombres **más dignos de lástima.**"* 1 Corintios 15:19 LPD. Los laodicenses, efectivamente, solo piensan y obran en cosas de esta vida, por lo que Jesús les dice: 'miserables'. No son más dignos que de lástima.

Jesús también les dice, *'te crees rico, pero eres pobre…'*. La verdadera riqueza delante de Dios es la fe que obra por amor. El apóstol Pablo dijo: *"Digo, pues, por la gracia que me es dada, a cada cual que está entre vosotros, que no tenga más alto concepto de sí que el que debe tener, sino que piense de sí con cordura, conforme a la medida de fe que Dios repartió a cada uno"* (Romanos 12:3), y Santiago: *"Hermanos míos amados, oíd: ¿No ha elegido Dios a los pobres de este mundo, para que sean ricos en fe y herederos del reino que ha prometido a los que le aman? Pero vosotros habéis afrentado*

---

60   Elena de White escribió: "Ningún hombre por sí mismo puede comprender sus errores. "Engañoso es el corazón más que todas las cosas, y perverso; ¿quién lo conocerá?" Jeremías 17:9. Quizá los labios expresen una pobreza de alma que no reconoce el corazón. Mientras se habla a Dios de pobreza de espíritu, el corazón quizá está henchido con la presunción de su humildad superior y justicia exaltada. Hay una sola forma en que podemos obtener un verdadero conocimiento del yo. Debemos contemplar a Cristo. La ignorancia de su vida y su carácter induce a los hombres a exaltarse en su justicia propia. Cuando contemplemos su pureza y excelencia, veremos nuestra propia debilidad, nuestra pobreza y nuestros defectos tales cuales son. Nos veremos perdidos y sin esperanza, vestidos con la ropa de la justicia propia, como cualquier otro pecador. Veremos que si alguna vez nos salvamos, no será por nuestra propia bondad, sino por la gracia infinita de Dios." PVGM 123

61   Elena de White afirmó: "El mensaje de Laodicea se aplica a todos los que profesan guardar la ley de Dios, pero no son hacedores de ella." RH October 17, (1899), par. 3.

al pobre" *(Santiago 2:5-6).* Por lo que podemos concluir que la pobreza del laodicense viene dada por la carencia de esa fe que obra por amor.

» En quinto lugar Jesús afirma que el laodicense está ciego, no porque no se le haya dado conocimiento, sino porque tiene los ojos abarrotados de pecado. El apóstol Pablo fue comisionado por Jesús, precisamente *"para ~~que abras sus~~ [abrir los] ojos [de los gentiles], para que se conviertan de las tinieblas a la luz, y de la potestad de Satanás a Dios; para que reciban, por la fe que es en mí, perdón de pecados y herencia entre los santificados." Hechos 26:18*

Y el propio Jesús dijo, respecto de sí mismo: *"El Espíritu del Señor está sobre mí, por cuanto me ha ungido para dar buenas nuevas a los pobres [en espíritu… es decir, los que no se creen ricos como Laodicea]; me ha enviado a sanar a los quebrantados de corazón [no a los orgullosos que no creen tener necesidad de nada]; a pregonar libertad a los cautivos, y vista a los ciegos [por lo que todo el que ha recibido a Cristo no debería continuar en estado de ceguedad]; a poner en libertad a los oprimidos [por el pecado]; a predicar el año agradable del Señor.' (Lucas 4:18-19).*

Con lo cual podemos comprender que la persona que se encuentra 'ciega' vive aún en la esclavitud del pecado por no haber aceptado, por la fe, el verdadero evangelio de Jesús, el cual lo libera de él. ¿Eres tú aún un laodicense, esclavo del pecado?

» Por último, Jesús concluye diciéndole al laodicense que se encuentra 'desnudo', es decir, desprovisto de su justicia, tal como Adán y Eva cuando se escondieron de su presencia. Es decir, si el tiempo de gracia terminara hoy, todo laodicense se encontraría perdido, apartado de la gracia de Dios, por no haber recibido su manto de justicia.

Por esto, si al repasar todas estas características, te das cuenta que eres un miserable laodicense –tal como quizá lo pueda ser yo, al escribir estas líneas–, corre a Cristo y compra lo que Él te ofrece. Él te dice: *"Por tanto, yo te aconsejo que de mí compres oro refinado en fuego, para que seas rico, y vestiduras blancas para vestirte, y que no se descubra la vergüenza de tu desnudez; y unge tus ojos con colirio, para que veas." Apocalipsis 3:18*

¿Qué representa el 'oro refinado en fuego' que Cristo desea vendernos? Tiene que ver con aquello que perdió Éfeso, al comienzo de la historia: 'el primer amor' de Cristo. Representa la belleza de la perfecta fe que obra por amor. Recordemos que el apóstol Santiago nos exhorta a que seamos *"ricos en fe y herederos del reino que Dios ha prometido a los que le aman." Santiago 2:5-6*[62]

La fe que obra por amor es una fe viva, que no le agrada las apariencias de piedad sino la efectiva salvación de las almas. Que piensa de los demás como Cristo pensaba de aquellos a quienes deseaba salvar, que siente el celo de Cristo por las almas que perecen. Los que tengan tal fe, y obren por amor de acuerdo a ella, serán ricos en el Reino de los Cielos.[63]

---

62 Elena de White explica: "El oro mencionado por Cristo, el Testigo verdadero, que todos debemos poseer, se me ha mostrado que está constituido por la fe y el amor combinados, pero con el amor llevándole la delantera a la fe. Satanás está trabajando continuamente para eliminar estos preciosos dones de los corazones del pueblo de Dios. Todos estamos participando del juego de la vida. Satanás es bien consciente de que si puede eliminar el amor y la fe, y ocupar ese lugar con egoísmo e incredulidad, todos los preciosos rasgos que queden pronto serán eficazmente eliminados por su mano artera, y el juego se habrá perdido." 2TI 34

"El oro afinado en el fuego es la fe que obra por el amor. Solo esto puede ponernos en armonía con Dios. Podemos ser activos, podemos hacer mucha obra; pero sin amor, un amor tal como el que moraba en el corazón de Cristo, nunca podremos ser contados en la familia del cielo." PVGM 122

63 Elena de White nos insta: "Ayudad a las almas que se hunden. Hay almas que están hambrientas de simpatía, hambrientas del pan de vida; pero no se animan a dar a conocer su gran necesidad. Los que llevan las responsabilidades en relación con la obra de Dios deben entender que se encuentran bajo la más solemne obligación de ayudar a esas almas; y estarían preparados para, ayudarlas, si ellos mismos hubieran retenido la influencia suave y subyugante del amor de Cristo. ¿Van a ellos a buscar ayuda esas pobres almas que están a punto de morir? No; lo hicieron hasta que perdieron toda esperanza de recibir ayuda por ese lado. No ven una mano extendida para ayudar.

El asunto me fue presentado de esta manera: Un hombre que se ahogaba, y que luchaba en vano con las olas, descubre un bote, y con las últimas fuerzas que le quedaban tiene éxito en alcanzarlo, y se ase de su costado. En su debilidad no puede hablar, pero la agonía pintada en su rostro conmovería a cualquier corazón que no estuviera desprovisto de humana ternura. Pero, ¿extenderán sus manos para levantarlo los ocupantes del bote? ¡No! El cielo entero observa mientras golpean las débiles manos que se aferran al bote, hasta que se sueltan, y un semejante que sufre se hunde entre las olas para no surgir nunca más. Esta escena se ha vuelto a repetir muchas veces. Ha sido presenciada por Uno que dio su vida por el rescate de tales almas. El Señor ha extendido su propia mano para salvar. El Señor mismo ha hecho la obra que ha dejado al hombre para que hiciera, de revelar la piedad y la compasión de Cristo hacia los pecadores. Jesús dice: "Un mandamiento nuevo os doy: Que os améis unos a otros; como yo os he amado, que también os améis unos a otros". El Calvario nos revela a cada uno de nosotros las profundidades de ese amor." TM 353

En tanto, las vestiduras blancas que Cristo nos pide que compremos de Él, representan el manto de su propia justicia que Él desea colocar en nosotros. Una justicia que no solo justifica al hombre delante de Dios por sus pecados pasados, sino que también le hace justo para que viva en la santidad de Dios. En este sentido, las vestiduras blancas representan el carácter de Cristo en nosotros.[64]

El apóstol Pablo, hablando de la obra que debe efectuarse en cada hijo de Dios, dijo: *"Vestíos, pues, como escogidos de Dios, santos y amados, de entrañable misericordia, de benignidad, de humildad, de mansedumbre, de paciencia; soportándoos unos a otros, y perdonándoos unos a otros si alguno tuviere queja contra otro. De la manera que Cristo os perdonó, así también hacedlo vosotros. Y sobre todas estas cosas vestíos de amor, que es el vínculo perfecto. Y la paz de Dios gobierne en vuestros corazones, a la que asimismo fuisteis llamados en un solo cuerpo; y sed agradecidos. La palabra de Cristo more en abundancia en vosotros, enseñándoos y exhortándoos unos a otros en toda sabiduría, cantando con gracia en vuestros corazones al Señor con salmos e himnos y cánticos espirituales. Y todo lo que hacéis, sea de palabra o de hecho, hacedlo todo en el nombre del Señor Jesús, dando gracias a Dios Padre por medio de él." Colosenses 2:12-17*

---

64   Elena de White explica: "Únicamente el manto que Cristo mismo ha provisto puede hacernos dignos de aparecer ante la presencia de Dios. Cristo colocará este manto, esta ropa de su propia justicia sobre cada alma arrepentida y creyente. "Yo te amonesto–dice él–que de mí compres... vestiduras blancas, para que no se descubra la vergüenza de tu desnudez..." (Apocalipsis 3:18). Este manto, tejido en el telar del cielo, no tiene un solo hilo de invención humana. Cristo, en su humanidad, desarrolló un carácter perfecto, y ofrece impartirnos a nosotros este carácter. "Como trapos asquerosos son todas nuestras justicias" (Isaías 64:6). Todo cuanto podamos hacer por nosotros mismos está manchado por el pecado. Pero el Hijo de Dios "apareció para quitar nuestros pecados, y no hay pecado en él" (1 Juan 3:5). Se define el pecado como la "transgresión de la ley" (1 Juan 3:4). Pero Cristo fue obediente a todo requerimiento de la ley. El dijo de sí mismo: "Me complazco en hacer tu voluntad, oh Dios mío, y tu ley está en medio de mi corazón" (Salmo 40:8). Cuando estaba en la tierra dijo a sus discípulos: "He guardado los mandamientos de mi Padre" (Juan 15:10). Por su perfecta obediencia ha hecho posible que cada ser humano obedezca los mandamientos de Dios. Cuando nos sometemos a Cristo, el corazón se une con su corazón, la voluntad se fusiona con su voluntad, la mente llega a ser una con su mente, los pensamientos se sujetan a él; vivimos su vida. Esto es lo que significa estar vestidos con el manto de su justicia. Entonces, cuando el Señor nos contempla, él ve no el vestido de hojas de higuera, no la desnudez y deformidad del pecado, sino su propia ropa de justicia, que es la perfecta obediencia a la ley de Jehová." PVGM 253

Pero ¿cómo podremos hacer todo esto? ¿De qué manera podremos comprar las riquezas de Cristo? ¿Con qué pagaremos el don de Dios? Cristo nos las ofrece, no a cambio de nuestro dinero ni de nuestras 'buenas obras', sino a cambio de nuestro corazón. Él dijo, a través de Isaías: *"A todos los sedientos: Venid a las aguas; y los que no tienen dinero, venid, comprad y comed. Venid, comprad sin dinero y sin precio, vino y leche. ¿Por qué gastáis el dinero en lo que no es pan, y vuestro trabajo en lo que no sacia? Oídme atentamente, y comed del bien, y se deleitará vuestra alma con grosura. Inclinad vuestro oído, y venid a mí; oíd, y vivirá vuestra alma; y haré con vosotros pacto eterno… Buscad a Jehová mientras puede ser hallado, llamadle en tanto que está cercano. Deje el impío su camino, y el hombre inicuo sus pensamientos, y vuélvase a Jehová, el cual tendrá de él misericordia, y al Dios nuestro, el cual será amplio en perdonar. Porque mis pensamientos no son vuestros pensamientos, ni vuestros caminos mis caminos, dijo Jehová. Como son más altos los cielos que la tierra, así son mis caminos más altos que vuestros caminos, y mis pensamientos más que vuestros pensamientos. Porque como desciende de los cielos la lluvia y la nieve, y no vuelve allá, sino que riega la tierra, y la hace germinar y producir, y da semilla al que siembra, y pan al que come, así será mi palabra que sale de mi boca; no volverá a mí vacía, sino que hará lo que yo quiero, y será prosperada en aquello para que la envié. Porque con alegría saldréis, y con paz seréis vueltos; los montes y los collados levantarán canción delante de vosotros, y todos los árboles del campo darán palmadas de aplauso. En lugar de la zarza crecerá ciprés, y en lugar de la ortiga crecerá arrayán; y será a Jehová por nombre, por señal eterna que nunca será raída." Isaías 55:1-12*

¡Oh amor de Dios, brotando estas…! ¡Cuál inmensidad que el hombre no podrá contar! ¿Oyes su llamado, hipócrita laodicense?

Por último, el Señor Jesús nos aconseja: *"unge tus ojos con colirio, para que veas" (Ap 3:18)*. El ungimiento de nuestros ojos es aquello que aclara nuestro discernimiento espiritual para que podamos ver, no solo nuestra desesperada condición actual, sino también los hermosos planes que Dios tiene para nosotros. Esta obra, de acuerdo a la Palabra de Dios, es efectuada por medio del Espíritu Santo. Dijo Jesús: *"Si me amáis, guardad mis mandamientos. Y yo rogaré al Padre, y os dará otro Consolador, para que esté con vosotros para siempre: el Espíritu de verdad, al cual el mundo no puede recibir, porque no le ve, ni le conoce; pero vosotros le conocéis, porque mora con vosotros, y estará en vosotros." Juan 14:15-17*

El que me ama, mi palabra guardará; y mi Padre le amará, y vendremos a él, y haremos morada con él… Mas el Consolador, el Espíritu Santo, a quien el Padre enviará en mi nombre, él os enseñará todas las cosas, y os recordará todo lo que yo os he dicho." Juan 14:23, 26

Aún tengo muchas cosas que deciros, pero ahora no las podéis sobrellevar. Pero cuando venga el Espíritu de verdad, él os guiará a toda la verdad; porque no hablará por su propia cuenta, sino que hablará todo lo que oyere, y os hará saber las cosas que habrán de venir. Él me glorificará; porque tomará de lo mío, y os lo hará saber." Juan 16:12-14

Como podrás darte cuenta, no hay en las reprensiones de Cristo a la iglesia de Laodicea la más mínima sombra de desprecio o desamor. Al contrario, él le dice: *"Yo reprendo y castigo a todos los que amo; sé, pues, celoso, y arrepiéntete." Apocalipsis 3:19*

Ahora, por nosotros mismos, no somos capaces ni siquiera de arrepentirnos con sinceridad por los pecados que moran en nosotros –y que amamos–. Ni siquiera somos capaces de darnos cuenta de nuestra inmensa necesidad. Pero una cosa sí podemos hacer cuando el Espíritu Santo se acerca a nosotros y nos convence de pecado. Podemos ir a Dios en la humildad de aquel que se ve desventurado, miserable, pobre, ciego y desnudo, y suplicar ayuda por los méritos de Cristo. Es allí cuando le abrimos la puerta a Dios para que obre en nosotros su salvación.

Ojalá esta oración de arrepentimiento pueda ser como la que expresó David, cuando fue reprendido por el Espíritu de Dios a causa de sus pecados: *"Ten piedad de mí, oh Dios, conforme a tu misericordia; conforme a la multitud de tus piedades borra mis rebeliones. Lávame más y más de mi maldad, y límpiame de mi pecado. Porque yo reconozco mis rebeliones, y mi pecado está siempre delante de mí. Contra ti, contra ti solo he pecado, y he hecho lo malo delante de tus ojos; para que seas reconocido justo en tu palabra, y tenido por puro en tu juicio. He aquí, en maldad he sido formado, y en pecado me concibió mi madre. He aquí, tú amas la verdad en lo íntimo, y en lo secreto me has hecho comprender sabiduría. Purifícame con hisopo, y seré limpio; Lávame, y seré más blanco que la nieve. Hazme oír gozo y alegría, y se recrearán los huesos que has abatido. Esconde tu rostro de mis pecados, y borra todas mis maldades. Crea en mí, oh Dios, un corazón limpio, y renueva un espíritu recto dentro de mí. No me eches de delante de ti, y no quites de mí tu santo Espíritu. Vuélveme el gozo de tu salvación, y espíritu noble me sustente.*

Entonces enseñaré a los transgresores tus caminos, y los pecadores se convertirán a ti. Líbrame de homicidios, oh Dios, Dios de mi salvación; cantará mi lengua tu justicia. Señor, abre mis labios, y publicará mi boca tu alabanza. Porque no quieres sacrificio, que yo lo daría; no quieres holocausto. Los sacrificios de Dios son el espíritu quebrantado; al corazón contrito y humillado no despreciarás tú, oh Dios. Haz bien con tu benevolencia a Sion [el pueblo de los santos]; Edifica los muros de Jerusalén [la ciudad y refugio de ellos]. Entonces te agradarán los sacrificios de justicia…" Salmo 51:1-18

¿Habrá el Espíritu de Dios quitado las vendas de tus ojos para que puedas ver la vergüenza de tu desnudez? ¿Habrás escuchado a Jesús llamando a la puerta de tu corazón al considerar el mensaje a Laodicea?

Jesús te dice: *"He aquí, yo estoy a la puerta y llamo; si alguno oye mi voz y abre la puerta, entraré a él, y cenaré con él, y él conmigo." Apocalipsis 3:20*

Si esto es así, prepárate, porque Jesús tiene preparado un banquete de preciosas verdades que anhela servir delante tuyo. Hay inmensos raudales de luz, despreciados por siglos, esperando para ser derramados sobre los que se humillen delante de Dios y, con toda la fuerza de su alma, soliciten para sí el Santo Espíritu de Cristo, el cual, además de ser un Espíritu de amor, de fe y de servicio, es un Espíritu de conocimiento del consejo del Altísimo.[65]

Ahora, los que deseen entrar en tal intimidad con Dios, tienen una obra que hacer en sus propias vidas. Jesús dice a Laodicea: *"Al que venciere, le daré que se siente conmigo en mi trono, así como yo he vencido, y me he sentado con mi Padre en su trono." Apocalipsis 3:20*

Sin embargo, al ser humano, en su actual condición caída, le resulta imposible, por sus propias fuerzas, vencer. Es decir, ser lo que no es. Le es imposible tener el amor y la fe de Jesús y ser justo tal como Dios es justo, por sí mismo. Al mismo tiempo, Cristo jamás pondrá sus ropas de justicia en quien no se esfuerce por alcanzarlas.

El secreto está en la cooperación divino-humana. Es decir, cuando el hombre acude al auxilio de Dios, poniendo todo lo que está a su alcance

---

65   Elena de White escribió: "Se ha preparado un banquete para nosotros. El Señor ha tendido ante nosotros los tesoros de Su Palabra." 16LtMs, Ms 70, (1901), par. 6

para vivir de acuerdo con sus mandamientos, Dios no solo le justifica sino que también le capacita, por medio de los méritos de Cristo y el poder transformador del Espíritu Santo, para que lo pueda alcanzar.[66]

A aquellos que se entreguen por completo a Dios, no importa cuan desesperado haya sido su caso, y venzan sobre sí mismos –lavando sus ropas en la sangre del Cordero–, Jesús les ofrece toda su gloria.

Una vez más, leamos la preciosa promesa que el Salvador nos realiza a todos nosotros, miserables laodicenses. Dice: *"Al que venciere, le daré que se siente conmigo en mi trono, así como yo he vencido, y me he sentado con mi Padre en su trono." Apocalipsis 3:20*

---

66   Elena de White exhorta: "No presente nadie la idea de que el hombre tiene poco o nada que hacer en la gran obra de vencer, pues Dios no hace nada para el hombre sin su cooperación. Tampoco se diga que después de que habéis hecho todo lo que podéis de vuestra parte, Jesús os ayudará. Cristo ha dicho: "Separados de mí nada podéis hacer". Juan 15:5. Desde el principio hasta el fin, el hombre ha de ser colaborador con Dios. A menos que el Espíritu Santo actúe sobre el corazón humano, tropezaremos y caeremos a cada paso. Los esfuerzos del hombre solo no son nada sino inutilidad, pero la cooperación con Cristo significa victoria. Por nosotros mismos, no tenemos poder para arrepentirnos del pecado. A menos que aceptemos la ayuda divina, no podemos dar el primer paso hacia el Salvador. El dice: "Yo soy el Alfa y la Omega, el principio y el fin" (Apocalipsis 21:6) en la salvación de cada alma." 1MS 446

"Pero aunque Cristo es todo, hemos de inspirar en cada hombre una diligencia incansable. Hemos de esforzarnos, luchar, sufrir intensamente, velar, orar para que no seamos vencidos por el astuto enemigo. Puesto que el poder y la gracia con los cuales podemos hacer esto provienen de Dios, siempre hemos de confiar en Aquel que puede salvar hasta lo sumo a todos los que se allegan a Dios por él. Nunca dejéis en la mente la impresión de que hay poco o nada que hacer de parte del hombre, sino más bien enseñad que el hombre ha de cooperar con Dios para que pueda vencer." 1MS 447

"Los que desean vencer deben esforzar al máximo cada facultad de su ser. Deben angustiarse sobre sus rodillas ante Dios, en procura del poder divino. Cristo vino para ser nuestro ejemplo y para hacernos saber que podemos ser participantes de la naturaleza divina. ¿Cómo? Habiendo escapado de la corrupción que está en el mundo por la concupiscencia. Satanás no ganó la victoria sobre Cristo. No holló con su pie el alma del Redentor. No tocó la cabeza, aunque lastimó el talón. Con su propio ejemplo, Cristo puso en evidencia que el hombre puede mantenerse íntegro. Los hombres pueden tener un poder para resistir el mal: un poder que ni la tierra, ni la muerte, ni el infierno pueden vencer; un poder que los colocará donde pueden llegar a ser vencedores como Cristo venció. La divinidad y la humanidad pueden combinarse en ellos." 1MS 478

Como vemos, Cristo no solo nos ofrece habitar en la morada de Dios –la Nueva Jerusalén–, sino que también se sentarnos en su trono. ¡¿Qué más nos podría ofrecer?![67]

Más adelante, Apocalipsis describe la victoria de los que alguna vez fueron laodicenses, con las siguientes palabras: *"Después de esto miré, y he aquí una gran multitud, la cual nadie podía contar, de todas naciones y tribus y pueblos y lenguas, que estaban delante del trono y en la presencia del Cordero, vestidos de ropas blancas, y con palmas en las manos; y clamaban a gran voz, diciendo: La salvación pertenece a nuestro Dios que está sentado en el trono, y al Cordero. Y todos los ángeles estaban en pie alrededor del trono, y de los ancianos y de los cuatro seres vivientes; y se postraron sobre sus rostros delante del trono, y adoraron a Dios, diciendo: Amén. La bendición y la gloria y la sabiduría y la acción de gracias y la honra y el poder y la fortaleza, sean a nuestro Dios por los siglos de los siglos. Amén. Entonces uno de los ancianos habló, diciéndome: Estos que están vestidos de ropas blancas, ¿quiénes son, y de dónde han venido? Yo le dije: Señor, tú lo sabes. Y él me dijo: Estos son los que han salido de la gran tribulación, y han lavado sus ropas, y las han emblanquecido en la sangre del Cordero. Por esto están delante del trono de Dios, y le sirven día y noche en su templo; y el que está sentado sobre el trono extenderá su tabernáculo sobre ellos. Ya no tendrán hambre ni sed, y el sol no caerá más sobre ellos, ni calor alguno; porque el Cordero que está en medio del trono los pastoreará, y los guiará a fuentes de aguas de vida; y Dios enjugará toda lágrima de los ojos de ellos." Apocalipsis 7:9-17*

Por gracia de Dios, no todos los laodicenses serán vomitados de la boca de Dios, sino que un sin número de los que hoy quizá se encuentran en este estado, oirán la voz de Dios y serán atraídos hacia Jesús, porque la Palabra de Dios no vuelve vacía. Él dijo a través de Isaías: *"Porque como desciende de los cielos la lluvia y la nieve, y no vuelve allá, sino que riega la tierra, y la hace germinar y producir, y da semilla al que siembra, y pan al que come, así será mi palabra que sale de mi boca; no volverá a mí vacía, sino que hará lo que yo quiero, y será prosperada en aquello para que la envié." Isaías 55:10-11*

---

67   Elena de White explica: "Aquel que ocupe el lugar más cerca de Cristo, será el que haya bebido más profundamente de su espíritu de amor abnegado –amor que "no hace sinrazón, no se ensancha, ... no busca lo suyo, no se irrita, no piensa el mal" (1 Corintios 13:4, 5),–amor que induce al discípulo, así como indujo a nuestro Señor, a darlo todo, a vivir y trabajar y sacrificarse aun hasta la muerte para la salvación de la humanidad. HAp 433

Ahora, aunque la historia de Laodicea tiene un final feliz para una inmensa multitud de personas que oirán el llamado de Dios y serán transformados a través de múltiples aflicciones durante el tiempo de gran angustia que nos espera, no dejemos de tener presente que también una inmensa mayoría de ella se perderá y será vomitada de la boca de Dios en el tiempo del zarandeo.

Por esto, no perdamos de vista que nuestro estado como pueblo –que dice ser de Dios–, hoy, es miserable. Nos encontramos en total pobreza, ciegos, apartados del bien y desnudos, es decir, sin la justicia de Dios sobre nosotros, precisamente en el momento en el que Jesús, el Testigo Fiel, está analizando nuestras obras como justo Juez.[68]

A buen entendedor, pocas palabras. *"El que tiene oído, oiga lo que el Espíritu dice a las iglesias." Apocalipsis 3:22*

Conclusiones

El mensaje que Jesús envió a las siete iglesias del Apocalipsis tuvo un evidente significado en los días del apóstol Juan en las realidades propias que vivían cada una de estas iglesias del Asia menor; aunque hoy tal significado quizá carezca de utilidad para nuestra generación y aún nos sea difícil de comprender a cabalidad –dada la lejanía temporal y geográfica que tenemos respecto a aquellas iglesias del pasado remoto–.

Ahora, el mensaje de Jesús a aquellas iglesias ha tenido también un evidente significado simbólico sobre la plenitud de la iglesia de Dios en su desarrollo histórico profético. Algo que hemos explicado en detalle: las cuatro iglesias de Apocalipsis 2 representaron el devenir de la iglesia durante el tiempo profético que llegó hasta 1798, y las últimas tres iglesias, de Apocalipsis 3, describen los acontecimientos que ocurrirán en la iglesia durante el tiempo del fin.

---

68   Elena de White concluye, respecto al mensaje a la iglesia de Laodicea, diciendo: "El mensaje a la iglesia de Laodicea se aplica a nuestra condición. Cuán claramente se describe la posición de los que creen que tienen toda la verdad, que se enorgullecen de su conocimiento de la Palabra de Dios, al paso que no se ha sentido en su vida el poder santificador de ella. Falta en su corazón el fervor del amor de Dios, pero precisamente ese fervor del amor es lo que hace que el pueblo de Dios sea la luz del mundo." 1MS 418

"La iglesia se encuentra en el estado laodicense. La presencia de Dios no está en su medio." (1898). EUD 45

No obstante, y como hemos demostrado, Apocalipsis trata, de una manera especial, los sucesos que ocurrirían durante el 'día de Dios'. Por esto, el mensaje a las siete iglesias también alcanza un tercer significado –especialmente importante para nosotros– en relación al mensaje que Dios le envía a la plenitud de su iglesia del tiempo del fin, en el preciso momento en el que está por ejecutar su juicio sobre ella.

En este sentido, observamos que el mensaje de Jesús a su iglesia tiene una estructura 'quiásmica', es decir, donde todo el mensaje guarda relación entre sí, pero de una manera cruzada: lo que se dice en primer término guarda relación con lo que se menciona en el último, lo que se apunta en segundo término con lo que se describe en el ante último, y así sucesivamente, encontrándose al centro el nudo del mensaje. Veamos:

Éfeso, la primera iglesia, es pura pero, se dice, ha perdido su primer amor [por Dios y por las personas]. El resultado de tal actitud lo encontramos en Laodicea, la última iglesia, que se cree rica y sin necesidad de nada, pero es pobre, ciega y desnuda, totalmente desprovista de la salvación de Dios. Tal religión es abominable para Dios, por lo que, de no arrepentirse, a Éfeso se le dijo que su candelero -su luz- le sería quitada (por lo que quedaría en tinieblas), algo equivalente a ser vomitados de la boca del Señor, expresión que se usa en Laodicea.

Esmirna, la segunda, es una iglesia que es fiel hasta la muerte, aún en medio de gran tribulación, mientras que Filadelfia, la ante última, por haber sido fieles y haber guardado la palabra, Dios les promete resguardarlos de aquella hora de prueba que está a punto de venir sobre el mundo entero para probar a los que moran sobre la tierra. De igual manera, se dice que Esmirna tuvo que sufrir la oposición aquellos que profesaban ser judíos pero que en realidad eran sinagoga de Satanás (Ap 2:9), mientras que en Filadelfia se anuncia que éstos deberán postrarse ante los pies de los santos, reconociendo que Dios los ha amado (Ap 3:9).

En tanto Pérgamo, la tercera, es una iglesia impura, dado que tolera a los que introducen falsas doctrinas. El resultado de esto, a lo largo del tiempo, lo vemos en Sardis, la antepenúltima, descrita como una iglesia que tiene nombre de que vive pero está muerta, donde solo unas pocas personas no han manchado sus vestiduras. Por esto, Jesús se presenta como apunto de venir sobre ellas, de manera repentina, para pelear contra los malvados con la espada de su boca.

Por último, Tiatira, aquella que se encuentra en el centro, representa el nudo del mensaje, es decir, lo principal que tenemos que entender para comprender la causa de todos los males. ¿Qué es? Pues el gran problema de Tiatira, y de la iglesia del último tiempo, es que tolera a Jezabel (también llamada 'Babilonia'), quien enseña al pueblo de Dios a fornicar (es decir, a tener relaciones ilícitas con los gobiernos de la tierra) y a comer cosas sacrificadas a los ídolos (es decir, a contaminarse con paganismo mediante el ecumenismo).

En síntesis, el resultado del análisis que realiza Jesús, el Testigo Fiel, sobre su iglesia es desolador. Por lo cual nos preguntamos… si llegando al fin del tiempo, ésta es la realidad de la iglesia ¿qué hará Dios para tener para sí mismo *'una iglesia gloriosa, que no tuviese mancha ni arruga ni cosa semejante, sino que fuese santa y sin mancha.'? Efesios 5:25-27*

La respuesta tiene que ver con zarandeo, abominación desoladora, persecuciones, catástrofes, dolor y muerte. Algo que estudiaremos en la continuidad del Apocalipsis. Sin embargo, por el momento, observamos que, de las siete iglesias, cinco reciben el amoroso pero firme llamado de Dios a arrepentirse, y solo dos son alabadas sin ninguna represión. Solo dos grupos de personas gozan de la aprobación de Dios: los mártires de Esmirna, que darán su vida por Cristo, y la generación final –representada por Filadelfia– que lavará sus ropas en la sangre del cordero y vencerá sobre el pecado, la bestia y el diablo; por lo que será guardada de la hora de prueba que ha de venir sobre el mundo entero y estará de pie ante la segunda venida de Jesús, esperándole con gritos de victoria!

¿Te has preguntado en cuál de todos los grupos te encuentras tú? Sea cual fuere la realidad de tu vida, ¿oirás el llamado de Dios? Ojalá que puedas proponerte, hoy mismo, lavar tus ropas en la sangre del Cordero y, sea cual fuere la suerte que Dios permita sobre ti, estar dispuesto a ser fiel hasta la muerte con tal de no deshonrar el nombre de tu Creador.

Por último, solo si hemos podido recibir esta amorosa carta de Jesús, y si hemos podido responder en humilde arrepentimiento, es que estaremos en condiciones de comprender la gran visión del Apocalipsis que vendrá a continuación. ¿Estás preparado/a?

Vuelve a leer, ahora mismo, Apocalipsis 3 y comprueba como ya se ha abierto ante tus ojos.

Capítulo 4
La sala del juicio

Jesús, luego de presentarse, en el capítulo 1, como el gran Sumo Sacerdote y Juez que tiene a su cargo el des tino, no solo de este mundo, sino también de cada uno de sus habitantes, y de haber enviado las cartas de amor y represión para el arrepentimiento de su iglesia –en los capítulos 2 y 3–, invita a Juan a contemplar una nueva visión.

Una puerta abierta al Santísimo

Dice: *"Después de esto miré, y he aquí una puerta abierta en el cielo; y la primera voz que oí, como de trompeta, hablando conmigo, dijo: Sube acá, y yo te mostraré las cosas que sucederán después de estas." Apocalipsis 4:1*

Lo primero que debemos entender es el tiempo profético al cual se refiere la visión que está a punto de comenzar. Para esto, nos preguntamos, ¿a qué cosas se refiere Jesús cuando dice 'las cosas que sucederán después de 'estas'? El 'estas', ¿se refiere a las cosas que estaba viviendo el apóstol Juan en aquel momento o a las que acababa de presenciar en la visión sobre las siete iglesias? En otras palabras, la visión que está iniciando, ¿se referirá a acontecimientos que comenzarían a registrarse hace unos dos mil años, es decir, desde los días del apóstol Juan, o a los que se producirían luego del desarrollo de la iglesia, en el contexto del desenlace del fin?

En este sentido, es necesario recordar que Jesús, el eje central del Apocalipsis, se mostró en los capítulos 1 y 2 como *'andando en medio de los siete candeleros de oro' (Ap 1:12 y 2:1)*, algo que, como ya explicamos, vincula el candelero del 'Lugar Santo' con la representación de la iglesia dentro de la morada de Dios en el Santuario Celestial. En aquel momento se le ordenó a Juan: *"Escribe las cosas que has visto, y las que son, y las que han de ser después de estas" (Ap 1:19)*, y nosotros explicamos que podríamos tomar dos posiciones en cuanto al tiempo presente de la profecía: una relacionada con los días del apóstol Juan –en aquel sábado de la Isla de Patmos en la cual recibió el Apocalipsis–, y otra en relación a aquel 'día del Señor' que hace alusión al tiempo del juicio de Dios, al cual habría sido transportado el apóstol por medio de visiones espirituales (Ap 1:10).

Al comenzar esta nueva visión, se le muestra a Juan *'una puerta abierta en el cielo'*, y se le ordena que *'suba', para mostrarle las 'cosas que sucederán después de estas' (Ap 4:1).* Por lo que podríamos plantearnos la misma pregunta y llegar a similares posiciones: una relacionada con los sucesos que ocurrirían en el cielo desde los días del apóstol Juan y otra con los eventos, también celestiales, que se desarrollarían al final de la historia de la humanidad, en el contexto del juicio ejecutivo de Dios sobre su iglesia.

Muchos comentadores han optado por la primera opción. Sin embargo, en este trabajo, y sin pretender negar tales interpretaciones, le invitamos a considerar la segunda. No como algo opuesto a la interpretación tradicional, sino como algo complementario. Algo que añade luz de una manera inclusiva, es decir, donde ambas interpretaciones podrían ser verdaderas al mismo tiempo.[69]

En este sentido, observamos que, por lo menos para nuestra generación, la utilidad práctica de la palabra profética para nuestra vida cotidiana es mucho mayor en su cumplimiento escatológico que en aquel

---

69   Elena de White escribió que la historia (es decir, el cumplimiento de la profecía) se repetiría, e instruyó en cuanto a no negar los entendimientos pasados sino a 'presentar nuevos principios' y 'acumular la clara verdad'. Ella dijo: "Nos hallamos en el umbral de grandes y solemnes acontecimientos. Muchas de las profecías están por cumplirse en rápida sucesión. Todo elemento de poder está por ser puesto en acción. La historia pasada se repetirá; viejos conflictos resurgirán a una nueva vida, y el peligro asediará a los hijos de Dios por doquier... Estudiad el Apocalipsis en relación con Daniel, porque la historia se repetirá…" TM 116

Los peligros de los últimos días están sobre nosotros, y en nuestro trabajo hemos de amonestar a la gente acerca del peligro en que está. No se dejen sin tratar las solemnes escenas que la profecía ha revelado. Si nuestros hermanos estuvieran despiertos aunque fuera a medias, si se dieran cuenta de la cercanía de los sucesos descriptos en el Apocalipsis, se realizaría una reforma en nuestras iglesias, y muchos más creerían el mensaje. No tenemos tiempo que perder; Dios nos pide que velemos por las almas como quienes han de dar cuenta. Presentad nuevos principios, y acumulad la clara verdad. Ella será como espada de doble filo. Pero no os manifestéis demasiado dispuestos a asumir una actitud polémica. Hay ocasiones en que hemos de quedar quietos para ver la salvación de Dios. Dejad que hablen Daniel y el Apocalipsis, y digan cuál es la verdad. Pero sea cual fuere el aspecto del tema que se presente, ensalzad a Jesús como el centro de toda esperanza, "la raíz y el linaje de David, la estrella resplandeciente de la mañana". TM 118

verificado a lo largo de milenios. Por otro lado, entendemos que es la interpretación que se desprende del sentido más literal, categórico y armonioso de la palabra profética en su contexto específico.

Ahora, volviendo sobre el punto en cuestión, en el mensaje a Filadelfia, Jesús se presentó como aquel *"que abre y ninguno cierra, y cierra y ninguno abre" (Ap 3:7)*, diciéndole a esta iglesia: *'he puesto delante de ti una puerta abierta, la cual nadie puede cerrar' (Ap 3:8)*, que, como hemos comentado, está relacionada con el acceso a Dios a través del *'Lugar Santísimo'*, justamente en el contexto de aquella iglesia que debía atravesar *'la hora de la prueba que ha de venir sobre el mundo entero, para probar a los que moran sobre la tierra' (Ap 3:10)*, algo que está directamente relacionado con las escenas de inmensa angustia que tendrá que enfrentar la iglesia en el contexto del fin del mundo.

Por lo cual, el análisis que presentaremos, parte de la base de que la visión trata sobre sucesos celestiales que ocurrirían luego del desarrollo de la iglesia, sucesos que estarían relacionados con el Lugar Santísimo y todo lo que ocurría, en los ritos tipológicos del sistema festivo hebreo, durante el día de expiación, es decir, el día del Juicio de Dios.[70]

Ahora, veamos si en la continuidad de la visión se confirma el análisis que acabamos de efectuar. Dice: *Y al instante yo estaba en el Espíritu [es decir, en visiones]; y he aquí, un trono establecido en el cielo, y en el trono, uno sentado. Y el aspecto del que estaba sentado era semejante a piedra de jaspe y de cornalina; y había alrededor del trono un arco iris, semejante en aspecto a la esmeralda. Y alrededor del trono había veinticuatro tronos; y vi sentados en los tronos a veinticuatro ancianos, vestidos de ropas blancas, con coronas de oro en sus cabezas." Apocalipsis 4:2-4*

Lo cual, entendemos, es congruente y confirma el análisis efectuado. ¿Por qué? Porque lo que se le muestra a Juan, al ser invitado a subir y entrar por aquella puerta abierta en el cielo, no es otra cosa que el mismísimo Lugar Santísimo, en el cual se encuentra Dios Padre sentado sobre su trono.

---

70 Elena de White escribió: "Las verdades de este libro se dirigen a los que viven en estos últimos días. Nos encontramos en el lugar santo de las cosas sagradas, con el velo quitado. No hemos de estar afuera. Hemos de entrar, no en forma descuidada, con pensamientos irreverentes, no con pasos impetuosos, sino con reverencia y piadoso temor. Nos acercamos al tiempo en que las profecías del libro del Apocalipsis han de cumplirse…" TM 113

En efecto, hay suficiente información Bíblica que da cuenta de que el trono de Dios se encuentra en un lugar elevado dentro del Cielo. Por ejemplo, se le dijo a Satanás: *"¡Cómo caíste del cielo, oh Lucero, hijo de la mañana! Cortado fuiste por tierra, tú que debilitabas a las naciones. Tú que decías en tu corazón: Subiré al cielo; en lo alto, junto a las estrellas de Dios, levantaré mi trono, y en el monte del testimonio me sentaré, a los lados del norte; sobre las alturas de las nubes subiré, y seré semejante al Altísimo. Mas tú derribado eres hasta el Seol, a los lados del abismo." Isaías 14:12-15*

Ahora, la escena que acaba de presentarse delante de Juan va mucho más allá. Dado que no se trata de un momento cualquiera en el que Dios está sentado en su trono. Se trata, precisamente, del tiempo en el cual Dios ha convocado un tribunal para efectuar su juicio.

¿Por qué? Por todo lo que le rodea en este preciso momento. Por ejemplo, el arco iris que circunda el trono de Dios es el emblema de aquella misericordia que rodea su justicia. En este sentido, luego de haber enviado los juicios del diluvio, *"dijo Dios: Esta es la señal del pacto que yo establezco entre mí y vosotros y todo ser viviente que está con vosotros, por siglos perpetuos: Mi arco he puesto en las nubes, el cual será por señal del pacto entre mí y la tierra." Génesis 9:12-13* [71]

Por esto, el arco iris que rodea al trono, es un indicativo de que Dios está desarrollando un juicio misericordioso. Dice la Biblia: *"Justicia y juicio son el cimiento de tu trono; misericordia y verdad van delante de tu rostro." Salmos 89:14*

Los veinticuatro ancianos

Ahora, además del arco iris, hay veinticuatro tronos que rodean el trono del Padre; sobre los cuales se sientan *"veinticuatro ancianos, vestidos de ropas blancas, con coronas de oro en sus cabezas" (Ap 4:4).* Nos preguntamos, ¿quiénes son estos veinticuatro ancianos y que están haciendo allí? Pues trataremos de demostrar que se trata de veinticuatro seres humanos que asisten en calidad de 'tribunal' delante del Padre. Consideremos los siguientes argumentos:

---

71 Elena de White explica: "Cuando por su impiedad el hombre provoca los juicios divinos, el Salvador intercede ante el Padre en su favor y señala el arco en las nubes, el arco iris que está en torno al trono y sobre su propia cabeza, como recuerdo de la misericordia de Dios hacia el pecador arrepentido." PP 85

Si le preguntamos a la Biblia cuándo se pusieron los tronos en el cielo y para qué, Daniel, aquel libro que debemos estudiar en relación directa con Apocalipsis, nos contesta categóricamente. Dice la versión Reina Valera 1960: *"Estuve mirando hasta que fueron puestos tronos, y se sentó un Anciano de días, cuyo vestido era blanco como la nieve, y el pelo de su cabeza como lana limpia; su trono llama de fuego, y las ruedas del mismo, fuego ardiente. Un río de fuego procedía y salía de delante de él; millares de millares le servían, y millones de millones asistían delante de él; el Juez se sentó, y los libros fueron abiertos." Daniel 7:9-10*

Si consideramos otras traducciones, aún tendremos más información en relación a quienes se sentaron en estos tronos, y para qué:

- La Biblia de Jerusalén dice: *"El tribunal se sentó, y se abrieron los libros." Dn 7:10 BJ*

- La Nácar Colunga: *"El tribunal tomó asiento, y fueron abiertos los libros." Dn 7:10 NC*

- La Dios Habla Hoy: *"El tribunal dio principio a la sesión, y los libros fueron abiertos." Dn 7:10 DHH*

- La traducción Kadosh Israelita Mesiánica: *"Entonces la corte fue convocada, y los libros fueron abiertos." Dn 7:10 KDSH*

- Por último, la Nueva Traducción Viviente dice: *"Entonces comenzó la sesión del tribunal y se abrieron los libros." Dn 7:10 NTV*

Por otra parte, el Salmo 82 presenta esta misma escena del juicio divino, diciendo: *"Dios está en la reunión de los dioses; en medio de los dioses juzga. ¿Hasta cuándo juzgaréis injustamente, y aceptaréis las personas de los impíos? Defended al débil y al huérfano; haced justicia al afligido y al menesteroso. Librad al afligido y al necesitado; libradlo de mano de los impíos. No saben, no entienden, andan en tinieblas; tiemblan todos los cimientos de la tierra. Yo dije: Vosotros sois dioses, y todos vosotros hijos del Altísimo; pero como hombres moriréis, y como cualquiera de los príncipes caeréis. Levántate, oh Dios, juzga la tierra; porque tú heredarás todas las naciones." Salmo 82:1-8*

Este Salmo fue citado por Jesús cuando los judíos querían apedrearlo por llamarse, a sí mismo, Hijo de Dios; por lo que él les dijo: está escrito que vosotros también sois 'dioses'... Ahora, lo que este Salmo enseña, es que Dios no realiza su juicio sobre la tierra en soledad, sino que juzga en medio de 'dioses' que son humanos.

Claramente, el pasaje dice: *"Dios (con mayúsculas) está en la reunión de los dioses (con minúscula); en medio de los dioses juzga"* y *"vosotros sois dioses, y todos vosotros hijos del Altísimo; pero como hombres moriréis… Levántate, oh Dios, juzga la tierra…"* Salmo 82:1, 6, 7, 8

En el contexto del Salmo, Dios le está hablando a seres humanos malvados que no imparten justos juicios a sus hermanos y, en otras palabras, les dice: 'yo incluiré a personas como ustedes en mi juicio, en el momento en el que juzgue la tierra, pero ustedes, los malvados, no serán dignos de tal cosa, por lo que morirán como todos los que mueren sobre la tierra…'

Por otra parte, si le preguntamos a la Biblia que representan los tronos y quiénes se sientan en ellos, obtenemos respuestas sumamente claras. Dice el mismo Apocalipsis, en el contexto del milenio: *"Y vi tronos, y se sentaron sobre ellos los que recibieron facultad de juzgar."* Apocalipsis 20:4

Dicho sea de paso, quienes se sentarán en estos tronos —al comenzar el milenio y a fin de realizar el juicio de los impíos— también serán humanos, redimidos de entre la tierra. El apóstol Pablo, hablando en relación a esto, dijo: *"¿Osa alguno de vosotros, cuando tiene algo contra otro, ir a juicio delante de los injustos, y no delante de los santos? ¿O no sabéis que los santos han de juzgar al mundo? Y si el mundo ha de ser juzgado por vosotros, ¿sois indignos de juzgar cosas muy pequeñas? ¿O no sabéis que hemos de juzgar a los ángeles? ¿Cuánto más las cosas de esta vida?"* 1 Corintios 6:1-3

También el propio Jesús dijo a sus discípulos que, en la consumación de los tiempos, ellos se sentarían en doce tronos para juzgar a las doce tribus de Israel: *"Entonces respondiendo Pedro, le dijo: He aquí, nosotros lo hemos dejado todo, y te hemos seguido; ¿qué, pues, tendremos? Y Jesús les dijo: De cierto os digo que en la regeneración, cuando el Hijo del Hombre se siente en el trono de su gloria, vosotros que me habéis seguido también os sentaréis sobre doce tronos, para juzgar a las doce tribus de Israel."* Mateo 19:27-28

En toda la Biblia se asocia el concepto de *'trono'* con la facultad de juzgar al pueblo. Es más, aún en este mismo pasaje de Apocalipsis 4, la versión 'El Código Real, Nuevo Testamento Textual Hebraico' directamente traduce: *"Y alrededor del trono, veinticuatro tronos; y sobre esos tronos, veinticuatro jueces vestidos con ropas blancas, y sobre sus cabezas, coronas de oro."* Apocalipsis 4:4 CDG

Como vemos, esta traducción, en vez de decir veinticuatro ancianos, los presenta, directamente, como veinticuatro jueces. Y es congruente, dado que la principal función del cargo de 'anciano' dentro pueblo de Israel era la de juzgar al pueblo. Por ejemplo, quienes juzgaron a Cristo como digno de muerte fueron los principales sacerdotes rodeados de 'los ancianos'. Dice la Biblia:

- *"Desde entonces comenzó Jesús a declarar a sus discípulos que le era necesario ir a Jerusalén y padecer mucho de los ancianos, de los principales sacerdotes y de los escribas…" Mateo 16:21*

- *"Los que prendieron a Jesús le llevaron al sumo sacerdote Caifás, adonde estaban reunidos los escribas y los ancianos." Mateo 26:57*

- *Y los principales sacerdotes y los ancianos y todo el concilio, buscaban falso testimonio contra Jesús, para entregarle a la muerte." Mateo 26:59*

- *"Venida la mañana, todos los principales sacerdotes y los ancianos del pueblo entraron en consejo contra Jesús, para entregarle a muerte." Mateo 27:1*

- *Y siendo acusado por los principales sacerdotes y por los ancianos, nada respondió." Mateo 27:12*

- *Pero los principales sacerdotes y los ancianos persuadieron a la multitud que pidiese a Barrabás, y que Jesús fuese muerto." Mateo 27:120*

Estos ancianos no eran simplemente personas de edad, sino líderes que juzgaban al pueblo; habiendo sido instituidos por Moisés cuando, viéndose sobrepasado por la cantidad de pleitos que tenía que resolver, recibió instrucción de Dios para nombrar setenta ancianos para que le ayuden en esta difícil tarea (Números 11:16-17 y Deuteronomio 1:9-18).

Notemos también que el pasaje de Daniel 7:9-10, que compartimos anteriormente, presenta a Dios Padre como *'un Anciano de días'*, justamente en el contexto en el cual se sienta como el Juez en su trono.

No es de extrañar, entonces, que aquellos veinticuatro ancianos que se sientan en veinticuatro tronos, también sean veinticuatro jueces que Dios ha escogido de entre los hombres para que participen de su tribunal en el juicio sobre su iglesia.

De hecho, en Apocalipsis 5, estos mismos veinticuatro ancianos alaban al Cordero, diciendo: *"Digno eres de tomar el libro y de abrir sus sellos; porque tú fuiste inmolado, y con tu sangre nos has redimido para Dios, de todo linaje y lengua y pueblo y nación; y nos has hecho para nuestro Dios reyes y sacerdotes, y reinaremos sobre la tierra." Apocalipsis 5:9-10[72]*

Si tenemos en cuenta que Jesús se hizo hombre para poder compadecerse de nuestras debilidades y que serán los salvos quienes juzgarán aún hasta los ángeles durante el milenio, ¿no es lógico que Dios escoja hombres para formar aquel tribunal que jugará el destino de su iglesia?

Cuando Adán y Eva comieron del árbol de 'la ciencia del bien y del mal', *"Dios dijo: El hombre ha llegado a ser como uno de nosotros en el conocimiento del bien y del mal…" Génesis 3:22 LPD*

Razón por lo cual es lógico que solo aquellos que hayan vivido en nuestro mundo, conociendo tanto el bien como el mal, en sus diferentes circunstancias, y que hayan tenido que padecer lo que el mortal tiene que padecer, sean los más capacitados para formar parte del tribunal divino.

No es nuestra intención identificar quienes serían los veinticuatro ancianos, sin embargo debemos recordar que Dios se ha llevado al cielo a muchas personas, entre ellos Enoc, Moisés, Elías y todos los que resucitaron durante la muerte y resurrección de Cristo.

Dice la Biblia: *"Mas Jesús, habiendo otra vez clamado a gran voz, entregó el espíritu. Y he aquí, el velo del templo se rasgó en dos, de arriba abajo; y la tierra tembló, y las rocas se partieron; y se abrieron los sepulcros, y muchos cuerpos de santos que habían dormido, se levantaron; y saliendo de los sepulcros, después de la resurrección de él, vinieron a la santa ciudad, y aparecieron a muchos." Mateo 27:50-53*

Luego, estos 'santos' resucitados, ascendieron con Cristo al cielo como primicias para Dios y para el Cordero. No necesariamente deberían ser estos quienes están sentados en aquellos veinticuatro tronos, pero bien podrían, dado que el pedido de Cristo a su Padre, respecto de ellos,

---

72   Algunas versiones de la Biblia dan la impresión de que los veinticuatro ancianos no necesariamente son parte de los redimidos de entre la tierra en virtud de que algunos manuscritos presentan una pequeña variación en relación al término 'nos', incluyendo otro que significa 'los'. El 'texto recibido', desde el cual se realizó la versión Reina Valera, claramente vincula a los veinticuatro ancianos con los redimidos de entre los hombres, con idénticas palabras a las que figuran en Apocalipsis 1, cuando dice: *"Al que nos amó, y nos lavó de nuestros pecados con su sangre, y nos hizo reyes y sacerdotes para Dios, su Padre; a él sea gloria e imperio por los siglos de los siglos. Amén." Apocalipsis 1:5-6*

fue: *"Padre, aquellos que me has dado, quiero que donde yo estoy, también ellos estén conmigo, para que vean mi gloria que me has dado; porque me has amado desde antes de la fundación del mundo."* Juan 17:24 73

Por esto, si los salvos se sentarán en tronos para 'juzgar' como reyes y sacerdotes junto a Cristo durante el milenio, no sería de extrañar que aquellas primicias que Él llevó consigo sean aquellos que están sentados junto a él, en veinticuatro tronos, a fin de juzgar su iglesia durante aquel juicio que debe realizarse previo a la segunda venida de Jesús.[74]

---

73   Elena de White escribió, en el contexto de la ascensión de Cristo: "Todo el cielo estaba esperando para dar la bienvenida al Salvador a los atrios celestiales. Mientras ascendía, iba adelante, y la multitud de cautivos libertados en ocasión de su resurrección le seguía. La hueste celestial, con aclamaciones de alabanza y canto celestial, acompañaba al gozoso séquito... Entonces los portales de la ciudad de Dios se abren de par en par, y la muchedumbre angélica entra por ellos en medio de una explosión de armonía triunfante. Allí está el trono, y en derredor el arco iris de la promesa. Allí están los querubines y los serafines. Los comandantes de las huestes angélicas, los hijos de Dios, los representantes de los mundos que nunca cayeron, están congregados. El concilio celestial delante del cual Lucifer había acusado a Dios y a su Hijo, los representantes de aquellos reinos sin pecado, sobre los cuales Satanás pensaba establecer su dominio, todos están allí para dar la bienvenida al Redentor. Sienten impaciencia por celebrar su triunfo y glorificar a su Rey. Pero con un ademán, él los detiene. Todavía no; no puede ahora recibir la corona de gloria y el manto real. Entra a la presencia de su Padre. Señala su cabeza herida, su costado traspasado, sus pies lacerados; alza sus manos que llevan la señal de los clavos. Presenta los trofeos de su triunfo; ofrece a Dios la gavilla de las primicias, aquellos que resucitaron con él como representantes de la gran multitud que saldrá de la tumba en ocasión de su segunda venida… Ahora declara: Padre, consumado es. He hecho tu voluntad, oh Dios mío. He completado la obra de la redención. Si tu justicia está satisfecha, "aquellos que me has dado, quiero que donde yo estoy, ellos estén también conmigo." (Juan 19:30 y 17:24). Se oye entonces la voz de Dios proclamando que la justicia está satisfecha… Los brazos del Padre rodean a su Hijo, y se da la orden: "Adórenlo todos los ángeles de Dios." (Hebreos 1:6). Con gozo inefable, los principados y las potestades reconocen la supremacía del Príncipe de la vida. La hueste angélica se postra delante de él, mientras que el alegre clamor llena todos los atrios del cielo: "¡Digno es el Cordero que ha sido inmolado, de recibir el poder, y la riqueza, y la sabiduría, y la fortaleza, y la honra, y la gloria, y la bendición!" (Apocalipsis 5:12)". DTG 772-774

Nota aclaratoria: Elena de White cita Apocalipsis 5 en diferentes contextos temporales, por lo que no sería prudente tomar solo esta cita como argumento concluyente al interpretar el significado específico de estos capítulos del Apocalipsis. Más información en nota 83 (del el siguiente capítulo).

74   Ver la explicación de las diferentes etapas del juicio divino en la parte final del siguiente capítulo.

Por otra parte, es necesario destacar la relación que existe entre el número veinticuatro y el sacerdocio del pueblo de Israel, dado que, de acuerdo a 1 Crónicas 24, el sacerdocio se organizó en veinticuatro clases representativas de veinticuatro patriarcas sacerdotales: dieciséis de la familia de Eleazar y ocho de la familia de Ithamar, hijos de Aarón, primer Sumo Sacerdote del pueblo de Israel.

En cuanto a las coronas de oro y las vestiduras blancas de estos veinticuatro ancianos, entendemos son emblemas de realeza y santidad. Los seres angelicales las portan, pero también serán la recompensa de los vencedores. Dijo Jesús: *"Sé fiel hasta la muerte, y yo te daré la corona de la vida"*, y *"el que venciere será vestido de vestiduras blancas"*. *Apocalipsis 2:10 y 3:5.*

Por esto, desde el análisis estricto del texto de Apocalipsis 4, entendemos que lo que se le presenta al apóstol Juan, es la mismísima sala del juicio divino. Una visión similar a la de Daniel 7:9-10, pero en un momento posterior, dado que en Daniel, los tronos se colocan durante el transcurso de la visión, indicando el momento en el que los jueces se sientan a juzgar, mientras que, en la escena de Apocalipsis, éstos ya se encuentran sentados, como símbolo de que vienen efectuando su labor desde hace algún tiempo. En el siguiente capítulo, obtendremos mayor precisión en cuanto al momento exacto del cual trata la visión.

Los cuatro seres vivientes

Luego, el apóstol Juan relata: *"Y del trono salían relámpagos y truenos y voces; y delante del trono ardían siete lámparas de fuego, las cuales son los siete espíritus de Dios. Y delante del trono había como un mar de vidrio semejante al cristal; y junto al trono, y alrededor del trono, cuatro seres vivientes llenos de ojos delante y detrás. El primer ser viviente era semejante a un león; el segundo era semejante a un becerro; el tercero tenía rostro como de hombre; y el cuarto era semejante a un águila volando." Apocalipsis 4:5-7*

¿Qué representa todo esto? En la Biblia, los ángeles, muchas veces han sido descritos como relámpagos. Por ejemplo, en el contexto de la resurrección de Cristo, dice: *"Y hubo un gran terremoto; porque **un ángel del Señor**, descendiendo del cielo y llegando, removió la piedra, y se sentó sobre ella. **Su aspecto era como un relámpago…**" Mateo 28:2-3*

También el profeta Ezequiel, relatando las visiones que tuvo junto al río Quebar −en relación a cuatro seres vivientes−, dice: *"El aspecto de sus caras era cara de hombre, y cara de león al lado derecho de los cuatro, y cara de buey a la izquierda en los cuatro; asimismo había en los cuatro cara de águila… Y los seres vivientes corrían y volvían a semejanza de relámpagos… y conocí que eran querubines." Ezequiel 1:10, 14; 10:20*

En cuanto al aspecto, como vemos, Juan describe a los seres vivientes con cuatro diferentes semejanzas: de león, de becerro, de águila y de hombre; mientras que Ezequiel afirma que cada uno de ellos tenían cuatro caras, las cuales eran idénticas a aquellas 'semejanzas' mencionadas en Apocalipsis. No sabemos el porqué, pero este tipo de 'diferencias' entre visiones son comunes en la Biblia. Lo importante aquí, es comprender que estos seres vivientes son representados teniendo la fuerza del león, la mansedumbre del becerro, la vista y la velocidad del águila y la inteligencia del ser humano.

Apocalipsis describe la voz de estos seres vivientes como 'de trueno', diciendo: *"Vi cuando el Cordero abrió uno de los sellos, y oí a uno de los cuatro seres vivientes decir como con voz de trueno: Ven y mira." Apocalipsis 6:1*

Ezequiel, en cambio, explica el andar de estos poderosos seres angelicales, diciendo: *"Y oí el sonido de sus alas cuando andaban, como sonido de muchas aguas, como la voz del Omnipotente, como ruido de muchedumbre, como el ruido de un ejército." Ezequiel 1:24*

Por otra parte, Apocalipsis 5 registra el hablar de innumerables ángeles que se encuentran en derredor del trono, diciendo: *"Y miré, y oí la voz de muchos ángeles alrededor del trono, y de los seres vivientes, y de los ancianos; y su número era millones de millones…" Apocalipsis 5:11*

Daniel, en este mismo contexto, menciona: *"Un río de fuego procedía y salía de delante de él; millares de millares le servían, y millones de millones asistían delante de él; el Juez se sentó, y los libros fueron abiertos." Daniel 7:10*

Todo lo cual nos indica que, en el juicio de Dios, la actividad y la participación de los ángeles es permanente, dado que son ellos los que llevan los registros de las acciones de los hombres, y tienen un testimonio que dar ante el gran juez del universo.

Ahora, además de esto, debemos tener en cuenta que la sala del juicio no es una sala cualquiera. Es la mismísima sala del gobierno universal, donde Dios continúa gobernando el universo al mismo tiempo que constituye a su tribunal para juzgar las acciones de los hombres. Y, en este sentido, nos encontramos ante un momento de intensa actividad, donde los ángeles se presentan delante del trono y salen apresurados a cumplir su misión porque el tiempo se agota.[75]

En resumen, los *"relámpagos y truenos y voces"* que salen del trono, describen, ante el ojo y oído humano, la interacción de Dios tanto con los cuatro seres vivientes, como con otros seres angelicales de menor jerarquía, que le asisten en su juicio.

Ahora, ¿que representan las siete lámparas de fuego que arden delante de su trono? Entendemos ilustran la actividad incansable del Espíritu Santo en su función de extender la misericordia de Dios al mundo caído. En este sentido, así como *"Dios estaba en Cristo reconciliando consigo al mundo" (2 Corintios 5:19)*, también está, a través del Espíritu Santo, suplicando ante el pecador a fin de que, por los méritos de Cristo, encuentre perdón de pecados y reconciliación con Dios.

El apóstol Pablo escribió: *"De igual manera el Espíritu nos ayuda en nuestra debilidad; pues qué hemos de pedir como conviene, no lo sabemos, pero el Espíritu mismo intercede por nosotros con gemidos indecibles. Mas el que escudriña los corazones sabe cuál es la intención del Espíritu, porque conforme a la voluntad de Dios intercede por los santos." Romanos 8:26-27* [76]

---

75   Elena de White comenta: "Vi ángeles que apresuradamente iban y venían de uno a otro lado del cielo, bajaban a la tierra y volvían a subir al cielo, como si se prepararan para cumplir algún notable acontecimiento. Después ví otro ángel poderoso, al que se ordenó que bajase a la tierra y uniese su voz a la del tercer ángel para dar fuerza y vigor a su mensaje. Ese ángel recibió gran poder y gloria, y al descender dejó toda la tierra iluminada con su gloria. La luz que rodeaba a este ángel penetraba por doquiera mientras clamaba con fuerte voz: "Ha caído, ha caído la gran Babilonia, y se ha hecho habitación de demonios y guarida de todo espíritu inmundo, y albergue de toda ave inmunda y aborrecible." […] Otros ángeles fueron enviados desde el cielo en ayuda del potente ángel, y oí voces que por doquiera resonaban diciendo: "Salid de ella, pueblo mío, para que no seáis partícipes de sus pecados, ni recibáis parte en sus plagas; porque sus pecados han llegado hasta el cielo, y Dios se ha acordado de sus maldades." PE 277

76   Elena de White explica: "Cristo, nuestro Mediador, y el Espíritu Santo interceden constantemente en favor del hombre, pero el Espíritu no suplica por nosotros como lo hace Cristo que presenta su sangre, derramada desde la fundación del mundo; el Espíritu obra sobre nuestro corazón, provocando oraciones y arrepentimiento, alabanza y agradecimiento. La gratitud que brota de nuestros labios es el resultado de que el Espíritu golpea las cuerdas del alma…" 1SM 344 / Ms 50, 1900) / AFC 76

Continuando con el estudio, vemos que, luego de haber descrito la intensa actividad que se desarrolla ante del trono de Dios, los veinticuatro ancianos y las siete lámparas de fuego, Juan vislumbra delante del trono *"como un mar de vidrio semejante al cristal; y junto al trono, y alrededor del trono, cuatro seres vivientes llenos de ojos delante y detrás." Apocalipsis 4:6*

La traducción Dios Habla Hoy dice: *"Delante del trono había también algo que parecía un mar, transparente como el cristal. En el centro, donde estaba el trono, y a su alrededor, había cuatro seres vivientes llenos de ojos por delante y por detrás." Apocalipsis 4:6 DHH*

Ya hemos visto que Ezequiel identificó estos cuatro seres vivientes como 'querubines', ahora ¿cuál es la tarea que desempeñan y qué relación tienen con aquello que parecía un mar de cristal?

Si contemplamos el Santuario hebreo, veremos que en aquella maqueta representativa de la morada de Dios, los querubines se encontraban bordados tanto en las cortinas que servían de cubierta como en el velo que separaba el Lugar Santo del Santísimo. En este sentido, Jehová habló a Moisés, diciendo: *"Harás el tabernáculo de diez cortinas de lino torcido, azul, púrpura y carmesí; y lo harás con querubines de obra primorosa... También harás un velo de azul, púrpura, carmesí y lino torcido; será hecho de obra primorosa, con querubines... y meterás allí, del velo adentro, el arca del testimonio; y aquel velo os hará separación entre el lugar santo y el santísimo." Éxodo 26:1, 31, 33*

También, encima del arca que contenía la Ley de Dios, sobre el 'Propiciatorio', dos querubines fueron tallados en oro macizo, siguiendo estrictas indicaciones de Dios. El dijo:*Harán también un arca de madera de acacia... y la cubrirás de oro puro por dentro y por fuera... Y harás un propiciatorio de oro fino... Harás también dos querubines de oro; labrados a martillo los harás en los dos extremos del propiciatorio... Y los querubines extenderán por encima las alas, cubriendo con sus alas el propiciatorio; sus rostros el uno enfrente del otro, mirando al propiciatorio los rostros de los querubines. Y pondrás el propiciatorio encima del arca, y en el arca pondrás el testimonio que yo te daré [los 10 mandamientos]. Y de allí me declararé a ti, y hablaré contigo de sobre el propiciatorio, de entre los dos querubines que están sobre el arca del testimonio, todo lo que yo te mandare para los hijos de Israel." Éxodo 25:10, 11, 17-22*

Luego, 1 Reyes 6 registra que en el primer templo de Jerusalén −construido por Salomón y bendecido por la imponente presencia de

Dios–, se colocaron cuatro querubines dentro del lugar Santísimo, dos sobre el propiciatorio y dos sobre el suelo, a ambos extremos del arca, en símbolo de la protección que estos majestuosos seres realizan sobre la ley divina; además de innumerables representaciones de querubines sobre las paredes y puertas de todo el templo.[77]

Con lo cual podemos entender que estos cuatro querubines representan a poderosos seres angelicales que, en la realidad del templo viviente de Dios, guardan el lugar Santísimo velando la gloria de Dios.

En este mismo sentido, podemos ver que, luego de la caída de Adán y Eva, Dios colocó querubines también en el Edén para resguardar el camino hacia el árbol de la vida. Dice: *"Echó, pues, fuera al hombre, y puso al oriente del huerto de Edén querubines, y una espada encendida que se revolvía por todos lados, para guardar el camino del árbol de la vida."* Génesis 3:24

Además de esto, según la revelación bíblica, los querubines, además de guardar y proteger el trono de Dios, su ley y su morada, comandan la ejecución de inmensos encargos por parte de Dios. Por ejemplo, la Biblia dice acerca de Lucifer, aquel querubín que se rebeló contra Dios: *"Tú, querubín grande, protector, yo te puse en el santo monte de Dios, allí estuviste; en medio de las piedras de fuego te paseabas. Perfecto eras en todos tus caminos desde el día que fuiste creado, hasta que se halló en ti maldad. A causa de la multitud de tus contrataciones fuiste lleno de iniquidad, y pecaste; por lo que yo te eché del monte de Dios, y te arrojé de entre las piedras del fuego, oh querubín protector."* Ezequiel 28:14-16

Ahora, ¿qué entendemos acerca de aquello que parecía un mar de vidrio, semejante al cristal? Si volvemos a la primera visión de Ezequiel, la versión Reina Valera (1960) registra: *"Y sobre las cabezas de los seres vivientes aparecía una expansión a manera de cristal maravilloso, extendido encima sobre sus cabezas."* Ezequiel 1:22

---

77 Elena de White comenta: "Así fue construído el más espléndido Santuario, de acuerdo con el modelo que se le mostró a Moisés en el monte, y presentado luego por el Señor a David. Además de los querubines que estaban en la cubierta del arca, Salomón hizo otros dos ángeles de mayor tamaño, situados a ambos extremos del arca, que representaban a los ángeles celestiales que guardan la ley de Dios. Es imposible describir la belleza y el esplendor de ese Santuario. Dentro de este lugar, con solemne reverencia, fue transportada el arca por los sacerdotes y se la colocó en su lugar, debajo de las alas de los dos imponentes querubines que estaban de pie en el suelo. CES 43

La Nácar Colunga, traduce: *"Sobre las cabezas de los vivientes había una semejanza de firmamento, como de portentoso cristal."* Ezequiel 1:22 N-C

La Nueva Traducción Viviente: *"Por encima de ellos se extendía una superficie semejante al cielo, reluciente como el cristal."* Ezequiel 1:22 NTV

Por último, la versión 'El Libro del Pueblo de Dios', de Levoratti-Trusso, dice: *"Sobre las cabezas de los seres vivientes, había una especie de plataforma reluciente como el cristal, que infundía temor y se extendía por encima de sus cabezas. Ellos estaban debajo de la plataforma con las alas erguidas, tocándose una a la otra, mientras las otras dos les cubrían el cuerpo. Yo oí el ruido de sus alas cuando ellos avanzaban: era como el ruido de aguas torrenciales, como la voz del Todopoderoso, como el estruendo de una multitud o de un ejército acampado. Al detenerse, replegaban sus alas. Y se produjo un estruendo sobre la plataforma que estaba sobre sus cabezas. Encima de la plataforma que estaba sobre sus cabezas, había algo así como una piedra de zafiro, con figura de trono; y encima de esa especie de trono, en los más alto, una figura con aspecto de hombre. Entonces vi un fulgor como de electro, algo así como un fuego que lo rodeaba desde lo que parecía ser su cintura para abajo; vi algo así como un fuego y una claridad alrededor de él: como el aspecto del arco que aparece en las nubes los días de lluvia, así era la claridad que lo rodeaba. Este era el aspecto, la semejanza de la gloria del Señor. Al verla, caí con el rostro en tierra..."* Ezequiel 1:22-28 LPD

Toda la visión de Ezequiel 1, nos revela la imponente majestad de estos cuatro seres vivientes; que no solo velan la gloria de Dios sino que también sostienen y transportan su morada, el asiento de su trono, representada por aquel especie de mar de vidrio semejante al cristal de Apocalipsis 4:6, descrita como una 'expansión a manera de cristal maravilloso' en Ezequiel 1:22.

Decimos que estos cuatro seres vivientes 'sostienen y transportan' la morada de Dios porque, desde el mismo comienzo de la visión de Ezequiel, dicha morada se presenta móvil. Dice: *"Y miré, y he aquí venía del norte un viento tempestuoso, y una gran nube, con un fuego envolvente, y alrededor de él un resplandor, y en medio del fuego algo que parecía como bronce refulgente, y en medio de ella la figura de cuatro seres vivientes..."* Ezequiel 1:4-5

Esta gran nube con fuego envolvente que viene desde el norte, es la pobre descripción que el profeta Ezequiel pudo realizar –en su tiempo–

acerca de la inmensa morada del gran y verdadero Rey del Norte, nuestro Todopoderoso Dios, la cual es impulsada por la poderosa acción de cuatro inmensos seres vivientes que transportan su trono hacia donde el Espíritu de Dios les indica que lo hagan. Dice: *"Ellos iban adonde los impulsaba el espíritu, y las ruedas se elevaban al mismo tiempo, porque el espíritu de los seres vivientes estaba en las ruedas." Ezequiel 1:20 LPD.*[78]

Dicha morada de Dios también fue representada en el Templo de Salomón por la sala del lugar Santísimo, a manera de cubo perfecto cubierto enteramente de oro purísimo, resplandeciente como el cristal. Dice la Biblia: *"El lugar santísimo estaba en la parte de adentro, el cual tenía veinte codos de largo [unos 10 metros], veinte de ancho, y veinte de altura; y lo cubrió de oro purísimo…" 1 Reyes 6:20*

Al final de nuestro estudio, intentaremos demostrar que esta morada es, justamente, la Nueva Jerusalén; que descenderá del cielo ataviada como una esposa para su marido, a fin de establecerse en la tierra como la morada de Dios entre los hombres. Dice: *"Y yo Juan vi la santa ciudad, la nueva Jerusalén, descender del cielo, de Dios, dispuesta como una esposa ataviada para su marido. Y oí una gran voz del cielo que decía: He aquí el tabernáculo de Dios con los hombres, y él morará con ellos; y ellos serán su pueblo, y Dios mismo estará con ellos como su Dios." Apocalipsis 21:2-3*

De hecho, esta morada también es descrita como una especie de cubo perfecto –tal como aquella representación del Lugar Santísimo en el Templo de Salomón– completamente de oro transparente como el cristal. Dice: *"Y me llevó en el Espíritu a un monte grande y alto, y me mostró la gran ciudad santa de Jerusalén, que descendía del cielo, de Dios, teniendo la gloria de Dios… El que hablaba conmigo tenía una caña de medir, de oro, para medir la ciudad, sus puertas y su muro. La ciudad se halla establecida en cuadro, y su longitud es igual a su anchura; y él midió la ciudad con la caña, doce mil estadios; la longitud, la altura y la anchura de ella son iguales. Y midió su muro, ciento cuarenta y cuatro codos, de medida de hombre, la cual es de ángel. El material de su muro era de jaspe; pero la ciudad era de oro puro, semejante al vidrio limpio…" Apocalipsis 21:10-18*

---

78   Elena de White comenta esta visión de Ezequiel diciendo: "Las complicadas ruedas que al profeta le parecían envueltas en confusión, estaban bajo la dirección de una mano infinita. El Espíritu de Dios que, según la revelación, movía y dirigía estas ruedas, sacaba armonía de la confusión; de tal manera que todo el mundo estaba bajo su dominio…" 5TI 702

¡Que tremendo! ¿No te explota la cabeza? La información que surge de la Biblia, al relacionar un texto con otro, es verdaderamente maravillosa.

Ahora, en la continuidad de Apocalipsis 4, el apóstol Juan relata: *"Y los cuatro seres vivientes tenían cada uno seis alas, y alrededor y por dentro estaban llenos de ojos; y no cesaban día y noche de decir: Santo, santo, santo es el Señor Dios Todopoderoso, el que era, el que es, y el que ha de venir."* *Apocalipsis 4:8*

Entendemos que las seis alas, además de servirles para cubrir sus cuerpos –cuando están ante la presencia de Dios–, representan la tremenda capacidad de movimiento que tienen estos seres angelicales, lo que, sumado a sus innumerables 'ojos' –representativos de su inmensa capacidad de visión y comprensión de lo que sucede a su alrededor–, hacen de ellos una ayuda idónea para Dios, siempre y cuando sean guiados por su Santo Espíritu…

El libro de Job, da cuenta de cómo estas inmensas habilidades eran una realidad en Satanás, aquel querubín cubridor que, antiguamente, era llamado Lucifer. Dice: *"Un día vinieron a presentarse delante de Jehová los hijos de Dios, entre los cuales vino también Satanás. Y dijo Jehová a Satanás: ¿De dónde vienes? Respondiendo Satanás a Jehová, dijo: De rodear la tierra y de andar por ella. Y Jehová dijo a Satanás: ¿No has considerado a mi siervo Job, que no hay otro como él en la tierra, varón perfecto y recto, temeroso de Dios y apartado del mal? Respondiendo Satanás a Jehová, dijo: ¿Acaso teme Job a Dios de balde? ¿No le has cercado alrededor a él y a su casa y a todo lo que tiene?"* *Job 1:6-10*

¿Te das cuenta? Satanás, como todo querubín cubridor, tenía la capacidad para 'rodear la tierra y andar por ella', tomando nota de todo lo que ocurría a su alrededor. Más adelante, este mismo libro relata la inmensa capacidad de este –ahora– malvado querubín, para trastornar cielo y tierra. Dice: *"Dijo Jehová a Satanás: He aquí, todo lo que tiene está en tu mano; solamente no pongas tu mano sobre él. Y salió Satanás de delante de Jehová. Y un día aconteció que sus hijos e hijas comían y bebían vino en casa de su hermano el primogénito, y vino un mensajero a Job, y le dijo: Estaban arando los bueyes, y las asnas paciendo cerca de ellos, y acometieron los sabeos [evidentemente impulsados por Satanás] y los tomaron, y mataron a los criados a filo de espada; solamente escapé yo para darte la noticia. Aún estaba este hablando, cuando vino otro que dijo: Fuego de Dios cayó del cielo, que quemó las ovejas y a los pastores, y los consumió; solamente escapé yo para darte la*

noticia [fuego que evidentemente fue enviado por Satanás y no por Dios].
Todavía estaba este hablando, y vino otro que dijo: Los caldeos [otra nación
pagana usada por Satanás] hicieron tres escuadrones, y arremetieron contra los
camellos y se los llevaron, y mataron a los criados a filo de espada; y solamente
escapé yo para darte la noticia. Entre tanto que este hablaba, vino otro que dijo:
Tus hijos y tus hijas estaban comiendo y bebiendo vino en casa de su hermano
el primogénito; y un gran viento vino del lado del desierto [evidentemente
también generado por el diablo] y azotó las cuatro esquinas de la casa, la cual
cayó sobre los jóvenes, y murieron; y solamente escapé yo para darte la noticia.
Entonces Job se levantó, y rasgó su manto, y rasuró su cabeza, y se postró en
tierra y adoró, y dijo: Desnudo salí del vientre de mi madre, y desnudo volveré
allá. Jehová dio, y Jehová quitó; sea el nombre de Jehová bendito. En todo esto
no pecó Job, ni atribuyó a Dios despropósito alguno." Job 1:12-22

Dos pueblos movilizados, fuego desde el cielo y un gran viento destructor fueron la obra de un momento de aquel malvado querubín, que originariamente había estado al servicio de Dios. Por esto, entendemos que los cuatro seres vivientes que aparecen en Apocalipsis, son los principales mensajeros del Señor que vuelan velozmente a cada lugar, examinándolo todo y ejecutando la obra de Dios. Más adelante los veremos representados por cuatro caballos que recorrerán la tierra comandando el desenlace del gran conflicto entre el bien y el mal.

Sin embargo aquí, El apóstol Juan concluye este capítulo diciendo: *"Y siempre que aquellos seres vivientes dan gloria y honra y acción de gracias al que está sentado en el trono, al que vive por los siglos de los siglos, los veinticuatro ancianos se postran delante del que está sentado en el trono, y adoran al que vive por los siglos de los siglos, y echan sus coronas delante del trono, diciendo: Señor, digno eres de recibir la gloria y la honra y el poder; porque tú creaste todas las cosas, y por tu voluntad existen y fueron creadas." Apocalipsis 4:9-11*

En este contexto, los cuatro seres vivientes, como principales observadores de la realidad del mundo y ejecutores de la obra de Dios, reconocen públicamente la santidad de Dios en toda su obra, y esto es lo que da principio a la adoración en el templo celestial. Si te fijas, cuando ellos adoran, los veinticuatro ancianos le siguen, postrándose ante el trono.

Ahora, hay un aspecto muy importante que debemos resaltar en cuanto a la adoración de los veinticuatro ancianos, y es que ellos, en sus palabras, reconocen la dignidad de Dios de recibir la gloria, la honra y el poder, y en este sentido, expresan un juicio de valor sobre el mismísimo Creador de todo.

Y aquí hay dos puntos a considerar. El primero es que los veinticuatro ancianos terminan juzgando la justicia y la obra de Dios. Como hemos visto, Apocalipsis 4, describe justamente la sala del juicio en un momento en el que la obra está avanzada.

En este sentido, la versión Reina Valera de 1960, da a entender que este reconocimiento de la dignidad de Dios es 'paso a paso', es decir, de manera continua y repetitiva… Dice: *"Y siempre que aquellos seres vivientes dan gloria y honra y acción de gracias al que está sentado en el trono… los veinticuatro ancianos se postran…" Apocalipsis 4:9-10*

Sin embargo, la versión 'El Código Real, Nuevo Testamento Textual Hebraico' coloca este reconocimiento en el futuro. Dice: *"Y cuando los seres vivientes reciban la orden para dar gloria, y honor, y acción de gracias al que está sentado en el Trono, quien vive por los siglos de los siglos, los veinticuatro jueces se postrarán delante del que está sentado en el Trono, y rendirán servicio con temor reverente, al que vive por los siglos de los siglos; y pondrán sus coronas delante del trono, diciendo: ¡Digno eres, oh YHWH nuestro Dios, de recibir la gloria, y el honor, y el poder, porque tú creaste todas las cosas, y por tu voluntad existieron y han sido hechas"" Apocalipsis 4:9-11 CDG*

Lo cual está en plena armonía con lo que Apocalipsis registra más adelante, en el capítulo 19, describiendo el final de este juicio, cuando dice: *"Después de esto oí una gran voz de gran multitud en el cielo [recordemos que los seres vivientes tienen voces que suenan como de 'gran multitud'], que decía: ¡Aleluya! Salvación y honra y gloria y poder son del Señor Dios nuestro; porque sus juicios son verdaderos y justos; pues ha juzgado a la gran ramera que ha corrompido a la tierra con su fornicación, y ha vengado la sangre de sus siervos de la mano de ella. Otra vez dijeron: ¡Aleluya! Y el humo de ella sube por los siglos de los siglos. Y los veinticuatro ancianos y los cuatro seres vivientes se postraron en tierra y adoraron a Dios, que estaba sentado en el trono, y decían: ¡Amén! ¡Aleluya!" Apocalipsis 19:1-4"*

Entonces, el primer punto que queremos resaltar, es que los veinticuatro ancianos cumplen su papel como revisores de la justicia de Dios sobre su iglesia, así como lo harán los santos luego del milenio, en el juicio sobre los impíos –tema que trataremos más adelante–. Y en este contexto, ellos reconocen la justicia y la dignidad de Dios en todas sus obras.

Ahora, el segundo punto que quisiera resaltar, es que nuestro deber de adorar a Dios radica en la circunstancia de que Él es nuestro Creador y Sustentador. Ningún otro ser, por importante que fuere, es digno de tal reconocimiento.[79]

En conclusión, entendemos que Apocalipsis 4 presenta a Dios Padre como el gran juez y gobernante de toda la tierra, en el momento en el que se está llevando a cabo su juicio con la asistencia de veinticuatro seres humanos que ofician en calidad de jueces revisores, y con la participación de toda la hueste angelical, encabezada por cuatro querubines cubridores, en calidad de asistentes. En el siguiente capítulo se completará la información respecto de lo que ocurre en este Lugar, presentando más detalles en relación a quien aboga por nosotros delante del Padre y su función como 'juez ejecutor'.

Vuelve a leer, ahora mismo, Apocalipsis 4 y comprueba como ya se ha abierto ante tus ojos.

---

79   Elena de White escribió: "El deber de adorar a Dios estriba en la circunstancia de que él es el Creador, y que a él es a quien todos los demás seres deben su existencia. Y cada vez que la Biblia presenta el derecho de Jehová a nuestra reverencia y adoración con preferencia a los dioses de los paganos, menciona las pruebas de su poder creador. "Todos los dioses de los pueblos son ídolos; mas Jehová hizo los cielos". Salmos 96:5. "¿A quién pues me compararéis, para que yo sea como él? dice el Santo. ¡Levantad hacia arriba vuestros ojos, y ved! ¿Quién creó aquellos cuerpos celestes?" "Así dice Jehová, Creador de los cielos (él solo es Dios), el que formó la tierra y la hizo; [...] ¡Yo soy Jehová, y no hay otro Dios!" Isaías 40:25, 26; 45:18 (VM). Dice el salmista: "Reconoced que Jehová él es Dios: él nos hizo, y no nosotros a nosotros mismos". "¡Venid, postrémonos, y encorvémonos; arrodillémonos ante Jehová nuestro Hacedor!" Salmos 100:3; 95:6 (VM). Y los santos que adoran a Dios en el cielo dan como razón del homenaje que le deben: "¡Digno eres tú, Señor nuestro y Dios nuestro, de recibir la gloria y la honra y el poder; porque tú creaste todas las cosas!" Apocalipsis 4:11 (VM)." CS 432

Capítulo 5
La Sentencia y el Juez Ejecutor

Inmediatamente después de presentar la sala del juicio divino y gran parte de sus actores principales –a través de la visión iniciada en el capítulo 4–, Apocalipsis revela más detalles en cuanto al contexto específico del cual trata esta gran revelación.

El libro de Dios

Dice: *"Y vi en la mano derecha del que estaba sentado en el trono un libro escrito por dentro y por fuera, sellado con siete sellos. Y vi a un ángel fuerte que pregonaba a gran voz: ¿Quién es digno de abrir el libro y desatar sus sellos? Y ninguno, ni en el cielo ni en la tierra ni debajo de la tierra, podía abrir el libro, ni aun mirarlo." Apocalipsis 5:1-3*

Como explicamos en nuestro capítulo anterior, quien está sentado en este gran trono es la máxima autoridad del universo, el número uno, el Creador del cual proceden los Cielos y la Tierra, nuestro Todopoderoso Dios y Padre Celestial. Ahora, ¿de qué trata el libro que tiene en su mano?

Evidentemente es un libro que contiene secretos dado que está sellado con sellos que impiden leer su contenido –ligaduras con las cuales se cerraban y protegían los documentos secretos–.

Que este libro esté sellado con siete sellos indica que está completamente sellado, es decir, inaccesible al entendimiento, dado que el número siete es indicativo de plenitud.

Ahora, si ni en el cielo ni en la tierra, ni aún debajo de ella, se encontró un solo ser que pudiera abrir este libro, y ni siquiera mirarlo, nos preguntamos, ¿quién lo escribió? Pues, no queda otra respuesta que quien lo posee: Dios.

Pero, ¿cuándo fue escrito y de qué trata? Si queremos saber la respuesta, tenemos que preguntárselo a los profetas, dado que *'Dios no hace nada sin revelar sus secretos a sus siervos los profetas.' Amós 3:7*

En este sentido, el profeta –y rey– David declaró que Dios escribió su libro antes del origen de todas las cosas. Dice: *"...tú formaste mis entrañas; tú me hiciste en el vientre de mi madre. Te alabaré; porque formidables, maravillosas son tus obras; estoy maravillado, y mi alma lo sabe muy bien. No fue encubierto de ti mi cuerpo, bien que en oculto fui formado, y entretejido en lo más profundo de la tierra. Mi embrión vieron tus ojos, y en tu libro estaban escritas todas aquellas cosas que fueron luego formadas, sin faltar una de ellas." Salmos 139:13-16*

Por esto, además de ser un libro secreto, es un libro profético, en el cual Dios anuncia el fin desde el principio. En este sentido, el profeta Isaías también registró la siguiente declaración divina: *"yo soy Dios, y no hay otro Dios, y nada hay semejante a mí, que anuncio lo por venir desde el principio, y desde la antigüedad lo que aún no era hecho." Isaías 46:9-10*

Moisés, aquel gran profeta que conversaba cara a cara con Dios, confesando un gran pecado del pueblo, también dijo: *"Te ruego, pues este pueblo ha cometido un gran pecado, porque se hicieron dioses de oro, que perdones ahora su pecado, y si no, ráeme ahora de tu libro que has escrito. Y Jehová respondió a Moisés: Al que pecare contra mí, a este raeré yo de mi libro." Éxodo 32:21-33*

Lo cual nos revela que, dentro del contenido de este libro, también se hallan los nombres de los redimidos. El profeta Daniel, escribió: *"En aquel tiempo se levantará Miguel, el gran príncipe que está de parte de los hijos de tu pueblo; y será tiempo de angustia, cual nunca fue desde que hubo gente hasta entonces; pero en aquel tiempo será libertado tu pueblo, todos los que se hallen escritos en el libro." Daniel 12:1*

Palabras que le fueron pronunciadas a Daniel en el contexto de una visión en la que se le dice: *"yo te declararé lo que está escrito en el libro de la verdad…" Daniel 10:21*

Por esto, aunque este libro pareciera inaccesible al ser humano, la realidad es que Dios se lo ha revelado a sus siervos los profetas. Ya leímos que: *"Dios no hace nada sin revelar sus secretos a sus siervos los profetas." Amós 3:7*

En consecuencia, a través de las declaraciones de los profetas que se encuentran registradas en la Biblia, podemos conocer los aspectos claves del contenido de aquel maravilloso libro, y es nuestro privilegio indagar en su estudio.[80]

Ahora, tal como sucede con aquel libro divino, muchas de las profecías que Dios ha revelado a sus siervos –los profetas–, se encuentran selladas, es decir, inaccesibles al entendimiento humano, hasta que Dios decida que es tiempo de abrir sus sellos. Dice Isaías: *"Y os será toda visión como palabras de libro sellado, el cual si dieren al que sabe leer, y le dijeren: Lee ahora esto; él dirá: No puedo, porque está sellado." Isaías 29:11*

De manera que Dios anticipa lo que será el fin desde el principio, pero lo encubre hasta el tiempo en que debe ser entendido. Llegado ese tiempo, Dios quita el sello enviando sabiduría a través de su Santo Espíritu, y lo que era un libro sellado, pasa a ser un libro abierto al entendimiento humano, con impresionante poder de convencimiento para la salvación de las almas y la gloria de Dios. En este sentido, al profeta Daniel se le dijo: *"Pero tú, Daniel, cierra las palabras y sella el libro hasta el tiempo del fin. Muchos correrán de aquí para allá, y la ciencia se aumentará." Daniel 12:4*

La traducción Kadosh Israelita Mesiánica, dice: *"Pero tú, Daniel, guarda estas palabras secretas, y sella el libro hasta los tiempos del fin, hasta que muchos sean enseñados, y el conocimiento sea aumentado." Daniel 12:4 KDSH*

El libro del profeta Daniel fue escrito seis siglos antes de Cristo y trata, como sabemos, acerca del desarrollo de los grandes poderes que gobernarían el mundo hasta la segunda venida de Jesús, anticipando aún la fecha exacta en que se quitaría la vida al Mesías. Por lo cual, si estas palabras secretas revelados a Daniel forman parte de aquel libro sellado

---

80 Elena de White comenta que Cristo pudo conocer, a través de este libro divino, todo lo que tendría que soportar si decidía dejar su trono para venir a salvarnos. Ella escribió: "La obra de Cristo en la tierra se acercaba rápidamente a su fin. Delante de él, en vívido relieve, se hallaban las escenas hacia las cuales sus pies le llevaban. Aun antes de asumir la humanidad, vio toda la senda que debía recorrer a fin de salvar lo que se había perdido. Cada angustia que iba a desgarrar su corazón, cada insulto que iba a amontonarse sobre su cabeza, cada privación que estaba llamado a soportar, fueron presentados a su vista antes que pusiera a un lado su corona y manto reales y bajara del trono para revestir su divinidad con la humanidad. La senda del pesebre hasta el Calvario estuvo toda delante de sus ojos. Conoció la angustia que le sobrevendría. La conoció toda, y sin embargo dijo: "He aquí yo vengo; (en el rollo del libro está escrito de mí); me complazco en hacer tu voluntad, oh Dios mío, y tu ley está en medio de mi corazón." Salmos 40:7-8 DTG 378

que Dios tiene en su mano derecha, podemos entender que dicho libro contiene, además de los nombres de los redimidos, toda la profecía de Dios acerca de nuestro mundo.[81]

Ahora, si este libro incluye la historia, es decir, los sucesos de las naciones y de la iglesia, desde su principio hasta su final, y fue escrito antes del origen de todas las cosas, quiere decir que es una especie de sentencia que Dios escribió sobre nuestro mundo antes de crearlo. Sentencia que, como toda la sentencia firme, previo a dar el veredicto sobre aquello sometido a juicio, hace un repaso de los fundamentos por los cuales se llega a la decidida conclusión.

Es en este sentido, que este libro contiene todo el desarrollo de la historia de nuestro mundo, desde su principio hasta su final. Es decir, los sucesos que han acontecido –en base a las decisiones que la humanidad ha tomado–, constituyen la prueba sobre la cual Dios ha juzgado –desde antes de la fundación del mundo– el destino eterno tanto de cada uno de sus habitantes como de las naciones e iglesias que han constituido representaciones colectivas de aquellos.[82]

La toma de poder del Cordero

Por esto, entendemos que Apocalipsis 5 revela los sucesos que ocurren en el cielo en el tiempo en el cual todos los secretos que Dios tiene registrados en su libro están por ser abiertos a nuestro entendimiento, dado

---

81 Elena de White lo resume maravillosamente de la siguiente manera: "Allí, en su mano abierta, yacía el libro, el rollo de la historia de las providencias de Dios, la historia profética de las naciones y de la iglesia. Allí estaban contenidos sus pronunciamientos divinos, su autoridad, sus mandamientos, sus leyes, todo el consejo simbólico del Eterno, y la historia de los poderes gobernantes de las naciones. En lenguaje simbólico, estaba contenido en ese rollo la influencia de cada nación, lengua y pueblo desde el comienzo de la historia de la tierra hasta su final… La visión, tal como le fue presentada a Juan, impresionó su mente. El destino de cada nación estaba contenido en ese libro." 12MR 296 / 20MR 197

82 Elena de White comenta: "Cuando Pilato se lavó las manos diciendo: "Inocente soy yo de la sangre de este justo", los sacerdotes se unieron con la turba ignorante en su exclamación apasionada: "Su sangre sea sobre nosotros, y sobre nuestros hijos". Así hicieron su elección los dirigentes judíos. Su decisión fue registrada en el libro que Juan vio en la mano de Áquel que se sienta en el trono, el libro que ningún hombre podía abrir. Con todo su carácter vindicativo aparecerá esta decisión delante de ellos el día en que este libro sea abierto por el León de la tribu de Judá." PVGM 235-236

que dice: *"Y vi a un ángel fuerte que pregonaba a gran voz: ¿Quién es digno de abrir el libro y desatar sus sellos? Y ninguno, ni en el cielo ni en la tierra ni debajo de la tierra, podía abrir el libro, ni aun mirarlo." Apocalipsis 5:2-3*

El apóstol Juan, comprendiendo el significado de esto, se aflige porque nadie había sido hallado digno de abrir el libro. Dice: *"Y lloraba yo mucho, porque no se había hallado a ninguno digno de abrir el libro, ni de leerlo, ni de mirarlo. Y uno de los ancianos me dijo: No llores. He aquí que el León de la tribu de Judá, la raíz de David, ha vencido para abrir el libro y desatar sus siete sellos. Y miré, y vi que en medio del trono y de los cuatro seres vivientes, y en medio de los ancianos, estaba en pie un Cordero como inmolado, que tenía siete cuernos, y siete ojos, los cuales son los siete espíritus de Dios enviados por toda la tierra. Y vino, y tomó el libro de la mano derecha del que estaba sentado en el trono." Apocalipsis 5:4-7*

Felizmente, había uno que era digno de abrir el libro y desatar sus sellos: nuestro salvador Jesús, que se presenta bajo los símbolos del *'León de la tribu de Judá'* y de un *'Cordero como inmolado'*. Símbolos que representan la inconmensurable unión del poder omnipotente de Dios con el abnegado sacrificio de amor de Cristo.

Se describe de esta manera a nuestro salvador en medio del trono y de los cuatro seres vivientes –que rodean dicho trono–, lo cual coincide con las palabras que Jesús mismo expresara anteriormente, en su mensaje a la iglesia de Laodicea, cuando dijo: *"Al que venciere, le daré que se siente conmigo en mi trono, así como yo he vencido, y me he sentado con mi Padre en su trono." Apocalipsis 3:21*

Que Jesús esté sentado en el mismo trono de su Padre indica que él está gobernando y juzgando el universo codo a codo con el Padre, dado que no se ha sentado allí para sacarse una foto, como muchas veces las personas se sientan en los 'tronos' de los gobernantes, sino que se ha sentado para ejercer la función propia de quien ocupa dicho trono.

En realidad, Jesús siempre estuvo allí, dado que ese es su lugar desde los días de la eternidad. En el único momento que dejó aquel puesto de gloria, honor y dominio fue cuando vino a hacerse uno como nosotros, para revelarnos al Padre y entregarse como Cordero de Dios.

De hecho, instantes antes de ser crucificado, Jesús, *"levantando los ojos al cielo, dijo: Padre, la hora ha llegado; glorifica a tu Hijo, para que también tu Hijo te glorifique a ti; como le has dado potestad sobre toda carne, para que dé vida eterna a todos los que le diste. Y esta es la vida eterna: que te conozcan a ti, el único Dios verdadero, y a Jesucristo, a quien has enviado. Yo te he glorificado en la tierra; he acabado la obra que me diste que hiciese. Ahora pues, Padre, glorifícame tú al lado tuyo, con aquella gloria que tuve contigo antes que el mundo fuese." Juan 17:1-5*

Y Dios respondió afirmativamente, de acuerdo a lo que ya había anticipado en su Palabra que haría, es decir, de acuerdo a lo que estaba escrito en su libro y que el Salmo 110 nos lo declara: *"Jehová dijo a mi Señor: Siéntate a mi diestra, hasta que ponga a tus enemigos por estrado de tus pies." Salmos 110:1*

De esta manera, el Padre restituyó a su Hijo a la gloria que había tenido con él antes de la fundación del mundo. Sin embargo, ahora Cristo tendría una nueva tarea que desempeñar, dado que el Padre le dice, a través de este mismo Salmo: *"Juró Jehová, y no se arrepentirá: tú eres sacerdote para siempre según el orden de Melquisedec." Salmo 110:4*

Por esto, el apóstol Pablo, interpretando esta escritura, afirma que Cristo se sentó a la diestra de Dios a fin de ministrar, como Sumo Sacerdote, por los pecados de su pueblo. El dice: *"Ahora bien, el punto principal de lo que venimos diciendo es que tenemos tal sumo sacerdote, el cual se sentó a la diestra del trono de la Majestad en los cielos, ministro del santuario, y de aquel verdadero tabernáculo que levantó el Señor, y no el hombre." Hebreos 8:1-2*

En consecuencia, cuando Cristo dijo a sus discípulos: *"toda potestad me es dada en el cielo y en la tierra. Por tanto, id, y haced discípulos a todas las naciones..." (Mateo 28:18-19)*, se estaba refiriendo a aquella potestad de 'Rey Sumo Sacerdotal' que había recibido del Padre.

Sin embargo, la escena de Apocalipsis 5, implica un contexto muy diferente a aquel en el cual Cristo recibió plena potestad 'Sumo Sacerdotal', ya que apunta al tiempo en el que, como también anticipó el Salmo 110, *'el Señor estaría a su diestra a fin de quebrantar a los reyes en el día de su ira, cuando se levante para juzgar a las naciones...' Salmo 110:5-6*

En este contexto, Cristo se presenta *'teniendo siete cuernos y siete ojos, los cuales, dice, son los siete espíritus de Dios...' (Ap 5:6)*. Dado que, en la Biblia, los cuernos son símbolos de poder y los ojos de conocimiento, entendemos que los 'siete cuernos' y los 'siete ojos' representan la plenitud del poder –es decir, la omnipotencia de Dios– y la plenitud del conocimiento –es decir, la omnisciencia de Dios–. Omnipotencia y omnisciencia que, de acuerdo al texto apocalíptico, representa la plenitud del Espíritu Santo, simbolizado por los 'siete espíritus de Dios'.[83]

83   Hay quienes sostienen que Apocalipsis 5 describe sucesos ocurridos en el cielo durante la ascensión de Cristo. Sin embargo, si tenemos en cuenta que en el principio de la visión se el ordenó a Juan escribir las cosas que sucederían 'después de estas' (Ap 4:1), estando Juan desterrado en la Isla de Patmos, nunca podríamos encajar como hechos 'por venir' sucesos que ocurrieron más de setenta años antes.

Por esto, el hecho de que Apocalipsis 5 presente a Cristo como un 'Cordero como inmolado', con toda potestad en cielo y tierra, no indica, necesariamente, que se trate del momento en el cual Cristo acaba de entregar su vida, sino que los méritos de su dignidad están anclados en aquel gran sacrificio. De hecho, el sacrificio de Cristo será algo que estudiaremos y alabaremos, junto a los ángeles y los seres de otros mundos, por los siglos sin fin.

En este mismo sentido, debemos aclarar que Elena de White presenta textos de Apocalipsis 5 en diferentes contextos, sin pretender sentar interpretación sobre el significado específico de este capítulo, sino más bien porque la palabra profética de nuestro Dios encuentra utilidad y aplicación en diferentes contextos. Por esto, no sería prudente tomar solo alguna de sus citas como argumento concluyente al interpretar el significado específico de este capítulo. Veamos:

»   En el contexto de la ascensión de Cristo, ella dice: "Todo el cielo estaba esperando para dar la bienvenida al Salvador a los atrios celestiales. Mientras ascendía, iba adelante, y la multitud de cautivos libertados en ocasión de su resurrección le seguía. La hueste celestial, con aclamaciones de alabanza y canto celestial, acompañaba al gozoso séquito... Allí está el trono, y en derredor el arco iris de la promesa. Allí están los querubines y los serafines. Los comandantes de las huestes angélicas, los hijos de Dios, los representantes de los mundos que nunca cayeron, están congregados. El concilio celestial delante del cual Lucifer había acusado a Dios y a su Hijo, los representantes de aquellos reinos sin pecado, sobre los cuales Satanás pensaba establecer su dominio, todos están allí para dar la bienvenida al Redentor. Sienten impaciencia por celebrar su triunfo y glorificar a su Rey. Pero con un ademán, él los detiene. Todavía no; no puede ahora recibir la corona de gloria y el manto real. Entra a la presencia de su Padre. Señala su cabeza herida, su costado traspasado, sus pies lacerados; alza sus manos que llevan la señal de los clavos. Presenta los trofeos de su triunfo; ofrece a Dios la gavilla de las primicias, aquellos que resucitaron con él como representantes de la gran multitud que saldrá de la tumba en ocasión de su segunda venida... Ahora declara: Padre, consumado es. He hecho tu voluntad, oh Dios mío. He completado la obra de la redención. Si tu justicia está satisfecha, "aquellos que me has dado, quiero que donde yo estoy, ellos estén también conmigo." (Juan 19:30 y 17:24). Se oye entonces la voz de Dios proclamando que la justicia está satisfecha... Los brazos del Padre rodean a su Hijo, y se da la orden: "Adórenlo todos los ángeles de Dios." (Hebreos 1:6). Con gozo inefable, los principados y las potestades reconocen la supremacía del Príncipe de la vida. La hueste angélica se postra delante de él, mientras que el alegre clamor llena todos los atrios del cielo: "¡Digno es el Cordero que ha sido inmolado, de recibir el poder, y la riqueza, y la sabiduría, y la fortaleza, y la honra, y la gloria, y la bendición!" (Apocalipsis 5:12)". DTG 772-774

» En el contexto de la segunda venida de Jesús, ella también dice: "Podemos tener una visión del futuro, de la bienaventuranza en el cielo. En la Biblia se revelan visiones de la gloria futura, escenas bosquejadas por la mano de Dios, las cuales son muy estimadas por su iglesia. Por la fe podemos estar en el umbral de la ciudad eterna, y oír la bondadosa bienvenida dada a los que en esta vida cooperaron con Cristo, considerándose honrados al sufrir por su causa. Cuando se expresen las palabras: "Venid, benditos de mi Padre," pondrán sus coronas a los pies del Redentor, exclamando: "El Cordero que fue inmolado es digno de tomar el poder y riquezas y sabiduría, y fortaleza y honra y gloria y alabanza.... Al que está sentado en el trono, y al Cordero, sea la bendición, y la honra, y la gloria, y el poder, para siempre jamás." Mateo 25:34; Apocalipsis 5:12, 13." HAp 480

"Nunca podrá comprenderse el costo de nuestra redención hasta que los redimidos estén con el Redentor delante del trono de Dios. Entonces, al percibir de repente nuestros sentidos arrobados las glorias de la patria eterna, recordaremos que Jesús dejó todo esto por nosotros, que no sólo se desterró de las cortes celestiales, sino que por nosotros corrió el riesgo de fracasar y de perderse eternamente. Entonces arrojaremos nuestras coronas a sus pies, y elevaremos este canto: "¡Digno es el Cordero que ha sido inmolado, de recibir el poder, y la riqueza, y la sabiduría, y la fortaleza, y la honra, y la gloria, y la bendición!" (Apocalipsis 5:12)." DTG 105.

"Contemplen por la fe las coronas atesoradas para los que vencerán; escuchen el canto de triunfo de los redimidos: "¡Digno, digno es el Cordero que fue muerto y nos ha redimido para Dios!" MJ 78

» En el contexto inmediatamente posterior al milenio, ella escribe: "Así se pondrá fin al pecado y a toda la desolación y las ruinas que de él procedieron. El salmista dice: "Reprendiste gentes, destruiste al malo, raíste el nombre de ellos para siempre jamás. Oh enemigo, acabados son para siempre los asolamientos". Salmos 9:5, 6. San Juan, al echar una mirada hacia la eternidad, oyó una antífona universal de alabanzas que no era interrumpida por ninguna disonancia. Oyó a todas las criaturas del cielo y de la tierra rindiendo gloria a Dios. Apocalipsis 5:13. No habrá entonces almas perdidas que blasfemen a Dios retorciéndose en tormentos sin fin, ni seres infortunados que desde el infierno unan sus gritos de espanto a los himnos de los elegidos." CS 533

"El universo entero contempló el gran sacrificio hecho por el Padre y el Hijo en beneficio del hombre. Ha llegado la hora en que Cristo ocupa el puesto a que tiene derecho, y es exaltado sobre los principados y potestades, y sobre todo nombre que se nombra. A fin de alcanzar el gozo que le fuera propuesto—el de llevar muchos hijos a la gloria—sufrió la cruz y menospreció la vergüenza. Y por inconcebiblemente grandes que fuesen el dolor y el oprobio, mayores aún son la dicha y la gloria. Echa una mirada hacia los redimidos, transformados a su propia imagen, y cuyos corazones llevan el sello perfecto de lo divino y cuyas caras reflejan la semejanza de

Si tomamos conciencia de lo que acabamos de explicar, Apocalipsis estaría presentando a nuestro hermano Jesucristo, aquel ser humano que fue engendrado por Dios, aquel que antes existía como Dios junto al Padre desde los días de la eternidad, con todos los poderes del cielo a su disposición, en el exacto momento en el que está recibiendo de su Padre un rollo que contiene la historia completa y, por consiguiente, el destino de cada nación, tribu, lengua y pueblo. Libro que hasta ese momento ha estado cerrado, sellado con siete sellos, pero que, por haber llegado el tiempo de su cumplimiento, debe ser abierto.

Por esto, si bien la dignidad de Cristo fue obtenida mediante su sacrificio expiatorio, esta escena de Apocalipsis nos sitúa en el momento en el que él está recibiendo la orden del Padre para comandar el desenlace del gran conflicto entre el bien y el mal, momento propicio para que toda palabra profética de Dios sea abierta al conocimiento de la humanidad a través de Cristo, y se cumpla lo que Dios sentenció desde antes del origen de todas las cosas.

---

su Rey. Contempla en ellos el resultado de las angustias de su alma, y está satisfecho. Luego, con voz que llega hasta las multitudes reunidas de los justos y de los impíos, exclama: "¡Contemplad el rescate de mi sangre! Por estos sufrí, por estos morí, para que pudiesen permanecer en mi presencia a través de las edades eternas". Y de entre los revestidos con túnicas blancas en torno del trono, asciende el canto de alabanza: "¡Digno es el Cordero que ha sido inmolado, de recibir el poder, y la riqueza, y la sabiduría, y la fortaleza, y la honra, y la gloria, y la bendición!" Apocalipsis 5:12 (VM)." CS 651

» Y aún en el contexto de la eternidad, ella escribió: "La cruz de Cristo será la ciencia y el canto de los redimidos durante toda la eternidad. En el Cristo glorificado, contemplarán al Cristo crucificado. Nunca olvidarán que Aquel cuyo poder creó los mundos innumerables y los sostiene a través de la inmensidad del espacio, el Amado de Dios, la Majestad del cielo, Aquel a quien los querubines y los serafines resplandecientes se deleitan en adorar, que se humilló para levantar al hombre caído; que llevó la culpa y el oprobio del pecado, y sintió el ocultamiento del rostro de su Padre, hasta que la maldición de un mundo perdido quebrantó su corazón y le arrancó la vida en la cruz del Calvario. El hecho de que el Hacedor de todos los mundos, el Árbitro de todos los destinos, dejase su gloria y se humillase por amor al hombre, despertará eternamente la admiración y adoración del universo. Cuando las naciones de los salvos miren a su Redentor y vean la gloria eterna del Padre brillar en su rostro; cuando contemplen su trono, que es desde la eternidad hasta la eternidad, y sepan que su reino no tendrá fin, entonces prorrumpirán en un cántico de júbilo: "¡Digno, digno es el Cordero que fue inmolado, y nos ha redimido para Dios con su propia preciosísima sangre!" CS 632

Este significativo acontecimiento, también quedó reflejado en aquellas palabras del Salmo 110, el cual dice: *"Jehová [el Padre] dijo a mi Señor [a Jesucristo]: Siéntate a mi diestra, hasta que ponga a tus enemigos por estrado de tus pies [estas palabras se cumplieron en la ascensión de Cristo, ahora, ¿qué sucedería cuando el Padre ponga a sus enemigos por estrado de los pies de Cristo? Dice:]. Jehová enviará desde Sion [es decir, desde su morada] la vara de tu poder [es decir, la autoridad de Cristo. Cando esto ocurra ¿que sucedrá? Dice:]; domina en medio de tus enemigos. [Como vemos, habrá llegado el tiempo en el que Cristo dominaría sobre sus enemigos... Ahora, ¿qué sucedería en aquel momento? Dice:] Tu pueblo se te ofrecerá voluntariamente en el día de tu poder, en la hermosura de la santidad. [Preciosa promesa] Desde el seno de la aurora [es decir, desde el comienzo de aquel día] tienes tú el rocío de tu juventud. Juró Jehová, y no se arrepentirá: tú eres sacerdote para siempre según el orden de Melquisedec." Salmo 110:1-4*

Es decir, *'aquel cuyo nombre significa primeramente 'Rey de justicia' y también 'Rey de Salem', esto es, 'Rey de paz'; sin padre, sin madre, sin genealogía; que ni tiene principio de días, ni fin de vida, sino hecho semejante al Hijo de Dios.' Hebreos 7:1-3*

Pero, ¿qué sucederá en el día del poder de Cristo? Dice: *"El Señor está a tu diestra; quebrantará a los reyes en el día de su ira. Juzgará entre las naciones, las llenará de cadáveres; quebrantará las cabezas en muchas tierras [cosas que serán descritas en la continuidad del Apocalipsis]. Del arroyo beberá en el camino [es decir, de la fuente de la vida], por lo cual levantará la cabeza [es decir, saldrá vencedor].[Salmo 110:5-7*

Todo lo cual nos indica que, lo que está sucediendo en Apocalipsis 5, es justamente aquella escena que da comienzo al gran día en el cual Cristo ejercerá su poder sobre las naciones, día que justamente coincidirá con el tiempo en el cual su pueblo se le ofrecerá, por voluntad propia, en la hermosura de la santidad. Por lo que es de esperar que, a medida que Cristo abra aquel libro, su pueblo obtenga el conocimiento necesario que lo capacite para presentarse puro y sin mácula delante de Dios.[84]

---

84 Elena de White, comentando sobre esto, escribió: "Cuando los libros de Daniel y Apocalipsis sean mejor entendidos, los creyentes tendrán una experiencia religiosa completamente distinta. Recibirán tales vislumbres de los portales abiertos del cielo que se les grabará en la mente y el corazón el carácter que todos deben desarrollar a fin de comprender la bendición que será la recompensa de los de corazón puro." TM 114

Volviendo al texto de Apocalipsis 5, al tomar Cristo el libro de la mano de su Padre, los cuatro seres vivientes y los veinticuatro ancianos principian la adoración celestial, reconociendo su dignidad. Dice: *"Y cuando hubo tomado el libro, los cuatro seres vivientes y los veinticuatro ancianos se postraron delante del Cordero; todos tenían arpas, y copas de oro llenas de incienso, que son las oraciones de los santos; y cantaban un nuevo cántico, diciendo: Digno eres de tomar el libro y de abrir sus sellos; porque tú fuiste inmolado, y con tu sangre nos has redimido para Dios, de todo linaje y lengua y pueblo y nación; y nos has hecho para nuestro Dios reyes y sacerdotes, y reinaremos sobre la tierra." Apocalipsis 5:8-10*

Hay mucha información valiosa aquí. En primer lugar, podemos ver, una vez más, la exaltada jerarquía de los veinticuatro ancianos, los cuales, después de los cuatro seres vivientes, son los que se encuentran más cerca del trono de Dios. En este sentido, se dice que ellos tenían arpas con las cuales, evidentemente, dan inicio –con un 'cántico nuevo'– a la alabanza celestial.

Por último, también se dice que ellos tenían copas de oro llenas de incienso, algo que está íntimamente vinculado con lo que luego expresan, cuando dicen: *"nos has hecho para nuestro Dios reyes y sacerdotes…" Apocalipsis 5:10.*

Es decir, los veinticuatro ancianos también participan como sacerdotes en aquel santuario celestial en el cual Cristo oficia como Sumo Sacerdote y, por ello, tienen copas de oro llenas de incienso en sus manos, símbolo representativo de las oraciones de los santos que han de ser perfeccionadas por los méritos y la justicia de Cristo.[85]

---

85 Elena de White explica: "Los servicios religiosos, las oraciones, la alabanza, la confesión arrepentida del pecado ascienden desde los verdaderos creyentes como un incienso hasta el santuario celestial; pero al pasar por los corruptos canales de la humanidad, quedan tan contaminados que a menos que sean purificados con sangre, nunca pueden ser de valor ante Dios. No ascienden con pureza impecable, y no son aceptables a Dios a menos que el Intercesor que está a la diestra de Dios los presente y purifique con su justicia. Todo el incienso de los tabernáculos terrenales debe estar humedecido con las purificadoras gotas de la sangre de Cristo. Él sostiene delante del Padre el incensario de sus propios méritos en el cual no hay mancha de corrupción terrenal. Reúne en este incensario las oraciones, las alabanzas y las confesiones de su pueblo y añade su propia justicia inmaculada. Entonces, perfumado con los méritos de la propiciación de Cristo, asciende el incienso delante de Dios plena y enteramente aceptable." Manuscrito 50, 1900." AFC 76

Con lo cual, queda demostrado que los veinticuatro ancianos son personas redimidas mediante la sangre del Cordero, que Cristo ha llevado al cielo como primicias del pueblo de los santos, a fin de que oficien, junto a él, como reyes y sacerdotes delante de Dios. Ya el apóstol Pedro había dicho: *"Mas vosotros sois linaje escogido, real sacerdocio, nación santa, pueblo adquirido por Dios, para que anunciéis las virtudes de aquel que os llamó de las tinieblas a su luz admirable…" 1 Pedro 2:9*

Ahora, luego de que los cuatro seres vivientes y los veinticuatro ancianos principian la adoración y la alabanza, todos los ángeles del Cielo siguen su ejemplo. Dice: *"Y miré, y oí la voz de muchos ángeles alrededor del trono, y de los seres vivientes, y de los ancianos; y su número era millones de millones, que decían a gran voz: El Cordero que fue inmolado es digno de tomar [siete cosas:] el poder, las riquezas, la sabiduría, la fortaleza, la honra, la gloria y la alabanza." Apocalipsis 5:11-12*

En palabras del Salmo 110, lo que los ángeles están declarando es que ha llegado el día de la plenitud del poder de Cristo, es decir, aquel tiempo en el cual Miguel ha de levantarse de su trono para sujetar todas las cosas debajo de sus pies.

Y por esto, a continuación, se describe toda la creación reconociendo al Padre y al Hijo como los únicos dignos del trono universal. Dice: *"Y a todo lo creado que está en el cielo, y sobre la tierra, y debajo de la tierra, y en el mar, y a todas las cosas que en ellos hay, oí decir: Al que está sentado en el trono, y al Cordero, sea la alabanza, la honra, la gloria y el poder, por los siglos de los siglos." Apocalipsis 5:13*

Para finalizar, así como al inicio los cuatro seres vivientes y los veinticuatro ancianos dieron principio a la adoración y la alabanza, luego que todo el universo se ha unido a ellos en su sumisión al que está sentado en el trono y al Cordero, los mismos cuatro seres vivientes y los veinticuatro ancianos concluyen con el amén final. Dice: *"Los cuatro seres vivientes decían: Amén; y los veinticuatro ancianos se postraron sobre sus rostros y adoraron al que vive por los siglos de los siglos." Apocalipsis 5:14*

Por todo esto, en nuestro entender, Apocalipsis 5 revela lo que sucede desde el momento exacto en el que Cristo obtiene el poder de parte del Padre para, como Juez Ejecutor, aplicar la sentencia divina sobre su iglesia y sobre las naciones.

Momento que, como intentaremos demostrar a través del estudio del capítulo 12, está íntimamente relacionado con el fin del juicio investigativo y el comienzo de la batalla por los vivos de la última generación.[86]

Las diferentes etapas del juicio de Dios

En este sentido, es necesario aclarar que la justicia de Dios, tal como la justicia humana, tiene múltiples etapas e instancias. De hecho, en la Biblia, encontramos evidencia de:

1. Juicios concomitantes:

Fallos que Dios emite al juzgar, en tiempo real, las acciones de los hombres. Ejemplo de estos son los juicios divinos del diluvio, los que cayeron sobre la ciudad de Jerusalén en repetidas ocasiones, o aquella sentencia que Dios aplicó sobre Nabucodonosor a causa de su soberbia. Es una justicia totalmente necesaria para el buen gobierno del universo, basada en la sola potestad de nuestro gran Dios como gobernante y juez de toda su creación.

2. Juicio de la iglesia:

Una instancia superior –aunque provisoria– que, con la finalidad de resarcir el daño lo antes posible, establece un tribunal para juzgar las acciones de los hombres que han profesado fe en Cristo, comenzando por el primer justo muerto (Abel) y terminando por los vivos de la última generación que habitará la tierra, previo a la segunda venida de Jesús. A este juicio apuntaba la celebración del 'día de expiación' o Yom Kipur, que hacía alusión tanto al día del juicio como al día del perdón de Dios sobre su pueblo; y consta de dos etapas:

• **Investigativa:** mediante la cual se analizan y definen los casos. El Padre es el Juez, Jesús intercede como Sumo Sacerdote –presentando su sangre por aquellos que reconoce como suyos–, y los veinticuatro ancianos

---

86 Elena de White escribió: "El quinto capítulo de Apocalipsis debe estudiarse detenidamente. Es de la mayor importancia para los que han de desempeñar una parte en la obra de Dios en estos últimos días. Algunos están engañados. No se percatan de lo que está por suceder en la tierra. Son víctimas de un error fatal los que se han dejado confundir en lo que concierne a la naturaleza del pecado. A menos que hagan un cambio decisivo, serán hallados faltos cuando Dios pronuncie sus sentencias sobre los hijos de los hombres. Habiendo transgredido la ley y quebrantado el pacto eterno, recibirán un galardón correspondiente a sus obras." 9TI 213

constituyen el tribunal. Es una etapa clave del juicio de Dios, pues en ella opera la purificación del Santuario –a través del traspaso de los pecados del pueblo hacia Cristo, y de Cristo hacia el diablo–. De acuerdo a la profecía de Daniel 8:14, comenzó el 22 de octubre de 1844 por el primer justo muerto y concluirá en las escenas finales de nuestro mundo con el juicio de los vivos.

• **Ejecutiva:** mediante la cual se restituirá el daño, entregando a cada uno el galardón conforme haya sido su accionar. En esta etapa, el Padre entrega todo el juicio en manos de Cristo. Por esto, aunque hemos estudiado que tanto Daniel 7:9-10, como Apocalipsis 4, presentan a Dios Padre como el gran Juez del Universo; aquí, en Apocalipsis 5, estamos viendo el momento en el que el Padre lo entrega en manos del Hijo.

Jesús dijo: *"de cierto, de cierto os digo: no puede el Hijo hacer nada por sí mismo, sino lo que ve hacer al Padre; porque todo lo que el Padre hace, también lo hace el Hijo igualmente. Porque el Padre ama al Hijo, y le muestra todas las cosas que él hace; y mayores obras que estas le mostrará, de modo que vosotros os maravilléis. Porque como el Padre levanta a los muertos, y les da vida, así también el Hijo a los que quiere da vida. Porque el Padre a nadie juzga, sino que todo el juicio dio al Hijo, para que todos honren al Hijo como honran al Padre. El que no honra al Hijo, no honra al Padre que le envió."* Juan 5:19-23

En este sentido, los apóstoles explicaron que Cristo será juez cuando llegue aquel 'gran día de Dios' que hemos explicado. Ellos escribieron: *"es necesario que todos nosotros comparezcamos ante el tribunal de Cristo… [porque] él es el que Dios ha puesto por Juez de vivos y muertos… por cuanto ha establecido un día [el día de Dios] en el cual juzgará al mundo con justicia, por aquel varón a quien designó, dando fe a todos con haberle levantado de los muertos."* 2 Corintios 5:10; Hechos 10:42; 17:30-31

Por esto, en base a este juicio, Cristo –en su segunda venida–, salvará a los que reconozca como suyos, diciéndoles: *"venid, benditos de mi Padre, heredad el reino preparado para vosotros desde la fundación del mundo"* (Mateo 25:34); y condenará a otros, mediante la sentencia: *"apartaos de mí, malditos, al fuego eterno preparado para el diablo y sus ángeles" "nunca os conocí; apartaos de mí, hacedores de maldad."* Mateo 25:41; 7:23

3. Juicio de los impíos:

Constituye la instancia superior por la cual se juzgará, de manera definitiva, las acciones y el destino tanto de los hombres como de los ángeles que se rebelaron contra Dios, por medio de un tribunal que será encabezado por Cristo y sus santos redimidos. En nuestro análisis de Apocalipsis 20, explicaremos que esta etapa del juicio de Dios se llevará a cabo durante el milenio y también contendrá dos etapas:

• **Investigativa:** En la cual los santos investigarán las acciones y decidirán el destino de aquellos que se rebelaron contra Dios.

• **Ejecutiva:** En la cual Cristo, sentado en su gran trono blanco, aplicará la sentencia sobre los malvados, no sin antes demostrarles su justicia −haciendo un repaso tanto de las malvadas acciones que cometieron como de las oportunidades de arrepentimiento que él les ofreció, siendo rechazado−.

Por esto, en conclusión, Apocalipsis 5 presenta el momento exacto en el que el Padre entrega al Hijo todo el juicio en sus manos. A partir de allí, y a medida que Cristo comience a desatar los sellos del libro divino, se producirá el desenlace de la historia de nuestro mundo.

Vuelve a leer, ahora mismo, Apocalipsis 5 y comprueba como ya se ha abierto ante tus ojos.

Capítulo 6
El desenlace del fin

En nuestro capítulo anterior explicamos que la visión de Apocalipsis 4 y 5 trata acerca del momento en el que Cristo recibe el juicio de manos de su Padre, a través de un libro divino sellado con siete sellos.

En este contexto, Apocalipsis 6 continúa con el desarrollo de esta misma visión, pero desde el momento en el que Jesús, habiendo tomado el libro, comienza a desatar sus sellos.

Significado de los sellos

Como hemos explicado, los *'sellos'* hacen alusión a una especie de ligaduras con las cuales se protegían los documentos secretos. Por lo cual, si este libro está sellado con siete sellos, es una indicación de que, hasta aquel momento, habrá estado completamente 'sellado', es decir, inaccesible al entendimiento, dado que el número siete es indicativo de plenitud.

Lo cual implica dos cosas: la primera, es que nadie habrá podido entender el contenido de este libro hasta que el Cordero abra sus sellos; y la segunda, que cuando éste lo haga, todo secreto divino será revelado a los hombres; dado que este libro contiene la historia completa de la humanidad, de principio a fin, incluyendo el destino de cada nación, tribu, lengua y pueblo.

Lo cual significa que, a medida que Cristo vaya abriendo los siete sellos, la ocurrencia de los eventos que se describen allí nos ayudarán a entender mejor aquellas escrituras que eran oscuras para nosotros.

Ahora, esto no quiere decir que la revelación del Apocalipsis se encuentre sellada. A Juan, a diferencia de Daniel, se le dijo: *"No selles las palabras de la profecía de este libro, porque el tiempo está cerca." Apocalipsis 22:10*

Lo cual indica que Apocalipsis es un libro abierto, accesible al entendimiento humano, que fue dado como una especie de llave de conocimiento que nos permitirá abrir el contenido del resto de la escritura a su debido tiempo, si hacemos de su estudio el pan nuestro de cada día.[87]

En este contexto, Apocalipsis 6, comienza diciendo: *"Vi cuando el Cordero abrió uno de los sellos, y oí a uno de los cuatro seres vivientes decir como con voz de trueno: Ven y mira. Y miré, y he aquí un caballo blanco; y el que lo montaba tenía un arco; y le fue dada una corona, y salió venciendo, y para vencer." Apocalipsis 6:1-2*

Luego, en los siguientes tres sellos, los otros seres vivientes irán presentando al resto de los cuatro caballos del Apocalipsis. Sin embargo, Cristo es quien tiene a su cargo el desenlace de la historia, dado que, como veremos, será Él quien *'permitirá'* y *'conducirá'* los eventos finales al abrir cada uno de los sellos y comandar cada uno de los caballos.

Significado de los caballos

Ahora, ¿qué significan los caballos y qué relación tienen con los seres vivientes? En el libro del profeta Zacarías, estos mismos cuatro caballos aparecen en dos momentos diferentes. En el primero, son 'enviados por Jehová a recorrer la tierra', en un contexto en el que se encuentra en calma. Sus informes dicen: *"Hemos recorrido la tierra, y he aquí toda la tierra está reposada y quieta" Zacarías 1:11*

Contrariamente a lo que supondríamos, esta situación provoca el desagrado de Cristo. ¿Por qué? Porque las naciones se encuentran en calma mientras tienen cautivo a su pueblo. Dice: *"respondió el ángel de Jehová y dijo: Oh Jehová de los ejércitos, ¿hasta cuándo no tendrás piedad de Jerusalén, y de las ciudades de Judá, con las cuales has estado airado por espacio de setenta años? Y Jehová respondió buenas palabras, palabras consoladoras, al ángel que hablaba conmigo. Y me dijo el ángel que hablaba conmigo: Clama diciendo: Así ha dicho Jehová de los ejércitos: Celé con gran celo a Jerusalén y a Sion. Y estoy muy airado contra las naciones que están reposadas; porque cuando yo estaba enojado un poco, ellos agravaron el mal. Por tanto, así ha dicho Jehová:*

---

87   Elena de White escribió: "En el Apocalipsis todos los libros de la Biblia se encuentran y terminan. En él está el complemento del libro de Daniel. Uno es una profecía, el otro una revelación. El libro que fue sellado no fue el Apocalipsis, sino aquella porción de la profecía de Daniel que se refiere a los últimos días. El ángel ordenó: "Tú empero Daniel, cierra las palabras y sella el libro hasta el tiempo del fin." Daniel 12:4." "Al libro de Daniel se le quita el sello en la revelación que se le hace a Juan, lo cual nos permite avanzar hasta las últimas escenas de la historia de este mundo." HAp 467.2." TM 115

Yo me he vuelto a Jerusalén con misericordia; en ella será edificada mi casa, dice Jehová de los ejércitos, y la plomada será tendida sobre Jerusalén. Clama aún, diciendo: Así dice Jehová de los ejércitos: Aún rebosarán mis ciudades con la abundancia del bien, y aún consolará Jehová a Sion, y escogerá todavía a Jerusalén." Zacarías 1:10-17

Estas palabras fueron dadas en el contexto de la primera destrucción de Jerusalén por mano de Babilonia, cercano al tiempo en el que Jerusalén sería reconstruida. Sin embargo, tienen una aplicación tipológica directa con la restauración del pueblo de Dios en los días del fin.

En prueba de ello, consideremos las palabras con las que continúa esta visión, en el siguiente capítulo de Zacarías. Dice: *"Alcé después mis ojos y miré, y he aquí un varón que tenía en su mano un cordel de medir [lo cual es indicio de que está por 'medir' en términos espirituales, lo cual equivale a juzgar]. Y le dije: ¿A dónde vas? Y él me respondió: A medir a Jerusalén [es decir, a juzgar a su pueblo], para ver cuánta es su anchura, y cuánta su longitud. Y he aquí, salía aquel ángel que hablaba conmigo, y otro ángel le salió al encuentro, y le dijo: Corre, habla a este joven, diciendo: Sin muros será habitada Jerusalén, a causa de la multitud de hombres y de ganado en medio de ella [¿cuándo será esto? Evidentemente, luego de la segunda venida de Jesús… y dice]. Yo seré para ella, dice Jehová, muro de fuego en derredor, y para gloria estaré en medio de ella. Eh, eh, huid de la tierra del norte, dice Jehová, pues por los cuatro vientos de los cielos os esparcí, dice Jehová. Oh Sion, la que moras con la hija de Babilonia, escápate [en palabras de Apocalipsis 18, les está diciendo: "Salid de Babilonia, pueblo mío, para que no seáis partícipes de sus pecados, ni recibáis parte de sus plagas" (Ap 18:4)]. Porque así ha dicho Jehová de los ejércitos: Tras la gloria me enviará él a las naciones que os despojaron; porque el que os toca, toca a la niña de su ojo. Porque he aquí yo alzo mi mano sobre ellos, y serán despojo a sus siervos, y sabréis que Jehová de los ejércitos me envió. Canta y alégrate, hija de Sion; porque he aquí vengo, y moraré en medio de ti, ha dicho Jehová. Y se unirán muchas naciones a Jehová en aquel día, y me serán por pueblo, y moraré en medio de ti; y entonces conocerás que Jehová de los ejércitos me ha enviado a ti. Y Jehová poseerá a Judá su heredad en la tierra santa, y escogerá aún a Jerusalén. Calle toda carne delante de Jehová; porque él se ha levantado de su santa morada." Zacarías 2:1-13*

Lo cual coincide plenamente con lo que hemos comentado en relación a que, previo al desenlace de los acontecimientos del fin, Cristo juzgará a su iglesia en días de aparente paz, en un contexto en el que se encuentra dominada por sus enemigos.

Luego, airado con aquellas naciones que cautivan a su pueblo, Cristo *'se levantará de su morada'* para liberarlo (Zacarías 2:13). ¿Qué sucederá entonces? Se desatará una gran tempestad cual nunca fue, tal cual lo expresó el profeta Daniel, cuando dijo: *"En aquel tiempo se levantará Miguel, el gran príncipe que está de parte de los hijos de tu pueblo; y será tiempo de angustia, cual nunca fue desde que hubo gente hasta entonces; pero en aquel tiempo será libertado tu pueblo, todos los que se hallen escritos en el libro."* Daniel 12:1

Lo cual coincide con lo que Zacarías describe en la segunda vez que menciona los cuatro caballos, en aquella misma visión. Dice: *"De nuevo alcé mis ojos y miré, y he aquí cuatro carros que salían de entre dos montes [según entendemos, desde la morada de Dios]; y aquellos montes eran de bronce. En el primer carro había caballos alazanes [o rojizos], en el segundo carro caballos negros, en el tercer carro caballos blancos, y en el cuarto carro caballos overos rucios rodados [como veremos, muy similares a los cuatro caballos del Apocalipsis]. Respondí entonces y dije al ángel que hablaba conmigo: Señor mío, ¿qué es esto? Y el ángel me respondió y me dijo: Estos son los cuatro vientos de los cielos, que salen después de presentarse delante del Señor de toda la tierra."* Zacarías 6:1-5

Ahora, ¿cómo es que los cuatro vientos de los cielos se presentan delante del Señor? ¿Será que los vientos son seres racionales con capacidad de comparecer delante de Dios? Lo que sucede, es que la palabra hebrea traducida aquí como vientos es *'rúakj'*, la cual puede ser utilizada para referirse al viento, pero también en relación al *'aliento'* y al *'espíritu'*. De hecho, esta misma palabra es la que se utiliza para referirse al Espíritu de Dios, al espíritu de los hombres e incluso en relación a los seres angelicales de naturaleza espiritual.

Por esto, la Nueva Versión Internacional traduce: *"Estos son los cuatro espíritus del cielo, que salen después de haberse presentado ante el Señor de toda la tierra"*, mientras que la Nueva Traducción Viviente, dice: *"Son los cuatro espíritus del cielo que están delante del Señor de toda la tierra —el ángel contestó—. Ellos salen a hacer su trabajo"* Zacarías 6:5 NTV

Por lo cual, en nuestro entender, hay una vinculación directa entre aquellos cuatro majestuosos seres angelicales llamados 'seres vivientes' –o 'querubines'–, y los cuatro caballos que ellos mismos presentan en Apocalipsis 6.

En este sentido, el caballo, en Apocalipsis, es usado como símbolo de instrumento de guerra, tanto en relación al ejército de Dios como en el de su enemigo. Por ejemplo, en el contexto de la quinta trompeta, Apocalipsis dice, respecto a seres demoníacos –representados como langostas, que tienen por rey sobre ellos al ángel del abismo–: *"El aspecto de las langostas era semejante a caballos preparados para la guerra."* *Apocalipsis 9:7*

Razón por la cual, entendemos que los cuatro caballos –mencionados tanto en Apocalipsis 6 como en Zacarías 6– representan la actividad que desarrollarán los cuatro seres vivientes en la gran batalla final, es decir, cuando Cristo se levante de su morada para juzgar a las naciones que oprimen a su pueblo.

En este sentido, es de destacar que, aunque los caballos irán saliendo en orden –a medida que el Cordero abra cada sello–, su actividad también se desarrollará de manera simultánea. Dice Zacarías: *"Los poderosos caballos estaban ansiosos por salir a vigilar la tierra. Así que el Señor dijo: «¡Vayan y vigilen la tierra!». Entonces salieron de inmediato a hacer el recorrido."* *Zacarías 6:7 NTV*

De igual manera, y según se desprende de este pasaje, los seres vivientes no serán quienes ejecutarán 'en persona' los sucesos descritos en cada uno de los sellos, sino que 'vigilarán' su realización y desenlace. Es decir, serán quienes se encargarán de que los planes de Dios se cumplan en medio –y por medio– de dichos acontecimientos.

¿Qué sucederá entonces? ¿De qué acontecimientos estamos hablando? Pues, es justamente lo que Apocalipsis está a punto de explicar.

Primer sello: caballo blanco

Dice: *"Vi cuando el Cordero abrió uno de los sellos, y oí a uno de los cuatro seres vivientes decir como con voz de trueno: Ven y mira. Y miré, y he aquí un caballo blanco; y el que lo montaba tenía un arco; y le fue dada una corona, y salió venciendo, y para vencer."* *Apocalipsis 6:1-2*

Comprobamos, desde el inicio, que es evidente la relación entre el simbolismo de los caballos y la guerra. Claramente, tanto el arco que lleva el jinete como la expresión 'salió venciendo y para vencer' están íntimamente vinculados con una gran batalla.

Ahora, ¿de qué batalla se trata y quién la comandará? Consideremos las siguientes declaraciones proféticas de David, relacionadas con el tiempo de angustia. Dice: *"En mi angustia invoqué a Jehová, y clamé a mi Dios. Él oyó mi voz desde su templo, y mi clamor llegó delante de él, a sus oídos. La tierra fue conmovida y tembló; se conmovieron los cimientos de los montes, y se estremecieron, porque se indignó él… Cabalgó sobre un querubín, y voló; voló sobre las alas del viento [otra vez, la palabra original es rúakj, por lo que podría traducirse como 'voló sobre las alas del Espíritu']… Envió sus saetas, y los dispersó; lanzó relámpagos, y los destruyó…" Salmo 18:6-14*

Por lo cual entendemos que el jinete sobre el caballo blanco del primer sello, representa a Cristo asistido por uno de sus seres vivientes, en el momento en el que se levante de su templo para socorrer a su pueblo. El arco que porta, representa el arma que Cristo usará en esta batalla, la cual es el pueblo que ha guardado su Palabra. El libro de los Salmos, dice: *"Rebosa mi corazón palabra buena; dirijo al rey mi canto; mi lengua es pluma de escribiente muy ligero. Eres el más hermoso de los hijos de los hombres [¿Quién sino Jesús?]; la gracia se derramó en tus labios; por tanto, Dios te ha bendecido para siempre. Ciñe tu espada sobre el muslo, oh valiente, con tu gloria y con tu majestad. En tu gloria sé prosperado; cabalga sobre palabra de verdad, de humildad y de justicia, y tu diestra te enseñará cosas terribles. Tus saetas agudas, con que caerán pueblos debajo de ti, penetrarán en el corazón de los enemigos del rey. Tu trono, oh Dios, es eterno y para siempre; cetro de justicia es el cetro de tu reino. Has amado la justicia y aborrecido la maldad; por tanto, te ungió Dios, el Dios tuyo, con óleo de alegría más que a tus compañeros." Salmos 45:1-7*

Este salmo es conocido por ser un himno real que celebra el momento en el que el Rey de los cielos sale en busca de su amada esposa. Por esto, este *'Rey'*, al cual el salmista dirige su canto –que es *'el más hermoso de los hijos de los hombres'* al mismo tiempo que es Dios–, *'ha salido ungido por su Dios'*, es decir, por el Padre, para pelear una batalla *'cabalgando sobre palabras de verdad'*, que serán como saetas agudas en su mano, en un claro contexto del juicio de Dios. Por lo cual, entendemos que la batalla que Cristo inicia al salir en conquista de la tierra, no tiene que ver con enfrentamientos físicos sino espirituales.

En este sentido, Jesús, respondiendo acerca de las señales que anunciarían su regreso y el fin del mundo, reveló que el desenlace del fin estaría marcado por guerras, rumores de guerras, pestes, hambres y terremotos –cosas que Apocalipsis describe a continuación–.

Sin embargo, previo a todo esto, debería iniciarse una batalla especial. El dijo: *"Y será predicado este evangelio del reino en todo el mundo, para testimonio a todas las naciones; y entonces vendrá el fin." Mateo 24:14*

Por esto, entendemos que el punto de partida, *'el gatillo'* de los eventos del fin, es el comienzo de la predicación del evangelio eterno a nivel mundial. Marcos, hablando en este mismo contexto, escribió: *"es necesario que el evangelio sea predicado antes a todas las naciones." Marcos 13:10*

Por lo cual, entendemos que el caballo blanco representa la predicación del evangelio a todo el mundo en el contexto del *'fuerte pregón'*. Batalla que, aunque durará hasta la misma víspera de la venida de Cristo, desencadenará el resto de las batallas.

Ahora, aunque Cristo estará al frente de esta batalla, comandando la predicación del evangelio a través de su principal querubín asistente, el evangelio no será predicado por Cristo ni por su querubín en persona, sino a través del pueblo de los santos. El profeta Daniel, luego de describir el levantamiento de Miguel en medio de la gran angustia del fin, dice: *"Los entendidos resplandecerán como el resplandor del firmamento; y los que enseñan la justicia a la multitud, como las estrellas a perpetua eternidad." Daniel 12:3*

Por esto, aunque Cristo es quien comanda la predicación del evangelio, será su pueblo quien peleará esta batalla, tomados de su poder; habiendo alcanzado primero la victoria sobre el pecado en sus propias vidas. Es por esto que dice que ha salido 'venciendo y para vencer'.[88]

---

88   Elena de White, explica: "Estamos ahora en el campo de batalla. No hay tiempo para descansar, no hay tiempo para la comodidad; deben salir conquistando y para conquistar, y reuniendo fuerzas renovadas para enfrentar nuevas luchas. Cada victoria ganada aumenta el valor, la fe y la determinación. Para sus enemigos, demostrarán ser más que contrincantes mediante la fortaleza divina." RP 347

"Los obreros de Dios deben tener una profunda experiencia. Si se rinden plenamente a él, él obrará poderosamente en favor de ellos. Implantará el estandarte de la verdad sobre las fortalezas que hasta entonces retenía Satanás, y con clamores de victoria tomarán posesión de ella. Ostentan las cicatrices de la batalla, pero reciben el mensaje consolador de que el Señor los guiará en su avance, venciendo y para vencer. Cuando los siervos de Dios con celo consagrado cooperen con los instrumentos divinos, el estado de cosas que ahora existe en el mundo será cambiado, y pronto la Tierra recibirá con gozo a su Rey. Entonces "los entendidos resplandecerán como el resplandor del firmamento; y los que enseñan la justicia a la multitud, como las estrellas, a perpetua eternidad"." CE 161

Y en este sentido, cuando Dios ponga su palabra en labios de su pueblo, seremos como flechas afiladas en sus manos. Isaías, encarnando a quienes predicarán, con poder de lo alto el último mensaje de misericordia al mundo –conocido como el mensaje de los tres ángeles–, dice: *"El Señor me llamó desde antes que naciera; desde el seno de mi madre me llamó por mi nombre. Hizo que mis palabras de juicio fueran tan filosas como una espada. Me ha escondido bajo la sombra de su mano. Soy como una flecha afilada en su aljaba [símbolo apocalíptico]. Él me dijo: «Israel [cuyo significado es 'vencedor'], tú eres mi siervo y me traerás gloria». Yo respondí: «¡Pero mi labor parece tan inútil! He gastado mis fuerzas en vano, y sin ningún propósito. No obstante, lo dejo todo en manos del Señor; confiaré en que Dios me recompense». Y ahora habla el Señor, el que me formó en el seno de mi madre para que fuera su siervo, el que me encomendó que le trajera a Israel de regreso. El Señor me ha honrado y mi Dios me ha dado fuerzas. Él dice: «Harás algo más que devolverme al pueblo de Israel. Yo te haré luz para los gentiles, y llevarás mi salvación a los confines de la tierra». El Señor, el Redentor y Santo de Israel, le dice al que es despreciado y rechazado por las naciones, al que es el siervo de los gobernantes: «Los reyes se pondrán en posición de firmes cuando tú pases. Los príncipes se inclinarán hasta el suelo por causa del Señor, el fiel, el Santo de Israel, que te ha escogido» Isaías 49:1-7 NTV*

Como vemos, son palabras equivalentes al mensaje de Cristo a Filadelfia, cuando le dice: *"aunque tienes poca fuerza, has guardado mi palabra, y no has negado mi nombre. He aquí, yo entrego de la sinagoga de Satanás a los que se dicen ser judíos y no lo son, sino que mienten; he aquí, yo haré que vengan y se postren a tus pies, y reconozcan que yo te he amado. Por cuanto has guardado la palabra de mi paciencia, yo también te guardaré de la hora de la prueba que ha de venir sobre el mundo entero, para probar a los que moran sobre la tierra." Apocalipsis 3:8-10.*

Veamos como continúa Isaías. Dice: *"Esto dice el Señor: «En el momento preciso te responderé; en el día de salvación te ayudaré. Te protegeré y te daré a las naciones para que seas mi pacto con ellas. Por medio de ti*

"El resultado de la batalla no depende de la fuerza del hombre mortal. "El Señor saldrá como un hombre poderoso, despertará celos como un hombre de guerra; gritará, sí, rugirá; prevalecerá contra sus enemigos" (Isaías 42:13). En cl poder de Aquel que cabalga conquistando y para conquistar, el hombre débil y finito puede obtener la victoria." 14LtMs, Ms 151, 1899, par. 13

"El Señor es su Consejero, su guía, el Capitán de su salvación. Va delante de su rostro, venciendo y para vencer." TM 312

restableceré la tierra de Israel y la devolveré a su propio pueblo. Les diré a los prisioneros: "Salgan en libertad", y a los que están en tinieblas: "Vengan a la luz". Ellos serán mis ovejas, que se apacentarán en pastos verdes y en colinas que antes estaban desiertas. No tendrán hambre ni sed y el sol ardiente ya no los alcanzará. Pues el Señor en su misericordia los guiará; los guiará junto a aguas frescas." Isaías 49:8-10 NTV

Palabras idénticas a las que se dicen respecto a aquella gran multitud que nadie puede ver ni contar, que saldrá de todas las naciones, producto de la tarea de los 144000. Dice: *"Ya no tendrán hambre ni sed, y el sol no caerá más sobre ellos, ni calor alguno; porque el Cordero que está en medio del trono los pastoreará, y los guiará a fuentes de aguas de vida; y Dios enjugará toda lágrima de los ojos de ellos." Apocalipsis 7:16-17*

Idéntico, ¿verdad? Y continúa Isaías: *"¡Miren! Mi pueblo regresará desde muy lejos; desde tierras del norte [¿desde Babilonia?] y del occidente, y desde tan al sur como Egipto» [¿desde el ateísmo?]. ¡Oh, cielos, canten de alegría! ¡Oh, tierra, gózate! ¡Oh montes, prorrumpan en cantos! Pues el Señor ha consolado a su pueblo y le tendrá compasión en medio de su sufrimiento." Isaías 49:11-13 NTV*

¡Qué maravilloso futuro le espera a la iglesia! Sin embargo, ella no podrá verlo, porque estará pasando por una inmensa angustia. Dice: *"Sin embargo, Jerusalén dice: «El Señor me ha abandonado; el Señor me ha olvidado». [Pensamientos que vendrán a la mente de los salvos, en el tiempo de su mayor angustia] «¡Jamás! ¿Puede una madre olvidar a su niño de pecho? ¿Puede no sentir amor por el niño al que dio a luz? Pero aun si eso fuera posible, yo no los olvidaría a ustedes. Mira, he escrito tu nombre en las palmas de mis manos… Yo pelearé contra quienes peleen contigo, y salvaré a tus hijos. Alimentaré a tus enemigos con su propia carne y se embriagarán con ríos de su propia sangre. Todo el mundo sabrá que yo, el Señor, soy tu Salvador y tu Redentor; el Poderoso de Israel». Isaías 49:14-16, 25-26 NTV*

¡¡Tremendo!! ¿¡No te estalla la cabeza!? ¿No es acaso claro que el caballo blanco, junto a su jinete, representa la obra que comandará Cristo cuando se levante de su morada para socorrer a su pueblo?

Ahora, esta obra de Cristo, en conjunto con su primer ser viviente, los innumerables seres angelicales por él comandados y su pueblo fiel, representa solo un bando del conflicto. ¿Qué encontraremos del otro?

Al diablo –también con sus ángeles caídos y sus seguidores terrenales–tratando de falsificar la obra de Dios. A esto se refirió Jesús cuando, al comenzar su respuesta sobre las señales de su regreso y el fin del mundo, dijo: *"Mirad que nadie os engañe. Porque vendrán muchos en mi nombre, diciendo: Yo soy el Cristo; y a muchos engañarán." Mateo 24:4-5* [89]

Es decir, el diablo se opondrá a la predicación del evangelio eterno haciendo predicar un evangelio mentiroso a través de sus más cercanos colaboradores. Y serán todos ellos, los que participan en el otro bando del conflicto, quienes caerán rendidos a los pies de los santos al culminar la batalla. Sin embargo, mientras tanto, desde el punto de vista humano, serán la mayoría y tratarán de aplastar a los hijos de Dios a través de los gobiernos, las religiones, el dinero, los medios de comunicación, el genio, la educación y hasta el ridículo. Habrá un vínculo de unión universal, una confederación de fuerzas de los que obedecerán a Satanás, un ecumenismo de religiones, gobiernos y empresas en contra de los mandamientos de Dios y la fe pura de Jesús.

Y esto será así, porque el diablo, –como comprobaremos más adelante– a través del papado, hará que *'los reyes de la tierra y los habitantes del mundo se embriaguen con el vino de su prostitución' (Ap 17:2)* es decir, con el vino de sus engaños, y que toda nación se rebele contra Dios. Dice la Escritura: *"Estos tienen un mismo propósito, y entregarán su poder y su autoridad a la bestia. Pelearán contra el Cordero, y el Cordero los vencerá, porque él es Señor de señores y Rey de reyes; y los que están con él son llamados y elegidos y fieles." Apocalipsis 17:13-14*

Lo interesante es que todo este amplio bando enemigo estará comandado por un representante del diablo que también se viste de blanco, aunque sus manos están llenas de sangre inocente.

---

89   Elena de White escribió: "Estamos acercándonos a la finalización de la historia de esta tierra, cuando podrá haber solo dos bandos, y todo hombre, mujer y niño estará en uno de estos dos ejércitos. Jesús será el General de un ejército; Satanás será el dirigente del ejército opositor. Todos los que están quebrantando y enseñando a otros a quebrantar la ley de Dios, el fundamento de su gobierno en los cielos y en la tierra, están comandados por un jefe superior, que los dirige en oposición al gobierno de Dios. "Los ángeles que no guardaron su dignidad, sino que abandonaron su propia morada" (Judas 6) son rebeldes contra la ley de Dios, y enemigos de todos los que aman y obedecen sus mandamientos. Estos súbditos, con Satanás su dirigente, reunirán a otros en sus filas usando cualquier medio posible, para fortalecer sus fuerzas e imponer el cumplimiento de sus demandas." 3MS 483

Segundo sello: caballo rojo

¿Cómo continuará el desenlace del gran conflicto? Apocalipsis dice: *"Cuando [el Cordero] abrió el segundo sello, oí al segundo ser viviente, que decía: Ven y mira. Y salió otro caballo, bermejo [es decir, rojizo]; y al que lo montaba le fue dado poder de quitar de la tierra la paz, y que se matasen unos a otros; y se le dio una gran espada." Apocalipsis 6:3-4*

Siguiendo el mismo principio de interpretación que en nuestro sello anterior, entendemos que este caballo rojizo representa la actividad del segundo ser viviente, comandado también por Cristo, en la gran batalla final.

Pero, ¿cómo podría ser posible que se le de una gran espada a Cristo y poder para quitar la paz de la tierra, al punto que se maten unos a otros? Si lo piensas bien, esa es la consecuencia inevitable de la predicación del evangelio. El mismo Jesús dijo: *"No penséis que he venido para traer paz a la tierra; no he venido para traer paz, sino espada. Porque he venido para poner en disensión al hombre contra su padre, a la hija contra su madre, y a la nuera contra su suegra; y los enemigos del hombre serán los de su casa." Mateo 10:34-36*

No es que Cristo quiera quitarnos la paz, él claramente dijo a sus discípulos: *"La paz os dejo, mi paz os doy; yo no os la doy como el mundo la da. No se turbe vuestro corazón, ni tenga miedo." Juan 14:27*

Por esto, una cosa es la 'paz de la tierra', también conocida como 'la paz del mundo', y otra es la paz de Dios, la cual Cristo nos da. El problema con la paz del mundo es que es un caldo de cultivo para la propagación de los engaños del diablo. Por esto Cristo terminará con este tipo de paz ficticia que embota los sentidos y adormece el entendimiento, dado que si permitiera que el actual estado de cosas permaneciera para siempre, el pueblo de Dios continuaría cautivo en manos del diablo, y la mayoría del mundo jamás prestaría atención a su palabra, por lo que serían muchos menos los que se salvarían.

A la propia iglesia de Cristo, como hemos estudiado en el análisis de Apocalipsis 2 y 3, esta 'paz' le fue impuesta por el Imperio Romano de Constantino a costa de sacrificar la pureza del evangelio y aceptar la introducción del paganismo en su propio seno. Por esto, cuando Miguel se levante para liberar a su pueblo, este tipo de paz será quitada. Sí, en su misericordia, Dios permitirá que las naciones que cautivan al pueblo de Dios sean alborotadas, al punto que se maten unos a otros.[90]

Recordemos que en la visión de Zacarías sobre los cuatro caballos, en el informe de su primera salida, 'toda la tierra estaba tranquila y reposada', sin embargo Dios no estaba conforme con aquella situación. Dice: *"Y ellos hablaron a aquel ángel de Jehová que estaba entre los mirtos, y dijeron: Hemos recorrido la tierra, y he aquí toda la tierra está reposada y quieta… Y me dijo el ángel que hablaba conmigo: Clama diciendo: Así ha dicho Jehová de los ejércitos: Celé con gran celo a Jerusalén y a Sion. Y estoy muy airado contra las naciones que están reposadas; porque cuando yo estaba enojado un poco, ellos agravaron el mal." Zacarías 1:11-15*

Esto implica que todo lo que estamos viviendo con las alborotos y levantamientos en casi toda nación del mundo, las extrañas pandemias que hemos sufrido, las guerras que se están llevando a cabo —junto con los rumores de mayores guerras— y el hambre que se avecina, forman parte de aquella 'quita de la paz de la tierra'. En este sentido, Jesús dijo: *"Y oiréis de guerras y rumores de guerras; mirad que no os turbéis, porque es necesario que todo esto acontezca; pero aún no es el fin." Mateo 24:6*

Ahora, así como en el primer sello, el diablo y sus seguidores también jugarán su papel en este aspecto; por lo menos en dos sentidos: el primero en relación a que es su espíritu maligno el que impulsa a los hombres a despreciar toda ley, odiarse entre sí y luchar por el predominio; al punto de llegar a matarse unos a otros. Es decir, es el diablo quien incita a las personas a cometer todo tipo de delitos y, a causa de esto, el mundo de los últimos días entrará en caos.[91]

---

90 Elena de White escribió: "El comienzo del "tiempo de angustia" mencionado entonces, no se refiere al momento cuando comiencen a caer las plagas, sino a un corto período que transcurre precisamente antes que caigan, mientras Cristo está en el santuario. En ese tiempo, cuando se esté terminando la obra de la salvación, vendrá aflicción sobre la tierra, y las naciones se airarán, aunque serán mantenidas en jaque para que no impidan la realización de la obra del tercer ángel. En ese tiempo descenderá la "lluvia tardía" o refrigerio de la presencia del Señor, para dar poder a la voz fuerte del tercer ángel, y preparar a los santos para que puedan subsistir mientras sean derramadas las siete postreras plagas". MSV 175

91 Elena de White escribió: "…la anarquía trata de hacer desaparecer toda ley, no solo divina sino humana. La concentración de la riqueza y el poder, las vastas combinaciones hechas para el enriquecimiento de unos pocos a expensas de la mayoría; la unión de las clases más pobres para organizar la defensa de sus

La segunda forma en la que el diablo jugará un papel en la quita de la paz de la tierra es por medio de persecuciones hacia los hijos de Dios. En este sentido, cuando el verdadero evangelio comience a ser predicado a alta voz, el diablo se llenará de ira y dirigirá a los suyos en contra de los que guardan los mandamientos de Dios y tienen la fe de Jesús; y esto también quitará la paz de la tierra y, especialmente, de la iglesia. El apóstol Pablo anticipó: *"todos los que quieren vivir piadosamente en Cristo Jesús padecerán persecución; mas los malos hombres y los engañadores irán de mal en peor, engañando y siendo engañados." 2 Timoteo 3:12-13*

Esto se produce porque el verdadero evangelio irrita tanto al diablo como a sus seguidores. Jesús dijo: *"Si el mundo os aborrece, sabed que a mí me ha aborrecido antes que a vosotros. Si fuerais del mundo, el mundo amaría lo suyo; pero porque no sois del mundo, antes yo os elegí del mundo, por eso el mundo os aborrece. Acordaos de la palabra que yo os he dicho: El siervo no es mayor que su señor. Si a mí me han perseguido, también a vosotros os perseguirán; si han guardado mi palabra, también guardarán la vuestra. Mas todo esto os harán por causa de mi nombre, porque no conocen al que me ha enviado. Si yo no hubiera venido, ni les hubiera hablado, no tendrían pecado; pero ahora no tienen excusa por su pecado." Juan 15:18-22*[92]

---

intereses y derechos; el espíritu de inquietud, desorden y derramamiento de sangre; la propagación mundial de las mismas enseñanzas que produjeron la Revolución Francesa, tienden a envolver al mundo entero en una lucha similar a la que convulsionó a Francia. ED 206

92   Elena de White comenta: "El mundo ama el pecado y aborrece la justicia, y ésta era la causa de su hostilidad hacia Jesús. Todos los que rechazan su amor infinito hallarán en el cristianismo un elemento perturbador. La luz de Cristo disipa las tinieblas que cubren sus pecados, y les manifiesta la necesidad de una reforma. Mientras los que se entregan a la influencia del Espíritu Santo empiezan a guerrear contra sí mismos, los que se aferran al pecado combaten la verdad y a sus representantes. Así se crea disensión, y los seguidores de Cristo son acusados de perturbar a la gente. Pero es la comunión con Dios lo que les trae la enemistad del mundo. Ellos llevan el oprobio de Cristo, andan por la senda en que anduvieron los más nobles de la tierra. Deben, pues, arrostrar la persecución, no con tristeza, sino con regocijo. Cada prueba de fuego es un agente que Dios usa para refinarlos. Cada una de ellas los prepara para su obra de colaboradores suyos. Cada conflicto tiene su lugar en la gran batalla por la justicia, y aumentará el gozo de su triunfo final. Teniendo esto en vista, la prueba de su fe y paciencia será alegremente aceptada más bien que temida y evitada. Ansiosos de cumplir su obligación para con el mundo y fijando su deseo en la aprobación de Dios, sus siervos han de cumplir cada deber, sin tener en cuenta el temor o el favor de los hombres." DTG 271

Por esto, el punto principal que debemos comprender en relación a este sello, es que si estamos viendo, con nuestros propios ojos, la quita de la paz del mundo, tenemos que saber que es Cristo quien lo autoriza –a través de la apertura de este sello–, lo controla y aún lo ejecuta –a través de la poderosa acción de su segundo ser viviente– porque es algo necesario para la liberación de su pueblo. Jesús dijo: *"Cuando estas cosas comiencen a suceder, erguíos y levantad vuestra cabeza, porque vuestra redención está cerca." Lucas 21:28*

Esto siempre debe estar presente en nuestra mente, para que podamos tener esperanza en medio del conflicto. Claramente Daniel anticipa que *'el tiempo en el cual se levantará Miguel, el gran príncipe que está de parte de los hijos de tu pueblo; será un tiempo de angustia cual nunca fue... pero en aquel tiempo seremos libertados...' Daniel 12:1*

Tercer sello: caballo negro

Y en este sentido, Apocalipsis continúa anunciando cómo se desarrollará este estado de inmensa angustia. Dice: *"Cuando [el Cordero] abrió el tercer sello, oí al tercer ser viviente, que decía: Ven y mira. Y miré, y he aquí un caballo negro; y el que lo montaba tenía una balanza en la mano. Y oí una voz de en medio de los cuatro seres vivientes, que decía: Dos libras de trigo por un denario, y seis libras de cebada por un denario; pero no dañes el aceite ni el vino." Apocalipsis 6:5-6*

Según nuestra manera de entender el Apocalipsis, este sello presenta una vez más a Cristo comandando la actividad de su tercer querubín, quien también le asiste esta gran batalla en asuntos que la hacen cada vez más angustiante. Así como el caballo rojo presagiaba guerras y pérdida de la paz, el caballo negro anuncia hambre en medio de tinieblas y oscuridad.

Vemos, entonces, que se presenta a Cristo con una balanza en la mano, lo cual es símbolo de que él está pesando las acciones de los hombres. Daniel, interpretando la escritura de aquella mano que escribió en la pared, le dijo al impío Belsasar: *"Pesado has sido en balanza, y fuiste hallado falto..." Daniel 5:27, por no haber alcanzado la medida requerida.*

Este suceso, relacionado con la caída de la Babilonia histórica, tiene un inmenso significado tipológico en la actualidad, dado que Apocalipsis nombra como 'Babilonia' a aquel poder que tiene cautivo al pueblo de Dios en nuestros días, anunciando que está por ser objeto del castigo divino debido a que sus pecados han llegado hasta el cielo (Ap 18:4-5);

presentando, en Apocalipsis 17, la *'sentencia'* que Dios pronuncia contra ella, evidentemente, luego de haberla pesado en su balanza.

Ahora, hay otro significado en relación a la balanza que surge del propio texto de este sello, y es en relación con pesos de determinados alimentos y sus costos. Dice: *"...miré, y he aquí un caballo negro; y el que lo montaba tenía una balanza en la mano. Y oí una voz de en medio de los cuatro seres vivientes, que decía: Dos libras de trigo [medida de balanza, equivalente a casi un kilo] por un denario [que es el equivalente a un jornal diario], y seis libras de cebada [casi tres kilos] por un denario; pero no dañes el aceite ni el vino." Apocalipsis 6:5-6*

Que se tenga que gastar todo el salario de un día de trabajo en adquirir solo un kilo de trigo o tres de cebada, indica que los precios de los alimentos subirán exorbitantemente.

¿Por qué podría ocurrir esto? De acuerdo a la antigua ley de oferta y demanda, los precios suben cuando hay escasez de oferta o exceso de demanda. Y como no sería lógica una subida de precios por exceso de demanda, dado que quienes demandan alimentos −es decir, la población mundial−, en el corto plazo, es estable, entendemos que la profecía anticipa un porvenir con inmensa escasez de alimentos, especialmente de granos; lo cual tiene total sentido si lo relacionamos con el sello anterior. ¿Por qué? Porque la pérdida de la paz de la tierra traerá como consecuencia serios daños en las cadenas de producción, distribución y comercialización de alimentos. La catástrofe alimentaria que se espera a consecuencia de la guerra entre Rusia y Ucrania es un buen ejemplo en este sentido.[93]

Consideremos algunos pasajes de la Biblia que hablan en relación a esta escasez de alimentos: Isaías dice: *"Reuníos, pueblos, y seréis quebrantados; oíd, todos los que sois de lejanas tierras; ceñíos, y seréis quebrantados; disponeos, y seréis quebrantados..." Isaías 8:9*

Tres veces se anuncia el quebrantamiento de los pueblos, en un contexto en el cual ellos están buscando reunirse. Lo cual nos recuerda lo

---

93   Elena de White escribió: "El Señor me ha mostrado que algunos de sus hijos temerán cuando vean subir el precio de los alimentos, y comprarán alimentos y los guardarán para el tiempo de angustia. Entonces, al surgir la necesidad, los vi ir en procura de su alimento y contemplarlo: Había criado gusanos, estaba lleno de insectos, y no servía." MSV 187

dicho en relación a aquellos 'reinos divididos' representados por los 10 dedos de los pies en parte de hierro y en parte de barro cocido de la estatua simbólica de Daniel 2, cuando se anticipa que *'intentarían unirse por medio de alianzas humanas, pero sus uniones no serían perdurables...' Daniel 2:43*

En este contexto, Isaías continúa diciendo: *"Tomad consejo, y será anulado; proferid palabra, y no será firme, porque Dios está con nosotros. Porque Jehová me dijo de esta manera con mano fuerte, y me enseñó que no caminase por el camino de este pueblo [es decir, si sigues a la manada, serás quebrantado...], diciendo: No llaméis conspiración a todas las cosas que este pueblo llama conspiración [¿te suena?]; ni temáis lo que ellos temen, ni tengáis miedo [¿no es justamente mediante el miedo que se está sometiendo a la población mundial en nuestros días?]. A Jehová de los ejércitos, a él santificad; sea él vuestro temor, y él sea vuestro miedo [mensaje del primer ángel de Ap 14:6]. Entonces él será por santuario; pero a las dos casas de Israel, por piedra para tropezar, y por tropezadero para caer, y por lazo y por red al morador de Jerusalén. Y muchos tropezarán entre ellos, y caerán, y serán quebrantados; y se enredarán y serán apresados." Isaías 8:10-15*

Como vemos, hasta aquí es un contexto en el que se quita la paz de la tierra, muy congruente con los anticipado por el sello anterior. Ahora, luego dice: *"Ata el testimonio, sella la ley entre mis discípulos [lo cual anuncia el sellamiento de los hijos de Dios]. Esperaré, pues, a Jehová, el cual escondió su rostro de la casa de Jacob, y en él confiaré." Isaías 8:16-17*

Tal como veremos en el análisis de Apocalipsis 7, luego del sellamiento de los 144000, los vientos de conflictos comenzarán a soltarse, dando paso al inicio de la angustia. Luego, al llegar el período de mayor angustia, conocida como la angustia de Jacob, aunque los santos estarán muy cerca de Dios, él se ocultará de ellos a fin de que sean probados a fuego. Por esto, Isaías dice: *"Esperaré, pues, a Jehová, el cual escondió su rostro de la casa de Jacob, y en él confiaré." Isaías 8:17*

Luego, Isaías dice: *"He aquí, yo y los hijos que me dio Jehová somos por señales y presagios en Israel, de parte de Jehová de los ejércitos, que mora en el monte de Sion [es decir, Isaías, junto a sus hijos, eran representaciones de aquellos 144000 que estarían con Cristo sobre el monte de Sion (Ap 14:1)]. Y si os dijeren: Preguntad a los encantadores y a los adivinos, que susurran hablando, responded: ¿No consultará el pueblo a su Dios? ¿Consultará a los muertos por los vivos? ¡A la ley y al testimonio! Si no dijeren conforme a esto, es porque no les ha amanecido." Isaías 8:18-20*

¡Cuántos, en nuestros días, andan consultando todo tipo de predicciones provenientes del maligno, mientras pasan por alto la abundante palabra que Dios ha dejado para enseñarnos las cosas que han de ser! Ahora, prestemos atención a como concluye este capítulo. Dice Isaías: *"Y pasarán por la tierra fatigados y hambrientos, y acontecerá que teniendo hambre, se enojarán y maldecirán a su rey y a su Dios, levantando el rostro en alto. Y mirarán a la tierra, y he aquí tribulación y tinieblas, oscuridad y angustia; y serán sumidos en las tinieblas." Isaías 8:21-22*

Como vemos, esto es, justamente, lo que anuncia el tercer sello mediante el caballo negro. Sin embargo, el significado de este sello aún va más allá, dado que el hambre que presagia no tiene que ver solo con el alimento material sino también con el espiritual. Dios, a través del profeta Amós, dijo: *"He aquí vienen días, dice Jehová el Señor, en los cuales enviaré hambre a la tierra, no hambre de pan, ni sed de agua, sino de oír la palabra de Jehová. E irán errantes de mar a mar; desde el norte hasta el oriente discurrirán buscando palabra de Jehová, y no la hallarán." Amós 8:11-12*

Por esto, el hambre que presagia este sello, también llegará en sentido espiritual. En este sentido, podemos ver que el trigo y la cebada son los insumos básicos del pan, símbolo de la Palabra de Dios. Ahora, ¿por qué escasearía la Palabra de Dios? ¿Cómo podría darse esto? Si leemos el contexto de estas palabras, encontraremos una certera explicación. Tres capítulos antes, Amós, describiendo los juicios de Dios sobre las naciones y sobre la impía ciudad de Jerusalén, registró las siguientes palabras de Dios: *"Qué aflicción les espera a ustedes que dicen: «¡Si tan solo hoy fuera el día del Señor!». No tienen la menor idea de lo que desean. Ese día no traerá luz sino oscuridad." Amós 5:18 NTV*

Lo cual nos pone en contexto, dado que, tal como hemos estudiado, Apocalipsis trata sobre lo que sucederá 'en el día del Señor' (Ap 1:10). Ahora, ¿a quienes se refiere cuando dice 'ustedes'?. Más adelante lo aclara, diciendo: *"¡Qué aflicción les espera a ustedes que están a sus anchas en medio de lujos en Jerusalén, y a ustedes que se sienten seguros en Samaria! Son famosos y conocidos en Israel, y la gente acude a ustedes en busca de ayuda [una clara alusión al liderazgo del pueblo de Dios]. Pero vayan a Calne y vean lo que ocurrió allí. Vayan luego a la gran ciudad de Hamat y desciendan a la ciudad filistea de Gat. Ustedes no son mejores que ellos y miren cómo fueron destruidos. No quieren pensar en el desastre que viene, pero sus acciones solo acercan más el día del juicio. Qué terrible será para ustedes que se dejan caer en camas de marfil y están a sus anchas en sus sillones, comiendo corderos tiernos del rebaño y becerros selectos engordados en el establo. Entonan canciones frívolas al son del arpa y se creen músicos tan magníficos como David. Beben vino en tazones llenos y se perfuman con lociones fragantes. No les importa la ruina de su nación. Por lo tanto, ustedes serán los primeros en ser llevados cautivos. De repente se acabarán todas sus fiestas. El Señor Soberano ha jurado por su propio nombre y esto es lo que dice el Señor de los Ejércitos Celestiales: «Desprecio la arrogancia de Israel y odio sus fortalezas." Amós 6:1-8 NTV*

Como vemos, Cristo le habla a aquellos dirigentes de su pueblo que profesan 'esperar con ansias la venida de Jesús', mientras que en su vida cotidiana manifiestan un total desprecio por ella... y les dice, 'ustedes serán los primeros que caerán'. En palabras del mensaje a Laodicea, *'los vomitaré de mi boca porque se creen orgullosamente ricos siendo unos pobres miserables, desprovistos de mi gracia' (Ap 3:14-22).*

En este contexto, Cristo anuncia el zarandeo de su pueblo, diciendo: *"Entregaré esta ciudad a sus enemigos junto con todo lo que hay en ella». Si quedan diez hombres en una casa, todos morirán. Luego, cuando el pariente responsable de deshacerse de los muertos entre en la casa para llevarse los cuerpos, le preguntará al último sobreviviente: «¿Está alguien más contigo?». Entonces, cuando la persona comience a jurar: «No, por. . .», lo interrumpirá y dirá: «¡Cállate! Ni siquiera menciones el nombre del Señor» [o, como dice la versión Reina Valera 1960, "Calla, porque no podemos mencionar el nombre de Jehová"]." Amós 6:8-10 NTV*

Por esto es que escaseará la palabra de Dios. Porque su profeso, pero pecador, pueblo será entregado en manos del enemigo para ser zarandeado, a tal punto que nadie se atreverá, ni siquiera, a mencionar el nombre de Dios. ¡Descripción gráfica de la desolación a la cual será entregado! Y recién luego de la desolación de su pueblo, con los pocos que queden en pie, Dios reconstruirá su iglesia y la dará por luz a las naciones. Dice: *"He aquí los ojos de Jehová el Señor están contra el reino pecador, y yo lo asolaré de la faz de la tierra; mas no destruiré del todo la casa de Jacob, dice Jehová. Porque he aquí yo mandaré y haré que la casa de Israel sea zarandeada entre todas las naciones, como se zarandea el grano en una criba, y no cae un granito en la tierra. A espada morirán todos los pecadores de mi pueblo, que dicen: No se acercará, ni nos alcanzará el mal. En aquel día yo levantaré el tabernáculo caído de David, y cerraré sus portillos y levantaré sus ruinas, y lo edificaré como en el tiempo pasado; para que aquellos sobre los cuales es invocado mi nombre posean el resto de Edom, y a todas las naciones, dice Jehová que hace esto." Amós 9:8-12*

¿Te das cuenta? Jehová es el que 'hace esto', dice... Por esto, quien comanda al caballo negro, es Cristo. Ahora, ¿de qué manera Cristo 'entregaría la ciudad a sus enemigos para que sea desolada'? Podríamos resumir lo que sucederá con la iglesia de Dios en aquellas palabras que Jesús le dijo a Pedro: *"he aquí Satanás os ha pedido para zarandearos como a trigo; pero yo he rogado por ti, que tu fe no falte; y tú, una vez vuelto, confirma a tus hermanos." Lucas 22:31-32*

Ahora, consideremos algo más. Al principio comentamos que la balanza representa el juicio de Dios —en base a aquella escena en la que Babilonia, en cabeza de Belsasar, había sido pesada en balanza y hallada falta—. Más adelante, aclaramos que la balanza también estaba relacionada con la escasez de alimento, sobre todo en sentido espiritual. Ahora, cuando vamos a ver la causa de tal hambre, encontramos que es porque Cristo ha pesado en su balanza a su pueblo y lo ha hallado falto… con lo cual, aquella aparente dicotomía que existía entre un símbolo que apuntaba a juicio y al mismo tiempo al hambre, se resuelve y se funde en una sola explicación de lo que sucederá. ¿No te explota la cabeza? A mí sí.

Ahora, este sello no termina aquí, dado que, al concluir, dice: *"pero no dañes el aceite ni el vino." (Ap 6:6)*. El aceite, en la Biblia, es símbolo del Espíritu Santo (1 Samuel 16:13, Éxodo 29:7, Lucas 4:18, 1 Juan 2:27), y el vino —o jugo de uva— lo es de la preciosa sangre expiatoria de Jesús (Mateo 26:26-30, Lucas 22:15-20, 1 Corintios 11:23-25). Por lo cual, si el mandato que sale de en medio del trono, es decir, desde la presencia de Dios, dice: *'no dañes el aceite y el vino',* quiere decir que estos sucesos no afectarían la obra de intercesión; tanto del Espíritu Santo sobre el corazón de las personas como de la sangre de Cristo ante el trono de Dios.

De hecho, que la voz salga de en medio del trono, indica que Cristo no ha salido aún de la presencia del Padre, clara indicación de que continúa realizando su obra de intercesión. Lo cual es congruente con todo lo que hemos analizado, dado que no se describe total inexistencia de alimento, sino que deberás entregar todo lo que tengas para adquirirlo.

En síntesis, lo que anuncia el tercer sello es una inmensa escasez y racionalización tanto del alimento material como del espiritual —que se producirá a consecuencia de la quita de la paz de la tierra—, en un tiempo en el que, aunque Dios estará juzgando las acciones de los hombres, la intercesión tanto del Espíritu Santo —en el corazón de las personas— como de la sangre de Cristo —ante el Padre— aún continuará activa.

Cuarto sello: caballo amarillo

¿Qué vendrá después? Apocalipsis dice: *"Cuando [el cordero] abrió el cuarto sello, oí la voz del cuarto ser viviente, que decía: Ven y mira. Miré, y he aquí un caballo amarillo, y el que lo montaba tenía por nombre Muerte, y el Hades le seguía; y le fue dada potestad sobre la cuarta parte de la tierra, para matar con espada, con hambre, con mortandad, y con las fieras de la tierra."* Apocalipsis 6:7-8

Creo que, a esta altura, estarás diciendo… 'puede ser que Cristo esté representado por el jinete del caballo blanco, aún acepto que sea él quien comande la quita de la paz de la tierra −montando el caballo rojo−, y aún juzgue el mundo −comandando el caballo negro−, pero ¿será que podía asociarse con Cristo aquel jinete que tiene por nombre muerte? ¿Será que a él se le dará potestad sobre la cuarta parte de la tierra para matar con espada, con hambre, con pestes y aún con las fieras de la tierra?'

Consideremos algunos pasajes bíblicos. En Ezequiel, hablando de la destrucción que vendría sobre Jerusalén, dice: *"Así ha dicho Jehová el Señor: Esta es Jerusalén; la puse en medio de las naciones y de las tierras alrededor de ella. Y ella cambió mis decretos y mis ordenanzas en impiedad más que las naciones, y más que las tierras que están alrededor de ella; porque desecharon mis decretos y mis mandamientos, y no anduvieron en ellos. Por tanto, así ha dicho Jehová: ¿Por haberos multiplicado más que las naciones que están alrededor de vosotros, no habéis andado en mis mandamientos, ni habéis guardado mis leyes? Ni aun según las leyes de las naciones que están alrededor de vosotros habéis andado. Así, pues, ha dicho Jehová el Señor: He aquí yo estoy contra ti; sí, yo, y haré juicios en medio de ti ante los ojos de las naciones. Y haré en ti lo que nunca hice, ni jamás haré cosa semejante, a causa de todas tus abominaciones. Por eso los padres comerán a los hijos en medio de ti, y los hijos comerán a sus padres; y haré en ti juicios, y esparciré a todos los vientos todo lo que quedare de ti. Por tanto, vivo yo, dice Jehová el Señor, ciertamente por haber profanado mi santuario con todas tus abominaciones, te quebrantaré yo también; mi ojo no perdonará, ni tampoco tendré yo misericordia. Una tercera parte de ti morirá de pestilencia y será consumida de hambre en medio de ti; y una tercera parte caerá a espada alrededor de ti; y una tercera parte esparciré a todos los vientos, y tras ellos desenvainaré espada. Y se cumplirá mi furor y saciaré en ellos mi enojo, y tomaré satisfacción; y sabrán que yo Jehová he hablado en mi celo, cuando cumpla en ellos mi enojo. Y te convertiré en soledad y en oprobio entre las naciones que están alrededor de ti, a los ojos de todo transeúnte. Y serás oprobio y escarnio y escarmiento y espanto a las naciones que están alrededor de ti, cuando yo haga en ti juicios con furor e indignación, y en represiones de ira. Yo Jehová he hablado. Cuando arroje yo sobre ellos las perniciosas saetas del hambre, que serán para destrucción, las cuales enviaré para destruiros, entonces aumentaré el hambre sobre vosotros, y quebrantaré entre vosotros el sustento del pan. Enviaré, pues, sobre vosotros hambre, y bestias feroces que te destruyan; y pestilencia y sangre pasarán por en medio de ti, y enviaré sobre ti espada. Yo Jehová he hablado." Ezequiel 5:5-17*

Cuando Ezequiel recibe esta profecía se encontraba cautivo en Babilonia, durante el quinto año de la cautividad de Joaquín, rey de Jerusalén; en el duodécimo año del reinado de Nabucodonosor, rey de Babilonia; esto es, unos 594 años a.C. Las 10 tribus del reino de Israel habían sido destruidas unos 126 años antes por Asiria. Por lo que esta profecía alcanzó un primer cumplimiento en la destrucción de Jerusalén ordenada por Nabucodonosor en el decimonoveno año de su reinado.

Sin embargo, no acabó allí, dado que también anticipó lo que sucedió en la segunda destrucción de Jerusalén, efectuada por los romanos en el año 70 d.C.[94]

---

94   Elena de White escribió: "Espantosas fueron las calamidades que sufrió Jerusalén cuando el sitio se reanudó bajo el mando de Tito. La ciudad fue sitiada en el momento de la Pascua, cuando millones de judíos se hallaban reunidos dentro de sus muros. Los depósitos de provisiones que, de haber sido conservados, hubieran podido abastecer a toda la población por varios años, habían sido destruidos a consecuencia de la rivalidad y de las represalias de las facciones en lucha, y pronto los vecinos de Jerusalén empezaron a sucumbir a los horrores del hambre. Una medida de trigo se vendía por un talento. Tan atroz era el hambre, que los hombres roían el cuero de sus cintos, sus sandalias y las cubiertas de sus escudos. Muchos salían durante la noche para recoger las plantas silvestres que crecían fuera de los muros, a pesar de que muchos de ellos eran aprehendidos y muertos por crueles torturas, y a menudo los que lograban escapar eran despojados de aquello que habían conseguido aun con riesgo de la vida. Los que estaban en el poder imponían los castigos más infamantes para obligar a los necesitados a entregar los últimos restos de provisiones que guardaban escondidos; y tamañas atrocidades eran perpetradas muchas veces por gente bien alimentada que solo deseaba almacenar provisiones para más tarde. Millares murieron a consecuencia del hambre y la pestilencia. Los afectos naturales parecían haber desaparecido: los esposos se arrebataban unos a otros los alimentos; los hijos quitaban a sus ancianos padres la comida que se llevaban a la boca, y la pregunta del profeta: "¿Se olvidará acaso la mujer de su niño mamante?" recibió respuesta en el interior de los muros de la desgraciada ciudad, tal como la diera la Santa Escritura: "Las misericordiosas manos de las mujeres cuecen a sus mismos hijos! ¡Estos les sirven de comida en el quebranto de la hija de mi pueblo!" Isaías 49:15; Lamentaciones 4:10 (VM)." CS 30

Ahora, el cumplimiento más acabado de esta profecía no se encuentra en el pasado, sino en el futuro. De hecho, este texto de Ezequiel, que acabamos de considerar, fue escrito en el contexto de las visiones apocalípticas que tuvo este profeta cuando, a semejanza de lo que ocurre en Apocalipsis 4, se le mostró la gloria de Dios, rodeado por sus cuatro querubines.

Por lo cual, entendemos, es una profecía que aplica, de manera tipológica, a nuestros días. Más adelante, este mismo profeta, escribió: *"Vino a mí palabra de Jehová, diciendo: Hijo de hombre, cuando la tierra pecare contra mí rebelándose pérfidamente, y extendiere yo mi mano sobre ella, y le quebrantare el sustento del pan, y enviare en ella hambre… si hiciere pasar bestias feroces por la tierra… si yo trajere espada sobre la tierra… O si enviare pestilencia sobre esa tierra y derramare mi ira sobre ella en sangre, para cortar de ella hombres y bestias, y estuviesen en medio de ella Noé, Daniel y Job, vivo yo, dice Jehová el Señor, no librarían a hijo ni a hija; ellos por su justicia librarían solamente sus propias vidas… Por lo cual así ha dicho Jehová el Señor: ¿Cuánto más cuando yo enviare contra Jerusalén mis cuatro juicios terribles, espada, hambre, fieras y pestilencia, para cortar de ella hombres y bestias? Sin embargo, he aquí quedará en ella un remanente, hijos e hijas, que serán llevados fuera; he aquí que ellos vendrán a vosotros, y veréis su camino y sus hechos, y seréis consolados del mal que hice venir sobre Jerusalén, de todas las cosas que traje sobre ella. Y os consolarán cuando viereis su camino y sus hechos, y conoceréis que no sin causa hice todo lo que he hecho en ella, dice Jehová el Señor." Ezequiel 14:12-23*

A través de este pasaje, podemos comprender no solamente que es Dios quien enviará estos cuatro juicios terribles, sino también que la destrucción de Jerusalén obra como maqueta de la que Dios enviará sobre el mundo de los últimos días.

Claramente, el pasaje dice que Dios enviaría estos cuatro juicios *'cuando la tierra pecare contra él, rebelándose pérfidamente' (Ez 14:13)*, y Juan, al escribir el Apocalipsis, más de 20 años después de la destrucción de Jerusalén, nombra justamente estos mismos cuatro juicios: *'espada, hambre, mortandad (o pestilencias) y fieras de la tierra' (Ap 6:8)*.

Si le consultamos a Jesús, justamente en relación a aquella pregunta que vincula la destrucción de Jerusalén con las señales del fin del mundo, el dijo: *"Porque se levantará nación contra nación, y reino contra reino [lo cual es simbolizado por la 'espada']; y habrá pestes, y hambres, y terremotos en diferentes lugares. Y todo esto será principio de dolores." Mateo 24:7-8* [95]

Todo lo cual nos lleva a concluir que el cuarto sello trata acerca de la destrucción que caerá sobre las ciudades del mundo, a causa de su pérfida rebelión contra Dios.

Ahora, ¿cómo es que sucederá? Hemos comprobado que Dios enviará sus cuatro juicios terribles, pero ¿quien los ejecutará? Cristo responde: *"yo pelearé contra quienes peleen contigo, y salvaré a tus hijos. Alimentaré a tus enemigos con su propia carne y se embriagarán con ríos de su propia sangre. Todo el mundo sabrá que yo, el Señor, soy tu Salvador y tu Redentor; el Poderoso de Israel»." Isaías 49:25-26 NTV*

Con lo cual podemos entender que, aunque Cristo es quien comandará el desarrollo de esta terrible etapa de la gran angustia que vendrá sobre nosotros, habiendo incluso encomendado a uno de sus cuatro querubines para que le ayude en esta tarea, su misión será salvar a sus hijos, entregando al ejército enemigo a la confusión para que se auto destruya, tal como vez tras vez lo hizo con las naciones que peleaban contra su antiguo pueblo de Israel. Destrucción que será enviada por Dios, pero, en muchos casos, ejecutada por el enemigo.[96]

---

95   En el primer capítulo de El Conflicto de los Siglos –el cual trata acerca de la destrucción de Jerusalén en el año 70, pero se titula: 'El destino del mundo predicho'–, Elena de White escribió: "Cristo vio en Jerusalén un símbolo del mundo endurecido en la incredulidad y rebelión que corría presuroso a recibir el pago de la justicia de Dios." CS 22

Los discípulos creyeron que la destrucción de Jerusalén coincidiría con los sucesos de la venida personal de Cristo… y por eso al oírle predecir los juicios que amenazaban a Jerusalén, se figuraron que ambas cosas sucederían al mismo tiempo y, al reunirse en derredor del Señor en el Monte de los Olivos, le preguntaron: "¿Cuándo serán estas cosas, y qué señal habrá de tu venida, y del fin del mundo?" Mateo 24:3…" "Cristo les dio un bosquejo de los sucesos culminantes que habrían de desarrollarse antes de la consumación de los tiempos…" "La profecía del Señor entrañaba un doble significado: al par que anunciaba la ruina de Jerusalén presagiaba también los horrores del gran día final." CS 24-25

96   Elena de White explica: "Satanás obra asimismo por medio de los elementos para cosechar muchedumbres de almas aún no preparadas. Tiene estudiados los secretos de los laboratorios de la naturaleza y emplea todo su poder para dirigir los elementos en cuanto Dios se lo permita. Cuando se le dejó que afligiera a Job, ¡cuán prestamente fueron destruidos rebaños, ganado, sirvientes, casas e hijos, en una serie de desgracias, obra de un momento! Es Dios quien protege a sus criaturas

Ahora, ¿que entendemos en relación a que *'le fue dada potestad sobre la cuarta parte de la tierra, para matar con espada, con hambre, con mortandad, y con las fieras de la tierra' (Ap 6:8)?*

Si analizamos la forma en que Dios se ha comportado en el pasado, podremos obtener vislumbres de cómo lo hará en el futuro. En este sentido, hemos visto que la destrucción de Jerusalén anuncia lo que su-

---

y las guarda del poder del destructor. Pero el mundo cristiano ha manifestado su menosprecio de la ley de Jehová, y el Señor hará exactamente lo que declaró que haría: alejará sus bendiciones de la tierra y retirará su cuidado protector de sobre los que se rebelan contra su ley y que enseñan y obligan a los demás a hacer lo mismo. Satanás ejerce dominio sobre todos aquellos a quienes Dios no guarda en forma especial. Favorecerá y hará prosperar a algunos para obtener sus fines, y atraerá desgracias sobre otros, al mismo tiempo que hará creer a los hombres que es Dios quien los aflige.

Al par que se hace pasar ante los hijos de los hombres como un gran médico que puede curar todas sus enfermedades, Satanás producirá enfermedades y desastres al punto que ciudades populosas sean reducidas a ruinas y desolación. Ahora mismo está obrando. Ejerce su poder en todos los lugares y bajo mil formas: en las desgracias y calamidades de mar y tierra, en las grandes conflagraciones, en los tremendos huracanes y en las terribles tempestades de granizo, en las inundaciones, en los ciclones, en las mareas extraordinarias y en los terremotos. Destruye las mieses casi maduras y a ello siguen la hambruna y la angustia; propaga por el aire emanaciones mefíticas y miles de seres perecen en la pestilencia. Estas plagas irán menudeando más y más y se harán más y más desastrosas. La destrucción caerá sobre hombres y animales. "La tierra se pone de luto y se marchita", "desfallece la gente encumbrada de la tierra. La tierra también es profanada bajo sus habitantes; porque traspasaron la ley, cambiaron el estatuto, y quebrantaron el pacto eterno". Isaías 24:4, 5 (VM).

Y luego el gran engañador persuadirá a los hombres de que son los que sirven a Dios los que causan esos males. La parte de la humanidad que haya provocado el desagrado de Dios lo cargará a la cuenta de aquellos cuya obediencia a los mandamientos divinos es una reconvención perpetua para los transgresores. Se declarará que los hombres ofenden a Dios al violar el descanso del domingo; que este pecado ha atraído calamidades que no concluirán hasta que la observancia del domingo no sea estrictamente obligatoria; y que los que proclaman la vigencia del cuarto mandamiento, haciendo con ello que se pierda el respeto debido al domingo y rechazando el favor divino, turban al pueblo y alejan la prosperidad temporal. Y así se repetirá la acusación hecha antiguamente al siervo de Dios y por motivos de la misma índole: "Y sucedió, luego que Acab vio a Elías, que le dijo Acab: ¿Estás tú aquí, perturbador de Israel? A lo que respondió: No he perturbado yo a Israel, sino tú y la casa de tu padre, por haber dejado los mandamientos de Jehová, y haber seguido a los baales". 1 Reyes 18:17, 18 (VM). Cuando con falsos cargos se haya despertado la ira del pueblo, este seguirá con los embajadores de Dios una conducta muy parecida a la que siguió el apóstata Israel con Elías." CS 575-576

cederá con el mundo en el fin del tiempo. Ahora, nos preguntamos ¿a quién representa Jerusalén, en nuestros días? Evidentemente, a aquellos que, portando el nombre de Cristo, se comportan peor que sus vecinos.

Por lo cual, entendemos que Jerusalén representa al mundo cristiano que, habiendo también sido puesto por Dios en medio de las naciones de nuestros días (Ez 5:5), ha cambiado la justicia de Dios por impiedad, más que las naciones de su alrededor, desechando los mandamientos de Dios y no andando en ellos (Ez 5:6). Por esto Dios está airado contra estas naciones, llamadas 'cristianas', y hará en ellas lo que jamás hizo, a causa de todas sus abominaciones. (Ez 5:8).

En este sentido, si tenemos en cuenta que, de los ocho mil millones de personas que habitan nuestro mundo, algo más de dos mil millones se dicen cristianas, no sería de extrañar que los juicios de Dios comiencen por las principales ciudades en que habita esta cuarta parte de la población mundial, porque a Cristo se le habrá dado, en primer lugar, poder sobre aquellos que llevan su nombre para que los limpie de toda maldad.

En este sentido, nos llama la atención que Ezequiel dice que quedaría un 'remanente, que serían llevados fuera' a fin de salvarlos de la destrucción, los cuales luego 'vendrían tras el resto'. Dice: *"Sin embargo, he aquí quedará en ella un remanente, hijos e hijas, que serán llevados fuera; he aquí que ellos vendrán a vosotros, y veréis su camino y sus hechos, y seréis consolados del mal que hice venir sobre Jerusalén, de todas las cosas que traje sobre ella." Ezequiel 14:22*

Entendemos que esto se cumplió, en relación a la destrucción de Jerusalén, con aquellos cristianos que, obedeciendo las palabras de Jesús, salieron de sus ciudades para evitar ser destruidos junto con los malvados. Jesús dijo: *"Pero cuando viereis a Jerusalén rodeada de ejércitos, sabed entonces que su destrucción ha llegado. Entonces los que estén en Judea, huyan a los montes; y los que en medio de ella, váyanse; y los que estén en los campos, no entren en ella. Porque estos son días de retribución, para que se cumplan todas las cosas que están escritas. Mas ¡ay de las que estén encintas, y de las que críen en aquellos días! porque habrá gran calamidad en la tierra, e ira sobre este pueblo." Lucas 21:20-23*

Ahora, como hemos estudiado, estas palabras también se aplican a nosotros. Por esto, para ser librados de los cuatro juicios terribles que caerán sobre las ciudades, el pueblo fiel de Dios debe salir de ellas antes de que sea demasiado tarde.

En este mismo contexto, Mateo registró las siguientes palabras de Jesús: *"Por tanto, cuando veáis en el lugar santo la abominación desoladora de que habló el profeta Daniel (el que lee, entienda), entonces los que estén en Judea, huyan a los montes. El que esté en la azotea, no descienda para tomar algo de su casa; y el que esté en el campo, no vuelva atrás para tomar su capa. Mas ¡ay de las que estén encintas, y de las que críen en aquellos días! Orad, pues, que vuestra huida no sea en invierno ni en día de reposo; porque habrá entonces gran tribulación, cual no la ha habido desde el principio del mundo hasta ahora, ni la habrá." Mateo 24:15-21*[97]

La abominación desoladora –que, tal como comprobaremos en nuestro análisis de Apocalipsis 13, hace alusión a una ley de descanso dominical obligatorio que saldrá desde los Estados Unidos hacia el mundo entero–, es entonces, aquella gran señal que los cristianos tienen como límite máximo para salir de las grandes ciudades, en busca de hogares retraídos entre las montañas.

En este sentido, Apocalipsis dice: *"Y se le dieron a la mujer las dos alas de la gran águila, para que volase de delante de la serpiente al desierto, a su lugar, donde es sustentada por un tiempo, y tiempos, y la mitad de un tiempo." Apocalipsis 12:14*

Se le dieron a la mujer ¿las dos alas de quién? De la gran águila. ¿De qué gran águila? Si prestamos atención, el aspecto de aquel cuarto ser viviente que presenta este caballo amarillo, era 'semejante a un águila volando'. Dice: *"El primer ser viviente era semejante a un león; el segundo era semejante a un becerro; el tercero tenía rostro como de hombre; y el cuarto [el que habla cuando Cristo abre este sello] era semejante a un águila volando." Apocalipsis 4:7*

Por lo cual, creemos que, una de las funciones de este ser viviente, en medio de la inmensa angustia que presenta este sello, es la de asistir a

---

97 Elena de White, comentando en relación a esto, dijo: "No es ahora tiempo para que el pueblo de Dios fije sus afectos o se haga tesoros en el mundo. No está lejano el tiempo en que, como los primeros discípulos, seremos obligados a buscar refugio en lugares desolados y solitarios. Así como el sitio de Jerusalén por los ejércitos romanos fue la señal para que huyesen los cristianos de Judea, así la asunción de poder por parte de nuestra nación [los Estados Unidos], con el decreto que imponga el día de descanso papal, será para nosotros una amonestación. Entonces será tiempo de abandonar las grandes ciudades, y prepararnos para abandonar las menores en busca de hogares retraídos en lugares apartados entre las montañas." 2JT 165

la iglesia fiel para que encuentre un lugar seguro, en sitios apartados de las grandes ciudades.[98]

Hasta aquí hemos visto el desenlace de los primeros cuatro sellos que, así como hemos explicado en la introducción del capítulo 3, constituyen un subgrupo dentro de la serie de siete sellos. En ellos, hemos visto explicadas las causas que desencadenarán el resto de los tres sellos que faltan abrir. En otras palabras, todo lo que se ha expuesto hasta aquí, a través de estos primeros cuatro sellos, será lo que dará motivo para los acontecimientos que transcurrirán de aquí en adelante.

Ahora, la tarea de los cuatro caballos no termina aquí. A ellos les fue encomendado recorrer la tierra realizando diferentes encargos por parte de nuestro Señor Jesús y ellos cumplirán con su cometido hasta la misma consumación del tiempo. ¿Qué quiere decir esto? Que tanto la conquista del mundo por parte de Cristo –representada por aquel caballo blanco–, como la quita de la paz de la tierra –del caballo rojo–, el juicio de Dios en circunstancias de escasez de alimentos físicos y espirituales –anunciadas por el caballo negro– y la muerte a consecuencia de hambre,

---

98 Elena de White escribió: "En el último gran conflicto de la controversia con Satanás, los que sean leales a Dios se verán privados de todo apoyo terrenal. Porque se niegan a violar su ley en obediencia a las potencias terrenales, se les prohibirá comprar o vender. Finalmente será decretado que se les dé muerte (Apocalipsis 13:11-17). Pero al obediente se le hace la promesa: "Habitará en las alturas: fortalezas de rocas serán su lugar de acogimiento; se le dará su pan, y sus aguas serán ciertas." (Isaías 33:16) Los hijos de Dios vivirán por esta promesa. Serán alimentados cuando la tierra esté asolada por el hambre. "No serán avergonzados en el mal tiempo; y en los días de hambre serán hartos." (Salmos 37:19) El profeta Habacuc previó este tiempo de angustia, y sus palabras expresan la fe de la iglesia: "Aunque la higuera no florecerá, ni en las vides habrá frutos; mentirá la obra de la oliva, y los labrados no darán mantenimiento, y las ovejas serán quitadas de la majada, y no habrá vacas en los corrales; con todo, yo me alegraré en Jehová, y me gozaré en el Dios de mi salud." (Habacuc 3:17,18)." DTG 97

"El Señor me ha mostrado repetidas veces que sería contrario a la Biblia el hacer cualquier provisión para nuestras necesidades temporales durante el tiempo de angustia. Vi que si los santos guardaran alimentos almacenados o en el campo en el tiempo de angustia, cuando hubiese en la tierra guerra, hambre y pestilencia, manos violentas se los arrebatarían y extraños segarían sus campos. Será entonces tiempo en que habremos de confiar por completo en Dios, y él nos sostendrá. Vi que nuestro pan y nuestras aguas nos estarán asegurados en aquel tiempo, y no sufriremos escasez ni hambre; porque Dios puede preparar mesa para nosotros en el desierto. Si fuese necesario, mandaría cuervos para que nos alimentasen, como alimentó a Elías, o haría bajar maná del cielo, como lo hizo en favor de los israelitas." PE 56

guerras, pestes y fieras de la tierra –representadas por el caballo amarillo–, continuará agravándose cada vez más hasta el fin, cuando sea consumada la ira de Dios.

Quinto sello: el clamor de los mártires

Ahora, ¿qué sucederá cuando Cristo desate el quinto sello? Apocalipsis dice: *"Cuando abrió el quinto sello, vi bajo el altar las almas de los que habían sido muertos por causa de la palabra de Dios y por el testimonio que tenían. Y clamaban a gran voz, diciendo: ¿Hasta cuándo, Señor, santo y verdadero, no juzgas y vengas nuestra sangre en los que moran en la tierra? Y se les dieron vestiduras blancas, y se les dijo que descansasen todavía un poco de tiempo, hasta que se completara el número de sus consiervos y sus hermanos, que también habían de ser muertos como ellos." Apocalipsis 6:9-11*

Como vemos, lo que anuncia este sello es la inmensa persecución que se realizará contra los verdaderos cristianos en el tiempo del fin, cuando muchos de ellos sean asesinados. Jesús, en su desarrollo de las señales que anunciarían su regreso –en aquel sermón escatológico de Mateo 24–, dijo: *"Porque se levantará nación contra nación, y reino contra reino; y habrá pestes, y hambres, y terremotos en diferentes lugares. Y todo esto será principio de dolores [hasta aquí, es lo que sucede con el cuarto caballo. Luego dice:]. Entonces os entregarán a tribulación, y os matarán, y seréis aborrecidos de todas las gentes por causa de mi nombre. Muchos tropezarán entonces, y se entregarán unos a otros, y unos a otros se aborrecerán… Mas el que persevere hasta el fin, éste será salvo." Mateo 24:7-13*

Lucas, registrando aquel mismo sermón de Jesús, escribió: *"Se levantará nación contra nación, y reino contra reino; y habrá grandes terremotos, y en diferentes lugares hambres y pestilencias; y habrá terror y grandes señales del cielo. Pero antes de todas estas cosas [es decir, de las señales en los cielos] os echarán mano, y os perseguirán, y os entregarán a las sinagogas y a las cárceles, y seréis llevados ante reyes y ante gobernadores por causa de mi nombre. Y esto os será ocasión para dar testimonio. Proponed en vuestros corazones no pensar antes cómo habéis de responder en vuestra defensa; porque yo os daré palabra y sabiduría, la cual no podrán resistir ni contradecir todos los que se opongan. Mas seréis entregados aun por vuestros padres, y hermanos, y parientes, y amigos; y matarán a algunos de vosotros; y seréis aborrecidos de todos por causa de mi nombre. Pero ni un cabello de vuestra cabeza perecerá. Con vuestra paciencia ganaréis vuestras almas." Lucas 21:10-19*

Apocalipsis, luego de describir el ejército de los santos –aquellos '144000' que siguen al Cordero por doquiera que va–, y de especificar cuál será su obra en la proclamación del mensaje de los tres ángeles, dice: *"Aquí está la paciencia de los santos, los que guardan los mandamientos de Dios y la fe de Jesús. Oí una voz que desde el cielo me decía: Escribe: Bienaventurados de aquí en adelante los muertos que mueren en el Señor. Sí, dice el Espíritu, descansarán de sus trabajos, porque sus obras con ellos siguen."* *Apocalipsis 14:12-13*

En consecuencia, Dios permitirá que su iglesia, una vez purificada, sea probada hasta el extremo, al punto de llegar a estar dispuesta a morir antes que negar a su salvador; y esto representa el clímax del gran conflicto final. Y es en este contexto, que su iglesia brillará por luz a las naciones y multitudes se convertirán. Jesús, en Mateo 24, continúa diciendo: *"Y será predicado este evangelio del reino en todo el mundo, para testimonio a todas las naciones; y entonces vendrá el fin."* *Mateo 24:14*[99]

Esto quiere decir que el fuerte pregón, representado por el ángel de Apocalipsis 18, se dará en un contexto de persecución y martirio de los hijos de Dios. Dice: *"Después de esto vi a otro ángel descender del cielo con gran poder; y la tierra fue alumbrada con su gloria. Y clamó con voz potente, diciendo: Ha caído, ha caído la gran Babilonia, y se ha hecho habitación de demonios y guarida de todo espíritu inmundo, y albergue de toda ave inmunda y aborrecible. Porque todas las naciones han bebido del vino del furor de su fornicación; y los reyes de la tierra han fornicado con ella, y los mercaderes de la tierra se han enriquecido de la potencia de sus deleites. Y oí otra voz del cielo, que decía: Salid de ella, pueblo mío, para que no seáis partícipes de sus pecados, ni recibáis parte de sus plagas; porque sus pecados han llegado hasta el cielo, y Dios se ha acordado de sus maldades."* *Apocalipsis 18:1-5*

En este sentido, y como demostraremos a lo largo de nuestro estudio, el 'vino del furor de su fornicación' que todas las naciones han de beber, hace alusión a las persecuciones anunciadas. Sin embargo, por gracia de Dios, una inmensa multitud de personas prestará atención a estas palabras y se volverán a Dios en el contexto de mayor persecución y oprobio

---

99   Elena de White escribió: "Cuando fue abierto el quinto sello, Juan el Revelador vio en visión debajo del altar al conjunto de los que habían sido muertos por la Palabra de Dios y por el testimonio de Jesucristo. Después de esto vinieron las escenas descritas en Apocalipsis dieciocho, cuando los que son fieles y leales son llamados a salir de Babilonia." 21LtMs, Ms 39, 1906, par. 3 / MSV 206

que jamás haya habido sobre la iglesia. Apocalipsis, luego de presentar el sellamiento de los '144000', describe esta inmensa multitud, diciendo: *"Estos son los que han salido de la gran tribulación, y han lavado sus ropas, y las han emblanquecido en la sangre del Cordero." Apocalipsis 7:14*

Y aquí se explica la necesidad de que Cristo permita –e incluso comande– la actividad de los cuatro caballos del Apocalipsis, e incluso, el martirio de su iglesia; porque sólo a través de todo esto es como Dios podrá cosechar una multitud de salvos que de otra manera continuarían adormecidos por el diablo hasta su eterna perdición. Pero una vez que se haya completado el número de los mártires y, podríamos agregar, hayan venido a sus pies la totalidad de aquellas personas cuyos nombres están registrados en el libro, Jesús extenderá su brazo y aplastará a su enemigo.

Por otro lado, es de destacar que solo en este contexto puede entenderse que se le den 'vestiduras blancas' a los mártires, dado que ellas son símbolos de que sus vidas han sido juzgadas y halladas dignas de la salvación de Dios.

Ahora, ¿en qué momento se producirá el martirio de la iglesia? Según entendemos, luego de la abominación desoladora, de la que hablaron Daniel y Jesús. Solo a partir de allí es que tendrá lugar el tiempo de 'angustia cual nunca fue'. Jesús dijo: *"Por tanto, cuando veáis en el lugar santo la abominación desoladora de que habló el profeta Daniel (el que lee, entienda), entonces los que estén en Judea, huyan a los montes… porque habrá entonces gran tribulación, cual no la ha habido desde el principio del mundo hasta ahora, ni la habrá. Y si aquellos días no fuesen acortados, nadie sería salvo; mas por causa de los escogidos, aquellos días serán acortados." Mateo 24:15-22* [100]

---

100 Elena de White, explica: "Por el decreto que imponga la institución del papado en violación a la ley de Dios, nuestra nación [los Estados Unidos] se separará completamente de la justicia. Cuando el protestantismo extienda la mano a través del abismo para asir la mano del poder romano, cuando se incline por encima del abismo para darse la mano con el espiritismo, cuando, bajo la influencia de esta triple unión, nuestro país repudie todo principio de su constitución como gobierno protestante y republicano, y haga provisión para la propagación de las mentiras y seducciones papales, entonces sabremos que ha llegado el tiempo en que se verá la asombrosa obra de Satanás, y que el fin está cerca. Como el acercamiento de los ejércitos romanos fue para los discípulos una señal de la inminente destrucción de Jerusalén, esta apostasía podrá ser para nosotros una señal de que se llegó al límite de la tolerancia de Dios, de que nuestra nación colmó la medida de su iniquidad, y de que el ángel de la misericordia está por emprender el vuelo para nunca volver. Los hijos de Dios se verán entonces sumidos en aquellas escenas de aflicción y angustia

Sexto sello: el día de la ira

Cuando se haya completado el número de los redimidos, y solo entonces, Jesús dará paso al siguiente sello. Dice: *"Miré cuando abrió el sexto sello, y he aquí hubo un gran terremoto; y el sol se puso negro como tela de cilicio, y la luna se volvió toda como sangre; y las estrellas del cielo cayeron sobre la tierra, como la higuera deja caer sus higos cuando es sacudida por un fuerte viento. Y el cielo se desvaneció como un pergamino que se enrolla; y todo monte y toda isla se removió de su lugar. Y los reyes de la tierra, y los grandes, los ricos, los capitanes, los poderosos, y todo siervo y todo libre, se escondieron en las cuevas y entre las peñas de los montes; y decían a los montes y a las peñas: Caed sobre nosotros, y escondednos del rostro de aquel que está sentado sobre el trono, y de la ira del Cordero; porque el gran día de su ira ha llegado; ¿y quién podrá sostenerse en pie?" Apocalipsis 6:12-17*

La descripción de los sucesos que describe este sello es bastante clara, y se entiende a primera lectura. Ahora, lo que debemos notar, es que estos terribles acontecimientos, que conmoverán la tierra y el cielo, están relacionados con 'el gran día de la ira de Dios', el cual tendrá lugar cuando el tiempo de gracia haya concluido.

Jesús, en su sermón escatológico, dijo: *"Y caerán a filo de espada, y serán llevados cautivos a todas las naciones [hasta aquí vemos el cumplimiento del sello anterior]; y Jerusalén será hollada por los gentiles, hasta que los tiempos de los gentiles se cumplan. "Entonces [es decir, luego de que haya concluido el tiempo asignado a los judíos y el tiempo asignado a los gentiles] habrá señales en el sol, en la luna y en las estrellas, y en la tierra angustia de las gentes, confundidas a causa del bramido del mar y de las olas; desfalleciendo los hombres por el temor y la expectación de las cosas que sobrevendrán en la tierra; porque las potencias de los cielos serán conmovidas. Entonces verán al Hijo del Hombre, que vendrá en una nube con poder y gran gloria." Lucas 21:24-27*

Mateo también registra esta misma idea, diciendo: *"E inmediatamente después de la tribulación de aquellos días, el sol se oscurecerá, y la luna no dará su resplandor, y las estrellas caerán del cielo, y las potencias de los cielos*

---

que los profetas describieron como el tiempo de angustia de Jacob. Ascienden al cielo los clamores de los fieles y perseguidos. Y como la sangre de Abel clamó desde el suelo, hay voces que claman a Dios desde la tumba de los mártires, desde los sepulcros del mar, desde las cuevas de las montañas, desde las bóvedas de los conventos: "¿Hasta cuándo, Señor, santo y verdadero, no juzgas y vengas nuestra sangre de los que moran en la tierra?" Apocalipsis 6:10." 2JT 151

serán conmovidas. Entonces aparecerá la señal del Hijo del Hombre en el cielo; y entonces lamentarán todas las tribus de la tierra, y verán al Hijo del Hombre viniendo sobre las nubes del cielo, con poder y gran gloria." Mateo 24:29-30

Claramente, el cumplimiento más acabado de todas estas señales –que ocurrirán en el sol, la luna y las estrellas, y en la tierra–, será verificado 'inmediatamente después de la tribulación de aquellos días', la cual, de acuerdo a Daniel 12:1, está inseparablemente unida al levantamiento de Miguel para liberar a su pueblo. Recordemos que este pasaje dice: *"En aquel tiempo se levantará Miguel, el gran príncipe que está de parte de los hijos de tu pueblo; y será tiempo de angustia, cual nunca fue desde que hubo gente hasta entonces; pero en aquel tiempo será libertado tu pueblo, todos los que se hallen escritos en el libro." Daniel 12:1*

Por esto, en el cumplimiento más específico de esta profecía, el tiempo del angustia que precede a estas señales astronómicas no está relacionado con las persecuciones de la edad media sino con el tiempo en el cual se levantará Miguel.[101]

---

101 No desconocemos aquellas pocas citas en las que Elena de White menciona al terremoto de Lisboa –ocurrido en 1755–, el 'inexplicable oscurecimiento de todo el cielo visible y la aparición de la luna como sangre en Nueva Inglaterra –en 1780–, e incluso la caída de estrellas sobre los Estados Unidos –en 1833–, como un 'cumplimiento sorprendente y pasmoso' de esta profecía. Sin embargo, jamás podría tratarse de su cumplimiento más acabado y final, dado que, de acuerdo a las propias palabras de Jesús –registradas en Mateo 24, Marcos 13 y Lucas 21–, las de Juan –registradas en Apocalipsis 6–, y las de Daniel 12:1, son acontecimientos que deben ocurrir después de aquella gran tribulación que ocurrirá en el contexto del levantamiento de Miguel.

Entonces, en un cumplimiento que podríamos llamar 'histórico', estas señales ocurrieron al final del período de 1260 años de persecución por parte del papado en la edad media, y llamaron la atención hacia el día en que comenzó el juicio investigativo sobre los muertos (es decir, el 22 de octubre de 1844). Sin embargo, entendemos que la apertura de este sello aún se encuentra en el futuro y sucederá en relación al contexto profético que hemos descrito.

En este sentido, Elena de White también escribió: "El 16 de diciembre de 1848, el Señor me dio una visión de la conmoción de las potestades del cielo. Vi que cuando el Señor dijo "cielo" al anunciar las señales indicadas por Mateo, Marcos y Lucas, quería decir el cielo, y cuando dijo "tierra" se refería a la tierra. Las potestades del cielo son el sol, la luna y las estrellas. Gobiernan en los cielos. Las potestades terrenas son las que gobiernan en la tierra. Las potestades del cielo se conmoverán a la voz de Dios. Entonces el sol, la luna y las estrellas se desquiciarán de su asiento. No se aniquilarán, sino que se conmoverán a la voz de Dios. Sobrevinieron som-

Ahora, pongamos atención a los eventos que implica este sello, en el orden en el que aparecen:

1. Se produce un gran terremoto, como primera gran señal de la apertura de este sello.

2. El sol se pone negro y la luna como sangre.

3. Las estrellas caen del cielo.

4. El cielo se desvanece como un pergamino que se enrolla.

5. Todo monte y toda isla se remueve de su lugar.

6. Los grandes de la tierra se aterran ante el rostro de Dios y la ira de Jesucristo, diciendo que ha llegado 'el día de la ira de Dios'.

En efecto, todos estos sucesos han sido repetidamente descritos en la Palabra de Dios como partes integrantes del gran día de la ira de Dios. Isaías dice: *"He aquí el día de Jehová viene, terrible, y de indignación y ardor de ira, para convertir la tierra en soledad, y raer de ella a sus pecadores. Por lo cual las estrellas de los cielos y sus luceros no darán su luz; y el sol se oscurecerá al nacer, y la luna no dará su resplandor. Y castigaré al mundo por su maldad, y a los impíos por su iniquidad; y haré que cese la arrogancia de los soberbios, y abatiré la altivez de los fuertes. Haré más precioso que el oro fino al varón, y más que el oro de Ofir al hombre. Porque haré estremecer los cielos, y la tierra se moverá de su lugar, en la indignación de Jehová de los ejércitos, y en el día del ardor de su ira." Isaías 13:9-13*

El profeta Joel, también dijo: *"Tocad trompeta en Sion, y dad alarma en mi santo monte; tiemblen todos los moradores de la tierra, porque viene el día de Jehová, porque está cercano. Día de tinieblas y de oscuridad, día de nube y*

___

brías y densas nubes que se entrechocaban unas con otras. La atmósfera se partió, arrollándose hacia atrás, y entonces pudimos ver en Orión un espacio abierto de donde salió la voz de Dios. Por aquel espacio abierto descenderá la santa ciudad de Dios. Vi que ahora se están conmoviendo las potestades de la tierra, y que los acontecimientos ocurren en orden. Guerras, rumores de guerra, espada, hambre y pestilencia conmueven primero las potestades de la tierra, y después la voz de Dios sacudirá el sol, la luna, las estrellas y también la tierra. Vi que la conmoción de las potencias europeas no es, como enseñan algunos, la conmoción de las potestades del cielo, sino la de las airadas naciones." PE 41

Para una mejor comprensión de los sucesos descritos en los últimos tres sellos, recomendamos leer los cinco capítulos finales del libro 'El Conflicto de los Siglos', de Elena de White, titulados: 'El mensaje final de Dios', 'El tiempo de Angustia', 'La liberación del pueblo de Dios', 'La desolación de la tierra' y 'El fin del conflicto'.

de sombra… Delante de él temblará la tierra, se estremecerán los cielos; el sol y la luna se oscurecerán, y las estrellas retraerán su resplandor. Y Jehová dará su orden delante de su ejército; porque muy grande es su campamento; fuerte es el que ejecuta su orden; porque grande es el día de Jehová, y muy terrible; ¿quién podrá soportarlo?" Joel 2:2-11

Más adelante, este mismo profeta Joel dice que todas estas señales vendrían luego del derramamiento del Espíritu de Dios, es decir, lo que se conoce como 'la lluvia tardía'. Dice: *"Y después de esto derramaré mi Espíritu sobre toda carne, y profetizarán vuestros hijos y vuestras hijas; vuestros ancianos soñarán sueños, y vuestros jóvenes verán visiones. Y también sobre los siervos y sobre las siervas derramaré mi Espíritu en aquellos días. Y daré prodigios en el cielo y en la tierra, sangre, y fuego, y columnas de humo. El sol se convertirá en tinieblas, y la luna en sangre, antes que venga el día grande y espantoso de Jehová." Joel 2:28-31[102]*

Razón por la cual, entendemos que cuando comiencen a ocurrir lo que se describe al inicio de este sello, las personas podrán comprender, de manera precisa e indubitable, que el tiempo de la gracia ha concluido y que Dios está próximo a derramar las copas de su ira. De hecho, la pregunta con que se concluye, diciendo *"el gran día de su ira ha llegado; ¿y quién podrá sostenerse en pie?" (Ap 6:17),* claramente indica que este sello representa el día de la ira de Dios.

---

102 Elena de White escribió: "Cuando termine el mensaje del tercer ángel la misericordia divina no intercederá más por los habitantes culpables de la tierra. El pueblo de Dios habrá cumplido su obra; habrá recibido "la lluvia tardía", el "refrigerio de la presencia del Señor", y estará preparado para la hora de prueba que le espera. Los ángeles se apuran, van y vienen de acá para allá en el cielo. Un ángel que regresa de la tierra anuncia que su obra está terminada; el mundo ha sido sometido a la prueba final, y todos los que han resultado fieles a los preceptos divinos han recibido "el sello del Dios vivo". Entonces Jesús dejará de interceder en el santuario celestial. Levantará sus manos y con gran voz dirá "Hecho es", y todas las huestes de los ángeles depositarán sus coronas mientras él anuncia en tono solemne: "¡El que es injusto, sea injusto aún; y el que es sucio, sea sucio aún; y el que es justo, sea justo aún; y el que es santo, sea aún santo!" Apocalipsis 22:11 (VM). Cada caso ha sido fallado para vida o para muerte. Cristo ha hecho propiciación por su pueblo y borrado sus pecados. El número de sus súbditos está completo; "el reino, y el señorío y la majestad de los reinos debajo de todo el cielo" van a ser dados a los herederos de la salvación y Jesús va a reinar como Rey de reyes y Señor de señores. Cuando él abandone el santuario, las tinieblas envolverán a los habitantes de la tierra. Durante ese tiempo terrible, los justos deben vivir sin intercesor, a la vista del santo Dios." CS 599

Séptimo sello: silencio en el cielo

Luego, Apocalipsis hace una especie de paréntesis para contestar esta pregunta, describiendo a los 144000 sellados y aquella gran multitud que nadie puede ver ni contar vestida de ropas blancas, tema que analizaremos en nuestro siguiente capítulo. El punto es que, para poder completar nuestro estudio sobre los sellos, tenemos que adelantarnos al capítulo 8, cuando dice: *"Cuando abrió el séptimo sello, se hizo silencio en el cielo como por media hora." Apocalipsis 8:1*

En nuestro entender, este sello describe lo que ocurre en el cielo en el momento de mayor tensión en la tierra, cuando los verdaderos hijos de Dios, dándose cuenta de que el tiempo de gracia ha concluido, viven el período de mayor angustia mental, conocido como 'la angustia de Jacob'. Así como Esaú, los impíos de todo el mundo buscan su muerte, promulgando incluso leyes que establecen día y hora en que cualquiera podrá matarlos. Sin embargo, su mayor preocupación será si han glorificado a Dios con sus vidas o, si debido a algún pecado no confesado, habrán deshonrado el nombre de Dios y serán objeto de su ira.

Allí, en el período de su mayor angustia, ellos se percibirán ante la vista del 'Santo, Santo, Santo' sin un intercesor que abogue por ellos, y así como Jacob, comienzan a luchar con un Dios que aparenta querer abandonarlos a la turba, a causa de sus antiguos pecados.[103]

---

103 Elena de White explica: "Los que honran la ley de Dios han sido acusados de atraer los castigos de Dios sobre la tierra, y se los mirará como si fueran causa de las terribles convulsiones de la naturaleza y de las luchas sangrientas entre los hombres, que llenarán la tierra de aflicción. El poder que acompañe la última amonestación enfurecerá a los malvados; su ira se ensañará contra todos los que hayan recibido el mensaje, y Satanás despertará el espíritu de odio y persecución en un grado de intensidad aún mayor.

Cuando la presencia de Dios se retiró de la nación judía, tanto los sacerdotes como el pueblo lo ignoraron. Aunque bajo el dominio de Satanás y arrastrados por las pasiones más horribles y malignas, creían ser todavía el pueblo escogido de Dios. Los servicios del templo seguían su curso; se ofrecían sacrificios en los altares profanados, y cada día se invocaba la bendición divina sobre un pueblo culpable de la sangre del Hijo amado de Dios y que trataba de matar a sus ministros y apóstoles. Así también, cuando la decisión irrevocable del santuario haya sido pronunciada y el destino del mundo haya sido determinado para siempre, los habitantes de la tierra no lo sabrán. Las formas de la religión seguirán en vigor entre las muchedumbres de en medio de las cuales el Espíritu de Dios se habrá retirado finalmente; y el celo satánico con el cual el príncipe del mal ha de inspirarlas para que cumplan sus crueles designios, se asemejará al celo por Dios.

Ahora, ¿por qué se dice que se hizo silencio 'como por media hora'? Entendemos que este plazo podría ser simbólico. Si hacemos la equivalencia día por año –de acuerdo a Ezequiel 4:6–, nos da siete días. El mismo período que pasó Noé y su familia dentro del arca, una vez que su puerta se cerró para los impíos: *"Dijo luego Jehová a Noé: Entra tú y toda tu casa en el arca; porque a ti he visto justo delante de mí en esta generación... Porque pasados aún siete días, yo haré llover sobre la tierra cuarenta días*

Una vez que el sábado llegue a ser el punto especial de controversia en toda la cristiandad y las autoridades religiosas y civiles se unan para imponer la observancia del domingo, la negativa persistente, por parte de una pequeña minoría, de ceder a la exigencia popular, la convertirá en objeto de execración universal. Se demandará con insistencia que no se tolere a los pocos que se oponen a una institución de la iglesia y a una ley del estado; pues vale más que esos pocos sufran y no que naciones enteras sean precipitadas a la confusión y anarquía. Este mismo argumento fue presentado contra Cristo hace mil ochocientos años por los "príncipes del pueblo". "Nos conviene–dijo el astuto Caifás–que un hombre muera por el pueblo, y no que toda la nación se pierda". Juan 11:50. Este argumento parecerá concluyente y finalmente se expedirá contra todos los que santifiquen el sábado un decreto que los declare merecedores de las penas más severas y autorice al pueblo para que, pasado cierto tiempo, los mate. El romanismo en el Viejo Mundo y el protestantismo apóstata en la América del Norte actuarán de la misma manera contra los que honren todos los preceptos divinos.

El pueblo de Dios se verá entonces sumido en las escenas de aflicción y angustia descritas por el profeta y llamadas el tiempo de la apretura de Jacob: "Porque así ha dicho Jehová: Hemos oído voz de temblor: espanto, y no paz [...], Hanse tornado pálidos todos los rostros. ¡Ah, cuán grande es aquel día! Tanto, que no hay otro semejante a él: tiempo de angustia para Jacob; mas de ella será librado". Jeremías 30:5-7." CS 600-601

"Mientras Satanás acusa al pueblo de Dios haciendo hincapié en sus pecados, el Señor le permite probarlos hasta el extremo… Su aflicción es grande, las llamas del horno parecen estar a punto de consumirlos; pero el Refinador los sacará como oro purificado por el fuego. El amor de Dios para con sus hijos durante el período de su prueba más dura es tan grande y tan tierno como en los días de su mayor prosperidad; pero necesitan pasar por el horno de fuego; debe consumirse su mundanalidad, para que la imagen de Cristo se refleje perfectamente." CS 604/605

"Ahora, mientras que nuestro gran Sumo Sacerdote está haciendo propiciación por nosotros, debemos tratar de llegar a la perfección en Cristo. Nuestro Salvador no pudo ser inducido a ceder a la tentación ni siquiera en pensamiento… Cristo declaró al hablar de sí mismo: "Viene el príncipe de este mundo; mas no tiene nada en mí". Juan 14:30. Satanás no pudo encontrar nada en el Hijo de Dios que le permitiese ganar la victoria. Cristo guardó los mandamientos de su Padre y no hubo en él ningún pecado de que Satanás pudiese sacar ventaja. Esta es la condición en que deben encontrarse los que han de poder subsistir en el tiempo de angustia." CS 607

y cuarenta noches; y raeré de sobre la faz de la tierra a todo ser viviente que hice." Génesis 7:1,4[104]

Por su parte, que se haga silencio indica que todo el cielo está expectante por lo que está aconteciendo en la tierra, y por esto 'no vuela ni una mosca'. De hecho, en cierto sentido, los redimidos de la última generación atravesarán por una angustia similar a la que sufrió Jesús en el Getsemaní, momento en el que también se hizo silencio en el cielo.[105]

En otras palabras, aquel terrible período representado por esta 'media hora' representa el clímax del gran conflicto en el tiempo del fin. Todo el cielo se estará preguntando ¿será que pasarán la prueba o cederán ante la angustia? La promesa a la cual su pueblo deberá aferrarse es: *"Por cuanto has guardado la palabra de mi paciencia, yo también te guardaré de la hora de la prueba que ha de venir sobre el mundo entero, para probar a los que moran sobre la tierra." Apocalipsis 3:10*[106]

---

104 Elena de White dijo: "Los justos y los impíos continuarán viviendo en la tierra en su estado mortal, los hombres seguirán plantando y edificando, comiendo y bebiendo, inconscientes todos ellos de que la decisión final e irrevocable ha sido pronunciada en el santuario celestial. Antes del diluvio, después que Noé, hubo entrado en el arca, Dios le encerró en ella, dejando fuera a los impíos; pero por espacio de siete días el pueblo, no sabiendo que su suerte estaba decidida continuó en su indiferente búsqueda de placeres y se mofó de las advertencias del juicio que le amenazaba. "Así—dice el Salvador—será también la venida del Hijo del hombre". Mateo 24:39. Inadvertida como ladrón a medianoche, llegará la hora decisiva que fija el destino de cada uno, cuando será retirado definitivamente el ofrecimiento de la gracia que se dirigiera a los culpables." CS 481

105 Elena de White afirma: "Dios sufrió con su Hijo. Los ángeles contemplaron la agonía del Salvador. Vieron a su Señor rodeado por las legiones de las fuerzas satánicas, y su naturaleza abrumada por un pavor misterioso que lo hacía estremecerse. Hubo silencio en el cielo. Ningún arpa vibraba. Si los mortales hubiesen percibido el asombro de la hueste angélica mientras en silencioso pesar veía al Padre retirar sus rayos de luz, amor y gloria de su Hijo amado, comprenderían mejor cuán odioso es a su vista el pecado. DTG 642

106 Elena de White explica: "Cuando los que honran la ley de Dios hayan sido privados de la protección de las leyes humanas, empezará en varios países un movimiento simultáneo para destruirlos. Conforme vaya acercándose el tiempo señalado en el decreto, el pueblo conspirará para extirpar la secta aborrecida. Se convendrá en dar una noche el golpe decisivo, que reducirá completamente al silencio la voz disidente y represora. El pueblo de Dios—algunos en las celdas de las cárceles, otros escondidos en ignorados escondrijos de bosques y montañas—invocan aún la protección divina, mientras que por todas partes compañías de hombres armados, instigados por legiones de ángeles malos, se disponen a emprender la obra de muerte.

Bajada a la realidad

Jesús, en la conclusión de su sermón escatológico, dijo: *"De la higuera aprended la parábola: Cuando ya su rama está tierna, y brotan las hojas, sabéis que el verano está cerca. Así también vosotros, cuando veáis todas estas cosas, conoced que está cerca, a las puertas. De cierto os digo, que no pasará esta generación hasta que todo esto acontezca. El cielo y la tierra pasarán, pero mis palabras no pasarán."* Mateo 24:32-35

En el momento que escribo estas líneas, me encuentro en Bolivia, son las 7pm del jueves 12 de enero de 2023. Si echo una mirada para atrás, veo cómo muchas de las cosas que hemos analizado en este capítulo se están desencadenando delante de mí. En la realidad del país en el que me encuentro, he podido ver una caída de un gobierno nacional a consecuencia de un levantamiento popular en 2019, tras 21 días de paro. Luego, un gobierno interino que en la actualidad es acusado de haber cometido un golpe de estado. El 2022 culminó con otros 36 días de paro indefinido y la captura del gobernador del departamento de Santa Cruz. Hoy gran parte de la población se encuentra convulsionada, se han

---

Entonces, en la hora de supremo apuro, es cuando el Dios de Israel intervendrá para librar a sus escogidos. El Señor dice: "Vosotros tendréis canción, como en noche en que se celebra pascua; y alegría de corazón, como el que va [...] al monte de Jehová, al Fuerte de Israel. Y Jehová hará oír su voz potente, y hará ver el descender de su brazo, con furor de rostro, y llama de fuego consumidor; con dispersión, con avenida, y piedra de granizo". Isaías 30:29, 30." CS 619

"Pronto se volvieron nuestros ojos hacia el oriente, donde había aparecido una nubecilla negra del tamaño de la mitad de la mano de un hombre, que era, según todos comprendían, la señal del Hijo del hombre. En solemne silencio, contemplábamos cómo iba acercándose la nubecilla, volviéndose cada vez más esplendorosa hasta que se convirtió en una gran nube blanca cuya parte inferior parecía fuego. Sobre la nube lucía el arco iris y en torno de ella aleteaban diez mil ángeles cantando un hermosísimo himno. En la nube estaba sentado el Hijo del hombre. Sus cabellos, blancos y rizados, le caían sobre los hombros; y llevaba muchas coronas en la cabeza. Sus pies parecían de fuego; en la mano derecha tenía una hoz aguda y en la izquierda llevaba una trompeta de plata. Sus ojos eran como llama de fuego, y escudriñaban de par en par a sus hijos. Palidecieron entonces todos los semblantes y se tornaron negros los de aquellos a quienes Dios había rechazado. Todos nosotros exclamamos: "¿Quién podrá permanecer? ¿Está mi vestidura sin manchas?" Después cesaron de cantar los ángeles, y por un rato quedó todo en pavoroso silencio cuando Jesús dijo: "Quienes tengan las manos limpias y puro el corazón podrán subsistir. Bástaos mi gracia." Al escuchar estas palabras, se iluminaron nuestros rostros y el gozo llenó todos los corazones. Los ángeles pulsaron una nota más alta y volvieron a cantar, mientras la nube se acercaba a la tierra." PE 15

quemado instituciones donde funcionaban Fiscalías de Estado, partes de la gobernación y otros edificios públicos, se cortan las vías de acceso a ciudades y se amenaza con no vender alimentos a otros departamentos.

Pero ésta no es la realidad solo de Bolivia. En Latinoamérica, la mayoría de los países están pasando por situaciones similares. Qué decir de Perú, que actualmente también se encuentra convulsionado, luego que el Presidente fuera aprehendido por intentar disolver al Congreso. Su sucesora es la sexta persona que ha jurado como Presidente desde el 2018. Chile también se encuentra con graves crisis de gobernabilidad, con levantamientos populares que parecían incontenibles y produjeron grandes destrozos. Qué decir de Brasil, días atrás partidarios del Presidente saliente tomaron las sedes del Poder Ejecutivo, Legislativo y Judicial, algo totalmente inusitado desde que tengo uso de razón. ¿Y de Estados Unidos y el asalto al Capitolio? ¿Y de Europa con el conflicto entre Rusia y Ucrania, que ha metido a todo occidente en medio y lo mantiene en vilo? China amenazando lo propio con Taiwán, y el tiempo no alcanzaría para seguir nombrando hechos fácticos que nos dan cuenta de que la tierra ha entrado en un período de pérdida de la paz.

En medio de todo esto, hemos sufrido una pandemia que aún no se ha revelado, a ciencia cierta, su origen. Lo que sí se ha podido comprobar es que ha sido hábilmente aprovechada por pocos y sufrida por muchos. Por otro lado, ha constituido la 'oportunidad perfecta' para introducir programas sanitarios asociados con sistemas de control poblacional basados en identidad digital e inteligencia artificial.

Actualmente, y desde los máximos organismos de poder, se trabaja en sistemas monetarios puramente digitales, en medio de amenazas de ataques cibernéticos con resultados que podrían ser devastadores –al punto de causar una especie de 'pandemia cibernética' que obligaría a un apagón total de todo sistema basado en Internet–. Ni qué decir de nuevas pestilencias que, según dicen estas mismas personas, podrían volver a producirse en el próximo futuro.

Surge la pregunta ¿será que ya estamos viviendo en el tiempo en el que Jesús, habiendo tomado el libro, ha comenzado a desatar sus sellos? Mi convicción personal es que sí, que nunca volveremos a la 'normalidad', sino que ya hemos entrado en el desenlace del fin. El tiempo dirá… pero, si esto es así, no hay nada que temer. *Es tiempo de levantar la cabeza, porque nuestra redención está cerca.' Lucas 21:28*

Para concluir, consideremos las palabras del profeta Habacuc quien, contemplando el accionar de Dios en los días del fin, realiza una extraordinaria síntesis de todo lo que ocurrirá. Dice: *"He oído todo acerca de ti, Señor. Estoy maravillado por tus hechos asombrosos. En este momento de profunda necesidad, ayúdanos otra vez como lo hiciste en el pasado. Y en tu enojo, recuerda tu misericordia.» ¡Veo a Dios cruzando el desierto de Edom, el Santo viene desde el monte Parán! Su brillante esplendor llena los cielos y la tierra se llena de su alabanza. Su llegada es tan radiante como la salida del sol. Rayos de luz salen de sus manos donde se esconde su imponente poder. La pestilencia marcha delante de él; la plaga lo sigue de cerca. Cuando él se detiene, la tierra se estremece. Cuando mira, las naciones tiemblan. Él derrumba las montañas perpetuas y arrasa las antiguas colinas. ¡Él es el Eterno! Veo al pueblo de Cusán en angustia y a la nación de Madián temblando de terror. »¿Estabas enojado, Señor, cuando golpeaste los ríos y dividiste el mar? ¿Estabas disgustado con ellos? ¡No! ¡Enviabas tus carros de salvación! [es decir, los cuatro caballos representan carros de salvación]. Blandiste tu arco y tu aljaba de flechas. Partiste la tierra con caudalosos ríos. Las montañas observaron y temblaron. Avanzaron las tempestuosas aguas. Las profundidades del mar rugieron levantando sus manos al Señor. El sol y la luna se detuvieron en el cielo cuando volaron tus radiantes flechas y brilló tu deslumbrante lanza. »Con enojo marchaste a través de la tierra y con furor pisoteaste las naciones. Saliste a rescatar a tu pueblo elegido, a salvar a tus ungidos. Aplastaste las cabezas de los perversos y descarnaste sus huesos de pies a cabeza. Con sus propias armas destruiste al jefe de los que se lanzaron como un torbellino, pensando que Israel sería presa fácil. Pisoteaste el mar [es decir, los pueblos, multitudes, naciones y lenguas] con tus caballos y las potentes aguas se amontonaron. »Al oír esto, me estremecí por dentro; mis labios temblaron de miedo. Se me doblaron las piernas, caí y temblé de terror. Esperaré en silencio el día venidero cuando la catástrofe golpee al pueblo invasor. Aunque las higueras no florezcan y no haya uvas en las vides, aunque se pierda la cosecha de oliva y los campos queden vacíos y no den fruto, aunque los rebaños mueran en los campos y los establos estén vacíos, ¡aun así me alegraré en el Señor! ¡Me gozaré en el Dios de mi salvación! ¡El Señor Soberano es mi fuerza! Él me da pie firme como al venado, capaz de pisar sobre las alturas"». Habacuc 3:2-19 NTV* [107]

---

107 Elena de White comenta: "En la Palabra de verdad se predice claramente la caída final de los reinos terrenales. En la profecía anunciada cuando Dios pronunció la sentencia contra el último rey de Israel, se da el mensaje: "Así ha dicho Jehová, el Señor: ¡Depón el turbante, quita la corona! [...] Sea exaltado lo bajo y humillado lo alto. ¡A ruina, a ruina, a ruina lo reduciré, y esto no será más, hasta que venga aquel a quien corresponde el derecho, y yo se lo entregaré!" (Ezequiel 21:26,27).

Repasa, ahora mismo, Apocalipsis 6, y comprueba como ya se ha abierto ante tus ojos.

La corona que se le quitó a Israel pasó sucesivamente a los reinos de Babilonia, Medo-Persia, Grecia y Roma. Dios dice: "Esto no será más, hasta que venga aquel a quien corresponde el derecho, y yo se lo entregaré". Ese tiempo está cerca. Las señales de los tiempos declaran hoy que estamos en el umbral de sucesos grandes y solemnes. Todo está en agitación en el mundo. Ante nuestra vista se cumple la profecía del Salvador referente a los sucesos que precederán a su venida: "Oiréis de guerras, y rumores de guerras [...]. Se levantará nación contra nación, y reino contra reino; y habrá pestes, y hambres, y terremotos en diferentes lugares" (Mateo 24:6,7). La época actual es de sumo interés para todos los vivientes. Los gobernantes y estadistas, los hombres que ocupan puestos de confianza y autoridad, los hombres y mujeres que piensan, de toda clase social tienen la atención fija en los sucesos que ocurren alrededor de nosotros. Observan las relaciones tirantes que mantienen las naciones. Observan la tensión que se está apoderando de todo elemento terrenal, y reconocen que está por ocurrir algo grande y decisivo, que el mundo está al borde de una gran crisis. En este mismo momento los ángeles están sosteniendo los vientos de contienda para que no soplen hasta que el mundo reciba la advertencia de su próxima condenación; pero se está preparando una tormenta; ya está lista para estallar sobre la tierra; y cuando Dios ordene a sus ángeles que suelten los vientos, habrá una escena tal de lucha, que ninguna pluma podrá describir. ED 161 / 162

"Estando en Loma Linda, California, el 16 de abril de 1906, pasó delante de mí una escena asombrosa. En una visión de la noche, yo estaba sobre una altura desde donde veía las casas sacudirse como el viento sacude los juncos. Los edificios, grandes y pequeños, se derrumbaban. Los sitios de recreo, los teatros, hoteles y palacios suntuosos eran conmovidos y derribados. Muchas vidas eran destruidas y los lamentos de los heridos y aterrorizados llenaban el espacio. Los ángeles destructores, enviados por Dios, estaban obrando. Un simple toque, y los edificios construidos tan sólidamente que los hombres los consideraban resguardados de todo peligro quedaban reducidos a un montón de escombros. Ninguna seguridad había en parte alguna. Personalmente, no me sentía en peligro, pero no puedo describir las escenas terribles que se desarrollaron ante mi vista. Era como si la paciencia de Dios se hubiese agotado y hubiese llegado el día del juicio. Entonces el ángel que estaba a mi lado me dijo que muy pocas personas se dan cuenta de la maldad que reina en el mundo hoy, especialmente en las grandes ciudades. Declaró que el Señor ha fijado un tiempo cuando su ira castigará a los transgresores por su persistente menoscabo de su ley. Aunque terrible, la escena que pasó ante mis ojos no me hizo tanta impresión como las instrucciones que recibí en esa ocasión. El ángel que estaba a mi lado declaró que la soberanía de Dios, el carácter sagrado de su ley, deben ser manifestados a los que rehúsan obstinadamente obedecer al Rey de reyes. Los que prefieran quedar infieles habrán de ser heridos por los juicios misericordiosos de Dios, a fin de que, si posible fuere, lleguen a percatarse de la culpabilidad de su conducta. 9TI 76

Capítulo 7
Los sellados

Como hemos visto en el análisis del capítulo anterior, Apocalipsis, luego de describir las terribles escenas que anunciarán el gran día de la ira de Dios, concluye diciendo: *"el gran día de su ira ha llegado; ¿y quién podrá sostenerse en pie?" Apocalipsis 6:17*

Por esto, en este capítulo, Apocalipsis responde inmediatamente esta pregunta, pero, para hacerlo, recapitula al momento inicial, es decir, al momento en que la tierra se encontraba en paz.

Los cuatro vientos del cielo

Dice: *"Después de esto vi a cuatro ángeles en pie sobre los cuatro ángulos de la tierra, que detenían los cuatro vientos de la tierra, para que no soplase viento alguno sobre la tierra, ni sobre el mar, ni sobre ningún árbol." Apocalipsis 7:1*

Como vemos, claramente la visión se retrotrae al momento en que la tierra se encontraba reposada y quieta, sin que ningún viento perturbador soplara sobre ella. Es decir, a aquel contexto en el que los caballos de Zacarías informaron: *"Hemos recorrido la tierra, y he aquí toda la tierra está reposada y quieta." Zacarías 1:11*

Ahora, ¿qué representan los cuatro ángeles que están reteniendo los vientos? Entendemos que, a través de este símbolo, se representa la actividad de aquellos ángeles de Dios que son comandados por los cuatro seres vivientes. Son ellos los que tienen la responsabilidad de retener los vientos de las pasiones humanas hasta el momento en que Dios ordene soltarlos.

Luego, a estos mismos cuatro ángeles –que tienen el poder de retener los vientos–, también se les dará el poder no solo de soltarlos, sino de dañar la tierra y al mar. Dice: *"Vi también a otro ángel que subía de donde sale el sol, y tenía el sello del Dios vivo; y clamó a gran voz a los cuatro ángeles, a quienes se les había dado el poder de hacer daño a la tierra y al mar, diciendo: No hagáis daño a la tierra, ni al mar, ni a los árboles, hasta que hayamos sellado en sus frentes a los siervos de nuestro Dios." Apocalipsis 7:2-3*

Queda claro que a aquellos cuatro ángeles que estaban reteniendo los vientos para que no dañen la tierra, en el versículo 1, aquí dice que *'se les ha dado poder de hacer daño a la tierra y al mar'*, lo cual condice con todo lo que hemos venido comentando a través del estudio de los cuatro caballos del Apocalipsis. Sin embargo, se dice, su acción destructiva sería detenida *'hasta'* que *'el ángel que sube desde donde sale el sol'* haya sellado a los siervos de Dios. ¿Quién es este ángel y qué representa su sello?

El ángel sellador

En primer lugar debemos entender que la Biblia utiliza el término ángel en una gran variedad de ocasiones y para referirse no solo a seres angelicales sino también a hombres en posiciones de liderazgo –como en el caso del mensaje a las iglesias, de Apocalipsis 2 y 3– e incluso en relación a Cristo en virtud de que *'ángel'* quiere decir *'mensajero'*. Por esto, toda vez que alguien oficia como mensajero, se lo representa como un ángel.

Ahora, ¿a quién se ha comisionado el encargo de sellar a los hijos de Dios? La Biblia responde. Dice la Nueva Versión Internacional:

• "En él [en Cristo] también ustedes, cuando oyeron el mensaje de la verdad, el evangelio que les trajo la salvación, y lo creyeron, fueron marcados con el sello que es el Espíritu Santo prometido. Este garantiza nuestra herencia hasta que llegue la redención final del pueblo adquirido por Dios, para alabanza de su gloria." Efesios 1:13-14

• "No agravien al Espíritu Santo de Dios con el que fueron sellados para el día de la redención." Efesios 4:30

• "Dios es el que nos mantiene firmes en Cristo, tanto a nosotros como a ustedes. Él nos ungió, nos selló como propiedad suya y puso su Espíritu en nuestro corazón como garantía de sus promesas." 2 Corintios 1:21-22

Como vemos, Dios mismo es quien sella a sus hijos a través de la preciosa obra del Espíritu Santo.[108]

---

108 Elena de White escribió: "Los ángeles de Dios obedecen su mandato al retener los vientos de la tierra para que no soplen sobre ésta, ni sobre el mar, ni sobre ningún árbol hasta que los siervos de Dios sean sellados en sus frentes. Al ángel poderoso se lo ve subiendo del este (o de donde sale el sol). El más poderoso de los ángeles [entendamos bien, de los 'mensajeros'] tiene en su mano el sello del Dios vivo, el único que puede dar vida, que puede poner la señal o inscripción

sobre las frentes de aquellos a quienes se les concederá la inmortalidad, la vida eterna. Es la voz de este ángel encumbrado [es decir, de este mensajero supremo] la que tiene autoridad para ordenar a los cuatro ángeles que mantengan en jaque los cuatro vientos hasta que esa obra sea realizada, y hasta que él ordene que sean soltados." TM 444

"Vi ángeles que iban y venían de uno a otro lado del cielo. Un ángel con tintero de escribano en la cintura regresó de la tierra y comunicó a Jesús que había cumplido su encargo, quedando sellados y numerados los santos. Vi entonces que Jesús, quien había estado oficiando ante el arca de los diez mandamientos, dejó caer el incensario, y alzando las manos exclamó en alta voz: "Consumado es." Y toda la hueste angélica se quitó sus coronas cuando Jesús hizo esta solemne declaración: "El que es injusto, sea injusto todavía; y el que es inmundo, sea inmundo todavía; y el que es justo, practique la justicia todavía; y el que es santo, santifíquese todavía." PE 279

"Como el acercamiento de los ejércitos romanos fue para los discípulos una señal de la inminente destrucción de Jerusalén, esta apostasía [descanso dominical obligatorio] podrá ser para nosotros una señal de que se llegó al límite de la tolerancia de Dios, de que nuestra nación [los Estados Unidos] colmó la medida de su iniquidad, y de que el ángel de la misericordia está por emprender el vuelo para nunca volver. Los hijos de Dios se verán entonces sumidos en aquellas escenas de aflicción y angustia que los profetas describieron como el tiempo de angustia de Jacob…" 2JT 151

"Cuando él [Cristo] abandone el santuario, las tinieblas envolverán a los habitantes de la tierra. Durante ese tiempo terrible, los justos deben vivir sin intercesor, a la vista del santo Dios. Nada refrena ya a los malos y Satanás domina por completo a los impenitentes empedernidos. La paciencia de Dios ha concluido. El mundo ha rechazado su misericordia, despreciado su amor y pisoteado su ley; Los impíos han dejado concluir su tiempo de gracia; el Espíritu de Dios, al que se opusieron obstinadamente, acabó por apartarse de ellos. Desamparados ya de la gracia divina, están a merced de Satanás, el cual sumirá entonces a los habitantes de la tierra en una gran tribulación final. Como los ángeles de Dios dejen ya de contener los vientos violentos de las pasiones humanas, todos los elementos de contención se desencadenarán. El mundo entero será envuelto en una ruina más espantosa que la que cayó antiguamente sobre Jerusalén. Un solo ángel dio muerte a todos los primogénitos de los egipcios y llenó al país de duelo. Cuando David ofendió a Dios al tomar censo del pueblo, un ángel causó la terrible mortandad con la cual fue castigado su pecado. El mismo poder destructor ejercido por santos ángeles cuando Dios se lo ordena, lo ejercerán los ángeles malvados cuando él lo permita. Hay fuerzas actualmente listas que no esperan más que el permiso divino para sembrar la desolación por todas partes. Los que honran la ley de Dios han sido acusados de atraer los castigos de Dios sobre la tierra, y se los mirará como si fueran causa de las terribles convulsiones de la naturaleza y de las luchas sangrientas entre los hombres, que llenarán la tierra de aflicción. El poder que acompañe la última amonestación enfurecerá a los malvados; su ira se ensañará contra todos los que hayan recibido el mensaje, y Satanás despertará el espíritu de odio y persecución en un grado de intensidad aún

Si lo piensas bien, es lógico que quien nos dio la vida y quien, así mismo, ha sido enviado a la tierra para hacer fructífero el sacrificio de Cristo, sea el único que tiene la autoridad y el poder para grabar el nombre de Dios en sus hijos. En este sentido, debemos tener en cuenta que el Espíritu Santo no solo se presenta en la Biblia como aquel *'soplo'* que dio vida a Adán, sino también como aquel que puede revivir este *'valle de huesos secos'* que conformamos todos aquellos que nos decimos pueblo de Dios (Ezequiel 37).

Por esto, cuando el Espíritu Santo se retire de nuestro mundo –habiendo acabado su obra como intercesor divino ante la humanidad en la tierra–, Cristo dejará de interceder ante el Padre y saldrá de su presencia para ejecutar su juicio sobre la humanidad.

El tiempo del sellamiento

Ahora, ¿cuándo se efectuará el sellamiento?, ¿quiénes lo recibirán? y ¿qué implicancias tendrá? Como ya hemos comprobado, el sellamiento comienza antes del desenlace del fin; cuando, según lo que ven los ojos, nadie se da cuenta de lo que está por suceder en la tierra, porque se encuentra en calma.

Ezequiel, hablando sobre este sellamiento, dice: *"[Dios] Clamó en mis oídos con gran voz, diciendo: Los verdugos de la ciudad han llegado, y cada uno trae en su mano su instrumento para destruir. Y he aquí que seis varones venían del camino de la puerta de arriba que mira hacia el norte, y cada uno traía en su mano su instrumento para destruir. Y entre ellos había un varón vestido de lino, el cual traía a su cintura un tintero de escribano; y entrados, se pararon junto al altar de bronce. Y la gloria del Dios de Israel se elevó de encima del querubín, sobre el cual había estado, al umbral de la casa; y llamó*

---

mayor. Cuando la presencia de Dios se retiró de la nación judía, tanto los sacerdotes como el pueblo lo ignoraron. Aunque bajo el dominio de Satanás y arrastrados por las pasiones más horribles y malignas, creían ser todavía el pueblo escogido de Dios. Los servicios del templo seguían su curso; se ofrecían sacrificios en los altares profanados, y cada día se invocaba la bendición divina sobre un pueblo culpable de la sangre del Hijo amado de Dios y que trataba de matar a sus ministros y apóstoles. Así también, cuando la decisión irrevocable del santuario haya sido pronunciada y el destino del mundo haya sido determinado para siempre, los habitantes de la tierra no lo sabrán. Las formas de la religión seguirán en vigor entre las muchedumbres de en medio de las cuales el Espíritu de Dios se habrá retirado finalmente; y el celo satánico con el cual el príncipe del mal ha de inspirarlas para que cumplan sus crueles designios, se asemejará al celo por Dios. CS 600/601

Jehová al varón vestido de lino, que tenía a su cintura el tintero de escribano, y le dijo Jehová: Pasa por en medio de la ciudad, por en medio de Jerusalén, y ponles una señal en la frente a los hombres que gimen y que claman a causa de todas las abominaciones que se hacen en medio de ella. Y a los otros dijo, oyéndolo yo: Pasad por la ciudad en pos de él, y matad; no perdone vuestro ojo, ni tengáis misericordia. Matad a viejos, jóvenes y vírgenes, niños y mujeres, hasta que no quede ninguno; pero a todo aquel sobre el cual hubiere señal, no os acercaréis; y comenzaréis por mi santuario. Comenzaron, pues, desde los varones ancianos que estaban delante del templo." Ezequiel 9:1-6

Aquí vemos que Dios manda a sellar a su pueblo fiel –el cual es identificado como *'aquellos que gimen y claman a causa de las abominaciones que se hacen en medio de Jerusalén' (Ez 9:4)*–, porque este sello implicará protección en medio de la tempestad que se avecina. En este sentido, Dios ordena a los ángeles destructores: *"Matad a viejos, jóvenes y vírgenes, niños y mujeres, hasta que no quede ninguno; pero a todo aquel sobre el cual hubiere señal, no os acercaréis..." Ezequiel 9:6*[109]

Por esto, entendemos que el sello es colocado por el Espíritu de Dios sobre la mente de aquellos que son fieles en el tiempo inmediatamente anterior al desenlace del gran conflicto, a fin de identificar a quienes contarán con garantía de protección divina en medio del caos de los últimos días, es decir, sobre aquellos que *'serán resguardados de la hora de prueba que ha de venir sobre el mundo entero' (Ap 3:10).*

Los 144000 sellados

Apocalipsis, ampliando en relación a quiénes recibirán este sello de protección divina, continúa diciendo: *"Y oí el número de los sellados: ciento cuarenta y cuatro mil sellados de todas las tribus de los hijos de Israel. De la tribu de Judá, doce mil sellados. De la tribu de Rubén, doce mil sellados. De la tribu de Gad, doce mil sellados. De la tribu de Aser, doce mil sellados. De la tribu de Neftalí, doce mil sellados. De la tribu de Manasés, doce mil sellados. De la tribu de Simeón, doce mil sellados. De la tribu de Leví, doce mil sellados. De la tribu de Isacar, doce mil sellados. De la tribu de Zabulón, doce mil sellados. De la tribu de José, doce mil sellados. De la tribu de Benjamín, doce mil sellados." Apocalipsis 7:4-8*

---

109 Elena de White comenta: "El sellamiento es una promesa de Dios de perfecta seguridad para Sus escogidos (Éxodo 31:13-17). El sellamiento indica que usted es el escogido de Dios. Él se ha apropiado de ti. Como sellados de Dios somos posesión comprada de Cristo, y nadie nos arrebatará de Sus manos." 15MR 225

Ahora, ¿cómo podemos entender este pasaje cuando, según 2 Reyes 18:9-10, diez de las doce tribus de Israel fueron invadidas, destruidas y dispersadas –al punto de su desaparición permanente– por Salmanasar, rey de los asirios, unos 720 años a.C., y las restantes 2 invadidas y destruidas por Nabucodonosor, rey de Babilonia, unos 600 años a.C.; y por Tito, general del ejército del Imperio Romano, en el año 70 d.C.?

Evidentemente, tenemos que analizarlo desde la perspectiva simbólica, dado que, como dijo el apóstol Pablo: *"no es judío el que lo es exteriormente, ni es la circuncisión la que se hace exteriormente en la carne; sino que es judío el que lo es en lo interior, y la circuncisión es la del corazón, en espíritu…" Romanos 2:28-29*

En este sentido, todos los que profesamos fe en Cristo somos verdadera 'simiente de Abraham', completos israelitas en términos espirituales, porque somos *"…renacidos, no de simiente corruptible, sino de incorruptible, por la palabra de Dios que vive y permanece para siempre." 1 Pedro 1:23*

Pablo, también dijo: *"Ahora bien, a Abraham fueron hechas las promesas, y a su simiente. No dice: Y a las simientes, como si hablase de muchos, sino como de uno: y a tu simiente, la cual es Cristo… Y si vosotros sois de Cristo, ciertamente linaje de Abraham sois, y herederos según la promesa." "No que la palabra de Dios haya fallado; porque no todos los que descienden de Israel son israelitas, ni por ser descendientes de Abraham, son todos hijos; sino: En Isaac te será llamada descendencia. Esto es: No los que son hijos según la carne son los hijos de Dios, sino que los que son hijos según la promesa son contados como descendientes." Gálatas 3:16, 29; Romanos 9:6-8*

Por esto, no existe ante los ojos del Señor un pueblo escogido en virtud de un linaje de carne sino de espíritu. Por lo cual, *'todas las tribus de los hijos de Israel' (Ap 7:4)*, de las cuales serán escogidos los 144000, hacen alusión a la totalidad del único pueblo que Dios tiene en la tierra, el cual es heredero en virtud de la fe en Cristo.

De hecho, Jesús le dijo a la mujer samaritana: *"Mujer, créeme, que la hora viene cuando ni en este monte ni en Jerusalén adoraréis al Padre. Vosotros adoráis lo que no sabéis; nosotros adoramos lo que sabemos; porque la salvación viene de los judíos. Mas la hora viene, y ahora es, cuando los verdaderos adoradores adorarán al Padre en espíritu y en verdad; porque también el Padre tales adoradores busca que le adoren. Dios es Espíritu; y los que le adoran, en espíritu y en verdad es necesario que adoren." Juan 4:21-24*

Por esto, cuando Apocalipsis identifica a la verdadera iglesia –a través del símbolo de una mujer pura–, dice, sin hacer ningún tipo de alusión especial por linaje de sangre: *"Entonces el dragón se llenó de ira contra la mujer; y se fue a hacer guerra contra el resto de la descendencia de ella, [quienes] los que guardan los mandamientos de Dios y tienen el testimonio [o la fe] de Jesucristo." Apocalipsis 12:17*

Ahora, si esto es así, ¿por qué se especifica que los 144000 corresponden a doce mil sellados por cada una de las doce tribus de Israel? Hay una fascinante explicación en relación al significado de los nombres de los patriarcas allí mencionados. Veamos:

Los nombres, a los ojos de Dios, tienen un gran significado porque representan el carácter de la persona. Por esto, Él cambió el nombre de Jacob –aquel conocido por haber engañado aún hasta su propio padre–, a Israel. Dice la Biblia: *"Y el varón le dijo: ¿Cuál es tu nombre? Y él respondió: Jacob. Y el varón le dijo: No se dirá más tu nombre Jacob, sino Israel; porque has luchado con Dios y con los hombres, y has vencido." Génesis 32:27-28*

La palabra 'Israel', que quiere decir 'vencedor', es clave en Apocalipsis. En este sentido, notemos que todos los mensajes a las iglesias terminan con una promesa relacionada con la patria celestial para aquellos *'que vencieren' (Ap 2:7, 11, 17, 26, 3:5, 12, 21)*, es decir, para aquellos que sean verdaderos *'israelitas'*. En este mismo sentido, Apocalipsis 21 también dice: *"El que venciere heredará todas las cosas, y yo seré su Dios, y él será mi hijo." Apocalipsis 21:7*

Lo cual implica que solo aquellos que alcancen la norma celestial –por medio de su fe en el sacrificio de Jesús– serán reconocidos como *'hijos'* por parte de Dios.

Ahora, en cuanto a los hijos de Jacob –que conformaron las doce tribus de Israel–, en la Biblia encontramos la historia de su conversión; dado que ellos también pasaron de ser unos malditos engañadores –aún de su propio padre, porque 'de tal palo, tal astilla', haciéndole creer que su hijo José había sido comido por fieras cuando ellos mismos lo habían vendido como esclavo–, a ser perdonados y aún bendecidos por su padre para presidir las doce tribus que conformaron el pueblo de Israel.

En este sentido, ellos pasaron de ser *'hijos del engañador'* a *'hijos del vencedor'*, de aquel que luchó con Dios y con los hombres y venció.

Y tales fueron también sus victorias que aún en la Nueva Jerusalén se les reconocerá por la eternidad. Dice Apocalipsis, respecto a esta ciudad de Dios: *"Tenía un muro grande y alto con doce puertas; y en las puertas, doce ángeles, y nombres inscritos, que son los de las doce tribus de los hijos de Israel."* *Apocalipsis 21:12*

Ahora, en la lista que figura aquí, en Apocalipsis 7, hay algunas diferencias respecto de las doce tribus de Israel. En primer lugar se observa un orden de aparición que no tiene ninguna correlación con el tiempo en que nacieron los hijos de Jacob, ni con la manera en que se organizó territorialmente el pueblo de Israel. Además de esto, no figuran los mismos nombres que conformaron las doce tribus de Israel, dado que no aparecen Dan ni Efraín y sí José, aunque no hubo una 'tribu de José', porque sus hijos Manasés y Efraín conformaron, cada uno de ellos, una de las doce tribus de Israel.

Entonces, nos preguntamos ¿por qué Dios las nombraría así? ¿Será que se le habrán mezclado sus nombres o que Juan los haya escrito a la ligera? No. Entendemos que es un indicio de que no se trata de aquellas antiguas tribus del pueblo de Israel –que se conformaron en virtud de una descendencia carnal–, sino de aquellas tribus simbólicas que tendrá su pueblo fiel en los últimos días. En este sentido, veamos lo que sucede cuando ponemos atención al significado de los nombres, en el orden en que aparecen aquí, en Apocalipsis 7. Según la Nueva Traducción Viviente:

1. Judá significa: '¡Alabaré al Señor!' (Génesis 29:35),

2. Rubén: 'Él ha visto mi sufrimiento' (Génesis 29:32),

3. Gad: '¡Qué afortunada soy!' (Génesis 30:11),

4. Aser: 'Qué alegría tengo' (Génesis 30:13),

5. Neftalí: 'He luchado mucho" (Génesis 30:8),

6. Manasés: 'Dios me ha hecho olvidar todas mis angustias' (Gén. 41:51),

7. Simeón: 'El Señor oyó' (Génesis 29:33),

8. Leví: 'Se unirá a mi' (Génesis 29:34),

9. Isacar: 'Dios me ha recompensado' (Génesis 30:18),

10. Zabulón: 'Me honrará' (Génesis 30:20),

11. José: 'Dios me añadirá' (Génesis 30:24), y

12. Benjamín: 'Hijo de su mano derecha' (Génesis 35:18).

A primera impresión, esto pareciera una información irrelevante, ahora ¿que pasa si juntamos todas estas frases? Dice: *'¡Alabaré al Señor!' 'Él ha visto mi sufrimiento'. '¡Qué afortunado soy!' '¡Qué alegría tengo!' 'He luchado mucho'. 'Dios me ha hecho olvidar todas mis angustias'. 'El Señor oyó' [y] 'Se unirá a mi'. 'Dios me ha recompensado' [y] 'Me honrará'. 'Dios me añadirá' [como] 'Hijo de su mano derecha'.* Es decir, se conforma un cántico muy acorde a lo que experimentarán los 144000.

Ahora, en esta lista no figura Efraín (hijo de José), que significa 'fructífero' (Génesis 41:52) –pudiendo representar a todos aquellos que se incorporarán a la iglesia de Dios como fruto del trabajo de los 144000–; ni Dan –que significa 'Él Juzgó' (Gén. 30:5)–, lo cual podría estar anunciando el destino de aquellos que serán vomitados de la boca del Señor.

Ahora, si tenemos en cuenta que los nombres de estos patriarcas representaban sus caracteres, quiere decir que estos doce nombres representan doce tipos de caracteres que serán perfeccionados y admitidos por Dios en su patria celestial.

En este sentido, observamos que Jesús, al escoger a sus discípulos, también escogió doce personas con diferentes caracteres del común del pueblo, les enseñó su evangelio y los comisionó para predicárselo a otros. Por eso, que Dios mande a sellar doce mil personas de cada tribu, implicaría que, en el tiempo del fin, llamará, en vez de doce apóstoles con diferentes caracteres, a doce mil de cada uno de ellos; con los cuales conformará un ejército de entendidos en su Palabra para proclamar su último llamado al mundo.

Ahora, más que quienes serán, lo que nos debería interesar es cuáles serán sus características, y si podremos ser uno de ellos o no. En este sentido, Apocalipsis dice: *"Después miré, y he aquí el Cordero estaba en pie sobre el monte de Sion, y con él ciento cuarenta y cuatro mil, que tenían el nombre de él y el de su Padre escrito en la frente... Estos son los que no se contaminaron con mujeres, pues son vírgenes. Estos son los que siguen al Cordero por dondequiera que va. Estos fueron redimidos de entre los hombres como primicias para Dios y para el Cordero; y en sus bocas no fue hallada mentira, pues son sin mancha delante del trono de Dios." Apocalipsis 14:1-5*

Aquí vemos que la característica más importante de los 144000 es que habrán alcanzado tal perfección de carácter que reflejarán a Cristo en sus propias vidas, pues se dice que *"son sin mancha delante del trono de Dios." Apocalipsis 14:5*

Esta última frase vincula a los 144000 con aquella iglesia con la cual Cristo se unirá en matrimonio espiritual. El apóstol Pablo, hablando en relación al matrimonio, dijo: *"Maridos, amad a vuestras mujeres, así como Cristo amó a la iglesia, y se entregó a sí mismo por ella, para santificarla, habiéndola purificado en el lavamiento del agua por la palabra, a fin de presentársela a sí mismo, una iglesia gloriosa, que no tuviese mancha ni arruga ni cosa semejante, sino que fuese santa y sin mancha." Efesios 5:25-27*

Lo cual indica que todos los pecados que hayan cometido aquellos santos en su vida pasada, ya habrán sido perdonados, limpiados y purificados por Dios. Razón por la cual, entendemos que, a esta altura de los acontecimientos, ya se habrá pronunciado, con sentencia firme, su destino en el juicio celestial, siendo escogidos como *'ayuda idónea'* para Cristo. Es por esto que se les colocará, desde aquel mismo día, el nombre de Dios Padre, de Cristo y de su morada en sus frentes.[110]

La segunda característica de los 144000 es que –por haber recibido y guardado la palabra–, estarán libres de toda contaminación religiosa, tanto en lo doctrinal como en la práctica. Es en este sentido que se especifica que *'no se han contaminado con mujeres'* y que son *'vírgenes' (Ap 14:4)*.

Ahora, ¿cómo es que han llegado hasta allí? Es simple. Dejándose guiar por Cristo en todo aspecto de sus vidas. Se dice de ellos: *"Estos son los que siguen al Cordero por dondequiera que va." Apocalipsis 14:4*

En este mismo sentido, el libro de los Salmos dice: *"¿Quién subirá al monte de Jehová? [Es decir, a Sion, donde se encuentran los 144000] ¿Y quién estará en su lugar santo? El limpio de manos y puro de corazón; el que no ha elevado su alma a cosas vanas, ni jurado con engaño. Él recibirá bendición de Jehová, y justicia del Dios de salvación. Tal es la generación de los que le buscan, de los que buscan tu rostro, oh Dios de Jacob." Salmo 24:3-6*

Ahora, ¿será que habrá una generación de personas que buscarán de esta manera el rostro de Dios, justamente en el tiempo donde el pecado

---

110 Elena de White comenta: "¿Qué es el sello del Dios viviente que se coloca en las frentes de los suyos? Es una marca que pueden leer los ángeles, pero no los ojos humanos, pues el ángel destructor debe ver esa marca de redención. La mente inteligente ha visto la señal de la cruz del Calvario en los hijos y las hijas que el Señor ha adoptado. Queda eliminado el pecado de la transgresión de la ley de Dios. Tienen puestos los vestidos de bodas, y son obedientes y fieles a todos los mandatos de Dios.– Comentario Bíblico Adventista 7:979, 980." MSV 251

habrá llegado a su máximo grado de expresión? ¿Será que Dios podrá levantar tantas personas sin mancha en un tiempo en el que –desde el niño hasta el anciano, desde el rico hasta el pobre, desde el culto hasta el ignorante, y desde el religioso hasta el incrédulo– se han corrompido hasta el límite de la paciencia de Dios? La promesa es que sí. Dios mismo le dijo a Cristo: *"Tu pueblo se te ofrecerá voluntariamente en el día de tu poder, en la hermosura de la santidad." Salmo 110:3*

Lo cual implica que el honor de Dios está comprometido en la perfección del carácter de su pueblo.[111]

---

111 Elena de White escribió: "El Salvador vino para glorificar al Padre demostrando su amor; así el Espíritu iba a glorificar a Cristo revelando su gracia al mundo. La misma imagen de Dios se ha de reproducir en la humanidad. El honor de Dios, el honor de Cristo, están comprometidos en la perfección del carácter de su pueblo." DTG 625

"Los que reciban el sello del Dios vivo y sean protegidos en el tiempo de angustia deben reflejar plenamente la imagen de Jesús." PE 70

"El sello del Dios viviente será colocado únicamente sobre los que tengan un carácter semejante a Cristo. Así como la cera toma la impresión del sello, así el alma debe recibir la impresión del Espíritu de Dios y retener la imagen de Cristo." DNC 92

"Ahora, mientras que nuestro gran Sumo Sacerdote está haciendo propiciación por nosotros, debemos tratar de llegar a la perfección en Cristo. Nuestro Salvador no pudo ser inducido a ceder a la tentación ni siquiera en pensamiento. Satanás encuentra en los corazones humanos algún asidero en que hacerse firme; es tal vez algún deseo pecaminoso que se acaricia, por medio del cual la tentación se fortalece. Pero Cristo declaró al hablar de sí mismo: "Viene el príncipe de este mundo; mas no tiene nada en mí". Juan 14:30. Satanás no pudo encontrar nada en el Hijo de Dios que le permitiese ganar la victoria. Cristo guardó los mandamientos de su Padre y no hubo en él ningún pecado de que Satanás pudiese sacar ventaja. Esta es la condición en que deben encontrarse los que han de poder subsistir en el tiempo de angustia." CS 607

"Ahora es el momento de prepararse. El sello de Dios no será nunca puesto en la frente de un hombre o una mujer que sean impuros. Nunca será puesto sobre la frente de seres humanos ambiciosos y amadores del mundo. Nunca será puesto sobre la frente de hombres y mujeres de corazón falso o engañoso. Todos los que reciban el sello deberán estar sin mancha delante de Dios y ser candidatos para el cielo." 2JT 71

"Los que venzan el mundo, la carne y el diablo, serán los favorecidos que recibirán el sello del Dios vivo. Los que no sean limpios de manos, cuyos corazones no sean puros, no tendrán el sello del Dios vivo. Los que estén premeditando el pecado y ejecutándolo, serán pasados por alto. Solo los que, en su actitud ante Dios,

Ahora, ¿por qué esta promesa se cumplirá en los últimos días? Porque será en aquel tiempo cuando Dios se revelará delante de su iglesia como jamás lo hizo.

La apertura de aquel libro divino –que analizamos en los capítulos anteriores– jugará un papel fundamental en este sentido, dado que abrirá el entendimiento de los hombres tanto en relación a la Palabra de Dios como al carácter que todos deben desarrollar a fin de ser aceptados en la patria celestial.[112]

En este sentido, el apóstol Juan escribió: *"Mirad cuál amor nos ha dado el Padre, para que seamos llamados hijos de Dios; por esto el mundo no nos conoce, porque no le conoció a él. Amados, ahora somos hijos de Dios, y aún no se ha manifestado lo que hemos de ser; pero sabemos que cuando él se manifieste, seremos semejantes a él, porque le veremos tal como él es. Y todo aquel que tiene esta esperanza en él, se purifica a sí mismo, así como él es puro." 1 Juan 3:1-3*

Por esto, cuando a través de la fe *"miremos a cara descubierta –como en un espejo– la gloria del Señor, seremos transformados de gloria en gloria en su misma imagen, por el Espíritu del Señor." 2 Corintios 3:18*

---

ocupan el lugar de los que se arrepienten y confiesan sus pecados en el grande y verdadero día de expiación, serán reconocidos y señalados como dignos de la protección de Dios. Los nombres de los que firmemente esperan y anhelan vigilantes la aparición de su Salvador–más ferviente y anhelosamente que los que esperan la mañana–se contarán entre los sellados. Los que, por disponer de toda la luz de la verdad que brilla sobre sus almas, debieran obrar de acuerdo con la fe que profesan, pero son hechizados por el pecado, albergan ídolos en su corazón, corrompen sus almas delante de Dios y mancillan a los que se unen con ellos en el pecado, sus nombres serán borrados del libro de la vida y serán dejados en la oscuridad de la medianoche, sin aceite en sus vasijas juntamente con sus lámparas. "A vosotros los que teméis mi nombre, nacerá el Sol de justicia y en sus alas traerá salvación". Este sellamiento de los siervos de Dios es el mismo que se le mostró a Ezequiel en visión. Juan también fue testigo de esta notable revelación. Vio el mar y las ondas rugientes, y los corazones de los hombres desfalleciendo de temor. Observó la tierra que se sacudía, las montañas transportadas al medio del mar (lo que ocurre literalmente), las aguas que rugían agitadas y las montañas sacudidas por las olas. Se le mostraron las plagas, las pestilencias, el hambre y la muerte mientras llevaban a cabo su terrible misión." TM 445

112 Elena de White afirma: "Cuando los libros de Daniel y Apocalipsis sean mejor entendidos, los creyentes tendrán una experiencia religiosa completamente distinta. Recibirán tales vislumbres de los portales abiertos del cielo que se les grabará en la mente y el corazón el carácter que todos deben desarrollar a fin de comprender la bendición que será la recompensa de los de corazón puro." TM 114

Este es el verdadero evangelio, aquel que transforma la vida del creyente hasta llegar a reflejar plenamente la imagen de Jesús.

Desde su rebelión, Satanás ha acusado a Dios de que su ley no puede ser obedecida. Jesús, al venir a morar con nosotros demostró, ante el universo entero, que esto no es verdad. Sin embargo, aún es necesario que una multitud de personas compruebe que todo aquel que cree la palabra de Dios y se une por la fe a su poder infinito, también puede mantenerse sin pecado al igual que Cristo. Ellos serán los 144000, aquellos que derrotarán al diablo por medio de vidas transformadas por el poder del evangelio.

Y aquí un punto importante. Ninguno de los 144000 alcanzarán la perfección de carácter por sus propios medios. Se dice de ellos que *'siguen al Cordero por dondequiera que va' (Ap 14:4)*, lo cual implica que escuchan su voz y le siguen, creyendo cada palabra que sale de su boca.[113]

Y creo que allí está la clave de su victoria: su fe en la palabra de Dios; aquella por la cual sería purificada la iglesia –de acuerdo con Efesios 5–. En este sentido, Jesús le dice a Filadelfia: *"Yo conozco tus obras; he aquí, he puesto delante de ti una puerta abierta, la cual nadie puede cerrar; porque aunque tienes poca fuerza, has guardado mi palabra, y no has negado mi nombre… Por cuanto has guardado [es decir, por cuanto has atesorado] la palabra de mi paciencia, yo también te guardaré de la hora de la prueba que ha de venir sobre el mundo entero, para probar a los que moran sobre la tierra." Apocalipsis 3:8, 10*

Por esto, no es de extrañar que a esta misma iglesia le haya sido dada la promesa del sellamiento, mediante las siguientes palabras de Cristo: *"Al que venciere, yo lo haré columna en el templo de mi Dios, y nunca más saldrá de allí; y escribiré sobre él el nombre de mi Dios, y el nombre de la ciudad de mi*

---

113 Elena de White comenta: "Nunca podemos alcanzar la perfección por medio de nuestras propias obras buenas. El alma que contempla a Jesús mediante la fe, repudia su propia justicia. Se ve a sí misma incompleta, y considera su arrepentimiento como insuficiente, débil su fe más vigorosa, magro su sacrificio más costoso; y se abate con humildad al pie de la cruz. Pero una voz le habla desde los oráculos de la Palabra de Dios. Con asombro escucha el mensaje: "Vosotros estáis completos en él". Ahora todo está en paz en su alma. Ya no tiene que luchar más para encontrar algún mérito en sí mismo, algún acto meritorio por medio del cual ganar el favor de Dios. Al contemplar al Cordero de Dios, que quita el pecado del mundo, halla la paz de Cristo; porque el perdón está escrito junto a su nombre, y él acepta la Palabra de Dios: "Vosotros estáis completos en él". Colosenses 2:10." FO 112

Dios, la nueva Jerusalén, la cual desciende del cielo, de mi Dios, y mi nombre nuevo." Apocalipsis 3:12

Con lo cual comprobamos la vinculación directa que hay entre el mensaje a la iglesia de Filadelfia y los 144000. En ambos casos, se dice que ellos recibirán el nombre de Dios en sus frentes y que serán moradores permanentes de la nueva Jerusalén –por no haberse encontrado mancha, ni arruga, ni cosa objetable en el juicio de Dios sobre ellos–. Y todo a consecuencia de haber lavado sus ropas en la sangre de Cristo, habiendo atesorando cada palabra que sale de la boca de Dios.

Ahora, ¿qué sucederá cuando los 144000 sean sellados? Si caemos en cuenta que el sello de Dios representa la adquisición completa y total por parte de Dios de aquellas personas –al punto que en sus mentes le es grabado a fuego el mismísimo nombre de Cristo, de su Padre y de la Nueva Jerusalén–, y que este sello es colocado por el Espíritu Santo sobre aquellos que reflejan plenamente el carácter de Cristo, el resultado será la unción y el derramamiento, sin medida, de aquel mismo Espíritu sobre ellos, a fin de que iluminen la tierra con la gloria del evangelio eterno.[114]

La gran multitud vestida de ropas blancas

¿Qué sucederá entonces? La Palabra de Dios lo revela. Dice: *"Y después de esto derramaré mi Espíritu sobre toda carne, y profetizarán vuestros hijos y vuestras hijas; vuestros ancianos soñarán sueños, y vuestros jóvenes verán visiones. Y también sobre los siervos y sobre las siervas derramaré mi Espíritu en aquellos días. Y daré prodigios en el cielo y en la tierra, sangre, y fuego, y columnas de humo. El sol se convertirá en tinieblas, y la luna en sangre, antes que venga el día grande y espantoso de Jehová. Y todo aquel que invocare el nombre de Jehová será salvo; porque en el monte de Sion [donde está el Cordero con los 144000] y en Jerusalén [en su pueblo escogido] habrá salvación, como ha dicho Jehová, y entre el remanente al cual él habrá llamado [los 144000]." Joel 2:28-32*

También el profeta Daniel, describiendo el accionar airado de un poder político religioso simbolizado como *'el rey del norte'*, escribió: *"Y*

---

114 Elena de White dijo: "Ninguno de nosotros recibirá jamás el sello de Dios mientras nuestros caracteres tengan una mancha. Nos toca a nosotros remediar los defectos de nuestro carácter, limpiar el templo del alma de toda contaminación. Entonces la lluvia tardía caerá sobre nosotros como cayó la lluvia temprana sobre los discípulos en el día de Pentecostés." 2JT 69

se levantarán de su parte tropas que profanarán el santuario y la fortaleza, y quitarán el continuo sacrificio, y pondrán la abominación desoladora [temas que analizaremos más adelante]. Con lisonjas seducirá a los violadores del pacto [es decir, a los violadores de la ley de Dios]; mas el pueblo que conoce a su Dios se esforzará y actuará. Y los sabios del pueblo instruirán a muchos; y por algunos días caerán a espada y a fuego, en cautividad y despojo [lo cual condice con el clamor de los mártires del quinto sello]. Y en su caída serán ayudados de pequeño socorro; y muchos se juntarán a ellos con lisonjas [es decir, de manera engañosa]. También algunos de los sabios caerán para ser depurados y limpiados y emblanquecidos hasta el tiempo determinado; porque aun para esto hay plazo [en palabras del quinto sello, 'hasta que se complete el número de los que han de ser muertos como ellos' (Ap 6:11)]." Daniel 11:31-33

Ahora, ¿no era que los sellados serían protegidos por Dios? Claro que sí. ¿Por qué entonces se dice que algunos de los sabios caerán para ser depurados y limpiados y emblanquecidos? Si caen, es decir, si son muertos *'para ser depurados, limpiados y emblanquecidos'*, quiere decir que eran personas que tenía el conocimiento de la salvación pero no la perfección de carácter necesaria para estar protegidos por el sello de Dios; por esto Cristo permitirá que obtengan la corona de la vida a través del martirio.

Todo lo cual nos permite inferir que los 144000 sellados conformarán una parte de aquel ejército de *'sabios'* que *'instruirán a muchos'*, *'enseñando la justicia de Dios a la multitud'* (Daniel 11:33).

Razón por la cual, luego de describir a este ejército de santos predicadores, Apocalipsis dice: *"Después de esto miré, y he aquí una gran multitud, la cual nadie podía contar, de todas naciones y tribus y pueblos y lenguas, que estaban delante del trono y en la presencia del Cordero, vestidos de ropas blancas, y con palmas en las manos; y clamaban a gran voz, diciendo: La salvación pertenece a nuestro Dios que está sentado en el trono, y al Cordero." Apocalipsis 7:9-10*

Evidentemente, se trata de una escena posterior en la cual se le muestra al apóstol Juan una gran multitud de redimidos que reconocen a Dios y al Cordero como los únicos autores de su salvación. Al verlos, y al escuchar sus palabras de agradecimiento, el cielo entero prorrumpe en adoración a Dios. Dice: *"Y todos los ángeles estaban en pie alrededor del trono, y de los ancianos y de los cuatro seres vivientes; y se postraron sobre sus rostros delante del trono, y adoraron a Dios, diciendo: Amén. La bendición y la gloria y la sabiduría y la acción de gracias y la honra y el poder y la fortaleza, sean a nuestro Dios por los siglos de los siglos. Amén." Apocalipsis 7:11-12*

Ahora, ¿de qué multitud se está hablando aquí? Evidentemente no se trata de toda la multitud de salvos que habrán desde el comienzo del tiempo, sino de una porción muy específica que está íntimamente vinculada con los 144000.

Veamos lo que dice a continuación: *"Entonces uno de los ancianos habló, diciéndome: Estos que están vestidos de ropas blancas, ¿quiénes son, y de dónde han venido? Yo le dije: Señor, tú lo sabes. Y él me dijo: Estos son los que han salido de la gran tribulación, y han lavado sus ropas, y las han emblanquecido en la sangre del Cordero. Por esto están delante del trono de Dios, y le sirven día y noche en su templo; y el que está sentado sobre el trono extenderá su tabernáculo sobre ellos. Ya no tendrán hambre ni sed, y el sol no caerá más sobre ellos, ni calor alguno; porque el Cordero que está en medio del trono los pastoreará, y los guiará a fuentes de aguas de vida; y Dios enjugará toda lágrima de los ojos de ellos." Apocalipsis 7:13-17*

La pregunta del anciano fue específica: *'Estos que están vestidos de ropas blancas, ¿quiénes son, y de dónde han venido?' (Ap 7:13)*, y su propia respuesta también: *'Estos son los que han salido de la gran tribulación' (Ap 7:14)*, es decir, los que habrán atravesado victoriosos el día de la ira de Dios, y por esto *'estarán delante del trono de Dios, y le servirán día y noche en su templo' (Ap 7:15)*.

Se dice también que ellos *'ya no tendrán hambre ni sed'* y que *'el sol no caerá más sobre ellos para dañarles'*, cosas que habrán tenido que soportar en el tiempo de gran angustia; dado que, como veremos, estos males son parte de aquellos que Apocalipsis anticipa en relación a aquella *'gran tribulación'* de la que se habla aquí.[115]

Indudablemente, esta gran multitud estará compuesta por aquellas personas que, en palabras de Joel, invocarán (Joel 2:32) el nombre del verdadero Dios cuando el resto del mundo lo desprecie. Serán aquellos

---

115 Elena de White escribió: "Vi que Dios tenía hijos que no reconocen ni guardan el sábado. No han rechazado la luz referente a él. Y al empezar el tiempo de angustia, fuimos henchidos del Espíritu Santo, cuando salimos a proclamar más plenamente el sábado. Esto enfureció las otras iglesias y a los adventistas nominales, pues no podían refutar la verdad sabática, y entonces todos los escogidos de Dios, comprendiendo claramente que poseíamos la verdad, salieron y sufrieron la persecución con nosotros. Vi guerra, hambre, pestilencia y grandísima confusión en la tierra. Los impíos pensaron que nosotros habíamos acarreado el castigo sobre ellos, y se reunieron en consejo para raernos de la tierra, creyendo que así cesarían los males." PE 33

que entregarán todo lo que tengan para adquirir la perla del gran precio, los que —en medio de las aflicciones del gran día final— escucharán la voz del Cordero y serán instruidos por su ejército de sabios.

El profeta Daniel, hablando en el contexto del levantamiento de Miguel, en aquel tiempo de angustia cual nunca fue, dice: *"Los entendidos resplandecerán como el resplandor del firmamento; y los que enseñan la justicia a la multitud, como las estrellas a perpetua eternidad." Daniel 12:3*

Ahora, para que esta inmensa multitud de personas lleguen a los pies de nuestro Señor, primero, indefectiblemente, Dios tendrá que purificar a su iglesia de todas las abominaciones que se comenten dentro de ella.

Por esto, en nuestra comprensión, lo primero que Dios hará es *'sellar'* a los santos en tiempos de aparente calma. Luego enviará aflicción sobre la tierra y su iglesia será duramente zarandeada. Por último, derramará su Espíritu sobre los pocos pero fieles que queden en pie y los elevará por luz a las naciones. A consecuencia de sus testimonios, un sin número de personas se alistará a las filas del Señor en el tiempo de mayor persecución jamás conocido.

Ahora, en nuestra manera de ver las cosas, no tiene importancia determinar si los 144000 serán un número literal o simbólico, porque, aunque al principio será un grupo 'reducido' que, efectivamente, podría llegar a ser de unos cuantos miles de personas, no será un grupo cerrado sino que cada nuevo convertido se incorporará a este mismo grupo de fieles instructores, o será mártir.[116]

---

116 Elena de White afirma que, en el tiempo del fin, *'miles'* de siervos de Dios predicarán el mensaje, lo cual producirá que *'un sin número'* de personas se alisten a las filas del Señor. Ella escribió: "Vendrán siervos de Dios con semblantes iluminados y resplandecientes de santa consagración, y se apresurarán de lugar en lugar para proclamar el mensaje celestial. Miles de voces predicarán el mensaje por toda la tierra. Se realizarán milagros, los enfermos sanarán y signos y prodigios seguirán a los creyentes. Satanás también efectuará sus falsos milagros, al punto de hacer caer fuego del cielo a la vista de los hombres. Apocalipsis 13:13. Es así como los habitantes de la tierra tendrán que decidirse en pro o en contra de la verdad. El mensaje no será llevado adelante tanto con argumentos como por medio de la convicción profunda inspirada por el Espíritu de Dios. Los argumentos ya fueron presentados. Sembrada está la semilla, y brotará y dará frutos. Las publicaciones distribuidas por los misioneros han ejercido su influencia; sin embargo, muchos cuyo espíritu fue impresionado han sido impedidos de entender la verdad por completo o de obedecerla. Pero entonces los rayos de luz penetrarán por todas partes, la verdad aparecerá en toda su claridad, y los sinceros hijos de Dios romperán las ligaduras que

En este sentido, notemos que, en respuesta a la pregunta: *"el gran día de su ira ha llegado; ¿y quién podrá sostenerse en pie?" (Ap 6:17)*, el apóstol Juan inicia *"oyendo"* acerca de un grupo de 144000 sellados pero, luego de un cambio de escena, concluye *"viendo"* una inmensa multitud que nadie puede contar, delante del trono de Dios; la cual, al igual que los 144000, habrán podido subsistir por, entendemos:

1. Haber sido sellada, por...

2. Haber salido victoriosa de la gran tribulación (Ap 7:14), por...

3. Haber vencido el pecado –lavando sus ropas en la sangre de Cristo– (Ap 7:14), por lo cual...

4. Estarán ante el trono de Dios y del Cordero (Ap 7:9),

5. Morando en la Nueva Jerusalén (Ap 7:15; 21:1-3,7)

6. Alabando a Dios por su gran salvación (Ap 7:9-10, 14:2-3, 15:2), y

7. Guiados por Cristo a las fuentes del agua de la vida (Ap 7:17).

Por esto, si los 144000 serán los *"redimidos de entre los hombres como 'primicias' para Dios y para el Cordero" (Ap 14:4)*; la gran multitud vestida de ropas blancas representa la inmensa *'cosecha'* de personas que saldrán victoriosas de la gran tribulación y estarán de pie cuando Jesucristo se manifieste en su gloriosa majestad.

La morada de los vencedores

Como comprobaremos en el análisis del capítulo 21, la ciudad de Dios –conocida como la nueva Jerusalén– guardará una correlación numérica muy sorprendente con los 144000. Mientras que éstos últimos, se dice, surgen del sellamiento de doce mil personas por cada una de las doce tribus de Israel (Ap 7:4-8), la Nueva Jerusalén también tendrá: doce puertas, con los nombres de las doce tribus de Israel, y doce cimientos con los nombres de los doce apóstoles del Cristo.

Además, estará asentada sobre un cuadrado perfecto de doce mil estadios de lado y un muro de 144 codos de ancho –lo cual equivale a doce veces doce (Ap 21:9-27)–, y aún tendrá un árbol que producirá doce diferentes frutos, dando cada mes su fruto (Ap 22:1-2).

---

los tenían sujetos. Los lazos de familia y las relaciones de la iglesia serán impotentes para detenerlos. La verdad les será más preciosa que cualquier otra cosa. A pesar de los poderes coligados contra la verdad, un sinnúmero de personas se alistará en las filas del Señor." CS 597

Evidentemente todo da vueltas alrededor del número doce. ¿Por qué? Entendemos que este número es escogido por Dios como símbolo del gobierno perfecto. Es por esto que su sede de gobierno estará construida en relación a este número –y por lo cual Jesús escogió en el pasado a doce patriarcas para que gobernaran el pueblo de Israel y doce apóstoles para que lideraran su iglesia–.

En este sentido, Jesús prometió a sus apóstoles que *'en la regeneración'*, es decir, cuando Dios haga nuevas todas las cosas, ellos se sentarían en doce tronos para gobernar a su pueblo. Dice: *"Entonces respondiendo Pedro, le dijo: He aquí, nosotros lo hemos dejado todo, y te hemos seguido; ¿qué, pues, tendremos? Y Jesús les dijo: De cierto os digo que en la regeneración, cuando el Hijo del Hombre se siente en el trono de su gloria, vosotros que me habéis seguido también os sentaréis sobre doce tronos, para juzgar [o gobernar] a las doce tribus de Israel. Y cualquiera que haya dejado casas, o hermanos, o hermanas, o padre, o madre, o mujer, o hijos, o tierras, por mi nombre, recibirá cien veces más, y heredará la vida eterna. Pero muchos primeros serán postreros, y postreros, primeros." Mateo 19:27-30*

Por lo cual, entendemos que el número 144000 tiene un gran significado simbólico que apunta a la inmensa multitud de personas que Dios tomará de la última generación para incorporar en su sede de gobierno universal.

En este sentido, notemos que Apocalipsis, hablando justamente sobre la gran multitud que nadie puede contar, es decir, todos aquellos que habrán recibido el sello de Dios al cabo de las persecuciones del fin, dice: *"Estos son los que han salido de la gran tribulación, y han lavado sus ropas, y las han emblanquecido en la sangre del Cordero. Por esto están delante del trono de Dios, y le sirven día y noche en su templo; y el que está sentado sobre el trono extenderá su tabernáculo sobre ellos." Apocalipsis 7:14-15*

Esto implica que esta inmensa multitud de redimidos habitará con Cristo en la mismísima morada de Dios, como su *'ayuda idónea'*. Es decir, ellos constituirán aquella *'esposa'* con la cual Cristo se unirá en matrimonio espiritual. Claramente dice que por haber salido de la gran tribulación, habiendo lavado sus vestiduras en la sangre del cordero, estarán *"delante del trono de Dios sirviendo día y noche en su templo"* –es decir, ésta será su morada permanente– y, por si quedaban dudas, concluye diciendo: *"el que está sentado sobre el trono –es decir, Dios– extenderá su tabernáculo [es decir, su morada] sobre ellos"*, lo cual implica que les dará un lugar permanente dentro de su propia morada.

Por lo cual, entendemos que, al final del *'día del Señor'*, no existirían mayores diferencias entre los 144000 y la inmensa multitud que nadie puede contar, más allá del tiempo en el cual comenzaron a servir al Señor.

En Palabras de Jesús, esta inmensa multitud podría estar representada por los obreros de la undécima hora, los cuales, según Mateo 20, recibirán la misma paga que quienes prestaron sus servicios desde el comienzo del día.[117]

---

117 Elena de White escribió: "No hablo mis propias palabras cuando digo que el Espíritu de Dios pasará por alto a los que han tenido su día de prueba y oportunidad, pero que no han distinguido la voz de Dios ni apreciado los estímulos del Espíritu Santo. Por otra parte, en la hora undécima habrá miles que encontrarán y reconocerán la verdad… Estas conversiones a la verdad se realizarán con una rapidez que sorprenderá a la iglesia, y únicamente el nombre de Dios será glorificado" 2MS 16

De igual manera, en otra oportunidad incluyó a la gran multitud que nadie puede contar dentro del grupo de los 144000, al decir: "Delante del trono, sobre el mar de cristal–ese mar de vidrio que parece revuelto con fuego por lo mucho que resplandece con la gloria de Dios–se halla reunida la compañía de los que salieron victoriosos "de la bestia, y de su imagen, y de su señal, y del número de su nombre". Con el Cordero en el monte de Sión, "teniendo las arpas de Dios", están en pie los ciento cuarenta y cuatro mil que fueron redimidos de entre los hombres; se oye una voz, como el estruendo de muchas aguas y como el estruendo de un gran trueno, "una voz de tañedores de arpas que tañían con sus arpas". Cantan "un cántico nuevo" delante del trono, un cántico que nadie podía aprender sino aquellos ciento cuarenta y cuatro mil. Es el cántico de Moisés y del Cordero, un canto de liberación. Ninguno sino los ciento cuarenta y cuatro mil pueden aprender aquel cántico, pues es el cántico de su experiencia, una experiencia que ninguna otra compañía ha conocido jamás. Son "estos, los que siguen al Cordero por donde quiera que fuere". Habiendo sido trasladados de la tierra, de entre los vivos, son contados por "primicias para Dios y para el Cordero". Apocalipsis 15:2, 3; 14:1-5. "Estos son los que han venido de grande tribulación"; han pasado por el tiempo de angustia cual nunca ha sido desde que ha habido nación; han sentido la angustia del tiempo de la aflicción de Jacob; han estado sin intercesor durante el derramamiento final de los juicios de Dios. Pero han sido librados, pues "han lavado sus ropas, y las han blanqueado en la sangre del Cordero". "En sus bocas no ha sido hallado engaño; están sin mácula" delante de Dios. "Por esto están delante del trono de Dios, y le sirven día y noche en su templo; y el que está sentado sobre el trono tenderá su pabellón sobre ellos". Apocalipsis 7:14, 15. Han visto la tierra asolada con hambre y pestilencia, al sol que tenía el poder de quemar a los hombres con un intenso calor, y ellos mismos han soportado padecimientos, hambre y sed. Pero "no tendrán más hambre, ni sed, y el sol no caerá sobre ellos, ni otro ningún calor. Porque el Cordero que está en medio del trono los pastoreará, y los guiará a fuentes vivas de aguas: y Dios limpiará toda lágrima de los ojos de ellos". Apocalipsis 7:14-17." CS 630

Por todo esto, y según ampliaremos en nuestro análisis sobre Apocalipsis 11, entendemos que así como bajo la influencia de doce hijos de Israel y de doce simples discípulos de Cristo, el mundo conoció la verdad en el pasado, en el tiempo del fin habrá un grupo que surge de multiplicar justamente 12 x 12 x 1000, simbolizando a las miles de personas que habrán sido santificadas por Dios para dar a conocer el evangelio a toda nación, tribu, lengua y pueblo, y preparar al mundo para el regreso de Cristo, provenientes tanto de la iglesia judía que reconocerá a Cristo en los últimos días de nuestro mundo −representada por los doce patriarcas− como de la iglesia gentil −representada por los doce apóstoles−.

Ahora, si te das cuenta, lo más importante es que Dios nos da el privilegio de participar en su obra de una manera sustancial. ¡Tenemos la oportunidad de colaborar en su maravilloso plan de salvación… no de una o dos personas, sino de miles! La pregunta es: ¿quieres ser un 144000?

Sea cual fuere la respuesta, sabe que tendrás un costo que pagar y un galardón conforme a tus obras:

» Si anhelas serlo, el costo es que tendrás que dejar toda ambición mundanal de lado. La recompensa −si Dios te acepta como uno de ellos−, será su sello de protección total, un lugar junto a él en su sede de gobierno universal, y un sentimiento de satisfacción por el deber cumplido que te acompañará por los días de la eternidad. En cierto sentido, participarás del gozo de Cristo en la expresión: *"Verá el fruto de la aflicción de su alma, y quedará satisfecho." Isaías 53:11*

» Si este no es tu interés, prepárate para morir. Nada te podrás llevar de este mundo y de ninguna manera pienses que podrás resistir para estar de pie delante del Hijo del Hombre en el día final. Si no haces tan mal las cosas, quizá Dios se apiade de ti y te dé un lugar dentro del común de sus redimidos.[118]

Vuelve a leer, ahora mismo, Apocalipsis 7, y comprueba como ya se ha abierto ante tus ojos.

---

118 Elena de White nos exhorta, diciendo: "Esforcémonos con todo el poder que Dios nos ha dado para estar entre los ciento cuarenta y cuatro mil... Solo los que reciban el sello del Dios viviente tendrán el pasaporte para pasar por los portales de la santa ciudad.− Comentario Bíblico Adventista 7:981." MSV 249

Capítulo 8
Las cuatro primeras trompetas

Apocalipsis, luego de describir cómo será el desenlace del fin –a través de la apertura de los siete sellos–, y de revelar quienes se mantendrán en pie cuando el Hijo del Hombre se levante de su Santa Morada; presenta otra escena en la cual siete ángeles se preparan para tocar siete trompetas. Dice: *"Cuando [el Cordero] abrió el séptimo sello, se hizo silencio en el cielo como por media hora [tema que analizamos en el capítulo 6... y luego dice]. Y vi a los siete ángeles que estaban en pie ante Dios; y se les dieron siete trompetas." Apocalipsis 8:1-2*

Las fiestas del santuario

Lo cual llama inmediatamente nuestra atención a las fiestas del Santuario, dado que en una de ellas se tocaban este tipo de trompetas –llamadas 'shofar'– anunciando, justamente, aquel gran día del juicio de Dios. Ahora, previo a analizar lo relativo a esta fiesta en particular, prestemos atención a la vinculación que existe entre lo que hemos venido estudiando hasta aquí con dicho sistema festivo.

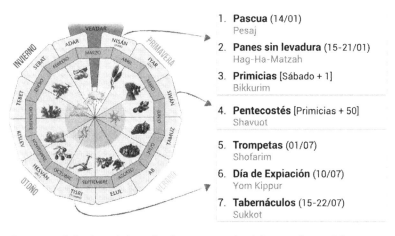

1. **Pascua** (14/01)
   Pesaj
2. **Panes sin levadura** (15-21/01)
   Hag-Ha-Matzah
3. **Primicias** [Sábado + 1]
   Bikkurim
4. **Pentecostés** [Primicias + 50]
   Shavuot
5. **Trompetas** (01/07)
   Shofarim
6. **Día de Expiación** (10/07)
   Yom Kippur
7. **Tabernáculos** (15-22/07)
   Sukkot

Imagen 1. Calendario hebreo donde se muestra las diferentes fiestas del sistema ceremonial del Santuario y su relación con los períodos de ciega y cosecha.

La Palabra de Dios –en Apocalipsis 7 y Ezequiel 9– nos revela que el pueblo de Dios debe ser sellado para estar protegido en el día de la matanza, lo cual es un correlato de aquella señal que el pueblo hebreo debió pintar en los dinteles de sus casas –con sangre de cordero, en las vísperas de su liberación de Egipto– para que el ángel exterminador no lo visite. Dice Éxodo: *"Habló Jehová a Moisés y a Aarón en la tierra de Egipto, diciendo: Este mes os será principio de los meses; para vosotros será este el primero en los meses del año. Hablad a toda la congregación de Israel, diciendo: En el diez de este mes tómese cada uno un cordero según las familias de los padres, un cordero por familia... Y lo guardaréis hasta el día catorce de este mes, y lo inmolará toda la congregación del pueblo de Israel entre las dos tardes [otras versiones traducen 'entre las dos luces', es decir, la del sol y la de la luna, y otras, directamente, 'al anochecer']. Y tomarán de la sangre, y la pondrán en los dos postes y en el dintel de las casas en que lo han de comer. Y aquella noche comerán la carne asada al fuego, y panes sin levadura; con hierbas amargas lo comerán... Y lo comeréis así: ceñidos vuestros lomos, vuestro calzado en vuestros pies, y vuestro bordón en vuestra mano; y lo comeréis apresuradamente; es la Pascua de Jehová. Pues yo pasaré aquella noche por la tierra de Egipto, y heriré a todo primogénito en la tierra de Egipto, así de los hombres como de las bestias; y ejecutaré mis juicios en todos los dioses de Egipto. Yo Jehová. Y la sangre os será por señal en las casas donde vosotros estéis; y veré la sangre y pasaré de vosotros, y no habrá en vosotros plaga de mortandad cuando hiera la tierra de Egipto. Y este día os será en memoria, y lo celebraréis como fiesta solemne para Jehová durante vuestras generaciones; por estatuto perpetuo lo celebraréis."* Éxodo 12:1-3, 7-8, 11-14

En nuestra comprensión, estas fiestas que Dios instituyó como recordatorios perpetuos de la liberación del pueblo de Israel de Egipto, nos anticipan el proceder de Dios en el tiempo en el que Cristo vuelva a levantarse de su trono para liberar a su pueblo en los últimos días.[119]

La Pascua, en efecto, tiene una vinculación directa con el sellamiento de los 144000, dado que, así como en la antigüedad el pueblo fue resguardado por haber pintado sus dinteles con la sangre del cordero, en el

---

119 Elena de White afirma: "El santuario en el cielo es el centro mismo de la obra de Cristo en favor de los hombres. Concierne a toda alma que vive en la tierra. Nos revela el plan de la redención, nos conduce hasta el fin mismo del tiempo y anuncia el triunfo final de la lucha entre la justicia y el pecado. Es de la mayor importancia que todos investiguen a fondo estos asuntos, y que estén siempre prontos a dar respuesta a todo aquel que les pidiere razón de la esperanza que hay en ellos." CS 479

fin de los días los 144000 serán protegidos por haber *'lavado sus ropas'* en esa misma sangre.

Luego de la Pascua, de acuerdo al sistema ceremonial, el pueblo debía habitar un período de siete días comiendo panes *'sin levadura'*, en casas también libres de toda levadura, símbolo del pecado. Lo cual apunta al estado en que deberán vivir los santos de los últimos días desde que comience a ejecutarse en juicio de Dios. Dice Éxodo: *"Siete días comeréis panes sin levadura; y así el primer día haréis que no haya levadura en vuestras casas; porque cualquiera que comiere leudado desde el primer día hasta el séptimo, será cortado de Israel. El primer día habrá santa convocación, y asimismo en el séptimo día tendréis una santa convocación; ninguna obra se hará en ellos, excepto solamente que preparéis lo que cada cual haya de comer. Y guardaréis la fiesta de los panes sin levadura, porque en este mismo día saqué vuestras huestes de la tierra de Egipto; por tanto, guardaréis este mandamiento en vuestras generaciones por costumbre perpetua. En el mes primero comeréis los panes sin levadura, desde el día catorce del mes por la tarde [desde Pascua] hasta el veintiuno del mes por la tarde." Éxodo 12:15-18*

Si relacionamos estos siete días en los que el pueblo debía habitar sin levadura, símbolo del pecado, con el contexto de Pascua en el que se desarrolla esta fiesta, podemos entender que los sellados, es decir, los protegidos por Dios, deberán habitar en santidad bajo la amenaza de ser desechados durante el peregrinaje desde Egipto –símbolo de la esclavitud del pecado– hacia la tierra prometida –símbolo de la santidad y perfección celestial–; así como le sucedió a la mayoría del pueblo hebreo que sucumbió en el desierto, sin ni siquiera llegar a ver la tierra prometida.

Ahora, además, dentro de estos siete días de panes sin levadura, en un día que no era fijo sino que seguía al sábado que cayera dentro de esta fiesta, debían presentarse las *'primicias'* de los primeros frutos de la siega. Dice Levítico: *"Y habló Jehová a Moisés, diciendo: Habla a los hijos de Israel y diles: Cuando hayáis entrado en la tierra que yo os doy, y seguéis su mies, traeréis al sacerdote una gavilla por primicia de los primeros frutos de vuestra siega. Y el sacerdote mecerá la gavilla delante de Jehová, para que seáis aceptos; el día siguiente del día de reposo la mecerá [es decir, las primicias se presentaban en el primer día de la semana, hoy conocido como 'domingo']. Y el día que ofrezcáis la gavilla, ofreceréis un cordero de un año, sin defecto, en holocausto a Jehová. Su ofrenda será dos décimas de efa de flor de harina amasada con aceite [obviamente, sin levadura], ofrenda encendida a Jehová en olor gratísimo; y su libación será de vino, la cuarta parte de un hin. No comeréis pan, ni grano tostado, ni espiga fresca [entiendo, de esa cosecha], hasta este mismo día, hasta que hayáis ofrecido la ofrenda de vuestro Dios; estatuto perpetuo es por vuestras edades en dondequiera que habitéis." Levítico 23:9-14*

Es decir, lo que ordenaba esta *'tercera fiesta'* –que se desarrollaba dentro de la *'primera santa convocación'*–, era presentar delante de Dios los primeros frutos del inicio de la cosecha de cereal que, de acuerdo al tiempo en el cual caía esta fiesta, debía estar comenzando.

El término primicias tiene un doble significado, dado que puede referirse tanto a los primeros frutos –como en este caso– como a los mejores, o principales, de ellos. Por esto Cristo, como primicia principal, resucitó el domingo siguiente a aquella Pascua en la que dio su vida por nosotros. Dice el apóstol Pablo: *"Mas ahora Cristo ha resucitado de los muertos; primicias de los que durmieron es hecho." 1 Corintios 15:20*

Ahora, como comentamos en el capítulo 4, Cristo, en su ascensión, llevó consigo otras personas que resucitaron junto a Él, también como *primicias* de los que resucitarán en el gran día final. Sin embargo, hay otro grupo de personas que también es definido como *primicias* en el Apocalipsis, no ya de los que durmieron, sino de los que estarán vivos cuando Cristo regrese. Dice: *"Después miré, y he aquí el Cordero estaba en pie sobre el monte de Sion, y con él ciento cuarenta y cuatro mil, que tenían el nombre de él y el de su Padre escrito en la frente… Estos fueron redimidos de entre los hombres como primicias para Dios y para el Cordero…" Apocalipsis 14:1, 4*

Lo cual confirma que esta tercera fiesta –que tuvo un primer cumplimiento tipológico en la muerte y resurrección de Jesús– también alcanzará otro cumplimiento en la liberación final de los hijos de Dios.

En este sentido, entendemos que los 144000 deben ser sellados antes de la pascua –aquel momento en el que el Ángel de Jehová empuña su espada para ejecutar sus juicios– y habitar sin pecado por siete días –símbolo de plenitud del tiempo– para poder ser presentados como primicias de los vivos delante de Dios.

Luego, en la segunda santa convocación, se celebraba la cuarta fiesta conocida como 'Pentecostés'. Dice Levítico: *"Y contaréis desde el día que sigue al día de reposo, desde el día en que ofrecisteis la gavilla de la ofrenda mecida [es decir, desde Primicias]; siete semanas cumplidas serán. Hasta el día siguiente del séptimo día de reposo contaréis cincuenta días [de allí 'Pentecostés']; entonces ofreceréis el nuevo grano a Jehová. De vues-*

tras habitaciones traeréis dos panes para ofrenda mecida, que serán de dos décimas de efa de flor de harina, cocidos con levadura, como primicias para Jehová… Y convocaréis en este mismo día santa convocación; ningún trabajo de siervos haréis; estatuto perpetuo en dondequiera que habitéis por vuestras generaciones." Levítico 23:15-17, 21

Como vemos, la fiesta del Pentecostés, también conocida como *'fiesta de las semanas'*, por celebrarse –ponga atención– siete semanas después del día siguiente al sábado que seguía a la pascua, también era una fiesta relacionada con la cosecha de cereal, no de su inicio –como es el caso de Primicias–, sino de su conclusión. Por eso, en esta fiesta, no se presentaban los primeros frutos de la cosecha sino lo mejor de ella *'como primicia para Jehová'*.

Ahora, ¿qué sucederá cuando los 144000 lleguen a Pentecostés? Lo mismo que sucedió con los discípulos cincuenta días después de la muerte y resurrección de Jesús: el Espíritu Santo descenderá sobre ellos y miles o, esta vez, quizá millones de personas se convertirán por día. Dice hechos de los apóstoles: *"Cuando llegó el día de Pentecostés, estaban todos unánimes juntos. Y de repente vino del cielo un estruendo como de un viento recio que soplaba, el cual llenó toda la casa donde estaban sentados; y se les aparecieron lenguas repartidas, como de fuego, asentándose sobre cada uno de ellos. Y fueron todos llenos del Espíritu Santo, y comenzaron a hablar en otras lenguas, según el Espíritu les daba que hablasen… Y sobrevino temor a toda persona; y muchas maravillas y señales eran hechas por los apóstoles… Y el Señor añadía cada día a la iglesia los que habían de ser salvos… Y la multitud de los que habían creído era de un corazón y un alma; y ninguno decía ser suyo propio nada de lo que poseía, sino que tenían todas las cosas en común. Y con gran poder los apóstoles daban testimonio de la resurrección del Señor Jesús, y abundante gracia era sobre todos ellos." Hechos 2:1-4, 43, 47; 4:32-33*

Si prestamos atención, el contexto en el cual esta multitud de creyentes se unió a las filas del Señor –en Pentecostés, fiesta de la cosecha– no era en tiempos de paz sino de intensa persecución, dado que los judíos, no conformes con haber dado muerte a Cristo, se ensañaron contra sus seguidores. Lo mismo ocurrirá en el tiempo del fin: la inmensa multitud de personas vestidas de ropas blancas –de Apocalipsis 7–, se unirá a la iglesia fiel en medio de las persecuciones del fin.[120]

---

120 Elena de White escribió: "Viene el tiempo cuando habrá tantas personas convertidas en un día como las hubo en el día de Pentecostés, después que los discípulos recibieron el Espíritu Santo." Ev 502

Ahora, notemos algo importante en relación a esta fiesta. En este caso, las primicias –en el sentido de *'los mejores frutos'*– eran ofrecidas *'con levadura'*. ¿Por qué? Porque las personas que se convertían en este tiempo no estarán libres de pecado –como si deberán estarlo los 144000 al llegar la Pascua–; sin embargo, tan poderosa será su conversión –y la obra del Espíritu Santo sobre ellos– que, en el corto período de la gran angustia final, –los que no sean mártires– alcanzarán a lavar sus ropas en la sangre del Cordero. Razón por la cual, entendemos, también serán contados como primicias en el cielo, es decir, como principales, para ser admitidos dentro de la morada de Dios –al igual que los 144000–.

Por último, la tercera y última de las santas convocaciones estaba relacionada con el juicio de Dios; iniciaba el primero del séptimo mes –diez días antes de Yom Kipur, es decir, el día del juicio– con la 'Fiesta de las Trompetas'. Dice: *"Y habló Jehová a Moisés, diciendo: Habla a los hijos de Israel y diles: En el mes séptimo, al primero del mes tendréis día de reposo, una conmemoración al son de trompetas, y una santa convocación. Ningún trabajo de siervos haréis; y ofreceréis ofrenda encendida a Jehová. También habló Jehová a Moisés, diciendo: A los diez días de este mes séptimo será el día de expiación; tendréis santa convocación, y afligiréis vuestras almas, y ofreceréis ofrenda encendida a Jehová." Levítico 23:23-27*

Las *'trompetas'* que se mencionan aquí eran construidas con cuernos de animales puros ahuecados, llamados *'shofar'*, los cuales tenían un sonido muy llamativo y eran usados en circunstancias bastante particulares. Por ejemplo, además de hacerlas sonar en esta fiesta, la Biblia menciona su uso al:

» Ungir a los reyes (1 Reyes 1:34,39).

» Transportar el Arca del Pacto (2 Samuel 6:15).

» Aclamar a Dios (Salmos 98:6 y 150:3).

» Proclamar su Ley (Éxodo 19:16).

» Anunciar el 'jubileo' (Levíticos 25:9).

» Convocar a asamblea (1 Samuel 13:3, Joel 2:15).

» Exhortar al arrepentimiento (Isaías 58:1).

» Llamar a la guerra (Nehemías 4:20): Josué venció a Jericó y Gedeón a los madianitas al sonido este tipo de 'trompetas' (Josué 6; Jueces 6-7).

» Llamar a huir de Jerusalén (Jeremías 6:1).

» Anunciar la destrucción del mundo por parte de Dios (Ezequiel 33:3; Oseas 8:1; Joel 2:1; Sofonías 1:16; Zacarías 9:14).

» Proclamar el levantamiento de Dios para reinar (Salmos 47:5).

» Anunciar la victoria sobre la muerte (1 Corintios 15:26, 50-58; 1 Tesalonicenses 4:13-17).

Si prestamos atención, todos estos usos de esta trompeta –llamada shofar–, tienen relación con lo que vivirá el pueblo de Dios en los últimos días, dado que en aquel momento se ungirá a Cristo como Rey de Reyes y Señor de Señores, se llamará la atención al Santuario y la actuación de Cristo como Sumo Sacerdote frente al Arca del Pacto, seremos invitados a temer a Dios y darle gloria –a través del mensaje de los tres ángeles–, a proclamar la vigencia de su Ley de amor, anunciar el gran jubileo milenial en el que seremos libertados por Dios, se convocará a la iglesia (asamblea de creyentes) para exhortar al arrepentimiento, se llamará al pueblo de los sabios a esforzarse y ser valiente en la última gran batalla que nos tocará pelear frente al diablo, la bestia y el falso profeta, deberemos anunciar que la destrucción viene sobre las ciudades, y llamar a las personas a salir de ellas –tal como los cristianos fueron llamados a salir de Jerusalén–, anunciando que nuestro Dios se ha levantado de su morada para liberar a su pueblo y reinar sobre la tierra, destruyendo hasta el último de sus enemigos, el cual es la muerte.

El profeta Isaías, por ejemplo, menciona al shofar como el instrumento que llama a la congregación de los adoradores. Dice: *"Acontecerá en aquel día, que trillará Jehová desde el río Éufrates hasta el torrente de Egipto [es decir, desde el reino del norte hasta el reino del sur], y vosotros, hijos de Israel, seréis reunidos uno a uno. Acontecerá también en aquel día, que se tocará con gran trompeta (o shofar, en sentido literal), y vendrán los que habían sido esparcidos en la tierra de Asiria, y los que habían sido desterrados a Egipto, y adorarán a Jehová en el monte santo, en Jerusalén." Isaías 27:12-13*

En tanto, en el libro del profeta Joel dice: *"Tocad trompeta en Sion, y dad alarma en mi santo monte; tiemblen todos los moradores de la tierra, porque viene el día de Jehová, porque está cercano." Joel 2:1*

Por esto, entendemos que las trompetas, en su sentido espiritual, son las advertencias finales que llaman la atención al día del juicio de Dios. Ahora, ¿cuándo comenzarán a sonar? Según entendemos, luego de la imposición de la abominación desoladora predicha por el profeta Daniel.

En este sentido, Sofonías dice: *"Cercano está el día grande de Jehová, cercano y muy próximo; es amarga la voz del día de Jehová; gritará allí el valiente. Día de ira aquel día, día de angustia y de aprieto, día de alboroto y de asolamiento, día de tiniebla y de oscuridad, día de nublado y de entenebrecimiento, día de trompeta y de algazara [es decir, gritos de guerra] sobre las ciudades fortificadas, y sobre las altas torres. Y atribularé a los hombres, y andarán como ciegos, porque pecaron contra Jehová; y la sangre de ellos será derramada como polvo, y su carne como estiércol. Ni su plata ni su oro podrá librarlos en el día de la ira de Jehová, pues toda la tierra será consumida con el fuego de su celo; porque ciertamente destrucción apresurada hará de todos los habitantes de la tierra." Sofonías 1:14-18*

Y Salmos agrega: *"Tiempo es de actuar, oh Jehová, porque han invalidado tu ley." Salmo 119:126*

Ahora, así como la fiesta de Primicias y Pentecostés celebraban el inicio y el fin de la cosecha del cereal, la fiesta de Trompetas llegaba en el tiempo de la cosecha de la uva. Lo cual tiene un gran significado simbólico, porque, de acuerdo a lo que estudiaremos en Apocalipsis 14, la siega –o cosecha– del cereal representa las personas que serán halladas dignas delante de Dios; en tanto, la cosecha de la uva representa a quienes serán arrojados al lagar de la ira de Dios.

Por esto, si los 144000 serán sellados en Pascua y la inmensa multitud en Pentecostés, entendemos que antes de dar por perdido al resto del mundo, Dios enviará juicios misericordiosos que trastocan la tierra de una manera descomunal, pero no total, cuando su tiempo de gracia esté a punto de concluir, para tratar de salvar hasta el más tardo de sus hijos.

Es en este contexto –de trompetas que anuncian juicio–, que Apocalipsis 8 continúa diciendo: *"Otro ángel vino entonces y se paró ante el altar, con un incensario de oro; y se le dio mucho incienso para añadirlo a las oraciones de todos los santos, sobre el altar de oro que estaba delante del trono. Y de la mano del ángel subió a la presencia de Dios el humo del incienso con las oraciones de los santos. Y el ángel tomó el incensario, y lo llenó del fuego del altar, y lo arrojó a la tierra; y hubo truenos, y voces, y relámpagos, y un terremoto." Apocalipsis 8:3-5*

¿Qué significa todo esto? En principio, se trata, claramente, de una escena del 'Día del Juicio de Dios', también conocido como 'Yom Kipur' o 'Día de Expiación'.

Dios, en las instrucciones que le dio a Moisés sobre cómo debía desarrollarse este rito, dijo: *"Y hará traer Aarón el becerro que era para expiación suya, y hará la reconciliación por sí y por su casa, y degollará en expiación el becerro que es suyo. Después [y presta atención aquí] tomará un incensario lleno de brasas de fuego del altar de delante de Jehová, y sus puños llenos del perfume aromático molido, y lo llevará detrás del velo [es decir, al Lugar Santísimo]. Y pondrá el perfume sobre el fuego delante de Jehová, y la nube del perfume cubrirá el propiciatorio que está sobre el testimonio, para que no muera…" Levítico 16:11-13*

Como podemos comprobar, la escena que Juan ve en Apocalipsis –inmediatamente antes del tocar de las trompetas–, es idéntica a la que ocurría en el *'Día de Expiación':* en ambos casos, quien tiene la responsabilidad de interceder por el pueblo, debía presentarse delante del altar con un incensario en la mano –lleno de brasas de fuego del altar 'de delante de Jehová'–, tomar incienso en su mano y ofrecerlo delante de la presencia de Dios. [121]

Por lo cual, si las trompetas del Apocalipsis comenzarán a sonar luego de esto, sus implicancias deberían estar relacionadas con el día del juicio de Dios, en un contexto en el cual éste ya se ha iniciado.

En este sentido, recordemos que Apocalipsis describe a Cristo con 'voz como de *trompeta'* cuando Juan se encontraba *'en el espíritu'* –es decir, en visiones– en el *'día del Señor' (Ap 1:10).*

Ahora, ¿cómo entender que las trompetas comenzarán a sonar luego de una escena relacionada con el *Día de Expiación* si, de acuerdo al sistema festivo, éstas debían sonar 10 días antes? Pues, dentro de todos

---

121 Elena de White escribió: "Vi a un ángel que volaba con presteza hacia mí. Me llevó rápidamente de la Tierra a la santa ciudad, donde vi un templo en el que entré. Antes de llegar al primer velo pasé por una puerta. Ese velo se levantó y entré en el Lugar Santo, donde vi el altar del incienso, el candelabro de siete lámparas y la mesa con los panes de la proposición. Después de ver la gloria del Lugar Santo, Jesús levantó el segundo velo y pasé al Lugar Santísimo. En el Santísimo vi un arca, cuya cubierta y cuyos lados estaban recubiertos de oro purísimo. En cada extremo del arca había un hermoso querubín con sus alas extendidas sobre el arca. Sus rostros estaban frente a frente y miraban hacia abajo. Entre los ángeles había un incensario de oro, y sobre el arca, donde estaban los ángeles, un resplandor sumamente luminoso que se semejaba a un trono donde mora Dios. Junto al arca estaba Jesús, y, cuando las oraciones de los santos llegaban a él, el humo del incienso surgía del incensario y Jesús ofrecía a su Padre esas oraciones con el humo del incienso." PE 32-33 / CES 12

los días de expiación que se celebraban en el pueblo de Israel, año a año, había uno en particular que anunciaba, además del juicio de Dios, el jubileo; es decir, el tiempo en el cual debían ser liberados los esclavos y restaurada la tierra a sus legítimos dueños.

Lo interesante es que, en este particular *Día de Expiación*, también debía tocarse fuertemente la trompeta –a diferencia del resto de los Días de Expiación no jubilares–. Dice la Biblia: *"Y contarás siete semanas de años, siete veces siete años, de modo que los días de las siete semanas de años vendrán a serte cuarenta y nueve años. Entonces harás tocar fuertemente la trompeta en el mes séptimo a los diez días del mes; el día de la expiación haréis tocar la trompeta por toda vuestra tierra. Y santificaréis el año cincuenta, y pregonaréis libertad en la tierra a todos sus moradores; ese año os será de jubileo, y volveréis cada uno a vuestra posesión, y cada cual volverá a su familia. El año cincuenta os será jubileo; no sembraréis, ni segaréis lo que naciere de suyo en la tierra, ni vendimiaréis sus viñedos, porque es jubileo; santo será a vosotros; el producto de la tierra comeréis." Levítico 25:8-12*[122]

---

122 Elena de White, comentando una visión, escribió: "En el tiempo de angustia, huimos todos de las ciudades y pueblos, pero los malvados nos perseguían y entraban a cuchillo en las casas de los santos; pero al levantar la espada para matarnos, se quebraba ésta y caía tan inútil como una brizna de paja. Entonces clamamos día y noche por la liberación, y el clamor llegó a Dios. Salió el sol y la luna se paró. Cesaron de fluir las corrientes de aguas. Aparecieron negras y densas nubes que se entrechocaban unas con otras. Pero había un espacio de gloria fija, del que, cual estruendo de muchas aguas, salía la voz de Dios que estremecía cielos y tierra. El firmamento se abría y cerraba en honda conmoción. Las montañas temblaban como cañas agitadas por el viento y lanzaban peñascos en su derredor. El mar hervía como una olla y despedía piedras sobre la tierra. Y al anunciar Dios el día y la hora de la venida de Jesús, cuando dio el sempiterno pacto a su pueblo, pronunciaba una frase y se detenía de hablar mientras las palabras de la frase rodaban por toda la tierra. El Israel de Dios permanecía con los ojos en alto, escuchando las palabras según salían de labios de Jehová y retumbaban por la tierra como fragor del trueno más potente. El espectáculo era pavorosamente solemne, y al terminar cada frase, los santos exclamaban: "¡Gloria! ¡Aleluya!" Sus rostros estaban iluminados con la gloria de Dios, y resplandecían como el de Moisés al bajar del Sinaí. A causa de esta gloria, los impíos no podían mirarlos. Y cuando la bendición eterna fue pronunciada sobre quienes habían honrado a Dios santificando su sábado, resonó un potente grito por la victoria lograda sobre la bestia y su imagen. Entonces comenzó el jubileo, durante el cual la tierra debía descansar. Vi al piadoso esclavo levantarse en triunfal victoria, y desligarse de las cadenas que lo ataban, mientras que su malvado dueño quedaba confuso sin saber qué hacer; porque los impíos no podían comprender las palabras que emitía la voz de Dios. Pronto apareció la gran nube blanca. Parecióme mucho más hermosa que antes. En ella iba sentado el Hijo del hombre…" PE 34

Vea nuestro *Seminario sobre el Santuario y su Sistema Ceremonial* para una mejor comprensión del significado de las *'Fiestas'* en nuestros días. Hay mucha información que no podemos tratar aquí por razones de tiempo y oportunidad.

QR 1: https://www.diloalmundo.org/santuario

Por esto, el significado del jubileo en su máxima expresión apunta al levantamiento de Cristo para liberar a su pueblo y retornar la tierra a sus legítimos poseedores, es decir, a los santos. Es allí, entonces, cuando deben sonar las trompetas del Apocalipsis.

El incensario de oro y la prevaricación asoladora

Ahora, antes de avanzar con el desarrollo de las trompetas, tenemos que saber que el ofrendar incienso era una atribución exclusiva del ministerio sacerdotal. Dios dijo a Moisés: *"Harás asimismo un altar para quemar el incienso… Y lo pondrás delante del velo que está junto al arca del testimonio, delante del propiciatorio que está sobre el testimonio, donde me encontraré contigo. Y Aarón [el primer Sumo Sacerdote del santuario hebreo] quemará incienso aromático sobre él; cada mañana cuando aliste las lámparas lo quemará. Y cuando Aarón encienda las lámparas al anochecer, quemará el incienso; rito perpetuo delante de Jehová por vuestras generaciones."* Éxodo 30:1, 6-8

Aarón –y sus descendientes– debían ofrecer el incienso de manera continua –cada mañana y cada tarde, todos los días del año–, en representación de la continua intercesión de Cristo, nuestro verdadero Sumo Sacerdote, en el Santuario Celestial, quien –en el símbolo del incienso– añade su propia justicia a las oraciones de su pueblo para que sean atendidas por el Padre. Por esto, en el texto que estamos considerando, claramente dice: *"…se le dio mucho incienso para añadirlo a las oraciones de todos los santos, sobre el altar de oro que estaba delante del trono. Y de la mano del ángel [que, en este caso, es Cristo] subió a la presencia de Dios el humo del incienso con las oraciones de los santos."* Apocalipsis 8:3-4[123]

---

123 Elena de White explica: "Los servicios religiosos, las oraciones, la alabanza, la confesión arrepentida del pecado ascienden desde los verdaderos creyentes como incienso ante el santuario celestial, pero al pasar por los canales corruptos de la humanidad, se contaminan de tal manera que, a menos que sean purificados por sangre, nunca pueden ser de valor ante Dios. No ascienden en pureza inmaculada,

En el ritual diario el incienso se ofrecía en el *Lugar Santo*, en el altar de incienso; el cual estaba ubicado exactamente frente al arca del pacto, separados por un velo que no llegaba a la cubierta del Santuario; de manera que el humo del incienso llegara hasta el *Lugar Santísimo*, pasando por encima del velo, ante la misma presencia de Dios.

Sin embargo, durante el extraordinario *Día de Expiación*, el sacerdote debía utilizar un incensario para cargar en él brasas de fuego del altar de incienso, llenar sus manos de incienso tomado de ese mismo altar, y luego traspasar, en grave riesgo de su vida, al *Lugar Santísimo*, para ofrecer el incienso de sus manos ante la misma presencia de Dios.

Aquél era un momento de extremo recogimiento, en el cual tanto el Sumo Sacerdote del santuario terrenal como el pueblo debían ponerse a cuentas delante de Dios porque, justamente, se trataba del día en que Dios pesaba sus acciones. Es en este contexto que creemos se desarrollan las trompetas del Apocalipsis.

Ahora, como hemos dicho, la tarea de presentar el incienso era competencia exclusiva del Sumo Sacerdote, porque constituía una representación terrenal de la actividad de Cristo en el Santuario Celestial. Por esto, cada vez que alguien tuvo la osadía de querer ofrecer incienso sin ser parte de la familia sacerdotal, fue inmediatamente castigado por Dios.

---

y a menos que el Intercesor, que está a la diestra de Dios, presente y purifique todo por su justicia, no son aceptables ante Dios. Todo el incienso de los tabernáculos terrenales debe ser humedecido con las purificadoras gotas de la sangre de Cristo. El sostiene delante del Padre el incensario de sus propios méritos, en los cuales no hay mancha de corrupción terrenal. Recoge en ese incensario las oraciones, la alabanza y las confesiones de su pueblo, y a ellas les añade su propia justicia inmaculada. Luego, perfumado con los méritos de la propiciación de Cristo, asciende el incienso delante de Dios plena y enteramente aceptable. Así se obtienen respuestas benignas." 1MS 404

"Cristo intercede por la raza perdida mediante su vida inmaculada, su obediencia y su muerte en la cruz del Calvario. Y ahora, no como un mero suplicante, intercede por nosotros el Capitán de nuestra salvación, sino como un Conquistador que reclama su victoria. Su ofrenda es completa, y como Intercesor nuestro ejecuta la obra que él mismo se señaló, sosteniendo delante de Dios el incensario que contiene sus méritos inmaculados y las oraciones, las confesiones y las ofrendas de agradecimiento de su pueblo. Ellas, perfumadas con la fragancia de la justicia de Cristo, ascienden hasta Dios en olor suave. La ofrenda se hace completamente aceptable, y el perdón cubre toda transgresión." PVGM 121

En este sentido, consideremos la historia del rey Uzías, cuando, debido a su grandeza, se enalteció para su propia ruina al entrar en el templo para quemar incienso por su propia mano. Cuenta la Biblia: *"[Cuando Uzías se hizo fuerte], su corazón se enalteció para su ruina; porque se rebeló contra Jehová su Dios, entrando en el templo de Jehová para quemar incienso en el altar del incienso. Y entró tras él el sacerdote Azarías, y con él ochenta sacerdotes de Jehová, varones valientes. Y se pusieron contra el rey Uzías, y le dijeron: No te corresponde a ti, oh Uzías, el quemar incienso a Jehová, sino a los sacerdotes hijos de Aarón, que son consagrados para quemarlo. Sal del santuario, porque has prevaricado, y no te será para gloria delante de Jehová Dios. Entonces Uzías, teniendo en la mano un incensario para ofrecer incienso, se llenó de ira; y en su ira contra los sacerdotes, la lepra le brotó en la frente, delante de los sacerdotes en la casa de Jehová, junto al altar del incienso. Y le miró el sumo sacerdote Azarías, y todos los sacerdotes, y he aquí la lepra estaba en su frente; y le hicieron salir apresuradamente de aquel lugar; y él también se dio prisa a salir, porque Jehová lo había herido. Así el rey Uzías fue leproso hasta el día de su muerte, y habitó leproso en una casa apartada, por lo cual fue excluido de la casa de Jehová." 2 Crónicas 26:16-21*

Esta historia no es irrelevante en el relación a los acontecimientos del fin, dado que, si repasamos el contexto en el que aparecen *'los verdugos destructores por parte de Jehová'*, en Ezequiel 9, veremos que, en medio de las abominaciones que se comenten dentro del pueblo de Dios, se le muestra al profeta 'setenta ancianos, es decir, setenta líderes, con incensarios en sus manos' (Ez 8:11).

Lo cual nos indica que, en el fin de la historia, también se cometerá esta terrible prevaricación asoladora por parte de los dirigentes del mundo, cuando pretendan usar la iglesia de Cristo con fines políticos.

Ahora, otro incidente, en este mismo sentido, lo encontramos en la rebelión de Coré, cuando más de 250 personas –que no formaban parte de la familia de Aarón–, liderados por Coré, primo de Moisés, quisieron usurpar el sacerdocio, presentándose cada uno de ellos con incensarios en sus manos. En aquel momento la ira de Dios se encendió contra ellos y 'literalmente' la tierra abrió su boca y los tragó.

Lo llamativo es que, al día siguiente, el resto del pueblo –que había corrido aterrorizado para no ser tragados también por la tierra–, rodearon a Moisés y a Aarón culpándolos de haber matado a aquellos que la tierra había tragado. Dice la Biblia: *"El día siguiente, toda la congregación de los hijos de Israel murmuró contra Moisés y Aarón, diciendo: Vosotros habéis dado muerte al pueblo de Jehová. Y aconteció que cuando se juntó la congregación contra Moisés y Aarón, miraron hacia el tabernáculo de reunión, y he aquí la nube lo había cubierto, y apareció la gloria de Jehová. Y vinieron Moisés y Aarón delante del tabernáculo de reunión. Y Jehová habló a Moisés, diciendo: Apartaos de en medio de esta congregación, y los consumiré en un momento. Y ellos se postraron sobre sus rostros. Y dijo Moisés a Aarón: Toma el incensario, y pon en él fuego del altar, y sobre él pon incienso, y ve pronto a la congregación, y haz expiación por ellos, porque el furor ha salido de la presencia de Jehová; la mortandad ha comenzado. Entonces tomó Aarón el incensario, como Moisés dijo, y corrió en medio de la congregación; y he aquí que la mortandad había comenzado en el pueblo; y él puso incienso, e hizo expiación por el pueblo, y se puso entre los muertos y los vivos; y cesó la mortandad. Y los que murieron en aquella mortandad fueron catorce mil setecientos…" Números 16:41-49*[124]

Esta fascinante historia del pueblo hebreo, en su tránsito hacia la tierra prometida, ilustra claramente el contexto en el cual se encontrará el mundo en el tiempo de las trompetas del Apocalipsis, cuando los

---

124 Elena de White comentando este suceso, escribió: "Aquí encontramos una impresionante exhibición de la ceguera que envuelve a las mentes humanas que se apartan de la luz y la evidencia. Vemos la fuerza de la rebelión que se ha arraigado, y cuán difícil es someterla… Moisés no sentía la culpa del pecado y no se alejó rápidamente ante la palabra del Señor para dejar que la congregación pereciera, como los hebreos que habían huido de las tiendas de Coré, Datán y Abiram el día anterior. Moisés se dilató, porque él no podía consentir en dejar que pereciera toda esa vasta multitud, aunque sabía que merecían el castigo de Dios por su persistente rebelión. Se postró ante Dios porque el pueblo no sentía la necesidad de humillarse; hizo mediación por ellos porque no sentían necesidad de intercesión en su favor. Moisés aquí simboliza a Cristo. En este momento crítico Moisés manifestó el interés del verdadero Pastor por el rebaño que está a su cuidado. Imploró que la ira de un Dios ofendido no destruyera completamente al pueblo de su elección. Y por su intercesión detuvo el brazo de la venganza, para que no fuera exterminado completamente el Israel desobediente y rebelde. Le dio instrucciones a Aarón en cuanto a qué hacer en esa terrible crisis cuando la ira de Dios se había manifestado y había comenzado la plaga. Aarón se mantuvo de pie con su incensario, agitándolo ante el Señor, mientras la intercesión de Moisés ascendía con el humo del incienso. Moisés no se atrevió a cesar sus ruegos. Se aferró a la fuerza del Ángel, como hiciera Jacob en su lucha nocturna, y como Jacob, prevaleció. Aarón estaba entre los vivos y los muertos cuando llegó la misericordiosa respuesta: He oído tu oración, y no consumiré completamente. Los mismos hombres a quienes la congregación despreciaba y a quienes habrían dado muerte fueron los que intercedieron en su favor para que la espada vengadora de Dios pudiera enfundarse y el Israel pecador fuera perdonado." 3TI 394

dirigentes del mundo desafiarán la autoridad de Dios pisoteando su Ley e introduciendo un culto espurio dentro de su iglesia. En palabras del profeta Daniel, *'profanarán el santuario a través de la quita de la verdadera intercesión continua y la imposición de la abominación desoladora (Dn 11:31).* Tema que explicaremos en nuestro análisis de Apocalipsis 13.

Por esto, cuando la ira de Dios, así como antaño, esté encendiéndose sobre toda la humanidad por este terrible pecado, Jesús, así como Moisés y Aarón, se pondrá entre los muertos y los vivos suplicando por un pueblo que es duro de cerviz, para que no sea completamente consumido.

En este sentido, prestamos atención al paralelo que existe entre la acción de Cristo al llenar el incensario con fuego del altar y arrojarlo a la tierra, con aquella orden que Moisés dio a Aarón respeto a *'tomar el incensario, y poner en él fuego del altar, y sobre él incienso, y dirigirse pronto a la congregación, para hacer expiación por ellos, porque el furor había salido de la presencia de Jehová; y la mortandad había comenzado….' Números 16:46*

Y esta también es la razón por la cual se le da a Cristo *'mucho incienso para añadirlo a las oraciones de los santos' (Ap 8:3),* porque la humanidad habrá cometido la abominación desoladora y el verdadero pueblo de Dios estará gimiendo y clamando a causa de ella (Ez 9:4).

La purificación de la Tierra

Por último, antes de poder avanzar hacia el significado de las trompetas, debemos entender que representa el fuego del altar, y qué sucederá cuando el incensario, lleno de ese fuego, sea arrojado a la tierra. Para comprender esto, consideremos la siguiente declaración de Isaías: *"En el año que murió el rey Uzías [aquel que prevaricó, pretendiendo ofrecer incienso delante de Dios] vi yo al Señor sentado sobre un trono alto y sublime, y sus faldas llenaban el templo. Por encima de él había serafines; cada uno tenía seis alas; con dos cubrían sus rostros, con dos cubrían sus pies, y con dos volaban. Y el uno al otro daba voces, diciendo: Santo, santo, santo, Jehová de los ejércitos; toda la tierra está llena de su gloria." Isaías 6:1-3*

Como vemos, un contexto muy similar a la visión del trono de Dios de Apocalipsis 4, pero en el contexto de aquel ángel de Apocalipsis 18 que: *'ilumina toda la tierra con la gloria de Dios.' Apocalipsis 18:1*

Luego, Isaías dice: *Y los quiciales [es decir, los maderos que sostienen] las puertas se estremecieron con la voz del que clamaba, y la casa se llenó de humo." Isaías 6:1-5*

Es decir, se trata de una visión sobre el tiempo cuando la puerta de la gracia se cerrará. Note el paralelo con lo que relata Apocalipsis, en el contexto de la ira de Dios: *"Y uno de los cuatro seres vivientes dio a los siete ángeles siete copas de oro, llenas de la ira de Dios, que vive por los siglos de los siglos. Y el templo se llenó de humo por la gloria de Dios, y por su poder; y nadie podía entrar en el templo hasta que se hubiesen cumplido las siete plagas de los siete ángeles." Apocalipsis 15:7-8*

En este contexto del juicio de Dios, Isaías continúa: *"Entonces dije: ¡Ay de mí! que soy muerto; porque siendo hombre inmundo de labios, y habitando en medio de pueblo que tiene labios inmundos, han visto mis ojos al Rey, Jehová de los ejércitos. Y voló hacia mí uno de los serafines, teniendo en su mano un carbón encendido, tomado del altar con unas tenazas; y tocando con él sobre mi boca, dijo: He aquí que esto tocó tus labios, y es quitada tu culpa, y limpio tu pecado. Después oí la voz del Señor, que decía: ¿A quién enviaré, y quién irá por nosotros? Entonces respondí yo: Heme aquí, envíame a mí. Y dijo: Anda, y di a este pueblo: Oíd bien, y no entendáis; ved por cierto, mas no comprendáis. Engruesa el corazón de este pueblo, y agrava sus oídos, y ciega sus ojos, para que no vea con sus ojos, ni oiga con sus oídos, ni su corazón entienda, ni se convierta, y haya para él sanidad." Isaías 6:5-10*

¿Qué quiere decir todo esto? Que antes que venga el día terrible de Jehová, Dios purificará a sus escogidos por medio de aquel fuego del altar que será arrojado a la tierra. Luego, una vez que su pueblo esté limpio de pecado, Dios lo enviará para predicar al resto del mundo rebelde que no quiere oír ni arrepentirse de sus pecados. Como comprobaremos, se tratará de un contexto similar a aquel en el cual Dios envió a Moisés y Aarón al Faraón de Egipto, en el cual Dios empezará enviado plagas que, en su misericordia, irán in crescendo en su destrucción, sin embargo, la mayoría de los líderes y del pueblo, en vez de oír y arrepentirse, se rebelarán y encenderán en ira contra el verdadero pueblo de Dios.

Por esto Isaías pregunta: *¿Hasta cuándo, Señor [ha de predicar]? [Y se le responde]: Hasta que las ciudades estén asoladas y sin morador, y no haya hombre en las casas, y la tierra esté hecha un desierto; hasta que Jehová haya echado lejos a los hombres, y multiplicado los lugares abandonados en medio de la tierra." Isaías 6:11-12*

Como vemos, tanto la purificación de Isaías −en representación de los sabios de los últimos días− como la desolación de la tierra, ocurren luego la escena en la que se toma carbones encendidos del altar.

Consideremos otra cita en este mismo sentido. Si volvemos a aquella visión de Ezequiel 9 –sobre los 'verdugos de la ciudad'–, en el siguiente capítulo continúa diciendo: *"Yo miré, y sobre la plataforma que estaba encima de la cabeza de los querubines, había como una piedra de zafiro: por encima de ellos, se veía algo así como la figura de un trono [al igual que en la visión de Isaías que acabamos de considerar y Apocalipsis 4]. El Señor dijo al hombre vestido de lino: «Entra en medio del círculo, debajo del querubín, llena tus manos con las brasas incandescentes que están entre los querubines, y espárcelas sobre la ciudad». Y el hombre entró allí, ante mis propios ojos… El querubín extendió su mano hacia el fuego que estaba entre los querubines, lo tomó y lo puso en las manos del hombre vestido de lino [que es Cristo]: este lo recibió y salió." Ezequiel 10: 1-2, 7 LPD*

¿No es éste un contexto muy similar a aquel de Apocalipsis 8, cuando dice: *"Y el ángel [que también representa a Cristo] tomó el incensario, y lo llenó del fuego del altar, y lo arrojó a la tierra…" (Ap 8:5)*? En Isaías dice *"espárcelas sobre la ciudad"*, porque la visión es aún más específica en el sentido que la destrucción comenzará por las ciudades más pecaminosas del mundo.

Si esto es así, se trata de otra clara evidencia del contexto temporal en el que se desarrollarán las trompetas del Apocalipsis. ¿Por qué? Porque la visión de Ezequiel se refiere, indiscutiblemente, al sellamiento del pueblo de Dios y la destrucción del mundo en el contexto de las abominaciones de los últimos días. Por lo cual, si encontramos un paralelo con Apocalipsis 8, quiere decir que las trompetas también sonarán en el futuro, como juicios con misericordia de parte de Dios, en el tiempo inmediatamente anterior al derramamiento de las copas de su ira.[125]

Ahora, Apocalipsis 8:5 concluye diciendo que, luego de que Cristo arroje el incensario a la tierra, se producirán *"…truenos, y voces, y relámpa-*

---

125 Elena de White es categórica en cuanto a esto. Ella escribió: "Solemnes eventos ocurrirán en el futuro. Sonará una trompeta tras otra; una copa tras otra serán volcadas en forma sucesiva sobre los habitantes de la tierra. Escenas de enorme interés están casi sobre nosotros, y estas cosas serán indicaciones seguras de la presencia de Aquel que ha dirigido en todo movimiento agresivo, que ha acompañado la marcha de su causa a través de todos los siglos, y que ha prometido bondadosamente estar en persona con su pueblo en todos sus conflictos hasta el fin del mundo. El defenderá su verdad. Él hará que ésta triunfe. El está listo para suplir a sus fieles de motivos y poder de propósito, inspirándoles esperanza y valor en la creciente actividad cuando el tiempo esté muy cercano." [6LtMs, Lt 112, 1890, par. 13] 3MS 487

gos, y un terremoto." (Ap 8:5), lo cual refleja la intensa actividad que habrá en aquel momento, dado que, como explicamos en Apocalipsis 4, los truenos y las voces representan la comunicación entre Dios y sus ángeles, que van y vienen apresurados a manera de relámpagos.[126]

A todo esto, para nuestro mundo, la señal de que Dios ha comenzado a purificar la tierra será un muy significativo terremoto. Decimos 'muy significativo' porque, a partir de este momento, se desencadenarán una serie de sucesos que conmoverán la tierra y el cielo.

Primera trompeta

Es en este terrible contexto, que Apocalipsis 8 continúa diciendo: *"Y los siete ángeles que tenían las siete trompetas se dispusieron a tocarlas. El primer ángel tocó la trompeta, y hubo granizo y fuego mezclados con sangre, que fueron lanzados sobre la tierra; y la tercera parte de los árboles se quemó, y se quemó toda la hierba verde." Apocalipsis 8:6-7*

¿Qué significa esto? Evidentemente, representa un juicio de Dios que cae sobre la tierra, específicamente sobre los árboles y la hierba verde. Ahora, ¿cuáles serán sus componentes? Dice: "granizo, fuego y sangre."

El granizo es un ingrediente que formará parte de la última de las copas de la ira. Apocalipsis dice: *"El séptimo ángel derramó su copa por el aire… y cayó del cielo sobre los hombres un enorme granizo como del peso de un talento [es decir, de unos 25 kilos]; y los hombres blasfemaron contra Dios por la plaga del granizo; porque su plaga fue sobremanera grande." Apocalipsis 16:17, 21*

Ahora, por estar mezclado con fuego, el granizo de la primera trompeta, tendrá la capacidad de incendiar la tierra. No sabemos de qué manera podría llegar a ocurrir –podría ser una lluvia de pequeños meteoritos encendidos, provenientes de la cola de algún cometa, que caigan sobre grandes extensiones de vegetación–, pero lo cierto es que la profecía anticipa que una tercera parte de los árboles y toda la hierba verde será quemada. ¿Te imaginas las consecuencias ambientales, sociales y políticas que esto podría ocasionar?

---

126 Elena de White escribió: "Vi ángeles que iban y venían de uno a otro lado del cielo. Un ángel con tintero de escribano en la cintura regresó de la tierra y comunicó a Jesús que había cumplido su encargo, quedando sellados y numerados los santos. Vi entonces que Jesús, quien había estado oficiando ante el arca de los Diez Mandamientos, dejó caer el incensario, y alzando las manos exclamó en alta voz: "Consumado es".–Primeros Escritos, 279 (1858)." EUD 194

Por otro lado, es necesario que tengamos en cuenta que el fuego siempre ha sido usado por Dios como elemento purificador, tanto en los rituales simbólicos del Santuario, como en aquella lluvia de fuego y azufre que cayó sobre las impías ciudades de Sodoma y Gomorra.

En este sentido, recordemos que Cristo, en la escena previa, se presentó dentro del Santuario Celestial 'con un incensario en su mano', en señal inequívoca de que aún nos encontraremos dentro del tiempo de gracia, en medio del tiempo en el que debía purificarse dicho santuario, es decir, en el *Día de Expiación…* Luego *'toma el incensario, lo llena del fuego del altar, y lo arroja sobre la tierra' (Ap 8:5)*, entendemos, en señal de que ha llegado el momento de purificar la tierra.

Ahora, ¿y la sangre? ¿qué significa? En nuestra humilde comprensión, la sangre entremezclada entre el granizo y el fuego es una ilustración simbólica de la misericordia de Dios en medio de este terrible juicio. Misericordia por la cual el granizo no será de aquellas terribles proporciones como los de la séptima copa de la ira de Dios, y no caerá sobre los hombres, como sí lo hará en aquella ocasión, sino sobre la tierra, afectando solamente a una tercera parte de los árboles y a la hierba verde.

En definitiva, el objetivo de Dios al enviar esta señal será dar una gran advertencia de que su juicio final se acerca sobre la humanidad. Si lo piensas, esa es, justamente, la función de las trompetas: llamar la atención del pueblo hacia el gran día del juicio de Dios.

Ahora, mientras los falsos profetas de nuestro mundo estarán instando a respetar la 'madre naturaleza', los 144000 clamarán en alta voz, diciendo: *"Temed a Dios, y dadle gloria, porque la hora de su juicio ha llegado; y adorad a aquel que hizo el cielo y la tierra, el mar y las fuentes de las aguas."* *Apocalipsis 14:7*

En este sentido, ellos estarán proclamando el mismo mensaje de Jesús y Juan el Bautista, cuando dijeron: *"Arrepentíos, porque el reino de los cielos se ha acercado." Mateo 3:2 y 4:17*

Segunda trompeta

Luego, Apocalipsis dice: *"El segundo ángel tocó la trompeta, y como una gran montaña ardiendo en fuego fue precipitada en el mar; y la tercera parte del mar se convirtió en sangre. Y murió la tercera parte de los seres vivientes que estaban en el mar, y la tercera parte de las naves fue destruida." Apocalipsis 8:8-9*

Aunque no sabemos qué especie de montaña ardiendo en fuego podría ser precipitada en el mar para producir este efecto –como podría llegar a ser un cono volcánico–, lo cierto, es que el convertir el agua en sangre es una señal que Dios ya hizo en el pasado, justamente en el contexto de la liberación de su pueblo hebreo de Egipto.

También en esta trompeta, por misericordia de Dios, la plaga caerá solo sobre una tercera parte de los mares. Sin embargo, Apocalipsis anticipa que, en la segunda copa de la ira de Dios, el resto de los mares también se convertirán en sangre. Dice: *"El segundo ángel derramó su copa sobre el mar, y este se convirtió en sangre como de muerto; y murió todo ser vivo que había en el mar." Apocalipsis 16:3*

Por esto, si creemos que tanto en Egipto como en las copas de la ira, el agua se convirtió y se convertirá –literalmente– en sangre; debemos interpretar el significado de esta trompeta de la misma manera, es decir, tal como claramente se lee.

Tercera trompeta

¿Qué sucederá después? Apocalipsis dice: *"El tercer ángel tocó la trompeta, y cayó del cielo una gran estrella, ardiendo como una antorcha, y cayó sobre la tercera parte de los ríos, y sobre las fuentes de las aguas. Y el nombre de la estrella es Ajenjo. Y la tercera parte de las aguas se convirtió en ajenjo; y muchos hombres murieron a causa de esas aguas, porque se hicieron amargas." Apocalipsis 8:10-11*

La descripción del profeta es clara: un especie de gran asteroide encendido en fuego cae desde el cielo y contamina la tercera parte del agua dulce, es decir, la de consumo humano. Otra vez, no sabemos la manera en que esto podría ocurrir. Quizá, debido al gran tamaño y al lugar donde caiga este astro –con características contaminantes–, podría envenenar tanto grandes reservorios de agua dulce en superficie como inmensos acuíferos internos de la tierra.

También en este caso, es notable el paralelo con la tercera copa de la ira de Dios, la cual dice: *"El tercer ángel derramó su copa sobre los ríos, y sobre las fuentes de las aguas, y se convirtieron en sangre. Y oí al ángel de las aguas, que decía: Justo eres tú, oh Señor, el que eres y que eras, el Santo, porque has juzgado estas cosas. Por cuanto derramaron la sangre de los santos y de los profetas, también tú les has dado a beber sangre; pues lo merecen. También oí a otro, que desde el altar decía: Ciertamente, Señor Dios Todopoderoso, tus juicios son verdaderos y justos." Apocalipsis 16:4-7*

Por lo que, también en este caso, la trompeta actúa como un aviso temprano de una futura calamidad mayor.

Sin embargo, y como podemos observar, los castigos que Dios enviará aún en tiempo de gracia también irán en aumento. En este sentido, hemos visto que el primer toque de trompeta solo dañará la vegetación, mientras que el segundo afectará no solo al mar y sus habitantes, sino también a las personas en barcos. Luego, con el tercer toque, habrá mayor cantidad de personas afectadas por el agua contaminada.

Lamentablemente, a pesar de estos signos evidentes, los líderes y el mundo en general se volverán cada vez más obstinados en sus pecados, de una manera muy similar a cómo el Faraón se comportó en el pasado.

Sin embargo, también habrá una gran cantidad de personas de entre el común del pueblo que, viendo las señales, se unirán a los santos, así como hubo una multitud de egipcios que se unieron al pueblo hebreo en su salida hacia la tierra prometida. Y esta es la razón por la cual Dios enviará tan tremendas plagas mientras aún dure el tiempo de su misericordia.

Cuarta trompeta

La última, de esta primera serie de cuatro trompetas, dice: *"El cuarto ángel tocó la trompeta, y fue herida la tercera parte del sol, y la tercera parte de la luna, y la tercera parte de las estrellas, para que se oscureciese la tercera parte de ellos, y no hubiese luz en la tercera parte del día, y asimismo de la noche." Apocalipsis 8:12*

Entendemos que esta ausencia de luz no significa ausencia total de luz durante un tercio de las horas del día y de la noche, sino un oscurecimiento parcial de sus respectivas lumbreras. En este sentido, la Biblia de Jerusalén traduce: *"Entonces fue herida la tercera parte del sol, la tercera parte de la luna y la tercera parte de las estrellas; quedó en sombra la tercera parte de ellos; el día perdió una tercera parte de su claridad y lo mismo la noche." Apocalipsis 8:12 BJ*

La trompeta, también en este caso, no especifica el origen del oscurecimiento del sol, la luna y las estrellas. Sin embargo, no es difícil de imaginar cómo podría ocurrir. Una posibilidad podría ser que esta trompeta sea una consecuencia de las anteriores. ¿Qué quiero decir? Que si ha caído una lluvia de 'granizos encendidos' que han incendiado el mundo –en la primera trompeta–, si luego ha erupcionado un gran volcán –en la segunda– y ha caído un gran asteroide –en la tercera–, sería muy lógico que grandes nubes de humo y de polvo se esparzan sobre el planeta ocasionando una disminución considerable de la entrada de luz proveniente del sol, la luna y las estrellas.

Ahora, otra posibilidad es que también podría ser a consecuencia del accionar humano. Si leemos las noticias, los dirigentes del mundo están manifestando una 'gran preocupación' por el cambio climático, promoviendo todo tipo de agendas con el objetivo de reducir el aumento de la temperatura mundial.

En principio, las propuestas apuntan a modernizar aquellas actividades que, aparentemente, conducen a tal aumento de la temperatura del planeta. Sin embargo, no faltan los 'plan b' que proponen ejecutar ciertas acciones de *geoingeniería* con el fin de 'enfriarlo', como una alternativa de última instancia en caso de fracasar los intentos anteriores y encontrarnos en situación de necesidad.

En este sentido, una de las propuestas que ha presentado el multimillonario Bill Gates a las élites que gobiernan nuestro mundo, es la de esparcir sobre la atmósfera polvos químicos con características reflectantes a fin de impedir que una importante proporción de luz solar ingrese al planeta y caliente la tierra. Lo cual, también tendría como 'efecto colateral', la reducción de luz recibida por las lumbreras nocturnas, es decir, de la luna y la de las estrellas.[127]

En definitiva, no sabemos cuál será la causa ni las consecuencias que acarreará, pero lo que sí sabemos es que Apocalipsis anticipa una disminución de un tercio de la luz del sol, de la luna y de las estrellas como la cuarta plaga en tiempos de misericordia.

Lo llamativo, también en esta ocasión, es que la cuarta de las copas de la ira de Dios también caerá sobre el sol, produciendo un efecto totalmente contrario al que ocurriría en esta ocasión. Dice: *"El cuarto ángel derramó su copa sobre el sol, al cual fue dado quemar a los hombres con fuego. Y los hombres se quemaron con el gran calor, y blasfemaron el nombre de Dios, que tiene poder sobre estas plagas, y no se arrepintieron para darle gloria." Apocalipsis 16:8-9*

---

127 **Fuente:** Infobae: La extravagante idea que financia Bill Gates para enfriar la Tierra: comenzarán a probarla en Suecia (23-03-2021).

El significado del Altar

Muchas personas, desde lo antiguo, han interpretado las trompetas del Apocalipsis como cumplidas en el pasado –en ciertos acontecimientos históricos que nos sería difícil de mencionar por su extensión y difícil de probar por su complejidad–, tomando como base para realizar tal interpretación que 'Cristo se encontraba en el 'Lugar Santo' del Santuario celestial, por la mención de Apocalipsis 8:3 en relación a que el ángel se paró ante el altar de incienso.

Aunque es cierto que Apocalipsis dice que Cristo se paró ante el altar de incienso, y que éste se encontraba en el Lugar Santo dentro del Santuario, lo cierto es que Cristo no se encuentra allí ofreciendo el ritual diario –del tiempo ordinario– sino que, como hemos comprobado, se encuentra cumpliendo el ritual extraordinario del Día de Expiación, en el cual el Sumo Sacerdote, provisto de un incensario en su mano, tomaba el incienso en dicho altar pero lo ofrecía, tal como dice el texto apocalíptico, ante la presencia de Dios, en el Lugar Santísimo. Dice: *"Y de la mano del ángel subió a la presencia de Dios el humo del incienso con las oraciones de los santos." Apocalipsis 8:4*

Y esta es la razón por la que –por encontrarnos en un tiempo extraordinario de inmensa angustia–, se necesita 'mucho incienso' para ser añadido a las oraciones de los santos (Ap 8:3).

Por otro lado, debemos reconocer que el cumplimiento más comple-to, abarcante y conciso de esta profecía debe darse en un tiempo posterior al sellamiento de los 144000. Si recordamos, en el capítulo anterior leí-mos: *"Después de esto vi a cuatro ángeles en pie sobre los cuatro ángulos de la tierra, que detenían los cuatro vientos de la tierra, para que no soplase viento alguno sobre la tierra, ni sobre el mar, ni sobre ningún árbol. Vi también a otro ángel que subía de donde sale el sol, y tenía el sello del Dios vivo; y clamó a gran voz a los cuatro ángeles, a quienes se les había dado el poder de hacer daño a la tierra y al mar, diciendo: No hagáis daño a la tierra, ni al mar, ni a los árboles, hasta que hayamos sellado en sus frentes a los siervos de nuestro Dios. Y oí el número de los sellados: ciento cuarenta y cuatro mil sellados de todas las tribus de los hijos de Israel." Apocalipsis 7:1-3*

Por lo cual, si en este capítulo hemos visto, justamente, daño sobre tierra, el mar, y los árboles, es porque los 144000 ya se encuentran sellados y protegidos por Dios. En este contexto, sería totalmente contradictorio querer ubicar los 144000 en el futuro y las trompetas en el pasado.

Ahora, ¿quiere decir esto que, en el tiempo de Apocalipsis 8, los vientos ya se habrán soltado? No. No completamente. Por dos razones. La primera es que la destrucción que traen estas cuatro primeras trompetas no abarcan la totalidad del planeta sino una tercera parte de ella, y no se derraman sobre la humanidad sino sobre la tierra, el mar, los ríos, las fuentes de las aguas, el sol, la luna y las estrellas. Esto implica que los vientos aún continúan sujetándose en relación con la humanidad porque la misericordia de Dios aún continúa intercediendo ante el corazón de las personas.

La segunda razón por la cual los cuatro vientos no se habrán soltado completamente durante las trompetas de Apocalipsis 8, es porque hay indicación expresa, en el mismo Apocalipsis, en relación a cuándo se soltarán −cosa que analizaremos en nuestro siguiente capítulo−.

Lo que sí nos gustaría resaltar en éste, es que así como en lo antiguo Dios envió una gran señal en la naturaleza cuando iba a destruir el mundo por medio del diluvio −a través del misterioso entrar de todos los animales dentro del arca de Noé−, y así como no mató a los primogénitos de Egipto y a todo su ejército en primera instancia, sino que envió sucesivas plagas intermedias como expresión de su misericordia para aquella nación pagana, en el tiempo del fin no destruirá la humanidad de un momento a otro; sino que irá permitiendo que las calamidades vayan llegando en grados cada vez más elevados, comenzando en tiempos en los que aún hay oportunidades de arrepentimiento, para luego, cuando la obstinación en el mal sea irreversible, cerrar para siempre la puerta de su gracia.

Siendo ésta, justamente, la manera como Dios recogerá una multitud de salvos de entre lo que se creía perdido.[128]

---

128 Elena de White comenta: "Hay muchos con quienes el Espíritu de Dios está contendiendo. El tiempo de los juicios destructores de Dios es el tiempo de la misericordia para aquellos que [hasta el momento] no han tenido oportunidad de aprender qué es la verdad. El Señor los mira con ternura. Su corazón misericordioso se conmueve, su mano todavía se extiende para salvar, mientras la puerta se cierra para aquellos que no quisieron entrar. Será admitido un gran número de los que en los últimos días oirán la verdad por primera vez. −Carta 103, 1903." EUD 154

"Muchos leen las Escrituras sin comprender su verdadero sentido. En todo el mundo, hay hombres y mujeres que miran fijamente al cielo. Oraciones, lágrimas e interrogaciones brotan de las almas anhelosas de luz en súplica de gracia y de la recepción del Espíritu Santo. Muchos están en el umbral del reino esperando únicamente ser incorporados en él. −Los Hechos de los apóstoles, 89." SC 72

En relación a lo que vendrá después, este capítulo concluye diciendo: *"Y miré, y oí a un ángel volar por en medio del cielo, diciendo a gran voz: ¡Ay, ay, ay, de los que moran en la tierra, a causa de los otros toques de trompeta que están para sonar los tres ángeles!" Apocalipsis 8:13*

Por esto, si hasta aquí hemos visto cosas inimaginablemente terribles, ¿qué será de nosotros cuando suenen las siguientes tres trompetas?

Sin embargo, no hay nada que temer si estamos con Dios, porque: *"Dios es nuestro amparo y fortaleza, nuestro pronto auxilio en las tribulaciones. Por tanto, no temeremos, aunque la tierra sea removida, y se traspasen los montes al corazón del mar; aunque bramen y se turben sus aguas, y tiemblen los montes a causa de su braveza. Del río sus corrientes alegran la ciudad de Dios, el santuario de las moradas del Altísimo. Dios está en medio de ella; no será conmovida. Dios la ayudará al clarear la mañana. Bramaron las naciones, titubearon los reinos; dio él su voz, se derritió la tierra. Jehová de los ejércitos está con nosotros; nuestro refugio es el Dios de Jacob. Venid, ved las obras de Jehová, que ha puesto asolamientos en la tierra. Que hace cesar las guerras hasta los fines de la tierra. Que quiebra el arco, corta la lanza, y quema los carros en el fuego. Estad quietos, y conoced que yo soy Dios; seré exaltado entre las naciones; enaltecido seré en la tierra. Jehová de los ejércitos está con nosotros; nuestro refugio es el Dios de Jacob." Salmo 46*

Vuelve a leer, ahora mismo, Apocalipsis 8, y comprueba como ya se ha abierto ante tus ojos.

"En el tiempo de la aflicción y la perplejidad de las naciones habrá muchos que, entregados totalmente a las influencias corruptoras del mundo y al servicio de Satanás, se humillarán delante de Dios y volverán a él con todo su corazón y hallarán aceptación y perdón. –Testimonies for the Church 1:269." SC 72

Capítulo 9
Dos misteriosos ejércitos al son de trompetas

¿Te imaginas un mundo en el que un tercio de sus árboles se haya quemado, junto con toda la hierba verde, en el que un tercio del mar y aún de las fuentes de aguas dulces se hayan convertido en sangre, y en donde, además, el sol, la luna y las estrellas no den su luz como de costumbre? Pues, este será el contexto en el que se desarrollarán las últimas tres trompetas del Apocalipsis.

Ahora, si te parece que esto ya es demasiado, abróchate el cinturón, porque la desolación que vendrá a causa de la abominación de la desolación predicha por el profeta Daniel, recién comienza. En este sentido, recordemos que el capítulo anterior terminó diciendo: *"Y miré, y oí a un ángel volar por en medio del cielo, diciendo a gran voz: ¡Ay, ay, ay, de los que moran en la tierra, a causa de los otros toques de trompeta que están para sonar los tres ángeles!" Apocalipsis 8:13*

Hasta aquí, como hemos visto, los primeros cuatro juicios misericordiosos de Dios habrán caído principalmente sobre la tierra, el mar, los ríos, el sol, la luna y las estrellas, sufriendo los hombres consecuencias secundarias de dichas catástrofes. Sin embargo, según se anticipa, los siguientes tres caerán directamente sobre *'los que moran en la tierra'.*

La quinta trompeta, el primer ¡ay!

Es en este contexto, que Apocalipsis 9 comienza diciendo: *"El quinto ángel tocó la trompeta, y vi una estrella que cayó del cielo a la tierra; y se le dio la llave del pozo del abismo." Apocalipsis 9:1*

En primer lugar tenemos que discernir quién es aquella *'estrella que cayó del cielo a la tierra'.* Y decimos correctamente *'quien',* porque, como veremos, en este caso no se trata de una especie de asteroide sino de una *'estrella'* en sentido simbólico. Veamos:

En Apocalipsis 1 se dice, respecto de siete estrellas que están en la mano derecha del Jesús: *"las siete estrellas son los ángeles de las siete iglesias…" Apocalipsis 1:20*

Con lo cual comprobamos que, de acuerdo al significado que da el mismo Apocalipsis, las *'estrellas'*, en sentido espiritual, pueden simbolizar *'ángeles'*. Ahora, ¿cuál fue el ángel que cayó del cielo a la tierra?

La respuesta es bastante obvia: Satanás. El mismo Apocalipsis lo revela, diciendo: *"También apareció otra señal en el cielo: he aquí un gran dragón escarlata… y su cola arrastraba la tercera parte de las estrellas del cielo, y las arrojó sobre la tierra… Y fue lanzado fuera el gran dragón, la serpiente antigua, que se llama diablo y Satanás, el cual engaña al mundo entero; fue arrojado a la tierra, y sus ángeles [aquellas estrellas que arrastró el dragón] fueron arrojados con él." Apocalipsis 12:3-4, 9*

También Isaías, dice respecto del diablo: *"¡Cómo caíste del cielo, oh Lucero, hijo de la mañana! Cortado fuiste por tierra, tú que debilitabas a las naciones. Tú que decías en tu corazón: Subiré al cielo; en lo alto, junto a las estrellas de Dios [es decir, junto a los ángeles], levantaré mi trono, y en el monte del testimonio me sentaré, a los lados del norte; sobre las alturas de las nubes subiré, y seré semejante al Altísimo. Mas tú derribado eres hasta el Seol, a los lados del abismo." Isaías 14:12-15*

Por esto, aquella estrella que cayó del cielo a la tierra es Satanás, y a él es, entonces, que se le dará la llave del pozo del abismo.

Ahora, ¿qué es el pozo del abismo? Evidentemente, hace referencia a una prisión. Salmos, hablando en relación a los malvados, dice: *"Caerán sobre ellos brasas; serán echados en el fuego, en abismos profundos de donde no salgan." Salmo 140:10*

También Apocalipsis, en el contexto de una escena futura −relacionada con el milenio−, dice: *"Vi a un ángel que descendía del cielo, con la llave del abismo, y una gran cadena en la mano. Y prendió al dragón, la serpiente antigua, que es el diablo y Satanás, y lo ató por mil años; y lo arrojó al abismo, y lo encerró, y puso su sello sobre él, para que no engañase más a las naciones…" Apocalipsis 20:1-3*

Evidentemente, en el plano espiritual en el que habitan los ángeles, incluidos los demonios, existe una prisión en el cual son arrojados quienes no acatan ciertas directrices establecidas por Dios. Recordemos el pedido que los demonios le hicieron a Jesús, cuando estaba por liberar a los gadarenos de su dominio. Cuenta la historia que cuando Jesús arribó por mar *"a la tierra de los gadarenos, que está en la ribera opuesta a Galilea. Al llegar él a tierra, vino a su encuentro un hombre de la ciudad, endemoniado desde hacía mucho tiempo; y no vestía ropa, ni moraba en casa, sino en los sepulcros.*

Este, al ver a Jesús, lanzó un gran grito, y postrándose a sus pies exclamó a gran voz: ¿Qué tienes conmigo, Jesús, Hijo del Dios Altísimo? Te ruego que no me atormentes [evidentemente gritaba el demonio, no la persona]. (Porque mandaba al espíritu inmundo que saliese del hombre, pues hacía mucho tiempo que se había apoderado de él; y le ataban con cadenas y grillos, pero rompiendo las cadenas, era impelido por el demonio a los desiertos.) Y le preguntó Jesús, diciendo: ¿Cómo te llamas? Y él dijo [es decir, el demonio]: Legión. Porque muchos demonios habían entrado en él. Y le rogaban que no los mandase ir al abismo." Lucas 8:26-31

Es decir, que no los ponga en esa prisión. Ahora, ¿qué sucederá cuando al diablo se le de la llave de esta prisión, que contiene a sus más rebeldes compañeros? Dice: *"Y abrió el pozo del abismo, y subió humo del pozo como humo de un gran horno; y se oscureció el sol y el aire por el humo del pozo. Y del humo salieron langostas sobre la tierra; y se les dio poder, como tienen poder los escorpiones de la tierra. Y se les mandó que no dañasen a la hierba de la tierra, ni a cosa verde alguna, ni a ningún árbol, sino solamente a los hombres que no tuviesen el sello de Dios en sus frentes. Y les fue dado, no que los matasen, sino que los atormentasen cinco meses; y su tormento era como tormento de escorpión cuando hiere al hombre.*

Evidentemente, no se trata de las langostas comunes, es decir, en el sentido material que todos nosotros las conocemos –dado que no afectarán a la vegetación–, sino que se trata de espíritus de demonios que tienen la habilidad de *'saltar'* de un lado a otro, haciendo sus maldades.

El mismo Apocalipsis, hablando en relación a estos demonios, también utiliza otro animal que tiene esta misma particular capacidad de *'saltar'* de un lado a otro, diciendo: *"Y vi salir de la boca del dragón, y de la boca de la bestia, y de la boca del falso profeta, tres espíritus inmundos [es decir, demoníacos] a manera de ranas; pues son espíritus de demonios, que hacen señales, y van a los reyes de la tierra en todo el mundo [saltando de uno a otro], para reunirlos a la batalla de aquel gran día del Dios Todopoderoso." Apocalipsis 16:13-14*[129]

---

129 Elena de White comenta: "Un solo ángel dio muerte a todos los primogénitos de los egipcios y llenó al país de duelo. Cuando David ofendió a Dios al tomar censo del pueblo, un ángel causó la terrible mortandad con la cual fue castigado su pecado. El mismo poder destructor ejercido por santos ángeles cuando Dios se lo ordena, lo ejercerán los ángeles malvados cuando él lo permita. Hay fuerzas actualmente listas que no esperan más que el permiso divino para sembrar la desolación por todas partes." EUD 207

Ahora, estos demonios no serán soltados para que hagan lo que les dé la gana, sino lo que les es permitido por Dios. Y, en este sentido, se dice que se les dará el poder, es decir, la potestad de atormentar, a manera de escorpiones, por cinco meses a los hombres que no tengan el sello de Dios en sus frentes. Lo cual dice mucho.

En primer lugar, confirma que el análisis que efectuamos al final del capítulo anterior, cuando dijimos que las trompetas suenan luego del sellamiento de los 144000, es correcto. Claramente, al llegar a esta trompeta, se nos revela que ya habrán muchos que tendrán el sello de Dios −descrito en Apocalipsis 7− en sus frentes. Y por esto, ni el diablo, ni ninguno de sus demonios, podrán hacerles daño.

En este sentido, notemos el paralelismo que existe entre los 144000 sellados y aquellos setenta que Jesús envió a predicar el evangelio. Dice la Escritura: *"Volvieron los setenta con gozo, diciendo: Señor, aun los demonios se nos sujetan en tu nombre. Y [Jesús] les dijo: Yo veía a Satanás caer del cielo como un rayo. He aquí os doy potestad de hollar serpientes y escorpiones, y sobre toda fuerza del enemigo, y nada os dañará. Pero no os regocijéis de que los espíritus se os sujetan, sino regocijaos de que vuestros nombres están escritos en los cielos." Lucas 10:17-20*[130]

¡¡Tremendo!! ¿No te explota la cabeza? Cuando Jesús comisiona a una persona para que sea su 'embajador', escribiendo su nombre en su libro, le da plena autoridad y protección sobre toda fuerza del enemigo, y nada lo puede dañar sin que Dios mismo lo autorice.

Por esto, las *'langostas'* demoníacas, con poder de escorpiones, que responden a aquella serpiente antigua, llamada diablo y Satanás, no podrán atormentar a los sellados de Dios sino que, más bien, serán ellos, los sellados, quienes tendrán la potestad, dada por Dios −así como antaño−, de hollar serpientes y escorpiones, es decir, de pisarles la cabeza.

---

130 Elena de White, comentando las palabras de Cristo 'yo veía a Satanás caer del cielo como un rayo', escribió: "Escenas pasadas y futuras se presentaron a la mente de Jesús. Vio a Lucifer cuando fue arrojado por primera vez de los lugares celestiales. Miró hacia adelante a las escenas de su propia agonía, cuando el carácter del engañador sería expuesto a todos los mundos. Oyó el clamor: "Consumado es" (Juan 19:30), el cual anunciaba que la redención de la raza caída quedaba asegurada para siempre, que el cielo estaba eternamente seguro contra las acusaciones, los engaños y las pretensiones de Satanás. Más allá de la cruz del Calvario, con su agonía y vergüenza, Jesús miró hacia el gran día final, cuando el príncipe de las potestades del aire será destruido en la tierra durante tanto tiempo mancillada por su rebelión." DTG 455

No obstante, el resto del mundo será entregado en sus manos para sufrir su tormento. Sin embargo –así como en la historia de Job–, Dios no les da autorización para quitarles la vida, sino solamente para atormentarlos por cinco meses. Y tal será su tormento que *"en aquellos días los hombres buscarán la muerte, pero no la hallarán; y ansiarán morir, pero la muerte huirá de ellos." Apocalipsis 9:6*

En efecto, la picadura de escorpión raramente causa la muerte, pero sí mucho dolor, dificultad para respirar, espasmos –o sacudidas musculares–, movimientos inusuales de la cabeza y los ojos, babeo, sudoración, náuseas y vómitos, hipertensión, taquicardia, agitación y excitabilidad.[131]

Sin embargo, aún este terrible tormento formará parte de la misericordia de Dios hacia aquellos que aún se encuentren perdidos, al borde de ser condenados al fuego eterno. ¿Por qué? Porque Dios, en su amor, cuando no escuchamos ni obedecemos sus palabras, permite que suframos para que nos demos cuenta de nuestra inmensa necesidad. En este sentido, tal como dice el refrán, la necesidad del hombre es la oportunidad de Dios. ¿La oportunidad para qué? Para salvarlo.

Es por esto que Dios permitirá que el enemigo los atormente pero no los mate. Ahora, ¿por qué los atormentaría Satanás si no estarán formando parte de los escogidos? Porque él odia a la raza humana y es su afán destruirla y hacerla sufrir, en tanto Dios se lo permita. Por otra parte, mientras será él –y sus demonios– quienes afligirán a las personas, intentará que la culpa sea cargada a la cuenta de los hijos de Dios, para que –dado que ellos no pueden– sean los propios atormentados quienes intenten darles muerte.[132]

---

131 Fuente: https://www.mayoclinic.org/es-es/diseases-conditions/scorpion-stings/symptoms-causes/syc-20353859

132 Elena de White explica: "Satanás obra asimismo por medio de los elementos para cosechar muchedumbres de almas aún no preparadas. Tiene estudiados los secretos de los laboratorios de la naturaleza y emplea todo su poder para dirigir los elementos en cuanto Dios se lo permita. Cuando se le dejó que afligiera a Job, ¡cuán prestamente fueron destruidos rebaños, ganado, sirvientes, casas e hijos, en una serie de desgracias, obra de un momento! Es Dios quien protege a sus criaturas y las guarda del poder del destructor. Pero el mundo cristiano ha manifestado su menosprecio de la ley de Jehová, y el Señor hará exactamente lo que declaró que haría: alejará sus bendiciones de la tierra y retirará su cuidado protector de sobre los que se rebelan contra su ley y que enseñan y obligan a los demás a hacer lo mismo. Satanás ejerce dominio sobre todos aquellos a quienes Dios no guarda en forma

Por todo esto, entendemos que esta trompeta sonará en un tiempo posterior al sellamiento de los 144000, pero en un momento en el cual aún habrá muchas personas que no habrán recibido la marca de la bestia. Dios permitirá el sufrimiento –a la par que demostrará protección sobre sus escogidos– para que muchos de los que estarán siendo atormentados se den cuenta de su situación desesperada y se decidan por Dios. De no hacerlo, de seguro, recibirán la marca de la bestia.

Luego, Apocalipsis realiza una descripción gráfica de estos seres demoníacos, diciendo: *"El aspecto de las langostas era semejante a caballos preparados para la guerra; en las cabezas tenían como coronas de oro; sus caras eran como caras humanas; tenían cabello como cabello de mujer; sus dientes eran como de leones; tenían corazas como corazas de hierro; el ruido de sus alas era como el estruendo de muchos carros de caballos corriendo a la batalla; tenían colas como de escorpiones, y también aguijones; y en sus colas tenían poder*

---

especial. Favorecerá y hará prosperar a algunos para obtener sus fines, y atraerá desgracias sobre otros, al mismo tiempo que hará creer a los hombres que es Dios quien los aflige.

Al par que se hace pasar ante los hijos de los hombres como un gran médico que puede curar todas sus enfermedades, Satanás producirá enfermedades y desastres al punto que ciudades populosas sean reducidas a ruinas y desolación. Ahora mismo está obrando. Ejerce su poder en todos los lugares y bajo mil formas: en las desgracias y calamidades de mar y tierra, en las grandes conflagraciones, en los tremendos huracanes y en las terribles tempestades de granizo, en las inundaciones, en los ciclones, en las mareas extraordinarias y en los terremotos. Destruye las mieses casi maduras y a ello siguen la hambruna y la angustia; propaga por el aire emanaciones mefíticas y miles de seres perecen en la pestilencia. Estas plagas irán menudeando más y más y se harán más y más desastrosas. La destrucción caerá sobre hombres y animales. "La tierra se pone de luto y se marchita", "desfallece la gente encumbrada de la tierra. La tierra también es profanada bajo sus habitantes; porque traspasaron la ley, cambiaron el estatuto, y quebrantaron el pacto eterno". Isaías 24:4, 5 (VM).

Y luego el gran engañador persuadirá a los hombres de que son los que sirven a Dios los que causan esos males. La parte de la humanidad que haya provocado el desagrado de Dios lo cargará a la cuenta de aquellos cuya obediencia a los mandamientos divinos es una reconvención perpetua para los transgresores. Se declarará que los hombres ofenden a Dios al violar el descanso del domingo; que este pecado ha atraído calamidades que no concluirán hasta que la observancia del domingo no sea estrictamente obligatoria; y que los que proclaman la vigencia del cuarto mandamiento, haciendo con ello que se pierda el respeto debido al domingo y rechazando el favor divino, turban al pueblo y alejan la prosperidad temporal... Cuando con falsos cargos se haya despertado la ira del pueblo, este seguirá con los embajadores de Dios una conducta muy parecida a la que siguió el apóstata Israel con Elías." CS 575-576

para dañar a los hombres durante cinco meses. Y tienen por rey sobre ellos al ángel del abismo, cuyo nombre en hebreo es Abadón, y en griego, Apolión [cuyo significado es 'destructor']." Apocalipsis 9:7-11

En nuestro entendimiento, no quedan dudas de que se trata de un ejército de demonios que siguen las órdenes de Satanás. De hecho, el ruido que hacen las alas de estos seres es similar al que Ezequiel describe realizaban las alas de los querubines. Dice: *"Y oí el sonido de sus alas cuando andaban, como sonido de muchas aguas, como la voz del Omnipotente, como ruido de muchedumbre, como el ruido de un ejército... " Ezequiel 1:24*

En tanto, el profeta Joel también menciona el accionar de estos demonios describiéndolos como un 'pueblo fuerte e innumerable' que 'subió sobre la tierra', 'con dientes como dientes de león'. Dice: *"Oíd esto, ancianos, y escuchad, todos los moradores de la tierra. ¿Ha acontecido esto en vuestros días, o en los días de vuestros padres? De esto contaréis a vuestros hijos, y vuestros hijos a sus hijos, y sus hijos a la otra generación. Lo que quedó de la oruga comió el saltón, y lo que quedó del saltón comió el revoltón; y la langosta comió lo que del revoltón había quedado. Despertad, borrachos, y llorad; gemid, todos los que bebéis vino, a causa del mosto, porque os es quitado de vuestra boca." Joel 1:2-5*

Como vemos, Joel comienza hablando –de parte de Jehová– sobre la desolación que se avecina; y la describe, en lenguaje simbólico, como un tiempo extraordinario, en el cual sucederán cosas que nunca habían acontecido. Luego hace un llamado especial a los borrachos, es decir, a los embriagados por el vino de la Babilonia espiritual de los últimos días –a quien descubriremos en el análisis de Apocalipsis 17–, y da el 'porqué… Dice: *"Porque pueblo fuerte e innumerable subió a mi tierra; sus dientes son dientes de león, y sus muelas, muelas de león. Asoló mi vid, y descortezó mi higuera; del todo la desnudó y derribó; sus ramas quedaron blancas." Joel 1:6-7*

¿Notas el paralelo? Este 'pueblo fuerte e innumerable', que 'sube sobre la tierra' para desolarla, se lo describe de una manera similar a aquel gran ejército de 'langostas' de la quinta trompeta, diciendo, en ambos casos, que 'tienen dientes como dientes de leones'.

Lo cual no es un detalle menor, si lo relacionamos con la representación que la Biblia hace del diablo, cuando dice: *"Sed sobrios, y velad; porque vuestro adversario el diablo, como león rugiente, anda alrededor buscando a quien devorar." 1 Pedro 5:8*

Luego, Joel continúa diciendo: *"Desapareció de la casa de Jehová la ofrenda y la libación; los sacerdotes ministros de Jehová están de duelo." Joel 1:9*

¿No es coincidente con aquel tiempo en el que se quitaría el continuo sacrificio –en el sentido de la verdadera adoración que nos acerca al Padre a través de la continua intercesión de Cristo– y se impondría aquella abominación que causará la desolación de la tierra? Fíjate como continúa: *"El campo está asolado, se enlutó la tierra; porque el trigo fue destruido, se secó el mosto, se perdió el aceite. Confundíos, labradores; gemid, viñeros, por el trigo y la cebada, porque se perdió la mies del campo. La vid está seca, y pereció la higuera; el granado también, la palmera y el manzano; todos los árboles del campo se secaron, por lo cual se extinguió el gozo de los hijos de los hombres. [Y repite] Ceñíos y lamentad, sacerdotes; gemid, ministros del altar; venid, dormid en cilicio, ministros de mi Dios; porque quitada es de la casa de vuestro Dios la ofrenda y la libación. [Por esto el consejo divino para este tiempo es:] Proclamad ayuno, convocad a asamblea; congregad a los ancianos y a todos los moradores de la tierra en la casa de Jehová vuestro Dios, y clamad a Jehová. ¡Ay del día! porque cercano está el día de Jehová, y vendrá como destrucción por el Todopoderoso." Joel 1:10-15*

Es decir, esta será la última señal que nos anunciará la venida inminente del *'día de Jehová'* que, tal como hemos explicado anteriormente, hace referencia al tiempo en el cual Dios ejecutará sus juicios sobre las acciones de los hombres y, en este contexto, menciona una palabra que es clave en el estudio que estamos realizando. Dice: ¡Ay del día! Justamente la misma expresión que encontramos en la quinta trompeta, la cual concluye diciendo: *"El primer ay pasó; he aquí, vienen aún dos ayes después de esto." Apocalipsis 9:12*

Por esto, entendemos que lo que Joel describe en éste, su primer capítulo, anticipa lo que sucederá desde la abominación desoladora hasta la quinta trompeta, es decir, hasta el primer 'ay'. Observa como Joel concluye este capítulo. Dice: *"¿No fue arrebatado el alimento de delante de nuestros ojos, la alegría y el placer de la casa de nuestro Dios? El grano se pudrió debajo de los terrones, los graneros fueron asolados, los alfolíes destruidos; porque se secó el trigo. ¡Cómo gimieron las bestias! ¡Cuán turbados anduvieron los hatos de los bueyes, porque no tuvieron pastos! También fueron asolados los rebaños de las ovejas. A ti, oh Jehová, clamaré; porque fuego consumió los pastos del desierto, y llama abrasó todos los árboles del campo. Las bestias del campo bramarán también a ti, porque se secaron los arroyos de las aguas, y fuego consumió las praderas del desierto." Joel 1:16-20*

Lo cual, entendemos, es un paralelo profético a lo que hemos estudiado tanto en los primeros sellos como en las primeras trompetas del Apocalipsis.

Por otra parte, también creemos que esta trompeta se cumplirá en aquel tiempo del cual habla Apocalipsis 12, cuando dice: *"Después hubo una gran batalla en el cielo: Miguel y sus ángeles luchaban contra el dragón; y luchaban el dragón y sus ángeles; pero no prevalecieron, ni se halló ya lugar para ellos en el cielo. Y fue lanzado fuera el gran dragón, la serpiente antigua, que se llama diablo y Satanás, el cual engaña al mundo entero; fue arrojado a la tierra, y sus ángeles fueron arrojados con él. Entonces oí una gran voz en el cielo, que decía: Ahora ha venido la salvación, el poder, y el reino de nuestro Dios, y la autoridad de su Cristo; porque ha sido lanzado fuera el acusador de nuestros hermanos, el que los acusaba delante de nuestro Dios día y noche. Y ellos le han vencido por medio de la sangre del Cordero y de la palabra del testimonio de ellos, y menospreciaron sus vidas hasta la muerte. Por lo cual alegraos, cielos, y los que moráis en ellos. [Y, notar aquí] ¡Ay de los moradores de la tierra y del mar! Porque el diablo ha descendido a vosotros con gran ira, sabiendo que tiene poco tiempo." Apocalipsis 12:7-12*

La explicación de este pasaje es extensa, por lo cual nos limitaremos a llamar su atención hacia este texto, dejando su análisis para cuando estudiemos Apocalipsis 12.

La sexta trompeta, el segundo ¡ay!

Luego de que Dios, con el fin de salvar a la mayor cantidad posible de personas, haya permitido el terrible sufrimiento descrito en la quinta trompeta –que llegará al punto en el que las personas desearán morir del dolor–, vendrá el segundo ¡ay! para la humanidad. Dice: *"El sexto ángel tocó la trompeta, y oí una voz de entre los cuatro cuernos del altar de oro que estaba delante de Dios, diciendo al sexto ángel que tenía la trompeta: Desata a los cuatro ángeles que están atados junto al gran río Éufrates." Apocalipsis 9:13-14*

¿Qué significa esto? Pues ni más ni menos que el cierre del tiempo de gracia. ¿Por qué? Por dos razones. La primera es por el hecho de que la voz sale 'de entre los cuatro cuernos del altar de oro que estaba delante de Dios' (Ap 9:13). ¿Qué indica esto? Que Cristo ha terminado de purificar el Lugar Santísimo y se encuentra de salida, en el Lugar Santo, purificando el altar de incienso –el cual tenía cuatro cuernos en sus esquinas–.

Para entender mejor, repasemos lo que sucedía en el Santuario el Día de Expiación. De acuerdo con Levítico 16, luego de que el Sumo Sacerdote entrara en el Lugar Santísimo con 'un incensario lleno de brasas de fuego del altar y con sus puños llenos del perfume aromático molido, y lo ofreciera delante de Jehová –cubriendo el propiciatorio, es decir, la cubierta del arca del pacto, con el humo del incienso' (Lv 16:12-13)–; debía purificar el Lugar Santísimo 'rociando, con su dedo, siete veces en dicho propiciatorio tanto la sangre del becerro en expiación suya, como la del macho cabrío que representaba a Jehová, en expiación del pueblo (Lv 16:14-15). Dice: *"Y hará traer Aarón el becerro que era para expiación suya, y hará la reconciliación por sí y por su casa, y degollará en expiación el becerro que es suyo. Después tomará un incensario lleno de brasas de fuego del altar de delante de Jehová, y sus puños llenos del perfume aromático molido, y lo llevará detrás del velo. Y pondrá el perfume sobre el fuego delante de Jehová, y la nube del perfume cubrirá el propiciatorio que está sobre el testimonio, para que no muera. Tomará luego de la sangre del becerro, y la rociará con su dedo hacia el propiciatorio al lado oriental; hacia el propiciatorio esparcirá con su dedo siete veces de aquella sangre. Después degollará el macho cabrío en expiación por el pecado del pueblo, y llevará la sangre detrás del velo adentro, y hará de la sangre como hizo con la sangre del becerro, y la esparcirá sobre el propiciatorio y delante del propiciatorio. Así purificará el santuario, a causa de las impurezas de los hijos de Israel, de sus rebeliones y de todos sus pecados; de la misma manera hará también al tabernáculo de reunión, el cual reside entre ellos en medio de sus impurezas. Ningún hombre estará en el tabernáculo de reunión cuando él entre a hacer la expiación en el santuario, hasta que él salga, y haya hecho la expiación por sí, por su casa y por toda la congregación de Israel." Levítico 16:11-17*

Estos ritos del sistema ceremonial terrenal no eran más que símbolos de la actividad que Cristo realizaría en el cielo en el gran día del juicio divino, ofreciendo el humo del incienso de su justicia, y su propia sangre, en expiación delante del Padre, en beneficio de su pueblo fiel. Dijo Pablo: *"Fue, pues, necesario que las figuras de las cosas celestiales fuesen purificadas así; pero las cosas celestiales mismas, con mejores sacrificios que estos [es decir, con el sacrificio de Cristo]. Porque no entró Cristo en el santuario hecho de mano, figura del verdadero, sino en el cielo mismo para presentarse ahora por nosotros ante Dios; y no para ofrecerse muchas veces, como entra el sumo sacerdote en el Lugar Santísimo cada año con sangre ajena. De otra manera le hubiera sido necesario padecer muchas veces desde el principio del mundo; pero ahora, en la consumación de los siglos, se presentó una vez para siempre por el sacrificio de sí mismo para quitar de en medio el pecado. Y de la manera que está establecido para los hombres que mueran una sola vez, y después de esto el juicio, así también Cristo fue ofrecido una sola vez para llevar los pecados de muchos; y aparecerá por segunda vez, sin relación con el pecado, para salvar a los que le esperan." Hebreos 9:23-28*

La sangre, en el ritual simbólico, debía esparcirse sobre el propiciatorio en señal de cumplimiento de las demandas de aquella ley que se encontraba inmediatamente debajo del propiciatorio, dado que dicha ley establece que *"la paga del pecado es muerte" (Romanos 6:23)*. Por esto, Cristo presenta allí su propia sangre como justo pago de los pecados de todos aquellos a quienes justificará.

Ahora, al salir del Lugar Santísimo –después de haberlo purificado–, e inmediatamente antes de poner sus manos sobre el macho cabrío que representaba a Azazel –lo cual sucedía en el atrio exterior, símbolo la tierra–, el Sumo Sacerdote debía efectuar una tarea específica dentro del Lugar Santo –es decir, estando aún en el cielo–. Dice Levítico: *"Y saldrá al altar que está delante de Jehová [el cual es el altar de incienso], y lo expiará, y tomará de la sangre del becerro y de la sangre del macho cabrío, y la pondrá sobre los cuernos del altar alrededor. Y esparcirá sobre él de la sangre con su dedo siete veces, y lo limpiará, y lo santificará de las inmundicias de los hijos de Israel." Levítico 16:18-19*

¿Ahora, por qué debía expiarse el altar de incienso? ¿No bastaba con haber satisfecho las demandas de la ley, derramando la sangre en el propiciatorio? No. ¿Por qué? Porque, según entendemos, la sangre vertida sobre el propiciatorio –en el Lugar Santísimo– refleja el pago de la deuda de los redimidos, pero nada dice respecto de los perdidos. Por esto, luego de haber satisfecho las demandas de la ley respecto de los redimidos, Cristo debe expresar algo más en relación a los perdidos. Y es en este sentido que purificará el altar de incienso.

¿Por qué? Porque este altar es símbolo de la actividad mediadora de Cristo. Que su sangre sea colocada allí, entendemos, simboliza que nuestro mediador lo dio todo por nosotros. Es decir, nadie podrá acusarle de no haber hecho lo suficiente para salvarle, dado que quien intercede por nosotros se dio por completo, hasta su propia muerte, por salvar hasta el más vil pecador. Por lo cual, si alguien se pierde –recibiendo la justa ira de Dios por sus pecados–, no habrá sido por falta del mediador sino exclusivamente por su propia maldad.

Es en este sentido que Cristo purificará el altar que representa su mediación, manchando sus cuernos con su propia sangre.

Por tratarse de una escena posterior a su salida del Lugar Santísimo, pero previo a su segunda venida, entendemos, será el tiempo en el que comenzarán a ser derramadas las siete copas de la ira de Dios sobre la tierra, las cuales destruirán completamente a los malvados, en justo pago de sus obras.

Ahora, un detalle adicional. Como hemos comentado, los cuernos, en la Biblia, representan poderes. Por esto, que Cristo esté rociando su sangre sobre los cuernos del altar, en el momento en el cual estarán por comenzar a ser derramadas las copas de la ira de Dios sobre los perdidos, será una prueba incuestionable de que él hizo todo lo que estaba en su poder infinito para salvarlos, sin embargo ellos no quisieron aceptar su maravillosa gracia.

Por todo esto, si en el contexto de Apocalipsis que estamos estudiando, se oye la voz de Cristo *"entre los cuatro cuernos del altar de oro que está delante de Dios" (Ap 9:13)*, entendemos, es un claro indicio de que nuestro Sumo Sacerdote celestial ya ha concluido su tarea dentro del Lugar Santísimo y –habiendo dejado caer su incensario– se encuentra de salida, purificando el altar de incienso.

Ahora, la segunda razón por la cual entendemos que esta trompeta describe lo que sucederá cuando el tiempo de gracia se acabe, es por el significado específico que tiene la orden que sale de entre los cuatro cuernos del altar, cuando dice: *"Desata a los cuatro ángeles que están atados junto al gran río Éufrates." Apocalipsis 9:13-14*

Si recuerdas, el ángel de Apocalipsis 7 –aquel que llevaba el sello de Dios–, había ordenado que se mantuvieran sujetos los vientos *'hasta*

Vea nuestro *Seminario sobre el Santuario y su Sistema Ceremonial* para una mejor comprensión del significado de las *'Fiestas'* en nuestros días. Hay mucha información que no podemos tratar aquí por razones de tiempo y oportunidad.

QR 1: https://www.diloalmundo.org/santuario

que hayan sellado en sus frentes a los siervos de Dios' (Ap 7:1-3). Por esto, si aquí se da la orden contraria, es porque el sellamiento ha concluido.[133]

Debemos aclarar que, tal como explicaremos en el análisis de la sexta copa de la ira de Dios, *'el gran río Éufrates',* que menciona esta trompeta, no hace referencia al río que pasaba por en medio de la Babilonia antigua, sino que es una referencia simbólica a las *'muchas aguas',* es decir, a los *'pueblos, multitudes, naciones y lenguas' (Ap 17:15)* que sostienen el poder de la Babilonia espiritual de nuestros días.

---

133 Elena de White escribió: "Se me señaló la época en que terminaría el mensaje del tercer ángel... Vi ángeles que iban y venían de uno a otro lado del cielo. Un ángel con tintero de escribano en la cintura regresó de la tierra y comunicó a Jesús que había cumplido su encargo, quedando sellados y numerados los santos. Vi entonces que Jesús, quien había estado oficiando ante el arca de los diez mandamientos, dejó caer el incensario, y alzando las manos exclamó en alta voz: "Consumado es." Y toda la hueste angélica se quitó sus coronas cuando Jesús hizo esta solemne declaración: "El que es injusto, sea injusto todavía; y el que es inmundo, sea inmundo todavía; y el que es justo, practique la justicia todavía; y el que es santo, santifíquese todavía." Todos los casos habían sido fallados para vida o para muerte. Mientras Jesús oficiaba en el santuario, había proseguido el juicio de los justos muertos y luego el de los justos vivientes. Cristo, habiendo hecho expiación por su pueblo y habiendo borrado sus pecados, había recibido su reino. Estaba completo el número de los súbditos del reino, y consumado el matrimonio del Cordero. El reino y el poderío fueron dados a Jesús y a los herederos de la salvación, y Jesús iba a reinar como Rey de reyes y Señor de señores. Al salir Jesús del lugar santísimo, oí el tintineo de las campanillas de su túnica. Una tenebrosa nube cubrió entonces a los habitantes de la tierra. Ya no había mediador entre el hombre culpable y un Dios ofendido. Mientras Jesús estuvo interpuesto entre Dios y el pecador, tuvo la gente un freno; pero cuando dejó de estar entre el hombre y el Padre, desapareció el freno y Satanás tuvo completo dominio sobre los finalmente impenitentes. Era imposible que fuesen derramadas las plagas mientras Jesús oficiase en el santuario; pero al terminar su obra allí y cesar su intercesión, nada detiene ya la ira de Dios que cae furiosamente sobre la desamparada cabeza del culpable pecador que descuidó la salvación y aborreció las represiones. En aquel terrible momento, después de cesar la mediación de Jesús, a los santos les toca vivir sin intercesor en presencia del Dios santo. Había sido decidido todo caso y numerada cada joya. Detúvose un momento Jesús en el departamento exterior del santuario celestial, y los pecados confesados mientras él estuvo en el lugar santísimo fueron asignados a Satanás, originador del pecado, quien debía sufrir su castigo." PE 279-280

"Juan ve los elementos de la naturaleza–terremotos, tempestades y lucha política–bajo el símbolo de cuatro ángeles que los retienen. Estos vientos están bajo control hasta que Dios ordena soltarlos. Ahí está la seguridad de la iglesia de Dios. Los ángeles de Dios obedecen su mandato al retener los vientos de la tierra para que no soplen sobre ésta, ni sobre el mar, ni sobre ningún árbol hasta que los siervos de Dios sean sellados en sus frentes." TM 444

Razón por la cual, los cuatro ángeles que aparecen sosteniendo los cuatro vientos de la tierra, son los mismos cuatro ángeles que están atados junto al gran río Éufrates, dado que la expresión 'los cuatro ángulos de la tierra' implica la totalidad de los 'pueblos, multitudes, naciones y lenguas'. Multitudes que también son simbolizadas por las aguas del río Éufrates.

¿Ahora, qué sucederá cuando los ángeles sean desatados? Dice: *"Y fueron desatados los cuatro ángeles que estaban preparados para la hora, día, mes y año, a fin de matar a la tercera parte de los hombres." Apocalipsis 9:15*

¿Qué significa esto? Que Dios, habiendo prefijado el orden de los tiempos, ha establecido un día en el cual acabará el tiempo de su paciencia. En aquel terrible día, el mundo entero comenzará a recibir, de inmediato, el justo pago de sus obras.

Es decir, Dios ha pospuesto el castigo sobre el pecado hasta que su plan de redención haya sido llevado a cabo, pero cuando éste haya concluido −al fin del juicio investigador− y se pronuncie la sentencia *"El que es injusto, sea injusto todavía; y el que es inmundo, sea inmundo todavía; y el que es justo, practique la justicia todavía; y el que es santo, santifíquese todavía" (Ap 22:11)*, inmediatamente procederá a dar a cada uno según haya sido su obra.

Dice la Biblia: *"De una sangre ha hecho todo el linaje de los hombres, para que habiten sobre toda la faz de la tierra; y les ha prefijado el orden de los tiempos, y los límites de su habitación; para que busquen a Dios… Pero Dios, habiendo pasado por alto los tiempos de esta ignorancia, ahora manda a todos los hombres en todo lugar, que se arrepientan; por cuanto ha establecido un día en el cual juzgará al mundo con justicia, por aquel varón a quien designó, dando fe a todos con haberle levantado de los muertos." Hechos 17:26-27, 30-31*

Por esto, *'cuando el evangelio haya sido predicado en todo el mundo, para testimonio a todas las naciones [y todos hayan tenido la oportunidad de arrepentirse, habiendo quedado sellados la totalidad de los santos], vendrá el fin.' Mateo 24:14*

Es en este contexto −que la Biblia dice− morirá una tercera parte de los habitantes del mundo. ¿De qué manera? Pues hay una serie de factores que son dignos de mencionar:

En primer lugar debemos reconocer que será un tiempo en el cual las luchas, tumultos y alborotos que habrán entre la humanidad no tendrán parangón. Como hemos visto, el desatar de los cuatro vientos implicará cese de la obra refrenadora del Espíritu Santo sobre el corazón de las personas, por lo cual las pasiones más viles de los hombres serán manifestadas en su máximo grado de expresión, sin ningún tipo de refrenamiento, tanto en niveles individuales como colectivos.

Un buen ejemplo de lo que sucederá en aquellos días lo encontramos en la historia de aquella noche en la cual el tiempo de gracia acabó para las impías ciudades de Sodoma y Gomorra. Dice la Escritura: *"Llegaron, pues, los dos ángeles a Sodoma a la caída de la tarde; y Lot estaba sentado a la puerta de Sodoma. Y viéndolos Lot, se levantó a recibirlos, y se inclinó hacia el suelo, y dijo: Ahora, mis señores, os ruego que vengáis a casa de vuestro siervo y os hospedéis, y lavaréis vuestros pies; y por la mañana os levantaréis, y seguiréis vuestro camino. Y ellos respondieron: No, que en la calle nos quedaremos esta noche. Mas él porfió con ellos mucho, y fueron con él, y entraron en su casa; y les hizo banquete, y coció panes sin levadura, y comieron."* Génesis 19:1-3

Llama la atención, a esta altura de la historia, el detalle de la cocción de panes *'sin levadura'*. ¿Indicio de que podría tratarse de aquella fiesta que anuncia el tiempo en el cual Cristo desenfunda su espada para hacer justicia (pascua)?

Luego, la historia continúa diciendo: *"Pero antes que se acostasen, rodearon la casa los hombres de la ciudad, los varones de Sodoma, todo el pueblo junto, desde el más joven hasta el más viejo. Y llamaron a Lot, y le dijeron: ¿Dónde están los varones que vinieron a ti esta noche? Sácalos, para que los conozcamos..."* Génesis 19:4-5

Es decir, para violarlos, dado que la expresión 'conocer', en la Biblia, equivale a 'tener relaciones sexuales', no consentidas en este caso...

"Entonces Lot salió a ellos a la puerta, y cerró la puerta tras sí, y dijo: Os ruego, hermanos míos, que no hagáis tal maldad. He aquí ahora yo tengo dos hijas que no han conocido varón; os las sacaré fuera, y haced de ellas como bien os pareciere; solamente que a estos varones no hagáis nada, pues que vinieron a la sombra de mi tejado. Y ellos respondieron: Quita allá; y añadieron: Vino este extraño para habitar entre nosotros, ¿y habrá de erigirse en juez? Ahora te haremos más mal que a ellos. Y hacían gran violencia al varón, a Lot, y se acercaron para romper la puerta. Entonces los varones alargaron la mano, y metieron a Lot en casa con ellos, y cerraron la puerta. Y a los hombres que estaban a la puerta de la casa hirieron con ceguera desde el menor hasta el mayor, de manera que se fatigaban buscando la puerta." Génesis 19:6-11

Es increíble lo que puede suceder con las personas cuando el Espíritu de Dios las abandona. Los habitantes de Sodoma, ni aún siendo castigados con ceguera, dejaron de intentar su maldad. Éste será el estado de los habitantes del mundo cuando Cristo abandone su intercesión ante el Padre.[134]

Ahora, los habitantes del mundo no actuarán movidos solo por su propia maldad. Por el hecho de que se encontrarán sin protección divina, ángeles demoníacos se apoderarán completamente de ellos y causarán desolación por todas partes.[135]

---

134 Elena de White comenta: "Los hombres no pueden discernir a los ángeles que como centinelas refrenan los cuatro vientos para que no soplen hasta que estén sellados los siervos de Dios; pero cuando Dios ordene a sus ángeles que suelten los vientos, habrá una escena de contienda que ninguna pluma podrá describir." 6TI 407

"Precisamente antes de que entráramos en el tiempo de angustia, todos recibimos el sello del Dios viviente. Entonces vi que los cuatro ángeles dejaron de retener los cuatro vientos. Y vi hambre, pestilencia y espada, nación se levantó contra nación, y el mundo entero entró en confusión. –Comentario Bíblico Adventista 7:979 (1846)." EUD 194

"Los ángeles sostienen los cuatro vientos, <que son> representados como un caballo furioso que busca soltarse y precipitarse sobre la faz de toda la tierra, llevando destrucción y muerte a su paso." 12LtMs, Lt 138, 1897, par. 23

135 Elena de White explica: "Se me mostró que los juicios de Dios no vendrían sobre ellos directamente del Señor, sino de esta manera: Ellos se colocan más allá de su protección. El advierte, corrige, reprueba y señala el único camino seguro; luego, si aquellos que han sido el objeto de su cuidado especial siguen su propio curso, independientemente del Espíritu de Dios, tras repetidas amonestaciones; si eligen su propio camino, entonces él no encarga a sus ángeles que impidan los decididos ataques de Satanás contra ellos. Es el poder de Satanás lo que está obrando en el mar y en la tierra, trayendo calamidad y angustia, y barriendo multitudes para asegurarse de su presa. –Manuscript Releases 14:3 (1883)." EUD 206

"El Espíritu de Dios–insultado, rechazado, abusado–ya se está retirando de la tierra. Tan pronto como el Espíritu de Dios se aleje, se llevará a cabo la cruel obra de Satanás en tierra y mar. –Manuscrito 134 (1898)." EUD 206

"Cuatro poderosos ángeles están todavía reteniendo los cuatro vientos de la tierra. La destrucción terrible está prohibida para venir en su totalidad. Los accidentes por tierra y por mar; la pérdida de vidas, en constante aumento, por tormenta, por tempestad, por desastre ferroviario, por conflagración; las terribles inundaciones, los terremotos y los vientos serán la agitación de las naciones para un combate mortal, mientras los ángeles sostienen los cuatro vientos, prohibiendo que el terrible poder de Satanás se ejerza en su furia hasta que los siervos de Dios sean sellados en sus frentes. Prepárate, prepárate, te lo suplico, ¡prepárate antes de que sea demasiado

Sin embargo, aunque tanto la maldad de los hombres como la desolación proveniente de Satanás son ciertas y vienen sobre nosotros, no serán, según entendemos, la causa principal por la cual morirá una tercera parte de los hombres, en el contexto específico del cual habla la sexta trompeta.

¿Por qué? Porque allí describe al ejército que las causará. Dice: *"Y fueron desatados los cuatro ángeles que estaban preparados para la hora, día, mes y año, a fin de matar a la tercera parte de los hombres. Y el número de los ejércitos de los jinetes era doscientos millones. Yo oí su número. Así vi en visión los caballos y a sus jinetes, los cuales tenían corazas de fuego, de zafiro y de azufre. Y las cabezas de los caballos eran como cabezas de leones; y de su boca salían fuego, humo y azufre. Por estas tres plagas fue muerta la tercera parte de los hombres; por el fuego, el humo y el azufre que salían de su boca. Pues el poder de los caballos estaba en su boca y en sus colas; porque sus colas, semejantes a serpientes, tenían cabezas, y con ellas dañaban." Apocalipsis 9:15-19*

¿Y cuál es este ejército? Según entendemos, es el ejército divino que vendrá, desde lo postrero de los cielos, a purificar la tierra de toda la maldad que se encuentra en ella, así como lo hizo en aquellas impías ciudades de Sodoma y Gomorra.

En este sentido, notemos la similitud que hay entre las causas que provocaron la destrucción de aquellas ciudades, con las mencionadas tres plagas de *'fuego, humo y azufre'* que causarán la muerte de la tercera parte de la humanidad. Dice Génesis: *"Y dijeron los varones a Lot: ¿Tienes aquí alguno más? Yernos, y tus hijos y tus hijas, y todo lo que tienes en la ciudad, sácalo de este lugar; porque vamos a destruir este lugar, por cuanto el clamor contra ellos ha subido de punto delante de Jehová; por tanto, Jehová nos ha enviado para destruirlo.*

Entonces salió Lot y habló a sus yernos, los que habían de tomar sus hijas, y les dijo: Levantaos, salid de este lugar; porque Jehová va a destruir esta ciudad. Mas pareció a sus yernos como que se burlaba. Y al rayar el alba, los ángeles daban prisa a Lot, diciendo: Levántate, toma tu mujer, y tus dos hijas que se hallan aquí, para que no perezcas en el castigo de la ciudad. Y deteniéndose él, los varones asieron de su mano, y de la mano de su mujer y de las manos de sus dos hijas, según la misericordia de Jehová para con él; y lo

---

tarde para siempre! Los ministros de venganza derramarán todos los terribles juicios sobre un pueblo abandonado de Dios. El camino de la obediencia es el único camino de la vida. Que el Señor os ayude a verlo a tiempo para abrir vuestros oídos, a fin de que oigáis lo que el Espíritu dice a las iglesias. RH 7 de junio de 1887, par. 13

sacaron y lo pusieron fuera de la ciudad. Y cuando los hubieron llevado fuera, dijeron: Escapa por tu vida; no mires tras ti, ni pares en toda esta llanura; escapa al monte, no sea que perezcas. Pero Lot les dijo: No, yo os ruego, señores míos. He aquí ahora ha hallado vuestro siervo gracia en vuestros ojos, y habéis engrandecido vuestra misericordia que habéis hecho conmigo dándome la vida; mas yo no podré escapar al monte, no sea que me alcance el mal, y muera. He aquí ahora esta ciudad está cerca para huir allá, la cual es pequeña; dejadme escapar ahora allá (¿no es ella pequeña?), y salvaré mi vida. Y le respondió: He aquí he recibido también tu súplica sobre esto, y no destruiré la ciudad de que has hablado. Date prisa, escápate allá; porque nada podré hacer hasta que hayas llegado allí.

Por eso fue llamado el nombre de la ciudad, Zoar [que quiere decir 'pequeña']. El sol salía sobre la tierra, cuando Lot llegó a Zoar. Entonces Jehová hizo llover sobre Sodoma y sobre Gomorra azufre y fuego de parte de Jehová desde los cielos; y destruyó las ciudades, y toda aquella llanura, con todos los moradores de aquellas ciudades, y el fruto de la tierra. Entonces la mujer de Lot miró atrás, a espaldas de él, y se volvió estatua de sal. Y subió Abraham por la mañana al lugar donde había estado delante de Jehová. Y miró hacia Sodoma y Gomorra, y hacia toda la tierra de aquella llanura miró; y he aquí que el humo subía de la tierra como el humo de un horno. Así, cuando destruyó Dios las ciudades de la llanura, Dios se acordó de Abraham, y envió fuera a Lot de en medio de la destrucción, al asolar las ciudades donde Lot estaba." Génesis 19:12-29

¿Notas la similitud? En ambos casos, la destrucción es causada por 'el fuego, el humo y el azufre' que proviene del ejército de Jehová. El apóstol Judas, hermano de Santiago, escribió: *"Mas quiero recordaros… que el Señor, habiendo salvado al pueblo sacándolo de Egipto, después destruyó a los que no creyeron. Y a los ángeles que no guardaron su dignidad, sino que abandonaron su propia morada, los ha guardado bajo oscuridad, en prisiones eternas, para el juicio del gran día; como Sodoma y Gomorra y las ciudades vecinas, las cuales de la misma manera que aquellos, habiendo fornicado e ido en pos de vicios contra naturaleza, fueron puestas por ejemplo, sufriendo el castigo del fuego eterno." Judas 1:5-7*

Si las ciudades de Sodoma y Gomorra fueron puestas como ejemplo de lo que Dios hará en 'el juicio de aquel gran día, en el cual derramará su fuego eterno, bien podemos concluir que aquellas tres plagas de 'fuego, humo y azufre' que la sexta trompeta anuncia serán lanzadas por aquel misterioso ejército de doscientos millones de jinetes de a caballo, representan la destrucción que caerá, por parte de Jehová, sobre las más impías ciudades de la tierra.[136]

---

136 Elena de White escribió numerosas advertencias en relación a los juicios que, de parte de Dios, caerán en las ciudades impías de nuestro mundo. Por ejemplo, ella dijo: "Estando en Loma Linda, California, el 16 de abril de 1906, pasó delante de mí una escena muy asombrosa. En una visión de la noche yo estaba sobre una altura desde donde podía ver las casas sacudirse como el viento sacude los juncos. Los edificios, grandes y pequeños, se derrumbaban. Los sitios de recreo, teatros, hoteles y palacios suntuosos eran sacudidos y derribados. Muchas vidas eran destruidas, y los lamentos de los heridos y aterrorizados llenaban el aire. "Los ángeles destructores enviados por Dios estaban obrando. Un simple toque, y los edificios construidos tan sólidamente que los hombres los consideraban como seguros contra todo peligro, rápidamente quedaban reducidos a un montón de escombros. No había seguridad de protección en ningún lugar. Personalmente no me sentía en peligro, pero no puedo describir las escenas terribles que se desarrollaron ante mi vista. Era como si la paciencia de Dios se hubiese agotado y hubiera llegado el día del juicio. "Entonces el ángel que estaba a mi lado me dijo que muy pocas personas tenían alguna idea de la maldad que reina en el mundo hoy, especialmente de la maldad en las ciudades grandes. Declaró que el Señor ha fijado un tiempo cuando su ira castigará a los transgresores por su persistente menoscabo de su ley. –Testimonios para la iglesia, t. 9, pág. 76 (1909)." CC 11

"Se acerca el tiempo cuando las grandes ciudades serán visitadas por los juicios de Dios. Antes de mucho, esas ciudades serán sacudidas terriblemente. Cualesquiera que sean las dimensiones y la solidez de los edificios, cualesquiera que sean las precauciones tomadas contra incendios, si Dios toca esas casas, en algunos minutos o algunas horas quedarán reducidas a escombros. Las impías ciudades de nuestro mundo serán barridas por la escoba de la destrucción. Mediante las catástrofes que ocasionan actualmente la ruina de grandes edificios y de barrios enteros, Dios nos muestra lo que vendrá sobre toda la Tierra. –Testimonios para la iglesia, t. 7, pág. 83 [1902]." CC 8

"Se me pide que declare el mensaje de que las ciudades llenas de transgresión y pecaminosas en extremo serán destruidas por terremotos, incendios e inundaciones. Todo el mundo será advertido de que existe un Dios que hará notoria su autoridad como Dios. Sus agentes invisibles causarán destrucción, devastación y muerte. Todas las riquezas acumuladas serán como nada... –El Evangelismo, 24 (1906)." CC 8

"Existen razones por las que ni debiéramos edificar en las ciudades. Sobre ellas pronto caerán los juicios de Dios. –Carta 158 (1902)." CC 9

"Falta poco para que las grandes ciudades sean barridas, de manera que todos deben ser amonestados acerca de la inminencia de estas calamidades. –El evangelismo, pág. 26 (1910)." CC 9

"¡Oh, si el pueblo de Dios comprendiera la sentencia de destrucción que pende sobre miles de ciudades, entregadas ahora casi a la idolatría! –Review and Herald, 10 de septiembre de 1903." CC 9

En el contexto de la liberación del pueblo de Dios de Egipto, la Biblia dice: *"Envió sobre ellos el ardor de su ira; enojo, indignación y angustia, un ejército de ángeles destructores."* Salmo 78:49

Por esto, los que reciban la marca de la bestia, no solo tendrán que afrontar el tormento del diablo y sus demonios –durante la quinta trompeta–, sino también, al concluir el tiempo de gracia, esta terrible

---

"En la mañana del viernes pasado, justamente antes de despertar, se presentó ante mí una escena sumamente impresionante. Me parecía que despertaba del sueño pero en un lugar que no era mi casa. Desde las ventanas contemplaba una terrible conflagración. Grandes bolas de fuego caían sobre las casas, y de ellas salían dardos encendidos que volaban en todas direcciones. Era imposible apagar los incendios que se producían, y muchos lugares estaban siendo destruidos. El terror de la gente era indescriptible. –El evangelismo, págs. 25, 26 (1906)." CC 10

"He visto las más costosas estructuras de edificios construidos supuestamente a prueba de fuego, pero así como Sodoma pereció en las llamas de la venganza divina, así estas orgullosas estructuras se convertirán en ceniza [...]. Los deleitables monumentos de la grandeza de los hombres se harán polvo aun antes que venga la última gran destrucción sobre el mundo. –Mensajes Selectos 3:478-479 (1901)." EUD 97

"Dios está retirando su Espíritu de las ciudades impías, que han llegado a ser semejantes a las del mundo antediluviano y a Sodoma y Gomorra [...]. Las costosas mansiones, maravillas arquitectónicas, serán destruidas sin previo aviso cuando el Señor vea que sus ocupantes han traspasado los límites del perdón. La destrucción causada por el fuego en los imponentes edificios que se suponen son a prueba de incendios, es una ilustración de cómo, en un momento, los edificios de la tierra caerán en ruinas. –Cada Día con Dios, 152 (1902)." EUD 97

"Jesús lloró sobre Jerusalén por la culpabilidad y obstinación de su pueblo escogido. Llora también ahora por la dureza de corazón de aquellos que, profesando ser sus colaboradores, se conforman con no hacer nada. ¿Están llevando con Cristo una carga de pesadumbre y constante tristeza, mezclada de lágrimas por las perversas ciudades de la tierra, los que debieran apreciar el valor de las almas? Es inminente la destrucción de estas ciudades, casi completamente entregadas a la idolatría. En el gran día del ajuste final de cuentas, ¿qué respuesta podrá darse por haber descuidado el entrar en estas ciudades ahora?" 3JT 218

"Los hombres continuarán levantando costosos edificios que valen millones; se dará especial atención a su belleza arquitectónica y a la firmeza y solidez con que son construidos. Pero el Señor me ha hecho saber que a pesar de su insólita fineza y su costosa impotencia esos edificios correrán la misma suerte del templo de Jerusalén. –Comentario Bíblico Adventista 5:1074 (1906)." EUD 97

Recomendamos, además, leer el capítulo titulado 'La destrucción de Sodoma', de su libro Patriarcas y Profetas. Allí ella también hace un paralelismo entre lo que ocurrió con aquellas impías ciudades y lo que ocurrirá al fin de los días, en el contexto del derramamiento de las copas de la ira de Dios.

destrucción del ejército celestial. Y precisamente esto es lo que anuncia el mensaje del tercer ángel cuando dice: *"Y el tercer ángel los siguió, diciendo a gran voz: Si alguno adora a la bestia y a su imagen, y recibe la marca en su frente o en su mano, él también beberá del vino de la ira de Dios, que ha sido vaciado puro en el cáliz de su ira; y será atormentado con fuego y azufre delante de los santos ángeles y del Cordero; y el humo de su tormento sube por los siglos de los siglos…" Apocalipsis 14:9-11*

También, el profeta Joel, relatando las escenas del gran día de la ira de Dios, describe el accionar de este ejército de divino, diciendo: *"Tocad trompeta en Sion, y dad alarma en mi santo monte; tiemblen todos los moradores de la tierra, porque viene el día de Jehová, porque está cercano. Día de tinieblas y de oscuridad, día de nube y de sombra; como sobre los montes se extiende el alba, así vendrá un pueblo grande y fuerte; semejante a él no lo hubo jamás, ni después de él lo habrá en años de muchas generaciones. Delante de él consumirá fuego, tras de él abrasará llama; como el huerto de Edén será la tierra delante de él, y detrás de él como desierto asolado; ni tampoco habrá quien de él escape. Su aspecto, como aspecto de caballos, y como gente de a caballo correrán. Como estruendo de carros saltarán sobre las cumbres de los montes; como sonido de llama de fuego que consume hojarascas, como pueblo fuerte dispuesto para la batalla. Delante de él temerán los pueblos; se pondrán pálidos todos los semblantes. Como valientes correrán, como hombres de guerra subirán el muro; cada cual marchará por su camino, y no torcerá su rumbo. Ninguno estrechará a su compañero, cada uno irá por su carrera; y aun cayendo sobre la espada no se herirán. Irán por la ciudad, correrán por el muro, subirán por las casas, entrarán por las ventanas a manera de ladrones. Delante de él temblará la tierra, se estremecerán los cielos; el sol y la luna se oscurecerán, y las estrellas retraerán su resplandor. Y Jehová dará su orden delante de su ejército; porque muy grande es su campamento; fuerte es el que ejecuta su orden; porque grande es el día de Jehová, y muy terrible; ¿quién podrá soportarlo?" Joel 2:1-11*

La Nueva Traducción Viviente, dice: *"La tierra tiembla mientras avanzan y los cielos se estremecen. El sol y la luna se oscurecen y las estrellas dejan de brillar. El Señor va a la cabeza de la columna; con un grito los guía. Este es su ejército poderoso y ellos siguen sus órdenes. El día del Señor es algo imponente y pavoroso. ¿Quién lo podrá sobrevivir? Por eso dice el Señor: «Vuélvanse a mí ahora, mientras haya tiempo; entréguenme su corazón. Acérquense con ayuno, llanto y luto [luego será demasiado tarde…]." Joel 2:10-12*

El profeta Isaías, también escribió: *"Por esta causa se encendió el furor de Jehová contra su pueblo, y extendió contra él su mano, y le hirió; y se estremecieron los montes, y sus cadáveres fueron arrojados en medio de las calles. Con todo esto no ha cesado su furor, sino que todavía su mano está extendida. Alzará pendón a naciones lejanas, y silbará al que está en el extremo de la tierra; y he aquí que vendrá pronto y velozmente. No habrá entre ellos cansado, ni quien tropiece; ninguno se dormirá, ni le tomará sueño; a ninguno se le desatará el cinto de los lomos, ni se le romperá la correa de sus sandalias. Sus saetas estarán afiladas, y todos sus arcos entesados; los cascos de sus caballos parecerán como de pedernal [Recordemos que en la sexta trompeta se describe a este ejército con 'corazas de fuego, de zafiro y de azufre' (Ap 9:17)], y las ruedas de sus carros como torbellino. Su rugido será como de león; rugirá a manera de leoncillo, crujirá los dientes, y arrebatará la presa; se la llevará con seguridad, y nadie se la quitará [los salvos]. Y bramará sobre él en aquel día como bramido del mar; entonces mirará hacia la tierra, y he aquí tinieblas de tribulación, y en sus cielos se oscurecerá la luz." Isaías 5:25-30*

Más adelante, este mismo profeta, continúa diciendo: *"Estruendo de multitud en los montes, como de mucho pueblo; estruendo de ruido de reinos, de naciones reunidas; Jehová de los ejércitos pasa revista a las tropas para la batalla. Vienen de lejana tierra, de lo postrero de los cielos, Jehová y los instrumentos de su ira, para destruir toda la tierra. Aullad, porque cerca está el día de Jehová; vendrá como asolamiento del Todopoderoso. Por tanto, toda mano se debilitará, y desfallecerá todo corazón de hombre, y se llenarán de terror; angustias y dolores se apoderarán de ellos; tendrán dolores como mujer de parto; se asombrará cada cual al mirar a su compañero; sus rostros, rostros de llamas. He aquí el día de Jehová viene, terrible, y de indignación y ardor de ira, para convertir la tierra en soledad, y raer de ella a sus pecadores. Por lo cual las estrellas de los cielos y sus luceros no darán su luz; y el sol se oscurecerá al nacer, y la luna no dará su resplandor. Y castigaré al mundo por su maldad, y a los impíos por su iniquidad; y haré que cese la arrogancia de los soberbios, y abatiré la altivez de los fuertes. Haré más precioso que el oro fino al varón, y más que el oro de Ofir al hombre. Porque haré estremecer los cielos, y la tierra se moverá de su lugar, en la indignación de Jehová de los ejércitos, y en el día del ardor de su ira." Isaías 13:4-13*

Como podemos apreciar, el contexto de la sexta trompeta es el mismo al del sexto sello. Es decir, ambos tratan acerca de lo que sucederá cuando se acabe el tiempo de gracia y Dios se levante para ejecutar su juicio sobre las naciones.

Apocalipsis, hablando en este mismo contexto, dice: *"Entonces vi el cielo abierto; y he aquí un caballo blanco, y el que lo montaba se llamaba Fiel y Verdadero, y con justicia juzga y pelea... Y los ejércitos celestiales, vestidos de lino finísimo, blanco y limpio, le seguían en caballos blancos. De su boca sale una espada aguda, para herir con ella a las naciones, y él las regirá con vara de hierro; y él pisa el lagar del vino del furor y de la ira del Dios Todopoderoso... Y vi a la bestia, a los reyes de la tierra y a sus ejércitos, reunidos para guerrear contra el que montaba el caballo, y contra su ejército. Y la bestia fue apresada, y con ella el falso profeta que había hecho delante de ella las señales con las cuales había engañado a los que recibieron la marca de la bestia, y habían adorado su imagen. Estos dos fueron lanzados vivos dentro de un lago de fuego que arde con azufre." Apocalipsis 19:11, 14-15, 19-20*

Es decir, un contexto que también es similar al que se describe en la séptima copa de la ira de Dios, cuando dice: *"El séptimo ángel derramó su copa por el aire; y salió una gran voz del templo del cielo, del trono, diciendo: Hecho está. Entonces hubo relámpagos y voces y truenos, y un gran temblor de tierra, un terremoto tan grande, cual no lo hubo jamás desde que los hombres han estado sobre la tierra. Y la gran ciudad fue dividida en tres partes, y las ciudades de las naciones cayeron; y la gran Babilonia vino en memoria delante de Dios, para darle el cáliz del vino del ardor de su ira."* Apocalipsis 16:17-19[137]

---

137 Elena de White, escribió: "Es a medianoche cuando Dios manifiesta su poder para librar a su pueblo. Sale el sol en todo su esplendor. Sucédense señales y prodigios con rapidez. Los malos miran la escena con terror y asombro, mientras los justos contemplan con gozo las señales de su liberación. La naturaleza entera parece trastornada. Los ríos dejan de correr. Nubes negras y pesadas se levantan y chocan unas con otras. En medio de los cielos conmovidos hay un claro de gloria indescriptible, de donde baja la voz de Dios semejante al ruido de muchas aguas, diciendo: "Hecho es" (Apocalipsis 16:17).

Esa misma voz sacude los cielos y la tierra. Síguese un gran terremoto, "cual no fue jamás desde que los hombres han estado sobre la tierra" (verso 18). El firmamento parece abrirse y cerrarse. La gloria del trono de Dios parece cruzar la atmósfera. Los montes son movidos como una caña al soplo del viento, y las rocas quebrantadas se esparcen por todos lados. Se oye un estruendo como de cercana tempestad. El mar es azotado con furor. Se oye el silbido del huracán, como voz de demonios en misión de destrucción. Toda la tierra se alborota e hincha como las olas del mar. Su superficie se raja. Sus mismos fundamentos parecen ceder. Se hunden cordilleras. Desaparecen islas habitadas. Los puertos marítimos que se volvieron como Sodoma por su corrupción, son tragados por las enfurecidas olas. "La grande Babilonia vino en memoria delante de Dios, para darle el cáliz del vino del furor de su ira" (verso 19). Pedrisco grande, cada piedra, "como del peso de un talento" (verso 21), hace su obra de destrucción. Las más soberbias ciudades de la tierra son arrasadas. Los palacios suntuosos en que los magnates han malgastado sus riquezas

Ahora, por si quedaban dudas de que esta trompeta sonará luego del cierre del tiempo de gracia, consideremos como concluye. Dice: *"Y los otros hombres que no fueron muertos con estas plagas, ni aun así se arrepintieron de las obras de sus manos, ni dejaron de adorar a los demonios, y a las imágenes de oro, de plata, de bronce, de piedra y de madera, las cuales no pueden ver, ni oír, ni andar; y no se arrepintieron de sus homicidios, ni de sus hechicerías, ni de su fornicación, ni de sus hurtos." Apocalipsis 9:20-21*

Es decir, nos encontramos en un contexto en el que ya se han completado el número de los redimidos –porque Dios ha rescatado hasta el último de los que querrán arrepentirse de sus pecados–, y donde el resto no se arrepentirá ni aunque muera la tercera parte de la humanidad.

Vuelve a leer, ahora mismo, Apocalipsis 9, y comprueba como ya se ha abierto ante tus ojos.

---

en provecho de su gloria personal, caen en ruinas ante su vista. Los muros de las cárceles se parten de arriba abajo, y son libertados los hijos de Dios que habían sido apresados por su fe." CS 620

"Los juicios de Dios fueron suscitados contra Jericó. Era un baluarte. Pero el mismo Capitán de la hueste del Señor vino del cielo para conducir los ejércitos del cielo en un ataque contra la ciudad. Ángeles de Dios asieron los masivos muros y los derribaron." Testimonies for the Church 3:264 [1873]. EUD 207

Capítulo 10
Cuando Dios dice ¡basta!

En nuestro capítulo anterior concluimos que el segundo *¡ay!* –de la sexta trompeta–, representa el cierre de la gracia y el derramamiento de las copas de la ira de Dios sobre la tierra, en un contexto en el que los hombres que no se han arrepentido, ya no se arrepentirán ni aunque muera una tercera parte de la humanidad.

¿Te imaginas cómo estará la sociedad en aquellos días, es decir, cuando haya muerto una tercera parte de la humanidad y el Espíritu Santo se haya retirado del resto?

El ángel fuerte

Es éste el contexto en el que Apocalipsis, antes de continuar con el tercer *¡ay!* –asociado a la séptima trompeta–, abre un nuevo paréntesis con una escena complementaria que presenta a Cristo descendiendo del cielo envuelto en una nube. Dice: *"Vi descender del cielo a otro ángel fuerte, envuelto en una nube, con el arco iris sobre su cabeza; y su rostro era como el sol, y sus pies como columnas de fuego." Apocalipsis 10:1*

Ahora ¿por qué decimos que este ángel fuerte es Cristo? Porque Juan, al comienzo del Apocalipsis, describe el rostro de Cristo, diciendo: *"su rostro era como el sol cuando resplandece en su fuerza" (Ap 1:16)* y, más adelante, también presenta a Cristo *'sobre una nube'*, diciendo: *"Miré, y he aquí una nube blanca; y sobre la nube uno sentado semejante al Hijo del Hombre…" Apocalipsis 14:14*

Pero, ¿en qué momento Cristo *'descenderá del cielo, envuelto en una nube, con el arco iris sobre su cabeza'*? Pues, de acuerdo a lo que venimos explicando, luego del derramamiento de las copas de la ira, los impíos, desposeídos del Espíritu de Dios, culparán a los santos de todos los males que estarán ocurriendo sobre la tierra y se dispondrán para asesinarlos –aún emitiendo legislaciones que incluirán pena de muerte, sin necesidad de juicio previo, para todos aquellos que no se doblegüen ante la bestia–.

Lo cual introducirá al pueblo de Dios en su período de mayor angustia, conocida como la angustia de Jacob.[138]

Según entendemos, será este el momento en el que Cristo descenderá del cielo para poner fin a dicha angustia. Dice Jeremías: *"¡Ah, cuán grande es aquel día!, tanto, que no hay otro semejante a él; tiempo de angustia para Jacob; pero de ella será librado... Tú, pues, siervo mío Jacob, no temas, dice Jehová, ni te atemorices, Israel; porque he aquí que yo soy el que te salvo de lejos a ti y a tu descendencia de la tierra de cautividad; y Jacob volverá, descansará y vivirá tranquilo, y no habrá quien le espante. Porque yo estoy contigo para salvarte, dice Jehová, y destruiré a todas las naciones entre las cuales te esparcí; pero a ti no te destruiré, sino que te castigaré con justicia..." Jeremías 30:7, 10-11*

En efecto, en nuestra compensación, la aparición de Cristo envuelto en una nube −que se describe en este capítulo− constituye aquella *'señal del Hijo del hombre'* mencionada por Jesús, cuando dijo, en relación a las señales que anunciarían su venida: *"E inmediatamente después de la tribulación de aquellos días, el sol se oscurecerá, y la luna no dará su resplandor, y las estrellas caerán del cielo, y las potencias de los cielos serán conmovidas. Entonces aparecerá la señal del Hijo del Hombre en el cielo; y entonces lamentarán todas las tribus de la tierra, y verán al Hijo del Hombre viniendo sobre las nubes del cielo, con poder y gran gloria." Mateo 24:29-30* [139]

---

138 Elena de White escribió: "Vi que los cuatro ángeles iban a retener los vientos mientras no estuviesen hecha la obra de Jesús en el santuario, y que entonces caerían las siete postreras plagas. Estas enfurecieron a los malvados contra los justos, pues los primeros pensaron que habíamos atraído los juicios de Dios sobre ellos, y que si podían raernos de la tierra las plagas se detendrían. Se promulgó un decreto para matar a los santos, lo cual los hizo clamar día y noche por su libramiento. −Primeros Escritos, 36 (1851)." EUD 208

139 Elena de White explica: "El ojo de Dios, al mirar al través de las edades, se fijó en la crisis a la cual tendrá que hacer frente su pueblo, cuando los poderes de la tierra se unan contra él. Como los desterrados cautivos, temerán morir de hambre o por la violencia. Pero el Dios santo que dividió las aguas del Mar Rojo delante de los israelitas manifestará su gran poder libertándolos de su cautiverio. "Ellos me serán un tesoro especial, dice Jehová de los ejércitos, en aquel día que yo preparo; y me compadeceré de ellos, como un hombre se compadece de su mismo hijo que le sirve"... Cristo ha dicho: "¡Ven, pueblo mío, entra en tus aposentos, cierra tus puertas sobre ti; escóndete por un corto momento, hasta que pase la indignación! Porque he aquí que Jehová sale de su lugar para castigar a los habitantes de la tierra por su iniquidad". Isaías 26:20, 21 (VM). Gloriosa será la liberación de los que lo han esperado pacientemente y cuyos nombres están escritos en el libro de la vida." CS 616

Las circunstancias por las cuales deberán pasar los santos en los últimos días, en efecto, serán muy similares a cuando el pueblo de Israel estaba huyendo de Egipto y el Faraón salió tras ellos para matarlos –luego de las 10 plagas que Dios había enviado a fin de liberarlos–. En aquel momento, la Biblia dice que *"Jehová iba delante de ellos de día en una columna de nube para guiarlos por el camino, y de noche en una columna de fuego para alumbrarles, a fin de que anduviesen de día y de noche." Éxodo 13:21*

Sin embargo, el pueblo de Israel entró en terrible angustia cuando vio a Faraón, y a todo su ejército, viniendo tras ellos para matarlos. Dice la Escritura: *"Y cuando Faraón se hubo acercado, los hijos de Israel alzaron sus ojos, y he aquí que los egipcios venían tras ellos; por lo que los hijos de Israel temieron en gran manera, y clamaron a Jehová." Éxodo 14:10*

Por esto, luego de oirlos, *"Moisés dijo al pueblo: No temáis; estad firmes, y ved la salvación que Jehová hará hoy con vosotros; porque los egipcios que hoy habéis visto, nunca más para siempre los veréis. Jehová peleará por vosotros, y vosotros estaréis tranquilos." Éxodo 14:13-14*

Según entendemos, es éste el escenario en el que Cristo, en el tiempo del fin, también descenderá del cielo para liberar a su pueblo *'envuelto en una nube, con el arco iris sobre su cabeza, rostro como el sol y pies como columnas de fuego' (Ap 10:1).*

En efecto, el arco iris que aparecerá sobre la cabeza de Cristo es símbolo de que Dios nunca abandonará a su pueblo en la lucha contra el mal, sino que será fiel a su promesa de *'estar con nosotros, todos los días, hasta en el mismísimo fin del mundo'. Mateo 28:20*[140]

---

140 Elena de White comenta: "El arco iris de la promesa que circuye el trono de lo alto es un testimonio eterno de que "de tal manera amó Dios al mundo, que ha dado a su Hijo unigénito, para que todo aquel que en él cree, no se pierda, mas tenga vida eterna" (Juan 3:16). Atestigua al universo que nunca abandonará Dios a su pueblo en la lucha contra el mal. Es una garantía para nosotros de que contaremos con fuerza y protección mientras dure el trono." DTG 455

"Nuestro amado Salvador nos enviará ayuda en el momento mismo en que la necesitemos. El camino del cielo quedó consagrado por sus pisadas. Cada espina que hiere nuestros pies hirió también los suyos. Él cargó antes que nosotros la cruz que cada uno de nosotros ha de cargar. El Señor permite los conflictos a fin de preparar al alma para la paz. El tiempo de angustia es una prueba terrible para el pueblo de Dios; pero es el momento en que todo verdadero creyente debe mirar hacia arriba a fin de que por la fe pueda ver el arco de la promesa que le envuelve." CS 616

En consecuencia, aquella escena que se presenta en el comienzo de este capítulo, tiene que ver con el momento acerca del cual el profeta Daniel escribió: *"En aquel tiempo se levantará Miguel, el gran príncipe que está de parte de los hijos de tu pueblo; y será tiempo de angustia, cual nunca fue desde que hubo gente hasta entonces; pero en aquel tiempo será libertado tu pueblo, todos los que se hallen escritos en el libro." Daniel 12:1*[141]

Un librito abierto

En este contexto, Apocalipsis continúa diciendo, respecto de este ángel fuerte –símbolo de Cristo–: *"Tenía en su mano un librito abierto; y puso su pie derecho sobre el mar, y el izquierdo sobre la tierra; y clamó a gran voz, como ruge un león; y cuando hubo clamado, siete truenos emitieron sus voces. Cuando los siete truenos hubieron emitido sus voces, yo iba a escribir; pero oí una voz del cielo que me decía: Sella las cosas que los siete truenos han dicho, y no las escribas. Y el ángel que vi en pie sobre el mar y sobre la tierra, levantó su mano al cielo, y juró por el que vive por los siglos de los siglos, que creó el cielo y las cosas que están en él, y la tierra y las cosas que están en ella, y el mar y las cosas que están en él, que el tiempo no sería más, sino que en los días de la voz del séptimo ángel, cuando él comience a tocar la trompeta, el misterio de Dios se consumará, como él lo anunció a sus siervos los profetas." Apocalipsis 10:2-7*

---

141 Elena de White escribió: "El 'tiempo de angustia, cual nunca fue después que hubo gente' se iniciará pronto; y para entonces necesitaremos tener una experiencia que hoy por hoy no poseemos y que muchos no pueden lograr debido a su indolencia. Sucede muchas veces que los peligros que se esperan no resultan tan grandes como uno se los había imaginado; pero este no es el caso respecto de la crisis que nos espera. La imaginación más fecunda no alcanza a darse cuenta de la magnitud de tan dolorosa prueba. En aquel tiempo de tribulación, cada alma deberá sostenerse por sí sola ante Dios. "Si Noé, Daniel y Job estuvieren" en el país, "¡vivo yo! dice Jehová el Señor, que ni a hijo ni a hija podrán ellos librar por su justicia; tan solo a sus propias almas librarán" (Ezequiel 14:20). Ahora, mientras que nuestro gran Sumo Sacerdote está haciendo propiciación por nosotros, debemos tratar de llegar a la perfección en Cristo. Nuestro Salvador no pudo ser inducido a ceder a la tentación ni siquiera en pensamiento. Satanás encuentra en los corazones humanos algún asidero en que hacerse firme; es tal vez algún deseo pecaminoso que se acaricia, por medio del cual la tentación se fortalece. Pero Cristo declaró al hablar de sí mismo: "Viene el príncipe de este mundo; mas no tiene nada en mí" (Juan 14:30). Satanás no pudo encontrar nada en el Hijo de Dios que le permitiese ganar la victoria. Cristo guardó los mandamientos de su Padre y no hubo en él ningún pecado de que Satanás pudiese sacar ventaja. Esta es la condición en que deben encontrarse los que han de poder subsistir en el tiempo de angustia." CS 607

Hay mucho para analizar aquí. En primer lugar, se nos dice que Cristo tenía en su mano un *'librito'* completamente *'abierto'*. ¿Que significa esto? Pues, en Apocalipsis 5 se presentó a Cristo tomando –de la mano del Padre– *'un libro escrito por dentro y por fuera'*, completamente cerrado, es decir, *'sellado con siete sellos' (Ap 5:1);* el cual, como explicamos, contiene la historia profética de las naciones, desde su principio y hasta su final.

Luego, desde Apocalipsis 6, se relataron los sucesos que irían ocurriendo a medida que Cristo vaya desatando sus sellos; culminando la apertura de dicho libro en Apocalipsis 8, cuando, luego de abrir el séptimo sello, *"se hizo silencio en el cielo como por media hora." Apocalipsis 8:1*

Lo cual, como hemos explicado, apunta, precisamente, al tiempo en el cual los justos vivirán en terrible angustia, ante la presencia de un Dios Santo, Santo, Santo; sin intercesor que abogue por ellos. Es decir, el mismo contexto en el cual nos encontramos en este capítulo, cuando Cristo se presenta teniendo en su mano *'un librito'* completamente abierto.

Ahora, la palabra que se usa aquí para *'librito'* es diferente a la que se usó, en el capítulo 5, para referirse al *'libro'* que estaba en manos de Dios Padre. Por esto, entendemos que lo que aquí Cristo tiene en su mano, es una porción de aquel libro mayor, de especial importancia, que debía estar cerrada y sellada hasta el tiempo del fin. En este sentido, tengamos en cuenta que, justamente en el contexto del levantamiento de Miguel, se le dijo a Daniel: *"Pero tú, Daniel, cierra las palabras y sella el libro hasta el tiempo del fin. Muchos correrán de aquí para allá, y la ciencia [en cuanto al conocimiento de las profecías] se aumentará." Daniel 12:4*[142]

Por lo que si aquí se presenta a Miguel levantándose para hacer justicia, con un librito completamente abierto en su mano, es porque se trata, específicamente, de una escena del fin de los días, en el que toda profecía de la escritura estará abierta al entendimiento.

---

142 Elena de White explica: "El libro que fue sellado no fue el Apocalipsis, sino la porción de la profecía de Daniel que se refería a los últimos días. La Escritura dice: "Pero tú, Daniel, cierra las palabras y sella el libro hasta el tiempo del fin. Muchos correrán de aquí para allá, y la ciencia se aumentará." (Daniel 12:4). Cuando se abrió el libro se proclamó: "El tiempo no será más" (Apocalipsis 10:6). Ahora ha sido abierto el libro de Daniel, y la revelación hecha por Cristo a Juan debe llevarse a todos los habitantes de la tierra. Mediante el aumento del conocimiento debe prepararse a un pueblo para que resista en los últimos días." 2MS 120

Ahora, ¿qué clase de información de especial importancia contendrá dicho 'librito'? De acuerdo a lo que se nos dice, es información relativa a 'tiempos proféticos' que debían estar sellados, es decir, inaccesibles al entendimiento humano, hasta el mismísimo fin del tiempo. Dice Daniel: *"Y dijo uno al varón vestido de lino, que estaba sobre las aguas del río: ¿Cuándo será el fin de estas maravillas? Y oí al varón vestido de lino, que estaba sobre las aguas del río [que es Cristo], el cual alzó su diestra y su siniestra al cielo, y juró por el que vive por los siglos, que será por tiempo, [dos] tiempos, y la mitad de un tiempo. Y cuando se acabe la dispersión del poder del pueblo santo, todas estas cosas serán cumplidas. Y yo oí, mas no entendí. Y dije: Señor mío, ¿cuál será el fin de estas cosas? Él respondió: Anda, Daniel, pues estas palabras están cerradas y selladas hasta el tiempo del fin."* Daniel 12:5-9

Como vemos, tanto en Daniel 12 como en Apocalipsis 10, se presenta a Cristo alzando sus manos y jurando –por el mismísimo Dios– algo en relación al tiempo. En Daniel jura que será luego de *'tres tiempos y medio'*, aclarando que todo será cumplido luego de que *'se acabe la dispersión del poder del pueblo santo' (Dn 12:7),* es decir, al fin de las persecuciones.

Razón por la cual, entendemos que Cristo se presenta –en la visión de Daniel– en un contexto en el que dichos plazos aún no se han cumplido.

Dice Daniel: *"Yo oí, pero no entendí" (Dn 12:8),* y se le responde: *"Ve Daniel, porque estas palabras están ocultas y selladas hasta el tiempo final" (Dn 12:9),* agregando, incluso, otros períodos proféticos que también estarían cerrados y sellados hasta aquel tiempo. Dice: *"A partir del momento en que será abolido el ~~sacrificio~~ perpetuo y será instalada la Abominación de la desolación, pasarán mil doscientos noventa días. ¡Feliz el que sepa esperar y llegue a mil trescientos treinta y cinco días!"* Daniel 12:11-12 LPD

Luego Jesús, en Apocalipsis, habiendo abierto este librito, jura *'que el tiempo no será más' (Ap 10:6).* Por esto, entendemos que Cristo se presenta ante Juan en un contexto en el cual los plazos anunciados a Daniel ya se han cumplido, ya sea porque haya transcurrido la totalidad del tiempo anunciado o porque Dios lo haya acortado en justicia.

Ahora, ¿cuándo podremos entender lo revelado en ese librito? Es evidente que cuando Cristo se levante para liberar a su pueblo, todos sus secretos ya se encontrarán abiertos al entendimiento de aquellos que *'lean y guarden'* las cosas contenidas en la Palabra de Dios. Sin embargo, podríamos preguntarnos, ¿en qué momento se abrirá dicho libro?

Si, de acuerdo a lo que hemos comentado, este librito contiene una porción de especial importancia relativa al tiempo, pero forma parte de aquel libro mayor que Cristo habrá recibido de manos del Padre, el contenido de este librito debería comenzar a entenderse desde el momento en el que Cristo desate el primer sello –de aquel libro mayor–, y terminará de comprenderse cuando desate el séptimo. Es decir, cuando el pueblo de Dios se encuentre atravesando aquel período de terrible angustia destinada a purificar sus caracteres –simbolizada por el silencio celestial–.

En efecto, recordemos que a Daniel se le dijo: *"Pero tú, Daniel, cierra las palabras y sella el libro hasta el tiempo del fin. [En aquel tiempo] muchos correrán de aquí para allá, y la ciencia [es decir, el entendimiento de estas profecías] se aumentará" (Dn 12:4)*, aclarando, más adelante, el contexto en el cual se produciría dicho entendimiento. Dice: *"Muchos serán limpios, y emblanquecidos y purificados; los impíos procederán impíamente, y ninguno de los impíos entenderá, pero los entendidos comprenderán." Daniel 12:10*

Lo cual apunta al tiempo en el que, por haberse acabado el tiempo de gracia, Cristo pronunciará la sentencia: *"El que es injusto, sea injusto todavía; y el que es inmundo, sea inmundo todavía; y el que es justo, practique la justicia todavía; y el que es santo, santifíquese todavía." Apocalipsis 22:11*

Por esto, en nuestro entendimiento, el librito que está en manos de Cristo contiene información secreta dirigida a quienes podrán mantenerse en pie cuando Cristo regrese. Ellos, por haber alcanzado un carácter semejante al de Cristo –y por haber atesorado cada palabra que sale de la boca de Dios–, recibirán la sabiduría necesaria a fin de comprender completamente su Palabra, incluso sus secretos mejor encriptados.[143]

---

143 Elena de White comenta: "Al libro de Daniel se le quita el sello en la revelación que se le hace a Juan, lo cual nos permite avanzar hasta las últimas escenas de la historia de este mundo." TM 115

"La marca de la bestia es exactamente lo que ha sido proclamado. No se comprende todavía todo lo referente a este asunto, ni se comprenderá hasta que se abra el rollo. —Joyas de los Testimonios 2:371 (1900)." EUD 17

"Se ha cumplido todo lo que Dios ha especificado en la historia profética, y se cumplirá todo lo que aún deba cumplirse. Daniel, el profeta de Dios, permanece firme en su lugar. Juan también lo está. En el Apocalipsis, el León de la tribu de Judá ha abierto el libro de Daniel a los estudiosos de la profecía, y así es como Daniel permanece firme en su sitio. Da su testimonio, el cual le fue revelado por Dios por medio de visiones de los grandes y solemnes acontecimientos que debemos reconocer en este momento cuando estamos en el mismo umbral de su cumplimiento." 2MS 124

El rugido de Cristo

Tanto en Apocalipsis 10 como en Daniel 12, se presenta a Cristo poniendo su pie *'sobre las aguas'*, es decir, *"sobre los pueblos, multitudes, naciones y lenguas" (Ap 17:15)* que sostienen el poder de la bestia espantosa y terrible descrita en Daniel 7 y Apocalipsis 12, 13 y 17. Sin embargo, en Apocalipsis, Juan observa a Cristo poniendo su otro pie sobre la tierra, es decir, sobre aquel territorio en el cual habría de dominar la segunda bestia que se describe –recién– en la última parte de Apocalipsis 13.

Lo cual nos indica que se trata de una escena relacionada con aquel tiempo en el cual Dios habrá puesto a todos sus enemigos bajo los pies de Cristo. Dice la Biblia: *"Jehová dijo a mi Señor: siéntate a mi diestra, hasta que ponga a tus enemigos por estrado de tus pies." Salmo 110:1*

Es en este contexto, que Apocalipsis menciona que Cristo– *"clamó a gran voz, como ruge un león; y cuando hubo clamado, siete truenos emitieron sus voces." Apocalipsis 10:3*

¿A quién, qué y por qué clamará Cristo? En cuanto a lo primero, la respuesta salta a la vista: a su Padre; dado que, a continuación, Él le responde con voz de trueno. De hecho, la Biblia registra otras dos ocasiones en las cuales Cristo, en el contexto de su crucifixión, clamó a gran voz a su Padre. Dice: *"Y desde la hora sexta hubo tinieblas sobre toda la tierra hasta la hora novena. Cerca de la hora novena, Jesús clamó a gran voz, diciendo: Elí, Elí, ¿lama sabactani? Esto es: Dios mío, Dios mío, ¿por qué me has desamparado?... [y, un poco más adelante, dice:] Mas Jesús, habiendo otra vez clamado a gran voz, entregó el espíritu." Mateo 27:45-46, 50*

Lucas, aclarando lo que Jesús dijo en esta segunda ocasión, escribió: *"Entonces Jesús, clamando a gran voz, dijo: Padre, en tus manos encomiendo mi espíritu. Y habiendo dicho esto, expiró." Lucas 23:46*

Ahora, si Cristo ya no está sufriendo en la cruz, ¿por qué volvería a clamar a su Padre en esta ocasión? Porque sus hijos sí estarán pasando por una experiencia muy similar, y él dijo: *"De cierto os digo que en cuanto lo hicisteis a uno de estos mis hermanos más pequeños, a mí lo hicisteis." Mateo 25:40*

En nuestro entendimiento, no existe otro contexto que justifique tan tremendo clamor de Cristo hacia su Padre sino aquel que expresa el clamor de su pueblo en el día de su mayor angustia; cuando, tal como ocurrió en los días de su crucifixión, las tinieblas volverán a envolver la tierra y, al parecer de los redimidos, Dios también los habrá abandonado al maltrato de sus enemigos.*144*

En este mismo sentido, el Salmo 77 describe el clamor de los redimidos, diciendo: *"Con mi voz clamé a Dios, a Dios clamé, y él me escuchará.*

---

144 Elena de White comenta: "El pueblo de Dios no quedará libre de padecimientos; pero aunque perseguido y acongojado y aunque sufra privaciones y falta de alimento, no será abandonado para perecer...

Sin embargo, por lo que ven los hombres, parecería que los hijos de Dios tuviesen que sellar pronto su destino con su sangre, como lo hicieron los mártires que los precedieron. Ellos mismos empiezan a temer que el Señor los deje perecer en las manos homicidas de sus enemigos. Es un tiempo de terrible agonía. De día y de noche claman a Dios para que los libre. Los malos triunfan y se oye este grito de burla: "¿Dónde está ahora vuestra fe? ¿Por qué no os libra Dios de nuestras manos si sois verdaderamente su pueblo?" Pero mientras esos fieles cristianos aguardan, recuerdan que cuando Jesús estaba muriendo en la cruz del Calvario los sacerdotes y príncipes gritaban en tono de mofa: "A otros salvó, a sí mismo no puede salvar: si es el Rey de Israel, descienda ahora de la cruz, y creeremos en él" (Mateo 27:42). Como Jacob, todos luchan con Dios. Sus semblantes expresan la agonía de sus almas. Están pálidos, pero no dejan de orar con fervor.

Si los hombres tuviesen la visión del cielo, verían compañías de ángeles poderosos en fuerza estacionados en torno de los que han guardado la palabra de la paciencia de Cristo. Con ternura y simpatía, los ángeles han presenciado la angustia de ellos y han escuchado sus oraciones. Aguardan la orden de su jefe para arrancarlos al peligro. Pero tienen que esperar un poco más. El pueblo de Dios tiene que beber de la copa y ser bautizado con el bautismo. La misma dilación que es tan penosa para ellos, es la mejor respuesta a sus oraciones. Mientras procuran esperar con confianza que el Señor obre, son inducidos a ejercitar su fe, esperanza y paciencia como no lo hicieron durante su experiencia religiosa anterior. Sin embargo, el tiempo de angustia será acortado por amor de los elegidos. "¿Y acaso Dios no defenderá la causa de sus escogidos, que claman a él día y noche? [...] Os digo que defenderá su causa presto" (Lucas 18:7, 8). El fin vendrá más pronto de lo que los hombres esperan. El trigo será recogido y atado en gavillas para el granero de Dios; la cizaña será amarrada en haces para los fuegos destructores...

Mientras el pueblo militante de Dios dirige con empeño sus oraciones a Dios, el velo que lo separa del mundo invisible parece estar casi descorrido. Los cielos se encienden con la aurora del día eterno, y cual melodía de cánticos angélicos llegan a sus oídos las palabras: "Manteneos firmes en vuestra fidelidad. Ya os llega ayuda". Cristo, el vencedor todopoderoso, ofrece a sus cansados soldados una corona de gloria inmortal; y su voz se deja oír por las puertas entornadas: "He aquí que estoy con vosotros. No temáis. Conozco todas vuestras penas; he cargado con vuestros dolores. No estáis lidiando contra enemigos desconocidos. He peleado en favor vuestro, y en mi nombre sois más que vencedores"." CS 613-615

Al Señor busqué en el día de mi angustia; alzaba a él mis manos de noche, sin descanso; mi alma rehusaba consuelo. Me acordaba de Dios, y me conmovía; me quejaba, y desmayaba mi espíritu. No me dejabas pegar los ojos; estaba yo quebrantado, y no hablaba. Consideraba los días desde el principio, los años de los siglos. Me acordaba de mis cánticos de noche; meditaba en mi corazón, y mi espíritu inquiría: ¿Desechará el Señor para siempre, y no volverá más a sernos propicio? ¿Ha cesado para siempre su misericordia? ¿Se ha acabado perpetuamente su promesa? ¿Ha olvidado Dios el tener misericordia? ¿Ha encerrado con ira sus piedades?" Salmo 77:1-9

Estas serán las preguntas de los redimidos, al sentirse completamente abandonados por Dios. Por lo cual, entendemos que sus angustias no solo serán a causa de las amenazas de muerte que pesarán sobre ellos, sino también por no tener la seguridad de si habrán podido glorificar a Dios con sus vidas o si, debido a algún pecado no confesado, habrán sido contados entre los que se rebelaron contra su Creador.[145]

Sin embargo, Dios permitirá esta inmensa angustia en su pueblo porque será para ellos un fuego purificador que consumirá para siempre toda tendencia hacia el mal. Ahora, por el hecho de que él ya pagó por sus pecados, y que sus muertes ya no producirían ninguna ganancia para la salvación de otras almas, Jesús no permitirá que ellos expresen su segundo clamor, es decir, aquel que efectuó al entregar su espíritu; sino que, en la hora de su supremo apuro, descenderá para poner fin a sus sufrimientos y liberarlos de sus enemigos en el ardor de su ira.

El profeta Nahum, hablando en relación a este gran día de Jehová, escribió: *"Jehová es tardo para la ira y grande en poder, y no tendrá por inocente al culpable. Jehová marcha en la tempestad y el torbellino, y las nubes son el polvo de sus pies. Él amenaza al mar, y lo hace secar, y agosta todos los ríos... Los montes tiemblan delante de él, y los collados se derriten; la tierra se conmueve a su presencia, y el mundo, y todos los que en él habitan. ¿Quién permanecerá delante de su ira?, ¿y quién quedará en pie en el ardor de su*

---

145 Elena de White comenta: "Aun cuando los hijos de Dios se ven rodeados de enemigos que tratan de destruirlos, la angustia que sufren no procede del temor de ser perseguidos a causa de la verdad; lo que temen es no haberse arrepentido de cada pecado y que debido a alguna falta por ellos cometida no puedan ver realizada en ellos la promesa del Salvador: "Yo también te guardaré de la hora de prueba que ha de venir sobre todo el mundo" (Apocalipsis 3:10). Si pudiesen tener la seguridad del perdón, no retrocederían ante las torturas ni la muerte; pero si fuesen reconocidos indignos de perdón y hubiesen de perder la vida a causa de sus propios defectos de carácter, entonces el santo nombre de Dios sería vituperado." CS 604

enojo? Su ira se derrama como fuego, y por él se hienden las peñas. Jehová es bueno, fortaleza en el día de la angustia; y conoce a los que en él confían. Mas con inundación impetuosa consumirá a sus adversarios, y tinieblas perseguirán a sus enemigos. ¿Qué pensáis contra Jehová? Él hará consumación; no tomará venganza dos veces de sus enemigos." Nahum 1:3-9

Es en este contexto que aparecerá la señal del Hijo del Hombre en los cielos, trayendo consigo los emblemas de la misericordia de Dios hacia su pueblo fiel, es decir, el arco iris de la promesa.

Joel, describiendo aquel momento, dijo: *"Jehová rugirá desde Sion, y dará su voz desde Jerusalén, y temblarán los cielos y la tierra; pero Jehová será la esperanza de su pueblo, y la fortaleza de los hijos de Israel." Joel 3:16*

Evidentemente, se trata de un pasaje idéntico al que aparece en Apocalipsis 10 –donde se observa a Cristo rugiendo como león–. Ahora, ¿en qué contexto escribe Joel? Leamos los versículos anteriores. Dice: *"Despiértense las naciones, y suban al valle de Josafat; porque allí me sentaré para juzgar a todas las naciones de alrededor. Echad la hoz, porque la mies está ya madura. Venid, descended, porque el lagar está lleno, rebosan las cubas; porque mucha es la maldad de ellos. Muchos pueblos en el valle de la decisión; porque cercano está el día de Jehová en el valle de la decisión. El sol y la luna se oscurecerán, y las estrellas retraerán su resplandor." Joel 3:12-15*

Como vemos, Joel presenta el rugido de Cristo en el contexto de una escena que también se describe en Apocalipsis 14, en forma posterior a la predicación del evangelio eterno. Dice: *"Miré, y he aquí una nube blanca; y sobre la nube uno sentado semejante al Hijo del Hombre, que tenía en la cabeza una corona de oro, y en la mano una hoz aguda. Y del templo salió otro ángel, clamando a gran voz al que estaba sentado sobre la nube: Mete tu hoz, y siega; porque la hora de segar ha llegado, pues la mies de la tierra está madura [paralelo exacto]. Y el que estaba sentado sobre la nube metió su hoz en la tierra, y la tierra fue segada." Apocalipsis 14:14-16*

Hasta aquí, la siega de la mies –es decir, del cereal–, representa la gran cosecha de redimidos que Dios efectuará en el fin del tiempo. Ahora, luego dice: *"Salió otro ángel del templo que está en el cielo, teniendo también una hoz aguda. Y salió del altar otro ángel, que tenía poder sobre el fuego, y llamó a gran voz al que tenía la hoz aguda, diciendo: Mete tu hoz aguda, y vendimia los racimos de la tierra, porque sus uvas están maduras. Y el ángel arrojó su hoz en la tierra, y vendimió la viña de la tierra, y echó las uvas en el gran lagar de la ira de Dios." Apocalipsis 14:17-19*

Por esto, entendemos que el rugido de Jesús se producirá en un momento en el cual su pueblo se encuentra completamente sellado –estando listo para la cosecha, es decir, para la salvación–; mientras que el resto de las personas habrán recibido la marca de la bestia –por lo cual estarán prestos a ser arrojados en el lagar de la ira de Dios–.

En este contexto, las naciones se unirán para guerrear contra Dios, tal como lo expresa Joel, en el 'valle de la decisión' (Joel 3:12-15). Apocalipsis, describiendo los sucesos que ocurrirán durante la sexta copa de la ira de Dios, dice: *"Y vi salir de la boca del dragón, y de la boca de la bestia, y de la boca del falso profeta, tres espíritus inmundos a manera de ranas; pues son espíritus de demonios, que hacen señales, y van a los reyes de la tierra en todo el mundo, para reunirlos a la batalla de aquel gran día del Dios Todopoderoso." Apocalipsis 16:13-14*[146]

Razón por la cual, entendemos que hay suficiente información bíblica que nos permite entender el clamor de Cristo durante el tiempo de la ira de Dios, más precisamente, al final del tiempo de la inmensa angustia de su pueblo.

Ahora, en cuanto a qué dirá muestro Salvador –en su clamor hacia su Padre–, Apocalipsis no lo revela. Sin embargo, dado que Cristo estará sufriendo junto a su pueblo, bien podría unirse a ellos y decir: *"¿Hasta cuándo, Señor, santo y verdadero, no juzgas y vengas nuestra sangre en los que moran en la tierra?" Apocalipsis 6:10*

Siete truenos no revelados

Al clamor de Cristo, su Padre le contestará con voz de trueno. Apocalipsis dice: *"y cuando [Cristo] hubo clamado, siete truenos emitieron sus voces." Apocalipsis 10:3*

---

146 Elena de White declaró: "El ángel poderoso que instruyó a Juan era nada menos que Cristo. Cuando coloca su pie derecho en el mar y su pie izquierdo sobre la tierra seca, muestra la parte que desempeña en las escenas finales del gran conflicto con Satanás. Esta posición denota su supremo poder y autoridad sobre toda la tierra. El conflicto se ha intensificado y agudizado de una época a otra, y seguirá intensificándose hasta las escenas finales, cuando la obra magistral de los poderes de las tinieblas llegará al máximo. Satanás, unido con hombres malvados, engañará al mundo entero y a las iglesias que no reciban el amor de la verdad. Pero el poderoso Ángel exige atención. Él grita con una voz fuerte. Ha de mostrar el poder y la autoridad de su voz a los que se han unido con Satanás para oponerse a la verdad." Manuscript 59 (1900) / 19MR 319

Ahora, ¿por qué decimos que es Dios Padre quien contesta con voz de trueno? Porque Cristo −tal como nos enseñó a través del *'Padre Nuestro'*− siempre dirige sus súplicas al Padre. Además, la Biblia dice: *"¡Escuchen la voz de Dios! ¡Escuchen su voz de trueno! ¡Dios deja oír su voz de un lado a otro del cielo, y hasta el fin del mundo! Mientras se oye su voz poderosa, ¡rayos luminosos cruzan el cielo! Cuando Dios deja oír sus truenos, suceden cosas maravillosas que no alcanzamos a comprender." Job 37:2-5 TLA*

También el Salmo 77, en respuesta a los clamores de angustia del pueblo de Dios −que leímos hace un momento−, dice: *"Tronaron los cielos, y discurrieron tus rayos. La voz de tu trueno estaba en el torbellino; tus relámpagos alumbraron el mundo; se estremeció y tembló la tierra." Salmo 77:17-18*

También el Rey David, alabando a Dios por su gran salvación, escribió: *"La voz del Señor resuena sobre la superficie del mar [es decir, sobre las multitudes]; el Dios de gloria truena; el Señor truena sobre el poderoso mar... La voz del Señor [también] hace temblar al lugar desolado... En su templo todos gritan: «¡Gloria!». El Señor gobierna las aguas de la inundación [es decir, sobre los pueblos que el diablo incitará contra sus escogidos]; el Señor gobierna como rey para siempre. El Señor le da fuerza a su pueblo; el Señor lo bendice con paz. Te exaltaré, Señor, porque me rescataste; no permitiste que mis enemigos triunfaran sobre mí. Oh Señor, mi Dios, clamé a ti por ayuda, y me devolviste la salud. Me levantaste de la tumba, oh Señor; me libraste de caer en la fosa de la muerte. ¡Canten al Señor, ustedes los justos! Alaben su santo nombre. Pues su ira dura solo un instante, ¡pero su favor perdura toda una vida! El llanto podrá durar toda la noche, pero con la mañana llega la alegría." Salmos 29:3-4,8-11; 30:1-5 NTV*

Ahora, en relación a la respuesta del Padre, el apóstol Juan afirma: *"Cuando los siete truenos hubieron emitido sus voces, yo iba a escribir; pero oí una voz del cielo que me decía: Sella las cosas que los siete truenos han dicho, y no las escribas." Apocalipsis 10:4*

Si nos preguntamos por qué no se le permitió a Juan escribir lo que los truenos habían dicho, la respuesta es obvia: porque se trata de información clasificada relacionada con tiempos y sucesos que Dios no revelará sino hasta su debido momento.[147]

---

147 Elena de White escribió: "Después de que estos siete truenos emitieron sus voces, la instrucción viene a Juan como a Daniel con respecto al librito: "Sella las cosas que los siete truenos pronunciaron". Éstas se refieren a acontecimientos futuros que serán revelados en su orden." Manuscript 59 (1900) / 19MR 320

¿Y cuándo será el momento? Según entendemos, al fin de los períodos proféticos de Daniel 12, en aquel preciso momento en el cual Cristo clamará por la angustia de su pueblo. [148]

---

148 Elena de White explica: "Cuando los que honran la ley de Dios hayan sido privados de la protección de las leyes humanas, empezará en varios países un movimiento simultáneo para destruirlos. Conforme vaya acercándose el tiempo señalado en el decreto, el pueblo conspirará para extirpar la secta aborrecida. Se convendrá en dar una noche el golpe decisivo, que reducirá completamente al silencio la voz disidente y represora. El pueblo de Dios–algunos en las celdas de las cárceles, otros escondidos en ignorados escondrijos de bosques y montañas–invocan aún la protección divina, mientras que por todas partes compañías de hombres armados, instigados por legiones de ángeles malos, se disponen a emprender la obra de muerte. Entonces, en la hora de supremo apuro, es cuando el Dios de Israel intervendrá para librar a sus escogidos. El Señor dice: "Vosotros tendréis canción, como en noche en que se celebra pascua; y alegría de corazón, como el que va [...] al monte de Jehová, al Fuerte de Israel. Y Jehová hará oír su voz potente, y hará ver el descender de su brazo, con furor de rostro, y llama de fuego consumidor; con dispersión, con avenida, y piedra de granizo" (Isaías 30:29, 30)... Desde el cielo se oye la voz de Dios que proclama el día y la hora de la venida de Jesús, y promulga a su pueblo el pacto eterno. Sus palabras resuenan por la tierra como el estruendo de los más estrepitosos truenos…" CS 619, 623

"Dios escogió la media noche para libertar a su pueblo. Mientras los malvados se burlaban en derredor de ellos, apareció de pronto el sol con toda su refulgencia y la luna se paró. Los impíos se asombraron de aquel espectáculo, al paso que los santos contemplaban con solemne júbilo aquella señal de su liberación. En rápida sucesión se produjeron señales y prodigios. Todo parecía haberse desquiciado. Cesaron de fluir los ríos. Aparecieron densas y tenebrosas nubes que entrechocaban unas con otras. Pero había un claro de persistente esplendor de donde salía la voz de Dios como el sonido de muchas aguas estremeciendo los cielos y la tierra. Sobrevino un tremendo terremoto. Abriéronse los sepulcros y los que habían muerto teniendo fe en el mensaje del tercer ángel y guardando el sábado se levantaron, glorificados, de sus polvorientos lechos para escuchar el pacto de paz que Dios iba a hacer con quienes habían observado su ley. El firmamento se abría y cerraba en violenta conmoción. Las montañas se agitaban como cañas batidas por el viento, arrojando peñascos por todo el derredor. El mar hervía como una caldera y lanzaba piedras a la tierra. Al declarar Dios el día y la hora de la venida de Jesús y conferir el sempiterno pacto a su pueblo, pronunciaba una frase y se detenía mientras las palabras de la frase retumbaban por toda la tierra. El Israel de Dios permanecía con la mirada fija en lo alto, escuchando las palabras según iban saliendo de labios de Jehová y retumbaban por toda la tierra con el estruendo de horrísonos truenos. Era un espectáculo pavorosamente solemne. Al final de cada frase los santos exclamaban: "¡Gloria! ¡Aleluya!"... Entonces comenzó el jubileo durante el cual debía descansar la tierra. Vi que los piadosos esclavos se alzaban triunfantes y victoriosos, quebrantando las cadenas que los oprimían, mientras sus malvados amos quedaban confusos y sin saber qué hacer, porque los impíos no podían comprender las palabras que emitía la voz de Dios…" PE 285, 286

Ahora, por el hecho de que Dios se ha reservado el derecho de acortar los tiempos en justicia, no sería prudente establecer ninguna fecha al respecto. Lo que sí se nos ha revelado, es que, en el momento en el cual Cristo se levante para socorrer a su pueblo, Dios Padre anunciará el día y la hora del regreso de Cristo con voz de trueno.

El fin del tiempo

Otro indicio que relaciona este clamor de Cristo con aquel momento en el cual Dios revelará el día y la hora de su regreso, es la declaración que hace el propio Jesús luego de aquella respuesta –no escrita– de su Padre. Dice: *"Y el ángel que vi en pie sobre el mar y sobre la tierra, levantó su mano al cielo, y juró por el que vive por los siglos de los siglos, que creó el cielo y las cosas que están en él, y la tierra y las cosas que están en ella, y el mar y las cosas que están en él, que el tiempo no sería más, sino que en los días de la voz del séptimo ángel, cuando él comience a tocar la trompeta, el misterio de Dios se consumará, como él lo anunció a sus siervos los profetas." Apocalipsis 10:5-7*

Para comprender de qué tiempo habla, y de que trata aquel misterio de Dios que debe consumarse, es necesario hechar un vistazo a la séptima trompeta –aquí referenciada–, la cual dice: *"El séptimo ángel tocó la trompeta, y hubo grandes voces en el cielo, que decían: Los reinos del mundo han venido a ser de nuestro Señor y de su Cristo; y él reinará por los siglos de los siglos. Y los veinticuatro ancianos que estaban sentados delante de Dios en sus tronos, se postraron sobre sus rostros, y adoraron a Dios, diciendo: Te damos gracias, Señor Dios Todopoderoso, el que eres y que eras y que has de venir, porque has tomado tu gran poder, y has reinado. Y se airaron las naciones, y tu ira ha venido, y el tiempo de juzgar a los muertos, y de dar el galardón a tus siervos los profetas, a los santos, y a los que temen tu nombre, a los pequeños y a los grandes, y de destruir a los que destruyen la tierra." Apocalipsis 11:15-18*

Lo cual es plenamente coincidente con todo el análisis que hemos realizado hasta aquí, dado que lo que anuncia la séptima trompeta no es otra cosa que aquel momento en el cual Cristo descenderá a la tierra para reinar sobre ella, con mano fuerte y brazo extendido.

De hecho, la séptima trompeta nos ubica en el contexto de la ira de Dios –dejando la ira de las naciones en el pasado y el tiempo de dar el galardón en el futuro próximo–. Dice: *'Te damos gracias, Señor... porque has tomado tu gran poder, y has reinado [es decir, se tratará de un momento en el que Miguel ya se ha levantado… y dice a continuación]. Se airaron las naciones [en el pasado], y tu ira ha venido [presente], y el tiempo [inmediato futuro] de juzgar a los muertos [cosa que comentaremos llegado el momento], y de dar el galardón a tus siervos los profetas, a los santos, y a los que temen tu nombre, a los pequeños y a los grandes, y de destruir a los que destruyen la tierra' (Ap 11:15-18).*

Ahora, sí el *'tiempo que no sería más'* –del cual jura Cristo–, está relacionado con aquella consumación que ocurrirá al comienzo de la séptima trompeta, evidentemente se refiere al momento en el cual concluirán todas las profecías de tiempo, en las mismas víspera del regreso de Cristo, cuando dé por finalizado el tiempo de angustia de su pueblo y extienda su brazo para liberarlo.[149]

Jesus, hablando sobre aquel tiempo, dijo: *"Entonces os entregarán a tribulación, y os matarán, y seréis aborrecidos de todas las gentes por causa de mi nombre. Muchos tropezarán entonces, y se entregarán unos a otros, y unos a otros se aborrecerán. Y muchos falsos profetas se levantarán, y engañarán a muchos; y por haberse multiplicado la maldad, el amor de muchos se enfriará. Mas el que persevere hasta el fin, este será salvo." Mateo 24:9-13*

Dice: "el que persevere hasta el fin, este será salvo". ¿Hasta qué fin? Es evidente que hasta el fin del tiempo acerca del cual Cristo jura, por el mismísimo Creador, que *'no sería más' (Ap 10:6).*

Acerca de este tiempo, el profeta Daniel escribió: *"Y dijo uno al varón vestido de lino, que estaba sobre las aguas del río: ¿Cuándo será el fin de estas maravillas? Y oí al varón vestido de lino, que estaba sobre las aguas del río, el cual alzó su diestra y su siniestra al cielo, y juró por el que vive por los siglos, que será por tiempo, [dos] tiempos, y la mitad de un tiempo. Y cuando se acabe la dispersión del poder del pueblo santo, todas estas cosas serán cumplidas. Y yo oí, mas no entendí. Y dije: Señor mío, ¿cuál será el fin de estas cosas? Él respondió: Anda, Daniel, pues estas palabras están cerradas y selladas hasta el tiempo del fin. Muchos serán limpios, y emblanquecidos y purificados; los impíos*

---

149 Elena de White afirmó: "Solemnes eventos ocurrirán en el futuro. Sonará una trompeta tras otra; una copa tras otra serán volcadas en forma sucesiva sobre los habitantes de la tierra. Escenas de enorme interés están casi sobre nosotros, y estas cosas serán indicaciones seguras de la presencia de Aquel que ha dirigido en todo movimiento agresivo, que ha acompañado la marcha de su causa a través de todos los siglos, y que ha prometido bondadosamente estar en persona con su pueblo en todos sus conflictos hasta el fin del mundo. El defenderá su verdad. Él hará que ésta triunfe. El está listo para suplir a sus fieles de motivos y poder de propósito, inspirándoles esperanza y valor en la creciente actividad cuando el tiempo esté muy cercano." 6LtMs, Lt 112 (1890), par. 13 / 3MS 487

procederán impíamente, y ninguno de los impíos entenderá, pero los entendidos comprenderán. Y desde el tiempo que sea quitado el continuo ~~sacrificio hasta~~ *[he impuesta, como traducen mejor otras versiones de la Biblia] la abominación desoladora, habrá mil doscientos noventa días. Bienaventurado el que espere, y llegue a mil trescientos treinta y cinco días." Daniel 12:6-12*[150]

Como podemos comprobar, todos estos plazos están relacionados con las escenas de gran angustia que tendrá que afrontar el pueblo de Dios en los últimos días.

En efecto, el tiempo de inmensa angustia que tendrá que afrontar la iglesia y la liberación que luego vendrá de parte de Dios, es un tema del cual hablan casi todos los escritores bíblicos. Desde el Génesis al Apocalipsis, hay multitud de textos que, efectivamente, aluden a aquel 'gran día del Señor'.

Por ejemplo, el rey David describe el cántico de los redimidos, diciendo: *"Te amo, oh Jehová, fortaleza mía. Jehová, roca mía y castillo mío, y mi libertador; Dios mío, fortaleza mía, en él confiaré; mi escudo, y la fuerza de mi salvación, mi alto refugio. Invocaré a Jehová, quien es digno de ser alabado, y seré salvo de mis enemigos. [¿En qué contexto escribe? Dice:] Me rodearon ligaduras de muerte, y torrentes de perversidad me atemorizaron. Ligaduras del Seol me rodearon, me tendieron lazos de muerte. En mi angustia invoqué a Jehová, y clamé a mi Dios. Él oyó mi voz desde su templo, y mi clamor llegó delante de él, a sus oídos. La tierra fue conmovida y tembló; Se conmovieron los cimientos de los montes, y se estremecieron, porque se indignó él. Humo subió de su nariz, y de su boca fuego consumidor; carbones fueron por él encendidos. Inclinó los cielos, y descendió; y había densas tinieblas debajo de sus pies. Cabalgó sobre un querubín, y voló; voló sobre las alas del viento.*

---

150 Elena de White escribió: "En las Escrituras se presentan verdades que se relacionan especialmente con nuestro propio tiempo. Las profecías de las Escrituras apuntan al período inmediatamente anterior a la aparición del Hijo del hombre, y aquí se aplican preeminentemente sus advertencias y amenazas. Los períodos proféticos de Daniel, que se extienden hasta la víspera misma de la gran consumación, arrojan un torrente de luz sobre los acontecimientos que entonces se producirán. El libro del Apocalipsis también está repleto de advertencias e instrucciones para la última generación. El amado Juan, bajo la inspiración del Espíritu Santo, describe las temibles y emocionantes escenas relacionadas con el fin de la historia de la tierra, y presenta los deberes y peligros del pueblo de Dios. Nadie debe permanecer en la ignorancia, nadie debe estar desprevenido para la venida del día de Dios." RH 25 de septiembre de 1883, par. 6

Puso tinieblas por su escondedero, por cortina suya alrededor de sí; oscuridad de aguas, nubes de los cielos. Por el resplandor de su presencia, sus nubes pasaron; granizo y carbones ardientes. Tronó en los cielos Jehová, y el Altísimo dio su voz; granizo y carbones de fuego. Envió sus saetas, y los dispersó; lanzó relámpagos, y los destruyó. Entonces aparecieron los abismos de las aguas, y quedaron al descubierto los cimientos del mundo, a tu reprensión, oh Jehová, por el soplo del aliento de tu nariz. Envió desde lo alto; me tomó, me sacó de las muchas aguas. Me libró de mi poderoso enemigo, y de los que me aborrecían; pues eran más fuertes que yo. Me asaltaron en el día de mi quebranto, mas Jehová fue mi apoyo. Me sacó a lugar espacioso; me libró, porque se agradó de mí. Jehová me ha premiado conforme a mi justicia; conforme a la limpieza de mis manos me ha recompensado. Porque yo he guardado los caminos de Jehová, y no me aparté impíamente de mi Dios. Pues todos sus juicios estuvieron delante de mí, y no me he apartado de sus estatutos. Fui recto para con él, y me he guardado de mi maldad, Por lo cual me ha recompensado Jehová conforme a mi justicia; conforme a la limpieza de mis manos delante de su vista." Salmo 18:1-24

También en Isaías, Cristo le dice a su prometida: *"No temas, pues no serás confundida; y no te avergüences, porque no serás afrentada, sino que te olvidarás de la vergüenza de tu juventud, y de la afrenta de tu viudez no tendrás más memoria. Porque tu marido es tu Hacedor; Jehová de los ejércitos es su nombre; y tu Redentor, el Santo de Israel; Dios de toda la tierra será llamado. Porque como a mujer abandonada y triste de espíritu te llamó Jehová, y como a la esposa de la juventud que es repudiada, dijo el Dios tuyo: Por un breve momento te abandoné, pero te recogeré con grandes misericordias. Con un poco de ira escondí mi rostro de ti por un momento; pero con misericordia eterna tendré compasión de ti, dijo Jehová tu Redentor. Porque esto me será como en los días de Noé, cuando juré que nunca más las aguas de Noé pasarían sobre la tierra; así he jurado que no me enojaré contra ti, ni te reñiré. Porque los montes se moverán, y los collados temblarán, pero no se apartará de ti mi misericordia, ni el pacto de mi paz se quebrantará, dijo Jehová, el que tiene misericordia de ti. Pobrecita, fatigada con tempestad, sin consuelo; he aquí que yo cimentaré tus piedras sobre carbunclo, y sobre zafiros te fundaré. Tus ventanas pondré de piedras preciosas, tus puertas de piedras de carbunclo, y toda tu muralla de piedras preciosas. Y todos tus hijos serán enseñados por Jehová; y se multiplicará la paz de tus hijos. Con justicia serás adornada; estarás lejos de opresión, porque no temerás, y de temor, porque no se acercará a ti. Si alguno conspirare contra ti, lo hará sin mí; el que contra ti conspirare, delante de ti caerá. He aquí que yo hice al herrero que sopla las ascuas en el fuego, y que saca la herramienta para su obra; y yo he creado al destruidor para destruir.*

Ninguna arma forjada contra ti prosperará, y condenarás toda lengua que se levante contra ti en juicio. Esta es la herencia de los siervos de Jehová, y su salvación de mí vendrá, dijo Jehová." Isaías 54:4-17

Y podríamos seguir citando infinidad de textos que hablan en este mismo sentido, proclamando la fidelidad de Jesús a aquella promesa de estar con nosotros, todos los días, hasta en el mismísimo fin del mundo (Mateo 28:20).

Un librito para comer y compartir

Este capítulo del Apocalipsis concluye con una particular escena en la que se le ordena al profeta comer el librito que está en manos de Cristo. Dice: *"La voz que oí del cielo habló otra vez conmigo, y dijo: Ve y toma el librito que está abierto en la mano del ángel que está en pie sobre el mar y sobre la tierra. Y fui al ángel, diciéndole que me diese el librito. Y él me dijo: Toma, y cómelo; y te amargará el vientre, pero en tu boca será dulce como la miel. Entonces tomé el librito de la mano del ángel, y lo comí; y era dulce en mi boca como la miel, pero cuando lo hube comido, amargó mi vientre. Y él me dijo: Es necesario que profetices otra vez sobre muchos pueblos, naciones, lenguas y reyes." Apocalipsis 10:8-11*

¿Qué significa esto? En primer lugar, que la información contenida en dicho librito no debe ser considerada 'enigmática' y dejada de lado por ser 'potencialmente peligrosa' para la iglesia. Sino que constituye revelación divina que ha sido dada a la humanidad y debe ser asimilada por aquellos que tienen a su cargo la tarea de profetizar, instruyendo en justicia, sobre muchos pueblos, naciones, lenguas y reyes.

De hecho, el símbolo de *'comer el librito'* implica el acto de estudiar diligentemente las Escrituras con el objetivo de comprender la palabra que ha sido dada para la instrucción del pueblo de Dios a fin de que se encuentre preparado para enfrentar los difíciles momentos que tendrá por delante. Esta es la voluntad de Dios desde el mismo momento en que reveló el Apocalipsis; sin embargo, lo es mucho más en estos postreros días que nos toca vivir a nosotros.[151]

---

151 Elena de White, comentando aquella visión paralela de Daniel, dijo: "La luz que Daniel recibió de Dios fue dada especialmente para estos postreros días. Las visiones que él tuvo junto a las riberas del Ulai y del Hidekel, los grandes ríos de Sinar, están hoy en proceso de cumplimiento, y todos los acontecimientos predichos pronto ocurrirán." TM 113

Sin embargo, la profecía anticipa que la iglesia que lleva el nombre de Dios –empezando por sus dirigentes– no recibirá con gusto esta palabra. ¿Por qué? Porque, aunque para el profeta el librito era dulce en su boca, cuando lo hubo comido amargó su vientre.

Ezequiel, justamente luego de presentar aquella visión de la gloria de Dios rodeada por cuatro seres vivientes –que es complementaria con Apocalipsis 4–, dice: *"Esta fue la visión de la semejanza de la gloria de Jehová. Y cuando la vi, me postré sobre mi rostro, y oí la voz de uno que hablaba. Me dijo: Hijo de hombre, ponte sobre tus pies, y hablaré contigo. Y luego que me habló, entró el Espíritu en mí y me afirmó sobre mis pies, y oí al que me hablaba. Y me dijo: Hijo de hombre, yo te envío a los hijos de Israel, a gentes rebeldes que se rebelaron contra mí; ellos y sus padres se han rebelado contra mí hasta este mismo día. Yo, pues, te envío a hijos de duro rostro y de empedernido corazón; y les dirás: Así ha dicho Jehová el Señor. Acaso ellos escuchen; pero si no escucharen, porque son una casa rebelde, siempre conocerán que hubo profeta entre ellos. Y tú, hijo de hombre, no les temas, ni tengas miedo de sus palabras, aunque te hallas entre zarzas y espinos, y moras con escorpiones [es decir, entre seres dominados por demonios]; no tengas miedo de sus palabras, ni temas delante de ellos, porque son casa rebelde. Les hablarás, pues, mis palabras, escuchen o dejen de escuchar; porque son muy rebeldes. Mas tú, hijo de hombre, oye lo que yo te hablo; no seas rebelde como la casa rebelde; abre tu boca, y come lo que yo te doy." Ezequiel 1:28-2:8*

¿Y qué sería aquello que debía comer el profeta? Justamente, el mismo librito que se le dio a Juan. Dice: *"Y miré, y he aquí una mano extendida hacia mí, y en ella había un rollo de libro. Y lo extendió [es decir, lo abrió] delante de mí, y estaba escrito por delante y por detrás; y había escritas en él endechas y lamentaciones y ayes." Ezequiel 2:9-10*

¿No es acaso un contexto exactamente igual que aquel en el que Juan –en medio de los ¡ayes! del Apocalipsis– recibe esta misma orden de comer el libro? Veamos como sigue. Dice Ezequiel: *"Me dijo: Hijo de hombre, come lo que hallas; come este rollo, y ve y habla a la casa de Israel. Y abrí mi boca, y me hizo comer aquel rollo. Y me dijo: Hijo de hombre, alimenta tu vientre, y llena tus entrañas de este rollo que yo te doy. Y lo comí, y fue en mi boca dulce como miel." Ezequiel 3:1-3*

La palabra de Dios contenida en ese librito –de especial importancia para nuestro tiempo–, es dulce para quien la come porque, aunque está llena de *"endechas, lamentaciones y ayes." (Ez 2:10)*, nos habla acerca de aquel gran día en el cual Dios no solamente liberará a su pueblo de sus enemigos terrenales y espirituales sino aún de su propia esclavitud hacia el pecado.

Sin embargo, quienes desean permanecer en ellos, y en la cómoda *'paz del mundo'*, no quieren escuchar nada acerca de ella. Les es como zumbidos en sus oídos. No obstante, aún así, Dios envía al profeta para que les comunique su Palabra. Dice: *"Luego me dijo: Hijo de hombre, ve y entra a la casa de Israel, y habla a ellos con mis palabras. Porque no eres enviado a pueblo de habla profunda ni de lengua difícil, sino a la casa de Israel. No a muchos pueblos de habla profunda ni de lengua difícil, cuyas palabras no entiendas; y si a ellos te enviara, ellos te oyeran. Mas la casa de Israel no te querrá oír, porque no me quiere oír a mí; porque toda la casa de Israel es dura de frente y obstinada de corazón. He aquí yo he hecho tu rostro fuerte contra los rostros de ellos, y tu frente fuerte contra sus frentes. Como diamante, más fuerte que pedernal he hecho tu frente; no los temas, ni tengas miedo delante de ellos, porque son casa rebelde. Y me dijo: Hijo de hombre, toma en tu corazón todas mis palabras que yo te hablaré, y oye con tus oídos. Y ve y entra a los cautivos, a los hijos de tu pueblo, y háblales y diles: Así ha dicho Jehová el Señor; escuchen, o dejen de escuchar." Ezequiel 3:4-11*

Aquellos cautivos, a los cuales fue enviado el profeta en la antigüedad, actúan como símbolo del pueblo que hoy lleva el nombre de Dios pero se encuentra cautivo en la Babilonia espiritual de los últimos días. Ahora, ¿qué sucederá cuando, en nuestros días, Dios envíe a sus profetas actuales a predicar aquello que han entendido acerca del contenido de este libro? Todo el cielo se pondrá en movimiento. Dice: *"Y me levantó el Espíritu, y oí detrás de mí una voz de gran estruendo, que decía: 'Bendita sea la gloria de Jehová desde su lugar'. Oí también el sonido de las alas de los seres vivientes que se juntaban la una con la otra, y el sonido de las ruedas delante de ellos, y sonido de gran estruendo." Ezequiel 3:12-13*

Como vemos, el Espíritu Santo no solamente impulsará al predicador sino también a aquellos poderosos seres vivientes −que velan la gloria de Dios− para que acompañen sus esfuerzos. Ahora, presta atención a lo que Ezequiel continúa diciendo. Dice: *"Me levantó, pues, el Espíritu, y me tomó; y fui [¿como?] en amargura, en la indignación de mi espíritu, pero la mano de Jehová era fuerte sobre mí." Ezequiel 3:14*

¿Y qué es lo que provoca la amargura y la indignación en el profeta sino el contemplar la dureza de corazón y las terribles abominaciones que se cometen dentro del pueblo de Dios? Ezequiel dice a continuación: *"Y vine a los cautivos en Tel-abib, que moraban junto al río Quebar, y me senté donde ellos estaban sentados, y allí permanecí siete días atónito entre ellos." Ezequiel 3:15*

Te pregunto, ¿cuántos de los que hoy tienen la responsabilidad de llevar la Palabra de Dios –en el tiempo al cual apunta esta profecía– se encuentran como Ezequiel: atónitos, sin saber que hacer ni que decir frente a todas las abominaciones que se comenten dentro del pueblo de Dios, mientras transcurre la plenitud del tiempo *(siete días)* y se acaba la oportunidad? ¿Eres tú uno de ellos?

A los tales, les es dirigida esta palabra: *"Y aconteció que al cabo de los siete días vino a mí palabra de Jehová, diciendo: Hijo de hombre, yo te he puesto por atalaya a la casa de Israel; oirás, pues, tú la palabra de mi boca, y los amonestarás de mi parte. Cuando yo dijere al impío: De cierto morirás; y tú no le amonestares ni le hablares, para que el impío sea apercibido de su mal camino a fin de que viva, el impío morirá por su maldad, pero su sangre demandaré de tu mano. Pero si tú amonestares al impío, y él no se convirtiere de su impiedad y de su mal camino, él morirá por su maldad, pero tú habrás librado tu alma. [Y] Si el justo se apartare de su justicia e hiciere maldad, y pusiere yo tropiezo delante de él, él morirá, porque tú no le amonestaste; en su pecado morirá, y sus justicias que había hecho no vendrán en memoria; pero su sangre demandaré de tu mano. Pero si al justo amonestares para que no peque, y no pecare, de cierto vivirá, porque fue amonestado; y tú habrás librado tu alma." Ezequiel 3:16-21*

Ahora, es preciso aclarar que la orden de comer el librito no se dará en el tiempo de la sexta trompeta sino que, en vista de lo que ocurrirá entonces, Dios nos invita hoy, así como al profeta, a nutrirnos de su Palabra y llevarla a quienes se encuentran en la esclavitud, mientras aún se extiende su precioso tiempo de gracia. Esa es, precisamente, la intención y el motivo de este libro.

Vuelve a leer, ahora mismo, Apocalipsis 10, y comprueba como ya se ha abierto ante tus ojos.

Capítulo 11
Los dos testigos y la trompeta final

Como hemos podido comprobar, hasta aquí, Apocalipsis ha sido escrito en perfecto orden. Aunque no es rígido en su sentido cronológico, sino que, en algunas oportunidades, hace ciertos retomes para ampliar la comprensión de los eventos que ocurrirán, todo su contenido se presenta con sabiduría y coherencia de contextos.

Es decir, como en toda historia compleja de contar, en la que intervienen numerosos actores terrenales y celestiales, –a fin de instruirnos en lo que ha de acontecer– se hace necesario ir y venir dentro de determinados contextos específicos que marcarán un antes y un después en la historia de la creación. Sin embargo, todo se despliega ante el entendimiento humano en maravillosa armonía divina.

Tal es el caso del paréntesis del capítulo 7, que responde la pregunta que aparece al final del sexto sello en relación a quienes podrán mantenerse en pie delante del Señor cuando se manifieste en su ira; o el que comenzó en el capítulo anterior –al final de la sexta trompeta–, donde se revela a Cristo en el contexto de la gran angustia de su pueblo, así como el rol que jugarán aquellos que incorporen el conocimiento de la Palabra de Dios en sus vidas.

En relación a esto último, en el capítulo anterior se le dijo a Juan –en representación de aquellos *'entendidos'* que predicarán el mensaje final de Dios–, que debía tomar el librito del conocimiento que Dios guardó sellado hasta el tiempo del fin, comerlo y predicarlo al mundo entero. Dice el apóstol: *"Y fui al ángel, diciéndole que me diese el librito. Y él me dijo: Toma, y cómelo... Es necesario que profetices otra vez sobre muchos pueblos, naciones, lenguas y reyes." Apocalipsis 10:9, 11*

Es evidente que esta orden de predicar el evangelio no se dará en el tiempo de la sexta trompeta –que anuncia el cierre de la gracia–, pero sí en su contexto. Es decir, en vistas de aquel terrible futuro que tenemos por delante es que Dios nos invita a *'comer'* la palabra dada –de manera sellada– en lo antiguo, y predicarla al mundo entero.

Ahora, ¿qué sucederá luego de que el contenido de este librito haya sido predicado sobre muchos pueblos, naciones, lenguas y reyes? Pues es lo que Apocalipsis, en su perfecto orden, está a punto de revelar.

El juicio de los vivos

Apocalipsis 11, comienza diciendo: *"Entonces me fue dada una caña semejante a una vara de medir, y se me dijo: Levántate, y mide el templo de Dios, y el altar, y a los que adoran en él. Pero el patio que está fuera del templo déjalo aparte, y no lo midas, porque ha sido entregado a los gentiles; y ellos hollarán la ciudad santa cuarenta y dos meses." Apocalipsis 11:1-2*

Como vemos, luego de comer el librito, al profeta se le da la orden de medir– lo cual implica juzgar– el templo de Dios, el altar y a los que adoran en él. Como ya hemos explicado, esto coincide con aquello que ocurría, dentro del sistema simbólico del santuario hebreo durante el *'gran día del Señor';* en el que no solo se juzgaba y expiaba al pueblo sino también al Santuario, el tabernáculo –o templo de Dios– y el altar de incienso. Dice Levítico: *"Cuando hubiere acabado de expiar el santuario y el tabernáculo de reunión y el altar, hará traer el macho cabrío vivo; y pondrá Aarón sus dos manos sobre la cabeza del macho cabrío vivo, y confesará sobre él todas las iniquidades de los hijos de Israel, todas sus rebeliones y todos sus pecados, poniéndolos así sobre la cabeza del macho cabrío, y lo enviará al desierto por mano de un hombre destinado para esto." Levítico 16:20-21*

Lo cual nos lleva a inferir que lo que se está a punto de presentar debe desarrollarse dentro del tiempo en el cual se efectuaría dicho juicio, es decir, después de 1844 (de acuerdo a la profecía de Daniel 8:14).

Ahora, las palabras que leímos son más específicas en cuanto al tiempo del cual se trata. Dice: *"mide el templo de Dios, y el altar, y a los que adoran en él" (Ap 11:2).* Por esto, y dado que, de acuerdo a la Biblia, los muertos no están en condiciones de adorar a Dios, todas las escenas que vendrán a continuación están relacionadas con el juicio de los vivos.[152]

---

152 Elena de White afirma: "El gran juicio se ha estado llevando a cabo, y desde hace algún tiempo. Ahora el Señor dice: Mide el templo y a los que adoran en él. Mientras recorréis las calles haciendo vuestros negocios, recordad que Dios os está midiendo; mientras desempeñáis vuestros deberes en el hogar, mientras conversáis, Dios os está midiendo… Esta es la obra que se lleva a cabo: medir el templo y a los que adoran en él para ver quiénes permanecen firmes en el último día." 5LtMs, Ms 4, 1888, par. 21

42 meses

Inseparablemente, junto a aquella orden de medir el templo de Dios, el altar y a los que adoran en él, se le dice a Juan: *"pero el patio que está fuera del templo déjalo aparte, y no lo midas, porque ha sido entregado a los gentiles; y ellos hollarán la ciudad santa cuarenta y dos meses." Apocalipsis 11:2*

Aquí hay, al menos, dos asuntos importantes. El primero, es la confirmación de que, en el juicio que se llevará a cabo antes de la segunda venida de Jesús, solo se analizarán los casos de aquellos que hayan profesado el nombre de Jesús –a fin de distinguir entre verdaderos y falsos adoradores–, dado que sólo se ordena medir al templo de Dios (la iglesia), dejando el resto sin medir –es decir, juzgar–.

Ahora, la segunda cuestión, es que aquí se presenta el *'hollar de la ciudad santa'* en el contexto específico de este juicio. Por esto, aunque no negamos que en el pasado el pueblo de Dios se vio obligado a huir de las ciudades por 42 simbólicos meses –que vendrían a representar los 1260 años del oscurantismo–, aquella persecución, de acuerdo a la profecía de Daniel 8:14, no se produjo en el contexto de este juicio, sino varios cientos de años antes.

Por esto, y teniendo en cuenta que la bestia espantosa y terrible –que, como demostraremos en el análisis de Apocalipsis 12, 13 y 17, simboliza al papado– *'fue'* en el pasado, antes de recibir su herida mortal en la Revolución Francesa, pero también *'será'* en el futuro, cuando vuelva a ejercer su dominio absoluto sobre el mundo entero, no deberíamos cerrarnos a considerar plazos que tengan que ver con su satánica actuación durante el juicio de los vivos, siendo que Apocalipsis 13 dice: *"Vi una de sus cabezas como herida de muerte, pero su herida mortal fue sanada; y se maravilló toda la tierra en pos de la bestia, y adoraron al dragón que había dado autoridad a la bestia, y adoraron a la bestia, diciendo: ¿Quién como la bestia, y quién podrá luchar contra ella? También se le dio boca que hablaba grandes cosas y blasfemias; y se le dio autoridad para actuar cuarenta y dos meses." Apocalipsis 13:3-5*

Como vemos, todo lo que se anuncia aquí –en relación a la bestia– se presenta en un contexto posterior a la sanación de su herida mortal, dado que, tanto el maravillar de toda la tierra en pos de ella como la adoración al dragón y a la bestia –bajo la pregunta ¿quién podrá luchar contra ella?–, tendrán un claro cumplimiento en el tiempo del fin, cuando se imponga la tan comentada *'marca de la bestia'*.

En efecto, en aquellos días, al papado se le volverá a dar *'una boca'* –es decir, una exposición pública destacada– para que hable grandes cosas y blasfemias. Apocalipsis 13 continúa diciendo: *"Y abrió su boca en blasfemias contra Dios, para blasfemar de su nombre, de su tabernáculo, y de los que moran en el cielo [justamente, aquello que estaría sujeto a juicio]. Y se le permitió hacer guerra contra los santos, y vencerlos. También se le dio autoridad sobre toda tribu, pueblo, lengua y nación." Apocalipsis 13:6-7*

Por esto, entendemos que cuando la bestia resurja del abismo, le será entregado *'el patio'*, es decir, el atrio exterior del templo –el cual simboliza la tierra– nuevamente bajo sus pies. Sin embargo, por no poder entrar en el interior del templo celestial, blasfemará desde afuera –es decir, desde la tierra– contra Dios, contra su templo y contra sus verdaderos adoradores.

En consecuencia, el cumplimiento más exacto y cabal de esta profecía aún se encontraría en el futuro. De hecho, en el pasado, el papado ejerció su gran poder sobre territorios principalmente europeos; sin embargo, según aquí se anticipa, en el tiempo del fin lo ejercerá sobre el mundo entero, al punto que *la adorarán todos los moradores de la tierra cuyos nombres no estaban escritos en el libro de la vida' (Ap 13:8)*.

Expresión que, sin lugar a dudas, nos lleva al tiempo en el que todos aquellos que no estén escritos en aquel bendito libro, recibirán la marca de la bestia.

Ahora, veamos una conexión adicional entre los 42 meses en que los gentiles –o impíos– pisotearían el terreno sagrado que está fuera del templo y la abominación desoladora que se establecerá en el mundo de los últimos días –a través de la imposición de la ya mencionada *'marca de la bestia'*–.

En aquella profecía que relaciona la destrucción de Jerusalén con las escenas del fin del mundo, Jesús dijo: *"cuando viereis a Jerusalén rodeada de ejércitos, sabed entonces que su destrucción ha llegado. Entonces los que estén en Judea, huyan a los montes; y los que en medio de ella, váyanse; y los que estén en los campos, no entren en ella." Lucas 21:20-21*

Por esto, en el momento en que Cestio Galo, General del Imperio Romano, sitió la ciudad en el año 66 d.C., pisoteando las afueras de la ciudad –justamente aquel terreno que se consideraba sagrado por ser asignado a la vivienda y el cultivo de los levitas–, los cristianos que habitaban en Jerusalén interpretaron correctamente que se había cumplido la señal anunciada por Jesús y huyeron de ella en la primera oportunidad que tuvieron.[153]

Tiempo más tarde, en el año 70 d.C., exactamente 42 meses después del primer sitio, Tito, General del Ejército Romano, sitió nuevamente Jerusalén y la destruyó por completo, en medio de escenas que fueron usadas por Jesús para describir lo que sucederá en el fin del mundo.[154]

Ahora, Apocalipsis, que fue escrito varias décadas después de la destrucción de Jerusalén, vuelve a hablar en relación a 42 meses durante

---

153 Elena de White comenta: "Ni un solo cristiano pereció en la destrucción de Jerusalén. Cristo había prevenido a sus discípulos, y todos los que creyeron sus palabras esperaron atentamente las señales prometidas. "Cuando viereis a Jerusalén cercada de ejércitos–había dicho Jesús–, sabed entonces que su destrucción ha llegado. Entonces los que estuvieren en Judea, huyan a los montes; y los que en medio de ella, váyanse" (Lucas 21:20, 21). Después que los soldados romanos, al mando del general Cestio Galo, hubieron rodeado la ciudad, abandonaron de pronto el sitio de una manera inesperada y eso cuando todo parecía favorecer un asalto inmediato. Perdida ya la esperanza de poder resistir el ataque, los sitiados estaban a punto de rendirse, cuando el general romano retiró sus fuerzas sin motivo aparente para ello. Empero la previsora misericordia de Dios había dispuesto los acontecimientos para bien de los suyos. Ya estaba dada la señal a los cristianos que aguardaban el cumplimiento de las palabras de Jesús, y en aquel momento se les ofrecía una oportunidad que debían aprovechar para huir, conforme a las indicaciones dadas por el Maestro. Los sucesos se desarrollaron de modo tal que ni los judíos ni los romanos hubieran podido evitar la huida de los creyentes. Habiéndose retirado Cestio, los judíos hicieron una salida para perseguirle y entre tanto que ambas fuerzas estaban así empeñadas, los cristianos pudieron salir de la ciudad, aprovechando la circunstancia de estar los alrededores totalmente despejados de enemigos que hubieran podido cerrarles el paso. En la época del sitio, los judíos habían acudido numerosos a Jerusalén para celebrar la fiesta de los tabernáculos y así fue como los cristianos esparcidos por todo el país pudieron escapar sin dificultad. Inmediatamente se encaminaron hacia un lugar seguro, la ciudad de Pella, en tierra de Perea, allende el Jordán." CS 29

154 Elena de White explica: "La profecía del Salvador referente al juicio que iba a caer sobre Jerusalén va a tener otro cumplimiento, y la terrible desolación del primero no fue más que un pálido reflejo de lo que será el segundo. En lo que acaeció a la ciudad escogida, podemos ver anunciada la condenación de un mundo que rechazó la misericordia de Dios y pisoteó su ley... horrendas han sido las consecuencias de haber rechazado la autoridad del cielo [crucificando a Cristo]; pero una escena aun más sombría nos anuncian las revelaciones de lo porvenir... Entonces el mundo verá, como nunca los vio, los resultados del gobierno de Satanás. Pero en aquel día, así como sucedió en tiempo de la destrucción de Jerusalén, el pueblo de Dios será librado..." CS 34

los cuales el patio, es decir, las afueras de la ciudad, sería entregado a los 'gentiles' para ser nuevamente hollado, en un claro contexto del día del juicio de Dios.

Razón por la cual, entendemos que los plazos que se mencionan aquí, en Apocalipsis 11, se relacionan con las escenas que vivirá nuestro mundo en el tiempo en el que se imponga la *abominación desoladora* del tiempo del fin. La cual, como en antaño, iniciará con un pre aviso que ocurrirá 3,5 años antes de que llegue la anunciada desolación.[155]

Es decir, creemos que Apocalipsis anuncia un plazo de 42 meses, o 1260 días, en el que los impíos pisotearán nuevamente los alrededores del templo de Dios, no aquél que fue destruido por los romanos antes de que se escriba el Apocalipsis, sino aquel en el cual el Espíritu Santo desea habitar hoy. Dijo el apóstol Pablo: *"¿O ignoráis que vuestro cuerpo es templo del Espíritu Santo, el cual está en vosotros, el cual tenéis de Dios, y que no sois vuestros?" 1 Corintios 6:19*

Hablando de este pisoteo del pueblo santo, en el contexto de la gran angustia en medio de la cual se levantará Miguel, Daniel escribió: *"Yo oí al hombre vestido de lino que estaba sobre las aguas del río. El alzó su mano derecha, y su mano izquierda hacia el cielo y juró por aquel que vive eternamente: "Pasará un tiempo, dos tiempos y la mitad de un tiempo [es decir, 3,5 tiempos]; y cuando se haya acabado de aplastar la fuerza del pueblo santo, se acabarán también todas estas cosas". Yo oí, pero no entendí. Entonces dije: "Señor mío, ¿cuál será la última de estas cosas?. El respondió: "Ve Daniel, porque estas palabras están ocultas y selladas hasta el tiempo final. Muchos serán purificados, blanqueados y acrisolados; los malvados harán el mal, y ningún malvado podrá comprender, pero los prudentes comprenderán. A partir del momento en que será abolido el ~~sacrificio~~ perpetuo y será instalada la Abominación de la desolación, pasarán mil doscientos noventa días. ¡Feliz el que sepa esperar y llegue a mil trescientos treinta y cinco días!" Daniel 12:7-12 LPD*

---

155 Elena de White afirma: "No es ahora tiempo para que el pueblo de Dios fije sus afectos o se haga tesoros en el mundo. No está lejano el tiempo en que, como los primeros discípulos, seremos obligados a buscar refugio en lugares desolados y solitarios. Así como el sitio de Jerusalén por los ejércitos romanos fue la señal para que huyesen los cristianos de Judea, así la asunción de poder por parte de nuestra nación [los Estados Unidos], con el decreto que imponga el día de descanso papal, será para nosotros una amonestación. Entonces será tiempo de abandonar las grandes ciudades, y prepararnos para abandonar las menores en busca de hogares retraídos en lugares apartados entre las montañas." 2JT 165

Como vemos, Daniel presenta el plazo de 3,5 años de persecución –y otros de similar duración– en relación a la *abominación desoladora* que se impondrá en el tiempo de aquella gran angustia que será permitida por Dios a fin de purificar, blanquear y acrisolar al pueblo de los santos.[156]

Los dos testigos

Es en este contexto, de pisoteo del pueblo santo –en el tiempo del juicio de Dios–, que Apocalipsis 11 continúa diciendo: *"Y daré a mis dos testigos que profeticen por mil doscientos sesenta días, vestidos de cilicio." Apocalipsis 11:3*

Es decir, durante el mismo plazo de 3,5 años –o 42 meses– que Cristo juró a Daniel duraría el aplastamiento de la fuerza del pueblo santo, en el tiempo del fin.

Ahora, ¿quiénes serán estos dos testigos? Lo primero que tenemos que preguntarnos es ¿en qué contexto testifican los testigos? La respuesta es obvia: en los juicios. Pero, ¿quiénes serán, entonces, aquellos que darán su testimonio durante el juicio de Dios? En primer lugar, debemos reconocer que las Escrituras, tanto el Antiguo como el Nuevo Testamento, serán usadas por Dios como testimonio contra los impíos en el tiempo de su juicio. Jesús dijo: *"Al que oye mis palabras, y no las guarda, yo no le juzgo; porque no he venido a juzgar al mundo, sino a salvar al mundo. El que me rechaza, y no recibe mis palabras, tiene quien le juzgue; la palabra que he hablado, ella le juzgará en el día postrero." Juan 12:47-48*[157]

---

156 Elena de White escribió: "En las Escrituras se presentan verdades que se relacionan especialmente con nuestro propio tiempo. Las profecías de la Escritura apuntan al período inmediatamente anterior a la aparición del Hijo del hombre, y aquí se aplican preeminentemente sus advertencias y amenazas. Los períodos proféticos de Daniel, que se extienden hasta la víspera misma de la gran consumación, arrojan un torrente de luz sobre los acontecimientos que entonces se producirán. El libro del Apocalipsis también está repleto de advertencias e instrucciones para la última generación. El amado Juan, bajo la inspiración del Espíritu Santo, describe las temibles y emocionantes escenas relacionadas con el fin de la historia de la tierra, y presenta los deberes y peligros del pueblo de Dios. Nadie debe permanecer en la ignorancia, nadie debe estar desprevenido para la venida del día de Dios." RH 25 de septiembre dc 1883, par. 6

157 Elena de White comenta: "Acerca de los dos testigos, el profeta declara más adelante: "Estos son los dos olivos y los dos candelabros, que están delante de la presencia del Señor de toda la tierra". "Lámpara es a mis pies tu palabra –dijo el salmista–, y luz a mi camino" (Apocalipsis 11:4; Salmos 119:105). Estos dos

Ahora, la Palabra de Dios no se predica sola; sino que, como hemos visto, Dios tendrá un ejército de *sabios* que serán *entendidos* en su Palabra a fin de dar testimonio de ella al mundo entero. Apocalipsis, describiendo a estos hijos de Dios, dice: *"Entonces el dragón se llenó de ira contra la mujer [símbolo de la iglesia]; y se fue a hacer guerra contra el resto de la descendencia de ella, los que guardan los mandamientos de Dios y tienen el testimonio de Jesucristo." Apocalipsis 12:17*

Como vemos, Apocalipsis dice que los santos –es decir, los que guardan los mandamientos de Dios– *"tienen el testimonio de Jesús"*. Por esto, los dos testigos también representan a aquellos que tendrán a su cargo la predicación del mensaje que Dios enviará a la humanidad en los últimos días.

En este sentido, si recordamos lo que estudiamos en el capítulo anterior, los dos testigos representan a aquellos que deben comer el librito que Cristo tiene en su mano para predicarlo, es decir, para dar testimonio de él, al mundo entero.

De hecho Jesús, en su sermón escatológico, anunció que el evangelio debía ser predicado antes de que se acabe su tiempo de gracia. Él dijo: *"Y será predicado este evangelio del reino en todo el mundo, para testimonio a todas las naciones; y entonces vendrá el fin." Mateo 24:14*

Ahora, ¿en qué contexto sería predicado? Tal como lo profetizó Daniel, en inmensa angustia. Dijo Jesús: *"Entonces os entregarán a tribulación, y os matarán, y seréis aborrecidos de todas las gentes por causa de mi nombre… Mas el que persevere hasta el fin, este será salvo." Mateo 24:9, 13*

Lo cual es representado en la vestimenta de los dos testigos, dado que, en la antigüedad, las personas se vestían de cilicio para expresar que se encontraban en inmensa angustia.

Ahora bien, ¿quiénes serán los dos testigos? Apocalipsis da más detalles. Dice: *"Estos testigos son los dos olivos, y los dos candeleros que están en pie delante del Dios de la tierra." Apocalipsis 11:4*

---

testigos representan las Escrituras del Antiguo Testamento y del Nuevo. Ambos son testimonios importantes del origen y del carácter perpetuo de la ley de Dios. Ambos testifican también acerca del plan de salvación. Los símbolos, los sacrificios y las profecías del Antiguo Testamento se refieren a un Salvador que había de venir. Y los Evangelios y las epístolas del Nuevo Testamento hablan de un Salvador que vino tal como fuera predicho por los símbolos y la profecía." CS 271

¿Encontramos en la Biblia el significado de estos símbolos? Claro que sí. El profeta Zacarías, en una visión complementaria, preguntó al ángel que le instruía *"¿qué significan estos dos olivos a la derecha del candelabro y a su izquierda? Y él dijo: Estos son los dos ungidos que están delante del Señor de toda la tierra." Zacarías 4:11, 14*

La versión Dios Habla Hoy, traduce: *"Éstos son los dos que han sido consagrados para el servicio del Señor de toda la tierra." Zacarías 4:14*

Y en el mismo Apocalipsis, el propio Jesús le explicó a Juan que los candeleros representan iglesias. Él le dijo: *"los siete candeleros que has visto, son las siete iglesias." Apocalipsis 1:20*

Por esto, entendemos que, en el tiempo del fin, Dios tendrá dos iglesias que, tal cual dos testigos, darán testimonio acerca del origen y del carácter perpetuo de la ley de Dios y de su plan de salvación.[158]

Dirás 'es claro que los candeleros representan iglesias, pero, ¿por qué Dios tendrá dos iglesias –para dar testimonio de la perpetuidad de su Ley y de su evangelio– y no una?' Porque así es como Él ha establecido debe procederse en todo juicio.

---

158 Elena de White, comentando la visión de Zacarías, escribió: "De los dos olivos el aceite áureo fluía a través de los tubos de oro a los depósitos de los candelabros, y de allí a las lámparas de oro que alumbraban el santuario. De la misma manera, por medio de los santos que están en la presencia de Dios, se imparte su Espíritu a los seres humanos consagrados a su servicio. La misión de los dos ungidos consiste en impartir luz y poder al pueblo de Dios. Están en la presencia de Dios para recibir bendiciones en favor de nosotros. Así como los olivos se vacían en los tubos de oro, los mensajeros celestiales tratan de transmitir todo lo que reciben de Dios. La totalidad del tesoro celestial aguarda que lo pidamos y recibamos, y a medida que nos llegue la bendición, debemos impartirla a nuestra vez. Así se alimentan las santas lámparas, y la iglesia llega a ser portaluz para el mundo. Esta es la obra que el Señor desea que cada alma preparada realice en este tiempo, cuando los cuatro ángeles están reteniendo los cuatro vientos, para que no soplen hasta que los siervos de Dios sean sellados en la frente. No hay tiempo para la complacencia propia. Hay que aparejar las lámparas del alma. Deben recibir el aceite de la gracia. Deben extremarse las precauciones para impedir la decadencia espiritual, no sea que el gran día de Dios nos sorprenda como ladrón en la noche. Cada testigo de Dios debe trabajar inteligentemente ahora en el tipo de actividad que el Señor le ha señalado… Todos pueden ser portaluces ante el mundo si lo desean. Debemos esconder el yo en Jesús, de manera que no se vea. Debemos recibir la palabra del Señor en forma de consejos e instrucciones, y comunicarla con gozo. Se necesita ahora mucha oración. Cristo ordena: "Orad sin cesar"; esto es, mantened la mente dirigida a Dios, fuente de todo poder y eficiencia." TM 510

Dice la ley dada a Moisés: *"No se tomará en cuenta a un solo testigo contra ninguno en cualquier delito ni en cualquier pecado, en relación con cualquiera ofensa cometida. Solo por el testimonio de dos o tres testigos se mantendrá la acusación." Deuteronomio 19:15*

Por esto, Jesús dijo: *"si tu hermano peca contra ti, ve y repréndele estando tú y él solos; si te oyere, has ganado a tu hermano. Mas si no te oyere, toma aún contigo a uno o dos, para que en boca de dos o tres testigos conste toda palabra. Si no los oyere a ellos, dilo a la iglesia; y si no oyere a la iglesia, tenle por gentil y publicano. De cierto os digo que todo lo que atéis en la tierra, será atado en el cielo; y todo lo que desatéis en la tierra, será desatado en el cielo." Mateo 18:15-18*

Y por esto Pablo procedía de esta misma manera cuando habían conflictos entre hermanos. El escribió: *"Esta es la tercera vez que voy a vosotros. Por boca de dos o de tres testigos se decidirá todo asunto." 2 Corintios 13:1*

Si lo pensamos bien, hay razones más que suficientes para que Dios actúe de esta manera. Si una sola persona dice algo, por más que resulte lógico, el resto podría tender a dudar si es cierto o no. En cambio, si dos personas, totalmente independientes entre sí –es decir, sin vínculos de parentesco ni amistad– dan el mismo testimonio, pues ya es responsabilidad de quien escucha el no prestarle atención. ¿Y cuánto más cuando ambas coinciden con lo que el Espíritu Santo, a manera de tercer testigo, dice a nuestras propias conciencias?

Por esto, en nuestro entendimiento, Dios buscará dos pueblos totalmente independientes entre sí como testigos suyos, para que, movidos por el mismo Espíritu, den un testimonio claro al mundo entero. Luego, como dijo Jesús, *'de cierto os digo que todo lo que sea atado de esta manera en la tierra, será atado en el cielo; y todo lo que sea desatado en la tierra, será desatado en el cielo.' Mateo 18:18*

Dos iglesias, un mensaje

Ahora, ¿qué iglesias serán? En nuestro entendimiento, una de estas dos iglesias provendrá del 'olivo natural' y otra del 'silvestre'. Es decir, una estará conformada por aquel remanente de israelitas que reconozcan a Cristo como el Mesías y otra por aquellos gentiles que, habiendo conocido el evangelio revelado, en primer lugar, a los judíos, guarden los mandamientos de Dios y tengan la fe –y el testimonio– de Jesús.

Consideremos, a continuación, las palabras del apóstol Pablo respecto a estas dos iglesias: *"Digo, pues: ¿Ha desechado Dios a su pueblo? En ninguna manera. Porque también yo soy israelita, de la descendencia de Abraham, de la tribu de Benjamín... Digo, pues: ¿Han tropezado los de Israel para que cayesen? En ninguna manera; pero por su transgresión vino la salvación a los gentiles, para provocarles a celos. Y si su transgresión es la riqueza del mundo, y su defección la riqueza de los gentiles, ¿cuánto más su plena restauración?*

Porque a vosotros hablo, gentiles. Por cuanto yo soy apóstol a los gentiles, honro mi ministerio, por si en alguna manera pueda provocar a celos a los de mi sangre, y hacer salvos a algunos de ellos. Porque si su exclusión es la reconciliación del mundo, ¿qué será su admisión, sino vida de entre los muertos? Si las primicias son santas, también lo es la masa restante; y si la raíz es santa, también lo son las ramas.

Pues si algunas de las ramas fueron desgajadas, y tú, siendo olivo silvestre, has sido injertado en lugar de ellas, y has sido hecho participante de la raíz y de la rica savia del olivo, no te jactes contra las ramas; y si te jactas, sabe que no sustentas tú a la raíz, sino la raíz a ti. Pues las ramas, dirás, fueron desgajadas para que yo fuese injertado. Bien; por su incredulidad fueron desgajadas, pero tú por la fe estás en pie. No te ensoberbezcas, sino teme. Porque si Dios no perdonó a las ramas naturales, a ti tampoco te perdonará.

Mira, pues, la bondad y la severidad de Dios; la severidad ciertamente para con los que cayeron... pero la bondad para contigo, si permaneces en esa bondad; pues de otra manera tú también serás cortado. Y aun ellos, si no permanecieren en incredulidad, serán injertados, pues poderoso es Dios para volverlos a injertar. Porque si tú fuiste cortado del que por naturaleza es olivo silvestre, y contra naturaleza fuiste injertado en el buen olivo, ¿cuánto más estos, que son las ramas naturales, serán injertados en su propio olivo?

Porque no quiero, hermanos, que ignoréis este misterio, para que no seáis arrogantes en cuanto a vosotros mismos: que ha acontecido a Israel endurecimiento en parte, hasta que haya entrado la plenitud de los gentiles; y luego todo Israel será salvo, como está escrito: Vendrá de Sion el Libertador, que apartará de Jacob la impiedad. Y este será mi pacto con ellos, cuando yo quite sus pecados.

Así que en cuanto al evangelio, son enemigos por causa de vosotros; pero en cuanto a la elección, son amados por causa de los padres. Porque irrevocables son los dones y el llamamiento de Dios. Pues como vosotros también en otro tiempo erais desobedientes a Dios, pero ahora habéis alcanzado misericordia por la desobediencia de ellos, así también estos ahora han sido desobedientes, para que por la misericordia concedida a vosotros, ellos también alcancen misericordia. Porque Dios sujetó a todos en desobediencia, para tener misericordia de todos.

¡Oh profundidad de las riquezas de la sabiduría y de la ciencia de Dios! ¡Cuán insondables son sus juicios, e inescrutables sus caminos! Porque ¿quién entendió la mente del Señor? ¿O quién fue su consejero? ¿O quién le dio a él primero, para que le fuese recompensado? Porque de él, y por él, y para él, son todas las cosas. A él sea la gloria por los siglos. Amén." Romanos 11:1, 11-36 [159]

---

159 Elena de White escribió: "Hay una grandiosa obra que ha de hacerse en nuestro mundo. El Señor ha declarado que los gentiles serán reunidos, y no solamente los gentiles, sino también los judíos. Hay entre los judíos muchas personas que serán convertidas, y por medio de las cuales veremos cómo la salvación de Dios avanzará como una lámpara que arde. Hay judíos por todas partes, y a ellos ha de serles llevada la luz de la verdad presente. Hay entre ellos muchos que vendrán a la luz, y que proclamarán la inmutabilidad de la ley de Dios con maravilloso poder. El Señor Dios obrará. El hará cosas maravillosas en justicia. —Manuscrito 87 (1907)." Ev 421

"Aunque Israel rechazó a su Hijo, Dios no los rechazó a ellos… En la proclamación final del Evangelio […] Dios espera que sus mensajeros manifiesten particular interés en el pueblo judío que se halla en todas partes de la tierra… Entre los judíos hay algunos que, como Saulo de Tarso, son poderosos en las Escrituras, y éstos proclamarán con poder la inmutabilidad de la ley de Dios. El Dios de Israel hará que esto suceda en nuestros días. No se ha acortado su brazo para salvar. Cuando sus siervos trabajen con fe por aquellos que han sido mucho tiempo descuidados y despreciados, su salvación se revelará." HAp 301-306

"Habrá muchos conversos de entre los judíos, y estos conversos ayudarán a preparar el camino para el Señor, aparejando calzada en el desierto para nuestro Dios. Los conversos judíos han de tener una parte importante en la gran preparación que ha de hacerse en lo futuro para recibir a Cristo, nuestro Príncipe. Una nación nacerá en un día. ¿Cómo? Por medio de hombres a quienes Dios ha señalado como convertidos a la verdad. Se verá "primero hierba, luego espiga, después grano lleno en la espiga". Las predicciones de la profecía se cumplirán. —Manuscrito 75 (1905)." Ev 421

"Las profecías de juicio que dieran Amós y Oseas iban acompañadas de predicciones referentes a una gloria futura. A las diez tribus, durante mucho tiempo rebeldes e impenitentes, no se les prometió una restauración completa de su poder anterior en Palestina. Hasta el fin del tiempo, habrían de andar "errantes entre las gentes." Pero mediante Oseas fue dada una profecía que les ofreció el privilegio de tener parte en la restauración final que ha de experimentar el pueblo de Dios al fin de la historia de esta tierra, cuando Cristo aparezca como Rey de reyes y Señor de señores. Declaró el profeta: "Muchos días estarán los hijos de Israel sin rey, y sin príncipe, y sin sacrificio, y sin estatua, y sin ephod, y sin teraphim. Después–agregó el profeta–volverán los hijos de Israel, y buscarán a Jehová su Dios, y a David su rey; y temerán a Jehová y a su bondad en el fin de los días." Oseas 3:4, 5." PR 222

Siempre ha llamado la atención el amor de Dios por David, aquel que cometió adulterio con la mujer de un soldado fiel, a quien luego hizo asesinar. Sin embargo, su humildad a la hora de arrepentirse lo hacía *'de acuerdo al corazón de Dios'* (Hechos 13:22).

En este sentido, el pueblo de Israel posee similares características. Ha sido un pueblo rebelde, sí. Sin embargo, luego de grandes padecimientos, recapacita y vuelve su corazón a Dios como ningún otro pueblo lo hace. Por esto Dios sigue –y seguirá– siendo fiel a la promesa que le realizó a Abraham, cuando le dijo: *"En tu simiente serán benditas todas las naciones de la tierra, por cuanto obedeciste a mi voz."* Génesis 22:18

A través del profeta Zacarías, Dios predijo que, llegando el fin del tiempo, realizaría una grandiosa obra entre su amado pueblo de Israel. El dijo: *"Y derramaré sobre la casa de David, y sobre los moradores de Jerusalén, espíritu de gracia y de oración; y mirarán a mí, a quien traspasaron, y llorarán como se llora por hijo unigénito, afligiéndose por él como quien se aflige por el primogénito."* Zacarías 12:10

En tanto, a través del profeta Isaías, Dios declaró: *"Acontecerá en aquel tiempo, que los que hayan quedado de Israel y los que hayan quedado de la casa de Jacob, nunca más se apoyarán en el que los hirió, sino que se apoyarán con verdad en Jehová, el Santo de Israel. El remanente volverá, el remanente de Jacob volverá al Dios fuerte. Porque si tu pueblo, oh Israel, fuere como las arenas del mar, el remanente de él volverá."* Isaías 10:20-22

Y el propio Jesús anunció que la desolación de Jerusalén sería 'hasta que los tiempos de los gentiles se cumplan'. El dijo: *"Y caerán a filo de espada, y serán llevados cautivos a todas las naciones; y Jerusalén será hollada por los gentiles, hasta que los tiempos de los gentiles se cumplan. Entonces habrá señales en el sol, en la luna y en las estrellas, y en la tierra angustia de las gentes, confundidas a causa del bramido del mar y de las olas; desfalleciendo los hombres por el temor y la expectación de las cosas que sobrevendrán en la tierra; porque las potencias de los cielos serán conmovidas. Entonces verán al Hijo del Hombre, que vendrá en una nube con poder y gran gloria. Cuando estas cosas comiencen a suceder, [vosotros, los que seréis desolados] erguíos y levantad vuestra cabeza, porque vuestra redención está cerca."* Lucas 21:24-28

Escanea el siguiente código para ver *Desafío Judío,* nuestro documental sobre el llamado al arrepentimiento que Dios le realiza al pueblo hebreo.

QR 2: https://www.diloalmundo.org/desafio-judio

Ahora, debemos aclarar que no nos estamos refiriendo al Israel que actualmente habita en medio oriente, sino a aquel pueblo con raíces hebreas que habita esparcido por el mundo entero y que, por el hecho de poseer un linaje especial, han sabido apartarse del resto del mundo para resguardar el conocimiento proveniente de la Ley de Dios, conocida como 'la Torá'.

En nuestro entendimiento, Dios ha organizado las cosas de esta manera para que nadie tenga excusa por no formar parte del pueblo escogido, ni creerse algo delante de Dios –o de los demás– por sí haber formado parte de él; dado que ambos pueblos, habiendo sido sujetos a desobediencia, serán recibidos y exaltados como luz para las naciones solo por la inconmensurable y misericordiosa gracia de Dios.

En este sentido, me uno al apóstol Pablo, y digo: *"¡Oh profundidad de las riquezas de la sabiduría y de la ciencia de Dios! ¡Cuán insondables son sus juicios, e inescrutables sus caminos! Porque ¿quién entendió la mente del Señor? ¿O quién fue su consejero? ¿O quién le dio a él primero, para que le fuese recompensado? Porque de él, y por él, y para él, son todas las cosas. A él sea la gloria por los siglos. Amén." Romanos 11:33-36*

Ahora, consideremos una razón adicional para reforzar esta interpretación acerca de los dos testigos. Como veremos en el análisis Apocalipsis 21, la ciudad de Dios –conocida como la nueva Jerusalén– estará construida sobre la base de la interrelación entre estas dos iglesias que fundó Cristo, dado que tendrá: doce puertas con los nombres de las doce tribus de Israel y doce cimientos con los nombres de los doce apóstoles del Cristo.

Por esto, en nuestro entendimiento, los 144000 –que simbolizan las multitudes de personas que predicarán el mensaje final de Dios–, provendrán de estas dos vertientes del pueblo santo, dado que 144000 surge de multiplicar doce (en representación de las doce tribus de Israel) por doce (en representación de los doce apóstoles del Cordero) por 1000 (como símbolo multitudes).

El tercer Elías

En concordancia con aquel sello de protección divina que recibirán los 144000, a los dos testigos, tampoco, nadie les podrá hacer daño. Dice: *"Si alguno quiere dañarlos, sale fuego de la boca de ellos, y devora a sus enemigos; y si alguno quiere hacerles daño, debe morir él de la misma manera.*

Estos tienen poder para cerrar el cielo, a fin de que no llueva en los días de su profecía; y tienen poder sobre las aguas para convertirlas en sangre, y para herir la tierra con toda plaga, cuantas veces quieran." Apocalipsis 11:5-6

Es decir, los dos testigos serán dotados de aquel Espíritu con que Dios invistió a sus máximos profetas, tales como Elías –que por su palabra no llovió durante 3,5 años y, por su misma palabra, hizo bajar dos veces fuego del cielo para consumir a dos escuadrones de 50 soldados cada uno que fueron enviados para capturarle– y Moisés –quien, por medio de su palabra, también fueron anunciadas las 10 plagas de Egipto, entre ellas, justamente, la conversión del agua en sangre–.

En este sentido, debemos tener en cuenta que Dios, a través del profeta Malaquías, predijo –ya desde el Antiguo Testamento– acerca de que, en el fin de los tiempos, vendría 'el profeta Elías', con una obra especial en relación a la ley de 'Moisés'. Dice: *'Acordaos de la ley de Moisés mi siervo, al cual encargué en Horeb ordenanzas y leyes para todo Israel. He aquí, yo os envío el profeta Elías, antes que venga el día de Jehová, grande y terrible." Malaquías 4:4-5*

Tiempo más tarde, Jesús dijo respecto de Juan el Bautista: *"todos los profetas y la ley profetizaron hasta Juan. Y si queréis recibirlo, él es aquel Elías que había de venir." Mateo 11:13-14*

Ahora, es evidente que este *'Elías'* no vendría en persona, sino que otros vendrían con su mismo espíritu y poder. En este sentido, el ángel le dijo a Zacarías, padre de Juan el Bautista: *"muchos se regocijarán de su nacimiento; porque será grande delante de Dios. No beberá vino ni sidra, y será lleno del Espíritu Santo, aun desde el vientre de su madre. Y hará que muchos de los hijos de Israel se conviertan al Señor Dios de ellos. E irá delante de él con el espíritu y el poder de Elías, para hacer volver los corazones de los padres a los hijos, y de los rebeldes a la prudencia de los justos, para preparar al Señor un pueblo bien dispuesto." Lucas 1:13-17*

Ahora, si Apocalipsis, que se escribió muchos años después de la muerte de Juan el Bautista, vuelve a hablar sobre 'dos testigos' que vendrían con el espíritu y poder de Elías, nos preguntamos ¿en qué contexto específico vendría *'el Elías'* de la profecía de Malaquías? El propio texto, que acabamos de leer, dice que vendría antes del grande y terrible día de Jehová.

Es más, en los versículos anteriores, Malaquías escribió: *"Porque he aquí, viene el día ardiente como un horno, y todos los soberbios y todos los que hacen maldad serán estopa; aquel día que vendrá los abrasará, ha dicho Jehová de los ejércitos, y no les dejará ni raíz ni rama. Mas a vosotros los que teméis mi nombre, nacerá el Sol de justicia, y en sus alas traerá salvación; y saldréis, y saltaréis como becerros de la manada. Hollaréis a los malos, los cuales serán ceniza bajo las plantas de vuestros pies, en el día en que yo actúe, ha dicho Jehová de los ejércitos." Malaquías 4:1-3*

Lo cual no contradice la interpretación de Jesús –y el anuncio del ángel– en relación a que Juan el Bautista vendría con aquel mismo espíritu y poder, sino que más bien nos anuncia que aquel gran profeta que preparó el camino para la primera venida de Jesús, también es un *'tipo'*, es decir, un anticipo, de aquellos que se levantarán en los últimos días.

En este sentido, debemos insistir en que la Palabra de Dios no debe ser interpretada con entendimiento estrecho, cerrado a una sola interpretación de las cosas, sino considerando de qué manera aquellas cosas que a veces parecieran estar en contradicción, son –en realidad– una fuente de luz respecto a lo que sucederá.[160]

---

160 Conocemos la interpretación que realiza Elena de White –en el capítulo 16 de 'El Conflicto de los Siglos', titulado La Biblia y la Revolución Francesa–, acerca de los dos testigos como el Antiguo y el Nuevo Testamento, los cuales dieron testimonio 'vestidos de cilicio' durante los 1260 años del oscurantismo. Según aquella interpretación, al final de dicho plazo Francia los atacó y los venció, echando por tierra la Palabra de Dios.

Sin embargo, debemos entender que la Revolución Francesa no será más que un pálido reflejo de lo que ocurrirá en el mundo entero de los últimos días, cuando se dicten leyes en oposición a la ley de Dios y se vuelva a perseguir a los santos.

En este sentido, Elena de White también escribió: "¿Queremos saber cuál sería el resultado de la abolición de la ley de Dios? El experimento se ha hecho ya. Terribles fueron las escenas que se desarrollaron en Francia cuando el ateísmo ejerció el poder. Entonces el mundo vio que rechazar las restricciones que Dios impuso equivale a aceptar el gobierno de los más crueles y despóticos. Cuando se echa a un lado la norma de justicia, queda abierto el camino para que el príncipe del mal establezca su poder en la tierra." CS 571

En otra oportunidad, ella también dijo: "La concentración de la riqueza y el poder, las vastas combinaciones hechas para el enriquecimiento de unos pocos a expensas de la mayoría; la unión de las clases más pobres para organizar la defensa de sus intereses y derechos; el espíritu de inquietud, desorden y derramamiento de sangre; la propagación mundial de las mismas enseñanzas que produjeron la

De hecho, es en vistas de aquel día de la ira de Dios que la profecía de Malaquías anuncia la venida del *'Elías'* del tiempo del fin, cuya principal tarea sería semejante a la de Juan el Bautista, dado que los santos de los últimos días también deberán preparar el camino para que cuando Jesús venga encuentre *"un pueblo bien dispuesto." Lucas 1:17*

Y esta es la razón por la cual estos dos testigos vendrán 'con el espíritu y el poder de Moisés y de Elías', para dar el mensaje de la inmutabilidad de la ley de Dios hasta el mismísimo Faraón sin temor a consecuencias, o incluso decirle al dirigente de su propio pueblo: *"Yo no he turbado a Israel, sino tú y la casa de tu padre, dejando los mandamientos de Jehová, y siguiendo a los baales." 1 Reyes 18:18*

Revolución Francesa, tienden a envolver al mundo entero en una lucha similar a la que convulsionó a Francia." ED 206

Por esto, en este estudio, sin negar los cumplimientos que esta profecía ha tenido en el pasado, estamos desarrollando el asombroso cumplimiento que tendrá en el fin de los días. Algo que no está en contraposición con las declaraciones de Elena de White sino más bien en completa armonía, dado que ella, tiempo más tarde, también escribió: "El Señor llama a su pueblo a establecerse lejos de las ciudades, porque en una hora como la que no pensamos, lloverán del cielo fuego y azufre sobre ellas... Todos los que quieran comprender el significado de estas cosas, lean el capítulo 11 de Apocalipsis. Lean cada versículo, y entérense de las cosas que aún van a ocurrir en las ciudades. Lean también las escenas descritas en el capítulo 18 del mismo libro.—21MR 90-91 (1906)." EUD 84

En este sentido, en nuestro entendimiento, hay dos acontecimientos de la historia que fueron anunciados en las profecías de la Biblia pero que, al mismo tiempo, constituyen anticipos de lo que ocurrirá al fin de los días. Uno es la Revolución Francesa –que acabamos de mencionar–, y el otro, no menos importante, es la destrucción de Jerusalén.

Acerca de este último, Elena de White escribió: "No es ahora tiempo para que el pueblo de Dios fije sus afectos o se haga tesoros en el mundo. No está lejano el tiempo en que, como los primeros discípulos, seremos obligados a buscar refugio en lugares desolados y solitarios. Así como el sitio de Jerusalén por los ejércitos romanos fue la señal para que huyesen los cristianos de Judea, así la asunción de poder por parte de nuestra nación [los Estados Unidos], con el decreto que imponga el día de descanso papal, será para nosotros una amonestación. Entonces será tiempo de abandonar las grandes ciudades, y prepararnos para abandonar las menores en busca de hogares retraídos en lugares apartados entre las montañas." 2JT 165

Si prestas atención, en ambas citas se menciona la necesidad de salir de las ciudades porque ellas recibirán la ira de Dios. Es decir, ambas refieren al contexto específico de la sexta trompeta del Apocalipsis.

Lo cual coincide con todo lo que hemos explicado en el capítulo anterior, cuando Dios le dice a aquel profeta que debía comer su librito: *"Y tú, hijo de hombre, no les temas, ni tengas miedo de sus palabras, aunque te hallas entre zarzas y espinos, y moras con escorpiones; no tengas miedo de sus palabras, ni temas delante de ellos, porque son casa rebelde… Mas la casa de Israel no te querrá oír, porque no me quiere oír a mí; porque toda la casa de Israel es dura de frente y obstinada de corazón. He aquí yo he hecho tu rostro fuerte contra los rostros de ellos, y tu frente fuerte contra sus frentes. Como diamante, más fuerte que pedernal he hecho tu frente; no los temas, ni tengas miedo delante de ellos, porque son casa rebelde… Me levantó, pues, el Espíritu, y me tomó; y fui en amargura, en la indignación de mi espíritu, pero la mano de Jehová era fuerte sobre mí." Ezequiel 2:6; 3:7-9, 14*

Según entendemos, esta autoridad que tendrán los dos testigos, a manera del *'tercer Elías'*, no será meramente 'figurativa', sino que vendrá acompañada de demostraciones de poder por parte de Dios. De igual manera, al ser ellos entendidos en la Palabra profética de nuestro Señor, también estarán en condiciones de anunciar las calamidades que vendrán sobre la tierra —así como lo hicieron Moisés y Elías en su tiempo—.

Y su palabra se cumplirá porque no hablarán de su propia cuenta sino de lo que el Padre ha anticipado, por medio de su amado Hijo, a través de sus profetas. De hecho, las calamidades que, se dice, ellos podrán traer sobre la tierra —como el fuego anunciado por sus bocas, la sequía y la conversión del agua en sangre—, están vinculadas con aquellas catástrofes que anuncian las trompetas del Apocalipsis, en medio de las cuales se inserta este apartado.

La muerte de los intocables

Es por esto que los impíos, al igual que Acab, rey de Israel, los denunciarán como los 'culpables' de todas las calamidades que azotarán nuestro mundo y, cuando hayan acabado su testimonio, se lanzarán sobre ellos para matarlos. Dice: *"Cuando hayan acabado su testimonio, la bestia que sube del abismo hará guerra contra ellos, y los vencerá y los matará. Y sus cadáveres estarán en la plaza de la grande ciudad que en sentido espiritual se llama Sodoma y Egipto, donde también nuestro Señor fue crucificado. Y los de los pueblos, tribus, lenguas y naciones verán sus cadáveres por tres días y medio, y no permitirán que sean sepultados. Y los moradores de la tierra se regocijarán sobre ellos y se alegrarán, y se enviarán regalos unos a otros; porque estos dos profetas habían atormentado a los moradores de la tierra." Apocalipsis 11:7-10*

Hay muchas cosas para analizar aquí. En primer lugar, surge la pregunta ¿y cuándo es que habrán acabado su testimonio? La respuesta surge del propio texto: *'al fin de los 1260 días durante los cuales predicarán vestidos de cilicio' (Ap 11:3).*

Por esto, en nuestro entendimiento, los 1260 días representan el tiempo durante el cual será predicado, con gran poder –aunque en terrible angustia–, el mensaje final de Dios a través de su ejército de sabios. Al final de dicho plazo, acabará la gracia y todo testimonio de parte de Dios a la humanidad, en el tiempo en el que los santos serán sumidos en la indescriptible angustia de Jacob.

¿Podrán los santos conocer y anticipar el fin del tiempo de gracia? Sí y no. Sí podrán conocer la inminencia del tiempo y reconocer cuando se haya producido, pero no anticipar ninguna fecha, dado que Dios se ha reservado el derecho de acortar estos tiempos. Dijo Jesús: *"Orad, pues, que vuestra huida no sea en invierno ni en día de reposo; porque habrá entonces gran tribulación, cual no la ha habido desde el principio del mundo hasta ahora, ni la habrá. Y si aquellos días no fuesen acortados, nadie sería salvo; mas por causa de los escogidos, aquellos días serán acortados." Mateo 24:20-22*[161]

Ahora, ¿a quién representa *'la bestia que surge del abismo'*, la cual hará guerra contra ellos, los vencerá y los matará? Como demostraremos en el análisis de Apocalipsis 12, 13 y 17, la bestia que surge del abismo representa al papado. De este poder, Apocalipsis dice: *"La bestia que has visto, era, y no es; y está para subir del abismo e ir a perdición; y los moradores de la tierra, aquellos cuyos nombres no están escritos desde la fundación del mundo en el libro de la vida, se asombrarán viendo la bestia que era y no es, y será..." "Y se le permitió hacer guerra contra los santos, y vencerlos. Apocalipsis 17:8; 13:7*

Ahora, ¿de qué manera esta bestia *'vencerá'* y *'matará'* a los dos testigos? Y ¿por qué se dice que *'sus cadáveres estarán en la plaza de la gran ciudad que en sentido espiritual se llama Sodoma y Egipto, donde también nuestro Señor fue crucificado' (Ap 11:8)?* Evidentemente, todo está escrito en lenguaje simbólico. Pero, ¿de qué manera se cumplirá?

---

161 Elena de White explica: "El Señor Dios del cielo no enviará al mundo sus juicios por la desobediencia y la transgresión antes de haber enviado sus atalayas para que den la amonestación. No cerrará el tiempo de gracia hasta que el mensaje haya sido proclamado con más claridad. La ley de Dios ha de ser magnificada. Sus requerimientos han de ser presentados en su verdadero carácter sagrado, para que la gente se vea obligada a decidir en pro o en contra de la verdad. Sin embargo, la obra será abreviada en justicia." 2JT 373

Como demostraremos en el análisis de Apocalipsis 13, será a través de una ley que el papado logrará imponer –por intermedio los Estados Unidos– que dispondrá la pena de muerte sobre todos los que, negándose a trasgredir la ley de Dios, no reciban al descanso dominical como su marca de autoridad. En este sentido, Apocalipsis dice: *"Y se le permitió infundir aliento a la imagen de la bestia, para que la imagen hablase e hiciese matar a todo el que no la adorase. Y hacía que a todos, pequeños y grandes, ricos y pobres, libres y esclavos, se les pusiese una marca en la mano derecha, o en la frente; y que ninguno pudiese comprar ni vender, sino el que tuviese la marca o el nombre de la bestia, o el número de su nombre." Apocalipsis 13:15-17*

Lo cual se cumplirá cuando los protestantes de los Estados Unidos, a fin de ganarse el apoyo del papado, utilicen la fuerza pública del estado para imponer sus dogmas religiosos por medio de la ley, de una manera similar a como el papado utilizó a los gobiernos civiles en la edad media.[162]

Para comprender mejor este texto, le recomendamos ver nuestro documental *'El Sello de Dios y la marca de la bestia'*.

QR 3: https://www.diloalmundo.org/sello-marca

---

162 Elena de White lo explica de la siguiente manera: "Cuando las iglesias principales de los Estados Unidos, uniéndose en puntos comunes de doctrina, influyan sobre el estado para que imponga los decretos y las instituciones de ellas, entonces la América protestante habrá formado una imagen de la jerarquía romana, y la inflicción de penas civiles contra los disidentes vendrá de por sí sola." CS 439

"Por el decreto que imponga la institución del papado en violación a la ley de Dios, nuestra nación se separará completamente de la justicia. Cuando el protestantismo extienda la mano a través del abismo para asir la mano del poder romano, cuando se incline por encima del abismo para darse la mano con el espiritismo, cuando, bajo la influencia de esta triple unión, nuestro país repudie todo principio de su constitución como gobierno protestante y republicano, y haga provisión para la propagación de las mentiras y seducciones papales, entonces sabremos que ha llegado el tiempo en que se verá la asombrosa obra de Satanás, y que el fin está cerca. Como el acercamiento de los ejércitos romanos fue para los discípulos una señal de la inminente destrucción de Jerusalén, esta apostasía podrá ser para nosotros una señal de que se llegó al límite de la tolerancia de Dios, de que nuestra nación colmó la medida de su iniquidad, y de que el ángel de la misericordia está por emprender el vuelo para nunca volver. Los hijos de Dios se verán entonces sumidos en aquellas escenas de aflicción y angustia que los profetas describieron como el tiempo de angustia de Jacob." 2JT 151

"Cuando los Estados Unidos, el país de la libertad religiosa, se una con el papado para forzar la conciencia y obligar a los hombres a honrar el falso día de reposo, los habitantes de todo país del globo serán inducidos a seguir su ejemplo." 2JT 373

Ahora, ¿por qué se dice que sus cadáveres estarán 'en la plaza' (Ap 11:8)? Porque en las plazas era donde, antiguamente, se discutían y se comunicaban las leyes. Por esto, esta simbólica plaza es una referencia a los parlamentos –desde donde se promulgarán estas terribles leyes– y a los medios de comunicación –desde los cuales no solo se comunicarán estas 'normas', sino también se persuadirá a las multitudes para que se avalanchen contra los santos–.

En ambos casos, la profecía presenta una imagen sumamente clara. Dice: 'no permitirán que sus cadáveres sean sepultados' (Ap 11:9), es decir, el discurso que se emitirá desde tales instituciones públicas y privadas será de tal malicia que estigmatizará de continuo, sin descanso, día y noche, a los hijos de Dios, poniéndolos como las causas de todos los males que estarán ocurriendo sobre el planeta, a fin de impulsar a los impíos para que se lancen contra ellos para matarlos.

Ahora, ¿por qué se dice 'en la plaza de la grande ciudad que en sentido espiritual se llama Sodoma y Egipto, donde también nuestro Señor fue crucificado (Ap 11:8)? Como hemos mencionado, la plaza hace referencia a los parlamentos y a los medios de comunicación desde los cuales se impulsarán estas leyes genocidas. Ahora, en cuanto a 'la gran ciudad', entendemos es un símbolo de las grandes ciudades desde las cuales se impulsarán estas normativas que, en sentido espiritual, se habrán convertido en Sodoma y Egipto. Es decir, en dos naciones que recibieron las plagas de la ira de Dios por haber oprimido a los santos, estando totalmente corrompidas por el paganismo y la perversión.

Ahora, ¿por qué se dice, respecto de ellas, 'donde también nuestro Señor fue crucificado' (Ap 11:8)? Porque Cristo será nuevamente crucificado, es decir, totalmente rechazado, tanto en el desprecio que realizarán estas normativas espúreas de su Santa Ley como en las persecuciones que impulsarán sobre sus escogidos, los cuales, deberán transitar un sendero muy similar al de su amado Maestro.[163]

---

163 Elena de White dijo: "Dios tiene un pleito con el mundo. Cuando sesione el juicio y los libros se abran, él tendrá una terrible cuenta que arreglar, que ahora mismo haría que el mundo temiera y temblase si los hombres no estuvieran enceguecidos y hechizados por los engaños y las seducciones satánicas. Dios llama al mundo a cuentas por la muerte de su Hijo unigénito a quien virtualmente el mundo ha vuelto a crucificar, y ha entregado a la vergüenza pública al perseguir a su pueblo. El mundo ha rechazado a Cristo en la persona de sus santos, ha rehusado sus mensajes al rechazar los mensajes de los profetas, apóstoles y mensajeros. Ha rechazado a aquellos que han sido colaboradores con Cristo, y por esto tendrá que rendir cuentas." TM 39

Ahora, la muerte que padecerán los *'dos testigos'* no será física, sino espiritual. Es decir, lo que ellos sufrirán será una angustia de muerte más que la muerte misma. De hecho, los dos testigos no serán dos personas sino dos pueblos –dos iglesias– que darán testimonio de la inmutabilidad de la Ley de Dios y del verdadero evangelio de Cristo, por lo que *'sus cadáveres'* no se encontrarán en ninguna plaza de ninguna gran ciudad llamada Sodoma y Egipto de una manera física, sino que todo esto tiene un significado simbólico y espiritual, como acabamos de explicar.[164]

En este sentido, la muerte que sufrirán aquellos que vendrán con el espíritu y el poder de Elías, será similar a aquella que, justamente, tuvo que sufrir el profeta Elías. Dice la Biblia: *"Acab dio a Jezabel la nueva de todo lo que Elías había hecho, y de cómo había matado a espada a todos los profetas. Entonces envió Jezabel a Elías un mensajero, diciendo: Así me hagan los dioses, y aun me añadan, si mañana a estas horas yo no he puesto tu persona como la de uno de ellos. Viendo, pues, el peligro, se levantó y se fue para salvar su vida, y vino a Beerseba, que está en Judá, y dejó allí a su criado. Y él se fue por el desierto un día de camino, y vino y se sentó debajo de un enebro; y deseando morirse, dijo: Basta ya, oh Jehová, quítame la vida, pues no soy yo mejor que mis padres." 1 Reyes 19:1-4*

Coincidentemente, la angustia de muerte que sufrió Elías también llegó al cabo de su testimonio, justamente, al final de aquellos 3,5 años que duró su profecía –durante los cuales no llovió sobre la tierra–, y fue provocada por una amenaza de muerte por parte de Jezabel.

A causa de esto, Elías huyó unos 180 km junto a su criado –desde Jezreel hasta Beerseba–, y luego en soledad por espacio de un día de camino hasta el desierto –entendemos, el de Néguev, el cual queda a unos 110 km de Beerseba–. Luego, Elías cayó rendido al suelo, en angustia de muerte, y se quedó dormido. Dice la Biblia: *"Y echándose debajo del enebro, se quedó dormido; y he aquí luego un ángel le tocó, y le dijo: Levántate, come. Entonces él miró, y he aquí a su cabecera una torta cocida sobre las ascuas, y una vasija de agua; y comió y bebió, y volvió a dormirse. Y volviendo el ángel de Jehová la segunda vez, lo tocó, diciendo: Levántate y come, porque largo*

---

164 Elena de White explica: "Al condenar a muerte al pueblo de Dios, los que lo hicieron son tan culpables de su sangre como si la hubiesen derramado con sus propias manos. Del mismo modo Cristo declaró que los judíos de su tiempo eran culpables de toda la sangre de los santos varones que había sido derramada desde los días de Abel, pues estaban animados del mismo espíritu y estaban tratando de hacer lo mismo que los asesinos de los profetas." CS 611

camino te resta. Se levantó, pues, y comió y bebió; y fortalecido con aque-lla comida caminó cuarenta días y cuarenta noches hasta Horeb, el monte de Dios [el cual está ubicado unos 350 km más al sur, en un contexto desértico y montañoso]." 1 Reyes 19:5-8

Ahora, esta historia se vincula estrechamente con la de los dos testigos no solo porque éstos profetizarán –al igual que Elías– por 3,5 tiempos –con su mismo espíritu y poder–, sino también por la cantidad de días que ellos estarán en angustia de muerte, al cabo de su testimonio. Dice Apocalipsis: *"Pero después de tres días y medio entró en ellos el espíritu de vida enviado por Dios, y se levantaron sobre sus pies, y cayó gran temor sobre los que los vieron." Apocalipsis 11:11*

Si haces un cálculo aproximado del tiempo que pasó entre que Elías recibió aquel mensajero enviado por Jezabel, hasta que fue fortalecido por Dios –luego de haber caído como muerto en el desierto–, llegas a un plazo muy similar a estos tres días y medio durante los cuales los dos testigos estarán en angustia de muerte, siendo ultrajados por el mundo entero.

Al cabo de aquellos breves pero terribles días de angustia inimaginable, los santos del tiempo del fin, al igual que Elías, serán fortalecidos por Dios para estar de pie ante la venida del Hijo del Hombre, y nadie volverá a atreverse a intentar, si quiera, poner un dedo sobre ellos sino que caerán rendidos a sus pies, reconociendo que Dios los ha amado.

Ahora, volviendo a la historia de Elías, dice que luego de aquellos cuarenta días y cuarenta noches en los que el profeta caminó hasta el Monte Horeb para encontrarse con Dios, él llegó y *"se metió en una cueva, donde pasó la noche. Y vino a él palabra de Jehová, el cual le dijo: ¿Qué haces aquí, Elías? Él respondió: He sentido un vivo celo por Jehová Dios de los ejér-citos; porque los hijos de Israel han dejado tu pacto, han derribado tus altares, y han matado a espada a tus profetas; y solo yo he quedado, y me buscan para quitarme la vida. Él le dijo: Sal fuera, y ponte en el monte delante de Jehová. Y he aquí Jehová que pasaba, y un grande y poderoso viento que rompía los montes, y quebraba las peñas delante de Jehová; pero Jehová no estaba en el viento. Y tras el viento un terremoto; pero Jehová no estaba en el terremoto. Y tras el terremoto un fuego; pero Jehová no estaba en el fuego. Y tras el fuego un silbo apacible y delicado. Y cuando lo oyó Elías, cubrió su rostro con su manto, y salió, y se puso a la puerta de la cueva. Y he aquí vino a él una voz, diciendo: ¿Qué haces aquí, Elías? Él respondió: He sentido un vivo celo por Jehová Dios de los ejércitos; porque los hijos de Israel han dejado tu pacto, han derribado tus altares, y han matado a espada a tus profetas; y solo yo he quedado, y me buscan para quitarme la vida." 1 Reyes 19:9-14*

¿No será éste, justamente, el contexto en el cual se encontrarán los hijos de Dios durante aquel terrible tiempo de gran angustia cual nunca hubo? ¿No habrán acaso, aquellos que se dicen cristianos, abandonado el pacto y blasfemando contra la ley de Dios, imponiendo leyes humanas contrarias a ella? ¿No será aquel un tiempo en el cual muchos de los sabios también habrán caído a espada, cautividad y despojo (Dn 11:33), y donde los que queden estarán huyendo por cuevas y montañas para salvar sus vidas? ¿No será también aquel un tiempo en el que se romperán los montes y las peñas delante nuestro? ¿Donde también habrá grandes terremotos y fuegos que trastocarán la faz del planeta tierra? En verdad que sí.

Ahora, ¿qué sucedió luego de que el profeta Elías se encontró con Dios en el monte Horeb? Fue dotado de autoridad para ungir reyes y profetas, tanto entre los paganos como entre los israelitas. Dice: *"Y le dijo Jehová: Ve, vuélvete por tu camino, por el desierto de Damasco; y llegarás, y ungirás a Hazael por rey de Siria. A Jehú hijo de Nimsi ungirás por rey sobre Israel; y a Eliseo hijo de Safat, de Abel-mehola, ungirás para que sea profeta en tu lugar. Y el que escapare de la espada de Hazael, Jehú lo matará; y el que escapare de la espada de Jehú, Eliseo lo matará. Y yo haré que queden en Israel siete mil, cuyas rodillas no se doblaron ante Baal, y cuyas bocas no lo besaron." 1 Reyes 19:15-18*

Tiempo después, el cual no se revela en la Palabra de Dios, Elías fue llevado al cielo en un carro de fuego. Dice la Escritura: *"Y aconteció que yendo ellos y hablando [Elías y Eliseo], he aquí un carro de fuego con caballos de fuego apartó a los dos; y Elías subió al cielo en un torbellino." 2 Reyes 2:11*

Es decir, lo mismo que sucederá con aquellos simbolizados por los dos testigos. Dice Apocalipsis: *"Y oyeron una gran voz del cielo, que les decía: Subid acá. Y subieron al cielo en una nube; y sus enemigos los vieron. En aquella hora hubo un gran terremoto, y la décima parte de la ciudad se derrumbó, y por el terremoto murieron en número de siete mil hombres; y los demás se aterrorizaron, y dieron gloria al Dios del cielo." Apocalipsis 11:12-13*

Al analizar este texto, salta a la vista que el 'arrebatamiento' de los hijos de Dios no será secreto, sino que todo el mundo los verá subir al cielo, luego de haber pasado por la gran tribulación. Claramente dice: *"Y subieron al cielo en una nube; y sus enemigos los vieron" (Ap11:12).*

De la misma manera, podemos comprobar que dicho arrebatamiento se producirá luego de la gran tribulación y no antes de ella –como creen muchos hermanos evangélicos–.

Ahora, ¿qué entendemos en relación a aquel *'gran terremoto'* que destruirá la décima parte de la ciudad y a siete mil hombres? En nuestra comprensión, es algo que solo podemos comprender si lo relacionamos con el contexto simbólico de Moisés y Elías en el que se presenta esta escritura. En este sentido, debemos recordar que Moisés no fue trasladado vivo al cielo –como sí lo fue Elías– sino que debió pasar por la muerte –estando en las mismas vísperas de la entrada a la tierra prometida–, para luego ser resucitado por Dios y llevado al cielo.

Moisés, debió morir debido a un gran pecado había cometido, no cuando era hijo del Faraón, sino cuando estaba en posición de liderazgo del pueblo de Israel. Pecado que consistió en tomar la obra de Dios por su propia fuerza, al golpear la roca diciendo: *"¡Oíd ahora, rebeldes! ¿Os hemos de hacer salir aguas de esta peña?" Números 20:10*

Es decir, haberse atribuido los milagros que Dios hacía por medio de él, a sí mismo. En aquella ocasión, *"Jehová dijo a Moisés y a Aarón: Por cuanto no creísteis en mí, para santificarme delante de los hijos de Israel, por tanto, no meteréis esta congregación en la tierra que les he dado." Números 20:12*

Por otra parte, en la historia de Elías se presenta, llamativamente, también a siete mil hombres que *"no habían doblado sus rodillas delante de Baal, ni lo habían besado con sus bocas" (1 Reyes 19:18),* pero que se habían mantenido ocultos en el tiempo de la tribulación.

Si unimos estas dos historias, podemos entender que aquellos siete mil hombres que morirán en aquel gran terremoto, representan a personas que no han recibido la marca de la bestia, ni en sus manos ni en su frente, y cuyas bocas no la han adulado, sino que forman parte del pueblo de Dios. Sin embargo, quizá por tratarse de dirigentes que se han atribuido la obra de una manera similar a Moisés, o porque no han tenido el coraje de enfrentar a los 'Acab' y a las 'Jezabel' del tiempo del fin –permaneciendo ocultos para no ser perseguidos–, es decir, por no haber formado parte de aquel ejército de sabios que seguirá al Cordero por doquiera que va, no podrán encontrarse entre aquellos estarán de pie ante el regreso de Cristo, sino que, así como Moisés, deberán pasar por la muerte instantes antes de que Jesús los resucite para llevarlos a la Canaán celestial.

En este sentido, Jesús dijo a sus discípulos: *"Si alguno quiere venir en pos de mí, niéguese a sí mismo, y tome su cruz, y sígame. Porque todo el que quiera salvar su vida, la perderá; y todo el que pierda su vida por causa de mí, la hallará."* Mateo 16:24-25

La 'Nueva Traducción Viviente', dice: *"Si tratas de aferrarte a la vida, la perderás, pero si entregas tu vida por mi causa, la salvarás" (Mateo 16:25 NTV)*, en tanto, la 'Traducción en Lenguaje Actual', versa: *"Si sólo les preocupa salvar su vida, la van a perder. Pero si deciden dar su vida por mi causa, entonces se salvarán" (Mateo 16:25 TLA)*.

Por esto, en nuestra comprensión, el número *'siete mil'* es simbólico y representa a la plenitud de aquellas multitudes que serán salvas pero que no podrán mantenerse de pie ante la segunda venida de Jesús.

Por otra parte, y dado que la *'gran ciudad, que en sentido espiritual se llama Sodoma y Egipto'* es simbólica, entendemos que su décima parte apunta a la proporción de las ciudades del mundo que recibirán la ira de Dios. Lo cual ocurrirá, justamente, en el 'segundo ¡ay! de la sexta trompeta del Apocalipsis. No por casualidad, a continuación dice: *"El segundo ay pasó; he aquí, el tercer ay viene pronto."* Apocalipsis 11:14

En síntesis, según nuestro entendimiento, Dios no enviará los juicios de su ira sin antes haber enviado a dos pueblos para que, como testigos suyos, declaren al mundo la inmutabilidad de la Ley de Dios y comuniquen su último llamado al arrepentimiento. A los que no presten atención a su testimonio, nadie los podrá librar de la ira de Dios.

En este sentido, el apóstol Pablo escribió: *"Porque si pecáremos voluntariamente después de haber recibido el conocimiento de la verdad, ya no queda más sacrificio por los pecados, sino una horrenda expectación de juicio, y de hervor de fuego que ha de devorar a los adversarios. El que viola la ley de Moisés, por el testimonio de dos o de tres testigos muere irremisiblemente. ¿Cuánto mayor castigo pensáis que merecerá el que pisoteare al Hijo de Dios, y tuviere por inmunda la sangre del pacto en la cual fue santificado, e hiciere afrenta al Espíritu de gracia? Pues conocemos al que dijo: Mía es la venganza, yo daré el pago, dice el Señor. Y otra vez: El Señor juzgará a su pueblo. ¡Horrenda cosa es caer en manos del Dios vivo!"* Hebreos 10:26-31

De esta manera, Apocalipsis cierra el paréntesis que abrió en el contexto de la sexta trompeta, en el mismo punto en el cual lo abrió, es decir, en el contexto del derramamiento de las copas de la ira de Dios.

La séptima trompeta

A continuación, Apocalipsis continúa diciendo: *"El séptimo ángel tocó la trompeta, y hubo grandes voces en el cielo, que decían: Los reinos del mundo han venido a ser de nuestro Señor y de su Cristo; y él reinará por los siglos de los siglos." Apocalipsis 11:15*

Es evidente que la séptima trompeta suena en un contexto en el cual los reinos del mundo han comenzado a estar bajo el completo dominio de Dios. Claramente dice: *"Los reinos del mundo han venido a ser de nuestro Señor y de su Cristo" (Ap 11:15).*   .

Aunque es cierto que Dios siempre ha gobernado por encima de los reinos del mundo, y que Él, en todo tiempo, ha quitado y puesto reyes (Daniel 2:21), lo que aquí se revela va más allá, dado que la expresión *'han venido a ser'* implica un dominio que antes no se ejercía. En este sentido, la traducción católica El Libro del Pueblo de Dios, de Levoratti-Trusso, versa: *"El dominio del mundo ha pasado a manos de nuestro Señor y de su Mesías, y él reinará por los siglos de los siglos". Apocalipsis 11:15 LPD*

Lo cual significa que la séptima trompeta suena dentro del contexto del *'gran día de Dios'*, al final del derramamiento de las copas de su ira, en el exacto momento en el cual Jesús regresará a nuestro mundo como Rey de reyes y Señor de señores.

Luego, dice: *"Y los veinticuatro Ancianos que estaban sentados en sus tronos, delante de Dios, se postraron para adorarlo, diciendo: «Te damos gracias, Señor, Dios todopoderoso —el que es y el que era— porque has ejercido tu inmenso poder y has establecido tu Reino. Los paganos se habían enfurecido, pero llegó el tiempo de tu ira, así como también el momento de juzgar a los muertos y de recompensar a tus servidores, los profetas, y a los santos y a todos aquellos que temen tu Nombre —pequeños y grandes— y el momento de exterminar a los que corrompían la tierra»." Apocalipsis 11:16-18 LPD*

Dice *"has ejercido tu inmenso poder"* —en pasado, lo cual apunta al derramamiento de las copas de su ira— y *"has establecido tu Reino"*. Lo cual anuncia que cuando Cristo regrese a nuestro mundo, lo hará como Rey de los reyes de la tierra, aunque aquí aún haya quienes intenten disputarle su corona.

¿Qué sucederá entonces? El propio Jesús, en su sermón escatológico, afirmó: *"Entonces aparecerá en el cielo la señal del Hijo del hombre [aquello que estudiamos en el capítulo anterior… Luego]. Todas las razas de la tierra se golpearán el pecho [otras versiones dicen "harán lamentación"] y verán al Hijo del hombre venir sobre las nubes del cielo, lleno de poder y de gloria. Y él enviará a sus ángeles para que, al sonido de la trompeta, congreguen a sus elegidos de los cuatro puntos cardinales, de un extremo al otro del horizonte." Mateo 24:30-31 LPD*

El apóstol Pablo, hablando de esta trompeta, escribió: *"Les voy a revelar un misterio: No todos vamos a morir, pero todos seremos transformados. En un instante, en un abrir y cerrar de ojos, cuando suene la trompeta final —porque esto sucederá— los muertos resucitarán incorruptibles y nosotros seremos transformados… Cuando lo que es corruptible se revista de la incorruptibilidad y lo que es mortal se revista de la inmortalidad, entonces se cumplirá la palabra de la Escritura: La muerte ha sido vencida. ¿Dónde está, muerte, tu victoria?" 1 Corintios 15:51-52, 54-55 LPD*

En otra oportunidad, este mismo apóstol, dijo: *"Porque a la señal dada por la voz del Arcángel y al toque de la trompeta de Dios, el mismo Señor descenderá del cielo. Entonces, primero resucitarán los que murieron en Cristo. Después nosotros, los que aún vivamos, los que quedemos, seremos llevados con ellos al cielo, sobre las nubes, al encuentro de Cristo…" 1 Tesalonicenses 4:16-17*

Ahora, ¿por qué los veinticuatro ancianos dicen, en este contexto, que *'ha llegado la hora de juzgar a los muertos' (Ap 11:18)?* Porque no se trata del juicio que comenzó en 1844 sobre aquellos que profesaron pertenecer a la iglesia de Cristo –de acuerdo a la profecía de 2300 tardes y mañanas de Daniel 8:14–, sino que se trata del juicio de los impíos, es decir, aquellos que no serán resucitados en la segunda venida de Jesús.[165]

Por esto, el juicio que se menciona en la séptima trompeta llega después de la ira de Dios, en el tiempo en el cual se dará el galardón, es

---

165 Elena de White escribió: "Vi que Jesús no dejaría el lugar santísimo antes que estuviesen decididos todos los casos, ya para salvación, ya para destrucción, y que la ira de Dios no podía manifestarse mientras Jesús no hubiese concluido su obra en el lugar santísimo y dejado sus vestiduras sacerdotales, para revestirse de ropaje de venganza. Entonces Jesús saldrá de entre el Padre y los hombres, y Dios ya no callará, sino que derramará su ira sobre los que rechazaron su verdad. Vi que la cólera de las naciones, la ira de Dios y el tiempo de juzgar a los muertos, eran cosas separadas y distintas, que se seguían una a otra. También vi que Miguel no se había levantado aún, y que el tiempo de angustia, cual no lo hubo nunca, no había comenzado todavía. Las naciones se están airando ahora, pero cuando nuestro Sumo Sacerdote termine su obra en el santuario, se levantará, se pondrá las vestiduras de venganza, y entonces se derramarán las siete postreras plagas. —Primeros Escritos, 36." MSV 266

decir, la recompensa, a los justos. Apocalipsis, hablando justamente de este galardón, y del juicio sobre los muertos que no fueron resucitados, dice: *"Y vi tronos, y se sentaron sobre ellos los que recibieron facultad de juzgar; y vi las almas de los decapitados por causa del testimonio de Jesús y por la palabra de Dios, los que no habían adorado a la bestia ni a su imagen, y que no recibieron la marca en sus frentes ni en sus manos; y vivieron [es decir, fueron resucitados] y reinaron con Cristo mil años. Pero los otros muertos no volvieron a vivir hasta que se cumplieron mil años. Esta es la primera resurrección. Bienaventurado y santo el que tiene parte en la primera resurrección; la segunda muerte no tiene potestad sobre estos, sino que serán sacerdotes de Dios y de Cristo, y reinarán con él mil años." Apocalipsis 20:4-6*

Luego, para finalizar, Apocalipsis 11 concluye presentando la apertura del cielo en el contexto de la segunda venida de Jesús. Dice: *"Y el templo de Dios fue abierto en el cielo, y el arca de su pacto se veía en el templo. Y hubo relámpagos, voces, truenos, un terremoto y grande granizo." Apocalipsis 11:19*

¿Por qué se abrirá el templo de Dios en el cielo? Porque Jesús habrá concluido su tarea allí y estará por salir en búsqueda de sus redimidos. ¿Por qué se mostrará el arca del pacto? Porque, precisamente, el juicio investigativo sobre la iglesia habrá concluido y Dios mostrará la ley por la cual habrán sido juzgados todos aquellos que profesaron su nombre. ¿Por qué habrán relámpagos, voces y truenos? Porque, estaremos ante la mismísima presencia de Dios, en un momento de intensa actividad celestial. Los ángeles de Dios irán de un lugar a otro para reunir a los escogidos y, como hemos comentado, el mismo Dios anunciará –con voz de trueno–, el día y la hora de su regreso.[166]

---

166 Elena de White comenta: "Cuando se abra el templo de Dios en el cielo, ¡qué ocasión de triunfo será para los fieles y leales! En el templo se verá el arca del pacto en la cual fueron puestas las dos tablas de piedra sobre las cuales está escrita la ley de Dios." 20MR 221

"Los que todo lo sacrificaron por Cristo están entonces seguros, como escondidos en los pliegues del pabellón de Dios. Fueron probados, y ante el mundo y los despreciadores de la verdad demostraron su fidelidad a Aquel que murió por ellos. Un cambio maravilloso se ha realizado en aquellos que conservaron su integridad ante la misma muerte. Han sido librados como por ensalmo de la sombría y terrible tiranía de los hombres vueltos demonios. Sus semblantes, poco antes tan pálidos, tan llenos de ansiedad y tan macilentos, brillan ahora de admiración, fe y amor. Sus voces se elevan en canto triunfal: "Dios es nuestro refugio y fortaleza; socorro muy bien experimentado en las angustias. Por tanto no temeremos aunque la tierra sea conmovida, y aunque las montañas se trasladen al centro de los mares;

Ahora, ¿de qué magnitud será el terremoto que se menciona aquí, en la séptima trompeta, y de qué proporciones será el granizo que caerá? Pues, la séptima copa de la ira lo anuncia, diciendo: *"El séptimo ángel derramó su copa por el aire; y salió una gran voz del templo del cielo, del trono, diciendo: Hecho está." Apocalipsis 16:17*

Lo cual coincide con aquella 'consumación' que se daría en el contexto de la séptima trompeta. Recordemos que se dijo: *"en los días de la voz del séptimo ángel [según leímos en el capítulo anterior], cuando él comience a tocar la trompeta, el misterio de Dios se consumará…" (Ap 10:7).*

Razón por la cual, entendemos, nos encontramos ante el mismo escenario. Ahora, veamos como concluye la séptima copa de la ira de Dios. Dice: *"Entonces hubo relámpagos y voces y truenos, y un gran temblor de tierra, un terremoto tan grande, cual no lo hubo jamás desde que los hombres han estado sobre la tierra. Y la gran ciudad fue dividida en tres partes, y las ciudades de las naciones cayeron; y la gran Babilonia vino en memoria delante de Dios, para darle el cáliz del vino del ardor de su ira. Y toda isla huyó, y los montes no fueron hallados. Y cayó del cielo sobre los hombres un enorme granizo como del peso de un talento [unos 34 kg]; y los hombres blasfemaron contra Dios por la plaga del granizo; porque su plaga fue sobremanera grande." Apocalipsis 16:18-21*

En síntesis, *'en los días de la voz del séptimo ángel [según leímos], cuando él comience a tocar la trompeta, el misterio de Dios se consumará… (Ap 10:7).* En aquel momento, *'el tiempo habrá concluido' (Ap 10:6),* las profecías habrán acabado, y todo aquello que estaba oculto de parte de Dios se manifestará al mundo entero.

---

aunque bramen y se turben sus aguas, aunque tiemblen las montañas a causa de su bravura" (Salmos 46:1-3). Mientras estas palabras de santa confianza se elevan hacia Dios, las nubes se retiran, y el cielo estrellado brilla con esplendor indescriptible en contraste con el firmamento negro y severo en ambos lados. La magnificencia de la ciudad celestial rebosa por las puertas entreabiertas. Entonces aparece en el cielo una mano que sostiene dos tablas de piedra puestas una sobre otra. El profeta dice: "Denunciarán los cielos su justicia; porque Dios es el juez". Salmos 50:6. Esta ley santa, justicia de Dios, que entre truenos y llamas fue proclamada desde el Sinaí como guía de la vida, se revela ahora a los hombres como norma del juicio. La mano abre las tablas en las cuales se ven los preceptos del Decálogo inscritos como con letras de fuego. Las palabras son tan distintas que todos pueden leerlas. La memoria se despierta, las tinieblas de la superstición y de la herejía desaparecen de todos los espíritus, y las diez palabras de Dios, breves, inteligibles y llenas de autoridad, se presentan a la vista de todos los habitantes de la tierra. CS 622

Para comprender mejor lo que ocurrirá en el tiempo de la séptima trompeta, recomendamos leer el capítulo *'La liberación del pueblo de Dios'*, del libro 'El Conflicto de los Siglos' de Elena de White.

QR 4: https://egwwritings.org/read?panels=p1710.2891

En este sentido, Dios no solo habrá abierto su Santa Palabra al entendimiento de aquellos que quisieron oírle, sino que también dejará ver su Santa Ciudad. Es más, abrirá sus puertas y mostrará hasta su mismísimo Lugar Santísimo, donde está el Arca de su Pacto conteniendo su preciosa Ley, la cual, también será mostrada al mundo entero como testimonio contra los impíos. Por último, Dios se dejará ver a sí mismo, el Santo de los santos, y allí, los que no estén acrisolados por haber permanecido junto a Él en el tiempo de la angustia, siendo limpiados, emblanquecidos y purificados por su Santo Espíritu, morirán con el fuego del resplandor de su Gloria.[167]

Por esto, en vistas de lo que sucederá, Dios te dice ti, que, de alguna manera, has sido llamado a su ministerio: *"Cuando trajere yo espada sobre la tierra, y el pueblo de la tierra tomare un hombre de su territorio y lo pusiere por atalaya, y él viere venir la espada sobre la tierra, y tocare trompeta y avisare al pueblo, cualquiera que oyere el sonido de la trompeta y no se apercibiere, y viniendo la espada lo hiriere, su sangre será sobre su cabeza. El sonido de la trompeta oyó, y no se apercibió; su sangre será sobre él; mas el que se apercibiere librará su vida. Pero si el atalaya viere venir la espada y no tocare la trompeta, y el pueblo no se apercibiere, y viniendo la espada, hiriere de él a alguno, este fue tomado por causa de su pecado, pero demandaré su sangre de mano del*

---

167 Elena de White comenta: "En aquel día, así como sucedió en tiempo de la destrucción de Jerusalén, el pueblo de Dios será librado, porque serán salvos todos aquellos cuyo nombre esté "inscrito para la vida" (Isaías 4:3). Nuestro Señor Jesucristo anunció que vendrá la segunda vez para llevarse a los suyos: "Entonces se mostrará la señal del Hijo del hombre en el cielo; y entonces lamentarán todas las tribus de la tierra, y verán al Hijo del hombre que vendrá sobre las nubes del cielo, con grande poder y gloria. Y enviará sus ángeles con gran voz de trompeta, y juntarán sus escogidos de los cuatro vientos, de un cabo del cielo hasta el otro" (Mateo 24:30, 31). Entonces los que no obedezcan al evangelio serán muertos con el aliento de su boca y destruidos con el resplandor de su venida (2 Tesalonicenses 2:8). Así como le sucedió antiguamente a Israel, los malvados se destruirán a sí mismos, y perecerán víctimas de su iniquidad. Debido a su vida pecaminosa los hombres se han apartado tanto del Señor y tanto ha degenerado su naturaleza con el mal, que la manifestación de la gloria del Señor es para ellos un fuego consumidor." CS 35

atalaya. A ti, pues, hijo de hombre, te he puesto por atalaya a la casa de Israel, y oirás la palabra de mi boca, y los amonestarás de mi parte. Cuando yo dijere al impío: Impío, de cierto morirás; si tú no hablares para que se guarde el impío de su camino, el impío morirá por su pecado, pero su sangre yo la demandaré de tu mano. Y si tú avisares al impío de su camino para que se aparte de él, y él no se apartare de su camino, él morirá por su pecado, pero tú libraste tu vida." Ezequiel 33:2-9

En consecuencia, mi amado hermano, ya sea que formes parte de una u otra iglesia de Dios, por mi parte, me uno a las palabras del profeta Isaías y te digo: *"Levántate, resplandece; porque ha venido tu luz, y la gloria de Jehová ha nacido sobre ti. Porque he aquí que tinieblas cubrirán la tierra, y oscuridad las naciones; mas sobre ti amanecerá Jehová, y sobre ti será vista su gloria." Isaías 60:1-2*

Que el Dios de Abraham, Isaac, Jacob, Moisés y David te bendiga y te guarde, haga resplandecer su rostro sobre ti y tenga de ti misericordia. Que Jehová alce sobre ti su rostro, y ponga en ti paz.

Vuelve a leer, ahora mismo, Apocalipsis 11, y comprueba como ya se ha abierto ante tus ojos.

Capítulo 12
La gran batalla del cielo

Apocalipsis, luego de presentar –en la primera mitad del libro–, al autor de la revelación, el mensaje de Cristo a su iglesia militante, y de describir los sucesos que se desarrollarán durante la apertura de los siete sellos y el sonar de las siete trompetas; en este capítulo despliega una visión panorámica del gran conflicto entre la iglesia de Cristo y Satanás, poniendo especial énfasis en su desenlace. De su correcta comprensión, dependerá el buen entendimiento de todo el libro.

El marco del conflicto

Apocalipsis 12 comienza diciendo: *"Apareció en el cielo una gran señal: una mujer vestida del sol, con la luna debajo de sus pies, y sobre su cabeza una corona de doce estrellas." Apocalipsis 12:1*

Como hemos mencionado, la mujer pura, en la Biblia, representa la iglesia que se unirá con Cristo en matrimonio espiritual. Apocalipsis, un poco más adelante, dice: *"Gocémonos y alegrémonos y démosle gloria; porque han llegado las bodas del Cordero, y su esposa se ha preparado. Y a ella se le ha concedido que se vista de lino fino, limpio y resplandeciente; porque el lino fino es [o representa] las acciones justas de los santos." Apocalipsis 19:7-8*

Por eso es que esta mujer aparece vestida de sol, porque Dios ha concedido a sus *'santos'* que se vistan de lino fino, limpio y resplandeciente, lo cual viene a ser el manto de la perfecta justicia de Cristo.

A través del profeta Malaquías, Dios dice: *"Se acerca el día, ardiente como un horno, en que todos los orgullosos y malvados arderán como paja en una hoguera. Ese día que ha de venir los quemará, y nada quedará de ellos. Pero para ustedes que me honran, mi justicia brillará como la luz del sol, que en sus rayos trae salud [o 'salvación', según la RV60]." Malaquías 4:1-2 DHH*

Ahora, esta mujer, símbolo de la iglesia de Cristo, no solo está *'vestida de sol'* sino que también posee el resto de las lumbreras. Dice que tiene *'la luna debajo de sus pies, y sobre su cabeza una corona de doce estrellas'* (Ap 12:1).

Las doce estrellas, entendemos, representan la luz divina que dirige el gobierno de la iglesia, dado que, como hemos explicado, el número doce es símbolo de gobierno divino −por eso Dios estableció doce tribus para gobernar a Israel y doce apóstoles para conducir su iglesia−.

Sin embargo, respecto de la luna −que la mujer lleva debajo de sus pies−, en nuestra comprensión representa el don profético de Elena de White con que Dios ha dotado a su iglesia de los últimos días, para guiar sus pies en el período de mayor oscuridad espiritual jamás conocido.

¿Por qué creemos esto? Porque la luna, en el sueño de José, representaba la figura de una mujer (en aquel caso, de su madre), mientras que las doce estrellas simbolizaban los patriarcas de las doce tribus de Israel. Dice Génesis: *"[José] Soñó aun otro sueño, y lo contó a sus hermanos, diciendo: He aquí que he soñado otro sueño, y he aquí que el sol y la luna y once estrellas se inclinaban a mí. Y lo contó a su padre y a sus hermanos; y su padre le reprendió, y le dijo: ¿Qué sueño es este que soñaste? ¿Acaso vendremos yo y tu madre y tus hermanos a postrarnos en tierra ante ti? Y sus hermanos le tenían envidia, mas su padre meditaba en esto." Génesis 37:9-11*

Otra razón por la que creemos esto, es porque la luna representa una *'luz menor'* que no posee luz propia, sino que refleja la que proviene de otros astros. En este sentido, si analizamos la Biblia, principalmente el Antiguo Testamento, sus escritores no fundamentaron sus dichos en los escritos de otros profetas sino en revelaciones de Dios. En cambio, aunque Elena de White también aseveró haber recibido numerosas visiones de parte de Dios, todos sus escritos están fundamentados en textos de la Biblia; y el objetivo de su obra consiste en hacernos entender lo que Dios dijo por medio de otros profetas. Es por esto que, en nuestra convicción personal, creeomos que Dios incluyó su importantísimo ministerio dentro del marco profético de Apocalipsis 12, mediante el símbolo de la *luna* que, como *luz menor*, alumbra los pies de su iglesia, pero no la gobierna.[168]

Sin embargo, el punto principal de todo esto −que está fuera de toda discusión−, es que la iglesia de Cristo ha sido dotada de completa luz −representada por el sol, las estrellas y la luna−. Jesús dijo: *"Yo soy la luz del mundo; el que me sigue, no andará en tinieblas, sino que tendrá la luz de la vida." Juan 8:12.*

---

168 Elena de White escribió, en relación a su propia obra: "Poco caso se hace de la Biblia, y el Señor ha dado una luz menor para guiar a los hombres y mujeres a la luz mayor.—The Review and Herald, 20 de enero de 1903; El Colportor Evangélico, 129." 3MS 32.4

En otra oportunidad, Jesús también dijo: *"Vosotros sois la luz del mundo; una ciudad asentada sobre un monte no se puede esconder. Ni se enciende una luz y se pone debajo de un almud, sino sobre el candelero, y alumbra a todos los que están en casa. Así alumbre vuestra luz delante de los hombres, para que vean vuestras buenas obras, y glorifiquen a vuestro Padre que está en los cielos." Mateo 5:14-16*

Y el apóstol Pedro escribió: *"vosotros sois linaje escogido, real sacerdocio, nación santa, pueblo adquirido por Dios, para que anunciéis las virtudes de aquel que os llamó de las tinieblas a su luz admirable." 1 Pedro 2:9*

En tanto, Pablo, también dijo: *"en otro tiempo erais tinieblas, mas ahora sois luz en el Señor; andad como hijos de luz." "Haced todo sin murmuraciones y contiendas, para que seáis irreprensibles y sencillos, hijos de Dios sin mancha en medio de una generación maligna y perversa, en medio de la cual resplandecéis como luminares en el mundo." Efesios 5:8; Filipenses 2:14-15*

En resumen, el primer bando que se presenta en el gran conflicto que se describe en este capítulo, es el de la iglesia de Dios. ¿Cuál es el otro? Dice: *"También apareció otra señal en el cielo: he aquí un gran dragón escarlata, que tenía siete cabezas y diez cuernos, y en sus cabezas siete diademas; y su cola arrastraba la tercera parte de las estrellas del cielo, y las arrojó sobre la tierra." Apocalipsis 12:3-4*

Como es sabido, el gran dragón escarlata simboliza al diablo, y la tercera parte de las estrellas del cielo a los ángeles que fueron arrastrados por él, en su rebelión contra Dios. Dice, un poco más adelante: *"Y fue lanzado fuera el gran dragón, la serpiente antigua, que se llama diablo y Satanás, el cual engaña al mundo entero; fue arrojado a la tierra, y sus ángeles fueron arrojados con él." Apocalipsis 12:9*

Ahora, ¿qué simbolizan las siete cabezas y los diez cuernos que tiene este dragón? Aunque es algo que explicaremos en nuestro análisis de Apocalipsis 17, las siete cabezas representan tanto el lugar donde se asienta la sede de gobierno satánico, como la plenitud de los reinos sobre los cuales se asienta, y aún siete reyes que gobernarían, de manera sucesiva, la bestia espantosa y terrible, durante el desenlace del gran conflicto. Dice: *"Esto, para la mente que tenga sabiduría: Las siete cabezas son siete montes, sobre los cuales se sienta la mujer [en este caso, la mujer prostituta llamada Babilonia, la cual es símbolo de la iglesia apóstata], y son siete reyes. Cinco de ellos han caído; uno es, y el otro aún no ha venido; y cuando venga, es necesario que dure breve tiempo." Apocalipsis 17:9-10*

Los diez cuernos, en cambio, representan los gobernantes que, de manera simultánea, en el tiempo del fin le entregarán el poder y la autoridad a dicha bestia. Dice: *"los diez cuernos que has visto, son diez reyes, que aún no han recibido reino; pero por una hora [es decir, muy poco tiempo] recibirán autoridad como reyes juntamente con la bestia. Estos tienen un mismo propósito, y entregarán su poder y su autoridad a la bestia." Apocalipsis 17:12-13*

En definitiva, Apocalipsis 12 presenta al diablo, sus demonios, la falsa religión y los reinos del mundo como el segundo bando de aquel gran conflicto que se originó en el cielo.

Contexto temporal

Ahora, ¿de qué tiempo trata esta profecía? Pues, las *'grandes señales'*, tanto de la mujer vestida de sol como del dragón escarlata, aparecen en el cielo. Por esto el inicio de la profecía se remonta al tiempo de la rebelión de Lucifer –que se produjo en el cielo y luego se trasladó a la tierra, cuando satanás fue expulsado del cielo junto con sus ángeles–.

Después, la profecía salta alrededor de 4000 años y nos sitúa en la tierra, en el momento en el cual Cristo está por nacer como *'simiente'* de aquella iglesia. Dice: *"Y estando [la mujer] encinta, clamaba con dolores de parto, en la angustia del alumbramiento… Y el dragón se paró frente a la mujer que estaba para dar a luz, a fin de devorar a su hijo tan pronto como naciese. Y ella dio a luz un hijo varón, que regirá con vara de hierro a todas las naciones; y su hijo fue arrebatado para Dios y para su trono." Apocalipsis 12:3-5*

Como vemos, la profecía cubre –a vuelo de pájaro– todo el ministerio terrenal de Jesús, desde su nacimiento hasta su ascensión a los cielos.

Ahora, es importante que notemos la manera en que el *'dragón'* intentó devorar a Cristo tan pronto como nació. Si recordamos, la historia nos cuenta que los sabios del oriente –también llamados reyes magos– vinieron siguiendo la estrella que anunciaba el nacimiento del Mesías hasta Jerusalén. Dice: *"Cuando Jesús nació en Belén de Judea en días del rey Herodes, vinieron del oriente a Jerusalén unos magos, diciendo: ¿dónde está el rey de los judíos, que ha nacido? Porque su estrella hemos visto en el oriente, y venimos a adorarle. Oyendo esto, el rey Herodes se turbó, y toda Jerusalén con él. Y convocados todos los principales sacerdotes, y los escribas del pueblo, les preguntó dónde había de nacer el Cristo. Ellos le dijeron: En Belén de Judea; porque así está escrito por el profeta… Entonces Herodes, llamando en secreto a los magos, indagó de ellos diligentemente el tiempo de la aparición de la estrella;*

y enviándolos a Belén, dijo: Id allá y averiguad con diligencia acerca del niño; y cuando le halléis, hacédmelo saber, para que yo también vaya y le adore. Ellos, habiendo oído al rey, se fueron; y he aquí la estrella que habían visto en el oriente iba delante de ellos, hasta que llegando, se detuvo sobre donde estaba el niño… Pero siendo avisados por revelación en sueños que no volviesen a Herodes, regresaron a su tierra por otro camino. Después que partieron ellos, he aquí un ángel del Señor apareció en sueños a José y dijo: Levántate y toma al niño y a su madre, y huye a Egipto, y permanece allá hasta que yo te diga; porque acontecerá que Herodes buscará al niño para matarlo." Mateo 2:1-13

Aquí vemos que, si no hubiese sido por la intervención directa de Dios, el diablo habría devorado a Cristo *'tan pronto como nació'* (Ap 12:4). Ahora, ¿de qué manera lo habría hecho? No con sus propios dientes, sino a través de los poderes terrenales que están bajo su dominio. En este caso, a través de Herodes, gobernante del Imperio Romano. Dice: *"Herodes entonces, cuando se vio burlado por los magos, se enojó mucho, y mandó matar a todos los niños menores de dos años que había en Belén y en todos sus alrededores, conforme al tiempo que había inquirido de los magos." Mateo 2:16*

Luego de esto, Apocalipsis avanza otros casi 1800 años, hasta el fin de los 1260 años de persecución que sufrió la iglesia durante la edad media. Dice: *"Y la mujer huyó al desierto, donde tiene lugar preparado por Dios, para que allí la sustenten por mil doscientos sesenta días." Apocalipsis 12:6*

Decimos 1260 años porque la palabra griega 'ἡμέρα' (jeméra) que aquí se traduce como *'días'*, en su definición figurativa también podría traducirse como *'períodos'* o *'tiempos'* cuya duración se define por el contexto[169]. También porque en la Biblia, en varias ocasiones, los días proféticos representan años. Dios le dijo a Ezequiel: *"...día por año, día por año te lo he dado." Ezequiel 4:6*

En consecuencia, en estos escasos seis versículos, Apocalipsis describe −en lenguaje simbólico, y a vuelo de pájaro−, la historia del gran conflicto, desde su inicio −en el cielo− hasta el fin de los 1260 años en los que la Roma papal, como representación terrenal de aquel gran dragón escarlata, persiguió a los verdaderos hijos de Dios durante la edad oscura −desde el 538, cuando cayó el último de los reinos que se oponían al surgimiento del papado, hasta 1798, momento en el que la Revolución Francesa le causó una 'herida de muerte' al poder del obispo de Roma−.

---

169 Diccionario Strong G2250.

Ahora, es evidente que el núcleo del mensaje no se encuentra en esta parte de la profecía, sino que estos primeros seis versículos constituyen el marco histórico dentro del cual se presentará la gran enseñanza de este capítulo.

Sin embargo, notemos que, hasta aquí, existe continuidad temporal en el relato profético. Es decir, la profecía se presenta en perfecto orden al nombrar los principales hitos que constituyen el contexto en el cual se desarrollará la gran batalla que se menciona a continuación. Dice: *"Después hubo una gran batalla en el cielo: Miguel y sus ángeles luchaban contra el dragón; y luchaban el dragón y sus ángeles; pero no prevalecieron, ni se halló ya lugar para ellos en el cielo. Y fue lanzado fuera el gran dragón, la serpiente antigua, que se llama diablo y Satanás, el cual engaña al mundo entero; fue arrojado a la tierra, y sus ángeles fueron arrojados con él." Apocalipsis 12:7-9*

Si ponemos atención, tanto en esta como en otras traducciones de la Biblia, la profecía incluye un conector de posterioridad cuando dice: *"Después [hubo una gran batalla en el cielo...]" (Ap12:7).* Por lo que nos preguntamos, ¿a qué batalla se refiere?

Siete batallas

Para responder a esta pregunta, tenemos que tener presente las diferentes *'batallas'* que se han desarrollado en el gran conflicto entre Cristo y Satanás, y las que aún restan por desarrollarse. En este sentido, la Biblia da cuenta de siete grandes –o principales– batallas, dos en el cielo y cinco en la tierra:

1. La primera se dio en el cielo, cuando Lucifer se rebeló arrastrando la tercera parte de los ángeles. Cristo prevaleció, y el diablo –junto con sus ángeles– fueron expulsados del cielo y arrojados a la tierra. El resultado de esta batalla es mencionado al inicio de este capítulo, cuando dice que *'la cola del dragón arrastró la tercera parte de las estrellas del cielo, y las arrojó sobre la tierra' (Ap 12:4).*

Aunque el texto de Apocalipsis 12:7-9, que leímos hace un momento, describe algo similar a lo que sucedió en aquella batalla inicial, el contexto temporal no coincide dado que, según se dice, esta batalla ocurriría 'después' de los 1260 años durante los cuales la iglesia se vería obligada a huir al desierto, y no antes –incluso– de la creación de Adán y Eva.

2. La segunda batalla entre *'Miguel'* y *'el dragón'* se produjo en la tierra, en el Jardín del Edén, cuando Cristo salió en defensa de la humanidad a fin de preservar su vida mediante la promesa de pagar sustitutivamente el pecado del hombre.

En aquella oportunidad, y por el hecho de que Eva había sido engañada por el diablo, *"Jehová Dios dijo a la serpiente: por cuanto esto hiciste, maldita serás entre todas las bestias y entre todos los animales del campo; sobre tu pecho andarás, y polvo comerás todos los días de tu vida. Y pondré enemistad entre ti y la mujer, y entre tu simiente [entre los hijos del diablo] y la simiente suya [los hijos de Dios]; esta [es decir, la simiente de la mujer] te herirá en la cabeza, y tú le herirás [a ella] en el calcañar [es decir, en el talón o fundamento de la iglesia, el cual es Cristo]." Génesis 3:14-15*

Lo cierto, es que si Cristo no hubiese intervenido, la humanidad debería haber muerto ese mismo día; sin embargo, gracias a su promesa de pagar nuestro pecado con su sangre, aquella pareja retuvo la vida. No hay palabras para describir esta escena. ¿Dios endeudándose hasta la muerte por amor de su propia creación? Es algo que, si lo pensamos bien, nos llena de admiración. ¡El Creador de los cielos y la tierra, quien trajo a la existencia cada átomo del universo, y de quien es todo el oro y la plata, ¿se endeuda a sí mismo, hasta la muerte, mediante una promesa de pago por la humanidad?!

A su vez, si Cristo no hubiese puesto enemistad entre el diablo y su iglesia terrenal, la humanidad entera habría sido presa de Satanás a la manera de demonios que siguen sus órdenes.

Sin embargo, aunque Cristo subyugó el poder de Satanás, el diablo volvió a tener acceso al cielo, ya no en carácter de habitante de las moradas del Altísimo, sino en representación de la humanidad a la cual había vencido. El Libro de Job da cuenta de ello, diciendo: *"Un día vinieron a presentarse delante de Jehová los hijos de Dios [es decir, los representantes de los diferentes mundos que Dios ha creado], entre los cuales vino también Satanás [en representación de la tierra que había conquistado, dice:]. Y dijo Jehová a Satanás: ¿De dónde vienes? Respondiendo Satanás a Jehová, dijo: De rodear la tierra y de andar por ella [es decir, de regentar mis dominos]." Job 1:6-7*

Ahora, aunque en esta batalla aparecen los mismos actores que se mencionan en el inicio de Apocalipsis 12, es decir: la mujer −en representación de aquella iglesia de la cual nacería el Mesías−, el dragón o serpiente antigua –en representación del diablo–, y la simiente de la mujer –que es Cristo–, no podría tratarse de la batalla de Apocalipsis 12:7-9 por no coincidir ni el lugar donde habría de librarse dicha batalla ni el contexto temporal en el cual se describen los hechos.

3. La tercera batalla entre Cristo y Satanás también se dio en la tierra, durante la resurrección de Moisés. Dice la Biblia: *"Pero cuando el arcángel Miguel contendía con el diablo, disputando con él por el cuerpo de Moisés, no se atrevió a proferir juicio de maldición contra él, sino que dijo: El Señor te reprenda."* Judas 1:9

La importancia de esta batalla no solo radica en la resurrección de una persona, sino que tiene que ver con el poderío –o el imperio– sobre los muertos. La Biblia dice: *"reinó la muerte desde Adán hasta Moisés"*. Romanos 5:14[170]

En esta batalla por los muertos, así como en la anterior por los vivos –Adán y Eva–, Cristo ejecutó su obra sin que el diablo le pueda resistir; sin embargo, también es esta oportunidad, se volvió a endeudar por la humanidad. Otra vez, el Creador del cielo y de la tierra, comprometió su vida al decidir levantar de los muertos a un pecador –como Moisés–, dado que solo la sangre de Jesús podía darle derecho de realizar tal obra.

Sin embargo, aunque en esta batalla se menciona a Cristo con el mismo nombre de guerra que aparece en Apocalipsis 12:7 –Miguel–, no podría tratarse de esta batalla porque tampoco coincide ni el tiempo ni el lugar en el cual debía desarrollarse.

4. La cuarta batalla también se dio en la tierra cuando Cristo, en condición humana, se enfrentó con Satanás durante los tres años y medio que duró su ministerio. En este sentido, la Biblia dice que Cristo,

---

170 Elena de White explica: "En este episodio Cristo ejerció por primera vez su poder a fin de quebrantar el poder de Satanás y dar vida a los muertos. Aquí comenzó su obra de vivificar lo que había muerto. De este modo testificó que era la Resurrección y la Vida y que tenía poder para rescatar a quienes Satanás había hecho cautivos, por lo que aunque murieran, volverían a vivir. Una pregunta se había levantado: "Si el hombre muriere, ¿volverá a vivir?" y esa pregunta ahora tenía respuesta. Este acto fue una gran victoria sobre los poderes de las tinieblas. La manifestación de poder era un testimonio incontrovertible de la supremacía del Hijo de Dios. Satanás no esperaba que un ser que había muerto volviese a vivir. Creía que la frase, "polvo eres y al polvo volverás", le concedía la posesión indiscutible de los cuerpos de quienes habían fallecido. Ahora comprendía que era despojado de su presa, que los seres mortales podían volver a vivir después de la muerte." CT 132

luego de ser bautizado, fue llevado por el Espíritu al desierto para ser tentado por el diablo (Mateo 4:1), al cual pudo resistir aferrándose a la Palabra de Dios.

Luego, el enemigo de Dios siguió tratando de entramparlo a través de la maligna obra de los dirigentes del pueblo de Israel. Sin embargo, Cristo se mantuvo firme y lo venció muriendo en la cruz del calvario. El apóstol Pablo, escribió: *"[Cristo destruyó] por medio de la muerte al que tenía el imperio de la muerte, esto es, al diablo" "y despojando a los principados y a las potestades, los exhibió públicamente, triunfando sobre ellos en la cruz." Hebreos 2:14; Colosenses 2:15*

Sin duda, esta batalla constituye la más grande de todas las batallas; dado que, en la cruz, Jesús, −como segundo Adán− no solo venció al diablo en carne humana, sino que también demostró el amor de Dios, la perfección de su ley y la no imposibilidad de cumplimiento para todo aquel que hace de Dios su fuerza. Además, −con su muerte− Jesús cumplió sus promesas de pago por Adán y Eva, Enoc, Moisés, Elías −y todos aquellos que llevará consigo en el fin de los siglos−.

De la misma manera, por haber vencido al maligno, Cristo recobró para sí la representación de la humanidad en el cielo. Él dijo, luego de resucitar de los muertos: *"toda potestad me es dada en el cielo y en la tierra. Por tanto, id, y haced discípulos a todas las naciones..." Mateo 28:18-19*[171]

Ahora, aunque esta victoria de Cristo tiene un significado importantísimo dentro del plan de salvación, tampoco podría tratarse de la batalla de Apocalipsis 12:7-9 por las mismas dos razones que las anteriores. Es decir, porque se dio en la tierra −y no en el cielo−, y porque sucedió

---

171 Elena de White escribió: "Satanás vio que su disfraz le había sido arrancado. Su administración quedaba desenmascarada delante de los ángeles que no habían caído y delante del universo celestial. Se había revelado como homicida. Al derramar la sangre del Hijo de Dios, había perdido la simpatía de los seres celestiales. Desde entonces su obra sería restringida. Cualquiera que fuese la actitud que asumiese, no podría ya acechar a los ángeles mientras salían de los atrios celestiales, ni acusar ante ellos a los hermanos de Cristo de estar revestidos de ropas de negrura y contaminación de pecado. Estaba roto el último vínculo de simpatía entre Satanás y el mundo celestial. Sin embargo, Satanás no fue destruido entonces. Los ángeles no comprendieron ni aun entonces todo lo que entrañaba la gran controversia. Los principios que estaban en juego habían de ser revelados en mayor plenitud. Y por causa del hombre, la existencia de Satanás debía continuar. Tanto el hombre como los ángeles debían ver el contraste entre el Príncipe de la luz y el príncipe de las tinieblas. El hombre debía elegir a quién quería servir." DTG 709

antes de los 1260 años de persecución –y no después–. Por otra parte, quien fue despojado de su acceso al cielo en esta batalla fue Satanás –en su carácter de representante de la humanidad–, y no 'el dragón y sus ángeles', tal como aparece en este pasaje.[172]

No obstante, hay dos cosas que debemos resaltar antes de seguir avanzando. La primera es que, a lo largo de estas primeras cuatro batallas, la esencia de la contienda entre Cristo y Satanás no radica en enfrentamientos armados, sino en disputas principalmente verbales. En este sentido, debemos considerar que Cristo no ejercerá su poder destructor sobre Satanás y sus demonios hasta que haya concluido todas las etapas de su juicio, luego del milenio.

Por otra parte, es llamativo como, de alguna u otra manera, todas estas contiendas entre Cristo y Satanás han sido sintéticamente incluidas dentro del marco inicial de esta profecía. En el caso de esta batalla que nos ocupa, la podemos ver reflejada en el intento del diablo por devorar al hijo de la mujer y en la ascensión triunfante de éste a los cielos.

5. La quinta batalla es la que nos ocupa, es decir, aquella que debía ocurrir en el cielo, 'después' de los 1260 años de persecución sobre la iglesia, y trata –también en esta ocasión– de una disputa entre Cristo y Satanás por las personas que han muerto, en el contexto del juicio de Dios, durante su etapa investigativa, la cual, como hemos mencionado, debía desarrollarse en el cielo.[173]

---

172 Elena de White comenta: "Había una labor maravillosa que Cristo debía realizar cuando vino a nuestro mundo. Satanás estaba manejando las cosas como le placía. El enemigo, como príncipe del mundo, había reclamado este territorio como suyo. Cristo vino a disputar el poder y la pretensión de Satanás y a rescatar a la raza humana de su poder opresivo... El campo de batalla estaba aquí en este pequeño planeta." CT 260

"Cristo no entregó su vida hasta que hubo cumplido la obra que había venido a hacer, y con su último aliento exclamó: 'Consumado es.' 1 Juan 19:30. La batalla había sido ganada. Su diestra y su brazo santo le habían conquistado la victoria. Como Vencedor, plantó su estandarte en las alturas eternas. ¡Qué gozo entre los ángeles! Todo el cielo se asoció al triunfo de Cristo. Satanás, derrotado, sabía que había perdido su reino. El clamor, "Consumado es," tuvo profundo significado para los ángeles y los mundos que no habían caído. La gran obra de la redención se realizó tanto para ellos como para nosotros. Ellos comparten con nosotros los frutos de la victoria de Cristo." DTG 706

173 Puedes ver las diferentes etapas del juicio de Dios al final de nuestro capítulo 5, titulado 'La Sentencia y el Juez Ejecutor'.

Ahora, ¿tendrían el diablo y sus demonios acceso al cielo luego de la muerte de Cristo? No durante más de 1800 años; pero, desde que –de acuerdo a la profecía de Daniel 8:14– en 1844 comenzó el juicio de Dios, entendemos que se les volvió a permitir la entrada, no ya en carácter de ciudadanos de las moradas del Altísimo, ni en representación de la tierra, sino como *'acusadores de los hermanos'*, a fin de que quede demostrada la imparcialidad de Dios en su juicio.[174]

En este sentido, creemos que el diablo será expulsado del cielo junto con sus ángeles porque son éstos los que le asisten en su rol de acusador de los hermanos. Es decir, entendemos que, ante cada caso o persona juzgada, se llama a cada ángel que tenga conocimiento sobre dicha persona –tanto protectores como acusadores– para que atestigüen sobre sus obras.

Respecto de los de Dios, dice la Biblia: *"millares de millares le servían, y millones de millones asistían delante de él; el Juez se sentó, y los libros fueron abiertos." (Daniel 7:10).* Por lo cual no sería demasiado suponer que al diablo se le conceda que también disponga de sus demonios como 'asistentes de acusación', los cuales terminarán siendo expulsados –junto con él– al final de dicho juicio.

Como vemos, en la gran disputa del juicio de los muertos, sí se cumplen las dos consignas principales que nos da la Palabra de Dios para

---

174 Elena de White destaca la presencia de Satanás durante el desarrollo del juicio divino. En el libro 'El Conflicto de los Siglos', precisamente en el capítulo titulado 'El juicio investigador', ella escribió: "Todo el más profundo interés manifestado entre los hombres por los fallos de los tribunales terrenales no representa sino débilmente el interés manifestado en los atrios celestiales cuando los nombres inscritos en el libro de la vida desfilen ante el Juez de toda la tierra… Mientras Jesús intercede por los súbditos de su gracia, Satanás los acusa ante Dios como transgresores. El gran seductor procuró arrastrarlos al escepticismo, hacerles perder la confianza en Dios, separarse de su amor y transgredir su ley. Ahora él señala la historia de sus vidas, los defectos de carácter, la falta de semejanza con Cristo, lo que deshonró a su Redentor, todos los pecados que les indujo a cometer, y a causa de estos los reclama como sus súbditos. Jesús no disculpa sus pecados, pero muestra su arrepentimiento y su fe, y, reclamando el perdón para ellos, levanta sus manos heridas ante el Padre y los santos ángeles, diciendo: Los conozco por sus nombres. Los he grabado en las palmas de mis manos. "Los sacrificios de Dios son el espíritu quebrantado: al corazón contrito y humillado no despreciarás tú, oh Dios" (Salmos 51:17). Y al acusador de su pueblo le dice: "Jehová te reprenda, oh Satán; Jehová, que ha escogido a Jerusalén, te reprenda. ¿No es este un tizón arrebatado del incendio?" (Zacarías 3:2)." CS 475-476

poder identificar correctamente la batalla que nos introduce en el asunto central de Apocalipsis 12; es decir, que la contienda −entre Miguel y sus ángeles y el dragón y sus ángeles− debía darse en el cielo, luego de los 1260 años de persecuciones. Cosa que, hasta aquí, no se había cumplido en ninguna de las batallas anteriores y, como veremos, tampoco se cumplirá en las siguientes.

Ahora, veamos si, en la continuidad de Apocalipsis 12, se confirma este análisis. Dice: *"Entonces [es decir, luego de que Satanás y sus demonios fueron expulsados del cielo] oí una gran voz en el cielo, que decía: Ahora ha venido la salvación, el poder, y el reino de nuestro Dios, y la autoridad de su Cristo; porque ha sido lanzado fuera el acusador de nuestros hermanos, el que los acusaba delante de nuestro Dios día y noche. Y ellos le han vencido por medio de la sangre del Cordero y de la palabra del testimonio de ellos, y menospreciaron sus vidas hasta la muerte. Por lo cual alegraos, cielos, y los que moráis en ellos. ¡Ay de los moradores de la tierra y del mar! porque el diablo ha descendido a vosotros con gran ira, sabiendo que tiene poco tiempo." Apocalipsis 12:10-12*

Como vemos, queda confirmado que la batalla entre Cristo y Satanás se trata de un claro conflicto judicial −no militar−, donde la victoria de Cristo consiste en vencer y echar fuera al *'acusador de los hermanos, al que los acusaba delante de nuestro Dios día y noche'. Apocalipsis 12:10.*

De igual manera, podemos corroborar que el momento en el cual se dice que el diablo es echado fuera, corresponde a un tiempo en el que ya se han fallado los casos de muchos vencedores. Se dice: *"y ellos [los santos] le han vencido por medio de la sangre del Cordero y de la palabra del testimonio de ellos, y menospreciaron sus vidas hasta la muerte". Apocalipsis 12:11*

Lo cual confirma que esta batalla consiste en una disputa sobre aquellos que han muerto habiendo vencido al diablo 'menospreciando sus vidas hasta la muerte' (Ap 12:11). Algo que está íntimamente relacionado con aquello que se describe *'cuando se abrió el quinto sello, y se vio bajo el altar las almas de los que habían sido muertos por causa de la palabra de Dios y por el testimonio que tenían, los cuales [en aquella simbología] clamaban a gran voz, diciendo: ¿Hasta cuándo, Señor, santo y verdadero, no juzgas y vengas nuestra sangre en los que moran en la tierra? [Momento en el que] se les dieron vestiduras blancas [como símbolo de haber sido hallados vencedores], y se les dijo que descansaran todavía un poco de tiempo, hasta que se completara el número de los que habían de ser muertos como ellos.' Apocalipsis 6:9-11*

En consecuencia, el quinto sello no solo anuncia la llegada de un nuevo tiempo de martirios –durante el juicio de los vivos– sino también la conclusión de la etapa del juicio sobre los muertos, mediante el símbolo de las vestiduras blancas que se le dan a aquellos juzgados como dignos de la patria celestial.

Luego, Apocalipsis continúa diciendo: *"¡Ay de los moradores de la tierra y del mar! porque el diablo ha descendido a vosotros con gran ira, sabiendo que tiene poco tiempo." Apocalipsis 12:12*

Lo cual también está en consonancia con aquel ¡ay! que se mencionan en la quinta trompeta, cuando dice: *"Y miré, y oí a un ángel volar por en medio del cielo, diciendo a gran voz: ¡Ay, ay, ay, de los que moran en la tierra, a causa de los otros toques de trompeta que están para sonar los tres ángeles! El quinto ángel tocó la trompeta, y vi una estrella que cayó del cielo a la tierra; y se le dio la llave del pozo del abismo… " Apocalipsis 8:13-9:1*

Lo cual, de acuerdo a Apocalipsis 9:12, constituye el *'primer ¡ay!'*.

Por esto, en nuestra comprensión, el diablo será expulsado tres veces del cielo: la primera en el contexto de su rebelión, cuando perdió su ciudadanía celestial; la segunda en el contexto de la muerte y resurrección de Cristo, cuando perdió la representación de la humanidad en el cielo; y la tercera en el contexto del juicio de Dios, cuando será echado en su carácter de 'acusador de los hermanos' junto a todos sus ángeles. Lo cual coincide con las palabras de Jesús, cuando dijo: *"Yo veía a Satanás caer del cielo como un rayo." Lucas 10:18*[175]

En efecto, si leemos los versos anteriores, veremos que Jesús estaba hablando a los discípulos sobre escenas que ocurrirían en el día de su juicio. Dice: *"¡Ay de ti, Corazín! ¡Ay de ti, Betsaida! que si en Tiro y en Sidón*

---

175 Elena de White, comentando estas palabras, escribió: "Escenas pasadas y futuras se presentaron a la mente de Jesús. Vio a Lucifer cuando fue arrojado por primera vez de los lugares celestiales. Miró hacia adelante a las escenas de su propia agonía [segunda vez], cuando el carácter del engañador sería expuesto a todos los mundos. Oyó el clamor: "Consumado es" (Juan 19:30), el cual anunciaba que la redención de la raza caída quedaba asegurada para siempre, que el cielo estaba eternamente seguro contra las acusaciones, los engaños y las pretensiones de Satanás. Más allá de la cruz del Calvario, con su agonía y vergüenza, Jesús miró hacia el gran día final [tercera vez], cuando el príncipe de las potestades del aire será destruido en la tierra durante tanto tiempo mancillada por su rebelión. Contempló la obra del mal terminada para siempre, y la paz de Dios llenando el cielo y la tierra." DTG 455

se hubieran hecho los milagros que se han hecho en vosotras, tiempo ha que sentadas en cilicio y ceniza, se habrían arrepentido. Por tanto, en el juicio será más tolerable el castigo para Tiro y Sidón, que para vosotras." Lucas 10:13-14

Por todo esto, creemos que la visión de Apocalipsis 12 revela el tiempo en el cual, tal como lo dice aquella gran voz que se oye en el cielo, *"habrá llegado la salvación, el poder, y el reino de nuestro Dios, y la autoridad de su Cristo" (Ap 12:10)*. Es decir, el momento en el cual comenzará el tan esperado *'día del Señor'*, cuando −en palabras del Salmo 110−, Dios habrá puesto a todos sus enemigos bajo los pies de Cristo.

Lo cual, como hemos explicado en el análisis de Apocalipsis 5, coincide con el momento en el cual Cristo recibirá de su Padre aquel libro divino sellado con siete sellos −es decir, aquel libro que contiene la historia profética de todas las naciones, desde su principio hasta su final−. Recordemos que, en aquel momento, Juan también *"oyó la voz de muchos ángeles alrededor del trono, y de los seres vivientes, y de los ancianos… que decían a gran voz: El Cordero que fue inmolado es digno de tomar el poder, las riquezas, la sabiduría, la fortaleza, la honra, la gloria y la alabanza." Apocalipsis 5:11-12*

Es por esto que, en nuestra comprensión, toda la visión del Apocalipsis gira en torno a aquel importantísimo día en el cual el diablo será echado del cielo −por haber sido vencido por Cristo en el juicio celestial− y, contrario a esto, Jesús sea reconocido como el único digno de tomar el poder sobre la tierra. ¿Qué sucederá después? Pues, se dará la sexta batalla entre Cristo y Satanás, la cual constituye el núcleo de la revelación de Apocalipsis 12.

6. La sexta batalla entre Cristo y Satanás se producirá en la tierra, y será en relación a los vivos de la última generación. En nuestra comprensión, al concluir el juicio de los muertos, Satanás −al ser expulsado del cielo−, volverá a la tierra con gran ira para disputar la batalla sobre los vivos, *"sabiendo que le queda poco tiempo" (Ap 12:12)*.[176]

---

176 Elena de White escribió: "El apóstol San Juan, estando en visión, oyó una gran voz que exclamaba en el cielo: "¡Ay de los moradores de la tierra y del mar! porque el diablo ha descendido a vosotros, teniendo grande ira, sabiendo que tiene poco tiempo". Apocalipsis 12:12. Espantosas son las escenas que provocaron esta exclamación de la voz celestial. La ira de Satanás crece a medida que se va acercando el fin, y su obra de engaño y destrucción culminará durante el tiempo de angustia." CS 608

En este contexto, Apocalipsis continúa diciendo: *"Y cuando vio el dragón que había sido arrojado a la tierra, persiguió a la mujer que había dado a luz al hijo varón. Y se le dieron a la mujer las dos alas de la gran águila, para que volase de delante de la serpiente al desierto, a su lugar, donde es sustentada por un tiempo, y tiempos, y la mitad de un tiempo." Apocalipsis 12:13-14*

En tanto, la versión 'El Libro del Pueblo de Dios', dice: *"El Dragón, al verse precipitado sobre la tierra, se lanzó en persecución de la Mujer que había dado a luz al hijo varón. Pero la Mujer recibió las dos alas de la gran águila para volar hasta su refugio en el desierto, donde debía ser alimentada durante tres años y medio, lejos de la Serpiente." Apocalipsis 12:13-14 LPD*

¿Será que aquí también existe continuidad temporal en el desarrollo de la visión? Es decir, ¿el plazo que se menciona aquí tiene que ver con persecuciones futuras sobre la iglesia o con acontecimientos de la antigüedad? Para responder, nos preguntamos ¿las profecías contemplan un segundo período de persecución en el contexto del fin del mundo, es decir, además de aquel que ocurrió en la Edad Media? Claro que sí. Jesús, cuando le preguntaron sobre las señales de su segunda venida y del fin del mundo, dijo: *"Entonces os entregarán a tribulación, y os matarán, y seréis aborrecidos de todas las gentes por causa de mi nombre..." "mas el que persevere hasta el fin, éste será salvo." Mateo 24:9; Marcos 13:13*

En este mismo sentido, Apocalipsis 13 dice: *"Me paré sobre la arena del mar [es decir, a la orilla de pueblos, multitudes, naciones y lenguas], y vi subir del mar [de entre estas multitudes] una bestia que tenía siete cabezas y diez cuernos... [algo que analizaremos llegado el momento]. Y el dragón le dio su poder y su trono, y grande autoridad. [Y dice] Vi una de sus cabezas como herida de muerte, pero su herida mortal fue sanada; y se maravilló toda la tierra en pos de la bestia, y adoraron al dragón que había dado autoridad a la bestia, y adoraron a la bestia, diciendo: ¿Quién como la bestia, y quién podrá luchar contra ella? También se le dio boca que hablaba grandes cosas y blasfemias; y se le dio autoridad para actuar cuarenta y dos meses... Y se le permitió hacer guerra contra los santos, y vencerlos." Apocalipsis 13:1-7*

Como vemos, Apocalipsis anuncia este mismo plazo de persecución sobre la iglesia en un contexto en el que la bestia ya ha curado de su herida de muerte. Es más, cuando la Biblia dice que la mujer debe refugiarse en el desierto, en esta oportunidad usa, en sus diferentes traducciones, términos tales como 'volviese', 'a su lugar' o 'a su refugio', lo cual indica que se trata de una segunda huida –y no de una repetición de lo ya dicho.

También Apocalipsis 11 menciona este plazo de persecuciones en el contexto del juicio de los vivos, diciendo: *"Entonces me fue dada una caña semejante a una vara de medir, y se me dijo: Levántate, y mide el templo de Dios, y el altar, y a los que adoran en él. Pero el patio que está fuera del templo déjalo aparte, y no lo midas, porque ha sido entregado a los gentiles; y ellos hollarán la ciudad santa cuarenta y dos meses. Y daré a mis dos testigos que profeticen por mil doscientos sesenta días, vestidos de cilicio."* Apocalipsis 11:1-3

Y el profeta Daniel, hablando de la gran angustia que tendremos que afrontar en el contexto de la abominación de la desolación, también dice: *«Pasará un tiempo, dos tiempos y la mitad de un tiempo; y cuando se haya acabado de aplastar la fuerza del pueblo santo, se acabarán también todas estas cosas». Yo oí, pero no entendí. Entonces dije: «Señor mío, ¿cuál será la última de estas cosas?». El respondió: «Ve Daniel, porque estas palabras están ocultas y selladas hasta el tiempo final. Muchos serán purificados, blanqueados y acrisolados; los malvados harán el mal, y ningún malvado podrá comprender, pero los prudentes comprenderán. A partir del momento en que será abolido el sacrificio perpetuo y será instalada la Abominación de la desolación, pasarán mil doscientos noventa días. ¡Feliz el que sepa esperar y llegue a mil trescientos treinta y cinco días!" Daniel 12:6-12 LPD*[177]

Es más, aún en la singular profecía de Daniel 7, podemos comprobar que las cuatro características principales que identifican al cuerno pequeño, también tendrán un pleno cumplimiento en el futuro. En este sentido, se dice que este cuerno, símbolo del papado:

» *"Hablaría contra el Altísimo" (Daniel 7:25 LPD),* lo cual se ha cumplido desde el surgimiento del papado, sin embargo, también apunta a lo que ocurrirá en los últimos días cuando, precisamente, Dios termine por enviar la quinta copa de su ira sobre el trono de la bestia a fin de *'cubrir su reino de tinieblas y que se muerdan de dolor sus lenguas' Apocalipsis 16:10*

» También, este cuerno *"maltrataría a los Santos del Altísimo" (Daniel 7:25 LPD),* lo cual se ha cumplido en las persecuciones de la edad media pero, como dijo Jesús, también será una clara señal de la proximidad de su segunda venida.

---

177 "El último gran conflicto entre la verdad y el error no es más que la última batalla de la controversia que se viene desarrollando desde hace tanto tiempo con respecto a la ley de Dios. En esta batalla estamos entrando ahora; es la que se libra entre las leyes de los hombres y los preceptos de Jehová, entre la religión de la Biblia y la religión de las fábulas y de la tradición." CS 569

De hecho, aquí, en la mismísima profecía de Daniel 7, se dice que *'este cuerno haría guerra contra los santos, y los vencería, hasta que venga el Anciano de días, y se de el juicio a los santos del Altísimo" (Daniel 7:21-22)*, lo cual, de acuerdo a Apocalipsis 20, sucederá al llegar el milenio.

» Luego, dice que *"trataría de cambiar los tiempos festivos y la Ley" (Daniel 7:25 LPD)*, algo que, sin dudas, también se ha cumplido desde los días en que Constantino introdujo el descanso dominical en reemplazo del sábado bíblico, pero que –como comprobaremos en el análisis de Apocalipsis 13– también se cumplirá en la abominación desoladora del tiempo del fin.

» Por último, aquella profecía de Daniel 7 anticipó que *"los Santos serían puestos en sus manos por un tiempo, dos tiempos y la mitad de un tiempo (Daniel 7:25 LPD)*, sin negar su cumplimiento 'día por año' en el pasado, creemos que este plazo también apunta a 3,5 años literales de persecución que la iglesia deberá sufrir en el fin de los días.

Por lo cual, entendemos que cuando el diablo sea expulsado del cielo, al concluir el juicio de los muertos, regresará a la tierra para perseguir nuevamente a la iglesia a través de las instituciones que él comanda, por un plazo que la profecía anticipa: tres años y medio.[178]

No obstante, la iglesia de Dios no tiene nada que temer, dado que su Capitán, fiel a su promesa de estar con los suyos todos los días hasta el fin del mundo (Mateo 28:19), montará sobre sus querubines y comandará esta nueva batalla al frente de su pueblo. Dice: *"Y miré, y he aquí un caballo blanco; y el que lo montaba tenía un arco; y le fue dada una corona, y salió venciendo [es decir, 'habiendo vencido' en su batalla anterior por los muertos], y para vencer [en esta nueva batalla por los vivos de la última generación]." Apocalipsis 6:2*

Éste es el contexto –el de la batalla por los vivos– en el cual, según entendemos, se desarrolla todo Apocalipsis; el cual a continuación dice: *"Y la serpiente arrojó de su boca, tras la mujer, agua como un río, para que fuese arrastrada por el río. Pero la tierra ayudó a la mujer, pues la tierra abrió su boca y tragó el río que el dragón había echado de su boca." Apocalipsis 12:15-16*

---

178 Elena de White escribió: "En el gran conflicto final, Satanás empleará la misma táctica, manifestará el mismo espíritu y trabajará con el mismo fin que en todas las edades pasadas. Lo que ha sido, volverá a ser, con la circunstancia agravante de que la lucha venidera será señalada por una intensidad terrible, cual el mundo no la vio jamás." CS 14

¿Qué significa esto y cuándo se cumplirá? Como ya hemos mencionado, *'las aguas representan pueblos, muchedumbres, naciones y lenguas' (Ap 17:15)*; por lo cual, aquella *'agua como un río'* que el dragón arrojará tras la mujer es un símbolo de las multitudes que serán atizadas por el diablo para que den muerte a los hijos de Dios, culpándolos de todos los males que ocurrirán sobre el planeta, tal como lo explicamos en el análisis del capítulo anterior.

Lo cual, entendemos, hace referencia al momento en el que los gobiernos civiles dictarán leyes mediante las cuales autorizarán y persuadirán a los ciudadanos para que persigan y maten a aquellos que no reciban la 'marca de la bestia', sin necesidad de juicio previo.

Ahora, ¿de qué manera *'la tierra ayudará a la mujer'*? Pues, como aquí mismo se dice tragando, es decir, disuadiendo aquellas multitudes que el diablo incitará contra la iglesia. ¿Cuándo y cómo ocurrirá? Apocalipsis lo revela, cuando dice: *"El quinto ángel derramó su copa sobre el trono de la bestia; y su reino se cubrió de tinieblas, y mordían de dolor sus lenguas, y blasfemaron contra el Dios del cielo por sus dolores y por sus úlceras, y no se arrepintieron de sus obras." Apocalipsis 16:10-11*

Es en este contexto, luego de que las personas han podido ver el gran castigo enviado por Dios a quienes los habían estado engañando –a través de sus lenguas mentirosas–, que –en la siguiente copa de la ira de Dios– dice: *"El sexto ángel derramó su copa sobre el gran río Éufrates; y el agua de este se secó, para que estuviese preparado el camino a los reyes del oriente." Apocalipsis 16:12*

¿Qué tiene que ver el secamiento del río Éufrates con aquella ayuda que recibirá la mujer por parte de la tierra, cuando abra su boca para tragar el *'río'* que el dragón arrojará para ahogarla? Pues, lo primero que tenemos que darnos cuenta es que esto está escrito en lenguaje simbólico. En este sentido, la mujer no representa a una dama sino a una iglesia, el dragón no representa a un animal sino al diablo y las muchas aguas de estos ríos no están compuestas por dos átomos de hidrógeno y uno de oxígeno (H_2O) sino por multitudes dominadas por el enemigo de Dios.

Por esto, la mención al *'río Éufrates'* no refiere a aquel río que pasaba por en medio de la Babilonia antigua, sino que es una referencia simbólica a los pueblos, las multitudes, las naciones y las lenguas que sostienen el poder de la Babilonia espiritual descrita en Apocalipsis 17.

Por esto, tanto el secamiento del río Éufrates como el de las aguas que arrojará el dragón sobre la mujer, representan lo mismo, es decir, la pérdida del poder del papado cuando: *'los diez cuernos de la bestia [es decir, los reinos que le habrán dado el poder, finalmente], aborrezcan a la ramera [al Vaticano], y la dejen desolada y desnuda.' Apocalipsis 17:16*

Más detalles en cuanto a esto, los daremos cuando analicemos Apocalipsis 13, 16, 17 y 18. Sin embargo, debemos comprender que el secamiento de las aguas que arrojará el dragón sobre la mujer representa un acontecimiento que ocurrirá luego de que termine el tiempo de gracia, luego de que el diablo incite −a través de sus representantes terrenales− a las multitudes para que se avalanchen contra los hijos de Dios.[179]

Si esto es verdad, debemos aceptar que la huida de la mujer al desierto −descrita en el versículo anterior−, se refiere a aquella que se dará en los últimos días de nuestro mundo, en el contexto de la abominación desoladora mencionada por Jesús, cuando dijo −en su respuesta sobre las señales de su venida y del fin del mundo−: *"Por tanto, cuando veáis en el lugar santo la abominación desoladora de que habló el profeta Daniel (el que lee, entienda), entonces los que estén en Judea, huyan a los montes. El que esté en la azotea, no descienda para tomar algo de su casa; y el que esté en el campo, no vuelva atrás para tomar su capa. Mas ¡ay de las que estén encintas, y de las que críen en aquellos días! Orad, pues, que vuestra huida no sea en invierno ni en día de reposo; porque habrá entonces gran tribulación, cual no la ha habido desde el principio del mundo hasta ahora, ni la habrá. Y si aquellos días no fuesen acortados, nadie sería salvo; mas por causa de los escogidos, aquellos días serán acortados." Mateo 24:14-22*

Si esto es así, se confirma que los 3,5 tiempos de persecución aún tienen un cumplimiento en el futuro.

---

179 Elena de White describe aquel momento de la siguiente manera: "Cuando los que honran la ley de Dios hayan sido privados de la protección de las leyes humanas, empezará en varios países un movimiento simultáneo para destruirlos. Conforme vaya acercándose el tiempo señalado en el decreto, el pueblo conspirará para extirpar la secta aborrecida. Se convendrá en dar una noche el golpe decisivo, que reducirá completamente al silencio la voz disidente y reprensora. El pueblo de Dios−algunos en las celdas de las cárceles, otros escondidos en ignorados escondrijos de bosques y montañas−invocan aún la protección divina, mientras que por todas partes compañías de hombres armados, instigados por legiones de ángeles malos, se disponen a emprender la obra de muerte. Entonces, en la hora de supremo apuro, es cuando el Dios de Israel intervendrá para librar a sus escogidos." CS 619

Ahora, Apocalipsis 12 continúa diciendo: *"Entonces el dragón se llenó de ira contra la mujer; y se fue a hacer guerra contra el resto de la descendencia de ella, los que guardan los mandamientos de Dios y tienen el testimonio de Jesucristo." Apocalipsis 12:17*

En Apocalipsis 12:12 dice que el diablo se llenará de ira al saber que le queda poco tiempo. Por esto, entendemos que cuando él vea los castigos de Dios sobre aquellos que han sido usados por él para engañar –durante la quinta y sexta copa de la ira–, se dará cuenta no solo de que habrá perdido su influencia sobre las multitudes, sino que, muy pronto, los castigos de Dios caerán también sobre él mismo.

En este contexto, el enemigo de Dios acudirá a los reyes de la tierra para que se unan a él en su sexta batalla contra Cristo. Apocalipsis, en la sexta copa de la ira de Dios, dice: *"Y vi salir de la boca del dragón, y de la boca de la bestia, y de la boca del falso profeta, tres espíritus inmundos a manera de ranas; pues son espíritus de demonios, que hacen señales, y van a los reyes de la tierra en todo el mundo, para reunirlos a la batalla de aquel gran día del Dios Todopoderoso…Y los reunió en el lugar que en hebreo se llama Armagedón." Apocalipsis 16:13-16*

Lo cual nos indica que la sexta batalla entre Cristo y Satanás –aquella que se dará por los vivos de la última generación–, concluirá con la famosa batalla del 'Armagedón', en donde, así como al principio de la rebelión, cada uno de los habitantes del mundo también deberá escoger posicionarse a favor o en contra de Cristo.

El resultado de tal batalla, otra vez, será una total y contundente victoria de Cristo, dejando muertos a todo el ejército humano del enemigo, y encadenados al diablo y sus demonios a la tierra por mil años. Apocalipsis, un poco más adelante dice: *"Y vi a la bestia, a los reyes de la tierra y a sus ejércitos, reunidos para guerrear contra el que montaba el caballo, y contra su ejército. Y la bestia fue apresada, y con ella el falso profeta que había hecho delante de ella las señales con las cuales había engañado a los que recibieron la marca de la bestia, y habían adorado su imagen. Estos dos fueron lanzados vivos dentro de un lago de fuego que arde con azufre. Y los demás fueron muertos con la espada que salía de la boca del que montaba el caballo, y todas las aves se saciaron de las carnes de ellos." Apocalipsis 19:19-21*

Por todo esto, creemos que, a lo largo de todo Apocalipsis 12, existe continuidad temporal en el relato profético acerca de lo que ocurrirá desde el inicio del gran conflicto hasta la segunda venida de Jesús.

7. Por último, debemos comentar que la séptima batalla entre Cristo y Satanás se realizará en la tierra, luego del milenio, cuando Jesús regrese a ella en compañía de los salvos y resucite a los impíos para que reciban su juicio. Es anunciada en Apocalipsis 21 como 'la batalla de Gog y Magog'. Dice: *"Cuando los mil años se cumplan, Satanás será suelto de su prisión, y saldrá a engañar a las naciones que están en los cuatro ángulos de la tierra, a Gog y a Magog, a fin de reunirlos para la batalla; el número de los cuales es como la arena del mar. Y subieron sobre la anchura de la tierra, y rodearon el campamento de los santos y la ciudad amada; y de Dios descendió fuego del cielo, y los consumió. Y el diablo que los engañaba fue lanzado en el lago de fuego y azufre, donde estaban la bestia y el falso profeta; y serán atormentados día y noche por los siglos de los siglos." Apocalipsis 20:7-10*

Estructura y correlación del Gran Conflicto

Al considerar el gran conflicto en su conjunto, podemos ver que, entre estas siete batallas, existe una correlación *'quiasmática'*, muy propia de como Dios estructura su Palabra; donde lo que ocurre en la primera batalla anticipa lo que sucederá en la última, la segunda la ante última y la tercera la antepenúltima, encontrándose en el centro la mayor de todas, es decir, el núcleo del gran conflicto. Veamos:

» En esta séptima y última batalla, que acabamos de mencionar, Dios pondrá fin a un conflicto iniciado siete mil años antes –en lo que estudiamos como la primera gran batalla entre Cristo y Satanás–. En este sentido, mientras que en la primera batalla Dios devolvió, circunstancialmente, la paz en el cielo, en esta última la establecerá de una manera permanente, no solo en la tierra y en el cielo, sino también en todo el universo de su creación, por las edades sin fin.

» En la segunda batalla vimos que Adán y Eva cayeron por desobediencia a un claro mandato divino –siendo vencidos por haber perdido la fe en la Palabra de Dios, a causa de sofisticados engaños del diablo–.

De la misma manera, en la sexta y ante última batalla, los habitantes de la generación final volverán a ser puestos delante de una prueba que implicará obediencia irrestricta a los mandamientos de Dios, y de ello dependerá su vida eterna. El diablo intentará doblegar a los santos por medio de engaños, imposiciones gubernamentales y presión de todo tipo; sin embargo, se dice, ellos le vencerán por haber *'guardado'* la palabra de Dios en sus corazones (Ap 3:8-10).

De hecho, aunque con su muerte Cristo obtuvo plena potestad en cielo y tierra, aún tiene que demostrarse que la Ley de Dios puede ser obedecida por todo aquel que hace de Dios su fortaleza, que la creación de Dios no tiene 'fallas de fábrica', y que Cristo no venció en la cruz en carácter de Dios sino de hombre; dado que todos, desde los más débiles, pueden vencer si se aferran al poder de Dios tal como él lo hizo.[180]

» Por su parte, en la tercera batalla, en el acto de resucitar a Moisés sin pronunciar palabras de maldición sobre el diablo, –sino simplemente diciendo *"El Señor te reprenda" (Judas 1:9)*–, Jesús anticipó lo que sucedería en la redención de todos los muertos que serán justificados por medio de su sangre en la quinta y antepenúltima batalla contra Satanás.

En este sentido, notemos que las palabras que Cristo pronuncia contra el acusador de los hermanos, cada vez que sale en defensa de sus hijos durante su juicio, son exactamente iguales a las que pronunció cuando disputó con él por el cuerpo de Moisés. Zacarías –en el contexto de una visión sobre el tiempo en el cual Cristo *'quitará los pecados de la tierra en un día' (Zacarías 3:9)* dice, respecto de el sumo sacerdote Josué –el cual aparece a manera de 'varón simbólico' (Zacarías 3:8)–: *"Me mostró al sumo sacerdote Josué, el cual estaba delante del ángel de Jehová, y Satanás estaba a su mano derecha para acusarle. Y dijo Jehová a Satanás: Jehová te reprenda, oh Satanás; Jehová que ha escogido a Jerusalén te reprenda. ¿No es este un tizón arrebatado del incendio? Y Josué estaba vestido de vestiduras viles, y estaba delante del ángel. Y habló el ángel, y mandó a los que estaban delante de él, diciendo: Quitadle esas vestiduras viles. Y a él le dijo: Mira que he quitado de ti tu pecado, y te he hecho vestir de ropas de gala." Zacarías 3:1-4*

Una escena muy similar a la del quinto sello, cuando, a los mártires *'se les dan vestiduras blancas y se les dice que descansasen todavía un poco de tiempo, hasta que se complete el número de sus consiervos y sus hermanos, que también han de ser muertos como ellos.' Apocalipsis 6:11*

Sin embargo, si hay una batalla de la que se hablará y estudiará por la eternidad –por el espacio infinito de la creación–, y es la de la cruz del calvario. Allí Jesús plantó su estandarte de victoria en las alturas eternas y por las edades sin fin.

---

180 Elena de White escribió: "La misma imagen de Dios se ha de reproducir en la humanidad. El honor de Dios, [y] el honor de Cristo, están comprometidos en la perfección del carácter de su pueblo." DTG 625

Para más detalles en cuanto a este tema, le recomendamos ver nuestra exposición titulada: *'Siete Batallas, la llave del Apocalipsis'*.

QR 5: https://www.diloalmundo.org/siete-batallas

¿Por qué? Porque, con su entrega sin medida, Cristo no solo pagó el precio del rescate de la humanidad sino que también puso en evidencia, ante el universo entero, tanto el amor inconmensurable de Dios como la malignidad del pecado; demostrando, además, que su implacable justicia está inseparablemente unida a su infinita misericordia.[181]

Vuelve a leer, ahora mismo, Apocalipsis 12, y comprueba como ya se ha abierto ante tus ojos.

---

181 Elena de White comenta: "Al venir a morar con nosotros, Jesús iba a revelar a Dios tanto a los hombres como a los ángeles. El era la Palabra de Dios: el pensamiento de Dios hecho audible. En su oración por sus discípulos, dice: "Yo les he manifestado tu nombre"–"misericordioso y piadoso; tardo para la ira, y grande en benignidad y verdad,"–"para que el amor con que me has amado, esté en ellos, y yo en ellos." Pero no solo para sus hijos nacidos en la tierra fue dada esta revelación. Nuestro pequeño mundo es un libro de texto para el universo. El maravilloso y misericordioso propósito de Dios, el misterio del amor redentor, es el tema en el cual "desean mirar los ángeles," y será su estudio a través de los siglos sin fin. Tanto los redimidos como los seres que nunca cayeron hallarán en la cruz de Cristo su ciencia y su canción." DTG 11

"El hecho de que el Hacedor de todos los mundos, el Árbitro de todos los destinos, dejase su gloria y se humillase por amor al hombre, despertará eternamente la admiración y adoración del universo. Cuando las naciones de los salvos miren a su Redentor y vean la gloria eterna del Padre brillar en su rostro; cuando contemplen su trono, que es desde la eternidad hasta la eternidad, y sepan que su reino no tendrá fin, entonces prorrumpirán en un cántico de júbilo: "¡Digno, digno es el Cordero que fue inmolado, y nos ha redimido para Dios con su propia preciosísima sangre!" CS 632

Capítulo 13
La bestia y el falso profeta

Apocalipsis, luego de presentar –en el capítulo anterior– una visión panorámica del gran conflicto entre iglesia de Cristo y Satanás, hace un zoom y revela más detalles en cuanto a los poderes terrenales que ejecutarán la maléfica obra del diablo en los últimos días de nuestro mundo.

La bestia espantosa y terrible

Dice: *"Me paré sobre la arena del mar, y vi subir del mar una bestia que tenía siete cabezas y diez cuernos; y en sus cuernos diez diademas; y sobre sus cabezas, un nombre blasfemo. Y la bestia que vi era semejante a un leopardo, y sus pies como de oso, y su boca como boca de león. Y el dragón le dio su poder y su trono, y grande autoridad." Apocalipsis 13;1-2*

Como vemos, la bestia aquí mencionada es –al mismo tiempo– similar pero diferente a la del capítulo anterior. En ambos casos, el monstruo tiene siete cabezas y diez cuernos; sin embargo, en el capítulo anterior, se lo describió como *'un gran dragón escarlata' (Ap 12:3);* mientras que aquí la bestia es semejante a un leopardo, con pies como de oso y boca como de león, siendo aquel dragón quien le da su poder, y su trono y su gran autoridad.

En nuestro entendimiento, esto se debe a que, en el capítulo anterior, el enfoque estaba puesto en el gran conflicto entre la iglesia fiel y Satanás. Por esto, aunque toda su obra finalmente se termina llevando a cabo mediante poderes terrenales a su servicio, el dragón de siete cabezas y diez cuernos apunta, directamente, al diablo. Apocalipsis, claramente dice: *"Y fue lanzado fuera el gran dragón, la serpiente antigua, que se llama diablo y Satanás." Apocalipsis 12:9*

Sin embargo, la bestia espantosa y terrible que se describe en este capítulo, representa el accionar de un poder terrenal que recibe, como bien dice el texto, el poder, el trono –es decir, el reino– y la gran autoridad de parte del dragón (Ap 13:2), es decir, del diablo.

Ahora bien, ¿de quién se trata? En primer lugar, tenemos que saber que las bestias, en la Biblia, son símbolos de grandes poderes que gobiernan el mundo –o gran parte de él–, de una manera absoluta, durante el período que Dios otorga a su dominio. En el libro del profeta Daniel, dice: *"En el primer año de Belsasar rey de Babilonia tuvo Daniel un sueño… he aquí que los cuatro vientos del cielo combatían en el gran mar. Y cuatro bestias grandes, diferentes la una de la otra, subían del mar."* Daniel 7:1-3

Como ya sabemos, de acuerdo a Apocalipsis 17:15, el *'mar'* –o las muchas aguas– representa, proféticamente, a pueblos, multitudes, naciones y lenguas; por lo que si las bestias surgen producto de combates de los cuatro vientos del cielo sobre dicho simbólico mar –de gentes–, significa que estos grandes poderes –simbolizados por 'bestias'– surgirían como producto de los combates y contiendas que se suscitarían entre los diferentes pueblos, multitudes, naciones y lenguas.

En este sentido, el ángel explica a Daniel el significado de estas bestias, diciendo: *"Estas cuatro grandes bestias son cuatro reyes [o, como dicen otras versiones –como la Nueva Traducción Viviente o la de Torres Amat–, 'son cuatro reinos'] que se levantarán en la tierra. Después recibirán el reino los santos del Altísimo, y poseerán el reino hasta el siglo, eternamente y para siempre."* Daniel 7:17-18

Es claro. Las bestias, en la Biblia, simbolizan reyes –con sus reinos– que se apoderarían del reino del mundo. Por esto, las cuatro grandes bestias que se describen en Daniel, simbolizan los cuatro grandes imperios que gobernarían el mundo desde el momento en que el profeta recibe la visión hasta que los 'santos del Altísimo' obtengan el reino. En este sentido, la historia nos cuenta que, efectivamente, han habido solo cuatro grandes imperios mundiales desde Daniel hasta nuestros días:

» Babilonia –simbolizada en la profecía de Daniel 7 por un león alado–, que gobernó el mundo antiguo desde el 605 al 539 a.C.

» Medo Persia, representada por un oso aquella profecía de Daniel, el cual derrotó a Babilonia y gobernó hasta el 331 a.C.

» Grecia, simbolizada por un leopardo de cuatro cabezas, el cual, de la mano de Alejandro Magno, derrotó al imperio Medo Persa y se alzó con el reino del mundo hasta el 168 a.C., y

» Roma, descrita por Daniel como una bestia *'muy diferente de todas las bestias anteriores a ella, y tenía diez cuernos'*, *'espantosa y terrible y en gran manera fuerte, con grandes dientes de hierro, con los cuales devoraba y desmenuzaba, y las sobras hollaba con sus pies...' Daniel 7:7*

De acuerdo a dicha profecía Bíblica, esta última y espantosa bestia habría de gobernar el mundo desde aquel siglo y medio antes de Cristo hasta el momento en que los santos del Altísimo reciban el reino, es decir, por más de dos mil años, hasta el mismísimo fin del mundo.

Ahora, ¿El Imperio Romano gobierna el mundo en nuestros días? ¿No cayó, acaso, en el año 476 ante la invasión de las tribus bárbaras? No, no cayó. Simplemente pasó a su segunda fase de gobierno. ¿Cómo es esto? Según la profecía de Daniel, este cuarto gobierno mundial surgiría como un reino unificado despiadado, sin embargo, después de cierto tiempo, su poder se dividiría en diez reinos menores que se repartirían el gobierno mundial. Dice: *"La cuarta bestia será un cuarto reino en la tierra, el cual será diferente de todos los otros reinos, y a toda la tierra devorará, trillará y despedazará. Y los diez cuernos significan que de aquel reino se levantarán diez reyes —o reinos—..." Daniel 7:23-24*

Y esto es, justamente, lo que sucedió con las invasiones bárbaras y la conformación de los actuales gobiernos europeos. Es decir, de acuerdo a la profecía, el Imperio Romano no cayó sino que se dividió.

Ahora, la profecía sobre esta cuarta bestia no termina allí. Dice: *"y tras ellos [es decir, tras el levantamiento de los 10 cuernos] se levantará otro, el cual será diferente de los primeros, y a tres reyes derribará." Daniel 7:24*

Lo cual implica que, después de la división del Imperio Romano, se levantaría un nuevo poder que haría derribar tres tribus invasoras: y esto es lo que sucedió con el surgimiento del papado en el siglo VI de nuestra era, y la caída de los Hérulos, Vándalos y Ostrogodos, tres tribus convertidas al arrianismo que disputaban el dominio del obispo de Roma —como se conocía hasta ese entonces al papa—. Dice Daniel: *"Mientras yo contemplaba los cuernos, he aquí que otro cuerno pequeño salía entre ellos, y delante de él fueron arrancados tres cuernos de los primeros; y he aquí que este cuerno tenía ojos como de hombre, y una boca que hablaba grandes cosas." Daniel 7:8*

Según la profecía de Daniel, este *'cuerno'* emergería como *'pequeño'* pero se engrandecería hasta llegar a *'parecer mayor que sus compañeros' (Daniel 7:20)*, lo cual también se ha cumplido a cabalidad en el gobierno del papado —efectivamente surgido en medio de los reinos europeos, como un rey que ha reinado sobre los reyes de la tierra—.

Más información sobre Daniel 7 –y el significado histórico profético de las cuatro grandes bestias y sus cuernos–, en nuestro *Seminario sobre Daniel.*

QR 6: https://www.diloalmundo.org/daniel

Ahora, ¿que tiene que ver estas cuatro bestias de Daniel 7 con la que se menciona en Apocalipsis 13? Pues, en Apocalipsis 13 se presenta la cuarta bestia de Daniel 7, pero descrita con mucho más detalle.

En este sentido, mientras que en Daniel 7 se dice que la cuarta bestia era 'muy diferente' de todas las que le precedieron, y se la describe como espantosa y terrible pero sin mencionar ningún animal en particular; Apocalipsis 13 también la presenta como una bestia única en su especie, pero con muchos más detalles en cuanto a su apariencia, describiéndola como una rara mezcla de sus bestias antecesoras. Dice que:

» *Se parece a un leopardo* porque Roma fue altamente influenciada por la cultura del Imperio Griego –simbolizado en Daniel 7 por un leopardo–, especialmente en áreas como la literatura, el arte, la filosofía, la política, la educación y aún en gran parte de su mitología.

» *Tiene pies como de oso* porque, aunque la esencia cultural del Imperio Romano fue muy diferente a la de los Medos y Persas –simbolizados en Daniel 7 por un oso–, Roma alcanzó la fortaleza y el poder de dicho reino a través de ejércitos bien disciplinados. En este sentido, es útil mencionar que los pies, en la simbología profética, representan capacidad de dominio. Por ejemplo, el Salmo 110 dice: *"Jehová dijo a mi Señor: siéntate a mi diestra, hasta que ponga a tus enemigos por estrado de tus pies."* Salmo 110:1

» *Por último, se menciona que esta bestia tiene boca como de león* porque la boca, en el simbolismo bíblico, representa el 'hablar' de una nación a través de sus leyes, de sus fallos y de sus proclamaciones. En este sentido, tanto el Imperio Romano como el Imperio Babilónico –simbolizado en Daniel 7 por un león– tuvieron sistemas legales y de justicia similares. Los babilonios, por ejemplo, desarrollaron uno de los primeros códigos legales escritos –conocido como el Código de Hammurabi–, mientras que los romanos desarrollaron un sistema legal que todavía influye en las leyes de los estados modernos –conocido como 'Derecho Romano'–.

Además, ambos imperios se caracterizaron por la naturaleza autoritaria y arrogante de sus declaraciones contra Dios, llegando a emitir leyes en contraposición con los mandatos divinos, aún con pena de muerte para todo aquel que no las obedeciera. Apocalipsis es muy claro en cuanto a esto. Dice que *'el dragón le dio su poder y su trono, y grande autoridad' (Ap 13:2)*. Y esto es, justamente, lo que la hace muy diferente a los imperios que le antecedieron, dado que Roma constituye un reino que es impulsado directamente por el diablo contra Cristo y su iglesia.

De hecho, Herodes 'El Grande', gobernante del Imperio Romano, intentó matar a Cristo ni bien se enteró que había nacido. También, como es conocido, Pilato –otro gobernante de este mismo imperio–, en complicidad con Herodes Antipas, ordenaron su crucifixión. Luego, la historia también registra las grandes persecuciones de este imperio contra la iglesia cristiana primitiva, hasta que Constantino, por el año 330 d.C., dándose cuenta que la sangre de cristianos era semilla de más cristianos, tuvo la maligna revelación de conquistarlos mediante el símbolo de la cruz, haciéndose pasar por cristiano, siendo, en realidad, el 'pontífice máximo' del paganismo.

A partir de aquel momento, el diablo consiguió sus objetivos a través de perversas relaciones entre el poder civil y el religioso.[182]

Por esto, aunque el poderío militar del Imperio Romano entró en decadencia, Roma conservó el poder a través del papado, como representante máximo de una iglesia que se constituyó como 'católica' –es decir, universal–, apostólica –porque, según ellos, surgió con la predicación de los apóstoles–, y romana –como expresión indubitable de pertenencia al Imperio Romano–.

Ahora, antes de seguir avanzando, y en beneficio de aquellos que no conocen las profecías de Daniel, es necesario mencionar algunos fundamentos adicionales en relación a por qué creemos que el cuerno pequeño de Daniel 7 –y la bestia de Apocalipsis 13– representan al papado:

---

182 Elena de White comenta: "Ha sido objeto del estudio y esfuerzo de Satanás unir la iglesia y el estado desde el principio. Separados, son útiles y valiosos para la vida del mundo. Unidos, vienen a ser un veneno mortífero, tanto para el cuerpo político como para el cuerpo eclesiástico. De una unión tal, brotan las grandes bestias apocalípticas, que desgarran cruelmente y aplastan despiadadamente la vida de todos los que se les oponen. Véase Daniel 7 y Apocalipsis 12, 13 y 17. La "bestia" de Apocalipsis 13:1-10 es un símbolo de este poder a través de los siglos, que ha existido bajo diversas formas, simbolizadas por las siete cabezas. Bajo la cabeza dominante del período presentado en Apocalipsis 13:1-10, la bestia representa el papado." DTG 776

» En primer lugar, por el tiempo de su surgimiento; el cual, como hemos demostrado, debía darse luego de la caída del poder militar del Imperio Romano en manos de las tribus invasoras.

» En segundo lugar, porque se dice que este cuerno pequeño es un rey diferente dentro de un reino diferente. Dice: *"La cuarta bestia será un cuarto reino en la tierra, el cual será diferente de todos los otros reinos, y a toda la tierra devorará, trillará y despedazará. Y los diez cuernos significan que de aquel reino se levantarán diez reyes; y tras ellos se levantará otro, el cual será diferente de los primeros, y a tres reyes derribará"* (Dn 7:23-24), y, en efecto, el reino del papado es un reino bien diferente al de todos los otros reinos que surgieron de Roma.

» También, porque se dice que el cuerno pequeño *'tenía ojos y boca con la cual hablaba grandes cosas, al punto de llegar a parecer mayor que sus compañeros." Daniel 7:21.* Tal como lo hemos explicado en el análisis de los capítulos 1, 4 y 5, los ojos, en la profecía bíblica, representan capacidad de obtener conocimiento de lo que sucede, y esto es justamente algo que caracteriza al papado, el cual posee la mayor red de información a través de sus informantes repartidos en cada iglesia, monasterio y obispado que poseen a lo largo y ancho de nuestro mundo.

Por su parte, la boca representa la capacidad de emitir pronunciamientos, lo cual también es una característica innegable del papado, quien –según la profecía– llegaría a *"hablar palabras contra el Altísimo"* (Dn 7:25), es decir, contra el mismo Dios a quien 'dice' representar.

» Por otro lado, la profecía de Daniel 7 también anticipó que este cuerno *'haría guerra y vencería a los santos hasta el momento en el que venga el Anciano de días y se de el juicio a los santos del Altísimo' (Dn 7:21-22),* lo cual describe a la perfección las macabras persecuciones, torturas y asesinatos que ha comandado el papado 'en el nombre de Dios', tales como la autodenominada 'santa' inquisición, la masacre de San Bartolomé, las cruzadas y la conquista de América –entre muchas otras matanzas–, y las que aún se volverán a realizar en el futuro –según anticipa la profecía que estamos a punto de analizar–, a través de los agentes militares que tendrá a su servicio.

» También, la Biblia dice que *"trataría de cambiar los tiempos festivos y la Ley" Daniel 7:25 LPD,* lo cual se ha cumplido en la imposición del descanso dominical –en reemplazo del sábado del cuarto mandamiento del decálogo–, así como en la eliminación del segundo –que prohíbe la adoración de imágenes– en el catecismo enseñado por esta iglesia.

» Luego, dice que *"los Santos serían puestos en sus manos por un tiempo, dos tiempos y la mitad de un tiempo" Daniel 7:25 LPD*, lo cual equivale a 3,5 años, 1260 días o 42 meses –como se menciona este mismo plazo en otras ocasiones–.

Tal como lo hemos explicado en nuestro capítulo anterior, es nuestra convicción de que este plazo apunta tanto a los 1260 años de predominio del papado en la edad media como, de manera especial, a un intenso período de 3,5 años literales, de dominio absoluto, que logrará conquistar este mismo poder en el futuro.

» Por último, otra de las características fundamentales que nos permiten identificar a este poder, nos la da Apocalipsis, cuando dice: *"Vi una de sus cabezas como herida de muerte, pero su herida mortal fue sanada" (Ap 13:3)*, lo cual nos lleva hasta 1798, cuando el general Louis Alexandre Berthier, al mando de los ejércitos de Napoleón, invadió los Estados Pontificios y capturó al papa Pío VI –el cual murió en cautiverio–, como parte de una serie de acciones llevadas a cabo por Napoleón con el objetivo de debilitar el poder del Papado y expandir el control francés sobre Italia.

Lo cual constituyó aquella *'herida de muerte'* que la profecía anticipó recibiría el papado, poniendo fin a los 1260 años de su dominio en el pasado. El propio Berthier declaró entonces: «Toda autoridad temporal que emane del antiguo gobierno del Papa ha de ser suprimida y éste no ha de volver a ejercer ninguna función semejante».[183]

No obstante las palabras de Berthier –y las intenciones de Napoleón–, la profecía anticipó que dicha herida sanaría, y que toda la tierra se maravillaría en pos de la bestia. Dice: *"pero su herida mortal fue sanada; y se maravilló toda la tierra en pos de la bestia, y adoraron al dragón que había dado autoridad a la bestia, y adoraron a la bestia, diciendo: ¿Quién como la bestia, y quién podrá luchar contra ella?" Apocalipsis 13:3-4*

Y es justamente éste el contexto en el cual se desarrollará todo Apocalipsis 13, es decir, un contexto histórico profético en el cual el papado ha recibido una herida de muerte en el pasado pero, por voluntad del diablo, ya se ha recuperado y ha vuelto al escenario político mundial con fuerzas renovadas, al punto que toda la tierra se maravillará en pos de él, diciendo '¿Quién como el papado para gobernar el mundo? ¿Quién podrá luchar contra él?'.

---

183 https://es.wikipedia.org/wiki/Louis_Alexandre_Berthier

En este contexto profético que nos da el libro de Daniel, Apocalipsis continúa diciendo: *"También se le dio boca que hablaba grandes cosas y blasfemias; y se le dio autoridad para actuar cuarenta y dos meses." Apocalipsis 13:5*

Como vemos, Apocalipsis se acopla a aquella profecía en la que Daniel describe al cuerno pequeño, y nos amplía información en cuanto a su accionar en el tiempo del fin. En este caso, nos revela que aquellas 'grandes cosas' que hablaría este poder tiene que ver con 'blasfemias'.

¿Y qué es una 'blasfemia'? Es un pecado que atenta directamente contra Dios. Por ejemplo, usar su nombre con fines hipócritas. David escribió: *"De cierto, oh Dios, harás morir al impío; apartaos, pues, de mí, hombres sanguinarios. Porque blasfemias dicen ellos contra ti; tus enemigos toman en vano tu nombre." Salmo 139:19-20*

También, arrogarse el poder de perdonar pecados –sin ser Dios– es blasfemia. Dice la Biblia: *"Entonces los escribas y los fariseos comenzaron a cavilar, diciendo: ¿Quién es este que habla blasfemias? ¿Quién puede perdonar pecados sino solo Dios?" Lucas 5:21*

De la misma manera, el hacerse a uno mismo Dios, siendo hombre, es blasfemia. A Jesús, quien es Dios, los judíos lo acusaban diciendo: *"por buena obra no te apedreamos, sino por la blasfemia; porque tú, siendo hombre, te haces Dios." Juan 10:33*

En definitiva, las grandes cosas que este poder expresa con su gran boca tiene que ver con un pecado que es característico del anticristo, quien se opone a Dios intentando ocupar su lugar. El apóstol Pablo escribió: *"Nadie os engañe en ninguna manera; porque [Jesús] no vendrá sin que antes venga la apostasía, y se manifieste el hombre de pecado, el hijo de perdición, el cual se opone y se levanta contra todo lo que se llama Dios o es objeto de culto; tanto que se sienta en el templo de Dios como Dios, haciéndose pasar por Dios." 2 Tesalonicenses 2:3-4*

En este mismo sentido, a continuación, Apocalipsis dice: *"Y abrió su boca en blasfemias contra Dios [es decir, en palabras altaneras contra Dios, ¿para qué?], para blasfemar de su nombre [lo cual implica el apropiarse del nombre de Dios en beneficio personal], de su tabernáculo [es decir, de su Santuario, de su Templo], y de los que moran en el cielo [es decir, los que moran en dicho Santuario; entre los cuales se destacan el Padre, el Hijo y el Espíritu Santo]." Apocalipsis 13:6*

Te pregunto, ¿no es acaso el papado culpable de todos estos pecados? Si analizamos sus arrogantes títulos y sus pretendidas 'absoluciones' nos daremos cuenta que sí. De hecho, el papa usurpa el nombre y los atributos de las tres personas de la Deidad. ¿No lo crees? Veamos:

» Cuando se hace llamar 'su Santidad', 'Santo Padre', 'Sumo Padre' o 'el Padre de los padres', el papa usurpa el nombre y los atributos de Dios Padre, siendo que Jesús dijo: *"vosotros no queráis que os llamen Rabí; porque uno es vuestro Maestro, el Cristo, y todos vosotros sois hermanos. Y no llaméis padre vuestro a nadie en la tierra; porque uno es vuestro Padre, el que está en los cielos." Mateo 23:8-9*

» Además, el papa se opone a Cristo al permitir que los llamen 'el dulce Cristo de la tierra'.[184]

» Por último, el papa blasfema contra el Espíritu Santo al decir que es el 'vicario' o el representante de Cristo en la tierra, siendo que Jesús dijo: *"Mas el Consolador, el Espíritu Santo, a quien el Padre enviará en mi nombre [el único que Dios enviaría en representación de Cristo sería al Espíritu Santo], él os enseñará todas las cosas, y os recordará todo lo que yo os he dicho." Juan 14:26*

No hay hombre que represente a Dios en la tierra. Sin embargo, el papa se arroga la facultad divina perdonar pecados y otorgar indulgencias, afirmando –además– que posee infalibilidad para definir los dogmas de fe, es decir, lo que todos los fieles deben creer bajo apercibimiento de ser considerados 'anatemas' y 'herejes', cuando Jesús, claramente dijo que sería el Espíritu Santo quien nos enseñaría y nos recordaría todas las cosas que él dijo.[185]

---

184 La Carta Apostólica de «Motu Proprio» Spes Aedificandi, de Juan Pablo II, en su punto 7, hablando en relación a 'Santa Catalina', expresa: "La santa sienesa, apoyándose en su intimidad con Cristo, no tenía reparo en señalar con franqueza incluso al Pontífice mismo, al cual amaba tiernamente como «dulce Cristo en la tierra», la voluntad de Dios, que le imponía librarse de los titubeos dictados por la prudencia terrena y por los intereses mundanos para regresar de Aviñón a Roma."

185 La Constitución Dogmática sobre la Iglesia Lumen Gentium, del Concilio Vaticano II, ratificó la doctrina de la infalibilidad papal en su punto 18, enseñando como dogma de fe la siguiente blasfemia: "Este santo Sínodo, siguiendo las huellas del Concilio Vaticano I, enseña y declara con él que Jesucristo, Pastor eterno, edificó la santa Iglesia enviando a sus Apóstoles lo mismo que El fue enviado por el Padre (cf. Jn 20,21), y quiso que los sucesores de aquéllos, los Obispos, fuesen los pastores en su Iglesia hasta la consumación de los siglos. Pero para que el mismo Episcopado fuese uno solo e indiviso, puso al frente de los demás Apóstoles al bienaventurado Pedro e instituyó en la persona del mismo el principio y fundamento, perpetuo y visible, de la unidad de fe y de comunión. Esta doctrina sobre la institución, perpetuidad, poder y razón de ser del sacro primado del Romano Pontífice y de su

Todo esto explica por qué el cuerno pequeño era diferente al resto de los reyes mencionados en la profecía de Daniel 7, y es por su marcado tinte religioso que, detrás de una sotana blanca y grandes palabras que aparentan santidad pero son terribles blasfemias, intenta lograr la adoración de los hombres, apropiándose del nombre y de las prerrogativas de Dios. En Apocalipsis 17 se darán aún más detalles que nos permitirán confirmar, con total certeza, de quién se trata–.

Ahora, además de pretender la adoración de los hombres, la Biblia anticipó que este poder perseguiría a los verdaderos hijos de Dios, diciendo: *"Y se le permitió hacer guerra contra los santos, y vencerlos. También se le dio autoridad sobre toda tribu, pueblo, lengua y nación." Apocalipsis 13:7*

Como vemos, las características que da Apocalipsis respecto al carácter perseguidor de este poder son exactamente las mismas que menciona Daniel respecto al cuerno pequeño, al igual que cuando se menciona el período de su dominio –Apocalipsis dice: *"se le dio autoridad para actuar cuarenta y dos meses" (Ap 13:5),* lo cual equivale a 3,5 años; es decir, el mismo período que se le otorgó al cuerno pequeño en Daniel 7:25–.

Ahora, lo interesante es que Apocalipsis menciona este período de dominio de la bestia no sólo en relación a la edad media, sino también en un contexto posterior a la sanación de su herida de muerte. Es decir, en el tiempo, cuando la adoren *"todos los moradores de la tierra cuyos nombres no están escritos en el libro de la vida del Cordero." Apocalipsis 13:8*

¿Qué sucederá entonces, es decir, cuando la bestia resurja del abismo y el diablo le vuelva a dar su autoridad? Apocalipsis dice: «¡El que pueda entender, que entienda! El que tenga que ir a la cárcel, irá a la cárcel; y el que tenga que morir por la espada, morirá por la espada. En esto se pondrá a prueba la perseverancia y la fe de los santos.» Apocalipsis 13:9-10 LPD[186]

---

magisterio infalible, el santo Concilio la propone nuevamente como objeto de fe inconmovible a todos los fieles, y, prosiguiendo dentro de la misma línea, se propone, ante la faz de todos, profesar y declarar la doctrina acerca de los Obispos, sucesores de los Apóstoles, los cuales, junto con el sucesor de Pedro, Vicario de Cristo y Cabeza visible de toda la Iglesia, rigen la casa del Dios vivo."

186 Elena de White, comentando estas palabras, escribió: "El capítulo trece del Apocalipsis presenta un poder que ha de destacarse en estos últimos días." 18LtMs, Ms 139, 1903, par. 22

Ella también afirmó, en relación a Apocalipsis 13: "Todo este capítulo es una revelación de lo que seguramente tendrá lugar." 12LtMs, Ms 88, 1897, par. 17

El falso cordero

Ahora, en la batalla final, el papado no actuará solo, sino que tendrá un poderoso aliado que le granjeará su servicio. Dice: *"Después vi otra bestia que subía de la tierra; y tenía dos cuernos semejantes a los de un cordero, pero hablaba como dragón. Y ejerce toda la autoridad de la primera bestia en presencia de ella, y hace que la tierra y los moradores de ella adoren a la primera bestia, cuya herida mortal fue sanada." Apocalipsis 13:11-12*

Aunque la profecía de Daniel menciona que habría solo cuatro *'grandes bestias',* es decir, solo cuatro grandes imperios mundiales hasta el día en que regrese Jesús y se de el reino del mundo a los santos del Altísimo (Daniel 7:17-18), en Apocalipsis se amplía información respecto de otro poder que, siendo de menor jerarquía, jugaría un papel importante en el tiempo del fin, haciendo que la tierra, y los moradores de ella, adoren a la primera bestia [de Apocalipsis 13, es decir, al papado], luego de que haya curado de su herida mortal (Ap 13:12).

Para saber de quién se trata, debemos analizar la información que se nos proporciona. En primer lugar, se nos dice que este falso cordero subiría de la tierra –en contraposición con las bestias anteriores, que surgirían del mar–. Por lo cual, si el mar representa a pueblos, multitudes, naciones y lenguas, y esta segunda bestia no sube de allí sino de lo contrapuesto a ello, podemos inferir que se trata de una potencia mundial que surgiría en una territorio inhabitado del mundo.

¿No es, acaso, un indicio suficiente? ¿Cuántas potencias mundiales han surgido desde una tierra desconocida, luego de que el papado recibió su herida de muerte por parte de Napoleón? Una sola, los Estados Unidos de América.

Ahora, en el análisis de los símbolos, como ya hemos visto, los cuernos representan poderes que gobiernan diferentes sectores de una nación. Por esto, si los cuernos de esta segunda bestia son 'como de cordero' significa que representan poderes que surgen con apariencia cristiana.

¿A qué poderes refieren, entonces, los dos cuernos 'como de cordero' dentro de la organización político social de los Estados Unidos de América? Entendemos que simbolizan al poder civil y al poder religioso (el republicanismo y el protestantismo), los cuales se establecieron separados uno de otro a fin de garantizar plena libertad política y religiosa, siguiendo, al pie de la letra, las palabras de Cristo, cuando dijo: *"Dad, pues, a César lo que es de César, y a Dios lo que es de Dios."* Mateo 22:21[187]

Sin embargo, la profecía anticipa que esto cambiará, y que aquella gran nación, que nació garantista de la libertad política y religiosa, volverá sobre sus pasos y terminará hablando como 'dragón', es decir, legislando en materia religiosa; lo cual estará en total contradicción con la mismísima primera enmienda de su Constitución, la cual establece: *"El Congreso no podrá hacer ninguna ley con respecto al establecimiento de la religión, ni prohibiendo la libre práctica de la misma; ni limitando la libertad de expresión, ni de prensa; ni el derecho a la asamblea pacífica de las personas...".*[188]

---

187 Elena de White explica: "Los cuernos semejantes a los de un cordero representan juventud, inocencia y mansedumbre, rasgos del carácter de los Estados Unidos cuando el profeta vio que esa nación "subía" en 1798. Entre los primeros expatriados cristianos que huyeron a América en busca de asilo contra la opresión real y la intolerancia sacerdotal, hubo muchos que resolvieron establecer un gobierno sobre el amplio fundamento de la libertad civil y religiosa. Sus convicciones hallaron cabida en la declaración de la independencia que hace resaltar la gran verdad de que "todos los hombres son creados iguales", y poseen derechos inalienables a la "vida, a la libertad y a la búsqueda de la felicidad". Y la Constitución garantiza al pueblo el derecho de gobernarse a sí mismo, y establece que los representantes elegidos por el voto popular promulguen las leyes y las hagan cumplir. Además, fue otorgada la libertad religiosa, y a cada cual se le permitió adorar a Dios según los dictados de su conciencia. El republicanismo y el protestantismo vinieron a ser los principios fundamentales de la nación. Estos principios son el secreto de su poder y de su prosperidad. Los oprimidos y pisoteados de toda la cristiandad se han dirigido a este país con afán y esperanza. Millones han fondeado en sus playas, y los Estados Unidos han llegado a ocupar un puesto entre las naciones más poderosas de la tierra." CS 436

188 Elena de White comenta: "Los cuernos como de cordero y la voz de dragón del símbolo indican una extraña contradicción entre lo que profesa ser y la práctica de la nación así representada. El "hablar" de la nación son los actos de sus autoridades legislativas y judiciales. Por esos actos la nación desmentirá los principios liberales y pacíficos que expresó como fundamento de su política. La predicción de que hablará "como dragón" y ejercerá "toda la autoridad de la primera bestia", anuncia claramente el desarrollo del espíritu de intolerancia y persecución de que tantas pruebas dieran las naciones representadas por el dragón y la bestia semejante al leopardo. Y la declaración de que la bestia con dos cuernos "hace que la tierra y los que en ella habitan, adoren a la bestia primera", indica que la autoridad de esta nación será empleada para imponer alguna observancia en homenaje al papado. Semejante actitud sería abiertamente contraria a los principios de este gobierno, al genio de sus instituciones libres, a los claros y solemnes reconocimientos contenidos en la declaración de la independencia, y contrarios finalmente a la constitución. Los fundadores de la nación procuraron con acierto que la iglesia no pudiera hacer

Es claro. La segunda bestia de Apocalipsis 13 también es un poder que hace del engaño una de sus principales armas. En relación a esto, Apocalipsis continúa diciendo: *"También hace grandes señales, de tal manera que aun hace descender fuego del cielo a la tierra delante de los hombres. Y engaña a los moradores de la tierra con las señales que se le ha permitido hacer en presencia de la bestia, mandando a los moradores de la tierra que le hagan imagen a la bestia que tiene la herida de espada, y vivió." Apocalipsis 13:13-14*

Comencemos por el final. ¿Qué simboliza 'la imagen de la bestia' y cómo se formará? La realización de una imagen de la primera bestia indica que este poder se convertirá algo tan parecido a la bestia papal que será como un reflejo de ella.[189]

¿Cómo será esto? Pues, cuando el protestantismo apóstata de los Estados Unidos logre controlar de tal manera al poder político, al punto de que se promulguen leyes en materia religiosa –para imponer por la fuerza de la ley cuestiones de fe–, dicho poder religioso se alzará sobre la

---

uso del poder civil, con los consabidos e inevitables resultados: la intolerancia y la persecución. La constitución garantiza que "el congreso no legislará con respecto al establecimiento de una religión ni prohibirá el libre ejercicio de ella", y que "ninguna manifestación religiosa será jamás requerida como condición de aptitud para ninguna función o cargo público en los Estados Unidos". Solo en flagrante violación de estas garantías de la libertad de la nación, es como se puede imponer por la autoridad civil la observancia de cualquier deber religioso. Pero la inconsecuencia de tal procedimiento no es mayor que lo representado por el símbolo. Es la bestia con cuernos semejantes a los de un cordero–que profesa ser pura, mansa, inofensiva–y que habla como un dragón." CS 437

189 Elena de White explica: "La imagen es hecha por la bestia de dos cuernos y es una imagen de la primera bestia. Así que para saber a qué se asemeja la imagen y cómo será formada, debemos estudiar los rasgos característicos de la misma bestia: el papado. Cuando la iglesia primitiva se corrompió al apartarse de la sencillez del evangelio y al aceptar costumbres y ritos paganos, perdió el Espíritu y el poder de Dios; y para dominar las conciencias buscó el apoyo del poder civil. El resultado fue el papado, es decir, una iglesia que dominaba el poder del estado y se servía de él para promover sus propios fines y especialmente para extirpar la "herejía". Para que los Estados Unidos formen una imagen de la bestia, el poder religioso debe dominar de tal manera al gobierno civil que la autoridad del estado sea empleada también por la iglesia para cumplir sus fines… Fue la apostasía lo que indujo a la iglesia primitiva a buscar la ayuda del gobierno civil, y esto preparó el camino para el desarrollo del papado, simbolizado por la bestia. San Pablo lo predijo al anunciar que vendría "la apostasía", y sería "revelado el hombre de pecado". 2 Tesalonicenses 2:3 (VM). De modo que la apostasía en la iglesia [protestante] preparará el camino para la imagen de la bestia." CS 437-438

humanidad de una manera tan similar al papado, que la Biblia lo describe como 'la imagen de la bestia'.[190]

Por esto, la profecía anticipa que la mayoría de las iglesias protestantes de los Estados Unidos —que han caído en apostasía— se unirán para hacer sentir su voz en los recintos políticos, a fin de imponer por la fuerza de la ley cuestiones que deberían ser impulsadas a través del poder del Espíritu Santo, el cual ya no tendrán.

Sin embargo, la Biblia dice que estas personas sí podrán realizar 'grandes señales' con el fin de engañar a la humanidad, lo cual tiene que ver con falsos milagros que Dios les permitirá realizar.[191]

En este sentido, el 'hacer descender fuego del cielo a la tierra delante de los hombres' es una clara referencia a aquella 'gran señal' de historia de Elías que, en aquella oportunidad, Dios impidió que el diablo realizara. Sin embargo, la profecía anticipa que, en el fin de los días, Dios permitirá que los falsos profetas realicen asombrosos milagros ante la vista de los hombres, así como le permitió a los magos egipcios realizar aparentes milagros cuando envió a Moisés para liberar a su pueblo.

---

190 Elena de White continúa diciendo: "Cuando las iglesias principales de los Estados Unidos, uniéndose en puntos comunes de doctrina, influyan sobre el estado para que imponga los decretos y las instituciones de ellas, entonces la América protestante habrá formado una imagen de la jerarquía romana, y la inflicción de penas civiles contra los disidentes vendrá de por sí sola." CS 439

"La 'imagen de la bestia' representa la forma de protestantismo apóstata que se desarrollará cuando las iglesias protestantes busquen la ayuda del poder civil para la imposición de sus dogmas." CS 439

191 Elena de White comenta: "La Biblia declara que antes de la venida del Señor habrá un estado de decadencia religiosa análoga a la de los primeros siglos. "En los postreros días vendrán tiempos peligrosos. Porque los hombres serán amadores de sí mismos, amadores del dinero, jactanciosos, soberbios, blasfemos, desobedientes a sus padres, ingratos, impíos, sin afecto natural, implacables, calumniadores, incontinentes, fieros, aborrecedores de los que son buenos, traidores, protervos, hinchados de orgullo, amadores de los placeres, más bien que amadores de Dios; teniendo la forma de la piedad, mas negando el poder de ella" (2 Timoteo 3:1-5). "Empero el Espíritu dice expresamente, que en tiempos venideros algunos se apartarán de la fe, prestando atención a espíritus seductores, y a enseñanzas de demonios" (1 Timoteo 4:1). Satanás obrará "con todo poder, y con señales, y con maravillas mentirosas, y con todo el artificio de la injusticia". Y todos los que "no admitieron el amor de la verdad, para que fuesen salvos", serán dejados para que acepten "operación de error, a fin de que crean a la mentira" (2 Tesalonicenses 2:9-11)." CS 438

De esta manera, en los días del fin, habrá dos tipos de personas que realizarán milagros.

» Aquellos 144000, simbolizados por los dos testigos de Apocalipsis 11, que vendrán acompañados del 'espíritu' y el 'poder' de Elías a fin de hacer volver el corazón de las personas a Dios.

» Y una multitud de pastores y dirigentes religiosos que, haciendo gala de grandes poderes milagrosos, engañarán a las multitudes, los cuales constituirán *el falso profeta* que menciona, más adelante, Apocalipsis.[192]

¿Cómo continuará la cosa? Dice: *"Y se le permitió [a esta segunda bestia] infundir aliento [es decir, espíritu o vida] a la imagen de la bestia [es decir, al protestantismo apóstata], para que la imagen hablase e hiciese matar a todo el que no la adorase." Apocalipsis 17:15*

¿Qué quiere decir esto? Que cuando las principales iglesias protestantes de los Estados Unidos, representados por uno de los cuernos de esta segunda bestia, busquen el apoyo del poder civil para imponer sus dogmas de fe por medio de la ley, así como lo ha hecho el papado desde la antigüedad, este poder religioso se alzará con soberbia y altanería –de la misma manera que lo hizo el cuerno pequeño de Daniel 7 [representando al papado]–, al punto que también se le dará una gran boca para hablar palabras altaneras que llegarán, también en este caso, a 'hacer matar' a todo aquel que no adore de acuerdo con sus pronunciamientos.

Hay más… Dice: *"Y hacía que a todos, pequeños y grandes, ricos y pobres, libres y esclavos, se les pusiese una marca en la mano derecha, o en la frente; y que ninguno pudiese comprar ni vender, sino el que tuviese la marca o el nombre de la bestia, o el número de su nombre." Apocalipsis 13:16-17*

Para comprender qué es la marca de la bestia, primero tenemos que entender un aspecto adicional del Sello de Dios que, hasta aquí, no hemos desarrollado.

---

192 Elena de White escribió: "Vendrán siervos de Dios con semblantes iluminados y resplandecientes de santa consagración, y se apresurarán de lugar en lugar para proclamar el mensaje celestial. Miles de voces predicarán el mensaje por toda la tierra. Se realizarán milagros, los enfermos sanarán y signos y prodigios seguirán a los creyentes. Satanás también efectuará sus falsos milagros, al punto de hacer caer fuego del cielo a la vista de los hombres. Apocalipsis 13:13. Es así como los habitantes de la tierra tendrán que decidirse en pro o en contra de la verdad". CS 597

El sello de Dios

Como hemos visto, antes que se desate el Apocalipsis, Dios identificará a sus hijos poniendo una señal sobre ellos, a fin de resguardarlos del castigo reservado para los malvados. Dice la Biblia: *"Luego vi a otro Ángel que subía del Oriente, llevando el sello del Dios vivo. Y comenzó a gritar con voz potente a los cuatro Ángeles que habían recibido el poder de dañar a la tierra y al mar: «No dañen a la tierra, ni al mar, ni a los árboles, hasta que marquemos con el sello la frente de los servidores de nuestro Dios»." Apocalipsis 7:2-3 LPD*

El *'Sello de Dios'* es una identificación invisible que Dios coloca sobre aquellos que creen en su Palabra. Dice la Biblia: *"En él, ustedes, los que escucharon la Palabra de la verdad, la Buena Noticia de la salvación, y creyeron en ella, también han sido marcados con un sello por el Espíritu Santo prometido." "No entristezcan al Espíritu Santo de Dios, que los ha marcado con un sello para el día de la redención." Efesios 1:13; 4;30 LPD*

Ahora, ¿cómo podemos saber quienes serán sellados y quienes no; y por qué? Y la pregunta clave es ¿de qué manera podemos entristecer y alejar al Espíritu Santo para que no nos selle? Sin dudas, al desobedecer a Dios, transgrediendo sus mandamientos. Jesús dijo: *"Si ustedes me aman, cumplirán mis mandamientos. Y yo rogaré al Padre, y él les dará otro Paráclito [o Consolador] para que esté siempre con ustedes: el Espíritu de la Verdad, a quien el mundo no puede recibir, porque no lo ve ni lo conoce. Ustedes, en cambio, lo conocen, porque él permanece con ustedes y estará en ustedes." Juan:14:15-17 LPD*

En suma, los que no aman a Dios no cumplirán sus mandamientos, y para ellos no habrá Espíritu ni sello. En Isaías, dice: *"Ata el testimonio, sella la ley entre mis discípulos." Isaías 8:16*

Y Juan reafirma: *"La señal de que lo conocemos, es que cumplimos sus mandamientos. El que dice: «Yo lo conozco», y no cumple sus mandamientos, es un mentiroso, y la verdad no está en él. Pero en aquel que cumple su palabra, el amor de Dios ha llegado verdaderamente a su plenitud. Esta es la señal de que vivimos en él. [Porque] El que dice que permanece en él, debe proceder como él." 1 Juan :2:3-6 LPD*

Jesús cumplió todos y cada uno de los mandamientos a la perfección. Sino habría sido un pecador, y como tal, no nos habría podido salvar. Es más, no solo los cumplió, sino que nos los enseñó a cumplir, interpretando tanto el espíritu como el alcance de la ley. Él dijo: *"Ustedes han oído que se dijo a los antepasados: 'No matarás', y el que mata, debe ser llevado ante el tribunal. Pero yo les digo que todo aquel que se irrita contra su hermano, merece ser condenado por un tribunal… Ustedes han oído que se dijo: 'No cometerás adulterio'. Pero yo les digo: El que mira a una mujer deseándola, ya cometió adulterio con ella en su corazón." Mateo 5:21-22; 27-28 LPD*

En cuanto al sábado, por ejemplo, él dijo: *"está permitido hacer una buena acción [o 'el bien'] en sábado" (Mateo 12:12 LPD)*, por lo tanto, si algo está 'permitido', si algo 'es lícito', como dicen otras traducciones, es porque otras cosas no están permitidas porque no son lícitas hacer en sábado. Jesús, como *'Dueño [y Señor] del sábado (Mateo 12:8 LPD)'*, nos enseñó qué cosas estaban permitidas hacer en día sábado y qué cosas no.

Además, Él fue muy claro cuando dijo: *"No piensen que vine para abolir la Ley o los Profetas: yo no he venido a abolir, sino a dar cumplimiento. Les aseguro que no desaparecerá ni una i ni una coma de la Ley, antes que desaparezcan el cielo y la tierra, hasta que todo se realice. El que no cumpla el más pequeño de estos mandamientos, y enseñe a los otros a hacer lo mismo, será considerado el menor en el Reino de los Cielos. En cambio, el que los cumpla y enseñe, será considerado grande en el Reino de los Cielos. Les aseguro que si la justicia de ustedes no es superior a la de los escribas y fariseos, no entrarán en el Reino de los Cielos." Mateo 5:17-20 LPD*

Es evidente que para recibir el Espíritu Santo debemos estar en armonía con los mandatos divinos. Dice la Biblia: *"Nosotros somos testigos de estas cosas, nosotros y el Espíritu Santo que Dios ha enviado a los que le obedecen»." Hechos 5:32*

Ahora, si bien todos los mandamientos son importantes, al punto de ser escritos en piedra, hay uno, en particular, que contiene el *'Sello de Dios'*, es decir, su nombre, su cargo y su jurisdicción. Solo uno hace referencia a la autoridad de Dios como nuestro Creador, y es justamente el que ordena descansar en sábado. Dice: *"Acuérdate del día sábado para santificarlo. Durante seis días trabajarás y harás todas tus tareas; pero el séptimo es día de descanso en honor del Señor, tu Dios. En él no harán ningún trabajo, ni tú, ni tu hijo, ni tu hija, ni tu esclavo, ni tu esclava, ni tus animales, ni el extranjero que reside en tus ciudades. Porque en seis días el Señor [he aquí su nombre] hizo [he aquí su cargo: Creador] el cielo, la tierra, el mar y todo lo que hay en ellos [he aquí su jurisdicción], pero el séptimo día descansó. Por eso el Señor bendijo el día sábado y lo declaró santo." Éxodo 20:8-11 LPD*

El mandamiento comienza diciendo *acuérdate*, y esto implica el pasado (porque el sábado fue instaurado en la creación) y el futuro (porque su pueblo no debía olvidarse de este día sagrado). En efecto, si analizamos el relato de la creación, veremos esta misma expresión de que Dios 'bendijo' y 'santificó' el séptimo día en su honor como Creador, desde el inicio, cuando solo existía Adán y Eva y aún no había entrado el pecado: *"Así fueron terminados el cielo y la tierra, y todos los seres que hay en ellos. El séptimo día, Dios concluyó la obra que había hecho, y cesó de hacer la obra que había emprendido. Dios bendijo el séptimo día y lo consagró, porque en él cesó de hacer la obra que había creado." Génesis 2:1-3 LPD*

Jesús resaltó la importancia y vigencia del Antiguo Testamento en su parábola sobre el rico y el Lázaro, diciendo *"Si no escuchan a Moisés y a los Profetas, aunque resucite alguno de entre los muertos, tampoco se convencerán"». Lucas 16:31 LPD*

Sin embargo, la observancia del sábado no solo está prescrita en el antiguo testamento. También en el nuevo encontramos a Jesús enseñando sobre este mandamiento, diciendo a quienes desvirtuaban el propósito del mismo: *"El sábado ha sido hecho para el hombre, y no el hombre para el sábado. De manera que el Hijo del hombre es dueño también del sábado»." Marcos 2:27-28 LPD*

De hecho, Jesús acostumbraba guardar el sábado asistiendo a las iglesias de su época. Dice: *"Jesús fue a Nazaret, donde se había criado; el sábado entró como de costumbre en la sinagoga y se levantó para hacer la lectura." Lucas 4:16 LPD*

Además, Jesús dijo −en relación a las persecuciones que debería sufrir su iglesia en el fin de los tiempos−: *"Rueguen para que no tengan que huir en invierno o en día sábado" Mateo 24:20 LPD*

Y esto es porque *"Jesucristo es el mismo ayer y hoy, y lo será para siempre" "Porque lo que él ha bendecido, queda bendito para siempre" "Dios bendijo el séptimo día y lo consagró, porque en él cesó de hacer la obra que había creado." Hebreos 13:8; 1 Crónicas 17:27; Génesis 2:3 LPD*

Por esto, en Hechos de los apóstoles, luego de la muerte y resurrección de Jesús, podemos ver a los discípulos guardando el sábado: *"Pablo, como de costumbre, se dirigió a ellos y discutió durante tres sábados, basándose en la Escritura" "Todos los sábados, Pablo discutía en la sinagoga y trataba de persuadir tanto a los judíos como a los paganos." Hechos 17:2; 18:4 LPD*

Además, este mismo apóstol dijo: *"Queda, por lo tanto, reservado un Reposo, el del séptimo día, para el Pueblo de Dios. Y aquel que entra en el Reposo de Dios descansa de sus trabajos, como Dios descansó de los suyos" Hebreos 4:9-10 LPD*

¿Sabías que el sábado es el único día que Dios, además de santificarlo, le puso nombre y que su significado es, en todos los idiomas antiguos descanso o reposo? Dice Wikipedia: "El término español «sábado» proviene del latín bíblico sabbătum, este del griego sábbaton, este del hebreo shabat, que significa 'reposo', 'día de reposo', que deriva del verbo shâbath: que es 'cesar [de trabajar]', 'descansar', 'guardar el sábado', y este del acadio šabattum, que también significa 'descanso'. y que Viene de sa bot en sumerio, cuyo significado es: calma el corazón."[193]

Podemos abstenernos de mentir, matar y adulterar por ser prácticas anti éticas, o porque los gobiernos nos obliguen. Ahora, el que descansa en sábado es porque reconoce a Jesús como su Creador y Redentor; y lo adora en el día que él bendijo y santificó, es decir, consagró para uso sagrado.

Este mandamiento ha identificado a los verdaderos hijos de Dios desde los días de la antigüedad. Dice la Biblia *"Yo, el Señor, soy su Dios; sigan mis preceptos y observen mis leyes, poniéndolas en práctica. Santifiquen mis sábados: que ellos sean una señal entre ustedes y yo, para que se sepa que yo, el Señor, soy su Dios." Ezequiel 20:19-20 LPD*

Ahora, ¿cuán importante es esto? ¿No da lo mismo un día que otro? Considera el siguiente pasaje teniendo en cuenta que todo verdadero cristiano es un 'israelita' en términos espirituales, porque forma parte del pueblo escogido a través de Cristo: *"El Señor dijo a Moisés: Habla a los israelitas en los siguientes términos: No dejen nunca de observar mis sábados, porque el sábado es un signo puesto entre yo y ustedes, a través de las generaciones, para que ustedes sepan que yo, el Señor, soy el que los santifico. Observarán el sábado, porque es sagrado para ustedes. El que lo profane, será castigado con la muerte. Sí, todo el que haga algún trabajo ese día será excluido de su pueblo. Durante seis días se trabajará, pero el séptimo será un día de descanso solemne, consagrado al Señor. El que trabaje en sábado será castigado con la muerte. Los israelitas observarán el sábado, celebrándolo a través de las generaciones como signo [señal] de alianza eterna. Será un signo perdurable entre yo y los israelitas, porque en seis días el Señor hizo el cielo y la tierra, pero el séptimo*

193 https://es.wikipedia.org/wiki/Sábado

día descansó y retomó aliento. Cuando el Señor terminó de hablar con Moisés, en la montaña del Sinaí, le dio las dos tablas del Testimonio, tablas de piedra escritas por el dedo de Dios." Éxodo 31:12-18 LPD

Aunque la pena de muerte pueda ser difícil de entender en nuestros días, podemos comprender que, para Dios, el que escribió sus mandamientos en piedra, el asunto del sábado no es de poca importancia. El lo estableció como *'señal de alianza eterna'* entre él y su pueblo, y podemos tener la seguridad que, en sus planes, no vivirá quien, conociendo esto, siga pisoteando su día sagrado, porque Dios es eterno y no cambia con el transcurso del tiempo.

En resumen, es claro que el sábado es el día que Dios bendijo y santificó desde el inicio de la creación en su honor como Creador, y que fue constituido como una signo de alianza eterna entre Él y su pueblo, y que es la señal que identifica a los que proponen en su corazón ser obedientes a los mandamientos de Dios. Ahora, ¿qué es *'la marca de la bestia'*?

La marca de la bestia

La marca de la bestia es una identificación opuesta al sello de Dios, que pretenderá ser impuesta a los habitantes del mundo bajo apercibimiento de no poder comprar o vender; identificando a todos aquellos que rechacen la salvación ofrecida por Jesús y se unan al diablo en su rebeldía contra la Ley de Dios.

Así como el sello de Dios tiene un componente que lo liga a un día de descanso, la *'marca de la bestia'* –llamada también *'abominación de la desolación'* en Daniel–, implicará la imposición de una legislación que obligará a descansar en un día de la semana que está en oposición al establecido por Dios. Jesús se refirió a ella, cuando dijo: *"Cuando vean en el Lugar Santo la Abominación de la desolación, de la que habló el profeta Daniel –el que lea esto, entiéndalo bien– los que estén en Judea, que se refugien en las montañas; el que esté en la azotea de su casa, no baje a buscar sus cosas; y el que esté en el campo, que no vuelva a buscar su manto. ¡Ay de las mujeres que estén embarazadas o tengan niños de pecho en aquellos días! Rueguen para que no tengan que huir en invierno o en día sábado. Porque habrá entonces una gran tribulación, como no la hubo desde el comienzo del mundo hasta ahora, ni la habrá jamás. Y si no fuera abreviado ese tiempo, nadie se salvaría; pero será abreviado, a causa de los elegidos." Mateo 24:15-22 LPD*

Si hacemos caso a Cristo, y vamos a leer al profeta Daniel, veremos que, de un poder identificado como 'el rey del norte', dice: *"...desahogará su furor contra la Alianza santa; a su regreso, llegará a un entendimiento con aquellos que abandonen la Alianza santa. Fuerzas enviadas por él atacarán, profanarán el Santuario y la Ciudadela, abolirán el sacrificio perpetuo e instalarán la Abominación de la desolación. Por medio de intrigas, él hará apostatar a los transgresores de la Alianza, pero el pueblo de los que conocen a Dios se mantendrá firme y entrará en acción." Daniel 11:30-32 LPD*

Lo que podemos notar –al vincular estos dos pasajes–, es que el *'Lugar Santo'* (mencionado por Jesús en Mateo 24) implica un espacio sagrado vinculado a la *'Alianza Santa'* (mencionada por Daniel).

En este sentido, notemos que Jesús dijo: *"Cuando vean en el Lugar Santo la Abominación de la desolación, de la que habló el profeta Daniel" (Mateo 24:15),* mientras que el profeta Daniel describe el poder que atacaría la *'Alianza Santa',* para poner en su lugar la *'Abominación de la desolación'.*

Ahora, ¿qué es la *'Alianza Santa'*? La *'Alianza Santa'* es, justamente, el pacto que Dios firmó con aquellos que serían su pueblo en el Monte Sinaí, la cual quedó resumida en las dos tablas de piedra que Dios le entregó a Moisés con los diez mandamientos, las cuales se guardaban celosamente en un cofre de oro denominado 'el arca de la Alianza', sobre la que se manifestaba la presencia de Dios.

Lo interesante, es que esta Alianza que Dios estableció con su pueblo incluía un mandamiento en relación con un 'Lugar Santo' que no era el territorio de Israel, y ni siquiera el Santuario propiamente dicho, sino que era un *'Lugar Santo temporal',* es decir, un espacio de tiempo santificado por Dios –desde el inicio de la creación–, que fue establecido por Dios como la *'señal de la alianza entre él y su pueblo' (Éxodo 31:12-18).*

Ese mandamiento, como hemos visto, ordena guardar el día sábado, apartándolo como sagrado para Dios, en honor de su creación.

Por lo tanto, si el 'rey del norte', que describe Daniel, se enojaría contra la Alianza Santa y se entendería con aquellos que la abandonen, enviando fuerzas para profanar esta especie de Santuario que Dios puso en el tiempo, con el fin de abolir lo perpetuo e instalar, en su lugar, una abominación, significa que este rey intentará imponer sobre la humanidad un día de descanso falso en lugar del santificado por Dios.

En este sentido, es necesario mencionar que la introducción de elementos comunes o profanos en lugar de aquellas que Dios ha santificado, constituye una "abominación" a los ojos de Dios. Luego de encenderse en ira contra Nadab y Abiú –consumiéndolos por medio de fuego del altar, por haber ofrecido fuego extraño en lugar del que Dios había santificado para ello–, Dios dijo a Aarón, su padre: *"Deben distinguir entre lo sagrado y lo común, entre lo que es ceremonialmente impuro y lo que es puro."* *Levítico 10:10 NTV*

La *'marca de la bestia'*, es entonces, la imposición de un día de descanso que desafía y deshonra al Creador, y constituye aquella *'abominación de la desolación'* de la que habló Jesús y el profeta Daniel como señal inequívoca del comienzo de las tribulaciones del tiempo del fin.

Ahora, ¿por qué es tan importante el día de descanso? La importancia del día de descanso radica en una cuestión de lealtad. Es decir, la decisión que cada uno tome en relación a él, demostrará obediencia a Dios o a su enemigo. Si descansamos en sábado es porque reconocemos a Dios como nuestro Creador y decidimos obedecer sus mandamientos. En cambio, si preferimos descansar en domingo, estaremos obedeciendo a mandamientos de hombres que están en oposición a Dios. Quizá en principio sea lo más cómodo, sin embargo nos pondrá en rebeldía contra Dios y deberemos enfrentar sus juicios.

El sabio Salomón, por inspiración divina, escribió: *"El sacrificio de los malvados es detestable y, más aún, cuando se ofrece con mala intención."* *Proverbios 21:27 NVI*

En este sentido, recordemos que del papado, simbolizado en la profecía de Daniel como un *'cuerno pequeño'*, se profetizó que: *'Hablaría contra el Altísimo', 'maltrataría a los Santos del Altísimo'* y *'trataría de cambiar los tiempos festivos y la Ley' (Daniel 7:25 LPD).*

Si recurrimos a la historia –y a las propias confesiones del catolicismo romano, podremos corroborar que ha sido éste el poder que ha impuesto, desde la época de Constantino, el domingo, *'el venerable día del sol'*, como día de descanso obligatorio dentro de un cristianismo que, hasta entonces, aún conservaba el sábado bíblico.

De la misma manera, en el tiempo del fin, y con el objetivo de garantizarse el apoyo de Roma, *'la imagen de la bestia'*, es decir, el protestantismo apóstata de los Estados Unidos, también hará emitir un decreto que impondrá el domingo como día de descanso obligatorio; y todo aquel que no acate esta normativa, dice la Biblia, no podrá comprar ni vender, cualquiera sea su posición social. Dice: *"Así consiguió que todos –pequeños y grandes, ricos y pobres, libres y esclavos– se dejaran poner una marca en su mano derecha o sobre su frente, de manera que nadie podía comprar o vender, si no llevaba marcado el nombre de la Bestia o la cifra que corresponde a su nombre." Apocalipsis 13:16-17 LPD*

Anteriormente, vimos que Dios colocaría su sello solo sobre la frente de los que guardan los mandamientos de Dios y tienen la fe de Jesús, y esto es porque Dios únicamente acepta la adoración que le ofrecen sus hijos por amor, y en completa libertad intelectual.

En cambio, la bestia impondrá su marca tanto en la frente como en la mano derecha, porque el diablo someterá tanto a los que le adoran a conciencia como a todos aquellos que lo hagan por temor a perder su trabajo. En este sentido, que la señal sea colocada en la frente o en la mano es algo simbólico. La frente es símbolo del intelecto, la mano derecha del trabajo.

La ley de descanso dominical obligatorio será, entonces, la gran prueba por la que tendrá que pasar el pueblo de Dios en los últimos días. Dice la escritura: *"En esto se pondrá a prueba la perseverancia de los santos, de aquellos que guardan los mandamientos de Dios y la fe de Jesús." Apocalipsis 14:12*[194]

Cuando esta abominación sea impuesta a los hombres, comenzando desde los Estados Unidos de América, Dios permitirá el inicio de la desolación de la Tierra.

---

194 Elena de White explica: "En el último gran conflicto de la controversia con Satanás, los que sean leales a Dios se verán privados de todo apoyo terrenal. Porque se niegan a violar su ley en obediencia a las potencias terrenales, se les prohibirá comprar o vender. Finalmente será decretado que se les dé muerte (Apocalipsis 13:11-17). Pero al obediente se le hace la promesa: "Habitará en las alturas: fortalezas de rocas serán su lugar de acogimiento; se le dará su pan, y sus aguas serán ciertas" (Isaías 33:16). Los hijos de Dios vivirán por esta promesa. Serán alimentados cuando la tierra esté asolada por el hambre. "No serán avergonzados en el mal tiempo; y en los días de hambre serán hartos" (Salmos 37:19). El profeta Habacuc previó este tiempo de angustia, y sus palabras expresan la fe de la iglesia: "Aunque la higuera no florecerá, ni en las vides habrá frutos; mentirá la obra de la oliva, y los labrados no darán mantenimiento, y las ovejas serán quitadas de la majada, y no habrá vacas en los corrales; con todo, yo me alegraré en Jehová, y me gozaré en el Dios de mi salud" (Habacuc 3:17-18)." DTG 97

Allí, los que defiendan la verdad bíblica serán tratados como traidores, denunciados como enemigos de la ley y del orden, como quebrantadores de las restricciones morales, y por lo tanto, causantes de la anarquía y corrupción que atrae sobre la tierra los altos juicios de Dios.

Aunque parezca contradictorio, el solo hecho de ser fiel a los mandamientos de Dios implicará burlas, coerción, estigmatización y persecución desde los máximos estamentos de poder y control de la sociedad. Los gobernantes, los ministros de la religión y hasta los miembros de las iglesias conspirarán contra ellos. El arte, el intelecto, los medios de comunicación, los poderes políticos, económicos y religiosos, todos se unirán en contra de los que guardan los mandamientos de Dios y tienen la fe de Jesús.

Las persecuciones sobre los santos irán en aumento: Se los tildará de terroristas ideológicos y hasta tendrán que huir a las montañas para resguardar sus vidas. En este sentido, recordemos que el mismo Jesús nos instó a orar para que esta huida no tenga que ser en invierno o, precisamente, en día sábado. Él dijo: *"Rueguen para que no tengan que huir en invierno o en día sábado. Porque habrá entonces una gran tribulación, como no la hubo desde el comienzo del mundo hasta ahora, ni la habrá jamás." Mateo 24:20-21 LPD*

Esto será así, porque el papado hará que *'los reyes de la tierra y todos los habitantes del mundo se embriaguen con el vino de su prostitución' (Ap 17:2)*, es decir, con el vino de sus engaños, y que toda nación se rebele contra Dios. Dice la Escritura: *"Todos están de acuerdo en poner a disposición de la Bestia su autoridad y su poder." Apocalipsis 17:13*[195]

Cuando esta rebelión alcance al mundo entero, Dios sacudirá la tierra en el ardor de su ira. Apocalipsis advierte: *"El que adore a la Bestia o a su imagen y reciba su marca sobre la frente o en la mano, tendrá que beber el vino de la indignación de Dios, que se ha derramado puro en la copa de su ira; y será atormentado con fuego y azufre, delante de los santos Ángeles y delante del Cordero." Apocalipsis 14:9-10*

En tanto, Isaías dice: *"Miren, el Señor arrasa la tierra y la deja desierta, trastorna su faz y dispersa a sus habitantes. Correrán la misma suerte tanto el pueblo como el sacerdote, el esclavo como su señor, la esclava como su señora, el*

---

195 Elena de White escribió: "Cuando los Estados Unidos, el país de la libertad religiosa, se una con el papado para forzar la conciencia y obligar a los hombres a honrar el falso día de reposo, los habitantes de todo país del globo serán inducidos a seguir su ejemplo" EUD138

comprador como el vendedor, el que pide prestado como el que presta, el acreedor como el deudor. La tierra es arrasada, sí, arrasada, saqueada por completo, porque el Señor ha pronunciado esta palabra. La tierra está de duelo, desfallece, el mundo se marchita, desfallecen las alturas junto con la tierra. La tierra está profanada bajo los pies de los que la habitan, porque ellos violaron las leyes, transgredieron los preceptos, rompieron la alianza eterna. Por eso la Maldición devora la tierra y sus habitantes soportan la pena; por eso se consumen los habitantes de la tierra y no quedan más que unos pocos." Isaías 24:1-6 LPD

¿Te das cuenta? Nos espera un tiempo de gran angustia, en el cual estaremos entre dos espadas. Si nos mantenemos fieles a los mandamientos de Dios, recibiremos gran persecución por parte de los mayores poderes de este mundo; por otro lado, si aceptamos la marca de la bestia y nos doblegamos ante los poderes terrenales, tendremos que enfrentarnos a la ira de Dios. Es ésta la gran elección por la cual se decidirá tu vida o tu muerte eterna.

A su hijos, los que creen su Palabra y obedecen sus Mandamientos, Dios les promete protección en medio del caos de los últimos días. El dice: *"Ya que has cumplido mi consigna de ser constante, yo también te preservaré en la hora de la tribulación, que ha de venir sobre el mundo entero para poner a prueba a todos los habitantes de la tierra." Apocalipsis 3:10 LPD*

El número de la bestia

Por último, Apocalipsis concluye este importante capítulo, diciendo: *"Aquí hay sabiduría. El que tiene entendimiento, cuente el número de la bestia, pues es número de hombre. Y su número es seiscientos sesenta y seis." Apocalipsis 13:18*

Una interpretación que se divulgó luego de la Reforma Protestante sostiene que este número surge al sumar el valor numérico, según el sistema de numeración romano (donde I=1, V=5, X=10, L=50, C=100 y D=500), de *'VICARIVS FILII DEI'*, una frase que se habría encontrado antiguamente en la mitra o corona del papa, cuyo significado es *"Representante del Hijo de Dios"*.[196]

---

196 El Comentario Bíblico Adventista, explica: "Esta interpretación está basada en la identificación del papa como el anticristo, concepto que se expuso claramente en la Reforma. El principal expositor de esta interpretación fue Andreas Helwig (c. 1572-1643; ver L. E. Froom, The Prophetic Faith of Our Fathers, t. 2, pp. 605-608). Desde los días de Helwig muchos han adoptado esta interpretación. Como este Comentario identifica a la bestia como el papado, también acepta este

Sin embargo, lo cierto es que el texto apocalíptico relaciona este número con un *'hombre'*. La 'Traducción en Lenguaje Actual', dice: *"Aquí hay que esforzarse mucho para poder comprender: si hay alguien que entienda, trate de encontrar el significado del número del monstruo, porque es el número de un ser humano. Ese número es 666." Apocalipsis 13:18 TLA*

En tanto, la versión 'Torres Amat', traduce: *"Aquí está el saber. Quien tiene, pues, inteligencia, calcule el número de la bestia, porque su número es el que forman las letras del nombre de un hombre, y el número de la bestia es seiscientos sesenta y seis." Apocalipsis 13:18 TA*

En este sentido, notamos que el apellido "BERGOGLIO" da 666 al sumar el valor numérico de sus letras en mayúscula según el código ASCII[197], utilizado en la mayoría de los sistemas de computación de manera solapada –aunque también es empleado para tipear algunos caracteres especiales, tales como @ (en Windows 'Alt' + 64)–.

---

punto de vista como el mejor que se ha presentado hasta ahora, aunque reconoce que en el criptograma puede implicarse más de lo que contiene esta interpretación.

En cuanto al título Vicarius Filii Dei, la revista católica Our Sunday Visitor, del 18 de abril de 1915, informó en respuesta a la pregunta: "¿Cuáles son las letras que se supone que están en la corona del papa, y qué significan, si es que tienen significado?" Respuesta: "Las letras grabadas en la mitra del papa son éstas: Vicarius Filii Dei, que en latín significan Vicario del Hijo de Dios. Los católicos sostienen que la iglesia, que es una sociedad visible, debe tener una cabeza visible" (p. 3). La edición de la misma revista del 15 de noviembre de 1914, admitía que los números latinos sumados daban un total de 666, pero añadía que muchos otros nombres también dan ese total. En el número del 3 de agosto de 1941, p. 7, nuevamente se trató el tema Vicarius Filii Dei, y se afirmó que ese título no está escrito en la tiara del papa. La tiara, se afirmaba, no lleva inscripción alguna (p.7). La Catholic Encyclopedia distingue entre mitra y tiara. Describe la tiara como un ornamento que no es litúrgico, y la mitra, como uno que se usa para ceremonias litúrgicas. Si la inscripción Vicarius Filii Dei aparece en la tiara o en la mitra, no tiene verdadera importancia. Se admite que el título se aplica al papa, y eso es suficiente para los propósitos de la profecía." CBA, T66, p338

197 Las computadoras únicamente entienden números. El código ASCII (acrónimo inglés de American Standard Code for Information Interchange –Código Estándar Estadounidense para el Intercambio de Información–) es un método de traducción de letras y símbolos a números basado en el alfabeto latino. Fue creado en 1963 por el Comité Estadounidense de Estándares (ASA, conocido desde 1969 como el Instituto Estadounidense de Estándares Nacionales, o ANSI) como una evolución de los conjuntos de códigos utilizados entonces en telegrafía. En un primer momento solo incluía letras mayúsculas y números, pero en 1967 se agregaron las letras minúsculas y algunos caracteres de control, formando así lo que se conoce como US-ASCII. Fuente: https://elcodigoascii.com.ar

Aquí el número asociado para cada una de las letras que componen el apellido BERGOGLIO: B=66, E=69, R=82, G=71, O=79, G=71, L=76, I=73, O=79. Si usted, ahora mismo, digita en un computador con Windows, 'Alt' seguido de cada uno de estos códigos –que sumados da 666–, notará que se forma el apellido del actual papa Francisco.

Lo cual llama poderosamente nuestra atención, dado que Apocalipsis, al explicar el significado de las cabezas de la bestia, dice: *"La bestia que era, y no es, es también el octavo; y es de entre los siete, y va a la perdición" (Ap 17:11),* siendo Bergoglio, justamente, el octavo rey del Estado del Vaticano. Lo que podría estar indicando que el actual papa sería aquel que gobernaría en el período en el que la bestia resurja en todo su poder.

No obstante esto, debemos reconocer que este número aún es enigmático para la mayoría de los estudiosos bíblicos. Sin embargo, todos aquellos que deseemos ser *'entendidos'* en lo que Dios nos ha revelado por medio del Apocalipsis, debemos prestar atención a todos sus posibles cumplimientos a fin de poder comprender la Palabra, evitar los engaños y la propia marca de la bestia.[198]

Una señal revelada

Lo que sí es claro, y está fuera de toda discusión, es que el sábado no sólo es el día que Dios bendijo y santificó desde la mismísima creación (Génesis 2:1-3) sino que también constituye una señal entre Dios y el pueblo que guarda sus mandamientos.

Es más, ¿sabías que en la tierra nueva, luego de la segunda venida de Jesús y la destrucción de los impíos, seguiremos adorando a Dios en un día específico de la semana? ¿Cuál te imaginas que será? Isaías dice: *"Porque ya viene el Señor en medio del fuego –sus carros son como un torbellino– para descargar su ira con furor y sus amenazas con las llamas del fuego. Porque el Señor entra en juicio con todos los vivientes por el fuego y por su espada, y serán numerosas las víctimas del Señor." Isaías 66:15-16 LPD*

---

198 Elena de White escribió: "La marca de la bestia es exactamente lo que ha sido proclamado. No se comprende todavía todo lo referente a este asunto, ni se comprenderá hasta que se abra el rollo; pero se ha de realizar una obra muy solemne en nuestro mundo. La orden del Señor a sus siervos es: "Clama a voz en cuello, no te detengas; alza tu voz como trompeta, y anuncia a mi pueblo su rebelión, y a la casa de Jacob su pecado" (Isaías 58:1)." 2JT 371

Como podemos notar, este pasaje se desarrolla en el contexto del *'día del Señor'*, donde, a continuación, Dios dice: *"Entonces, yo mismo vendré a reunir a todas las naciones y a todas las lenguas, y ellas vendrán y verán mi gloria. Yo les daré una señal…" Isaías 66:18-19 LPD*

¿Cuál será aquella señal que Dios nos dará en este contexto del fin? Él dice: *"así como permanecen delante de mí el cielo nuevo y la tierra nueva que yo haré —oráculo [o profecía] del Señor—, así permanecerán la raza y el nombre de ustedes. De luna nueva en luna nueva y de sábado en sábado, todos vendrán a postrarse delante de mí, dice el Señor." Isaías 66:22-23 LPD*

Es decir, el descanso sabático no solo fue instituido en la Creación, sino que también fue escrito, por el dedo Dios, en tablas de piedra, como el cuarto de los diez mandamientos; no solo fue guardado por todos los hijos de Dios que vivieron antes de Cristo, sino también por el mismo Jesucristo, quién lo guardó y enseñó a guardar como corresponde —haciendo el bien en este día sagrado—, y se declaró 'Señor del sábado'; no solo fue observado por los apóstoles y la iglesia primitiva, sino que también Jesús nos instó a que oremos para que nuestra huida no sea en sábado; y, por si esto no fuera suficiente, el mismo Señor jura que en la tierra nueva seguiremos guardando el sábado como señal de que lo reconocemos como nuestro Creador. ¡¿Qué más necesitas para aceptar esta gran verdad?! ¿No es más que claro que el sábado es el día bendecido y apartado por Dios para uso sagrado?

Amigo, guardar el sábado no te hará salvo, pero, a partir de hoy, su transgresión puede costarte la vida eterna. Piensa en esto, y pregúntate ¿por qué no disfrutar de este día santo junto a nuestro Creador a partir de hoy mismo? Él te promete: *"Si dejas de pisotear el sábado, de hacer tus negocios en mi día santo; si llamas al sábado «Delicioso» y al día santo del Señor «Honorable»; si lo honras absteniéndote de traficar, de entregarte a tus negocios y de hablar ociosamente, entonces te deleitarás en el Señor; yo te haré cabalgar sobre las alturas del país y te alimentaré con la herencia de tu padre Jacob, porque ha hablado la boca del Señor." Isaías 58:13-14 LPD*

Vuelve a leer, ahora mismo, Apocalipsis 13, y comprueba como ya se ha abierto ante tus ojos.

Para más información, le recomendamos ver nuestro documental *'El Sello de Dios y la Marca de la Bestia'*.

QR 3: https://www.diloalmundo.org/sello-marca

Capítulo 14
El mensaje final de Dios

En el capítulo anterior, Apocalipsis presentó los dos poderes terrenales mediante los cuales el diablo intentará conseguir la completa adoración de los hombres y el exterminio de la iglesia de Dios en la tierra; a saber, el papado, representado por la bestia espantosa y terrible de siete cabezas y diez cuernos –luego de haber curado de su herida de muerte–, y el protestantismo apóstata de los Estados Unidos, representado por un falso cordero que hablará como dragón, el cual hará que los moradores de la tierra adoren a la primera bestia –es decir, a aquella que tenía herida de espada y vivió (Ap 13:12)–.

En cuanto al contexto temporal, el capítulo anterior concluye describiendo el momento en el cual *'la imagen de la bestia'* impone *'la marca de la bestia'* a los habitantes del mundo, es decir, cuando el protestantismo apóstata logre controlar el congreso de los Estados Unidos y fuerce la imposición de una ley que imponga el descanso dominical –primero en su país, y luego sobre el resto del mundo–. Llegando, incluso –según menciona el texto apocalíptico–, a hacer matar a todo aquel que no se postre ante sus dictámenes (Ap 13:15).

En aquel momento, la iglesia fiel de Dios entrará en acción porque, en palabras de Daniel, *'se habrán levantado tropas para profanar el santuario, quitando el continuo [o lo perpetuo] para imponer en su lugar la abominación desoladora, a fin de seducir con engaños a los violadores del pacto; por lo cual habrá llegado la hora en la que el pueblo que conoce a su Dios se esfuerce y actúe… Y los sabios del pueblo instruyan a muchos; aunque por algunos días caigan a espada y a fuego, en cautividad y despojo…' Daniel 11:31-33*

El ejército del Cordero

Es en este contexto –es decir, cuando *'la imagen de la bestia'* esté imponiendo *'la marca de la bestia'* al mundo entero–, que Apocalipsis presenta –en este capítulo– a Cristo rodeado de quienes ya han recibido –en vez de dicha marca– el sello de Dios. Dice: *"Después miré, y he aquí el Cordero estaba en pie sobre el monte de Sion, y con él ciento cuarenta y cuatro mil, que tenían el nombre de él y el de su Padre escrito en la frente." Apocalipsis 14:1*[199]

Es evidente que nos encontramos en un contexto en el que el sellamiento, anunciado en la primera parte de Apocalipsis 7, ya se encuentra realizado. Es por esto que los 144000 ya tienen el nombre de Cristo y de su Padre escrito en la frente, como señal inequívoca de que han alcanzado la perfección de carácter delante de Dios y han sido vestidos con el manto de la justicia de Cristo –habiendo sido juzgados dignos de alcanzar los fines de los siglos–.

Apocalipsis presenta a este remanente fiel como un ejército sobre el 'monte de Sión' que, en perfecto orden, está listo para emprender la gran comisión de predicar el último llamado de la misericordia de Dios al mundo, siguiendo los pasos de su Maestro. En aquel momento el cielo se llenará de alabanzas. Dice: *"Y oí una voz del cielo como estruendo de muchas aguas, y como sonido de un gran trueno; y la voz que oí era como de arpistas que tocaban sus arpas. Y cantaban un cántico nuevo delante del trono, y delante de los cuatro seres vivientes, y de los ancianos; y nadie podía aprender el cántico sino aquellos ciento cuarenta y cuatro mil que fueron redimidos de entre los de la tierra." Apocalipsis 14:2-3*

Como hemos visto, tanto la voz de Dios Padre como la de los cuatro seres vivientes, se presenta, en la Biblia, como de *'estruendo de muchedumbres'* y como de *'trueno'* (Ezequiel 1:24, Apocalipsis 6:1). Ahora, si esta voz resuena, junto con los 144000, delante del trono del Padre y de los cuatro seres vivientes, es evidente que no proviene de ellos.

---

199 Elena de White comenta: "Entre los habitantes de la tierra, hay, dispersos en todo país, quienes no han doblado la rodilla ante Baal. Como las estrellas del cielo, que solo se ven de noche, estos fieles brillarán cuando las tinieblas cubran la tierra y densa obscuridad los pueblos. En la pagana África, en las tierras católicas de Europa y de Sudamérica, en la China, en la India, en las islas del mar y en todos los rincones obscuros de la tierra, Dios tiene en reserva un firmamento de escogidos que brillarán en medio de las tinieblas para demostrar claramente a un mundo apóstata el poder transformador que tiene la obediencia a su ley. Ahora mismo se están revelando en toda nación, entre toda lengua y pueblo; y en la hora de la más profunda apostasía, cuando se esté realizando el supremo esfuerzo de Satanás para que "todos, ... pequeños y grandes, ricos y pobres, libres y siervos" (Apocalipsis 13:16), reciban, so pena de muerte, la señal de lealtad a un falso día de reposo, estos fieles, "irreprensibles y sencillos, hijos de Dios sin culpa," resplandecerán "como luminares en el mundo." Filipenses 2:15. Cuanto más obscura sea la noche, mayor será el esplendor con que brillarán." PR 140

Razón por la cual, en nuestro entendimiento, dicha voz corresponde a Cristo, quien se encuentra tronando al frente de su ejército de santos; los cuales, al oír su voz, responden como ningún otro ser, en el cielo y en la tierra, puede hacerlo. ¿Por qué? Porque ellos son los únicos que han experimentado, en sus propias vidas, el inconmensurable amor salvífico de Dios y, por el hecho de haber lavado sus ropas en la sangre del Cordero, han sido investidos de dignidad y autoridad real para ser sus embajadores delante de los hombres.[200]

---

200 Elena de White agrega: "La visión de Zacarías con referencia a Josué y el ángel se aplica con fuerza peculiar a la experiencia del pueblo de Dios durante la terminación del gran día de expiación. La iglesia remanente será puesta en grave prueba y angustia. Los que guardan los mandamientos de Dios y la fe de Jesús sentirán la ira del dragón y de su hueste. Satanás considera a los habitantes del mundo súbditos suyos; ha obtenido el dominio de las iglesias apóstatas; pero ahí está ese pequeño grupo que resiste su supremacía. Si él pudiese borrarlo de la tierra, su triunfo sería completo. Así como influyó en las naciones paganas para que destruyesen a Israel, pronto incitará a las potestades malignas de la tierra a destruir al pueblo de Dios. Todo lo que se requerirá será que se rinda obediencia a los edictos humanos en violación de la ley divina. Los que quieran ser fieles a Dios y al deber serán amenazados, denunciados y proscritos. Serán traicionados por "padres, y hermanos, y parientes, y amigos." Lucas 21:16.

Los hijos de Dios están suspirando y clamando por las abominaciones hechas en la tierra. Con lágrimas advierten a los impíos el peligro que corren al pisotear la ley divina, y con indecible tristeza se humillan delante del Señor a causa de sus propias transgresiones. Los impíos se burlan de su pesar, ridiculizan sus solemnes súplicas y se mofan de lo que llaman debilidad. Pero la angustia y la humillación de los hijos de Dios dan evidencia inequívoca de que están recobrando la fuerza y nobleza de carácter perdidas como consecuencia del pecado. Porque se están acercando más a Cristo y sus ojos están fijos en su perfecta pureza, disciernen tan claramente el carácter excesivamente pecaminoso del pecado. Su contrición y humillación propias son infinitamente más aceptables a la vista de Dios que el espíritu de suficiencia propia y altanero de aquellos que no ven causa para lamentarse, que desprecian la humildad de Cristo y se creen perfectos mientras pisotean la santa ley de Dios. La mansedumbre y humildad de corazón son las condiciones para tener fuerza y alcanzar la victoria. La corona de gloria aguarda a aquellos que se postran al pie de la cruz. Bienaventurados son los que lloran; porque serán consolados.

Los fieles, que se encuentran orando, están, por así decirlo, encerrados con Dios. Ellos mismos no saben cuán seguramente están escudados. Incitados por Satanás, los gobernantes de este mundo procuran destruirlos; pero si pudiesen abrírseles los ojos, como se abrieron los del siervo de Eliseo en Dotán, verían a los ángeles de Dios acampados en derredor de ellos, manteniendo en jaque a la hueste de las tinieblas con su resplandor y gloria.

Mientras los hijos de Dios afligen sus almas delante de él, suplicando pureza de corazón, se da la orden: "Quitadle esas vestimentas viles," y se pronuncian las

Se los define como aquellos que *"no se contaminaron con mujeres, pues son vírgenes" (Ap 14:4)*. Lo cual indica que serán personas que no se han vinculado con organizaciones eclesiásticas apóstatas al punto de que dichas organizaciones los contaminen y los aparten de su santidad para con su Señor. En este sentido, recordemos que las mujeres, en el Apocalipsis, representan iglesias –la mujer pura a la iglesia fiel y la mujer ramera a las iglesias apóstatas–. Por esto se aclara: *"Estos son los que siguen al Cordero [no a hombres, no a organizaciones eclesiásticas, al Cordero] por dondequiera que va." Apocalipsis 14:4*

Le han seguido en sus vidas y por esto, en este momento, en la hora de supremo apuro, también están en condiciones de seguirle en la lucha más importante de sus vidas: la de comunicar el evangelio al mundo

---

alentadoras palabras: "Mira que he hecho pasar tu pecado de ti, y te he hecho vestir de ropas de gala." Se pone sobre los tentados, probados, pero fieles hijos de Dios, el manto sin mancha de la justicia de Cristo. El remanente despreciado queda vestido de gloriosos atavíos, que nunca han de ser ya contaminados por las corrupciones del mundo. Sus nombres permanecen en el libro de la vida del Cordero, registrados entre los fieles de todos los siglos. Han resistido los lazos del engañador; no han sido apartados de su lealtad por el rugido del dragón. Ahora están eternamente seguros de los designios del tentador. Sus pecados han sido transferidos al originador de ellos.

Y ese residuo no solo es perdonado y aceptado, sino honrado. Una "mitra limpia" es puesta sobre su cabeza. Han de ser reyes y sacerdotes para Dios. Mientras Satanás estaba insistiendo en sus acusaciones y tratando de destruir esta hueste, los ángeles santos, invisibles, iban de un lado a otro poniendo sobre ellos el sello del Dios viviente. Ellos han de estar sobre el monte de Sión con el Cordero, teniendo el nombre del Padre escrito en sus frentes. Cantan el nuevo himno delante del trono, ese himno que nadie puede aprender sino los ciento cuarenta y cuatro mil que fueron redimidos de la tierra. "Estos, los que siguen al Cordero por donde quiera que fuere. Estos fueron comprados de entre los hombres por primicias para Dios y para el Cordero. Y en sus bocas no ha sido hallado engaño; porque ellos son sin mácula delante del trono de Dios." Apocalipsis 14:4, 5.

Entonces se cumplirán completamente estas palabras del ángel: "Escucha pues ahora, Josué gran sacerdote, tú, y tus amigos que se sientan delante de ti; porque son varones simbólicos: He aquí, yo traigo a mi siervo, el Pimpollo [o el renuevo]." Cristo es revelado como Redentor y Libertador de su pueblo. Entonces serán en verdad los que forman parte del remanente "varones simbólicos," cuando las lágrimas y la humillación de su peregrinación sean reemplazadas por el gozo y la honra en la presencia de Dios y del Cordero. "En aquel tiempo el renuevo de Jehová será para hermosura y gloria, y el fruto de la tierra para grandeza y honra, a los librados de Israel. Y acontecerá que el que quedare en Sión, y el que fuere dejado en Jerusalén, será llamado santo; todos los que en Jerusalén están escritos entre los vivientes." Isaías 4:2, 3." 2JT 175-179

entero en el tiempo de mayor oposición jamás conocido; teniendo al dragón, la bestia, el falso profeta y las inmensas multitudes –por ellos impulsadas– en su contra.

No obstante, tal como vimos en Apocalipsis 7, producto de su labor, un sin número de personas se alistará en las filas de Cristo. En el libro de Joel, Dios dice: *"Y daré prodigios en el cielo y en la tierra, sangre, y fuego, y columnas de humo [primera trompeta]. El sol se convertirá en tinieblas, y la luna en sangre, antes que venga el día grande y espantoso de Jehová [sexto sello]. Y todo aquel que invocare el nombre de Jehová será salvo; porque en el monte de Sion y en Jerusalén habrá salvación, como ha dicho Jehová, y entre el remanente al cual él habrá llamado." Joel 2:30-32*

En este mismo sentido, el profeta Isaías dice: *"Acontecerá en lo postrero de los tiempos, que será confirmado el monte de la casa de Jehová como cabeza de los montes [es decir, como cabeza de los reinos, dado que los montes, en la Biblia, representan reinos], y será exaltado sobre los collados, y correrán a él todas las naciones. Y vendrán muchos pueblos, y dirán: Venid, y subamos al monte de Jehová, a la casa del Dios de Jacob; y nos enseñará sus caminos, y caminaremos por sus sendas. Porque de Sion saldrá la ley, y de Jerusalén la palabra de Jehová." Isaías 2:2-3*

Según entendemos, las referencias al *'monte de Sión'* y a *'Jerusalén'*, en este caso, son espirituales más que geográficas. Por eso, de este grupo especial del *'Israel espiritual'*, se dice: *"Estos fueron redimidos de entre los hombres [no de entre los judíos] como primicias para Dios y para el Cordero." Apocalipsis 14:4*

Es decir, los 144000 son una extensión de aquellas otras *'primicias'* –de los muertos– que Cristo resucitó y llevó consigo al cielo, y que, muy probablemente, se encuentran sentadas en veinticuatro tronos como parte de su tribunal celestial. De ellos, Apocalipsis dice: *"y cantaban un nuevo cántico, diciendo: Digno eres de tomar el libro y de abrir sus sellos; porque tú fuiste inmolado, y con tu sangre nos has redimido para Dios, de todo linaje y lengua y pueblo y nación; y nos has hecho para nuestro Dios reyes y sacerdotes, y reinaremos sobre la tierra." Apocalipsis 5:9-10*

Ahora, si los 144000 también serán primicias –en este caso, de los vivos–, quiere decir que luego se recogerá una abundante cosecha –la cual, hemos comentado, se describe en Apocalipsis 7 como una inmensa multitud vestida de ropas blancas, que nadie puede contar.

El mensaje de los 144000

En este contexto, no por casualidad –ni por capricho–, a continuación Apocalipsis dice: *"Vi volar por en medio del cielo a otro ángel, que tenía el evangelio eterno para predicarlo a los moradores de la tierra, a toda nación, tribu, lengua y pueblo, diciendo a gran voz: Temed a Dios, y dadle gloria, porque la hora de su juicio ha llegado; y adorad a aquel que hizo el cielo y la tierra, el mar y las fuentes de las aguas."* Apocalipsis 14:6-7

Habiéndose impuesto la abominación que causará la desolación de la tierra –anunciada en el capítulo inmediato anterior–, los santos tendrán la señal inequívoca del comienzo del juicio de Dios sobre los vivos y de la inminencia de sus castigos –'con mezcla de misericordia' a través de las ya explicadas trompetas del Apocalipsis, y 'sin mezcla de misericordia' en lo que vendrá luego, a través de las siete copas de la ira de Dios–.

Por esto, ellos saldrán a proclamar un mensaje totalmente revolucionario. Mientras la gran mayoría del mundo *'se esté maravillando en pos de la bestia, y adorando al dragón que habrá dado autoridad a la bestia, y adorando a la bestia, diciendo: ¿Quién como la bestia, y quién podrá luchar contra ella?'* (Ap 13:3-4), ellos dirán ¡no teman a la bestia! ¡Teman a Dios y denle gloria, porque la hora de su juicio ha llegado! ¡Adoren a aquel que los hizo, a ustedes y a todo lo que los rodea! ¡Solo Él es digno de ser temido y glorificado! ¡No teman a la *'naturaleza'* ni a la *'madre tierra'*, teman más bien al Creador de la naturaleza, los cielos y la tierra; y denle gloria!

Entendemos que los 144000 estarán en condiciones de dar el último mensaje de Dios al mundo –de una manera fiel–, porque, se dice: *"en sus bocas no fue hallada mentira, pues son sin mancha delante del trono de Dios"* (Ap 14:5). Lo cual muestra un antagonismo total con aquel falso profeta que se presentó al final del capítulo anterior, el cual haría *'grandes señales'* a fin de engañar a los habitantes del mundo (Ap 13:13-14).

En este sentido, es necesario que notemos la importancia de leer el Apocalipsis en su contexto. ¿Qué quiero decir? Que no deberíamos colocar el sellamiento de los 144000 –que aparece en el inicio de este capítulo– en el futuro, y el mensaje de los tres ángeles –que sigue inmediatamente a continuación– en el pasado. No solamente porque debemos estudiar los textos bíblicos en sus contexto, sino también porque, para poder predicar el mensaje de los tres ángeles, necesitaremos el sello de unción y protección del Espíritu Santo –que, efectivamente, dispondrán los 144000–.

Ellos saldrán con gran coraje a dar este mensaje, porque habrán creído y guardado aquella palabra de Jesús que dice: *"no temáis a los que matan el cuerpo, mas el alma no pueden matar; temed más bien a aquel que puede destruir el alma y el cuerpo en el infierno."* Mateo 10:28[201]

En este sentido, los 144000 constituirán aquellos *'ángeles'* –es decir, aquellos mensajeros– que vuelan por en medio del cielo anunciando el *'evangelio eterno'*. Cuando Jesús estaba con sus discípulos, enseñándoles acerca de las señales del fin, les dijo: *"Y será predicado este evangelio del reino en todo el mundo, para testimonio a todas las naciones; y entonces vendrá el fin."* Mateo 24:14[202]

Las preciosas verdades del evangelio no cambian con el transcurso del tiempo. El evangelio que Jesús les enseñó a sus discípulos es el mismo que Él ha anunciado desde el principio, por medio de sus profetas. Por eso, en Apocalipsis, se lo llama *'el evangelio eterno'*. De hecho, Jesús resaltó la importancia y vigencia del Antiguo Testamento en su parábola sobre el rico y el Lázaro, diciendo *"Si no escuchan a Moisés y a los Profetas, aunque resucite alguno de entre los muertos, tampoco se convencerán"».* Lucas 16:31 LPD

Y si debemos atender a los dichos de Moisés, ¡¿cuánto más a la Ley escrita por el propio dedo de Dios?!

---

201 Elena de White agrega: "Satanás estudia la Biblia con cuidado. Sabe que le queda poco tiempo y procura en todo punto contrarrestar la obra que el Señor está haciendo sobre esta tierra. Es imposible dar una idea de lo que experimentará el pueblo de Dios que viva en la tierra cuando se combinen la manifestación de la gloria de Dios y la repetición de las persecuciones pasadas. Andará en la luz que emana del trono de Dios. Por medio de los ángeles, las comunicaciones entre el cielo y la tierra se mantendrán constantes. Por su parte Satanás, rodeado de sus ángeles, y haciéndose pasar por Dios, hará toda clase de milagros a fin de seducir, si posible fuese, aun a los escogidos. El pueblo de Dios no hallará seguridad en la realización de milagros, porque Satanás los imitará. En esta dura prueba, el pueblo de Dios hallará su fortaleza en la señal mencionada en Éxodo 31:12-18. Tendrán que afirmarse sobre la palabra viviente: "Escrito está". Es el único fundamento seguro. Aquellos que hayan quebrantado su alianza con Dios estarán entonces sin Dios y sin esperanza. 9TI 15

202 Elena de White comenta: "Los ángeles son representados volando en medio del cielo mientras proclaman al mundo un mensaje de amonestación, un mensaje que tiene relación directa con la gente que vive en los últimos días de la historia de esta tierra. Nadie escucha la voz de estos ángeles, porque son símbolos que representan al pueblo de Dios que está trabajando en armonía con el universo del cielo. —Notas Biográficas de Elena G. de White, 470." MSV 178

El mensaje del primer ángel, que nos insta a *adorar a aquel que hizo el cielo y la tierra, el mar y las fuentes de las aguas (Ap 14:7)*, constituye una clara referencia a adorar al Creador; y eso incluye descansar en el día que él bendijo y santificó al efectuar dicha creación.

Observa el paralelo textual que existe entre este mensaje –que nos insta a adorar al que hizo los cielos y la tierra– y el cuarto mandamiento del decálogo, el cual ordena: *"Acuérdate del día sábado para santificarlo. Durante seis días trabajarás y harás todas tus tareas; pero el séptimo es día de descanso en honor del Señor, tu Dios. En él no harán ningún trabajo, ni tú, ni tu hijo, ni tu hija, ni tu esclavo, ni tu esclava, ni tus animales, ni el extranjero que reside en tus ciudades. Porque en seis días el Señor hizo el cielo, la tierra, el mar y todo lo que hay en ellos, pero el séptimo día descansó. Por eso el Señor bendijo el día sábado y lo declaró santo." Éxodo 20:8-11 LPD*[203]

Por esto, es imposible pretender 'temer a Dios y darle gloria' sin respetar aquel mandamiento que nos ordena apartar el día sábado en honor de nuestro Creador. Ahora, inseparablemente unido a la predicación del evangelio, los santos alertarán contra los engaños de la iglesia apóstata. Dice: *"Otro ángel le siguió, diciendo: Ha caído, ha caído Babilonia, la gran ciudad, porque ha hecho beber a todas las naciones del vino del furor de su fornicación." Apocalipsis 14:8*

Como vemos, no alcanza con predicar 'el evangelio'. Los hijos de Dios también deben llamar al pecado por su propio nombre, aunque se desplomen los cielos.[204]

---

203 Elena de White explica: "Lo que caracterizará de un modo peculiar a los adoradores de Dios será su respeto por el cuarto mandamiento, puesto que es la señal del poder creador de Dios y atestigua que él tiene derecho a la veneración y al homenaje de los hombres. Los impíos se distinguirán por sus esfuerzos para derribar el monumento conmemorativo del Creador y exaltar en su lugar la institución romana. En este conflicto, la cristiandad entera se encontrará dividida en dos grandes clases: la que guardará los mandamientos de Dios y la fe de Jesús y la que adorará a la bestia y su imagen y recibirá su marca. No obstante los esfuerzos concertados de la iglesia y del Estado para compeler a los hombres, "pequeños y grandes, ricos y pobres, libres y esclavos" a recibir la marca de la bestia, el pueblo de Dios no se someterá." 9TI 15

204 Elena de White escribió: "La mayor necesidad del mundo es la de hombres que no se vendan ni se compren; hombres que sean sinceros y honrados en lo más íntimo de sus vidas; hombres que no teman dar al pecado el nombre que le corresponde; hombres cuya conciencia sea tan leal al deber como la brújula al polo; hombres que se mantengan de parte de la justicia aunque se desplomen los cielos.—La Educación, 57 (1903)." CE 57

Ahora, para que el mensaje del segundo ángel pueda ser predicado, primero deben darse las condiciones allí denunciadas. ¿Qué condiciones? La *'caída de Babilonia'* por haber dado a beber a todas las naciones del *'vino del furor su fornicación'*. ¿Y cuándo se cumplirá esto? Cuando, tanto la Iglesia Romana como sus hijas –también adúlteras como ella– se unan con los reyes de la tierra a fin de que estos impongan, por la fuerza de la ley humana, las inmundicias de sus engaños.

Es decir, este mensaje no podrá predicarse en toda su extensión hasta que se comience a imponer la marca de la bestia. Además, debemos considerar que los mensajes del primer y segundo ángel no están desligados uno del otro, sino que forman parte de un único y completo mensaje que Dios enviará a la tierra. ¿Se han predicado en el pasado? Claro que sí; pero, sin dudas, su cumplimiento más cabal se dará cuando se cumplan las condiciones planteadas en el contexto de este capítulo, es decir, cuando la abominación desoladora se haya impuesto a los habitantes del mundo y los 144000 se encuentren completamente sellados.[205]

---

205 Elena de White explica: "El mensaje del segundo ángel de Apocalipsis 14 fue proclamado por primera vez en el verano de 1844, y se aplicaba entonces más particularmente a las iglesias de los Estados Unidos de Norteamérica, donde la amonestación del juicio había sido también más ampliamente proclamada y más generalmente rechazada, y donde el decaimiento de las iglesias había sido más rápido. Pero el mensaje del segundo ángel no alcanzó su cumplimiento total en 1844. Las iglesias decayeron entonces moralmente por haber rechazado la luz del mensaje del advenimiento; pero este decaimiento no fue completo. A medida que continuaron rechazando las verdades especiales para nuestro tiempo, fueron decayendo más y más. Sin embargo aún no se puede decir: "¡Caída, caída es la gran Babilonia, la cual ha hecho que todas las naciones beban del vino de la ira de su fornicación!" Aún no ha dado de beber a todas las naciones. El espíritu de conformidad con el mundo y de indiferencia hacia las verdades que deben servir de prueba en nuestro tiempo, existe y ha estado ganando terreno en las iglesias protestantes de todos los países de la cristiandad; y estas iglesias están incluidas en la solemne y terrible amonestación del segundo ángel. Pero la apostasía aún no ha culminado.

La Biblia declara que antes de la venida del Señor, Satanás obrará con todo poder, y con señales, y con maravillas mentirosas, y con todo el artificio de la injusticia", y que todos aquellos que "no admitieron el amor de la verdad para" ser "salvos", serán dejados para que reciban "la eficaz operación de error, a fin de que crean a la mentira". 2 Tesalonicenses 2:9-11 (VM). La caída de Babilonia no será completa sino cuando la iglesia se encuentre en este estado, y la unión de la iglesia con el mundo se haya consumado en toda la cristiandad. El cambio es progresivo, y el cumplimiento perfecto de Apocalipsis 14:8 está aún reservado para lo por venir." CS 385-386

"Los mensajes del primero, del segundo y del tercer ángel se relacionan entre sí... Satanás procura constantemente arrojar su sombra diabólica sobre estos mensa-

En este contexto, Apocalipsis continúa: *"Y el tercer ángel los siguió, diciendo a gran voz: Si alguno adora a la bestia y a su imagen, y recibe la marca en su frente o en su mano, él también beberá del vino de la ira de Dios, que ha sido vaciado puro en el cáliz de su ira; y será atormentado con fuego y azufre delante de los santos ángeles y del Cordero; y el humo de su tormento sube por los siglos de los siglos. Y no tienen reposo de día ni de noche los que adoran a la bestia y a su imagen, ni nadie que reciba la marca de su nombre."* Apocalipsis 14:9-11

Lo cual confirma que la predicación más plena del mensaje de los tres ángeles se dará en un contexto en el cual ya se haya impuesto la legislación que conlleva la *'marca de la bestia'*, es decir, en un contexto posterior a la imposición de la *'abominación desoladora'* predicha por Jesús y el profeta Daniel.[206]

---

jes para que el pueblo remanente de Dios no discierna con claridad su importancia, su tiempo y su lugar; pero éstos siguen teniendo vigencia, y han de ejercer su poder sobre nuestra experiencia religiosa mientras dure el tiempo." 2MS 134

206 Elena de White escribió: "El cambio del sábado es una señal o marca de la autoridad de la Iglesia Romana. Aquellos que, comprendiendo las aseveraciones del cuarto mandamiento, escogen observar el falso día de descanso en lugar del verdadero, están con ello rindiendo homenaje al único poder que lo ordena. La marca de la bestia es el día de descanso papal, que ha sido aceptado por el mundo en lugar del día señalado por Dios. Nadie hasta ahora ha recibido la marca de la bestia. El tiempo de prueba no ha llegado aún. Hay cristianos verdaderos en todas las iglesias, sin exceptuar la comunidad católica romana. Nadie es condenado hasta que haya tenido la luz y haya visto la obligación del cuarto mandamiento. Pero cuando se ponga en vigencia el decreto que ordena falsificar el sábado, y el fuerte clamor del tercer ángel amoneste a los hombres contra la adoración de la bestia y su imagen, se trazará claramente la línea entre lo falso y lo verdadero. Entonces los que continúen aún en transgresión recibirán la marca de la bestia. Con pasos rápidos nos aproximamos a este período. Cuando las iglesias protestantes se unan con el poder secular para sostener una falsa religión, a la cual se opusieron sus antepasados soportando la más terrible persecución, entonces el día de descanso papal será hecho obligatorio por la autoridad combinada de la iglesia y el estado. Habrá una apostasía nacional, que determinará tan solo la ruina nacional.—Manuscrito 51 (1899)." Ev 174

"Los cristianos de las generaciones pasadas observaron el domingo creyendo guardar así el día de descanso bíblico; y ahora hay verdaderos cristianos en todas las iglesias, sin exceptuar la católica romana, que creen honradamente que el domingo es el día de reposo divinamente instituido. Dios acepta su sinceridad de propósito y su integridad. Pero cuando la observancia del domingo sea impuesta por la ley, y que el mundo sea ilustrado respecto a la obligación del verdadero día de descanso, entonces quien transgreda el mandamiento de Dios para obedecer un precepto que no tiene mayor autoridad que la de Roma, honrará con ello al papado por encima

En aquel momento, la fe del pueblo de Dios será probada, y todos aquellos que no sean guardados de una manera especial –como parte del ejército del Cordero–, tendrán que sellar su fe con su vida. Dice a continuación: *"Aquí está la paciencia de los santos, los que guardan los mandamientos de Dios y la fe de Jesús. Oí una voz que desde el cielo me decía: Escribe: Bienaventurados de aquí en adelante los muertos que mueren en el Señor. Sí, dice el Espíritu, descansarán de sus trabajos, porque sus obras con ellos siguen." Apocalipsis 14:12-12*

El mismo mensaje que se presentó en el capítulo anterior cuando, al describir el resurgir de la bestia, se dijo: *«¡El que pueda entender, que entienda! El que tenga que ir a la cárcel, irá a la cárcel; y el que tenga que morir por la espada, morirá por la espada. En esto se pondrá a prueba la perseverancia y la fe de los santos.» Apocalipsis 13:9-10 LPD[207]*

Es decir, la predicación del mensaje de los tres ángeles se dará en un contexto de intensa persecución por parte de la bestia y de su imagen –y los poderes seculares por ellos controlados– contra los verdaderos hijos de Dios.

---

de Dios: rendirá homenaje a Roma y al poder que impone la institución establecida por Roma: adorará la bestia y su imagen. Cuando los hombres rechacen entonces la institución que Dios declaró ser el signo de su autoridad, y honren en su lugar lo que Roma escogió como signo de su supremacía, ellos aceptarán de hecho el signo de la sumisión a Roma, "la marca de la bestia". Y solo cuando la cuestión haya sido expuesta así a las claras ante los hombres, y ellos hayan sido llamados a escoger entre los mandamientos de Dios y los mandamientos de los hombres, será cuando los que perseveren en la transgresión recibirán "la marca de la bestia"." CS 443

"El sábado será la gran piedra de toque de la lealtad; pues es el punto especialmente controvertido. Cuando esta piedra de toque les sea aplicada finalmente a los hombres, entonces se trazará la línea de demarcación entre los que sirven a Dios y los que no le sirven. Mientras la observancia del falso día de reposo (domingo), en obedecimiento a la ley del estado y en oposición al cuarto mandamiento, será una declaración de obediencia a un poder que está en oposición a Dios, la observancia del verdadero día de reposo (sábado), en obediencia a la ley de Dios, será señal evidente de la lealtad al Creador. Mientras que una clase de personas, al aceptar el signo de la sumisión a los poderes del mundo, recibe la marca de la bestia, la otra, por haber escogido el signo de obediencia a la autoridad divina, recibirá el sello de Dios." CS 591

207 Elena de White, comentando estas palabras, escribió: "El capítulo trece del Apocalipsis presenta un poder que ha de destacarse en estos últimos días." "Todo este capítulo es una revelación de lo que seguramente tendrá lugar." 18LtMs, Ms 139, 1903, par. 22 / 12LtMs, Ms 88, 1897, par. 17

En palabras del profeta Daniel, será el tiempo cuando *"fuerzas enviadas por él [por el 'rey del norte', es decir, por el papado] atacarán, profanarán el Santuario y la Ciudadela, abolirán el* ~~sacrificio~~[208] *perpetuo e instalarán la Abominación de la desolación. Por medio de intrigas, él hará apostatar a los transgresores de la Alianza, pero el pueblo de los que conocen a Dios se mantendrá firme y entrará en acción. Hombres prudentes del pueblo instruirán a muchos, pero serán víctimas de la espada y del fuego, del cautiverio y del saqueo, durante algunos días. Mientras ellos caigan, recibirán un poco de ayuda, y muchos se unirán a ellos, pero hipócritamente." Daniel 11:31-34 LPD*

Cuando dice que "muchos se unirán a ellos", entendemos, apunta a aquella gran multitud que prestará oídos a este mensaje y se unirá a la iglesia en el período de mayor persecución jamás conocido. Ahora, ¿por qué dice que se unirán pero de manera hipócrita? Hipócrita no sé si es la mejor expresión. La 'Nueva Traducción Viviente' dice *"y muchos de los que se unan a ellos no serán sinceros" (Dn 11:34).*

En nuestro entendimiento, es una indicación de que estas personas se unirán al pueblo de Dios en un momento en el que sus vidas no estarán santificadas, es decir, libres de pecado. Lo cual fue anunciado a través del sistema de ceremonias del Santuario hebreo a través de la 'fiesta de la cosecha', también llamada *'Pentecostés',* en la cual debía ofrecerse a Dios panes *'con levadura',* la cual es símbolo del pecado.

No obstante, aunque serán admitidos por Dios aún cuando sus vidas estarán manchadas de pecado, así como todos nosotros lo hemos sido, ellos deberán *"lavar sus ropas en la sangre del Cordero"* en el cortísimo período de gracia que restará, a fin de poder ser contados entre aquella *"inmensa multitud que será vestida de ropas blancas" (Ap 7:9-14).*

Un *'tipo'* de estas personas lo encontramos en la historia del pueblo hebreo cuando, en el tiempo de la conquista de la tierra prometida, fueron engañados por los gabaonitas, los cuales, habiendo temido a Dios, se unieron al pueblo de Israel mediante prácticas engañosas, ofreciéndose como sus siervos. No obstante ello, fueron aceptados, entendemos, no solo porque los dirigentes del pueblo hebreo comprometieron su palabra, sino también porque Dios no rechaza a todo aquel que, creyendo en su Palabra, intenta cobijarse dentro de su pueblo en el momento en el que todos los reinos de la tierra se han unido para exterminarlo (Josué 9).

---

208 Elena de White escribió: "Vi en relación a el "continuo"... que la palabra "sacrificio" había sido provista por la sabiduría humana, y no pertenece al texto." PE 74

Para comprender mejor quienes serán aquellos que se juntarán al pueblo de Dios hipócritamente –o por medio de lisonjas, como dice la versión Reina Valera (1960)–, vea nuestra exposición titulada '*El levantamiento de Miguel en la historia de Josué*'.

QR 7: https://www.diloalmundo.org/miguel-josue

A ellos se hace alusión en el libro del profeta Joel, cuando Dios dice: "*Y daré prodigios en el cielo y en la tierra, sangre, y fuego, y columnas de humo. El sol se convertirá en tinieblas, y la luna en sangre, antes que venga el día grande y espantoso de Jehová. Y todo aquel que invocare el nombre de Jehová será salvo; porque en el monte de Sion y en Jerusalén habrá salvación, como ha dicho Jehová, y entre el remanente al cual él habrá llamado.*" Joel 2:30-32

En este contexto, Daniel continúa diciendo: "*Algunos de los hombres prudentes caerán, a fin de ser purificados, acrisolados y blanqueados, hasta el tiempo del Fin, porque el plazo está fijado. El rey [del norte] obrará a su arbitrio, se exaltará y engrandecerá por encima de todo dios, y dirá cosas monstruosas contra el Dios de los dioses. Y tendrá éxito hasta que se agote la Ira, porque lo que está decretado se ejecutará.*" Daniel 11:31-36 LPD

Luego, un poco más adelante, es que Daniel dice –en relación a este "plazo que está fijado"–: "*Yo oí al hombre vestido de lino que estaba sobre las aguas del río. El alzó su mano derecha, y su mano izquierda hacia el cielo y juró por aquel que vive eternamente: «Pasará un tiempo, dos tiempos y la mitad de un tiempo; y cuando se haya acabado de aplastar la fuerza del pueblo santo, se acabarán también todas estas cosas». Yo oí, pero no entendí. Entonces dije: «Señor mío, ¿cuál será la última de estas cosas?». El respondió: «Ve Daniel, porque estas palabras están ocultas y selladas hasta el tiempo final. Muchos serán purificados, blanqueados y acrisolados; los malvados harán el mal, y ningún malvado podrá comprender, pero los prudentes comprenderán. A partir del momento en que será abolido el sacrificio perpetuo y será instalada la Abominación de la desolación, pasarán mil doscientos noventa días. ¡Feliz el que sepa esperar y llegue a mil trescientos treinta y cinco días!*" Daniel 12:7-12 LPD

También, como hemos estudiado, Apocalipsis 11 también anuncia que la predicación de aquellos que vendrán 'con el espíritu y el poder de Elías' será '*por 1260 días vestidos de cilicio*' (Ap 11:3).

Razón por la cual, entendemos que, en el fin del tiempo, habrá un plazo –fijado por Dios– durante el cual su iglesia será nuevamente perseguida, justamente en aquel tiempo en el cual Dios estará juzgando las acciones de los hombres que habitarán en los últimos días de nuestro mundo. Es decir, en aquella *"hora de la prueba que ha de venir sobre el mundo entero, para probar a los que moran sobre la tierra" (Ap 3:10)* de la cual sería resguardada la iglesia de Filadelfia, pero no la de Esmirna; a la cual *'el que estuvo muerto y vivió'* le dice: *"No temas en nada lo que vas a padecer. He aquí, el diablo echará a algunos de vosotros en la cárcel, para que seáis probados, y tendréis tribulación por diez días [un número simbólico que representa la totalidad de un corto tiempo de prueba]. Sé fiel hasta la muerte, y yo te daré la corona de la vida." Apocalipsis 2:10*

La versión Reina Valera (1960) resume este concepto, diciendo: *"algunos de los sabios caerán para ser depurados y limpiados y emblanquecidos, hasta el tiempo determinado; porque aun para esto hay plazo." Daniel 11:35*

La siega del cereal versus la cosecha de la uva

Cuando Cristo cuente con un ejército de personas llenas de su Santo Espíritu, en poco tiempo su evangelio impactará en cada nación, tribu, lengua y pueblo con un poder jamás visto. Serán los *'tiempos de refrigerio'* que vendrán de la presencia del Señor (Hechos 3:19). Es decir, el tiempo en el cual su Santo Espíritu será derramado a raudales sobre su purificada iglesia, a fin de que el mundo sea iluminado con la gloria del evangelio eterno.[209]

El resultado será una inmensa cosecha de redimidos, porque un sin número de personas se alistará en las filas del Señor en el período de mayor angustia y persecución jamás conocido. Dice: *"Miré, y he aquí una nube blanca; y sobre la nube uno sentado semejante al Hijo del Hombre, que tenía en la cabeza una corona de oro, y en la mano una hoz aguda. Y del templo salió otro ángel, clamando a gran voz al que estaba sentado sobre la nube: Mete tu hoz, y siega; porque la hora de segar ha llegado, pues la mies de la tierra está madura. Y el que estaba sentado sobre la nube metió su hoz en la tierra, y la tierra fue segada." Apocalipsis 14:14-16*

---

209 Elena de White escribió: "Cuando se esté terminando la obra de la salvación, vendrá aflicción sobre la Tierra, y las naciones se airarán, aunque serán mantenidas en jaque para que no impidan la realización de la obra del tercer ángel. En ese tiempo descenderá la "lluvia tardía", o refrigerio de la presencia del Señor, para dar poder a la voz fuerte del tercer ángel, y preparar a los santos para que puedan subsistir durante el plazo cuando las siete plagas postreras serán derramadas.—Primeros Escritos, 85, 86." MSV 267

Esta siega, evidentemente, no se refiere a una cosecha de grano, sino de aquellas personas que constituyen el "fruto de la aflicción de su alma". Dice Isaías: *"Cuando haya puesto su vida en expiación por el pecado, verá linaje, vivirá por largos días, y la voluntad de Jehová será en su mano prosperada. Verá el fruto de la aflicción de su alma, y quedará satisfecho; por su conocimiento justificará mi siervo justo a muchos, y llevará las iniquidades de ellos. Por tanto, yo le daré parte con los grandes, y con los fuertes repartirá despojos; por cuanto derramó su vida hasta la muerte, y fue contado con los pecadores, habiendo él llevado el pecado de muchos, y orado por los transgresores." Isaías 53:10-12*

En efecto, el fruto de esta siega está reflejado en la inmensa multitud –vestida de ropas blancas– que describe Apocalipsis 7, luego del sellamiento de los 144000. Dice: *"Después de esto miré, y he aquí una gran multitud, la cual nadie podía contar, de todas naciones y tribus y pueblos y lenguas, que estaban delante del trono y en la presencia del Cordero, vestidos de ropas blancas, y con palmas en las manos; y clamaban a gran voz, diciendo: La salvación pertenece a nuestro Dios que está sentado en el trono, y al Cordero… Y él me dijo: Estos son los que han salido de la gran tribulación, y han lavado sus ropas, y las han emblanquecido en la sangre del Cordero." Apocalipsis 7:9-14[210]*

Luego de esta siega, la tierra estará lista para otra cosecha: la de los impíos. Dice: *"Salió otro ángel del templo que está en el cielo, teniendo también una hoz aguda. Y salió del altar otro ángel, que tenía poder sobre el fuego,*

---

210 Elena de White escribió: "Vendrán siervos de Dios con semblantes iluminados y resplandecientes de santa consagración, y se apresurarán de lugar en lugar para proclamar el mensaje celestial. Miles de voces predicarán el mensaje por toda la tierra. Se realizarán milagros, los enfermos sanarán y signos y prodigios seguirán a los creyentes. Satanás también efectuará sus falsos milagros, al punto de hacer caer fuego del cielo a la vista de los hombres. Apocalipsis 13:13. Es así como los habitantes de la tierra tendrán que decidirse en pro o en contra de la verdad. El mensaje no será llevado adelante tanto con argumentos como por medio de la convicción profunda inspirada por el Espíritu de Dios. Los argumentos ya fueron presentados. Sembrada está la semilla, y brotará y dará frutos. Las publicaciones distribuidas por los misioneros han ejercido su influencia; sin embargo, muchos cuyo espíritu fue impresionado han sido impedidos de entender la verdad por completo o de obedecerla. Pero entonces los rayos de luz penetrarán por todas partes, la verdad aparecerá en toda su claridad, y los sinceros hijos de Dios romperán las ligaduras que los tenían sujetos. Los lazos de familia y las relaciones de la iglesia serán impotentes para detenerlos. La verdad les será más preciosa que cualquier otra cosa. A pesar de los poderes coligados contra la verdad, un sinnúmero de personas se alistará en las filas del Señor." CS 597

y llamó a gran voz al que tenía la hoz aguda, diciendo: Mete tu hoz aguda, y vendimia los racimos de la tierra, porque sus uvas están maduras. Y el ángel arrojó su hoz en la tierra, y vendimió la viña de la tierra, y echó las uvas en el gran lagar de la ira de Dios. Y fue pisado el lagar fuera de la ciudad, y del lagar salió sangre hasta los frenos de los caballos, por mil seiscientos estadios." Apocalipsis 14:17-20

Hay mucho para analizar aquí. En primer lugar, debemos comentar que el ángel que sale con la hoz aguda, en ambos casos, se trata de Cristo, quien recibe mensaje de parte de su Padre para recoger primero la buena cosecha y luego lo que será destinado a la destrucción.

En segundo lugar, la indicación expresa respecto a que el mensajero sale *'del altar'*, es un indicativo de que nos encontramos en el mismo contexto temporal del de la sexta trompeta. Allí dice: *"El sexto ángel tocó la trompeta, y oí una voz de entre los cuatro cuernos del altar de oro que estaba delante de Dios, diciendo al sexto ángel que tenía la trompeta: Desata a los cuatro ángeles que están atados junto al gran río Éufrates. Y fueron desatados los cuatro ángeles que estaban preparados para la hora, día, mes y año, a fin de matar a la tercera parte de los hombres. Y el número de los ejércitos de los jinetes era doscientos millones. Yo oí su número."* Apocalipsis 9:13-16

En nuestro análisis de aquella trompeta, comentamos que el hecho de que la voz salga del altar es un indicativo de que Cristo ya ha dejado su tarea de intercesor delante del Padre y se encuentra de salida en su Santuario, purificando el altar de incienso. Lo cual implica que el tiempo de gracia ha concluido.

Justamente, en aquel contexto se anuncia la destrucción de la tercera parte de la humanidad a consecuencia de fuego, humo y azufre. Dice: *"Por estas tres plagas fue muerta la tercera parte de los hombres; por el fuego, el humo y el azufre que salían de su boca" (Ap 3:18),* lo cual coincide con la indicación que se hace aquí, en Apocalipsis 14, respecto a que el ángel que sale del altar 'tiene poder sobre el fuego'. Dice: *"Y salió del altar otro ángel, que tenía poder sobre el fuego…"* Apocalipsis 14:18

En este contexto, hay numerosos pasajes de la Biblia que señalan que los principales enemigos de Dios serán reunidos a fin de enfrentarse a Cristo, pero serán destruidos por fuego. Apocalipsis 16, en el contexto de la sexta copa de la ira de Dios, dice: *"Y vi salir de la boca del dragón, y de la boca de la bestia, y de la boca del falso profeta, tres espíritus inmundos a manera de ranas; pues son espíritus de demonios, que hacen señales, y van a los reyes de la tierra en todo el mundo [saltando de uno en otro], para reunirlos a la batalla de aquel gran día del Dios Todopoderoso… Y los reunió en el lugar que en hebreo se llama Armagedón." Apocalipsis 16:13-16*

Luego, en el capítulo 19, Apocalipsis dice: *"Entonces vi el cielo abierto; y he aquí un caballo blanco, y el que lo montaba se llamaba Fiel y Verdadero, y con justicia juzga y pelea. Sus ojos eran como llama de fuego, y había en su cabeza muchas diademas; y tenía un nombre escrito que ninguno conocía sino él mismo. Estaba vestido de una ropa teñida en sangre; y su nombre es: EL VERBO DE DIOS. Y los ejércitos celestiales, vestidos de lino finísimo, blanco y limpio, le seguían en caballos blancos. De su boca sale una espada aguda, para herir con ella a las naciones, y él las regirá con vara de hierro; y él pisa el lagar del vino del furor y de la ira del Dios Todopoderoso. Y en su vestidura y en su muslo tiene escrito este nombre: REY DE REYES Y SEÑOR DE SEÑORES.*

Y vi a un ángel que estaba en pie en el sol, y clamó a gran voz, diciendo a todas las aves que vuelan en medio del cielo: Venid, y congregaos a la gran cena de Dios, para que comáis carnes de reyes y de capitanes, y carnes de fuertes, carnes de caballos y de sus jinetes, y carnes de todos, libres y esclavos, pequeños y grandes. Y vi a la bestia, a los reyes de la tierra y a sus ejércitos, reunidos para guerrear contra el que montaba el caballo, y contra su ejército. Y la bestia fue apresada, y con ella el falso profeta que había hecho delante de ella las señales con las cuales había engañado a los que recibieron la marca de la bestia, y habían adorado su imagen. Estos dos fueron lanzados vivos dentro de un lago de fuego que arde con azufre. Y los demás fueron muertos con la espada que salía de la boca del que montaba el caballo, y todas las aves se saciaron de las carnes de ellos [los énfasis son originales]." Apocalipsis 19:11-21

También, en el libro del profeta Joel leemos: *"Porque he aquí que en aquellos días, y en aquel tiempo en que haré volver la cautividad de Judá y de Jerusalén, reuniré a todas las naciones, y las haré descender al valle de Josafat, y allí entraré en juicio con ellas a causa de mi pueblo… Despiértense las naciones, y suban al valle de Josafat; porque allí me sentaré para juzgar a todas las naciones de alrededor. Echad la hoz, porque la mies está ya madura. Venid, descended, porque el lagar está lleno, rebosan las cubas; porque mucha es la maldad de ellos. Muchos pueblos en el valle de la decisión; porque cercano está el día de Jehová en el valle de la decisión. El sol y la luna se oscurecerán, y las estrellas retraerán su resplandor." Joel 3:1-2, 12-15*

Y el propio Jesús, en su parábola sobre el trigo y la cizaña, explicó: *"De manera que como se arranca la cizaña, y se quema en el fuego, así será en el fin de este siglo. Enviará el Hijo del Hombre a sus ángeles, y recogerán de su reino a todos los que sirven de tropiezo, y a los que hacen iniquidad, y los echarán en el horno de fuego; allí será el lloro y el crujir de dientes. Entonces los justos resplandecerán como el sol en el reino de su Padre. El que tiene oídos para oír, oiga." Mateo 13:40-43*

Con todo esto en consideración, podemos entender mejor la expresión *"fue pisado el lagar fuera de la ciudad, y del lagar salió sangre hasta los frenos de los caballos, por mil seiscientos estadios" (Ap 14:20);* lo cual, entendemos, hace referencia al lugar donde serán arrojados todas aquellas personas pertenecientes a la *'bestia'* y al *'falso profeta'*, es decir, los dos grandes poderes que Apocalipsis 13 anticipa se unirán para imponer la marca de la bestia y la adoración a satanás.

Como hemos leído, el lugar donde serán arrojados se lo describe como *'el lagar de la ira de Dios'*, como *'un lago que arde con fuego y azufre'*, y como *'un horno de fuego'*, todas expresiones que hacen referencia a un lugar específico en donde será descargada la ira de Dios de una manera especial por medio del fuego, y cuyos efectos destructivos se extenderán, como dice la escritura, por mil seiscientos estadios –lo cual equivale a unos 300 km–, siendo éste un número con una carga simbólica importante, dado que mil seiscientos equivale a cuarenta veces cuarenta.

En este sentido, bíblicamente, el número cuarenta es símbolo de purificación –de allí la palabra *'cuarentena'*–. Por ejemplo:

» Según Génesis 7:4 en el diluvio llovió durante cuarenta días y cuarenta noches para purificar la tierra mediante agua.

» Según Éxodo 24:18, Moisés pasó cuarenta días y cuarenta noches en el monte Sinaí, al recibir los Diez Mandamientos, tiempo durante el cual el pueblo debía permanecer puro.

» Según Números 14:33-34, los israelitas vagaron por el desierto durante cuarenta años como castigo por su desobediencia. Período que representó un tiempo de purificación antes de entrar en la tierra prometida.

» Según 1 Reyes 19:8, Elías caminó cuarenta días y cuarenta noches hasta encontrarse con Dios en el monte Horeb.

» Según Jonás 3:4, este profeta fue enviado a predicar que Dios destruiría Nínive luego de cuarenta días, debido a su maldad. Tiempo durante el cual pudieron arrepentirse (purificarse).

» Según Mateo 4:1-2, Jesús fue llevado por el Espíritu al desierto a fin de ser tentado por el diablo durante 40 días, al final de los cuales obtuvo victoria sobre el enemigo.

» Y, según Hechos 1:3, Jesús se apareció durante 40 días a los discípulos luego de resucitar a fin de dar prueba de su victoria sobre la muerte.

Por lo que sí, de acuerdo a este pasaje, la sangre de los impíos llegará hasta cuarenta veces cuarenta estadios, lo cual es una medida de campos de batalla, implica que el fuego de Dios purificará la tierra hasta lo sumo, hasta cuarenta veces cuarenta.

Vuelve a leer, ahora mismo, Apocalipsis 14, y comprueba como ya se ha abierto ante tus ojos.

Capítulo 15
La ira de Dios

Al final del capítulo anterior, Apocalipsis simboliza lo que sucederá cuando sea derramada la ira de Dios sobre los impíos, diciendo: *"Y el ángel arrojó su hoz en la tierra, y vendimió la viña de la tierra, y echó las uvas en el gran lagar de la ira de Dios." Apocalipsis 14:19*

Por esto, en éste –y en los subsiguientes–, se darán más detalles de lo que sucederá en aquel terrible –pero necesario– día. Dice: *"Vi en el cielo otra señal, grande y admirable: siete ángeles que tenían las siete plagas postreras; porque en ellas se consumaba la ira de Dios." Apocalipsis 15:1*

El fuego purificador

Ahora, ¿qué sucederá cuando acabe la gracia y Dios se disponga a derramar las copas de su ira? Pues, como hemos comentado, el mundo entero entrará en una angustia como jamás hubo sobre la tierra. Dice Daniel: *"En aquel tiempo se levantará Miguel, el gran príncipe que está de parte de los hijos de tu pueblo; y será tiempo de angustia, cual nunca fue desde que hubo gente hasta entonces; pero en aquel tiempo será libertado tu pueblo, todos los que se hallen escritos en el libro." Daniel 12:1*[211]

---

211 Elena de White, comentando este pasaje, dice: "Cuando termine el mensaje del tercer ángel la misericordia divina no intercederá más por los habitantes culpables de la tierra. El pueblo de Dios habrá cumplido su obra; habrá recibido "la lluvia tardía", el "refrigerio de la presencia del Señor", y estará preparado para la hora de prueba que le espera. Los ángeles se apuran, van y vienen de acá para allá en el cielo. Un ángel que regresa de la tierra anuncia que su obra está terminada; el mundo ha sido sometido a la prueba final, y todos los que han resultado fieles a los preceptos divinos han recibido "el sello del Dios vivo". Entonces Jesús dejará de interceder en el santuario celestial. Levantará sus manos y con gran voz dirá "Hecho es", y todas las huestes de los ángeles depositarán sus coronas mientras él anuncia en tono solemne: "¡El que es injusto, sea injusto aún; y el que es sucio, sea sucio aún; y el que es justo, sea justo aún; y el que es santo, sea aún santo!" Apocalipsis 22:11. Cada caso ha sido fallado para vida o para muerte. Cristo ha hecho propiciación por su pueblo y borrado sus pecados. El número de sus súbditos está completo; "el reino, y el señorío y la majestad de los reinos debajo de todo el cielo" van a ser dados a los herederos de la salvación y Jesús va a reinar como Rey de reyes y Señor de señores. CS 599

Jesús, en su sermón apocalíptico, amplió detalles en cuanto a cómo se originará dicha angustia en las personas del mundo, diciendo: *"Entonces habrá señales en el sol, en la luna y en las estrellas, y en la tierra angustia de las gentes, confundidas a causa del bramido del mar y de las olas; desfalleciendo los hombres por el temor y la expectación de las cosas que sobrevendrán en la tierra; porque las potencias de los cielos serán conmovidas." Lucas 21:25-26*

Sin embargo, aunque los hijos de Dios también entrarán en angustia de muerte, su angustia no será provocada por el desequilibrio de la naturaleza, sino por el sentimiento de que Dios se habrá apartado de ellos en el momento en el cual los impíos los buscarán para matarlos, acusándolos de todos los males que ocurrirán sobre la tierra.[212]

La angustia de los santos, en consecuencia, estará relacionada con aquella *'aflicción de espíritu'* que Dios demanda a todo aquel que desea ser perdonado de sus pecados. De hecho, tal angustia era requerida en los rituales que debía guardar el pueblo de Dios durante el ya comentado *'día de expiación'*, a fin de no ser apartados del pueblo y destruidos por el mismísimo Dios. Dice la Biblia: *"También habló Jehová a Moisés, diciendo: A los diez días de este mes séptimo será el día de expiación; tendréis santa convocación, y afligiréis vuestras almas, y ofreceréis ofrenda encendida a Jehová. Ningún trabajo haréis en este día; porque es día de expiación, para reconciliaros delante de Jehová vuestro Dios. Porque toda persona que no se afligiere en este mismo día, será cortada de su pueblo. Y cualquiera persona que hiciere trabajo alguno en este día, yo destruiré a la tal persona de entre su pueblo. Ningún trabajo haréis; estatuto perpetuo es por vuestras generaciones en dondequiera que habitéis. Día de reposo será a vosotros, y afligiréis vuestras almas..." Levítico 23:26-32*

Esta terrible angustia –por la cual deberán pasar los santos– es descrita en Apocalipsis como un fuego purificador, mediante el siguiente simbolismo. Dice: *"Vi también como un mar de vidrio mezclado con fuego; y a los que habían alcanzado la victoria sobre la bestia y su imagen, y su marca y el número de su nombre, en pie sobre el mar de vidrio, con las arpas de Dios." Apocalipsis 15:2*

---

212 Elena de White continúa diciendo: "Los que honran la ley de Dios han sido acusados de atraer los castigos de Dios sobre la tierra, y se los mirará como si fueran causa de las terribles convulsiones de la naturaleza y de las luchas sangrientas entre los hombres, que llenarán la tierra de aflicción. El poder que acompañe la última amonestación enfurecerá a los malvados; su ira se ensañará contra todos los que hayan recibido el mensaje, y Satanás despertará el espíritu de odio y persecución en un grado de intensidad aún mayor." CS 600

Como comentamos en nuestro análisis de Apocalipsis 4, la plataforma semejante a un mar de vidrio –sobre la cual se presenta a los santos– alude a aquella amplia superficie de purísimo oro transparente sobre la cual se asienta el trono de Dios.

Ahora, en nuestro entendimiento, el contexto en el cual se presenta esta escritura, implica que los santos se encontrarán ante la mismísima presencia de Dios, pero sin estar aún en el cielo. ¿Cómo sería posible esto? Pues, por la fe. En este sentido, por el hecho que los santos habrán *guardado la palabra' (Ap 3:8)*, ellos sabrán perfectamente que el tiempo de gracia habrá concluido, y por ello se verán –por la fe– ante la mismísima presencia del santísimo Dios, sin un intercesor que abogue por ellos.

¿Qué implicará esto? Que ellos se percibirán siendo examinados por aquel que *"tiene ojos como llama de fuego" (Ap 1:14)*, por aquel que *"habita en luz inaccesible" (1 Timoteo 6:16)*, y que, como dice la Escritura, *"discierne los pensamientos y las intenciones del corazón. Y no hay cosa creada que no sea manifiesta en su presencia; antes bien todas las cosas están desnudas y abiertas a los ojos de aquel a quien tenemos que dar cuenta." Hebreos 4:12-13*

Esto motivará un profundo auto escrutinio, que implicará tratar de recordar si hubo algún pecado no confesado que le haya dejado fuera del perdón y de la gracia de Dios. Sin embargo, su angustia no será tanto por el deseo de saber si habrá alcanzado la salvación y los goces prometidos a los redimidos, sino por su intención de haber glorificado a Dios con su vidas y no ser parte de la rebelión.[213]

Por esto, ellos, al igual que Jacob, estarán luchando con un Dios que aparenta dejarlos a la merced de quienes los persiguen debido a sus pecados del pasado.

Jeremías, haciendo alusión a aquella historia en la que Jacob luchó con Dios en la noche en que Esaú –y su ejército– lo buscaban para matarlo, dice: *"Así ha dicho Jehová: Hemos oído voz de temblor; de espanto, y no de paz. Inquirid ahora, y mirad si el varón da a luz; porque he visto que todo hombre tenía las manos sobre sus lomos, como mujer que está de parto, y se han vuelto pálidos todos los rostros. ¡Ah, cuán grande es aquel día!, tanto, que no hay otro semejante a él; tiempo de angustia para Jacob; pero de ella será librado…*

---

213 Elena de White explica: "Cuando [Cristo] abandone el santuario, las tinieblas envolverán a los habitantes de la tierra. Durante ese tiempo terrible, los justos deben vivir sin intercesor, a la vista del santo Dios." CS 600

Porque yo estoy contigo para salvarte, dice Jehová, y destruiré a todas las naciones entre las cuales te esparcí; pero a ti no te destruiré, sino que te castigaré con justicia; de ninguna manera te dejaré sin castigo.

Incurable es tu dolor, porque por la grandeza de tu iniquidad y por tus muchos pecados te he hecho esto. Pero serán consumidos todos los que te consumen; y todos tus adversarios, todos irán en cautiverio; hollados serán los que te hollaron, y a todos los que hicieron presa de ti daré en presa. Mas yo haré venir sanidad para ti, y sanaré tus heridas, dice Jehová; porque desechada te llamaron, diciendo: Esta es Sion, de la que nadie se acuerda.

Y me seréis por pueblo, y yo seré vuestro Dios. He aquí, la tempestad de Jehová sale con furor; la tempestad que se prepara, sobre la cabeza de los impíos reposará. No se calmará el ardor de la ira de Jehová, hasta que haya hecho y cumplido los pensamientos de su corazón; en el fin de los días entenderéis esto." Jeremías 30:5-7; 11; 15-17; 22-24[214]

Es por esto que se dice que ellos estarán sobre *"como un mar de vidrio mezclado con fuego" (Ap 15:2)*. El mar como de vidrio, en efecto, representa la santidad que rodea el trono de Dios, algo de lo cual ya habrán sido revestidos los santos; sin embargo, el fuego es una representación simbólica de la inmensa angustia que Dios permitirá que venga sobre ellos, a fin de purificar sus almas de todo deseo pecaminoso y librarlos para siempre de la esclavitud del pecado.

---

214 Elena de White comenta: "Una vez que el sábado llegue a ser el punto especial de controversia en toda la cristiandad y las autoridades religiosas y civiles se unan para imponer la observancia del domingo, la negativa persistente, por parte de una pequeña minoría, de ceder a la exigencia popular, la convertirá en objeto de execración universal. Se demandará con insistencia que no se tolere a los pocos que se oponen a una institución de la iglesia y a una ley del estado; pues vale más que esos pocos sufran y no que naciones enteras sean precipitadas a la confusión y anarquía. Este mismo argumento fue presentado contra Cristo hace mil ochocientos años por los "príncipes del pueblo". "Nos conviene–dijo el astuto Caifás–que un hombre muera por el pueblo, y no que toda la nación se pierda". Juan 11:50. Este argumento parecerá concluyente y finalmente se expedirá contra todos los que santifiquen el sábado un decreto que los declare merecedores de las penas más severas y autorice al pueblo para que, pasado cierto tiempo, los mate. El romanismo en el Viejo Mundo y el protestantismo apóstata en la América del Norte actuarán de la misma manera contra los que honren todos los preceptos divinos. El pueblo de Dios se verá entonces sumido en las escenas de aflicción y angustia descritas por el profeta y llamadas el tiempo de la apretura de Jacob: "Porque así ha dicho Jehová: Hemos oído voz de temblor: espanto, y no paz [...], Hanse tornado pálidos todos los rostros. ¡Ah, cuán grande es aquel día! tanto, que no hay otro semejante a él: tiempo de angustia para Jacob; mas de ella será librado". Jeremías 30:5-7. CS 601

No obstante, se los presenta *'de pie'* y con *'arpas en sus manos'* como símbolo de que serán aceptos delante de Dios, y por ello, aún en el horno de fuego de su angustia, ellos estarán glorificando a Dios, produciendo la dulce melodía de los santos.

¿Qué sucederá luego? Tal como el orfebre saca del fuego el precioso metal cuando ve su rostro reflejado en él –sabiendo que se ha consumido toda su impureza–, los santos estarán en angustia de muerte hasta que su Libertador vea su rostro reflejado en ellos y pronuncie las benditas palabras: ¡Enderezaos! ¡Bastaos mi gracia! En ese momento, ellos prorrumpirán en un inmenso grito de victoria, cantando gozosos el cántico de los redimidos. Dice: *"Y cantan el cántico de Moisés siervo de Dios, y el cántico del Cordero, diciendo: Grandes y maravillosas son tus obras, Señor Dios Todopoderoso; justos y verdaderos son tus caminos, Rey de los santos. ¿Quién no te temerá, oh Señor, y glorificará tu nombre? Pues solo tú eres santo; por lo cual todas las naciones vendrán y te adorarán, porque tus juicios se han manifestado." Apocalipsis 15:3-4*[215]

---

215 Elena de White describe aquel momento, diciendo: "Multitudes de hombres perversos, profiriendo gritos de triunfo, burlas e imprecaciones, están a punto de arrojarse sobre su presa, cuando de pronto densas tinieblas, más sombrías que la oscuridad de la noche caen sobre la tierra. Luego un arco iris, que refleja la gloria del trono de Dios, se extiende de un lado a otro del cielo, y parece envolver a todos los grupos en oración. Las multitudes encolerizadas se sienten contenidas en el acto. Sus gritos de burla expiran en sus labios. Olvidan el objeto de su ira sanguinaria. Con terribles presentimientos contemplan el símbolo de la alianza divina, y ansían ser amparadas de su deslumbradora claridad. Los hijos de Dios oyen una voz clara y melodiosa que dice: "Enderezaos", y, al levantar la vista al cielo, contemplan el arco de la promesa. Las nubes negras y amenazadoras que cubrían el firmamento se han desvanecido, y como Esteban, clavan la mirada en el cielo, y ven la gloria de Dios y al Hijo del hombre sentado en su trono. En su divina forma distinguen los rastros de su humillación, y oyen brotar de sus labios la oración dirigida a su Padre y a los santos ángeles: "Yo quiero que aquellos también que me has dado, estén conmigo en donde yo estoy". Juan 17:24. Luego se oye una voz armoniosa y triunfante, que dice: "¡Helos aquí! ¡Helos aquí! santos, inocentes e inmaculados. Guardaron la palabra de mi paciencia y andarán entre los ángeles"; y de los labios pálidos y trémulos de los que guardaron firmemente la fe, sube una aclamación de victoria." CS 620

"Ante su presencia, "hanse tornado pálidos todos los rostros"; el terror de la desesperación eterna se apodera de los que han rechazado la misericordia de Dios. "Se deslíe el corazón, y se baten las rodillas, [...] y palidece el rostro de todos". Jeremías 30:6; Nahúm 2:10. Los justos gritan temblando: "¿Quién podrá estar firme?" Termina el canto de los ángeles, y sigue un momento de silencio aterrador. Entonces se oye la voz de Jesús, que dice: "¡Bástaos mi gracia!" Los rostros de los justos se iluminan y el corazón de todos se llena de gozo. Y los ángeles entonan una melodía más elevada, y vuelven a cantar al acercarse aún más a la tierra." CS 624

Dicen "porque tus juicios se han manifestado", lo cual indica que el contexto temporal en el cual se describe esta escena, es un contexto en el cual ya han comenzado a caer los juicios de Dios sobre la tierra.

De la misma manera, notamos que, a esta altura, ya no se hace diferencia entre los 144000 y la gran multitud vestida de ropas blancas –como sí se hizo en Apocalipsis 7–, dado que ambos grupos terminarán siendo parte de uno solo: el de los victoriosos; es decir, el de aquellos que habrán luchado con Dios, con el diablo, con la bestia, el falso profeta, los impíos y hasta con sus propios defectos, y habrán vencido *'por medio de la sangre del Cordero' (Ap 7:14 y 12:11).*[216]

La apertura del templo

Luego de haber contemplado la terrible agonía y el cántico triunfal de los redimidos, al apóstol Juan se le muestra lo que vendrá sobre el resto de las personas que no han aceptado la salvación provista por Jesús. Y para ello, Apocalipsis vuelve sobre el tiempo hasta el momento en el cual comenzarán a derramarse las copas de la ira de Dios. Juan presenta esta nueva escena de la visión, diciendo: *"Después de estas cosas miré, y he aquí fue abierto en el cielo el templo del tabernáculo del testimonio; y del templo salieron los siete ángeles que tenían las siete plagas, vestidos de lino limpio y resplandeciente, y ceñidos alrededor del pecho con cintos de oro. Y uno de los*

---

216 Elena de White, hablando en este contexto de los 144000, cita expresiones bíblicas referentes a la gran multitud, diciendo: "Ninguno sino los ciento cuarenta y cuatro mil pueden aprender aquel cántico, pues es el cántico de su experiencia, una experiencia que ninguna otra compañía ha conocido jamás. Son "estos, los que siguen al Cordero por donde quiera que fuere". Habiendo sido trasladados de la tierra, de entre los vivos, son contados por "primicias para Dios y para el Cordero". Apocalipsis 15:2, 3; 14:1-5. "Estos son los que han venido de grande tribulación"; han pasado por el tiempo de angustia cual nunca ha sido desde que ha habido nación; han sentido la angustia del tiempo de la aflicción de Jacob; han estado sin intercesor durante el derramamiento final de los juicios de Dios. Pero han sido librados, pues "han lavado sus ropas, y las han blanqueado en la sangre del Cordero". "En sus bocas no ha sido hallado engaño; están sin mácula" delante de Dios. "Por esto están delante del trono de Dios, y le sirven día y noche en su templo; y el que está sentado sobre el trono tenderá su pabellón sobre ellos". Apocalipsis 7:14, 15. Han visto la tierra asolada con hambre y pestilencia, al sol que tenía el poder de quemar a los hombres con un intenso calor, y ellos mismos han soportado padecimientos, hambre y sed. Pero "no tendrán más hambre, ni sed, y el sol no caerá sobre ellos, ni otro ningún calor. Porque el Cordero que está en medio del trono los pastoreará, y los guiará a fuentes vivas de aguas: y Dios limpiará toda lágrima de los ojos de ellos". Apocalipsis 7:14-17." CS 630

cuatro seres vivientes dio a los siete ángeles siete copas de oro, llenas de la ira de Dios, que vive por los siglos de los siglos." Apocalipsis 15:5-7

En relación a esta apertura en el cielo del *'templo del tabernáculo del testimonio'*, tenemos que saber que 'el testimonio' es una forma de llamar a los diez mandamientos. Por ello, al cofre de oro en el que se guardaban las dos tablas de la Ley, se lo llamaba –además de 'el arca de la alianza'– 'el arca del testimonio'. Dice la Biblia: *"Y cuando entraba Moisés en el tabernáculo de reunión, para hablar con Dios, oía la voz que le hablaba de encima del propiciatorio que estaba sobre el arca del testimonio, de entre los dos querubines; y hablaba con él." Números 7:89*

En el mismo sentido, al templo que contenía dicho 'arca del testimonio' y, por ende, al 'testimonio' mismo, también se lo denominaba 'el tabernáculo del testimonio'. Por ejemplo, la Biblia dice: *"Tuvieron nuestros padres el tabernáculo del testimonio en el desierto, como había ordenado Dios cuando dijo a Moisés que lo hiciese conforme al modelo que había visto." Hechos 7:44*

Por ello, la indicación de que fue abierto en el cielo *'el templo del tabernáculo del testimonio'*, es una indicación de que fue abierto el templo que Dios tiene en el cielo, en el que guarda celosamente su Ley.

Apocalipsis 11, en el contexto de la séptima trompeta, anuncia esta apertura del templo, justamente, en el tiempo en el cual habrá llegado su ira. Dice: *"El séptimo ángel tocó la trompeta, y hubo grandes voces en el cielo, que decían: Los reinos del mundo han venido a ser de nuestro Señor y de su Cristo; y él reinará por los siglos de los siglos. Y los veinticuatro ancianos que estaban sentados delante de Dios en sus tronos, se postraron sobre sus rostros, y adoraron a Dios, diciendo: Te damos gracias, Señor Dios Todopoderoso, el que eres y que eras y que has de venir, porque has tomado tu gran poder, y has reinado. Y se airaron las naciones, y tu ira ha venido, y el tiempo de juzgar a los muertos, y de dar el galardón a tus siervos los profetas, a los santos, y a los que temen tu nombre, a los pequeños y a los grandes, y de destruir a los que destruyen la tierra. Y el templo de Dios fue abierto en el cielo, y el arca de su pacto se veía en el templo. Y hubo relámpagos [es decir, movimiento de poderosos ángeles], voces, truenos, un terremoto y grande granizo." Apocalipsis 11:15-19*[217]

217 Elena de White describe esta escena diciendo: "Al considerar el día de Dios en santa visión, los antiguos profetas exclamaron: "Aullad, porque cerca está el día de Jehová; vendrá como asolamiento del Todopoderoso". "Métete en la piedra, escóndete en el polvo, de la presencia espantosa de Jehová y del resplandor de su

majestad. La altivez de los ojos del hombre será abatida, y la soberbia de los hombres será humillada; y Jehová solo será ensalzado en aquel día. Porque día de Jehová de los ejércitos vendrá sobre todo soberbio y altivo, y sobre todo ensalzado; y será abatido". "Aquel día arrojará el hombre, a los topos y murciélagos, sus ídolos de plata y sus ídolos de oro, que le hicieron para que adorase; y se entrarán en las hendiduras de las rocas y en las cavernas de las peñas, por la presencia formidable de Jehová, y por el resplandor de su majestad, cuando se levantare para herir la tierra". Isaías 13:6; 2:10-12; 2:20, 21.

Por un desgarrón de las nubes una estrella arroja rayos de luz cuyo brillo queda cuadruplicado por el contraste con la oscuridad. Significa esperanza y júbilo para los fieles, pero severidad para los transgresores de la ley de Dios. Los que todo lo sacrificaron por Cristo están entonces seguros, como escondidos en los pliegues del pabellón de Dios. Fueron probados, y ante el mundo y los despreciadores de la verdad demostraron su fidelidad a Aquel que murió por ellos. Un cambio maravilloso se ha realizado en aquellos que conservaron su integridad ante la misma muerte. Han sido librados como por ensalmo de la sombría y terrible tiranía de los hombres vueltos demonios. Sus semblantes, poco antes tan pálidos, tan llenos de ansiedad y tan macilentos, brillan ahora de admiración, fe y amor. Sus voces se elevan en canto triunfal: "Dios es nuestro refugio y fortaleza; socorro muy bien experimentado en las angustias. Por tanto no temeremos aunque la tierra sea conmovida, y aunque las montañas se trasladen al centro de los mares; aunque bramen y se turben sus aguas, aunque tiemblen las montañas a causa de su bravura". Salmos 46:1-3 (VM).

Mientras estas palabras de santa confianza se elevan hacia Dios, las nubes se retiran, y el cielo estrellado brilla con esplendor indescriptible en contraste con el firmamento negro y severo en ambos lados. La magnificencia de la ciudad celestial rebosa por las puertas entreabiertas. Entonces aparece en el cielo una mano que sostiene dos tablas de piedra puestas una sobre otra. El profeta dice: "Denunciarán los cielos su justicia; porque Dios es el juez". Salmos 50:6. Esta ley santa, justicia de Dios, que entre truenos y llamas fue proclamada desde el Sinaí como guía de la vida, se revela ahora a los hombres como norma del juicio. La mano abre las tablas en las cuales se ven los preceptos del Decálogo inscritos como con letras de fuego. Las palabras son tan distintas que todos pueden leerlas. La memoria se despierta, las tinieblas de la superstición y de la herejía desaparecen de todos los espíritus, y las diez palabras de Dios, breves, inteligibles y llenas de autoridad, se presentan a la vista de todos los habitantes de la tierra.

Es imposible describir el horror y la desesperación de aquellos que pisotearon los santos preceptos de Dios. El Señor les había dado su ley con la cual hubieran podido comparar su carácter y ver sus defectos mientras que había aún oportunidad para arrepentirse y reformarse; pero con el afán de asegurarse el favor del mundo, pusieron a un lado los preceptos de la ley y enseñaron a otros a transgredirlos. Se empeñaron en obligar al pueblo de Dios a que profanase su sábado. Ahora los condena aquella misma ley que despreciaran. Ya echan de ver que no tienen disculpa. Eligieron a quien querían servir y adorar. "Entonces vosotros volveréis, y echaréis de ver la diferencia que hay entre el justo y el injusto; entre aquel que sirve a Dios, y aquel que no le sirve.—Malaquías 3:18 (VM)." CS 622-623

Ahora, en cuanto a la vestimenta de lino limpio y resplandeciente que llevan los 'siete ángeles', entendemos, es una representación simbólica de la pureza inmaculada de quien ha sido comisionado para ejecutar el juicio de Dios. Apocalipsis dice: *"el lino fino es [o, como dice la Nueva Traducción Viviente, 'representa'] las acciones justas de los santos." Apocalipsis 19:8*

En tanto, el cinto de oro que ciñe sus pechos, en nuestra comprensión, representa la justicia divina en que será ejecutada la ira de Dios. Isaías, describiendo al Mesías, dice: *"Y será la justicia cinto de sus lomos, y la fidelidad ceñidor de su cintura." Isaías 11:5*

En este sentido, debemos reconocer que los siete ángeles portan una vestimenta idéntica a la de Cristo:

» En Apocalipsis 1, Juan escribió: *"me volví para ver la voz que hablaba conmigo; y vuelto, vi siete candeleros de oro, y en medio de los siete candeleros, a uno semejante al Hijo del Hombre, vestido de una ropa que llegaba hasta los pies, y ceñido por el pecho con un cinto de oro." Apocalipsis 1:12-13*

» En tanto, el profeta Daniel –describiendo una escena similar–, menciona: *"El día veinticuatro del mes primero estaba yo a la orilla del gran río Hidekel. Y alcé mis ojos y miré, y he aquí un varón vestido de lino, y ceñidos sus lomos de oro de Ufaz." Daniel 10:4-5*

Por esto –y sin negar la participación de la plenitud de los ángeles en la realización de los designios divinos, no sería de extrañar que *'los siete ángeles'* que derramarán las siete copas de la ira de Dios sean una representación simbólica de Cristo como *'mensajero'* de la ira de Dios.

En este sentido, el mismo Apocalipsis dice en relación a Cristo: *"De su boca sale una espada aguda, para herir con ella a las naciones, y él las regirá con vara de hierro; y él pisa el lagar del vino del furor y de la ira del Dios Todopoderoso." Apocalipsis 19:15*

Lo cual es coincidente con aquel pasaje de Daniel, que compartimos al principio; el cual se presenta a Cristo levantándose para hacer justicia en un tiempo de terrible angustia para su amado pueblo. Dice: *"En aquel tiempo se levantará Miguel, el gran príncipe que está de parte de los hijos de tu pueblo; y será tiempo de angustia, cual nunca fue desde que hubo gente hasta entonces; pero en aquel tiempo será libertado tu pueblo, todos los que se hallen escritos en el libro." Daniel 12:1*

Humo en el templo

¿Qué sucederá luego? Apocalipsis dice: *"Y el templo se llenó de humo por la gloria de Dios, y por su poder; y nadie podía entrar en el templo hasta que se hubiesen cumplido las siete plagas de los siete ángeles." Apocalipsis 15:8*

Para comprender mejor de qué se trata, analicemos las principales circunstancias en las cuales Dios llenó el templo terrenal con su gloria, de manera que nadie podía entrar en él:

» Cuando Moisés acabó de construir el tabernáculo del desierto, dice la Biblia: *"una nube cubrió el tabernáculo de reunión, y la gloria de Jehová llenó el tabernáculo. Y no podía Moisés entrar en el tabernáculo de reunión, porque la nube estaba sobre él, y la gloria de Jehová lo llenaba. Éxodo 40:34-35*

» Lo mismo ocurrió cuando Salomón inauguró el primer templo de Jerusalén y fue introducida el arca del pacto dentro del Lugar Santísimo (1 Reyes 8:5-6). Dice la Palabra de Dios: *"Y cuando los sacerdotes salieron del santuario, la nube llenó la casa de Jehová. Y los sacerdotes no pudieron permanecer para ministrar por causa de la nube; porque la gloria de Jehová había llenado la casa de Jehová." 1 Reyes 8:10-11*

Como vemos, en estas dos ocasiones Dios llenó con su gloria templos hechos por hombres para manifestar la aceptación de la ofrenda humana y su santificación, en un contexto en el que nadie podía entrar en ellos a causa de la gloria de Dios. Por esto, entendemos que cuando el verdadero templo de Dios se llene de humo por la gloria y el poder de Dios, también será en signo de aceptación y santificación de su iglesia terrenal.

En este sentido, la iglesia de Dios –en la tierra– no está formada por ladrillos de cemento ni por instituciones humanamente establecidas; sino por seres humanos a manera de piedras vivas. El apóstol Pedro dijo: *"Acercándoos a él [a Cristo], piedra viva, desechada ciertamente por los hombres, mas para Dios escogida y preciosa, vosotros también, como piedras vivas, sed edificados como casa espiritual y sacerdocio santo, para ofrecer sacrificios espirituales aceptables a Dios por medio de Jesucristo." 1 Pedro 2:4-5*

También, el apóstol Pablo escribió: *"Así que ya no sois extranjeros ni advenedizos, sino conciudadanos de los santos, y miembros de la familia de Dios, edificados sobre el fundamento de los apóstoles y profetas, siendo la principal piedra del ángulo Jesucristo mismo, en quien todo el edificio, bien coordinado, va creciendo para ser un templo santo en el Señor; en quien vosotros también sois juntamente edificados para morada de Dios en el Espíritu." Efesios 2:19-22*

En otra ocasión, este mismo apóstol, dijo: *"¿O ignoráis que vuestro cuerpo es templo del Espíritu Santo, el cual está en vosotros, el cual tenéis de Dios, y que no sois vuestros? Porque habéis sido comprados por precio; glorificad, pues, a Dios en vuestro cuerpo y en vuestro espíritu, los cuales son de Dios."* *1 Corintios 6:19-20*

Con lo cual, podemos entender que cuando Cristo se levante para derramar la ira de Dios sobre los impíos, la gloria de Dios se manifestará tanto en su templo celestial como en los templos humanos santificados por su Espíritu, y nadie podrá entrar en ellos −y ni siquiera tocarlos− por la manifestación de la gloria de Dios sobre ellos. Cristo, en el Apocalipsis, le dice a los santos: *"Yo conozco tus obras; he aquí, he puesto delante de ti una puerta abierta, la cual nadie puede cerrar; porque aunque tienes poca fuerza, has guardado mi palabra, y no has negado mi nombre. He aquí, yo entrego de la sinagoga de Satanás a los que se dicen ser judíos y no lo son, sino que mienten; he aquí, yo haré que vengan y se postren a tus pies, y reconozcan que yo te he amado. Por cuanto has guardado la palabra de mi paciencia, yo también te guardaré de la hora de la prueba que ha de venir sobre el mundo entero, para probar a los que moran sobre la tierra..."* *Apocalipsis 3:8-10*[218]

» Ahora, hay una tercera situación en la que la gloria de Dios llenó y santificó un lugar, y fue justamente cuando Dios proclamó su Ley ante su pueblo y se la entregó a Moisés escrita en dos tablas de piedra. Dice la Biblia: *"Dijo Jehová a Moisés: Sube ante Jehová, tú, y Aarón, Nadab, y Abiú, y setenta de los ancianos de Israel; y os inclinaréis desde lejos. Pero Moisés solo se acercará a Jehová; y ellos no se acerquen, ni suba el pueblo con él... Y subieron Moisés y Aarón, Nadab y Abiú, y setenta de los ancianos de Israel; y vieron al Dios de Israel; y había debajo de sus pies como un embaldosado de*

---

218 Elena de White, describiendo lo que sucederá en aquel momento, escribió: "Pronto oímos la voz de Dios, semejante al ruido de muchas aguas, que nos anunció el día y la hora de la venida de Jesús. Los 144.000 santos vivientes reconocieron y entendieron la voz; pero los malvados se figuraron que era fragor de truenos y de terremoto. Cuando Dios señaló el tiempo, derramó sobre nosotros el Espíritu Santo, y nuestros semblantes se iluminaron refulgentemente con la gloria de Dios, como le sucedió a Moisés al bajar del Sinaí. Los 144.000 estaban todos sellados y perfectamente unidos. En su frente llevaban escritas estas palabras: "Dios, nueva Jerusalén," y además una brillante estrella con el nuevo nombre de Jesús. Los impíos se enfurecieron al vernos en aquel santo y feliz estado, y querían apoderarse de nosotros para encarcelarnos, cuando extendimos la mano en el nombre del Señor y cayeron rendidos en el suelo. Entonces conoció la sinagoga de Satanás que Dios nos había amado, a nosotros que podíamos lavarnos los pies unos a otros y saludarnos fraternalmente con ósculo santo, y ellos adoraron a nuestras plantas." PE 14-15

zafiro, semejante al cielo cuando está sereno. Mas no extendió su mano sobre los príncipes de los hijos de Israel; y vieron a Dios, y comieron y bebieron. Entonces Jehová dijo a Moisés: Sube a mí al monte, y espera allá, y te daré tablas de piedra, y la ley, y mandamientos que he escrito para enseñarles… Entonces Moisés subió al monte, y una nube cubrió el monte. Y la gloria de Jehová reposó sobre el monte Sinaí, y la nube lo cubrió por seis días; y al séptimo día llamó a Moisés de en medio de la nube. Y la apariencia de la gloria de Jehová era como un fuego abrasador en la cumbre del monte, a los ojos de los hijos de Israel. Y entró Moisés en medio de la nube, y subió al monte; y estuvo Moisés en el monte cuarenta días y cuarenta noches." Éxodo 24:1-2; 9-12; 15-18

Por esto, entendemos, que cuando Dios abra su templo celestial (Ap 15:5), muestre el arca del pacto (Ap 11:19) –donde guarda su Ley de amor– y llene con su gloria y poder su templo, se manifestará rodeado en fuego para purificar a los justos y exterminar a los impíos. Isaías dice: *"Porque he aquí que Jehová vendrá con fuego, y sus carros como torbellino, para descargar su ira con furor, y su represión con llama de fuego. Porque Jehová juzgará con fuego y con su espada a todo hombre; y los muertos de Jehová serán multiplicados." Isaías 66:15-16*

Los justos, en tanto, no sufrirán daño por el fuego divino, sino que éste solo quemará las ligaduras que los ataban al pecado, como cuando los tres jóvenes hebreos fueron lanzados al horno de fuego por no postrarse delante de la estatua erigida por Nabucodonosor, rey de Babilonia. En aquel momento, el tercer capítulo de Daniel relata que el fuego solo quemó las ligaduras con que los habían atado, pero no dañó ni su ropa ni su cabello y, ni siquiera, les dejó olor a humo; mientras que los babilonios que los habían arrojaron al horno fueron consumidos en ese mismo instante.[219]

En este contexto, la Biblia respecto de Cristo: *"Alcanzará tu mano a todos tus enemigos; tu diestra alcanzará a los que te aborrecen. Los pondrás como horno de fuego en el tiempo de tu ira; Jehová los deshará en su ira, y fuego los consumirá. Su fruto destruirás de la tierra, y su descendencia de entre los hijos de los hombres. Porque intentaron el mal contra ti; fraguaron maquinaciones, mas no prevalecerán." Salmo 21:8-11*

---

219 Elena de White escribió: "Los rayos de la ira de Dios pronto han de caer, y cuando él comience a castigar a los transgresores, no habrá tregua hasta el fin. La tormenta de la ira de Dios se está preparando, y quedarán en pie solo aquellos que están santificados por la verdad en el amor de Dios. Ellos serán escondidos con Cristo en Dios hasta que la desolación haya pasado." TM 182

Algo que es coincidente con aquello que leímos en el mensaje del tercer ángel –de Apocalipsis 14–, cuando dice: *"Si alguno adora a la bestia y a su imagen, y recibe la marca en su frente o en su mano, él también beberá del vino de la ira de Dios, que ha sido vaciado puro en el cáliz de su ira; y será atormentado con fuego y azufre delante de los santos ángeles y del Cordero; y el humo de su tormento sube por los siglos de los siglos [o, como dice la traducción Kadosh Israelita Mesiánica, el humo de su tormento subirá por siempre y para siempre]." Apocalipsis 14:9-11*

También, y como veremos más detalladamente en nuestro análisis de Apocalipsis 18, allí se profetiza respecto de 'Babilonia': *"en un solo día vendrán sus plagas; muerte, llanto y hambre, y será quemada con fuego; porque poderoso es Dios el Señor, que la juzga. Y los reyes de la tierra que han fornicado con ella, y con ella han vivido en deleites, llorarán y harán lamentación sobre ella, cuando vean el humo de su incendio, parándose lejos por el temor de su tormento, diciendo: ¡Ay, ay, de la gran ciudad de Babilonia, la ciudad fuerte; porque en una hora vino tu juicio!" Apocalipsis 18:8-10*

Por esto, en nuestro entendimiento, el humo que llenará el templo es una representación simbólica de cuando Dios se manifieste como fuego consumidor, tanto en el cielo como en la tierra. Para comprobar esto, consideremos la siguiente visión de Isaías. Dice: *"En el año que murió el rey Uzías [aquel que intentó usurpar el santuario de Dios, ofreciendo incienso cuando no le era permitido] vi yo al Señor sentado sobre un trono alto y sublime, y sus faldas llenaban el templo. Por encima de él había serafines; cada uno tenía seis alas; con dos cubrían sus rostros, con dos cubrían sus pies, y con dos volaban. Y el uno al otro daba voces, diciendo: Santo, santo, santo, Jehová de los ejércitos; toda la tierra está llena de su gloria. Y los quiciales de las puertas se estremecieron con la voz del que clamaba, y la casa se llenó de humo." Isaías 6:1-4*

Como vemos, es un contexto similar al que presenta Apocalipsis 15, en el cual el templo de Dios se llena de humo por la gloria y el poder de Dios. En ese momento, dice Isaías, *"toda la tierra estará llena de su gloria"*, comprobando aquello que mencionamos en cuanto a que la gloria de Dios no llenará solo su templo celestial, sino también el terrenal.

A continuación, Isaías dice: *"Entonces dije: ¡Ay de mí! que soy muerto; porque siendo hombre inmundo de labios, y habitando en medio de pueblo que tiene labios inmundos, han visto mis ojos al Rey, Jehová de los ejércitos. Y voló hacia mí uno de los serafines, teniendo en su mano un carbón encendido, tomado del altar con unas tenazas; y tocando con él sobre mi boca, dijo: He aquí que esto tocó tus labios, y es quitada tu culpa, y limpio tu pecado." Isaías 6:5-7*

Lo cual comprueba que se trata del momento en el cual Dios eliminará con fuego santo toda impureza de su pueblo, tal como lo hemos expuesto al inicio de este capítulo. Ahora, ¿cómo continúa la visión? Dice: *"Después oí la voz del Señor, que decía: ¿A quién enviaré, y quién irá por nosotros? Entonces respondí yo: Heme aquí, envíame a mí. Y dijo: Anda, y di a este pueblo: Oíd bien, y no entendáis; ved por cierto, mas no comprendáis. Engruesa el corazón de este pueblo, y agrava sus oídos, y ciega sus ojos, para que no vea con sus ojos, ni oiga con sus oídos, ni su corazón entienda, ni se convierta, y haya para él sanidad." Isaías 6:8-10*

Es decir, se trata de un momento en el cual se habrá acabado la gracia de Dios, dado que ya no habrá nadie que se arrepienta. Como vemos, un contexto similar al de la sexta trompeta, cuando –luego de haber muerto una tercera parte de la humanidad– se dice: *"Y los otros hombres que no fueron muertos con estas plagas, ni aun así se arrepintieron de las obras de sus manos, ni dejaron de adorar a los demonios, y a las imágenes de oro, de plata, de bronce, de piedra y de madera, las cuales no pueden ver, ni oír, ni andar; y no se arrepintieron de sus homicidios, ni de sus hechicerías, ni de su fornicación, ni de sus hurtos." Apocalipsis 9:20-21*

Ahora, veamos como concluye la visión de Isaías. Dice: *"Y yo dije: ¿Hasta cuándo, Señor? Y respondió él: Hasta que las ciudades estén asoladas y sin morador, y no haya hombre en las casas, y la tierra esté hecha un desierto; hasta que Jehová haya echado lejos a los hombres, y multiplicado los lugares abandonados en medio de la tierra. Y si quedare aún en ella la décima parte, esta volverá a ser destruida; pero como el roble y la encina, que al ser cortados aún queda el tronco, así será el tronco, la simiente santa." Isaías 6:11-13*

Es decir, hasta que haya concluido la ira de Dios.

Por todo lo cual, entendemos que el simbolismo que se presenta en este capítulo –cuando se menciona el templo de Dios y se lo describe 'lleno de humo'–, apunta a la manifestación de la gloria y el poder de Dios sobre su pueblo y la inminencia de su juicio sobre los impíos. Por su parte, la referencia a que nadie puede entrar al templo hasta que se cumplan las siete plagas de su ira, no sólo confirma esta interpretación, sino que también sugiere que ésta será llevada a cabo sin que nadie pueda tratar de interceder para impedirlo.

Dios de luto

Sin embargo, aunque este será el contexto en el que el templo celestial se llenará de humo, también entendemos que nadie podrá entrar en él porque Dios se sobrecogerá en soledad, para llorar por la muerte de sus criaturas vendidas al pecado. Dice la Biblia: *"Escuchad y oíd; no os envanezcáis, pues Jehová ha hablado. Dad gloria a Jehová Dios vuestro, antes que haga venir tinieblas, y antes que vuestros pies tropiecen en montes de oscuridad, y esperéis luz, y os la vuelva en sombra de muerte y tinieblas. Mas si no oyereis esto, en secreto llorará mi alma a causa de vuestra soberbia; y llorando amargamente se desharán mis ojos en lágrimas, porque el rebaño de Jehová fue hecho cautivo." Jeremías 13:15-17*

Ninguna criatura podría soportar ver a Dios en el ardor, no solo de su ira, sino también en ardor de su dolor. Por esto, todos los habitantes del cielo deberán salir de su presencia. La felicidad del cielo se interrumpirá y la música se hará silencio, porque el Amante está de luto mientras las siete postreras plagas hacen su obra de destrucción. En este contexto, Isaías agrega: *"Porque Jehová se levantará… para hacer su obra, su extraña obra, y para hacer su operación, su extraña operación." Isaías 28:21*

La extraña obra de Dios es aquella que implica la destrucción de su propia creación. Algo que nuestro Hacedor jamás desearía haber tenido que realizar, pero que, aún en su inmenso amor −y por el hecho de que Él ha decidido no sólo hacernos libres sino también respetar nuestra libertad− tendrá que ejecutarla por el bien de todas sus criaturas. En el libro del profeta Ezequiel, Dios nos dice: *"Yo os juzgaré a cada uno según sus caminos, oh casa de Israel, dice Jehová el Señor. Convertíos, y apartaos de todas vuestras transgresiones, y no os será la iniquidad causa de ruina. Echad de vosotros todas vuestras transgresiones con que habéis pecado, y haceos un corazón nuevo y un espíritu nuevo. ¿Por qué moriréis, casa de Israel? Porque no quiero la muerte del que muere, dice Jehová el Señor; convertíos, pues, y viviréis." Ezequiel 18:30-32*

Esa es el consejo del Eterno. ¿Lo aceptarás? Cuando Él descendió sobre el monte Sinaí para comunicarnos su Ley, al proclamar su nombre, reveló su carácter. Dice la Biblia: *"Y Jehová descendió en la nube, y estuvo allí con él, proclamando el nombre de Jehová. Y pasando Jehová por delante de él, proclamó: ¡Jehová! ¡Jehová! fuerte, misericordioso y piadoso; tardo para la ira, y grande en misericordia y verdad; que guarda misericordia a millares, que perdona la iniquidad, la rebelión y el pecado, y que de ningún modo tendrá por inocente al malvado…" Éxodo 34:5-7*

Ese es el nombre y ese es el carácter del Ser que nos creó y que gobierna soberano sobre toda la extensión del Universo. Sin embargo, los impíos, despreciando la salvación ofrecida, finalmente tendrán que ser destruidos a fin de asegurar la justicia y la paz de Dios en todos sus dominios.

El Omnipotente, es decir, aquel que todo lo puede, entregó a su propio Hijo para salvarlos, pero lo menospreciaron. Aquel que se define como el 'Amor' –en persona–, también envió su Santo Espíritu para suplicar en sus corazones que se arrepientan de su rebelión, pero también fue rechazado y acabó por apartarse de ellos. Por esto, ya nada puede hacer para salvarlos del justo pago por sus obras impías. Nuestro Padre celestial no encuentra razón para la locura de sus hijos, y en su dolor nadie puede acompañarlo.

Mientras esto sucede en el cielo, aquí, en la tierra, los impíos han dispuesto la muerte de los santos. En todo tiempo los rebeldes persiguieron a aquellos que se mantuvieron leales a Dios, y ahora, al fin, culpándolos de todos los males que ellos mismos han causado, se disponen para aniquilarlos.

Por esto, ellos recibirán la condena que ellos mismos se han dispuesto a ejecutar. Dice la Biblia: *"Jehová está en su santo templo; calle delante de él toda la tierra… Su gloria cubrió los cielos, y la tierra se llenó de su alabanza. Y el resplandor fue como la luz; rayos brillantes salían de su mano, y allí estaba escondido su poder.*

Delante de su rostro iba mortandad, y a sus pies salían carbones encendidos. Se levantó, y midió la tierra; miró, e hizo temblar las gentes; los montes [los reinos] antiguos fueron desmenuzados, los collados antiguos se humillaron. Sus caminos son eternos… ¿Te airaste, oh Jehová, contra los ríos [contra las aguas, es decir, contra las multitudes]? ¿Contra los ríos te airaste? ¿Fue tu ira contra el mar cuando montaste en tus caballos, y en tus carros de victoria? Se descubrió enteramente tu arco; los juramentos a las tribus [las profecías] fueron palabra segura. Hendiste la tierra con ríos. Te vieron y tuvieron temor los montes [los reinos]; Pasó la inundación de las aguas [aquellas lanzadas por el dragón]; el abismo dio su voz, a lo alto alzó sus manos. El sol y la luna se pararon en su lugar; a la luz de tus saetas anduvieron, y al resplandor de tu fulgente lanza. Con ira hollaste la tierra, con furor trillaste las naciones. Saliste para socorrer a tu pueblo, para socorrer a tu ungido. Traspasaste la cabeza de la casa del impío, descubriendo el cimiento [sus fundamentos] hasta la roca.

Horadaste con sus propios dardos las cabezas de sus guerreros, que como tempestad acometieron para dispersarme, cuyo regocijo era como para devorar al pobre encubiertamente. Caminaste en el mar con tus caballos, sobre la mole de las grandes aguas [de las grandes multitudes].

Oí, y se conmovieron mis entrañas; a la voz temblaron mis labios; pudrición entró en mis huesos, y dentro de mí me estremecí; si bien estaré quieto en el día de la angustia, cuando suba al pueblo el que lo invadirá con sus tropas.

Aunque la higuera no florezca, ni en las vides haya frutos, Aunque falte el producto del olivo, y los labrados no den mantenimiento, y las ovejas sean quitadas de la majada, y no haya vacas en los corrales; con todo, yo me alegraré en Jehová, y me gozaré en el Dios de mi salvación. Jehová el Señor es mi fortaleza, el cual hace mis pies como de ciervas, y en mis alturas me hace andar." Habacuc 2:20-3:19

Como vemos, Cristo habrá muerto en vano para todas esas multitudes y ya nada podrá hacerse para evitar su destrucción. Sin embargo, nuestro Padre celestial los lamenta uno por uno y se recluye para sufrir la pérdida de sus hijos en soledad.

El rey David vivió una experiencia similar cuando su hijo Absalón se rebeló contra él y emprendió una revuelta para destronarlo. David, después de reiterados esfuerzos por hacerlo volver en sí, no le quedó más remedio que enfrentarlo. Sin embargo, en aquel momento, dio instrucciones a sus capitanes, diciendo: *"Tratad benignamente por amor de mí al joven Absalón. Y todo el pueblo oyó cuando dio el rey orden acerca de Absalón a todos los capitanes." 2 Samuel 18:5*

No obstante esto, no quedó más remedio que entrar en batalla. Luego de esta, en la que murieron unas veinte mil personas, Absalón huyó en su caballo, pero quedó colgado por la cabeza entre las ramas de un árbol. Allí Joab, comandante en jefe de los ejércitos del rey, hizo justicia sobre él, poniendo fin a su rebelión. Ahora, cuando el rey David se enteró de su muerte, lloró a gritos diciendo: *"¡Hijo mío Absalón, hijo mío, hijo mío Absalón! ¡Quién me diera que muriera yo en lugar de ti, Absalón, hijo mío, hijo mío!" 2 Samuel 18:33*

Su corazón de padre no quería aceptar la muerte de quien buscaba la suya. Por esto Joab, jefe de su ejército, pidió al rey que dominara su dolor y fuera a saludar al ejército que le esperaba victorioso, después de haber arriesgado su vida por él. Y David hizo lugar a su petición.

Nuestro Padre Celestial, aquel que nos dio la vida, sufre por sus hijos descarriados con un amor más fuerte que la muerte. Por eso entregó a su Hijo para que muriera por nosotros.

De la misma manera, Cristo, en su entrada triunfal sobre Jerusalén, lloró entre nosotros, no por la cruz que le aguardaba, sino por aquella multitud que en ese momento lo proclamaba rey, pero pocos días después lo iba a crucificar.

Jesús, viendo a través de su ojo profético a los ejércitos romanos sitiando a Jerusalén, y al hambre, el fuego y la espada haciendo horrorosos estragos entre su amado pueblo, lloró amargamente. Poco le importaba que la gloria del templo, su mármol blanco y sus pináculos de oro fuesen deshechas por el fuego. El Todopoderoso se sentía impotente ante la incredulidad y la dureza del corazón de aquellos por los cuales estaba a punto de dar su vida. Y en su angustia exclamó: *"¡Jerusalén, Jerusalén, que matas a los profetas, y apedreas a los que te son enviados! ¡Cuántas veces quise juntar a tus hijos, como la gallina junta sus polluelos debajo de las alas, y no quisiste!" "¡Oh, si también tú conocieses, a lo menos en este tu día, lo que es para tu paz! Mas ahora está encubierto de tus ojos. Porque vendrán días sobre ti, cuando tus enemigos te rodearán con vallado, y te sitiarán, y por todas partes te estrecharán, y te derribarán a tierra, y a tus hijos dentro de ti, y no dejarán en ti piedra sobre piedra, por cuanto no conociste el tiempo de tu visitación." Mateo 23:37; Lucas 19:42-44*

Escenas difíciles de contar se produjeron en la destrucción de aquella ciudad amada, cuando las madres llegaron a comer a sus propios hijos, en situaciones que no serán más que un pálido reflejo de la destrucción del mundo en los últimos días.

¿Piensas que después de haberte amado tanto, Dios se despedirá de ti sin una lágrima entre sus ojos? Imposible. Ahora, ¿por qué, en vez de ser el dolor de Dios, no te conviertes en su gozo? ¿Qué razón tienes para no amarlo y vivir por Él y para Él?

Vuelve a leer, ahora mismo, Apocalipsis 15, y comprueba como ya se ha abierto ante tus ojos.

Capítulo 16
Las siete copas de la ira

¿Te imaginas lo que sucederá cuando la injusticia y el pecado colme la infinita paciencia de Dios y el Todopoderoso se disponga a derramar su ira sobre los impíos? Apocalipsis lo revela con lujo de detalles.

Primera copa: sobre la tierra

Apocalipsis 16 comienza diciendo: *"Oí una gran voz que decía desde el templo a los siete ángeles: Id y derramad sobre la tierra las siete copas de la ira de Dios. Fue el primero, y derramó su copa sobre la tierra, y vino una úlcera maligna y pestilente sobre los hombres que tenían la marca de la bestia, y que adoraban su imagen." Apocalipsis 16:1-2*

Lo primero que debemos notar es que si, de acuerdo a lo que estudiamos en el capítulo anterior, *'nadie podía entrar en el templo'* hasta que se hayan cumplido las siete plagas de la ira de Dios, la voz que sale de allí no podría ser otra que la del mismísimo Dios.

Lo siguiente que salta a la vista, es que los juicios de la ira de Dios caerán solamente sobre las personas que hayan recibido la marca de la bestia, quedando los hijos de Dios protegidos todos estos males. Dice el texto: *"vino una úlcera maligna y pestilente sobre los hombres que tenían la marca de la bestia, y que adoraban su imagen" (Ap 16:2).*

Lo cual condice con aquella profecía de Ezequiel, cuando dice: *"llamó Jehová al varón vestido de lino, que tenía a su cintura el tintero de escribano, y le dijo Jehová: Pasa por en medio de la ciudad, por en medio de Jerusalén, y ponles una señal en la frente a los hombres que gimen y que claman a causa de todas las abominaciones que se hacen en medio de ella. Y a los otros dijo, oyéndolo yo: Pasad por la ciudad en pos de él, y matad; no perdone vuestro ojo, ni tengáis misericordia. Matad a viejos, jóvenes y vírgenes, niños y mujeres, hasta que no quede ninguno; pero a todo aquel sobre el cual hubiere señal, no os acerquéis..." Ezequiel 9:3-6*

Por otro lado, notamos que el castigo divino, en este caso, no es derramado directamente sobre las personas, sino sobre la tierra; y, a consecuencia de ello, es decir, indirectamente, se producirán úlceras en aquellos que tengan la marca de la bestia.

En este sentido, debemos resaltar que las copas de la ira de Dios, así como las trompetas del Apocalipsis, se desencadenarán de manera incremental, es decir, haciendo cada vez más daño. Esto no es porque Dios se complazca en el sufrimiento de los impíos –y demore su destrucción–, sino para que quede demostrado el empecinamiento irreversible que estas personas tendrán hacia el mal. Si Dios destruyera a los impíos en un instante, con un chasquido de dedos –lo cual está a su alcance–, además de no darles el justo pago por sus obras, en algunos podría quedar duda en relación a que hubiese pasado con ellos si hubieran visto con sus propios ojos y sufrido en carne propia los resultados funestos de sus acciones. Razón por la cual, el principio de amor que aplicará Dios en la destrucción de los impíos, será el mismo que ha venido aplicando desde el inicio del conflicto; es decir, dejar que el mal se desarrolle hasta sus últimas consecuencias, para que todos vean sus terribles resultados.

Ahora, otro punto a tener en cuenta, es la relación directa que existe entre las copas de la ira de Dios y las trompetas del Apocalipsis. En efecto, en el caso de esta primera copa, aunque el castigo y sus efectos son diferentes a los descritos en la primera trompeta, el *objetivo militar* sobre el cual se lanzarán ambas plagas será el mismo. En este sentido, recordemos que cuando *el primer ángel tocó la trompeta, hubo granizo y fuego mezclados con sangre, que fueron lanzados sobre la tierra; y la tercera parte de los árboles se quemó, y se quemó toda la hierba verde.* Apocalipsis 8:7

Como vemos, tanto en el caso de la primera trompeta, como en la primera copa, los juicios de Dios caen sobre el mismo *objetivo militar*: en este caso, la tierra. Sin embargo, debemos resaltar que, en el caso de las trompetas, los juicios –al ser ejecutados con mezcla de misericordia–, no afectarán a la totalidad de aquello sobre lo cual caen, sino a un tercio del mismo. Sin embargo, en las copas de la ira, los juicios de Dios se describen sin mezcla de misericordia.[220]

---

220 Elena de White declaró: "Estas plagas no serán universales, pues de lo contrario los habitantes de la tierra serían enteramente destruidos. Sin embargo serán los azotes más terribles que hayan sufrido jamás los hombres. Todos los juicios que cayeron sobre los hombres antes del fin del tiempo de gracia fueron mitigados con misericordia. La sangre propiciatoria de Cristo impidió que el pecador recibiese el pleno castigo de su culpa; pero en el juicio final la ira de Dios se derramará sin mezcla de misericordia." CS 612

Por otra parte, es necesario recordar que una de las 10 plagas que Dios envió sobre Egipto, cuando el Faraón pretendía continuar esclavizando al Pueblo de Dios, también fue una maligna úlcera. Dice la Biblia: *"[Moisés y Aarón] tomaron ceniza del horno, y se pusieron delante de Faraón, y la esparció Moisés hacia el cielo; y hubo sarpullido que produjo úlceras tanto en los hombres como en las bestias. Y los hechiceros no podían estar delante de Moisés a causa del sarpullido, porque hubo sarpullido en los hechiceros y en todos los egipcios. Pero Jehová endureció el corazón de Faraón, y no los oyó, como Jehová lo había dicho a Moisés." Éxodo 9:10-12*

Lo mismo sucederá con los impíos en el tiempo de la ira de Dios, sus corazones se endurecerán cada vez más y más, y no querrán arrepentirse. Por esto, Dios continuará derramando sus plagas sobre ellos.

Segunda copa: sobre el mar

Luego, Apocalipsis dice: *"El segundo ángel derramó su copa sobre el mar, y este se convirtió en sangre como de muerto; y murió todo ser vivo que había en el mar." Apocalipsis 16:3*

Como vemos, la destrucción que aquí se describe es de proporciones inimaginables. Ahora, ¿el daño será causado por acción directa de Dios o vendrá como consecuencia de la contaminación humana? Si bien no podemos ser tajantes en la respuesta, la Biblia dice que, en aquel momento, *'habrá llegado la hora de destruir a los que destruyen la tierra.'* Por esto, muy probablemente, muchas de las causas de todos estos males podrían ser a consecuencia de la propia acción del ser humano. Dice: *"Y se airaron las naciones, y tu ira ha venido, y el tiempo de juzgar a los muertos, y de dar el galardón a tus siervos los profetas, a los santos, y a los que temen tu nombre, a los pequeños y a los grandes, y de destruir a los que destruyen la tierra." Apocalipsis 11:18*

Ahora, si comparamos lo que sucederá en esta segunda copa de la ira de Dios con la segunda trompeta del Apocalipsis, vemos que tanto el *'objetivo militar'* sobre el cual caerán ambos juicios, como los efectos que producirán, serán similares –aunque en una intensidad mucho mayor en el caso de la copa de la ira–. En este sentido, recordemos que cuando *'el segundo ángel tocó la trompeta, como una gran montaña ardiendo en fuego fue precipitada en el mar; y la tercera parte del mar se convirtió en sangre. Y murió la tercera parte de los seres vivientes que estaban en el mar, y la tercera parte de las naves fue destruida.' Apocalipsis 8:8-9*

Es decir, en ambos casos el castigo caerá sobre el mar y producirá la muerte del mismo. Por lo que, si estamos de acuerdo en que esto se cumplirá de una manera literal en las copas de la ira, ¿no les parece que deberíamos aplicar este mismo principio de interpretación en el caso de las trompetas? Pues, aunque muchos no lo crean así, es algo que se cae de maduro.

Tercera copa: sobre fuentes de agua dulce

¿Qué ocurrirá luego de la muerte del mar? El agua dulce también será dañada. Dice: *"El tercer ángel derramó su copa sobre los ríos, y sobre las fuentes de las aguas, y se convirtieron en sangre. Y oí al ángel de las aguas, que decía: Justo eres tú, oh Señor, el que eres y que eras, el Santo, porque has juzgado estas cosas. Por cuanto derramaron la sangre de los santos y de los profetas, también tú les has dado a beber sangre; pues lo merecen. También oí a otro, que desde el altar decía: Ciertamente, Señor Dios Todopoderoso, tus juicios son verdaderos y justos." Apocalipsis 16:4-7*

Hay una idea que se repite aquí, y es que todo lo que estará sucediendo formará parte del juicio de Dios sobre los impíos –descritos aquí como aquellos que *'derramaron la sangre de los santos y de los profetas'*–. Por esto, Dios, en completa justicia, les da a beber sangre a ellos, a los que tienen sus manos llenas de sangre inocente.

Por otra parte, se menciona que alguien *'desde el altar'* confirma que los juicios de Dios son verdaderos y justos. Lo cual indica –tal como lo hemos explicado en nuestro análisis de Apocalipsis 9– que se trata del momento en el cual Cristo estará purificando el altar de incienso, esparciendo, simbólicamente, su sangre sobre los cuernos de dicho altar siete veces, luego de haber concluido su tarea de intercesor ante el Padre.

En cuanto a la relación de esta tercera copa de la ira con la tercera trompeta, vemos que, nuevamente, el *'objetivo militar'* sobre el cual caerá este juicio es el mismo que en el caso de las trompetas. Veamos lo que sucederá en aquella ocasión. Dice *'El tercer ángel tocó la trompeta, y cayó del cielo una gran estrella, ardiendo como una antorcha, y cayó sobre la tercera parte de los ríos, y sobre las fuentes de las aguas. Y el nombre de la estrella es Ajenjo. Y la tercera parte de las aguas se convirtió en ajenjo; y muchos hombres murieron a causa de esas aguas, porque se hicieron amargas." Apocalipsis 8:10-11*

Como podemos observar, ambos juicios caerán sobre los ríos y las fuentes de las aguas, pero los efectos que provocarán sobre ellas serán diferentes. En el caso de la trompeta se dice que un tercio del agua dulce se volverá amarga y venenosa, mientras que en el caso de la copa de la ira, todas las fuentes de las aguas −o la inmensa mayoría de ellas− se convertirán en sangre, al punto que a los impíos no les quedará otra alternativa que beber de ellas.

En este sentido, creemos que esta plaga será tan literal como aquella que cayó sobre Egipto, cuando el Faraón pretendía continuar esclavizando al pueblo de Dios. Dice Éxodo: *Y Moisés y Aarón hicieron como Jehová lo mandó; y alzando la vara golpeó las aguas que había en el río, en presencia de Faraón y de sus siervos; y todas las aguas que había en el río se convirtieron en sangre. Asimismo los peces que había en el río murieron; y el río se corrompió, tanto que los egipcios no podían beber de él. Y hubo sangre por toda la tierra de Egipto." Éxodo 7:20-21*

¿Te imaginas un mundo en donde no haya más que sangre para beber? Aún así, los impíos no se arrepentirán, sino que serán como aquel Faraón de Egipto que, con cada plaga, su corazón se endurecía cada vez más. Dice: *"Y los hechiceros de Egipto hicieron lo mismo con sus encantamientos; y el corazón de Faraón se endureció, y no los escuchó; como Jehová lo había dicho." Éxodo 7:22*

Por esto, Dios continuará enviando los juicios de su ira.

Cuarta copa: sobre el sol

Luego, Apocalipsis dice: *"El cuarto ángel derramó su copa sobre el sol, al cual fue dado quemar a los hombres con fuego. Y los hombres se quemaron con el gran calor, y blasfemaron el nombre de Dios, que tiene poder sobre estas plagas, y no se arrepintieron para darle gloria." Apocalipsis 16:8-9*

¡Imagínate! Estás sediento porque solo tienes sangre podrida para beber y, sobre esto, el sol comienza a calentar tanto que llegas a quemarte del calor… Ahora, ¿cuán empedernido tiene que estar tu corazón para que, ni aún así, te arrepientas, sino que continúes blasfemando el nombre de Dios?

Pero, te pregunto, ¿sería casualidad que la cuarta trompeta también haya afectado al sol? Veamos, dice: *"El cuarto ángel tocó la trompeta, y fue herida la tercera parte del sol, y la tercera parte de la luna, y la tercera parte de las estrellas, para que se oscureciese la tercera parte de ellos, y no hubiese luz en la tercera parte del día, y asimismo de la noche." Apocalipsis 8:12*

Como vemos, otra vez, la copa de la ira afecta el mismo elemento mencionado en las trompetas, sin embargo, esta vez, produciendo efectos contrarios. En el caso de la cuarta trompeta, dice que se oscurecerá tanto la tercera parte del sol, como de la luna y de las estrellas y, en nuestro análisis, mencionamos que esto podría ser ocasionado por el humo de los incendios, volcanes e impactos de meteoritos que anuncian las trompetas anteriores, o por alguna acción de geoingeniería humana a fin de enfriar el planeta. Sin embargo, al cabo del tiempo, la cuarta copa de la ira ocasionará justo aquello que algunos líderes de hoy dicen tratar de impedir: el calentamiento global.[221]

¿Alcanzas a percibir la astucia que tiene el diablo al instalar hoy, a través de sus representantes terrenales –con el papado a la cabeza–, el tema del calentamiento global y del cambio climático? Él, conociendo la Palabra de Dios, sabe que todo esto ocurrirá porque Dios lo ha dicho; por esto, se anticipa dando una voz de alerta basada –no en la palabra de Dios– sino en la de 'la ciencia', para que cuando todo esto acontezca, las personas le obedezcan a él en vez de a Dios.

Según entendemos, llegado este momento, los impíos estarán tan enardecidos por las consecuencias de los juicios de Dios, que no solo blasfemarán su nombre sino que también estarán 'en condiciones' de ser lanzados sobre los santos para matarlos.

Si lo piensas bien, será el momento propicio para que el enemigo, a través del protestantismo apóstata de los Estados Unidos, haga promulgar aquellas leyes que implicarán obediencia irrestricta a sus pronunciamientos religiosos, al punto que cualquiera que no los obedezca –o siquiera tenga una opinión contraria– sea muerto. Dice Apocalipsis: "*Y se le per-*

---

221 Elena de White comenta, diciendo: "En la plaga… se le da poder al sol para "quemar a los hombres con fuego. Y los hombres se quemaron con el grande calor". Apocalipsis 14:8, 9. Los profetas describen como sigue el estado de la tierra en tan terrible tiempo: "El campo fue destruido, se enlutó la tierra; […] porque se perdió la mies del campo". "Se secaron todos los árboles del campo; por lo cual se secó el gozo de los hijos de los hombres". "El grano se pudrió debajo de sus terrones, los bastimentos fueron asolados". "¡Cuánto gimieron las bestias! ¡Cuán turbados anduvieron los hatos de los bueyes, porque no tuvieron pastos!, […] Se secaron los arroyos de las aguas, y fuego consumió las praderías del desierto". Joel 1:10, 11, 12, 17, 18, 20. "Y los cantores del templo aullarán en aquel día, dice el Señor Jehová; muchos serán los cuerpos muertos; en todo lugar echados serán en silencio". Amós 8:3." CS 612

mitió infundir aliento a la imagen de la bestia, para que la imagen hablase e hiciese matar a todo el que no la adorase." Apocalipsis 13:15[222]

Como comentamos en el análisis de Apocalipsis 13, dichas leyes serán dictadas a fin de imponer la marca de la bestia —es decir, el descanso dominical obligatorio— sobre los habitantes del mundo. Dice: *"Y hacía que a todos, pequeños y grandes, ricos y pobres, libres y esclavos, se les pusiese una marca en la mano derecha, o en la frente; y que ninguno pudiese comprar ni vender, sino el que tuviese la marca o el nombre de la bestia, o el número de su nombre." Apocalipsis 13:16-17*

Por otra parte, y como comentamos en nuestro análisis de Apocalipsis 12, las multitudes serán atizadas por el diablo —y sus agentes terrenales a su servicio— para que se avalanchen contra los hijos de Dios, acusándolos de ser culpables de todas estas plagas. Dice: *"Y la serpiente arrojó de su boca, tras la mujer, agua como un río [es decir, multitudes, de acuerdo a Apocalipsis 17:15], para que fuese arrastrada por el río." Apocalipsis 12:15*

En este mismo sentido, Apocalipsis 11 amplía detalles respecto a cómo se cumplirá esto, cuando dice, en alusión a los santos —simbolizados por los dos testigos—: *"Estos tienen poder para cerrar el cielo, a fin de que no llueva en los días de su profecía; y tienen poder sobre las aguas para convertirlas en sangre, y para herir la tierra con toda plaga, cuantas veces quieran. Cuando hayan acabado su testimonio [es decir, cuando haya acabado el tiempo de la gracia], la bestia que sube del abismo hará guerra contra ellos, y los vencerá y los matará. Y sus cadáveres estarán en la plaza de la grande ciudad que en sentido espiritual se llama Sodoma y Egipto, donde también nuestro Señor fue crucificado. Y los de los pueblos, tribus, lenguas y naciones [es decir, las simbólicas aguas del río arrojado por el dragón] verán sus cadáveres por tres días y medio, y no permitirán que sean sepultados. Y los moradores de la tierra se regocijarán sobre ellos y se alegrarán, y se enviarán regalos unos a otros; porque estos dos profetas habían atormentado a los moradores de la tierra." Apocalipsis 11:6-10*

---

222 Elena de White escribió: "Vi que los cuatro ángeles iban a retener los vientos mientras no estuviese hecha la obra de Jesús en el santuario, y que entonces caerían las siete postreras plagas. Estas enfurecieron a los malvados contra los justos, pues los primeros pensaron que habíamos atraído los juicios de Dios sobre ellos, y que si podían raernos de la tierra las plagas se detendrían. Se promulgó un decreto para matar a los santos, lo cual los hizo clamar día y noche por su libramiento. Este fué el tiempo de la angustia de Jacob..." PE 36

Y aquí hay un detalle importante, dado que se dice que los santos –aquellos que vendrán con el espíritu y el poder de Elías– tendrán poder para *convertir las aguas en sangre, y para herir la tierra con toda plaga, cuantas veces quieran'*, lo cual implica que ellos profetizarán tales sucesos y, por ello, los impíos los mirarán como los culpables de sus tormentos cuando las copas de la ira sean volcadas sobre ellos.

De la misma manera, este texto nos permite vislumbrar que el diablo incitará a las multitudes para que asesinen a los santos, luego de que se produzca el tan temido –y publicitado– *'calentamiento global'*; dado que, el alzamiento de la bestia sobre ellos, se describe luego de la ocurrencia de todas estas plagas. En este sentido, se dice que *'cuando hayan acabado su testimonio, es decir, cuando haya acabado el tiempo de su profecía, la bestia que sube del abismo hará guerra contra ellos, los vencerá y los matará'* (Ap 11:7).

Sin embargo, como hemos comentado, esta *'muerte'* no será física sino espiritual, dado que se refiere a aquella angustia de muerte que sufrirán los santos –tal como aquella que experimentaron Jacob y Elías en el momento que el enemigo los sentenció a muerte–.

Ahora, esto no quita que, antes del cierre del tiempo de gracia, Dios sí permita el martirio de muchos de sus hijos a fin de que el evangelio sea predicado por su testimonio. Sin embargo, luego de que el tiempo de gracia haya concluido, Dios protegerá a sus hijos porque el número de salvos estará completo y ya nadie se arrepentirá de sus pecados, ni aunque vea morir al más justo de los santos.

Quinta copa: sobre el trono de la bestia

¿Qué sucederá cuando las multitudes, impulsadas por el dragón, la bestia y el falso profeta, estén a punto de arrojarse sobre los hijos de Dios para matarlos? Apocalipsis lo revela. Dice: *"El quinto ángel derramó su copa sobre el trono de la bestia; y su reino se cubrió de tinieblas, y mordían de dolor sus lenguas, y blasfemaron contra el Dios del cielo por sus dolores y por sus úlceras, y no se arrepintieron de sus obras." Apocalipsis 16:10-11*

¿No es magnífico? Cuando el diablo piense que tiene a todo el mundo bajo sus pies, y que al fin logrará deshacerse de los hijos de Dios –a fin de establecer su completo dominio sobre los humanos–, el Soberano del cielo y de la tierra, en un chasquido de dedos, le dará vuelta la tortilla y hará que todos vean quien es el verdadero culpable de todos los males que estarán ocurriendo sobre el planeta.

En este sentido, entendemos que *'el trono de la bestia'* es una referencia simbólica en relación al lugar desde donde la bestia gobernará al mundo en los últimos días. ¿Cuál será aquel lugar? Pues, el Vaticano. ¿Por qué? Porque en Apocalipsis, justamente uno de los siete ángeles que tenían las siete copas, dijo: *"Ven acá, y te mostraré la sentencia contra la gran ramera [es decir, contra la iglesia apóstata], la que está sentada sobre muchas aguas [es decir, sobre pueblos, multitudes, naciones y lenguas]; con la cual han fornicado [han tenido relaciones ilícitas] los reyes de la tierra, y los moradores de la tierra se han embriagado con el vino de su fornicación [de sus engaños diabólicos]. Y me llevó en el Espíritu al desierto; y vi a una mujer sentada sobre una bestia escarlata llena de nombres de blasfemia, que tenía siete cabezas y diez cuernos." Apocalipsis 17:1-3*

Como hemos mencionado, la mujer, en términos espirituales, es símbolo de la iglesia. Por lo cual, si esta mujer está sentada sobre la bestia, quiere decir que es quien la gobierna, lo cual equivale a decir posee *'el trono'* en el sentido del *'gobierno'* de la bestia. Por esto, al final de dicho capítulo, se le dice a Juan: *"la mujer que has visto es la gran ciudad que reina sobre los reyes de la tierra." Apocalipsis 17:18*

En consecuencia, cuando las personas vean tinieblas sobrenaturales sobre el Vaticano, y comprueben que aquellos que abrían sus bocas en arrogancia –hablando grandes palabras a fin de engañar a los moradores de la tierra (Daniel 7:8)– tengan que morderse de dolor sus lenguas, se darán cuenta de quienes serán los verdaderos malditos que han causado la ira de Dios. Dice Daniel: *"miraba a causa del sonido de las grandes palabras que hablaba el cuerno [el cuerno pequeño]; miraba hasta que mataron a la bestia, y su cuerpo fue destrozado y entregado para ser quemado en el fuego." Daniel 7:11*

Si bien, entendemos, aún no habrá llegado el momento en el que la bestia será destrozada y quemada con fuego; sí podemos conocer que, a través de esta plaga, las personas comenzarán a darse cuenta del engaño al que habrán sido sometidas, y esto marcará un punto de inflexión en cuanto al poder del dragón, la bestia y su imagen.

Ahora, si comparamos la quinta copa de la ira de Dios con la quinta trompeta, otra vez veremos singulares coincidencias. Dice: *"El quinto ángel tocó la trompeta, y vi una estrella que cayó del cielo a la tierra; y se le dio la llave del pozo del abismo. Y abrió el pozo del abismo, y subió humo del pozo como humo de un gran horno; y se oscureció el sol y el aire por el humo del pozo. Y del humo salieron langostas sobre la tierra… [que] tienen por rey sobre ellos al ángel del abismo, cuyo nombre en hebreo es Abadón, y en griego, Apolión [lo cual quiere decir 'destructor']." Apocalipsis 9:1-3, 11*

Es decir, mientras que en la quinta trompeta se le otorgará mayor poder al diablo –y a sus demonios–, en la quinta copa comenzará a restringirse su poder mediante una señal muy similar. En este sentido, se dice que en la quinta trompeta, al abrirse el pozo del abismo, se produjo *'humo como de un gran horno'* –que llegó a oscurecer el sol y aún el aire–. Pues bien, en la quinta copa, Dios, en completa justicia, enviará *'tinieblas' sobre el trono de la bestia,* para que todos se den cuenta de sus engaños.

Sexta copa: sobre las multitudes

¿Qué sucederá entonces? Apocalipsis dice: *"El sexto ángel derramó su copa sobre el gran río Éufrates; y el agua de este se secó, para que estuviese preparado el camino a los reyes del oriente." Apocalipsis 16:12*

Para poder entender el significado de esta copa, debemos remontarnos a la historia de la caída de Babilonia en manos de los Medos y Persas, reyes del oriente. En aquel momento, Babilonia contaba con una muralla que, según los relatos históricos, tenía una altura de aproximada de 25m, un grosor de unos de 10m –que permitía el tránsito de dos filas de carros de guerra por encima–, una longitud de alrededor de 85 km, con torres de vigilancia distribuidas a lo largo de todo su perímetro cada 50m, y una serie de murallas internas separadas por una fosa llena de agua –de 80 metros de ancho–, a través de la cual fluía el agua del río Éufrates.

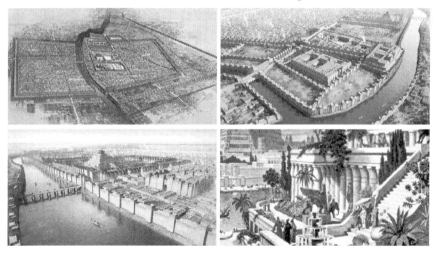

Además, el propio río Éufrates pasaba por en medio de la ciudad, sirviendo al riego de cultivos que se realizaban dentro de ella –a fin de que ésta pudiera sobrevivir a sitios prolongados–.

En definitiva, Babilonia contaba con una de las estructuras defensivas más grandes y extensas de la antigüedad. Sin embargo, aquel imperio –que se auto consideraba invencible–, cayó en una sola noche, cuando Ciro –rey de Persia– y Darío –rey de Media–, hicieron desviar el cauce del río Éufrates para que sus soldados penetraran por el lecho que quedaría seco. Tarea que, misteriosamente, les resultó más sencilla de lo que se esperaba, dado que encontraron abiertas las rejas de hierro que impedían el ingreso de personas por dicho cauce.

Por esto, la noche del 12 de octubre del 539 a.C., Babilonia fue tomada sin necesidad de entrar en batalla gracias a que sus gobernantes se encontraban en orgías –bebiendo vino en los vasos sagrados que habían secuestrado del templo de Jerusalén–, sintiéndose completamente seguros de su poder, aunque se encontraban sitiados por el poderoso ejército de los Medos y Persas.

La Biblia registra la caída de Babilonia relatando los sucesos desde el interior de aquella fiesta. En este sentido, el capítulo 5 de Daniel describe como, mientras Belsasar –y los príncipes de Babilonia– profanaban aquellos vasos sagrados, apareció una mano que escribió palabras misteriosas en la pared del palacio, dejando al rey en estado de pánico. Luego de que ningún sabio, astrólogo o adivino pudiese interpretar las palabras escritas por aquella mano, el profeta Daniel fue traído a la presencia del rey; quien, luego de reprenderlo por sus pecados, le dijo: *"la escritura que trazó es: MENE, MENE, TEKEL, UPARSIN. Esta es la interpretación del asunto: MENE: Contó Dios tu reino, y le ha puesto fin. TEKEL: Pesado has sido en balanza, y fuiste hallado falto. PERES: Tu reino ha sido roto, y dado a los medos y a los persas. Entonces mandó Belsasar vestir a Daniel de púrpura, y poner en su cuello un collar de oro, y proclamar que él era el tercer señor del reino. La misma noche fue muerto Belsasar, rey de los caldeos. Y Darío de Media tomó el reino, siendo de sesenta y dos años." Daniel 5:25-31*

Si relacionamos esta historia con lo que sucederá en el tiempo de la ira de Dios, vemos que, en la quinta copa, se presenta el juicio de Dios sobre la Babilonia espiritual de los últimos días, expresado a través de tinieblas que caerán sobre *'el trono de la bestia'*, es decir, sobre el Vaticano, aquella *'gran ciudad que reina sobre los reyes de la tierra' (Ap 17:18)*.

Es decir, así como en la antigüedad el juicio llegó antes que los ejércitos de Media y de Persia tomaran Babilonia, las tinieblas que caerán *sobre el trono de la bestia* también representan el juicio que vendrá, de parte de Dios, inmediatamente antes de que se produzca la caída del papado.

Luego, así como antaño, vendrá el secamiento de las aguas del río Éufrates, –que anticipa esta copa–, el cual ya no se refiere al secamiento de un antiguo río de la Mesopotamia, sino a la pérdida de poder del papado sobre aquellas multitudes que sostendrán su gobierno.

Así como sucedió con la antigua ciudad de Babilonia, sucederá con la Babilonia espiritual de nuestros días. En este sentido, mientras las aguas del Éufrates fluyeron por debajo de la Babilonia literal, aquella ciudad estaba segura, pero cuando el río se secó –producto del trabajo del ejército de los *'reyes del oriente',* llegó su ruina en una noche. De la misma manera, mientras las aguas, es decir, los *"pueblos, muchedumbres, naciones y lenguas",* estén bajo el dominio de la Babilonia espiritual, esta tendrá poder; sin embargo, cuando estas aguas sean desviadas por el ejército de Dios, verdadero 'Rey que vendrá desde el oriente', y Babilonia ya no esté más sentada sobre ellas, su ruina será inminente.

Ahora, ¿de qué manera se secará el poder del papado sobre las multitudes? Entendemos que cuando las personas que hayan sido atizadas para asesinar al pueblo de Dios –por el papado y sus secuaces–, salgan del estado de embriaguez causado por el vino de Babilonia, se darán cuenta de que su caso es desesperado y, por esto, se volverán –con el mismo ímpetu con el que fueron arrojados contra los santos– contra los que les engañaron. Apocalipsis 18, al anunciar la sentencia de Dios sobre ella, dice *"sus pecados han llegado hasta el cielo, y Dios se ha acordado de sus maldades. Dadle a ella como ella os ha dado, y pagadle doble según sus obras; en el cáliz en que ella preparó bebida, preparadle a ella el doble. Cuanto ella se ha glorificado y ha vivido en deleites, tanto dadle de tormento y llanto; porque dice en su corazón: Yo estoy sentada como reina, y no soy viuda, y no veré llanto; por lo cual en un solo día vendrán sus plagas; muerte, llanto y hambre, y será quemada con fuego; porque poderoso es Dios el Señor, que la juzga." Apocalipsis 18:4-8*

Por esto, la Babilonia espiritual caerá de la misma manera que cayó la Babilonia antigua, y su sentencia será similar a aquella que se pronunció sobre Amán, aquel que hizo construir una horca para Mardoqueo –y para todo el pueblo de Israel–, y luego, con aquel mismo instrumento con que quiso matar, fue muerto.

Ahora, cuando las multitudes se den cuenta de su desesperada condición, arremeterán no solo contra el papado, sino también contra todos aquellos que crean culpables de su perdición. De esta manera, el mundo entero entrará en caos, es decir, en una guerra de todos contra todos, tanto a escala interpersonal como internacional –de nación contra nación–, al punto de que la vida misma del hombre sobre la tierra estará en serio peligro de desaparecer.[223]

Escenario que sin dudas, demandará la intervención directa de Dios. Es en este sentido que se dice *"para que estuviese preparado el camino a los reyes del oriente" (Ap 16:12)*. En efecto, así como fue a través del secamiento del río Éufrates que se posibilitó la conquista de Babilonia por parte de los reyes de Media y Persia –reyes del oriente–, también será a través de la pérdida del poder del papado sobre las multitudes, y la consiguiente escena de caos mundial, que se preparará el camino para la llegada del Mesías, que –así como Ciro y Darío, reyes de Media y Persia–, vendrá desde el oriente para liberar al pueblo de Dios del yugo babilónico.[224]

Por esto, entendemos que la expresión 'reyes del oriente' es una alusión tipológica a lo ocurrido en la caída de Babilonia. Así como Dios usó a los reyes del imperio Medo Persia vencer a Babilonia y liberar a su pueblo –otorgándoles, incluso, los recursos necesarios para la reconstrucción de Jerusalén–, Jesús vendrá con su ejército celestial para vencer a la Babilonia espiritual, liberar a su pueblo y regresarlo la Nueva Jerusalén.

---

223 Elena de White declaró: "El Espíritu refrenador de Dios se está retirando ahora mismo del mundo. Los huracanes, las tormentas, las tempestades, los incendios y las inundaciones, los desastres por tierra y mar, se siguen en rápida sucesión. La ciencia procura explicar todo esto. Menudean en derredor nuestro las señales que nos dicen que se acerca el Hijo de Dios, pero son atribuidas a cualquier causa menos la verdadera. Los hombres no pueden discernir a los ángeles que como centinelas refrenan los cuatro vientos para que no soplen hasta que estén sellados los siervos de Dios; pero cuando Dios ordene a sus ángeles que suelten los vientos, habrá una escena de contienda que ninguna pluma puede describir." 3JT 14

"Los ángeles están reteniendo hoy los vientos de lucha, hasta que el mundo sea amonestado acerca de su inminente destrucción; pero se está preparando una tormenta que se ha de desencadenar sobre la Tierra, y cuando Dios ordene a sus ángeles que suelten los vientos, habrá tal escena de contienda que ninguna pluma la puede describir." MSV 267

224 Elena de White escribió: "Pronto se volvieron nuestros ojos hacia el oriente, donde había aparecido una nubecilla negra del tamaño de la mitad de la mano de un hombre, que era, según todos comprendían, la señal del Hijo del hombre." PE 15

Todo lo cual se corresponde, una vez más, con lo que sucederá con las trompetas del Apocalipsis, dado que la sexta trompeta también anuncia un juicio divino sobre las multitudes. Dice: *"El sexto ángel tocó la trompeta, y oí una voz de entre los cuatro cuernos del altar de oro que estaba delante de Dios, diciendo al sexto ángel que tenía la trompeta: Desata a los cuatro ángeles que están atados junto al gran río Éufrates. Y fueron desatados los cuatro ángeles que estaban preparados para la hora, día, mes y año, a fin de matar a la tercera parte de los hombres." Apocalipsis 9:13-15*

En efecto, entendemos que las siete copas de la ira están contenidas dentro de la sexta trompeta del Apocalipsis, dado que en aquella trompeta se anticipa lo que sucederá cuando se agote la paciencia de Dios y sean soltados los vientos de guerra y convulsión sobre las multitudes.

En este sentido, es necesario resaltar que el cierre del tiempo de gracia y el derramamiento de las copas de la ira de Dios no solo es descrito en la sexta trompeta sino también en el sexto sello del Apocalipsis, siendo apartados tanto el séptimo sello como la séptima trompeta para escenas que tienen que ver con la segunda venida de Jesús.

Ahora, ¿qué sucederá cuando el diablo pierda su poder sobre las multitudes? Apocalipsis dice: *"Y vi salir de la boca del dragón, y de la boca de la bestia, y de la boca del falso profeta, tres espíritus inmundos a manera de ranas; pues son espíritus de demonios, que hacen señales, y van a los reyes de la tierra en todo el mundo, para reunirlos a la batalla de aquel gran día del Dios Todopoderoso." Apocalipsis 16:13-14*

Es decir, cuando ocurran todas estas cosas, el diablo se dará cuenta de que la segunda venida de Jesús es inminente. De hecho, esta idea la transmite Cristo —en esta misma copa—, cuando dice: *"He aquí, yo vengo como ladrón. Bienaventurado el que vela, y guarda sus ropas, para que no ande desnudo, y vean su vergüenza." Apocalipsis 16:15*

Por esto, el diablo, al darse cuenta de esto, enviará sus demonios a los reyes de la tierra —haciendo toda clase de señales sobrenaturales—, para reunirlos para la batalla contra Cristo. Apocalipsis dice: *"Y los diez cuernos que has visto, son diez reyes, que aún no han recibido reino; pero por una hora recibirán autoridad como reyes juntamente con la bestia. Estos tienen un mismo propósito, y entregarán su poder y su autoridad a la bestia. Pelearán contra el Cordero, y el Cordero los vencerá, porque él es Señor de señores y Rey de reyes; y los que están con él son llamados y elegidos y fieles." Apocalipsis 17:12-14*

En tanto, Apocalipsis 12 presenta esta misma sucesión de eventos, cuando dice: *"Y la serpiente arrojó de su boca, tras la mujer, agua como un río, para que fuese arrastrada por el río [es decir, por las multitudes]. Pero la tierra ayudó a la mujer, pues la tierra abrió su boca y tragó el río que el dragón había echado de su boca. [Es decir, lo mismo que describe la sexta copa cuando habla del secamiento del río Éufrates… y dice a continuación:] Entonces el dragón se llenó de ira contra la mujer; y se fue a hacer guerra contra el resto de la descendencia de ella, los que guardan los mandamientos de Dios y tienen el testimonio de Jesucristo." Apocalipsis 12:15-17*

Por esto, en nuestro entender, la expresión *'los que guardan los mandamientos de Dios y tienen el testimonio de Jesús'*, no solo hace referencia a la iglesia terrenal, sino también a toda la familia celestial que se ha mantenido en integridad delante de Dios.

Ahora, ¿en qué lugar serán reunidos los reyes de la tierra para guerrear contra Cristo y su ejército celestial? Apocalipsis dice: *"Y los reunió en el lugar que en hebreo se llama Armagedón." Apocalipsis 16:16*

¿Qué lugar es este? Si analizamos el significado de la palabra *'Armagedón'* desde el hebreo −como se nos indica en el propio texto−, nos damos cuenta que es una palabra compuesta que deriva de la expresión 'Har Megiddo', cuyo significado es 'Monte Megiddo'. Monte que actualmente existe y es claramente identificable en Israel, estando situado a 90 km −en línea recta− al norte de Jerusalén, al suroeste del Valle de Jezreel, siendo un sitio históricamente estratégico en el que se han desarrollado numerosas batallas.

Ahora, ¿por qué el diablo reuniría sus ejércitos en este sitio? Según entendemos, porque las Escrituras declaran que Cristo regresará sobre Jerusalén. El libro del profeta Joel, dice: *"Jehová rugirá desde Sion, y dará su voz desde Jerusalén, y temblarán los cielos y la tierra; pero Jehová será la esperanza de su pueblo, y la fortaleza de los hijos de Israel." Joel 3:16*

Por esta razón, y en su intento de impedir la llegada de Cristo, los reyes de la tierra plantarán sus ejércitos en los valles que rodean el monte Meguido, a fin de presentar batalla contra Cristo −y su ejército celestial− desde allí.

En este sentido, entendemos que el diablo persuadirá a los reyes de la tierra −y a las multitudes por ellos gobernadas− para que presenten batalla armada contra lo que ellos llamarán una *'invasión extraterrestre'* que se propone eliminar la raza humana. No por casualidad se han creado tantas películas que presentan esta idea y, en la actualidad, desde el propio gobierno de los Estados Unidos se genera tanta bulla sobre la vida extraterrestre y su intromisión en nuestro mundo.

Ahora, veamos el contexto en el que Joel afirma que Jehová rugirá desde Sion y dará su voz sobre Jerusalén. Dice: *"Porque he aquí que en aquellos días, y en aquel tiempo en que haré volver la cautividad de Judá y de Jerusalén, reuniré a todas las naciones, y las haré descender al valle de Josafat [nombre hebreo que significa 'juzgado de Jehová²²⁵'], y allí entraré en juicio con ellas a causa de mi pueblo… Despiértense las naciones, y suban al valle de Josafat [es decir, al valle del juicio de Dios]; porque allí me sentaré para juzgar a todas las naciones de alrededor. Echad la hoz, porque la mies está ya madura. Venid, descended, porque el lagar está lleno, rebosan las cubas; porque mucha es la maldad de ellos. Muchos pueblos en el valle de la decisión; porque cercano está el día de Jehová en el valle de la decisión. El sol y la luna se oscurecerán, y las estrellas retraerán su resplandor." Joel 3:1-2, 12-15*

La versión Nácar-Colunga, dice: *"Muchedumbres, muchedumbres en el valle del juicio, porque se acerca el día de Yahvé en el valle del juicio." Joel 3:14 N-C*

En este mismo sentido, el profeta Zacarías escribió: *"He aquí, el día de Jehová viene, y en medio de ti serán repartidos tus despojos. Porque yo reuniré a todas las naciones para combatir contra Jerusalén; y la ciudad será tomada, y serán saqueadas las casas, y violadas las mujeres; y la mitad de la ciudad irá en cautiverio, mas el resto del pueblo no será cortado de la ciudad. Después saldrá Jehová y peleará con aquellas naciones, como peleó en el día de la batalla. Y se afirmarán sus pies en aquel día sobre el monte de los Olivos, que está en frente de Jerusalén al oriente; y el monte de los Olivos se partirá por en medio, hacia el oriente y hacia el occidente, haciendo un valle muy grande; y la mitad del monte se apartará hacia el norte, y la otra mitad hacia el sur… y vendrá Jehová mi Dios, y con él todos los santos… Y esta será la plaga con que herirá Jehová a todos los pueblos que pelearon contra Jerusalén: la carne de ellos se corromperá estando ellos sobre sus pies, y se consumirán en las cuencas sus ojos, y la lengua se les deshará en su boca. Y acontecerá en aquel día que habrá entre ellos gran pánico enviado por Jehová; y trabará cada uno de la mano de su compañero, y levantará su mano contra la mano de su compañero." Zacarías 14:1-5, 12-13*

---

225 Diccionario Strong H3092

¿Notas como este pasaje de Zacarías confirma todo el análisis efectuado hasta aquí? De paso, el monte de los Olivos jugó un papel muy importante durante el ministerio de Jesús. De hecho:

» Desde allí Jesús realizó su entrada triunfal y lloró sobre Jerusalén –aquella ciudad que se convertiría en un símbolo del destino del mundo entero–. Dice: *"Cuando llegaban ya cerca de la bajada del monte de los Olivos, toda la multitud de los discípulos, gozándose, comenzó a alabar a Dios a grandes voces por todas las maravillas que habían visto, diciendo: ¡Bendito el rey que viene en el nombre del Señor; paz en el cielo, y gloria en las alturas! Entonces algunos de los fariseos de entre la multitud le dijeron: Maestro, reprende a tus discípulos. Él, respondiendo, les dijo: Os digo que si estos callaran, las piedras clamarían. Y cuando llegó cerca de la ciudad, al verla, lloró sobre ella, diciendo: ¡Oh, si también tú conocieses, a lo menos en este tu día, lo que es para tu paz! Mas ahora está encubierto de tus ojos. Porque vendrán días sobre ti, cuando tus enemigos te rodearán con vallado, y te sitiarán, y por todas partes te estrecharán, y te derribarán a tierra, y a tus hijos dentro de ti, y no dejarán en ti piedra sobre piedra, por cuanto no conociste el tiempo de tu visitación." Lucas 19:37-44*

» También desde este monte, Jesús dio su sermón sobre las señales de su segunda venida y del fin del mundo. Dice: *"Cuando llegó al monte de los Olivos, Jesús se sentó y sus discípulos le preguntaron en privado: «¿Cuándo sucederá esto y cuál será la señal de tu Venida y del fin del mundo?»" Mateo 24:3 LPD*

» Y también desde allí Jesús ascendió a los cielos, mientras los ángeles les decían a los discípulos: *"Varones galileos, ¿por qué estáis mirando al cielo? Este mismo Jesús, que ha sido tomado de vosotros al cielo, así vendrá como le habéis visto ir al cielo. Entonces volvieron a Jerusalén desde el monte que se llama del Olivar..." Hechos 1:11-12*[226]

226 Elena de White, comenta: "Como lugar de su ascensión, Jesús eligió el sitio con tanta frecuencia santificado por su presencia mientras moraba entre los hombres. Ni el monte de Sión, sitio de la ciudad de David, ni el monte Moria, sitio del templo, había de ser así honrado. Allí Cristo había sido burlado y rechazado. Allí las ondas de la misericordia, que volvían aun con fuerza siempre mayor, habían sido rechazadas por corazones tan duros como una roca. De allí Jesús, cansado y con corazón apesadumbrado, había salido a hallar descanso en el monte de las Olivas. La santa shekinah, al apartarse del primer templo, había permanecido sobre la montaña oriental, como si le costase abandonar la ciudad elegida; así Cristo estuvo sobre el monte de las Olivas, contemplando a Jerusalén con corazón anhelante. Los huertos y vallecitos de la montaña habían sido consagrados por sus oraciones y

Por todo esto, en nuestra comprensión, la batalla del Armagedón será una batalla real, en la que el diablo intentará oponerse por medio de las armas de este mundo a Cristo. Apocalipsis, un poco más adelante, cuando describe a Cristo montado sobre un caballo blanco –viniendo junto a todo su ejército celestial–, dice: *"Y vi a la bestia, a los reyes de la tierra y a sus ejércitos, reunidos para guerrear contra el que montaba el caballo, y contra su ejército." Apocalipsis 19:19*[227]

---

lágrimas. En sus riscos habían repercutido los triunfantes clamores de la multitud que le proclamaba rey. En su ladera había hallado un hogar con Lázaro en Betania. En el huerto de Getsemaní, que estaba al pie, había orado y agonizado solo. Desde esta montaña había de ascender al cielo. En su cumbre, se asentarán sus pies cuando vuelva. No como varón de dolores, sino como glorioso y triunfante rey, estará sobre el monte de las Olivas mientras que los aleluyas hebreos se mezclen con los hosannas gentiles, y las voces de la grande hueste de los redimidos hagan resonar esta aclamación: Coronadle Señor de todos. DTG 769

Ella también escribió, en el contexto de la tercera venida de Jesús: "Cristo baja sobre el Monte de los Olivos, de donde ascendió después de su resurrección, y donde los ángeles repitieron la promesa de su regreso. El profeta dice: "Vendrá Jehová mi Dios, y con él todos los santos". "En aquel día se afirmarán sus pies sobre el Monte de los Olivos, que está en frente de Jerusalén, al oriente. El Monte de los Olivos, se partirá por la mitad [...] formando un valle muy grande". "Y Jehová será rey sobre toda la tierra. En aquel día Jehová será único, y único será su nombre." (Zacarías 14:5, 4, 9). La nueva Jerusalén, descendiendo del cielo en su deslumbrante esplendor, se asienta en el lugar purificado y preparado para recibirla, y Cristo, su pueblo y los ángeles, entran en la santa ciudad. Entonces Satanás se prepara para la última tremenda lucha por la supremacía." CS 644

227 Elena de White comenta: "Pronto se peleará la batalla del Armagedón. Aquel sobre cuya vestidura está escrito el nombre "Rey de reyes y Señor de señores", conduce a las huestes celestiales montadas en caballos blancos, vestidos de lino fino, limpio y blanco. Apocalipsis 19:11-16." EUD 213

"Los poderes del mal no abandonarán el conflicto sin luchar; pero la Providencia tiene una parte que desempeñar en la batalla del Armagedón... Cuatro ángeles poderosos retienen los poderes de esta Tierra hasta que los siervos de Dios sean sellados en sus frentes. Las naciones del mundo están ávidas por combatir; pero son contenidas por los ángeles. Cuando se quite ese poder restrictivo, vendrá un tiempo de dificultades y angustia. Se inventarán mortíferos instrumentos bélicos. Barcos serán sepultados en la gran profundidad con su cargamento viviente. Todos los que no tienen el espíritu de la verdad se unirán bajo el liderazgo de seres satánicos; pero serán retenidos hasta que llegue el tiempo de la gran batalla del Armagedón. Toda forma del mal se lanzará a una intensa actividad. Malos ángeles unen su poder con hombres impíos, y como han estado en conflicto constante y son experimentados en las mejores artes de engañar y de combatir, y como se han fortalecido durante siglos, no se rendirán en el último conflicto sin una lucha desesperada. Todo el mundo estará de un lado o del otro. La batalla del Armagedón se peleará y ese día no debe hallar a ninguno de nosotros durmiendo." MSV 265

El resultado de tal batalla será, otra vez, una total y contundente victoria de Cristo. Dice: *"Y la bestia fue apresada, y con ella el falso profeta que había hecho delante de ella las señales con las cuales había engañado a los que recibieron la marca de la bestia, y habían adorado su imagen. Estos dos fueron lanzados vivos dentro de un lago de fuego que arde con azufre. Y los demás fueron muertos con la espada que salía de la boca del que montaba el caballo, y todas las aves se saciaron de las carnes de ellos." Apocalipsis 19:20-21*

Ahora, es necesario aclarar que estos pasajes deben ser entendidos en conjunto con aquellos que mencionan que Cristo no tocará tierra cuando vuelva en su segunda venida. Por ejemplo, el apóstol Pablo escribió: *"Porque el Señor mismo con voz de mando, con voz de arcángel, y con trompeta de Dios, descenderá del cielo; y los muertos en Cristo resucitarán primero. Luego nosotros los que vivimos, los que hayamos quedado, seremos arrebatados juntamente con ellos en las nubes para recibir al Señor en el aire, y así estaremos siempre con el Señor." 1 Tesalonicenses 4:16-17*

En este sentido, Apocalipsis 11 tambien menciona que aquellos representados por los dos testigos serían trasladados al cielo ante la vista de los enemigos. Dice: *"Y oyeron una gran voz del cielo, que les decía: subid acá. Y subieron al cielo en una nube; y sus enemigos los vieron." Apocalipsis 11:12*

Los salvos, en efecto, serán trasladados por los ángeles de Dios al carro de fuego –descrito como una nube– en el cual se descenderá Cristo sobre la antigua ciudad de Jerusalén, más precisamente, sobre el monte de los Olivos. En este sentido, cuando Jesús describió a sus discípulos su segunda venida, dijo: *"verán al Hijo del Hombre viniendo sobre las nubes del cielo, con poder y gran gloria. Y enviará sus ángeles con gran voz de trompeta, y juntarán a sus escogidos, de los cuatro vientos, desde un extremo del cielo hasta el otro." Mateo 24:30-31*

En tanto, Isaías dice: *"Acontecerá en aquel día, que trillará Jehová desde el río Éufrates hasta el torrente de Egipto, y vosotros, hijos de Israel [cuyo significado es 'vencedor'], seréis reunidos uno a uno. Acontecerá también en aquel día, que se tocará con gran trompeta, y vendrán los que habían sido esparcidos en la tierra de Asiria, y los que habían sido desterrados a Egipto, y adorarán a Jehová en el monte santo, en Jerusalén." Isaías 27:23-13*

Por esto, entendemos que Cristo descenderá sobre Jerusalén, sobre aquel mismo monte en el cual los discípulos lo vieron irse, y enviará a sus ángeles para que congreguen a sus redimidos en aquel sitio, en el carro en el que descenderá, el cual no tocará tierra.

Séptima copa: sobre el aire

Por último, en la séptima copa, Apocalipsis dice: *"El séptimo ángel derramó su copa por el aire; y salió una gran voz del templo del cielo, del trono, diciendo: Hecho está. Entonces hubo relámpagos y voces y truenos, y un gran temblor de tierra, un terremoto tan grande, cual no lo hubo jamás desde que los hombres han estado sobre la tierra. Y la gran ciudad fue dividida en tres partes, y las ciudades de las naciones cayeron; y la gran Babilonia vino en memoria delante de Dios, para darle el cáliz del vino del ardor de su ira. Y toda isla huyó, y los montes no fueron hallados. Y cayó del cielo sobre los hombres un enorme granizo como del peso de un talento; y los hombres blasfemaron contra Dios por la plaga del granizo; porque su plaga fue sobremanera grande."* Apocalipsis 16:17-21

Hay mucho más para analizar aquí… En primer lugar, la voz que se escucha desde el trono, entendemos es la voz de Dios, dado que, anteriormente, se había dicho: *"Y el templo se llenó de humo por la gloria de Dios, y por su poder; y nadie podía entrar en el templo hasta que se hubiesen cumplido [o, como dice la Nácar Colunga, hasta que se hubiesen 'consumado'] las siete plagas de los siete ángeles."* Apocalipsis 15:8

Además, las plagas de la ira comenzarán cuando Cristo, habiendo concluido su tarea como mediador celestial, salga del lugar Santísimo para purificar el altar de incienso. Por lo cual, entendemos, la voz que sale desde el trono no puede ser otra que la mismísima voz del Padre, indicando el momento en el que su ira habrá sido consumada.

Por otra parte, y como hemos comentado en otras oportunidades, los relámpagos representan la intensa actividad angélica que se desplegará en dicha oportunidad, es decir, cuando el mundo se esté cayendo a pedazos.[228]

---

228 Elena de White comenta: "En el día del Señor, justo antes de la venida de Cristo, Dios enviará relámpagos desde el cielo en su ira, que se unirán con el fuego en la tierra. Las montañas arderán como un horno y arrojarán terribles torrentes de lava, destruyendo huertos y campos, aldeas y ciudades; y al verter su mineral fundido, rocas y lodo calentado, en los ríos, los hará hervir como una olla, y arrojará rocas macizas, y esparcirá sus fragmentos rotos sobre la tierra con una violencia indescriptible. Ríos enteros se secarán. La tierra se convulsionará, y habrá espantosas erupciones y terremotos por todas partes. Dios plagará a los malvados habitantes de la tierra hasta que sean destruidos de ella. Los santos son preservados en la tierra en medio de estas espantosas conmociones, como Noé fue preservado en el arca en el tiempo del diluvio." 1SP 84

Ahora, ¿se sabe qué dirán aquellas voces que se escucharán en el cielo? Quizá podamos encontrar una respuesta en la séptima trompeta, cuando dice: *"El séptimo ángel tocó la trompeta, y hubo grandes voces en el cielo, que decían: Los reinos del mundo han venido a ser de nuestro Señor y de su Cristo; y él reinará por los siglos de los siglos. Y los veinticuatro ancianos que estaban sentados delante de Dios en sus tronos, se postraron sobre sus rostros, y adoraron a Dios, diciendo: Te damos gracias, Señor Dios Todopoderoso, el que eres y que eras y que has de venir, porque has tomado tu gran poder, y has reinado. Y se airaron las naciones, y tu ira ha venido, y el tiempo de juzgar a los muertos, y de dar el galardón a tus siervos los profetas, a los santos, y a los que temen tu nombre, a los pequeños y a los grandes, y de destruir a los que destruyen la tierra." Apocalipsis 11:15-18*

Razón por la cual, en nuestra comprensión, la séptima copa de la ira de Dios llegará hasta el inicio de la séptima trompeta, dado que el propio Jesús juró *"que en los días de la voz del séptimo ángel, cuando él comience a tocar la trompeta, el misterio de Dios se consumará, como él lo anunció a sus siervos los profetas." Apocalipsis 10:6-7*

¿Qué sucederá en aquel momento? Algunos escritores inspirados han tratado de describirlo. Isaías escribió: *"Miren, el Señor arrasa la tierra y la deja desierta, trastorna su faz y dispersa a sus habitantes. Correrán la misma suerte tanto el pueblo como el sacerdote, el esclavo como su señor, la esclava como su señora, el comprador como el vendedor, el que pide prestado como el que presta, el acreedor como el deudor. La tierra es arrasada, sí, arrasada, saqueada por completo, porque el Señor ha pronunciado esta palabra. La tierra está de duelo, desfallece, el mundo se marchita, desfallecen las alturas junto con la tierra. La tierra está profanada bajo los pies de los que la habitan, porque ellos violaron las leyes, transgredieron los preceptos, rompieron la alianza eterna. Por eso la Maldición devora la tierra y sus habitantes soportan la pena; por eso se consumen los habitantes de la tierra y no quedan más que unos pocos." Isaías 24:1-6 LPD*

En tanto, Sofonías dijo: *"Cercano está el día grande de Jehová, cercano y muy próximo; es amarga la voz del día de Jehová; gritará allí el valiente. Día de ira aquel día, día de angustia y de aprieto, día de alboroto y de asolamiento, día de tiniebla y de oscuridad, día de nublado y de entenebrecimiento, día de trompeta y de algazara [es decir, gritos de guerra] sobre las ciudades fortificadas, y sobre las altas torres. Y atribularé a los hombres, y andarán como ciegos, porque pecaron contra Jehová; y la sangre de ellos será derramada como polvo, y su carne como estiércol. Ni su plata ni su oro podrá librarlos en el día de la ira de Jehová, pues toda la tierra será consumida con el fuego de su celo; porque ciertamente destrucción apresurada hará de todos los habitantes de la tierra." Sofonías 1:14-18*

Y hay mucho más que podríamos citar en este contexto. Ahora, aunque el pueblo de Dios no quedará libre de padecimientos, es necesario reiterar que no sufrirá ninguna de las siete copas de la ira de Dios. La promesa del Señor es: *"El que habita al abrigo del Altísimo morará bajo la sombra del Omnipotente. Diré yo a Jehová: Esperanza mía, y castillo mío; mi Dios, en quien confiaré. Él te librará del lazo del cazador, de la peste destructora. Con sus plumas te cubrirá, y debajo de sus alas estarás seguro; escudo y adarga es su verdad. No temerás el terror nocturno, ni saeta que vuele de día, ni pestilencia que ande en oscuridad, ni mortandad que en medio del día destruya. Caerán a tu lado mil, y diez mil a tu diestra; mas a ti no llegará. Ciertamente con tus ojos mirarás y verás la recompensa de los impíos. Porque has puesto a Jehová, que es mi esperanza, al Altísimo por tu habitación, no te sobrevendrá mal, ni plaga tocará tu morada. Pues a sus ángeles mandará acerca de ti, que te guarden en todos tus caminos. En las manos te llevarán, para que tu pie no tropiece en piedra. Sobre el león y el áspid pisarás; hollarás al cachorro del león [¿a la bestia?] y al dragón. Por cuanto en mí ha puesto su amor, yo también lo libraré; le pondré en alto, por cuanto ha conocido mi nombre. Me invocará, y yo le responderé; con él estaré yo en la angustia; lo libraré y le glorificaré. Lo saciaré de larga vida, y le mostraré mi salvación." Salmo 91:1-16*[229]

Vuelve a leer, ahora mismo, Apocalipsis 16, y comprueba como ya se ha abierto ante tus ojos.

---

229 Elena de White comenta: "El pueblo de Dios no quedará libre de padecimientos; pero aunque perseguido y acongojado y aunque sufra privaciones y falta de alimento, no será abandonado para perecer. El Dios que cuidó de Elías no abandonará a ninguno de sus abnegados hijos. El que cuenta los cabellos de sus cabezas, cuidará de ellos y los atenderá en tiempos de hambruna. Mientras los malvados estén muriéndose de hambre y pestilencia, los ángeles protegerán a los justos y suplirán sus necesidades. Escrito está del que "camina en justicia" que "se le dará pan y sus aguas serán ciertas". "Cuando los pobres y los menesterosos buscan agua y no la hay, y la lengua se les seca de sed, yo, Jehová, les escucharé; yo, el Dios de Israel, no los abandonaré" (Isaías 33:16; 41:17)." CS 613

Para conocer más acerca de todo lo que ocurrirá en aquel gran y terrible día de Jehová, recomendamos leer con detenimiento el capítulo 41 del libro 'El Conflicto de los Siglos' de Elena de White, titulado: *'La liberación del pueblo de Dios'.*

QR 4: https://egwwritings.org/read?panels=p1710.2891

Capítulo 17
La sentencia contra la gran ramera

Apocalipsis, luego de describir lo que sucederá cuando Dios derrame las copas de su ira, se detiene y abre un paréntesis para identificar a quien recibirá la mayor porción del castigo. Dice: *"Vino entonces uno de los siete ángeles que tenían las siete copas, y habló conmigo diciéndome: Ven acá, y te mostraré la sentencia contra la gran ramera, la que está sentada sobre muchas aguas; con la cual han fornicado los reyes de la tierra, y los moradores de la tierra se han embriagado con el vino de su fornicación." Apocalipsis 17:1-2*

Como vemos, quien mostrará la sentencia contra la *'gran ramera'* es, justamente, uno de aquellos siete ángeles encargados de ejecutar la ira de Dios. Ahora, ¿quién es la gran ramera?

La gran ramera

En primer lugar, debemos recordar que la Biblia representa a la iglesia de Dios como una mujer que Cristo pretende santificar y purificar a fin de unirse con ella en matrimonio espiritual. En este sentido, el apóstol Pablo escribió: *"Maridos, amad a vuestras mujeres, así como Cristo amó a la iglesia, y se entregó a sí mismo por ella, para santificarla, habiéndola purificado en el lavamiento del agua por la palabra, a fin de presentársela a sí mismo, una iglesia gloriosa, que no tuviese mancha ni arruga ni cosa semejante, sino que fuese santa y sin mancha." Efesios 5:25-27*

Apocalipsis, incluso, describe la llegada de 'las bodas del Cordero', diciendo: *"Gocémonos y alegrémonos y démosle gloria; porque han llegado las bodas del Cordero, y su esposa se ha preparado. Y a ella se le ha concedido que se vista de lino fino, limpio y resplandeciente; porque el lino fino es [o representa] las acciones justas de los santos." Apocalipsis 19:7-8*

Ahora, si aquí Apocalipsis menciona a una mujer que no es pura, sino que es nombrada, por la propia Biblia, como una mujer ramera, quiere decir que se trata de una iglesia que ha dejado a Cristo para irse tras otros 'señores', los 'reyes de este mundo'. ¿De quién se trata? Veamos, a continuación, las siete características que describen de su identidad:

1. Su relación con los reyes del mundo

Las Escrituras califican como 'fornicación', en términos espirituales, a toda relación ilícita entre poderes políticos y religiosos que transgreden aquel principio de separación entre Iglesia y Estado que estableció Jesús, cuando dijo: *"dad a César lo que es de César, y a Dios lo que es de Dios."* *Lucas 20:25*

Por eso, cuando este principio se rompe, produciéndose relaciones carnales entre política y religión, la iglesia que la practica se vuelve abominable ante Dios; dado que, de este tipo de relaciones, no puede surgir otra cosa que imposiciones de deberes religiosos por la fuerza del poder civil y violaciones a la libertad de conciencia –lo cual es completamente opuesto al carácter de Dios, el cual basa su gobierno sobre la ley del amor y la obediencia a su Ley en completa libertad–.

Incluso, el resultado nefasto de estas relaciones ilícitas aún va más allá, dado que terminan decantando en persecuciones contra todos aquellos que intentan continuar adorando a Dios según los dictados de su conciencia. Persecuciones que han derramado ríos de sangre en el pasado y que, según anticipa la profecía, seguirán derramando en el futuro.

Por esto, si aquí el ángel mostrará *'la sentencia contra la gran ramera'*, quiere decir que presentará los fundamentos y las resoluciones que ha tomado el tribunal divino contra una iglesia que ha abandonado a Cristo para tener relaciones ilícitas con los reyes de la tierra. No solo para prostituirse tras ellos, sino también para gobernar sobre ellos. En este sentido, Apocalipsis presenta a esta mujer montada sobre aquel último imperio mundial de la profecía, simbolizado por la bestia de siete cabezas y diez cuernos. Dice: *"Y me llevó en el Espíritu al desierto; y vi a una mujer sentada sobre una bestia escarlata llena de nombres de blasfemia, que tenía siete cabezas y diez cuernos."* *Apocalipsis 17:3*

En relación al significado de esta mujer ramera, Apocalipsis concluye este capítulo diciendo: *"Y la mujer [léase, la iglesia] que has visto es la gran ciudad que reina sobre los reyes de la tierra."* *Apocalipsis 17:18*

Por lo cual, podemos entender que se trata de una iglesia que ha trocado el verdadero evangelio –que promete a los santos el gobierno del mundo venidero– por el gobierno de este mundo, siendo que Jesús dijo: *"Mi reino no es de este mundo; si mi reino fuera de este mundo, mis servidores pelearían para que yo no fuera entregado a los judíos; pero mi reino no es de aquí."* *Juan 18:36*

En este sentido, esta iglesia apóstata –mencionada aquí como una gran ramera–, ha aceptado aquella propuesta que Cristo rechazó, cuando el diablo: *"le mostró todos los reinos del mundo y la gloria de ellos, y le dijo: Todo esto te daré, si postrado me adorares."* *Mateo 4:8-9*

Lo cual configura uno de los aspectos clave por lo cual se la califica de ramera, dado que, cuando una iglesia busca el poder del estado para lograr sus fines, es porque, evidentemente, ha perdido su vínculo con Dios, el dueño y creador de todas las cosas, por irse tras las tentaciones del diablo.[230]

2. Su popularidad y extensión mundial

La segunda característica que identifica a esta ramera –además de aquella que la vincula con los gobernantes de la tierra–, es justamente el resultado 'exitoso' de su política mundanal. En este sentido, se dice de ella, que también *'está sentada sobre muchas aguas' (Ap 17:1)*, aclarando, un poco más adelante, que *"las aguas... donde la ramera se sienta, representan pueblos, muchedumbres, naciones y lenguas" (Ap 17:15)*. Es decir, se trata de una iglesia que ha extendido sus tentáculos sobre el mundo entero, nutriendo su poder sobre la base del apoyo de las multitudes.

Ahora, ¿de qué manera lo ha conseguido? Dice: *'los moradores de la tierra se han embriagado con el vino de su fornicación (Ap 17:2)*. Lo cual implica que es una iglesia que consigue sus objetivos gracias a su habilidad para embotar los sentidos de las personas a través de artificiosos engaños. Mucho de esto tiene que ver con sus cuidadas apariencias de santidad, estrictos formalismos y magníficos templos.

¿Me permites adelantarme con algunas preguntas? ¿Has tomado conocimiento de alguna institución religiosa que, dejando a un lado

---

230 Elena de White comenta: "Ha sido objeto del estudio y esfuerzo de Satanás unir la iglesia y el estado desde el principio. Separados, son útiles y valiosos para la vida del mundo. Unidos, vienen a ser un veneno mortífero, tanto para el cuerpo político como para el cuerpo eclesiástico. De una unión tal, brotan las grandes bestias apocalípticas, que desgarran cruelmente y aplastan despiadadamente la vida de todos los que se les oponen. Véase Daniel 7 y Apocalipsis 12, 13 y 17." DTG 776

"Cuando la iglesia primitiva se corrompió al apartarse de la sencillez del evangelio y al aceptar costumbres y ritos paganos, perdió el Espíritu y el poder de Dios; y para dominar las conciencias buscó el apoyo del poder civil. El resultado fue el papado, es decir, una iglesia que dominaba el poder del estado y se servía de él para promover sus propios fines y especialmente para extirpar [lo que ellos llaman] la 'herejía'." CS 438

los asuntos 'teológicos', sea conocida por poseer uno de los bancos más corruptos de la tierra y que, sin embargo, muy pocos dejen de creer en ella por esto? ¿Qué decir de sus redes de pedofilia, con cientos de miles de niños abusados y violados en cada país donde asienta su trasero, siendo encubiertos los criminales al más alto nivel de su jerarquía eclesiástica y, sin embargo, las personas siguen confiándole sus hijos…?

Y esto, solo por nombrar algunos de los pecados más grotescos que ilustran el estado de embriaguez en el que se encuentran los moradores de la tierra respecto de ella. [231]

3. Su vestimenta y sus riquezas

Ahora, por si las dos características que acabamos de mencionar no alcanzan, o no son suficientemente claras, para identificar de quién se trata, Apocalipsis abunda en detalles. Dice: *"Y la mujer estaba vestida de púrpura y escarlata, y adornada de oro, de piedras preciosas y de perlas, y tenía en la mano un cáliz de oro lleno de abominaciones y de la inmundicia de su fornicación." Apocalipsis 17:4*

¿No te asombra lo preciso que es Apocalipsis a la hora de identificar a esta institución religiosa? Dime, si no, ¿en qué otra iglesia, que cumpla con las dos características anteriores, sus principales dignatarios –tales como obispos y cardenales–, se visten con estos llamativos colores: púrpura y escarlata?

¿No es acaso la Iglesia Romana Papal conocida también por la inmensa cantidad de oro, piedras preciosas y perlas que posee? Y, en este sentido, ¿no es llamativo que una institución que se dice cristiana tenga,

---

231 Elena de White explica: "Si bien el romanismo se basa en el engaño, no es una impostura grosera ni desprovista de arte. El culto de la iglesia romana es un ceremonial que impresiona profundamente. Lo brillante de sus ostentaciones y la solemnidad de sus ritos fascinan los sentidos del pueblo y acallan la voz de la razón y de la conciencia. Todo encanta a la vista. Sus soberbias iglesias, sus procesiones imponentes, sus altares de oro, sus relicarios de joyas, sus pinturas escogidas y sus exquisitas esculturas, todo apela al amor de la belleza. Al oído también se le cautiva. Su música no tiene igual. Los graves acordes del órgano poderoso, unidos a la melodía de numerosas voces que resuenan y repercuten por entre las elevadas naves y columnas de sus grandes catedrales, no pueden dejar de producir en los espíritus impresiones de respeto y reverencia. Este esplendor, esta pompa y estas ceremonias exteriores, que no sirven más que para dejar burlados los anhelos de las almas enfermas de pecado, son clara evidencia de la corrupción interior. La religión de Cristo no necesita de tales atractivos para hacerse recomendable." CS 554

en sus jerarquías superiores, un carácter tan opuesto al de aquel que no solo nació en un pesebre sino que, más tarde, dijo: *"Las zorras tienen guaridas, y las aves del cielo nidos; mas el Hijo del Hombre no tiene dónde recostar su cabeza." Mateo 8:20?*

¿Y qué decir del cáliz de oro que lleva en su mano? ¿No es también éste un elemento clave en los rituales de la Iglesia Romana?

Se dice que está lleno de abominaciones y de la inmundicia de su fornicación, porque allí se encierra uno de sus mayores engaños; dado que a través del ritual de la misa, esta iglesia dice tener poder para sacrificar nuevamente a Cristo, arrogándose la facultad de 'crear al Creador' –a través del rito de la transustanciación– para luego volverlo a sacrificar en cada misa llevada a cabo en cada capilla de cada ciudad del mundo entero, siendo que dicho rito debería ser puramente simbólico, 'en memoria' (Lucas 2:19) de aquel gran sacrificio que se ofreció una sola vez y para siempre. Dice la Biblia: *'Cristo se ofreció una vez para siempre, en un solo sacrificio por los pecados del mundo'. Hebreos 10:12*

Y podríamos seguir desarrollando innumerables engaños con que esta iglesia embriaga a los habitantes de nuestro mundo; sin embargo, el objetivo del presente capítulo es interpretar correctamente la identidad de la gran ramera, no exponer sus engaños.

4. Su nombre simbólico

La siguiente característricas que da Apocalipsis a fin de revelarnos la identidad de la *'gran ramera'*, tiene que ver con que esta iglesia, en vez de llevar el nombre del Padre, de Cristo y de la Nueva Jerusalén escrito en su frente –como la iglesia fiel (Ap 3:12)–, lleva otro cargado de misterio. Dice: *"en su frente un nombre escrito, un misterio: BABILONIA LA GRANDE, LA MADRE DE LAS RAMERAS Y DE LAS ABOMINACIONES DE LA TIERRA [el énfasis es original]." Apocalipsis 17:5*

Ahora, ¿por qué Dios la llama Babilonia? Cuando Juan recibió el Apocalipsis, la ciudad de Babilonia estaba casi deshabitada. Sin embargo, la iglesia primitiva –hablando en código para escapar de la persecución romana–, llamaba Babilonia a la ciudad de Roma. Por ejemplo, mientras el apóstol Pedro estaba en Roma –lugar donde más tarde sería ejecutado a causa de su fe–, escribió una carta diciendo en su despedida: *"La iglesia que está en Babilonia, elegida juntamente con vosotros, y Marcos, mi hijo, os saludan." 1 Pedro 5:13*

De hecho, los comentarios de las propias Biblias católicas sobre este versículo, dicen:

- "Babilonia es aquí una designación descriptiva de Roma" (El Libro del Pueblo de Dios).
- "La que está en Babilonia es la Iglesia de Roma." (Biblia de Jerusalén y de E. M. Nieto)
- "Babilonia: Roma: símbolo de la corrupción y del destierro." (Biblia de Nácar - Colunga).

Siendo esto así, ¿no te asombra que esta iglesia se haya auto impuesto el nombre *'Romana'*?

Ahora, ¿por qué se llama Babilonia a Roma? El término Babilonia proviene del griego Babylon, y ambos del acadio Bab-ilim, que significa: *'Puerta de Dios'*, y tiene origen en las religiones paganas que se desarrollaron en torno a la Torre de Babel.[232]

De hecho, la ciudad de Babilonia fue construida, según los relatos históricos, en el mismo sitio donde, anteriormente –en la época posdiluviana–, fue erigida la Torre de Babel. Obra que fue iniciada con el firme propósito de alcanzar las alturas de los cielos. Dice la Biblia: *"Tenía entonces toda la tierra una sola lengua y unas mismas palabras. Y aconteció que cuando salieron de oriente [parte de los descendientes de Noé que sobrevivieron al diluvio], hallaron una llanura en la tierra de Sinar, y se establecieron allí. Y se dijeron unos a otros: Vamos, hagamos ladrillo y cozámoslo con fuego. Y les sirvió el ladrillo en lugar de piedra, y el asfalto en lugar de mezcla. Y dijeron: Vamos, edifiquémonos una ciudad y una torre, cuya cúspide llegue al cielo..." Génesis 11:1-4*

De allí el nombre 'Babilonia' como 'Puerta de Dios'. Ahora, dicha puerta no sería abierta por Dios –como aquella que Cristo pone delante de la iglesia de Filadelfia (Ap 3:8)–, sino que surge de un intento humano de escalar hasta las alturas de los cielos por sus propios medios. Algo que resulta abominable ante la vista de Dios. Dice el relato: *"Y descendió Jehová para ver la ciudad y la torre que edificaban los hijos de los hombres. Y dijo Jehová: He aquí el pueblo es uno, y todos estos tienen un solo lenguaje; y han comenzado la obra, y nada les hará desistir ahora de lo que han pensado hacer. Ahora, pues, descendamos, y confundamos allí su lengua, para que nin-*

---

232 https://cutt.ly/QwwBHGgb

guno entienda el habla de su compañero. Así los esparció Jehová desde allí sobre la faz de toda la tierra, y dejaron de edificar la ciudad. Por esto fue llamado el nombre de ella Babel, porque allí confundió Jehová el lenguaje de toda la tierra, y desde allí los esparció sobre la faz de toda la tierra." Génesis 11:5-9

Razón por la cual, desde aquel momento, el nombre de esta ciudad también quedó asociado con el verbo hebreo *'balbál'*, que significa *'confundir'*, puesto que allí fue donde Dios confundió su lengua.[233]

En contraste con esta propuesta –de llegar al cielo por medios humanos–, a Jacob se le presentó una escalera, en símbolo de Cristo, como el único medio para llegar a Dios. Dice: *"Soñó [Jacob] y he aquí una escalera que estaba apoyada en tierra, y su extremo tocaba en el cielo; y he aquí ángeles de Dios que subían y descendían por ella. Y he aquí, Jehová estaba en lo alto de ella…Y despertó Jacob de su sueño, y dijo: Ciertamente Jehová está en este lugar, y yo no lo sabía. Y tuvo miedo, y dijo: ¡Cuán terrible es este lugar! No es otra cosa que casa de Dios, y puerta del cielo… Y llamó el nombre de aquel lugar [en vez de Babel] Bet-el." Génesis 28:12-13, 16-17, 19*

Desde esta perspectiva, la casa –o templo– de Dios en la tierra es una verdadera puerta hacia el cielo. Sin embargo, cuando Apocalipsis llama Babilonia a la ramera, es porque se trata de una iglesia que pretende constituirse como una puerta al cielo sin estar fundada sobre Cristo sino sobre la propia soberbia humana –que intenta alcanzar el poder, y aún las alturas de los cielos, por sus propios medios–. Vendría a ser una religión similar a la de Caín. Algo que jamás agradará a Dios.

5. Su maternidad

Apocalipsis, como hemos leído, dice que esta iglesia apóstata *es 'la madre de las rameras y de las abominaciones de la tierra' (Ap 17:5)*. Es decir, se trata de una iglesia adulta que tiene hijas –que han salido de ella– que han imitado su abominable conducta.

Si prestas atención, la Iglesia Católica Romana también es madre de muchas iglesias. Por ejemplo, desde el año 1054, surgieron de ella quince iglesias autocéfalas [es decir, que no reconocen la autoridad del papa] de comunión ortodoxa, lideradas por el patriarca de Constantinopla; entre ellas, –la más grande– la Iglesia Ortodoxa Rusa. A la fecha, todas estas iglesias suman alrededor de 300 millones de fieles en todo el mundo.

---

233 https://cutt.ly/NwwBJxCL

Luego, a partir del 1500, la Iglesia Católica Romana también tuvo otra inmensa cantidad de 'nuevas hijas' a través del cisma que le produjo la Reforma Protestante, las cuales totalizan más de 30 mil denominaciones cristianas, con más de 800 millones de fieles en todo el mundo.

Lo interesante, es que la inmensa mayoría de todas estas iglesias, aún pretendiendo estar reformadas, continúan enseñando doctrinas erróneas provenientes del vino de su antigua iglesia madre –tal como la santidad de domingo y la inmortalidad del alma–, y se vinculan ilícitamente con los poderes políticos que dominan en sus territorios, como buenas hijas de ramera que son.

En este sentido, el simbólico nombre de Babilonia, es transmitido por iglesia madre a todas sus hijas, dado que ellas también se presentan como 'casas de Dios' y 'puertas al cielo', pero, en realidad, no son más que una extensión de la apóstata religión de su madre.

6. Su violencia

La siguiente característica que Apocalipsis da respecto de esta institución religiosa, está asociada con la violencia de Caín, propia de toda religión falsa. Dice: *"Vi a la mujer ebria de la sangre de los santos, y de la sangre de los mártires de Jesús…" Apocalipsis 17:6*

¿No es acaso, también, la Iglesia Católica Romana famosa por sus terribles torturas y asesinatos perpetrados, tanto en lo oculto de sus mazmorras como en hogueras públicas? Y, en este sentido, ¿no es de asombrar que una institución que se dice cristiana, 'representante' de aquel que entregó su vida por todos nosotros, sea la protagonista de tantas atrocidades, teniendo, además, la osadía de llamar 'santa' a sus terribles inquisiciones perpetradas contra sus disidentes?

Ahora, si crees que esto es cosa de un pasado barbárico, prepárate, porque pronto lo verás resurgir ante tus propios ojos; dado que Apocalipsis dice, en el contexto del mensaje final de Dios: *"Oí una voz que desde el cielo me decía: Escribe: Bienaventurados de aquí en adelante los muertos que mueren en el Señor. Sí, dice el Espíritu, descansarán de sus trabajos, porque sus obras con ellos siguen." Apocalipsis 14:13*

También, en relación al quinto sello, hemos leído: *"Cuando abrió el quinto sello, vi bajo el altar las almas de los que habían sido muertos por causa de la palabra de Dios y por el testimonio que tenían. Y clamaban a gran voz, diciendo: ¿Hasta cuándo, Señor, santo y verdadero, no juzgas y vengas nuestra sangre en los que moran en la tierra? Y se les dieron vestiduras blancas, y se les dijo que descansasen todavía un poco de tiempo, hasta que se completara el número de sus consiervos y sus hermanos, que también habían de ser muertos como ellos." Apocalipsis 6:9-11*

En este mismo contexto –de la predicación del mensaje final de Dios–, en el libro del profeta Daniel, dice: *"Los sabios del pueblo instruirán a muchos; y por algunos días caerán a espada y a fuego, en cautividad y despojo." Daniel 11:33*

7. Su resurrección

Esta violencia, de parte de aquella institución que dice representar a Dios, causó gran asombro en el apóstol Juan. El dice: *"Vi a la mujer [es decir, a esta iglesia] ebria de la sangre de los santos, y de la sangre de los mártires de Jesús; y cuando la vi, quedé asombrado con gran asombro. Y el ángel me dijo: ¿Por qué te asombras? Yo te diré el misterio de la mujer, y de la bestia que la trae, la cual tiene las siete cabezas y los diez cuernos." Apocalipsis 17:6-7*

Si el ángel declarará a Juan el *'misterio'* de la mujer –es decir, de esta iglesia apóstata– y de la bestia –es decir, el imperio mundial– que la trae, quiere decir que existe algo que no se percibe detrás de ella. Algo oculto. Algo escondido, que el común de la gente no percata. ¿Qué es? Dice: *"La bestia que has visto, era, y no es; y está para subir del abismo e ir a perdición; y los moradores de la tierra, aquellos cuyos nombres no están escritos desde la fundación del mundo en el libro de la vida, se asombrarán viendo la bestia que era y no es, y será." Apocalipsis 17:8*

La *'bestia de siete cabezas y diez cuernos'*, como hemos explicado en el análisis de Apocalipsis 13, hace referencia a aquel último imperio mundial que gobernaría sobre la tierra, de aquellos cuatro que le fueron revelados a Daniel, el cual dice: *"Estas cuatro grandes bestias son cuatro reyes [o cuatro reinos] que se levantarán en la tierra. Después recibirán el reino los santos del Altísimo, y poseerán el reino hasta el siglo, eternamente y para siempre. Entonces tuve deseo de saber la verdad acerca de la cuarta bestia, que era tan diferente de todas las otras, espantosa en gran manera, que tenía dientes de hierro y uñas de bronce, que devoraba y desmenuzaba, y las sobras hollaba con sus pies; asimismo acerca de los diez cuernos que tenía en su cabeza, y del otro que le había salido, delante del cual habían caído tres; y este mismo cuerno tenía ojos, y boca que hablaba grandes cosas, y parecía más grande que sus compañeros. Y veía yo que este cuerno hacía guerra contra los santos, y los vencía, hasta que vino el Anciano de días, y se dio el juicio a los santos del Altísimo; y llegó el tiempo, y los santos recibieron el reino. Dijo así: La cuarta bestia será un cuarto reino en la tierra, el cual será diferente de todos los otros reinos, y a toda la tierra devorará, trillará y despedazará." Daniel 7:17-23*

Ahora, ¿por qué se dice respecto de ella que *'era', 'no es' y 'será'*? Porque el imperio mundial que representa esta bestia, de acuerdo a la propia profecía, sufriría una *'herida de muerte'* pero, con el transcurrir del tiempo, se recuperaría de ella y volvería a ejercer dominio sobre los habitantes de la tierra.

En este sentido, Apocalipsis 13 dice: *"Vi una de sus cabezas como herida de muerte, pero su herida mortal fue sanada; y se maravilló toda la tierra en pos de la bestia, y adoraron al dragón que había dado autoridad a la bestia, y adoraron a la bestia, diciendo: ¿Quién como la bestia, y quién podrá luchar contra ella?" Apocalipsis 13:3-4*

Ahora, el detalle, es que la visión de Apocalipsis 17 se presenta en un contexto en el que la bestia ya ha sufrido la herida de muerte –en el pasado–, pero se encuentra en el preciso momento para resurgir del abismo. Por esto, se dice: *"La bestia que has visto, era, y no es; y está para subir del abismo e ir a perdición." Apocalipsis 17:8*

En este sentido, debemos mencionar que el único criterio para poder interpretar correctamente este pasaje, exige analizar todo texto de la visión en el contexto de la misma, y no en los días del apóstol Juan, dado que, en aquellos días, el Imperio Romano no había recibido ninguna herida de muerte sino que estaba en su máximo esplendor, es decir, cuando la bestia *'era'*.

Por esto, el correcto análisis de este texto profético, obliga ubicar el presente de la profecía, no en los días del apóstol Juan sino en el momento en el que la bestia aún se encuentra herida de muerte.

Siete cabezas

Ahora, ¿qué significan las siete cabezas y los diez cuernos de la bestia? El ángel advierte: *"Para comprender esto, es necesario tener inteligencia y sutileza. Las siete cabezas son las siete colinas, sobre las cuales está sentada la mujer. También simbolizan a siete reyes: cinco de ellos han caído, uno vive y el otro todavía no ha llegado, pero cuando llegue, durará poco tiempo." Apocalipsis 17:9-10 LPD*

Surge, a primera vista, que el símbolo de las siete cabezas tiene dos significados: siete colinas –sobre las cuales, se dice, está sentada la mujer–, y siete reyes que gobiernan de manera consecutiva, es decir, uno detrás del otro; debiendo tener ambos significados relación con el gobierno de la bestia, dado que son simbolizados por sus cabezas.

Ahora, ¿a quién representa la 'bestia'? Pues, en un sentido amplio, podría representar al instrumento político a través del cual el diablo intenta gobernar el mundo. En este sentido, si analizamos la bestia de Apocalipsis 13 con una mirada inclusiva, observamos que se la describe con rasgos característicos de todas las bestias mencionadas en la profecía de Daniel 7, al decir que 'era semejante a un leopardo, y sus pies como de oso, y su boca como boca de león, y que el dragón le dio su poder y su trono, y grande autoridad.' Apocalipsis 13:2[234]

Desde este punto de vista, es lógico tratar de comprender el significado de las siete cabezas de la bestia como siete reinos de los que se valdrá el diablo para gobernar el mundo. En este sentido, las siete colinas que Apocalipsis da como significado del símbolo 'siete cabezas' bien podrían representar estos siete reinos o gobiernos mundiales, dado que los montes, en las profecías de la Biblia, simbolizan reinos. Por ejemplo, en la profecía de Daniel 2 se menciona que la piedra que destruiría a los reinos del mundo llegaría a ser 'un gran monte que abarcaría toda la tierra' (Dn 2:35). Respecto de ese simbólico monte, la Biblia se explica a sí misma, diciendo: "en los días de estos reyes el Dios del cielo levantará un reino que no será jamás destruido, ni será el reino dejado a otro pueblo; desmenuzará y consumirá a todos estos reinos, pero él permanecerá para siempre". Daniel 2:44

Es decir, el monte que se levantaría sobre toda la tierra, luego del golpe de la piedra, representa al reino de Dios. En este mismo sentido,

---

234 En el apéndice del libro 'El Deseado de Todas las Gentes', de Elena de White, dice: "Ha sido objeto del estudio y esfuerzo de Satanás unir la iglesia y el estado desde el principio. Separados, son útiles y valiosos para la vida del mundo. Unidos, vienen a ser un veneno mortífero, tanto para el cuerpo político como para el cuerpo eclesiástico. De una unión tal, brotan las grandes bestias apocalípticas, que desgarran cruelmente y aplastan despiadadamente la vida de todos los que se les oponen. Véase Daniel 7 y Apocalipsis 12, 13 y 17. La "bestia" de Apocalipsis 13:1-10 [nótese que solo se refiere a la bestia de Ap 13] es un símbolo de este poder a través de los siglos, que ha existido bajo diversas formas, simbolizadas por las siete cabezas. Bajo la cabeza dominante del período presentado en Apocalipsis 13:1-10, la bestia representa el papado. Ejerció el poder perseguidor durante 1.260 años, al fin de los cuales nos es representada como yendo en cautiverio." DTG 776

Dios también simboliza al reino de Babilonia como un monte, diciendo: *"Y pagaré a Babilonia y a todos los moradores de Caldea, todo el mal que ellos hicieron en Sion delante de vuestros ojos, dice Jehová. He aquí yo estoy contra ti, oh monte destruidor, dice Jehová, que destruiste toda la tierra; y extenderé mi mano contra ti, y te haré rodar de las peñas, y te reduciré a monte quemado. Y nadie tomará de ti piedra para esquina, ni piedra para cimiento; porque perpetuo asolamiento serás, ha dicho Jehová." Jeremías 51:24-26*

Por esto, en este análisis amplio, los dos significados que da Apocalipsis respecto de las siete cabezas vendrían a representar lo mismo: siete reinos sobre los cuales se asienta la iglesia apóstata. ¿Cuáles?

1. Babilonia: –que gobernó desde el 605 al 539 a.C.– representa la primera cabeza porque este es el imperio que figura como punto de partida tanto en la profecía de Daniel 2 –donde es representada por la cabeza de oro de la estatua– como en Daniel 7, –representada por un león, símbolo que también se incluye en la descripción de la bestia de Apocalipsis 13–. Babilonia fue el imperio terrenal que arrebató el reino otorgado por Dios a Israel, cuando lo sacó con mano fuerte y brazo extendido de Egipto y le dio dominio sobre las naciones.[235]

2. Medo Persia: Imperio que venció a Babilonia y gobernó desde el 539 al 331 a.C., siendo representada por pechos y brazos de plata en Daniel 2, y por un oso en Daniel 7.

3. Grecia: que, luego de derrotar a los Medos y Persas, gobernó del 331 a 168 a.C., siendo representada por el vientre de bronce en Daniel 2 y por un leopardo en Daniel 7.

4. Roma imperial: Imperio que se alzó con el poder mundial luego de los Medos y Persas, y gobernó entre 168 a.C. hasta el 476 d.C., representado por las piernas de hierro en Daniel 2 y por el período de gobierno de la bestia espantosa y terrible de Daniel 7.

---

235 Elena de White comenta: "En la Palabra de verdad se predice claramente la caída final de los reinos terrenales. En la profecía anunciada cuando Dios pronunció la sentencia contra el último rey de Israel, se da el mensaje: "Así ha dicho Jehová, el Señor: ¡Depón el turbante, quita la corona! [...] Sea exaltado lo bajo y humillado lo alto. ¡A ruina, a ruina, a ruina lo reduciré, y esto no será más, hasta que venga aquel a quien corresponde el derecho, y yo se lo entregaré!" (Ezequiel 21:26-27). La corona que se le quitó a Israel pasó sucesivamente a los reinos de Babilonia, Medo-Persia, Grecia y Roma. Dios dice: "Esto no será más, hasta que venga aquel a quien corresponde el derecho, y yo se lo entregaré". Ese tiempo está cerca." ED 161

5. Roma papal: efectivo poder mundial que ocupó el vacío de poder dejado por el Imperio Romano luego de la invasión de los pueblos bárbaros. Gobernó desde la caída del imperio romano hasta el 1798, siendo representado por los pies en parte de hierro y en parte de barro cocido en Daniel 2 y por el período de gobierno de los cuernos de la bestia espantosa y terrible de Daniel 7, con claro predominio del cuerno pequeño –que representa al papado–, a partir del 538 d.C.

6. Periodo del Republicanismo: es el período representado por la cabeza herida de muerte, el cual se extiendo desde que se quitó el poder al papado, en 1798 –por medio de la Revolución Francesa–, hasta nuestros días; durante todo el período en el que la bestia 'no es', es decir, se encuentra herida de muerte. Es necesario destacar que Estados Unidos no forma parte de la bestia espantosa y terrible porque es descrito en Apocalipsis 13 como 'otra bestia' –con cuernos como de cordero– que surgiría, a diferencia de la anterior, en un lugar deshabitado.

7. Nuevo Orden Mundial: a través de la ONU –o alguna nueva organización que agrupe todos los gobiernos del mundo– en conjunto con un poder papal que estará por recobrar el dominio absoluto del mundo. Es representado en la profecía de Apocalipsis 17 mediante la figura de diez cuernos que simbolizan *diez reyes que aún no han recibido reino [en el momento en el cual la bestia se encuentra herida de muerte], pero que, por muy poco tiempo, recibirán autoridad como reyes juntamente con la bestia'. Apocalipsis 17:12*

Luego de esto, entendemos, la Bestia resurgirá completamente del abismo cuando todos los reinos del mundo le entreguen el poder total y absoluto al 'anticristo' en la figura del papa. Esto se describe en la profecía bajo la figura del 'octavo' –que no representa una nueva cabeza de la bestia sino la resurrección del papado a la cúspide del gobierno mundial–. Dice: *"La bestia que era, y no es, es también el octavo; y es de entre los siete, y va a la perdición." Apocalipsis 17:11*

Según esta interpretación, los cinco reyes (o reinos) que han caído serían: Babilonia, Medo Persia, Grecia, Roma imperial y Roma papal; el rey (o reino) que gobierna en el período en el que la bestia 'no es' –es decir, cuando se encuentra 'herida de muerte'–, sería el 'republicanismo' –en conjunto con Estados Unidos, que surge como segunda bestia–, y el que aún no ha llegado pero que, cuando llegue, durará poco tiempo, es el gobierno del Nuevo Orden Mundial, cuando los 'diez reyes que aún no han recibido reino' reciban autoridad como reyes juntamente con la bestia, durante un breve período de tiempo tal como 'una hora' profética. Se dice de ellos: *'Estos tienen un mismo propósito' y que 'entregarán su poder y su autoridad a la bestia' (Ap. 17:12-13).*

Por esto, el gobierno mundial de los diez reyes que aún no han recibido reino se conformaría en forma conjunta con la Bestia hasta que, luego de un corto período de tiempo, estos reyes le entreguen la completa autoridad a la bestia, en la figura del octavo; que haría alusión a la toma de poder de la Roma Papal cuando termine de curar de su herida mortal.

Siete reyes

Aunque creemos que la interpretación recién comentada es verdadera y digna de crédito, en nuestra comprensión, esta profecía tendrá un asombroso segundo cumplimiento que se ajusta aún más fielmente al texto y al contexto profético que estamos analizando.

En este sentido, debemos tener en cuenta que muchas profecías de la Biblia tienen dobles cumplimientos: uno histórico y otro, mucho más asombroso y cabal, al final de los días. Mateo 24 es ejemplo de ello –cuando Jesús agrupa en una única profecía tanto las señales que anunciarían la destrucción de Jerusalén como aquellas que nos darían cuenta de su pronto regreso–. Las siete iglesias del Apocalipsis son otro claro ejemplo donde lo que ocurre en el primer cumplimiento histórico nos enseña acerca de lo que ocurriría luego, y hasta el fin de los días, presentando las diferentes realidades que le tocaría vivir a la verdadera iglesia y el mensaje que Dios tiene para ella en cada caso.

Por esto, no hay que desesperar si algunos aspectos de la profecía no se terminan de entender en el cumplimiento histórico, porque podrían estar haciendo referencia a detalles de un majestuoso cumplimiento que tendrá lugar al final de los días.[236]

---

236 Elena de White escribió: "No hay tiempo que perder. Nos esperan tiempos angustiosos. El mundo está agitado con el espíritu de guerra. Pronto ocurrirán las escenas de angustia que se describen en las profecías. La profecía del capítulo 11 de Daniel casi se ha cumplido por completo. Mucha de la historia que ha ocurrido en cumplimiento de esta profecía se repetirá. En el versículo 30 se habla de un poder que 'se enojará contra el pacto santo, y hará según su voluntad; volverá, pues y se entenderá con los que abandonen el pacto santo.' Escenas semejantes a las que se describen en estas palabras ocurrirán." 13MR 394

La realidad es que, si bien en un análisis histórico podríamos asociar las cabezas de la bestia con los grandes poderes político/religiosos que habrán gobernado desde Babilonia hasta el fin del tiempo –siendo el papado una de estas cabezas–; en un sentido estricto del análisis profético, la bestia espantosa y terrible descrita, tanto en Daniel 7 como en Apocalipsis 12, 13 y 17, representa el accionar de Roma en la historia de la humanidad.

Razón por la cual, en el cumplimiento más exacto de la profecía, las cabezas de dicha bestia deben formar parte de un gobierno romano.

En este sentido, podemos observar que todas las características que nos da Apocalipsis en relación a esta bestia hacen alusión a Roma, enfocándose, principalmente, en la Roma papal. Por ejemplo, cuando se dice que la bestia *'era, no es y será'*, y todo lo relacionado a la *'herida mortal'*, está hablando del papado; lo mismo cuando anuncia el período de 1260 días que la bestia perseguiría a la mujer, también está describiendo el accionar del papado.

En este sentido, cuando Apocalipsis da como significado de las siete cabezas *'las siete colinas sobre las cuales se asienta la mujer'*, podemos comprobar que esta característica también se cumple en relación a Roma, dado que ésta es la única ciudad en el mundo famosa por estar construida sobre siete colinas. De hecho, la propia Biblia católica, dice, en los comentarios al pie de página: *"Se trata de las siete colinas de Roma"*.[237]

También, puedes hacer una simple búsqueda en Google, escribiendo: 'ciudad de las siete colinas', y comprobarás por ti mismo que Roma es mundialmente conocida como 'la ciudad de las siete colinas'.[238]

Esto confirma, en primer término, que en uno de los dos significados que da la Biblia, en relación a las siete cabezas de la bestia, también hace exclusiva referencia a Roma, describiendo el lugar geográfico desde donde gobierna el papado.

---

237 Comentario al pie de página de la traducción bíblica 'El Libro del Pueblo de Dios', de Levoratti-Trusso, para el versículo de Apocalipsis 17:9.

238 Elena de White menciona que Roma es la ciudad de las siete colinas al citar las palabras que dijo Lutero cuando éste aún era sumiso a la jerarquía papal. Dice: "Finalmente vislumbró en lontananza [es decir, desde lejos] la ciudad de las siete colinas. Con profunda emoción, cayó de rodillas y, levantando las manos hacia el cielo, exclamó: "¡Salve Roma santa!"– D'Aubigné, lib.2, cap. 6." CS 117

Ahora, es necesario aclarar que la profecía de Apocalipsis 17 distingue entre el imperio político religioso mundial representado por la bestia y la mujer que la comanda. ¿Por qué? Porque, en este caso, la mujer también representa la ciudad desde la cual se gobierna a la bestia. De hecho, Apocalipsis dice, en este mismo capítulo: *"La mujer que has visto es la gran Ciudad, la que reina sobre los reyes de la tierra." Apocalipsis 17:18*

En este sentido, es necesario aclarar que la mujer, en la Biblia, no solo representa una iglesia sino también la ciudad que la cobija. Y esto se cumple aún en el caso de la iglesia verdadera. Dice Apocalipsis: *"Y yo Juan vi la santa ciudad, la nueva Jerusalén, descender del cielo, de Dios, dispuesta como una esposa ataviada para su marido." Apocalipsis 21:2*

Lo cual es un dato muy importante, ¡y me crispa! al relacionarlo con el momento o el presente de dicha profecía; que, tal como lo mencionamos, trata sobre el período en el que la herida mortal sería curada y la bestia resurgiría del abismo.

Por lo que, si tomamos el año 1798 como momento en que el papado sufrió la herida de muerte, cuando Napoleón Bonaparte toma en cautiverio al papa Pío VII y precipita la pérdida de los Estados Pontificios y el poder temporal de la Iglesia Romana; debemos tomar el año 1929 como el momento en el que empieza a curar la herida de muerte, cuando Benito Mussolini, a través de los Pactos de Letrán, le devuelve parte de los territorios confiscados, y reconoce la 'Santa Sede', o 'Ciudad del Vaticano', como Estado independiente.

Por esto, si la mujer que comanda la bestia de Ap 17 es *"la gran Ciudad, la que reina sobre los reyes de la tierra"*, como bien dice el texto apocalíptico, la profecía podría estar indicando que, a través del reconocimiento de la Ciudad del Vaticano como estado independiente, la bestia recobraría el poder que ejerció en la edad oscura.

En este sentido, debemos tener en cuenta que, desde que se le reconoció la soberanía al papado sobre la ciudad del Vaticano –ciudad que actualmente reina sobre los reyes de la tierra–, los papas –que hasta el momento eran 'Obispos de Roma'– ahora, y solo ahora, una vez reconocida la ciudad del Vaticano como estado independiente, los papas se transforman en reyes del Vaticano, sin que nadie pueda juzgarlos, independientemente de lo que hagan –los tribunales de los demás estados deben reconocer la soberanía del Estado del Vaticano y no entrometerse, y dentro de éste, el mismo papa es el juez supremo, considerado infalible, y de imposible juzgamiento humano por ser, según ellos, 'el representante de Dios en la tierra'–.

En resumen, lo que estamos tratando de demostrar es que hay clara evidencia que demuestra que las siete cabezas de la bestia pertenecen, o están ligadas, Roma.[239]

Ahora, sí de acuerdo a la Biblia, las siete cabezas –además de simbolizar las siete colinas de Roma– hacen referencia a siete reyes, ¿quienes son estos? Pues, en esta interpretación escatológica, representan siete papas reyes que existirían desde el momento en que la bestia comienza a subir del abismo, es decir, desde 1929, cuando, por los tratados de Letrán, se comienza a curar su herida de muerte y el papa es considerado, por primera vez, rey de aquel nuevo estado de cuarenta y cuatro hectáreas, que la Biblia describe como *'la gran ciudad que reina sobre los reyes de la tierra'. Apocalipsis 17:18*

En este sentido, queremos hacer notar algunos antecedentes bíblicos proféticos que demuestran que Dios, más de una vez, hizo predicciones de este tipo, vinculando hechos de gran trascendencia a la vida o a los reinados de algunas personas. Consideremos algunos casos:

» El primero es cuando Dios reveló a Enoc la destrucción de la tierra por medio del diluvio. En aquel momento, la vida de su hijo Matusalén fue puesta como oráculo de la profecía. Su vida sería el tiempo que Dios concedería a aquella generación malvada para que se arrepintiera de sus pecados, y esto quedó reflejado en su nombre, dado que Matusalén sig-

---

239 Elena de White escribió: "La mujer Babilonia de Apocalipsis 17 está descrita como "vestida de púrpura y escarlata, y adornada de oro y piedras preciosas y perlas, teniendo en su mano un cáliz de oro, lleno de abominaciones, es decir, las inmundicias de sus fornicaciones; y en su frente tenía un nombre escrito: Misterio: Babilonia la grande, madre de las rameras". El profeta dice: "Vi a aquella mujer embriagada de la sangre de los santos, y de la sangre de los mártires de Jesús". Se declara además que Babilonia "es aquella gran ciudad, la cual tiene el imperio sobre los reyes de la tierra". Apocalipsis 17:4-6, 18 (VM). La potencia que por tantos siglos dominó con despotismo sobre los monarcas de la cristiandad, es Roma. La púrpura y la escarlata, el oro y las piedras preciosas y las perlas describen como a lo vivo la magnificencia y la pompa más que reales de que hacía gala la arrogante sede romana. Y de ninguna otra potencia se podría decir con más propiedad que estaba "embriagada de la sangre de los santos" que de aquella iglesia que ha perseguido tan cruelmente a los discípulos de Cristo." CS 379

nifica 'cuando muera será enviado'[240]. Así es que, en el año 1656 desde la creación, a sus 969 años, Matusalén, el ser humano que, curiosamente, más vivió sobre la tierra, murió; y luego, ese mismo año, ocurrió el diluvio.

No dejemos de notar la importancia de este antecedente; dado que *'el diluvio'* representó, para aquella generación, lo que representa *'el fin del mundo'* para la nuestra. Es más, Jesús dijo que su venida *'sucedería como en tiempos de Noé'. Mateo 24:37*

» Un segundo ejemplo lo encontramos en la profecía de Daniel 2, cuando el profeta le revela a Nabucodonosor que él era representado por la cabeza de oro. Dice el texto: *"Tú, oh rey, eres rey de reyes; porque el Dios del cielo te ha dado reino, poder, fuerza y majestad. Y dondequiera que habitan hijos de hombres, bestias del campo y aves del cielo, él los ha entregado en tu mano, y te ha dado el dominio sobre todo; tú eres aquella cabeza de oro." Daniel 2:37-38*

Entendemos que Nabucodonosor representó la cabeza de oro porque a él le fue dado el reino del mundo. En este sentido, cuando Daniel reprende a Belsasar por su pecado, la noche en que Babilonia cayó en manos de los Medos y Persas, le dijo: *"El Altísimo Dios, oh rey, dio a Nabucodonosor tu padre el reino y la grandeza, la gloria y la majestad. Y por la grandeza que le dio, todos los pueblos, naciones y lenguas temblaban y temían delante de él. A quien quería mataba, y a quien quería daba vida..." Daniel 5:18-19*

» Un tercer ejemplo lo encontramos en la profecía de Daniel 7, donde aparece una bestia *semejante a un leopardo con cuatro cabezas (Dn 7:6).* Como es sabido, el leopardo representa a Grecia, y las cuatro cabezas a Casandro, Lisímaco, Seleuco y Ptolomeo, cuatro de los generales de Alejandro Magno que se repartieron el poder luego de su temprana muerte.

Otro claro ejemplo donde las cabezas de una bestia representan a personas específicas que tomarían el poder. Antecedente que toma aún más fuerza cuando observamos que la bestia de Apocalipsis 13 tiene apariencia de leopardo (Ap 13:2), por lo cual no sería descabellado que sus cabezas también simbolicen el accionar de personas específicas en la historia de su gobierno.

---

240 https://diclib.com/es/Diccionario.español/Matusalén

» Además, en Daniel 8 se profetiza sobre Alejandro Magno como primer rey de Grecia, diciendo: *El macho cabrío es el rey de Grecia, y el cuerno grande que tenía entre sus ojos es el rey primero." (Daniel 8:21).* Dándose aún más detalles en la profecía del capítulo 11, cuando dice: *"Se levantará luego un rey valiente, el cual dominará con gran poder y hará su voluntad. Pero cuando se haya levantado, su reino será quebrantado y repartido hacia los cuatro vientos del cielo; no a sus descendientes, ni según el dominio con que él dominó; porque su reino será arrancado, y será para otros fuera de ellos." (Daniel 11:3-4),* haciendo referencia a sus cuatro generales que tomarían el poder.

» Otro caso se encuentra en la profecía de Daniel 11, cuando dice: *"Y ahora yo te mostraré la verdad. He aquí que aún habrá tres reyes en Persia, y el cuarto se hará de grandes riquezas más que todos ellos; y al hacerse fuerte con sus riquezas, levantará a todos contra el reino de Grecia." Daniel 11:2*

Esta profecía también se cumplió a la perfección. Cuando fue dada, Ciro era el rey del imperio Medo Persa, y los tres reyes que le sucedieron fueron Cambises II, Gautama –o Seudo-Esmerdis– y Darío I 'El Grande', y el cuarto fue su hijo Jerjes quien, por el año 481 a.C., lanzó una masiva invasión contra Grecia pero, luego de algunas conquistas, fue derrotado.

Constando estos importantes precedentes –relacionados con profecías vinculadas al Apocalipsis–, donde Dios relaciona tan grandes acontecimientos a la vida de estas personas, creo que no deberíamos desechar tan prontamente la interpretación de los 'siete reyes' como siete papas reyes que se sucederían desde la época en que empezó a curar la herida mortal, es decir, cuando se otorgó al obispo de Roma el título de rey y se le concedió un estado de 44 hectáreas. Instrumento clave para la reconstrucción de poder, como centro de operaciones –con representación diplomática en todo el mundo– y como escala obligatoria para los reyes y gobernantes de la tierra.

Si soy sincero, personalmente siempre tomé con pinzas esta interpretación, y de ninguna manera sometería mi fe en la Palabra de Dios a su cumplimiento, sin embargo, y ante lo ocurrido con la abrupta y extraña renuncia de Benedicto XVI, todo comenzó a cobrar sentido en mi mente, haciendo que aquellas cosas que no podía comprender en otro tiempo, ahora se clarifiquen de una manera majestuosa, como lo veremos a continuación.

Pero, antes de analizar los papas que han habido, y de qué manera éstos cumplirían la profecía, es necesario tener presente que una cosa es el momento que marca el inicio de la profecía y otra es el momento que representa el presente de la profecía. En este sentido, el inicio de la profecía de Apocalipsis 17 se remontaría a 1929, es decir, a cuando la herida mortal comienza a sanar, pero el presente de la profecía se encuentra en el periodo cuando gobierna el 'sexto rey'. Dice: *"Las siete cabezas... también simbolizan a siete reyes: cinco han caído, uno vive [el sexto] y el otro todavía no ha llegado, pero cuando llegue, durará poco tiempo." (Ap 17:9-10 LPD)*

Por esto, si tenemos en cuenta los papas que han habido desde que, por los Pactos de Letrán, en 1929 se constituyó el Estado del Vaticano –la gran ciudad que reina sobre los reyes de la tierra–, los reyes –con sus reinos– simbolizados por las siete cabezas, serían:

1. Pío XI, el cual reinó desde 1922 hasta 1939. Fue el papa que firmó los pactos de Letrán y que obtuvo la Ciudad del Vaticano como Estado independiente.

2. Pío XII, que reinó desde 1939 hasta 1958.

3. Juan XXIII, desde 1959 hasta 1963.

4. Pablo VI, que reinó desde 1963 hasta 1978, y

5. Juan Pablo I, que reinó algunos días de 1978.

Estos primeros cinco reyes constituirían lo que se conoce como 'los cinco reyes que han caído'. Luego:

6. Juan Pablo II, que reinó desde 1978 hasta 2005, y sería el que 'es', es decir, el que señalaría el presente de la profecía.

7. Benedicto XVI, que reinó desde 2005 hasta 2013, y representaría el que 'sería necesario que dure breve tiempo' o, en palabras similares, un tiempo abreviado, y

Francisco, que reina desde 2013, sería el octavo rey, el que 'es de entre los siete y va a perdición'. Y representaría el papa que gobernaría en el momento en el que la bestia resurge en todo su esplendor.

Ahora, ¿por qué Juan Pablo II constituiría el presente de la profecía? Porque en verdad fue el papa que marcó el punto de inflexión, el antes y después, en lo que hace al resurgimiento de la bestia como maravilla que eclipsa la adoración de los hombres.

En efecto, Juan Pablo II fue el papa que catapultó la imagen del papado, tanto en la mente de las personas como en el escenario geopolítico mundial. Mirá cómo lo presenta Malachi Martin, en su libro 'Las llaves de esta sangre':

"De buena gana o no, preparados o no, todos estamos involucrados en una triple competencia global, intensa, sin reglas que la limiten. Sin embargo, la mayoría de nosotros no somos competidores. Somos las apuestas. Porque lo que está en competencia es quién establecerá el primer sistema mundial de gobierno que haya existido jamás en la sociedad de las naciones. Se trata de quién poseerá y ejercerá el doble poder de la autoridad y el control sobre cada uno de nosotros como individuos y sobre todos nosotros juntos como una comunidad, sobre la totalidad de los seis mil millones de personas que los demógrafos estiman que habitarán la Tierra a comienzos del tercer milenio."

"La competencia es intensa porque, ahora que se ha iniciado, no hay forma de revertirla ni detenerla."

"Sin reglas que la limiten porque, una vez que la competencia se haya decidido, el mundo y todo lo que está en él -nuestra forma de vida como individuos y como ciudadanos de las naciones, nuestras familias y nuestros trabajos, nuestro comercio y dinero, nuestros sistemas educativos y nuestras religiones y nuestras culturas, hasta los símbolos de nuestra identidad nacional, que la mayoría de nosotros siempre hemos dado por descontados-, todo habrá sido poderosa y radicalmente alterado para siempre. Nadie puede quedar exceptuado de sus efectos. Ningún sector de nuestras vidas permanecerá intacto."

"De hecho, no es demasiado decir que el propósito deliberado del pontificado de Juan Pablo -la máquina que impulsa su gran política papal y que determina sus estrategias día a día, año a año- es salir victorioso de esa competencia, que ahora ya se ha iniciado. Porque es un hecho que las apuestas que ha colocado Juan Pablo en la arena del enfrentamiento geopolítico lo incluyen todo, a él mismo, su persona papal, el antiguo Oficio apostólico que ahora encarna, y toda su Iglesia universal, tanto como una organización institucional sin paralelo en el mundo cuanto como un cuerpo de creyentes unidos por un lazo de comunión mística." [241]

---

241 Martin, Malachi (1990). Las llaves de esta sangre (Pág. 11, 13). Lasser Press Mexicana, S.A. de C.V.

¿De qué competencia habla Malachi Martin, y quien es esta persona? Veamos lo que dice la contratapa de su libro:

"En este nuevo libro, oportuno y sugestivo, Malachi Martin, eminente teólogo, experto en la Iglesia católica, ex jesuita y profesor en el Instituto Bíblico Pontificio del Vaticano, autor del best-seller "Los Jesuitas", revela la historia desconocida que hay detrás del papel del Vaticano en el colapso de la Cortina de Hierro, así como la trascendental evaluación que hace el papa Juan pablo II de la triple competencia que se está desarrollando ahora entre las potencia globales —la Unión Soviética bajo Mijail Gorbachov, las naciones capitalistas de Occidente y la propia Iglesia romana universal del Papa—, una carrera sin tregua contra el tiempo y entre sí para establecer, mantener y controlar el primer gobierno mundial que haya existido jamás sobre la faz de la tierra. "

"Desde el primer momento de su pontificado, fue el propósito de Juan Pablo II liberar al papado de la camisa de fuerza de la inactividad que le habían impuesto las principales potencias seculares durante doscientos años."

"En suma, el propósito de Juan Pablo fue abrir las compuertas del cambio geopolítico."

"Martin detalla la evaluación que hace el Papa de las fortalezas y debilidades de los planes geopolíticos del Este y de Occidente, y la grave deficiencia que Juan Pablo insiste que ha condenado al fracaso los planes de las superpotencias. Y Martin revela el propio proyecto del papa Juan Pablo de una estructura genuinamente geopolítica: un gobierno mundial que sea al mismo tiempo viable y humanamente aceptable."

"Para algunos, el aspecto más intimidante de la política de Juan Pablo —y quizá el más esperanzador para otros— es que, a pesar de todos sus éxitos como líder en los asuntos mundiales, ha preferido presidir serenamente el rápido deterioro de su propia base de poder, la Iglesia católica romana, que se está desmoronando ante sus ojos. A pesar de las advertencias de sus consejeros más íntimos, no está dispuesto ni siquiera a tratar de detenerlo. Sin embargo, ahora más que nunca, sigue estando convencido de haber comenzado un movimiento que no se puede contener, porque él insiste que la fuerza de sus propios planes está garantizada por las Llaves de su autoridad como vicario terreno de Dios."

Además de la significatividad histórica del pontificado de Juan Pablo II, en el resurgimiento de la Iglesia Romana en la geopolítica mundial, llama la atención que este papa, el sexto papa rey del Estado del Vaticano, también se dice que recibió *'una herida de muerte'* cuando, el 13 de mayo de 1982, las crónicas relatan que recibió un disparo por parte de Mehmet Ali Ağca–. Algo que causó conmoción mundial y que, al curar de ella, lo catapultó victorioso al escenario geopolítico mundial.

Ahora, ¿qué decir en cuanto al séptimo rey, aquél que *'sería necesario dure breve tiempo'?* Lo que sucedió con Benedicto XVI y su precipitada renuncia, ¿no cumple esta profecía a la perfección? ¿No fue acaso necesario que se le acorte su mandato y se coloque otra persona como cabeza visible de la Iglesia Romana? Por diversas causas: cambio de la imagen papal por un rostro más amigable y popular, intento de tapar los escándalos morales –de toda índole–, que, desde las máximas esferas de poder sacudieron esta iglesia… ¡No sé! Desconocemos cuáles han sido todas las causas por las cuales *'fue necesario'* acortar el mandato de Benedicto XVI, pero, lo cierto, es que, en esta parte, la profecía de Apocalipsis también se cumpliría a la perfección.

El octavo

¿Y qué en cuanto al octavo, el que es *'de entre los siete y va a la perdición' (Ap 17:11)?* Lo que Apocalipsis anticipó es que el octavo surgiría de entre los siete. Pues, el reinado de Francisco ¿no surgió, acaso, de entre el reinado de Benedicto XVI?. En efecto, los propios analistas papales vieron a dos papas, y no a uno, gobernando la Iglesia Romana. Leamos, por ejemplo, algunos extractos de la publicación de la agencia católica de noticias ACI Prensa, titulada: "Consideraciones eclesiológicas acerca de la simultaneidad de un Papa reinante con un Papa emérito." Dice:

"Monseñor Georg Gänswein, Prefecto de la Casa Pontificia, el 20 de mayo, tuvo una intervención en la presentación de un libro acerca del pontificado de Benedicto XVI. En esa intervención, dijo unas pocas frases que dieron la vuelta al mundo eclesiástico, afirmando que el Papa Benedicto no ha abandonado el ministerio de Pedro, y hablando de un papado en el que hay un miembro activo y un miembro contemplativo."

"No oculto que, en un primer momento, tuve una impresión de desagrado hacia sus palabras. ¿Cómo era posible que el Prefecto de la Casa Pontificia difuminara la nitidez de una renuncia pontificia,

una cuestión canónica de gravísima trascendencia para la vida de la Iglesia?"

"Pero en los días siguientes seguí reflexionando sobre el tema. Y me di cuenta de que monseñor Gänswein había abierto un apasionante tema eclesiológico totalmente nuevo, nunca tratado antes con la hondura que merecía."

"Después de darle muchas vueltas a este asunto, me encontré con que del desagrado pasé a suscribir enteramente las palabras del Prefecto de la Casa Pontificia." [242]

Por todo esto, entendemos que *'el octavo'* es una expresión simbólica que alude al resurgir de la bestia luego de haber curado de su herida mortal, dado que podríamos leer el texto de la siguiente manera: *"La bestia que era, y no es, 'es' [o 'será', es decir, 'resurgirá en'] el octavo…" Apocalipsis 17:11*

Cuando me enteré de la renuncia de Benedicto XVI, empecé a considerar este posible 'cumplimiento escatológico' con mayor atención. Había escuchado a personas que hablaban del tema desde la época en que reinaba el papa Juan Pablo II –incluso con algunas interpretaciones bastante alocadas –que incluían la resurrección de aquel papa que se encontraba a punto de morir–. Pero, luego de la renuncia de Joseph Aloisius Ratzinger al papado de la Iglesia Romana, todo empezó a clarificarse delante de mi mente. Por lo que, en mi interior, dije: Si esto es como parece, si mi paisano Jorge Mario Bergoglio, actual papa Francisco, es quien se describe como *'el octavo'*, entonces veré con mis propios ojos el resurgir de la bestia… Y pensé: si bajo su pontificado se empieza a producir la toma de poder de la Iglesia Romana, si puedo ver que los reyes del mundo le entregan su poder, postrándose ante su autoridad, y si el mundo se maravilla en torno al papado, no me quedaré callado…' Y saben, ¡no he visto otra cosa que eso…!

El último rey de babilonia

Además de esta sorprendente profecía, existe un concepto en la Biblia que complementa esta interpretación. Me refiero a algunos pasajes que hablan acerca de un *'hombre de pecado'*. No un reino, un 'hombre' que

---

242 Artículo tomado de Jose Antonio Fortea, Ex scriptorio, Two Beats 2016, pg 3-12. Publicado en la página web de ACI Prensa en 2016, pero eliminado en 2021. Disponible en: https://web.archive.org/web/20161027124154/https://www.aciprensa.com/blog/dos-papas-dos-formas-de-ministerio

el Señor destruirá con el resplandor de su venida. Algo que, simbólicamente, se podría aplicar a un poder histórico –es decir, al papado en su conjunto–, pero que también encuentra pleno cumplimiento en la figura de lo que vendría a ser *'el último rey de la tierra'*.

Por ejemplo, el apóstol Pablo dijo a sus contemporáneos: *"Acerca de la Venida de nuestro Señor Jesucristo y de nuestra reunión con él, les rogamos, hermanos, que no se dejen perturbar fácilmente ni se alarmen, sea por anuncios proféticos, o por palabras o cartas atribuidas a nosotros, que hacen creer que el Día del Señor ya ha llegado. Que nadie los engañe de ninguna manera. Porque antes tiene que venir la apostasía [de la iglesia] y manifestarse el hombre impío, el Ser condenado a la perdición, el Adversario, el que se alza con soberbia contra todo lo que lleva el nombre de Dios o es objeto de culto, hasta llegar a instalarse en el Templo de Dios, presentándose como si fuera Dios. ¿No recuerdan que cuando estuve con ustedes les decía estas cosas? Ya saben qué es lo que ahora lo retiene, para que no se manifieste sino a su debido tiempo. El misterio de la iniquidad ya está actuando. Solo falta que desaparezca el que hasta el presente lo retiene, y entonces se manifestará el Impío, a quien el Señor Jesús destruirá con el aliento de su boca y aniquilará con el resplandor de su Venida. La venida del Impío será provocada por la acción de Satanás y está acompañada de toda clase de demostraciones de poder, de signos y falsos milagros, y de toda clase de engaños perversos, destinados a los que se pierden por no haber amado la verdad que los podía salvar. Por eso, Dios les envía un poder engañoso que les hace creer en la mentira, a fin de que sean condenados todos los que se negaron a creer en la verdad y se complacieron en el mal." 2 Tesalonicenses 2:1-12 LPD*

Engaños que, justamente, están relacionados con aquellas *'grandes señales'* que se le permitirá realizar al falso profeta en presencia de la bestia (Ap 13:13-14).

También en la singular profecía de Daniel 8, se describe este mismo concepto, cuando dice: *"Entonces oí a un santo que hablaba; y otro de los santos preguntó a aquel que hablaba: ¿Hasta cuándo durará la visión del continuo sacrificio, y la prevaricación asoladora entregando el santuario y el ejército para ser pisoteados? Y él dijo: Hasta dos mil trescientas tardes y mañanas; luego el santuario será purificado. Y aconteció que mientras yo Daniel consideraba la visión y procuraba comprenderla, he aquí se puso delante de mí uno con apariencia de hombre. Y oí una voz de hombre entre las riberas del Ulai, que gritó y dijo: Gabriel, enseña a éste la visión. Vino luego cerca de donde yo estaba; y con su venida me asombré, y me postré sobre mi rostro. Pero él me dijo: Entiende, hijo de hombre, porque la visión es para el tiempo del fin. Mientras él hablaba conmigo, caí dormido en tierra sobre mi rostro; y él me tocó, y me hizo estar en pie. Y dijo: He aquí yo te enseñaré lo que ha de venir al fin de la ira; porque eso es para el tiempo del fin." Daniel 8:13-19*

Tres veces se le insiste a Daniel que lo que se le enseñará sería *'para el fin del tiempo del fin'*.

A continuación, podremos ver que Gabriel irá explicando –a vuelo de pájaro– la visión al profeta y, en un determinado momento, saltará de la seguidilla de reinos al final de la historia, a la figura del último rey que gobernaría la tierra antes del retorno de Cristo –el de la época cuando "los transgresores lleguen al colmo"–. Dice: *"En cuanto al carnero que viste, que tenía dos cuernos, éstos son los reyes de Media y de Persia. El macho cabrío es el rey de Grecia, y el cuerno grande que tenía entre sus ojos es el rey primero. Y en cuanto al cuerno que fue quebrado, y sucedieron cuatro en su lugar, significa que cuatro reinos se levantarán de esa nación, aunque no con la fuerza de él. Y al fin del reinado de éstos, cuando los transgresores lleguen al colmo, se levantará un rey altivo de rostro y entendido en enigmas. Y su poder se fortalecerá, mas no con fuerza propia; y causará grandes ruinas, y prosperará, y hará arbitrariamente, y destruirá a los fuertes y al pueblo de los santos. Con su sagacidad hará prosperar el engaño en su mano; y en su corazón se engrandecerá, y sin aviso destruirá a muchos; y se levantará contra el Príncipe de los príncipes, pero será quebrantado, aunque no por mano humana. La visión de las tardes y mañanas que se ha referido es verdadera; y tú guarda la visión, porque es para muchos días." Daniel 8:20-26*

Si bien todo esto se aplica a Roma –y al papado– en su conjunto, es notable el cumplimiento que también podría tener al final de los días con el reinado de Francisco. Cinco veces se le repite a Daniel, con diferentes palabras, que esta profecía era dada *'para el tiempo del fin'*, para el tiempo *"cuando los transgresores lleguen al colmo". Daniel 8:23*

Son muchos los pasajes que refieren directa y literalmente al accionar de este último rey. Por ejemplo, también en Daniel 11, hablando en relación al rey del norte, dice: *"Y le sucederá en su lugar un hombre despreciable, al cual no darán la honra del reino [a Bergoglio no le dieron el Palacio Apostólico, sino que, al día de hoy, aún tiene que residir en una casa llamada 'Santa Marta']; pero vendrá sin aviso y tomará el reino con halagos [la DHH dice 'por medio de engaños', la NTV 'mediante adulación e intrigas', la RVC dice 'por medio de zalamerías', y la CST 'recurriendo a artimañas, usurpará el trono'. Luego dice] …Con lisonjas [Alabanza exagerada y generalmente interesada que se hace a una persona para conseguir un favor o ganar su voluntad.] seducirá a los violadores del pacto; mas el pueblo que conoce a su Dios se esforzará y actuará." Daniel 11:21,3 2*

Alguno quizás estará pensando dentro de sí, al leer estas cosas: 'eso ya se cumplió en tal año cuando…', sin embargo, debemos recordar que, tal como ya lo hemos mencionado, esta profecía tendría dos cumplimientos, uno en la historia de Roma y otro en el fin de los días.[243]

No obstante, insistimos en que lo planteado debe ser analizado, a la luz de la Palabra de Dios, a fin de descartar o aceptar la interpretación propuesta. Es decir, en esta porción de la escritura, entendemos que debemos ser abiertos a la hora de analizar su significado y cautos a la hora de proponer una interpretación como totalmente cierta.

En lo personal, veo que todo parecería encajar. Sinceramente, me parece una maravillosa manera de expresar nuestra realidad –en la que tuvimos un papa superpuesto con otro– cuando dice *'el octavo rey es de entre los siete, y va a perdición'*, en el momento en que la bestia romana está, a toda luz, recibiendo el poder del resto de los reyes del mundo, a través de la actuación de un papa que tiene todas las cualidades que describen a aquel *'último rey de la tierra'.*

Sin embargo, creo necesario decirle, tenga prudencia con esta interpretación, teniendo los ojos abiertos –en palabras de Jesús, *'velando'*– para no ser ni arrastrado por sensacionalismos ni encontrados *'durmiendo'* cuando el gran día del Señor se acerca.

La última generación

Cristo no reveló el día y la hora de su regreso, pero sí dijo *"así también, cuando vean todas estas cosas, sepan que el fin está cerca, a la puerta. Les aseguro que no pasará esta generación, sin que suceda todo esto." Mateo 24:33-34 LPD*

Pregunto… ¿esto abriría la puerta para que, aunque no podemos conocer el día y la hora de su retorno, sí podamos estar seguros de pertenecer a la generación que lo verá volver? Es decir, ¿podría la generación final –al tomar nota del cumplimiento de 'todas las cosas' anticipadas por las Sagradas Escrituras– conocer que el retorno de Jesús no pasará de su generación?

---

243 Ver nota 236.

En este mismo sentido, ¿podrán ellos distinguir, con nombre y apellido, al *'hombre impío, el Ser condenado a la perdición, el Adversario, el que se alza con soberbia contra todo lo que lleva el nombre de Dios o es objeto de culto, hasta llegar a instalarse en el Templo de Dios, presentándose como si fuera Dios…. a quien el Señor Jesús destruirá con el aliento de su boca y aniquilará con el resplandor de su Venida…' 2 Tesalonicenses 2:2-12 LPD?*

Es decir, ¿podríamos llegar a conocer que estamos en la última generación por tener la certeza que no habrán más reyes en Babilonia? No lo sé. De hecho, lo que anticipa la profecía de Apocalipsis 17 es el momento en el que resurgirá la bestia romana papal –luego de haber curado de su herida de muerte–, sin especificar si habrían más reyes luego del octavo o no. Sin embargo, es una posibilidad muy cierta que, en lo personal, le presto mucha atención.

El tiempo de la profecía

El dragón de Apocalipsis 12 aparece en el cielo. Dice: *"También apareció otra señal en el cielo: he aquí un gran dragón escarlata, que tenía siete cabezas y diez cuernos…" (Ap 12:3);* con lo cual podemos comprender que aquella profecía cubre un extenso período de tiempo que va desde la rebelión de Lucifer hasta la gran batalla del Armagedón.

Luego, Apocalipsis 13 hace un zoom y nos muestra a la bestia surgiendo desde el mar, es decir, entre pueblos, muchedumbres, naciones y lenguas. Dice: *"Me paré sobre la arena del mar, y vi subir del mar una bestia que tenía siete cabezas y diez cuernos…" (Ap 13:1);* con lo cual podemos comprobar que dicha profecía cubre el período desde que Roma se alza sobre la humanidad hasta que recibe su herida de muerte y cura de ella –a través de la acción de otra bestia, con cuernos semejantes a los de un cordero, que representa a los Estados Unidos de América–.

Sin embargo, Apocalipsis 17 es aún mucho más específico, dado que la bestia aparece en el desierto, siendo comandada por una mujer. Dice: *"Y me llevó en el Espíritu al desierto; y vi a una mujer sentada sobre una bestia escarlata llena de nombres de blasfemia, que tenía siete cabezas y diez cuernos…" (Ap 17:3);* lo cual nos indica que la profecía trata específicamente del tiempo en el que Roma, estando comandada por el papado, ha recibido una herida de muerte –por ello se encuentra desterrada en el desierto–, pero está en el preciso momento *'para subir del abismo e ir a perdición…' Apocalipsis 17:8*

Teniendo esto en cuenta, y al observar el nivel de detalle y *'literalidad'* que caracteriza la profecía de Apocalipsis 17 —cuando presenta el color con que se vestirían los principales dirigentes de la iglesia romana, la riqueza que ostentarían, el símbolo del engaño que portarían en su mano, el lugar geográfico donde tendría asiento su gobierno—, nos preguntamos ¿por qué dicha profecía no podría ser también específica y literal en cuanto a los papas que habría desde que comenzó a curar de su herida de muerte hasta el fin? ¿No es justamente éste el contexto del cual trata esta profecía, es decir, el momento en el cual la bestia *'no es; pero está para subir del abismo e ir a perdición...' Apocalipsis 17:8?*

Diez cuernos

En cuanto a los diez cuernos, el ángel explica su significado al apóstol Juan, diciendo: *"los diez cuernos que has visto, son diez reyes, que aún no han recibido reino; pero por una hora recibirán autoridad como reyes juntamente con la bestia." Apocalipsis 17:12*

Como vemos, los cuernos también simbolizan reyes pero, a diferencia de las cabezas —que gobiernan de manera consecutiva—, son reyes de menor poder que gobernarán de manera simultánea, y en conjunto con la bestia.

La primera vez que se los menciona es en la profecía de Daniel 7, cuando dice, en relación a la bestia espantosa y terrible —que describe a Roma—: *"los diez cuernos significan que de aquel reino se levantarán diez reyes; y tras ellos se levantará otro, el cual será diferente de los primeros, y a tres reyes derribará." Daniel 7:24*

Sabemos que aquella profecía tuvo un primer cumplimiento en los reinos europeos que emergieron ante de la caída de Roma —luego de las invasiones de los pueblos 'bárbaros'— y el surgimiento del papado tras ellos —simbolizado por aquel cuerno pequeño que se levantaría luego de los diez anteriores—.

Sin embargo, nos preguntamos ¿será que esto también tendrá otro cumplimiento en el fin de los días? Pues, sí. Dado que, en un contexto en el que la bestia *'no es'* —es decir, en un tiempo posterior a su herida de muerte—, la profecía de Apocalipsis 17 menciona que estos diez reyes aún no han recibido su reino. Por esto, evidentemente, no se trata de aquellos reyes que surgieron ante la caída de Roma, sino de otros gobiernos que se formarán en el futuro a fin de lograr el tan ansiado, y al mismo tiempo temido, *'Nuevo Orden Mundial'*.

De hecho, el gobierno de estos diez reyes será muy breve −tal como una hora profética−, y tendrá por único objetivo devolver el poder a la bestia −luego de que ésta se haya curado de su herida mortal−. Dice Apocalipsis: *"los diez cuernos que has visto, son diez reyes, que aún no han recibido reino; pero por una hora recibirán autoridad como reyes juntamente con la bestia. Estos tienen un mismo propósito [es decir, se han puesto de acuerdo], y entregarán su poder y su autoridad a la bestia." Apocalipsis 17:12-13*

De hecho, este intento de ponerse de acuerdo a fin de lograr un gobierno mundial −en el contexto de un reino dividido−, también fue anticipado en la profecía de Daniel 2, justamente en relación a los diez dedos de la estatua que allí se presenta como símbolo de la historia de la humanidad. Dice Daniel: *"Y lo que viste de los pies y los dedos, en parte de barro cocido de alfarero y en parte de hierro, será un reino dividido; mas habrá en él algo de la fuerza del hierro, así como viste hierro mezclado con barro cocido. Y por ser los dedos de los pies en parte de hierro y en parte de barro cocido, el reino será en parte fuerte, y en parte frágil. Así como viste el hierro mezclado con barro, se mezclarán por medio de alianzas humanas; pero no se unirán el uno con el otro, como el hierro no se mezcla con el barro." Daniel 2:41-43*

Como vemos, tanto la profecía de Daniel 2, como la de Daniel 7 y las de Apocalipsis 12, 13 y 17, anticipan que, en el fin de la historia, el poder mundial será dividido en diez reyes, los cuales se pondrán de acuerdo en formar un único gobierno mundial, devolviéndole el poder al papado. Sin embargo, fracasarán; porque será un reino en oposición a Dios.

En efecto, el contexto en el que estos diez reyes recibirán el poder, apunta al tiempo en el que el diablo reunirá a los reyes de la tierra para guerrear contra Cristo, pues se dice de ellos: *"Pelearán contra el Cordero, y el Cordero los vencerá, porque él es Señor de señores y Rey de reyes; y los que están con él son llamados y elegidos y fieles." Apocalipsis 17:14*

Lo cual también es anunciado en la profecía de Daniel 2, cuando dice: *"Y en los días de estos reyes el Dios del cielo levantará un reino que no será jamás destruido, ni será el reino dejado a otro pueblo; desmenuzará y consumirá a todos estos reinos, pero él permanecerá para siempre…" Daniel 2:44*

Por esto, así como en el pasado los cuernos −o reinos− que surgieron de la cuarta bestia de Daniel 7, se pusieron de acuerdo en dar autoridad al papado hasta que se hartaron de él −quitándole el poder en la Revolución Francesa−, estos diez reyes de Apocalipsis 17 también terminarán por volverse contra él.

Dice la profecía: *"Y los diez cuernos que viste en la bestia, estos aborrecerán a la ramera, y la dejarán desolada y desnuda; y devorarán sus carnes, y la quemarán con fuego; porque Dios ha puesto en sus corazones el ejecutar lo que él quiso: ponerse de acuerdo, y dar su reino a la bestia, hasta que se cumplan las palabras de Dios." Apocalipsis 17:16-17*

Como vemos, la profecía se cumplió en el pasado y se volverá a cumplir en el futuro.

Vuelve a leer, ahora mismo, Apocalipsis 17, y comprueba como ya se ha abierto ante tus ojos.

Para más información sobre el significado de las siete cabezas de la bestia, recomendamos ver nuestro documental, titulado: *'Francisco, ¿el último papa?'*

QR 8: https://www.diloalmundo.org/francisco

Capítulo 18
La desolación de Babilonia

En el capítulo anterior, uno de los siete ángeles encargados de derramar las copas de la ira de Dios, le dijo al apóstol Juan: *"Ven acá, y te mostraré la sentencia contra la gran ramera" (Ap 17:1).* Sin embargo, en dicho capítulo, solo se describe la identidad de quien sería la madre de todas las iglesias apóstatas; quedando, para este, la presentación de la sentencia en sí.

La proclamación de la sentencia

Es en este contexto que Apocalipsis 18 comienza diciendo: *"Después de esto vi a otro ángel descender del cielo con gran poder; y la tierra fue alumbrada con su gloria. Y clamó con voz potente, diciendo: Ha caído, ha caído la gran Babilonia, y se ha hecho habitación de demonios y guarida de todo espíritu inmundo, y albergue de toda ave inmunda y aborrecible." Apocalipsis 18:1-2*

El ángel que baja del cielo representa un mensaje que viene de Dios. Mensaje que será proclamado en la tierra, con gran poder, por sus *'mensajeros'*, al punto que llegará a cada rincón del mundo para alumbrar –con la gloria de quien se define como 'La Verdad' (Juan 14:6, 1 Juan 5:20)– toda mente entenebrecida. El mensaje será claro y directo: *'ha caído, ha caído la gran Babilonia'.*

Si prestamos atención, es un mensaje que implica una sentencia de parte de Dios respecto de instituciones que, en el pasado, no eran calificadas como *'caídas'.* Sin embargo, llegado este momento, la sentencia es indubitable: Babilonia cayó. Una sentencia similar a aquella que fue pronunciada sobre los ángeles que se rebelaron contra Dios cuando fueron calificados como *'ángeles caídos',* es decir, destituidos de la gloria de Dios.

Los fundamentos de la sentencia

Como en todo acto por el cual un juez emite una sentencia contra alguien, Apocalipsis incluye los fundamentos por los cuales se ha arribado a tal decisión. Los cuales son:

1. Su relación con Satanás

El primer fundamento de la sentencia contra la gran ramera es, justamente, haberse convertido en *"habitación de demonios y guarida de todo espíritu inmundo, y albergue de toda ave inmunda y aborrecible" (Ap 18:2)*.

Lo cual implica que el vínculo que existirá entre esta institución y aquellos ángeles –también– *'caídos'*, llamados demonios, será pleno. Es decir, esta iglesia apóstata se habrá convertido en una religión diabólica, pero presentada en el nombre de Cristo.

Y esto es, justamente, lo que representa el *'anticristo';* dado que este concepto, en la Biblia, hace referencia a un poder engañoso cuya oposición a Dios estaría encubierta detrás de una aparente 'cristiandad'. En efecto, el prefijo griego 'anti' significa tanto 'en contra de', como 'en lugar de'. Por eso, la palabra 'anticristo' apunta a quién estará en contra de Cristo intentando ocupar su lugar.

El apóstol Pablo escribió en relación a esto, diciendo: *"Acerca de la Venida de nuestro Señor Jesucristo y de nuestra reunión con él, les rogamos, hermanos, que no se dejen perturbar fácilmente ni se alarmen, sea por anuncios proféticos, o por palabras o cartas atribuidas a nosotros, que hacen creer que el Día del Señor ya ha llegado. Que nadie los engañe de ninguna manera. Porque antes tiene que venir la apostasía y manifestarse el hombre impío, el Ser condenado a la perdición, el Adversario, el que se alza con soberbia contra todo lo que lleva el nombre de Dios o es objeto de culto, hasta llegar a instalarse en el Templo de Dios, presentándose como si fuera Dios."* 2 Tesalonicenses 2:1-4 LPD

Como vemos, el adversario –es decir, el anticristo–, es presentado aquí como un *'ser condenado a la perdición'* –lo cual implica una sentencia divina en su contra–; que se alzará con soberbia contra Dios hasta llegar al punto de instalarse en su templo, presentándose como si fuera Dios.

Ahora, ¿en qué momento se manifestaría el anticristo? Leamos el contexto. Dice: *"entonces se manifestará el Impío, a quien el Señor Jesús destruirá con el aliento de su boca y aniquilará con el resplandor de su Venida."* 2 Tesalonicenses 2:8 LPD

Según esta escritura, el anticristo se manifestará antes de la segunda venida de Jesús. Pero, ¿cuándo? Continuemos leyendo, dice: *"La venida del Impío será provocada por la acción de Satanás y está acompañada de toda clase de demostraciones de poder, de signos y falsos milagros, y de toda clase de engaños perversos, destinados a los que se pierden por no haber amado la verdad que los podía salvar." 2 Tesalonicenses 2:9-10 LPD*

Salta a la vista que la manifestación del anticristo se dará en el tiempo en el que se le permitirá al diablo —y a sus representantes terrenales—, engañar a los hombres mediante las *'grandes señales'* descritas en Apocalipsis 13, cuando dice, en relación al protestantismo apóstata de los Estados Unidos: *"También hace grandes señales, de tal manera que aun hace descender fuego del cielo a la tierra delante de los hombres. Y engaña a los moradores de la tierra con las señales que se le ha permitido hacer en presencia de la bestia, mandando a los moradores de la tierra que le hagan imagen a la bestia que tiene la herida de espada, y vivió." Apocalipsis 13:13-14*

Con lo cual, podemos comprender que la manifestación del impío se dará en el contexto de la imposición de la *'marca de la bestia'*, es decir, de aquella legislación que impondrá un día de descanso espurio bajo la amenaza de no poder comprar ni vender —y aún de perder la vida—, tal como lo explicamos en el análisis de Apocalipsis 13.[244]

2. El vino del furor de su fornicación

El segundo fundamento por el cual Babilonia será condenada, se explica diciendo *"porque todas las naciones han bebido del vino del furor de su fornicación; y los reyes de la tierra han fornicado con ella." Apocalipsis 18:3*

Como ya hemos explicado, el vino de Babilonia representa los engaños con que esta iglesia embriaga a los habitantes de la tierra. Sin embargo, aquí se habla de un vino especial, se lo denomina *'el vino del furor de su fornicación'*, el cual corresponde a aquel terrible engaño que nos llevará al clímax de su relación prohibida con los reyes de la tierra.

---

244 Elena de White escribió: "Después que la verdad haya sido proclamada como testimonio a todas las naciones, comenzará a actuar todo medio concebible de maldad, y las mentes serán confundidas por muchas voces que clamarán: "¡He aquí el Cristo! ¡Helo allí! ¡Esta es la verdad! Yo tengo el mensaje de Dios; él me ha enviado con gran luz". Entonces se removerán los hitos y se tratará de derribar las columnas de nuestra fe. Se hará un esfuerzo más decidido para exaltar el falso día de reposo y despreciar a Dios mismo al reemplazar el día que él bendijo y santificó. Se pondrá en vigencia la observancia de este falso día de reposo mediante una ley opresiva... Pero mientras Satanás obre mediante sus milagros mentirosos, se cumplirá el tiempo predicho en el Apocalipsis, y el ángel poderoso que iluminará la tierra con su gloria proclamará la caída de Babilonia y llamará a su pueblo a abandonarla.—The Review and Herald, 13 de diciembre de 1892." MSV 195

¿Cuál será este engaño? Pues, sin dudas, corresponde a aquella legislación que pondrá a los hombres en pugna con la ley de Dios, a través de la imposición de un día de descanso espurio. Legislación que es denominada en Daniel *'la abominación desoladora'*, es decir, aquella abominación que provocará los juicios de desolación por parte de Dios.[245]

Ahora, tal como ya hemos comentado, la abominación de la desolación no será impuesta por la iglesia madre, es decir, por el papado –como en el tiempo pasado–, sino a través de sus hijas –también rameras– cuando se prostituyan tras los reyes del mundo bebiendo el vino de la fornicación de su madre. Es decir, cuando el protestantismo apóstata de los Estados Unidos influya sobre los estados para que se imponga la tan comentada ley dominical, a fin de agradar al papado.[246]

En consecuencia, si bien Babilonia simboliza, en un principio, al papado, también representa a todas las iglesias que han heredado su nombre no solamente por haber salido de ella, sino también por haber compartido su vino y haberse puesto bajo su autoridad imponiendo, mediante sus vínculos con los estados, su voluntad.

3. Su relación con los mercaderes de la tierra

Ahora, volviendo al texto, vemos que también aparece la participación de otro sector de poder que, hasta aquí, no se había mencionado: 'los mercaderes de la tierra'. Dice: *"...y los mercaderes de la tierra se han enriquecido de la potencia de sus deleites." Apocalipsis 18:3*

---

245 Elena de White, comentando la afirmación "Ha hecho beber a todas las naciones del vino del furor de su fornicación", pregunta: ¿Cómo se hace esto? Y responde: "Forzando a los hombres a aceptar un día de reposo espurio.—Testimonies for the Church 8:94 (1904)." EUD 170

246 Elena de White explica: "El llamado mundo cristiano será el teatro de acciones grandes y decisivas. Hombres en posiciones de autoridad pondrán en vigencia leyes para controlar la conciencia, según el ejemplo del papado. Babilonia hará que todas las naciones beban del vino del furor de su fornicación. Toda nación se verá envuelta. Acerca de ese tiempo Juan el revelador declara: [se cita Apocalipsis 18:3-7; 17:13-14]. "Estos tienen un mismo propósito". Habrá un vínculo de unión universal, una gran armonía, una confederación de fuerzas de Satanás "y entregarán su poder y su autoridad a la bestia". Así se manifiesta el mismo poder opresivo y autoritario contra la libertad religiosa, contra la libertad de adorar a Dios de acuerdo con los dictados de la conciencia, como lo manifestó el papado cuando en lo pasado persiguió a los que se atrevieron a no conformarse con los ritos religiosos y las ceremonias de los romanistas.—Mensajes Selectos 3:447-448 (1891)." EUD 117

Esto quiere decir que esta prostituta no solo fornicará con los reyes de la tierra sino también con grandes empresarios –dueños de las multinacionales que copan el mercado de nuestros días–, haciendo que ellos se enriquezcan a través de la *potencia de sus deleites'*, lo cual incluye el vino del furor de su fornicación, a cambio de su adoración.

Lo cual llama poderosamente la atención, dado que Babilonia –*léase, 'el papado'*– es una institución que 'dice' preocuparse por los pobres y desterrados, llenándose la boca de palabras misericordiosas y poniéndolos en el centro de sus llamados; sin embargo, en su intimidad, se une con los más grandes multimillonarios de la tierra –haciendo que se enriquezcan a costa del empobrecimiento del mundo– a cambio de que le otorguen el poder.

Un buen ejemplo lo encontramos en los sucesos ocurridos en torno a la pandemia del Covid 19, donde todo el mundo se empobreció mientras los más ricos duplicaron su fortuna, al mismo tiempo que sellaban acuerdos de cooperación con el papado a fin de crear un sistema económico 'más equitativo y sostenible', bajo lemas tales como 'capitalismo inclusivo'[247].

El último llamado de Dios

Es en este contexto –de perversión total de un sistema religioso que ha llegado a convertirse en habitación de demonios, uniéndose con los reyes y los mercaderes de la tierra a fin de conseguir la adoración del mundo entero–, que Dios hará resonar su último llamado hacia sus hijos que aún se encuentren dentro de estas instituciones maquiavélicas. Dice: *"Y oí otra voz del cielo, que decía: Salid de ella, pueblo mío, para que no seáis partícipes de sus pecados, ni recibáis parte de sus plagas; porque sus pecados han llegado hasta el cielo, y Dios se ha acordado de sus maldades." Apocalipsis 18:4-5*

Si prestamos atención, el llamado final sonará en un tiempo en el que Dios ya habrá pronunciado su sentencia sobre Babilonia –proclamando su caída–, pero cuando aún quede un escaso tiempo de gracia para salir de allí, es decir, antes de que sus juicios caigan sobre la tierra.

En consecuencia, nos encontraremos en el tiempo en el que aparecerán los 144000 para predicar el último llamado de Dios. Por esto,

---

247 https://www.inclusivecapitalism.com/?s=pope+francis
https://www.nytimes.com/2020/12/08/business/dealbook/pope-vatican-inclusive-capitalism.html

entendemos que Apocalipsis 18 está íntimamente vinculado al *'mensaje de los tres ángeles'* que aparece en Apocalipsis 14. Veamos:

» El primer ángel de Apocalipsis 14 vuela por en medio del cielo trayendo el evangelio eterno para predicarlo a todos los moradores de la tierra, diciendo a gran voz *'temed a Dios y dadle gloria, porque la hora de su juicio es venida' (Ap 14:6-7);* de la misma manera, el ángel de Apocalipsis 18 desciende del cielo con gran poder para alumbrar la tierra con su gloria (Ap 18:1), en un contexto en el que la sentencia de Dios ya ha sido pronunciada sobre Babilonia (Ap 17:1).

» Luego, el segundo ángel de Apocalipsis 14, proclama: *"Ha caído, ha caído Babilonia, la gran ciudad, porque ha hecho beber a todas las naciones del vino del furor de su fornicación." (Ap 14:8).* Es decir, la misma sentencia que Apocalipsis 18 expone con mayores detalles. Razón por la cual, entendemos que el tiempo en el cual debe ser proclamada esta sentencia, también es el mismo; es decir, cuando los pecados de Babilonia lleguen hasta el cielo y Dios la juzgue como caída.

» Por último, el mensaje del tercer ángel de Apocalipsis 14 llama a no recibir la marca de la bestia bajo el apercibimiento de recibir los juicios de Dios (Ap 14:9-10); de la misma manera, la voz que se oye desde el cielo –en Apocalipsis 18–, llama a salir de Babilonia para no ser hallado partícipes de sus pecados y recibir parte de sus plagas (Ap 18:4-5).

Por esto, en nuestro entendimiento, la proclamación más plena del mensaje de los tres ángeles de Apocalipsis 14 aún se encuentra en el futuro –cuando resuene de manera conjunta con el mensaje representado por el ángel de Apocalipsis 18–. Esto no quiere decir que dichos mensajes no se hayan predicado en el pasado, sino que su mayor cumplimiento aún está en el porvenir.

Ahora, otro asunto importante que se deja ver –tanto en el mensaje de los tres ángeles como en el cuarto que aparece en Apocalipsis 18–, es que el juicio de los vivos se definirá en etapas. ¿Por qué? Porque es claro que mientras la puerta de la gracia se habrá cerrado para todos aquellos que han conocido la verdad pero no la han amado –representados por Babilonia–, aún estará abierta para los que permanecen en ignorancia. ¿Hasta cuándo? Hasta que el fuerte pregón del evangelio haya impresionado la mente de cada persona que habita en este mundo, llenando toda la tierra con la gloria del evangelio eterno.

En este sentido, notemos que, al mismo tiempo que se comunica la sentencia contra la gran ramera –denunciándola como 'caída'–, Dios hace un tierno llamado a todos los que habitan en ignorancia dentro de ella, diciendo: *"Salid de ella, pueblo mío, para que no seáis partícipes de sus pecados, ni recibáis parte de sus plagas; porque sus pecados han llegado hasta el cielo, y Dios se ha acordado de sus maldades." Apocalipsis 18:4-5* [248]

En resumen, creemos que el mensaje de Apocalipsis 18 explotará en el tiempo en el que el protestantismo apóstata de los Estados Unidos esté imponiendo la marca de la bestia sobre los habitantes del mundo. En aquel momento, el pueblo de Dios alzará su voz predicando el verdadero evangelio por toda la tierra, con un claro llamado a no recibir la marca de la bestia y a salir de toda institución que se haya convertido en habitación de demonios, poniéndose a su servicio.

---

248 Elena de White explica: "Se dice de Babilonia, con referencia al tiempo en que está presentada en esta profecía: "Sus pecados han llegado hasta el cielo y Dios se ha acordado de sus maldades". Apocalipsis 18:5. Ha llenado la medida de sus culpas y la ruina está por caer sobre ella. Pero Dios tiene aún un pueblo en Babilonia; y antes de que los juicios del cielo la visiten, estos fieles deben ser llamados para que salgan de la ciudad y que no tengan parte en sus pecados ni en sus plagas. De ahí que este movimiento esté simbolizado por el ángel que baja del cielo, alumbrando la tierra y denunciando con voz potente los pecados de Babilonia. Al mismo tiempo que este mensaje, se oye el llamamiento: "Salid de ella, pueblo mío". Estas declaraciones, unidas al mensaje del tercer ángel, constituyen la amonestación final que debe ser dada a los habitantes de la tierra." CS 590

"Babilonia ha estado fomentando doctrinas venenosas, el vino del error. Este vino del error se compone de falsas doctrinas, como la inmortalidad natural del alma, el tormento eterno de los impíos, la negación de la preexistencia de Cristo antes de su nacimiento en Belén, y la defensa y exaltación del primer día de la semana sobre el día santificado por Dios. Estos y otros errores afines son presentados al mundo por las varias iglesias, y así se cumplen las Escrituras que dicen: 'Porque todas las naciones han bebido del vino del furor de su fornicación'. Es un furor producido por las falsas doctrinas, y cuando los reyes y presidentes beben de este vino del furor de su fornicación, son incitados a airarse contra aquellos que no quieran estar en armonía con las herejías falsas y satánicas que exaltan el falso día de reposo, e inducen a los hombres a pisotear el monumento conmemorativo de Dios. TM 61

"¿Cuándo llegarán hasta el cielo sus pecados? Cuando la ley de Dios sea finalmente invalidada por medio de la legislación humana. Entonces la crisis le proporcionará al pueblo de Dios la oportunidad de demostrar quién es el Gobernante del cielo y de la tierra. Mientras un poder satánico esté conmoviendo los elementos inferiores, Dios enviará luz y poder a su pueblo, para que el mensaje de la verdad pueda ser proclamado a todo el mundo.—The Signs of the Times, 12 de junio de 1893." MSV 195

En el libro del profeta Daniel, dice: *"Y se levantarán de su parte [de parte del 'rey del norte', llamado Babilonia en Apocalipsis] tropas que profanarán el santuario y la fortaleza, y quitarán el continuo ~~sacrificio~~, y pondrán la abominación desoladora. Con lisonjas seducirá a los violadores del pacto; mas el pueblo que conoce a su Dios se esforzará y actuará."* Daniel 11:31-32

En este mismo sentido, el libro de los Salmos, también dice: *"Tiempo es de actuar, oh Jehová, porque han invalidado tu ley."* Salmo 119:126

En consecuencia, será éste un tiempo de terrible zarandeo, donde muchos de los que aparentaban ser verdaderos cristianos dejarán de serlo –sometiéndose a la bestia y a su imagen por temor a recibir sus castigos–, y muchos de los que se suponían perdidos, escucharán la voz de su divino Pastor y vendrán a los pies de su Señor. Jesús dijo: *"Yo soy el buen pastor; y conozco mis ovejas, y las mías me conocen... También tengo otras ovejas que no son de este redil; aquellas también debo traer, y oirán mi voz; y habrá un rebaño, y un pastor."* Juan 10:14, 16

De esta manera, cuando la predicación del mensaje final de Dios haya llegado a su fin, toda la humanidad habrá quedado dividida en dos grupos: los que adoran y obedecen a Dios y los que adoran y obedecen a los hombres antes que a Dios.[249]

La pena

Luego de que haya resonado el último llamado de parte de Dios –iluminando toda la tierra con su gloria–, y de que cada persona haya tenido la luz necesaria para tomar su decisión consciente a fin de escoger de que lado estar, Dios derramará las copas de su ira sobre los impíos.

En relación a Babilonia, Apocalipsis anticipa un castigo justo. Dice: *"Dadle a ella como ella os ha dado, y pagadle doble según sus obras; en el cáliz en que ella preparó bebida, preparadle a ella el doble. Cuanto ella se ha glorificado y ha vivido en deleites, tanto dadle de tormento y llanto; porque dice en su corazón: Yo estoy sentada como reina, y no soy viuda, y no veré llanto; por lo cual en un solo día vendrán sus plagas; muerte, llanto y hambre, y será quemada con fuego; porque poderoso es Dios el Señor, que la juzga."* Apocalipsis 18:6-8

---

249 Elena de White escribió: "Al final de la lucha, toda la cristiandad quedará dividida en dos grandes categorías: la de los que guardan los mandamientos de Dios y la fe de Jesús, y la de los que adoran la bestia y su imagen y reciben su marca." CS 443

Es decir, Dios le enviará un castigo proporcional con sus obras maléficas. Si es culpable de torturas y asesinatos, lo mismo recibirá. Si es responsable de haberse glorificado a sí misma y de haber vivido en deleites a costa del pueblo, tendrá justo pago por ello. Si ha causado la angustia de los santos y el hambre de los pueblos, el mismo pago recibirá. Es decir, Dios le aplicará la ley del talión: *"ojo por ojo, diente por diente"*. Sin misericordia.

En este sentido, hay una historia en la Biblia que ilustra y anticipa lo que sucederá cuando Dios juzgue a Babilonia, y es la historia de Ester. Si lees este libro, verás que en la misma horca que el malvado Amán había construido para ahorcar al justo Mardoqueo, allí mismo fue colgado Amán y sus diez hijos −representando a la totalidad de aquellos que comparte su suerte−; e incluso, el mismo día que Amán había establecido para asesinar a todos los judíos, fue el día en que ellos se libraron de sus enemigos.

De la misma manera sucederá en el fin del mundo. Aquellos reyes que serán incitados −por todas las instituciones que constituyen Babilonia− para que destruyan al pueblo de Dios, serán quienes finalmente se volverán contra ella y la dejarán desolada y desnuda, quemándola con fuego. Dice Apocalipsis: *"los diez cuernos que viste en la bestia, estos aborrecerán a la ramera, y la dejarán desolada y desnuda; y devorarán sus carnes, y la quemarán con fuego..."* Apocalipsis 17:15-16

Es decir, no será Cristo, ni sus ángeles y ni siquiera los santos quienes destruirán a Babilonia, sino aquellos reyes con quienes ella fornicó e incitó para que persigan y maten a los santos. Lo mismo sucederá con aquellas multitudes que serán atizadas para que se lancen contra ellos. Cuando Dios se manifieste, comprenderán −demasiado tarde− que han sido engañadas y que su caso es desesperado. Entonces, olvidando el antiguo objeto de su ira, se volverán contra aquellos que creerán culpables de su eterna perdición, sin Espíritu Santo que los refrene.

En este sentido, debemos entender que Babilonia habrá hecho un terrible trabajo de *'lavado de cerebros'* para quitar los escrúpulos del pueblo, a fin de que personas comunes se atrevan a matar a sus conciudadanos −aquellos que habrán sido estigmatizados por la bestia−. Sin embargo, todo esto se volverá en su contra cuando estas personas se den cuenta de los engaños a los que fueron sometidos y reconozcan que sus casos son desesperados.

En aquel momento, muchos de los que fueron preparados para matar a los santos, se volverán contra aquellos que los atizaron y los descuartizarán.[250]

Ahora, ¿en qué momento de la historia profética sucederá esto? Tal como lo explicamos en el análisis de Apocalipsis 16, entendemos que el sistema político religioso simbolizado por *'Babilonia'* será destruido en la sexta copa de la ira de Dios, cuando se produzca el *'secamiento de las aguas del río Éufrates'*, es decir, cuando pierda su dominio sobre las multitudes.

Escarmiento público

Tan terrible será la ira manifestada contra estas instituciones, que aún los reyes del mundo la contemplarán desde lejos, por temor a sufrir castigos similares. Dice: *"Y los reyes de la tierra que han fornicado con ella, y con ella han vivido en deleites, llorarán y harán lamentación sobre ella, cuando vean el humo de su incendio, parándose lejos por el temor de su tormento, diciendo: ¡Ay, ay, de la gran ciudad de Babilonia, la ciudad fuerte; porque en una hora vino tu juicio!" Apocalipsis 18:9-10*   .

Según entendemos, los reyes que se mencionan aquí serán distintos de aquellos diez que le habrán dado el poder –para luego aborrecerla, desolarla y quemarla–. Es decir, en este caso, se trataría de los reyes [o mandatarios] que gobiernan el mundo de nuestros días –los cuales viven en 'fornicación' con esta institución religiosa– y no de aquellos diez reyes que recibirán el poder mundial en el tiempo del fin –representados por los diez cuernos de la bestia–.

---

250 Elena de White describe: "Los hombres ven que fueron engañados. Se acusan unos a otros de haberse arrastrado mutuamente a la destrucción; pero todos concuerdan para abrumar a los ministros con la más amarga condenación. Los pastores infieles profetizaron cosas lisonjeras; indujeron a sus oyentes a menospreciar la ley de Dios y a perseguir a los que querían santificarla. Ahora, en su desesperación, estos maestros confiesan ante el mundo su obra de engaño. Las multitudes se llenan de furor. "¡Estamos perdidos!–exclaman–y vosotros sois causa de nuestra perdición"; y se vuelven contra los falsos pastores. Precisamente aquellos que más los admiraban en otros tiempos pronunciarán contra ellos las más terribles maldiciones. Las manos mismas que los coronaron con laureles se levantarán para aniquilarlos. Las espadas que debían servir para destruir al pueblo de Dios se emplean ahora para matar a sus enemigos. Por todas partes hay luchas y derramamiento de sangre. "Alcanzará el estrépito hasta los fines de la tierra: porque Jehová tiene una contienda con las naciones: entra en juicio con toda carne: y en cuanto a los inicuos, los entregará a la espada". Jeremías 25:31 (VM)." CS 637

Por otra parte, este pasaje también nos anticipa que el poderío de todas las instituciones que se encolumnan detrás del papado –madre de las rameras de la tierra– caerá rápidamente, como un castillo de naipes.

Es decir, aquello que parecía indestructible por estar enraizado en lo más profundo de la sociedad –habiendo sobrevivido durante casi dos mil años–, y que es descrito aquí como 'la gran ciudad de Babilonia, la ciudad fuerte'; caerá, así como la Babilonia histórica, en una sola noche. Se dice aquí, *en una hora'* ha venido tu juicio. Si lo tomamos como tiempo profético –haciendo la equivalencia 'día por año', según lo establecido en Ezequiel 4:6–, nos da quince días literales. Sin embargo, la expresión *'en una hora'* también podría entenderse como un período sumamente breve de tiempo.

El fin del negocio

Según Apocalipsis, no solamente los reyes de la tierra se lamentarán por la caída de Babilonia. También los grandes mercaderes entrarán en pánico, porque ya nadie comprará sus mercaderías. Dice: *"Y los mercaderes de la tierra lloran y hacen lamentación sobre ella, porque ninguno compra más sus mercaderías; mercadería de oro, de plata, de piedras preciosas, de perlas, de lino fino, de púrpura, de seda, de escarlata, de toda madera olorosa, de todo objeto de marfil, de todo objeto de madera preciosa, de cobre, de hierro y de mármol; y canela, especias aromáticas, incienso, mirra, olíbano, vino, aceite, flor de harina, trigo, bestias, ovejas, caballos y carros, y esclavos, almas de hombres." Apocalipsis 18:11-13*

Es decir, se trata de aquellos que han tenido vidas de súper abundancia, llenas de lujos y placeres, por ser los magnates de la industria y el comercio internacional, tanto de bienes y servicios como hasta de almas humanas, pero –en aquel momento–, de la noche a la mañana, todo aquello se esfumará delante de sus ojos. Dice: *"Los frutos codiciados por tu alma se apartaron de ti, y todas las cosas exquisitas y espléndidas te han faltado, y nunca más las hallarás." Apocalipsis 18:14*

Ahora, ¿por qué motivo los mercaderes de la tierra se habrán vinculado con Babilonia? Por su insaciable búsqueda de enriquecimiento. Dice: *"Los mercaderes de estas cosas, que se han enriquecido a costa de ella, se pararán lejos por el temor de su tormento, llorando y lamentando, y diciendo: ¡Ay, ay, de la gran ciudad, que estaba vestida de lino fino, de púrpura y de escarlata, y estaba adornada de oro, de piedras preciosas y de perlas! Porque en una hora han sido consumidas tantas riquezas." Apocalipsis 18:15-17*

Es claro, el amor al dinero será la trampa que usará Babilonia para atrapar a los ricos de este mundo.

Luego, Apocalipsis menciona otro grupo de afligidos por la caída de Babilonia, diciendo: *"Y todo piloto, y todos los que viajan en naves, y marineros, y todos los que trabajan en el mar, se pararon lejos; y viendo el humo de su incendio, dieron voces, diciendo: ¿Qué ciudad era semejante a esta gran ciudad? Y echaron polvo sobre sus cabezas, y dieron voces, llorando y lamentando, diciendo: ¡Ay, ay de la gran ciudad, en la cual todos los que tenían naves en el mar se habían enriquecido de sus riquezas; pues en una hora ha sido desolada!" Apocalipsis 18:17-19*

Es decir, en aquel momento, tanto los reyes de la tierra como sus mercaderes, y aún los transportistas de dichas mercaderías, tratarán de despegarse de Babilonia, llorando y lamentándose a escondidas, 'desde lejos', por temor a que se los vincule con ella. Lo cual se entiende perfectamente en un contexto en el cual las muchedumbres se habrán vuelto contra aquellos que considerarán 'los culpables de su eterna perdición'.

Isaías describe aquel momento diciendo: *"Porque día de Jehová de los ejércitos vendrá sobre todo soberbio y altivo, sobre todo enaltecido, y será abatido… La altivez del hombre será abatida, y la soberbia de los hombres será humillada; y solo Jehová será exaltado en aquel día… Aquel día arrojará el hombre a los topos y murciélagos sus ídolos de plata y sus ídolos de oro, que le hicieron para que adorase, y se meterá en las hendiduras de las rocas y en las cavernas de las peñas, por la presencia formidable de Jehová, y por el resplandor de su majestad, cuando se levante para castigar la tierra." Isaías 2:12, 17, 20-21*

Ahora, mientras todos estos estarán llorando y lamentándose por la caída de Babilonia, otros se alegrarán. ¿Quienes serán? Dice: *"Alégrate sobre ella, cielo, y vosotros, santos, apóstoles y profetas; porque Dios os ha hecho justicia en ella." Apocalipsis 18:20*

¡Qué notable contraste! Mientras todos aquellos que han fornicado con la gran ramera para enriquecerse a costa de ella —mientras ella se enseñoreaba sobre ellos—, estarán afligidos y temerosos por su tormento, habiendo perdido toda su riqueza; los justos se alegrarán porque, por fin, habrá llegado la hora de la verdadera justicia, la de Dios.

El cielo entero se alegrará porque Babilonia representa un sistema de engaño diseñado para apoderarse del mundo, desviando la adoración de los hombres hacia sí mismo, falsificando la intercesión de Cristo.

En tanto, los santos, apóstoles y profetas también se alegrarán porque Babilonia, además de esto, será culpable de haber derramado su sangre. Dice: *"Y en ella se halló la sangre de los profetas y de los santos, y de todos los que han sido muertos en la tierra." Apocalipsis 18:24*

A continuación, Apocalipsis presenta una descripción gráfica que nos ayuda a entender la manera en que Dios, en el momento indicado, se quitará de encima este enemigo. Dice: *"Y un ángel poderoso tomó una piedra, como una gran piedra de molino, y la arrojó en el mar, diciendo: Con el mismo ímpetu será derribada Babilonia, la gran ciudad, y nunca más será hallada." Apocalipsis 18:21*

Lo cual pone de manifiesto que Dios, cuando llegue el tiempo de su juicio, no detendrá su poderosa mano y, con un solo golpe, derribará el orgullo de los hombres y lo hundirá en lo profundo del mar.

Ahora, esta ilustración es demasiado coincidente con otro pasaje bíblico, que dice: *"En aquel tiempo los discípulos vinieron a Jesús, diciendo: ¿quién es el mayor en el reino de los cielos? Y llamando Jesús a un niño, lo puso en medio de ellos, y dijo: de cierto os digo, que si no os volvéis y os hacéis como niños, no entraréis en el reino de los cielos. Así que, cualquiera que se humille como este niño, ese es el mayor en el reino de los cielos. Y cualquiera que reciba en mi nombre a un niño como este, a mí me recibe. Y cualquiera que haga tropezar a alguno de estos pequeños que creen en mí, mejor le fuera que se le colgase al cuello una piedra de molino de asno, y que se le hundiese en lo profundo del mar. ¡Ay del mundo por los tropiezos!, porque es necesario que vengan tropiezos, pero ¡ay de aquel hombre por quien viene el tropiezo!" Mateo 18:1-7*

¿Notas la vinculación? ¿No es acaso esta institución culpable de haber hecho tropezar, no a uno, sino a cientos de miles de tiernos niños puestos a su cuidado? Ni qué decir si tomamos en cuenta a todas las ingenuas personas que esta institución habrá hecho errar, embriagándolas con el vino de sus engaños.

Por otro lado, si lo analizamos desde la perspectiva simbólica, Babilonia, en el tiempo anterior, se la describe 'sentada' sobre estas inmensas aguas, representativas de las muchedumbres del mundo. Sin embargo, cuando llegue la hora de su juicio, Babilonia será hundida hasta el fondo de dichas aguas, hasta el polvo, de manera que sea pisoteada hasta por el más indigno de los hombres.

Hechicerías engañosas

En la conclusión de la sentencia contra la gran ramera, Apocalipsis vuelve a nombrar a los mercaderes de la tierra, vinculándolos, en esta ocasión, con los engaños de Babilonia. Dice: *"Y voz de arpistas, de músicos, de flautistas y de trompeteros no se oirá más en ti; y ningún artífice de oficio alguno se hallará más en ti, ni ruido de molino se oirá más en ti. Luz de lámpara no alumbrará más en ti, ni voz de esposo y de esposa se oirá más en ti; porque tus mercaderes eran los grandes de la tierra; pues por tus hechicerías fueron engañadas todas las naciones." Apocalipsis 18:22-23*

Es interesante notar como, en esta ocasión, al mencionar la eterna caída de Babilonia, directamente dice *'tus mercaderes',* es decir, los coloca como formando parte de ella. Ahora, lo que más llama la atención, es la asociación inmediata que luego realiza con las *'hechicerías'* por medio de las cuales Babilonia engañará a todas las naciones. Por esto, nos preguntamos ¿cuál es el significado de 'hechicerías' y qué relación tiene con los mercaderes de la tierra?

Al recurrir al Diccionario Bíblico Strong, vemos que la palabra que ese usa en el griego original es farmakeía (G5331 φαρμακεία[251]), cuyo significado principal es: medicación o 'farmacia', lo que, por extensión, también puede traducirse como 'magia' o 'hechicería'.

En nuestra sociedad actual nos cuesta entender la relación que existe entre los medicamentos farmacéuticos y la hechicería. Sin embargo, si nos remontamos a los tiempos de la antigüedad, comprenderemos que los sacerdotes, tanto del pueblo de Dios como del paganismo, tenían mucho que ver con la administración de la 'medicina' de aquel entonces. Por ejemplo, cuando en el pueblo de Israel alguien presentaba síntomas de lepra, era el sacerdote quien debía examinar a la persona a fin de determinar si debía ser aislada o no, según lo ordenado por Dios en Levítico 13 y 14.

En tanto, dentro del paganismo, las personas acudían a los sacerdotes –hoy llamados *'brujos'*– a fin de recibir cura para sus enfermedades. Eran ellos quienes, pronunciando oraciones mágicas, aplicaban ungüentos y administraban hierbas a fin de curar a sus pacientes. Mucho de esto aún se ve en países en vías de desarrollo, donde aún quedan pueblos originarios que mantienen estas costumbres.

---

251 https://www.logosklogos.com/strongcodes/5331

Sin embargo, el punto de todo esto, es que, en los días del apóstol Juan, la palabra que existía para referirse a medicamentos –los de aquel entonces, ya sea usados por brujos, sacerdotes o médicos– era farmakeía, de donde, justamente, deviene la palabra 'farmacia'.

Lo cual enciende las alertas de aquellos que creemos en la veracidad y utilidad de las Sagradas Escrituras para nuestros días, dado que vivimos en un contexto mundial en donde las farmacéuticas están ocupando un rol cada vez más activo en la geopolítica mundial, y en donde sus productos se imponen de manera cuasi obligatoria a todos los habitantes del mundo, en contextos de escasa información, exagerada confidencialidad y grandes engaños perpetrados desde los máximos organismos de salud mundial; con el apoyo incondicional de la corrupta política de nuestros días y la complicidad explícita de todas las organizaciones religiosas dominadas por Babilonia.

Por todo esto, creemos que Babilonia, además de ser una religión diabólica que hechiza a los habitantes del mundo, embiagándolos con el vino de su fornicación (Ap 17:2), también podría valerse de los mercaderes de la tierra para impulsar sus engaños a través de los *medicamentos mágicos* de nuestros días.

En consecuencia, creemos de vital importancia desarrollar estilos de vida que nos hagan más prescindibles de este tipo de medicamentos, especialmente de todo aquello que venga patrocinado por todo el arco político, económico y sanitario que se prostituye y fornica con el papado, apoyando sus planes de dominación geopolítica.

En otras palabras, creemos que el llamado a 'salir de Babilonia' –que nos hace Dios en este capítulo del Apocalipsis–, incluye no solo aspectos espirituales, sino también territoriales –a través del llamado a salir de las ciudades– educacionales y sanitarios; lo cual, evidentemente, constituye un llamado a 'salir del sistema' que gobierna nuestro mundo.

Ahora, ¿en qué momento deberíamos salir del sistema babilónico? En el momento en el que escuchemos la voz de Dios –llamándonos a salir de allí–. Para aquellos que conocen su Palabra, el llamado a salir de Babilonia viene sonando desde hace mucho. Sin embargo, la mayoría del mundo escuchará esta voz en la última oportunidad, es decir, cuando los pecados de Babilonia hayan llegado hasta el cielo y Dios esté a punto de derramar sus juicios sobre ella.

Dios nos ayude a ser sabios y espirituales en nuestras decisiones, a fin de que podamos preparar un lugar donde nuestras familias –y, quizá, las de muchos otros– encuentren un lugar de refugio para los terribles días que vendrán sobre nuestro mundo. Si nos dormimos, procrastinando hasta el último llamado, quizá perdamos la oportunidad por falta de fe o repitamos la experiencia de Lot.

Vuelve a leer, ahora mismo, Apocalipsis 18, y comprueba como ya se ha abierto ante tus ojos.

Capítulo 19
El fin del juicio de la iglesia

En el capítulo anterior, Apocalipsis detalló lo que sucederá cuando Dios ejecute su sentencia contra Babilonia, la gran ramera. Allí, en contraste con la angustia y el pánico que tendrán quienes hayan fornicado con ella, se dijo: *"Alégrate sobre ella, cielo, y vosotros, santos, apóstoles y profetas; porque Dios os ha hecho justicia en ella." Apocalipsis 18:20*

Por eso, en este capítulo, Apocalipsis describe aquella alegría que se producirá en el cielo con lujo de detalles y relata los sucesos que ocurrirán desde aquel momento y hasta la segunda venida de Jesús.

Alegría en el juzgado

Apocalipsis 19 comienza diciendo: *"Después de esto oí una gran voz de gran multitud en el cielo, que decía: ¡Aleluya! Salvación y honra y gloria y poder son del Señor Dios nuestro; porque sus juicios son verdaderos y justos; pues ha juzgado a la gran ramera que ha corrompido a la tierra con su fornicación, y ha vengado la sangre de sus siervos de la mano de ella. Otra vez dijeron: ¡Aleluya! Y el humo de ella sube por los siglos de los siglos." Apocalipsis 19:1-3*

Esta gran voz que el apóstol escucha como *'de gran multitud'*, no es de una persona con 'voz como de multitud', como podría llegar a ser la de algún ser viviente o la de Dios mismo, sino que corresponde a la expresión explícita de todos los seres celestiales que, habiendo presenciado el juicio de Dios, prorrumpen en hosannas por la manifestación de su justicia sobre Babilonia. En este sentido, otras versiones de la Biblia, traducen:

» *"Después de esto, oí las fuertes voces de una gran multitud que decía en el cielo..." Ap 19:1 DHH*

» *"Después oí algo parecido al clamor de una enorme multitud que estaba en el cielo..." Ap 19:1 LPD*

» *"Después de esto, oí algo en el cielo que parecía las voces de una inmensa multitud que gritaba..." Ap 19:1 NTV*

» *"Después de esto oí en el cielo un tremendo bullicio, como el de una inmensa multitud que exclamaba..." Ap 19:1 NVI*

Ahora, ¿a quienes corresponden estas voces? Pues, Apocalipsis no lo dice; sin embargo, muchas de estas voces quizá puedan corresponder a la de aquellos ángeles que han presenciado los horribles sacrilegios que Babilonia ha cometido sobre aquellos santos que habían sido puestos bajo su cuidado, pero que, en la gran sabiduría de Dios, les fue ordenado sean entregados porque serían mártires. Otras quizá puedan corresponder a la de aquellos seres de otros mundos que contemplan el desarrollo del mal en la tierra con expectante interés. Lo cierto, es que el cielo entero se llenará de alegría por la llegada del gran día en el que Dios habrá hecho justicia sobre Babilonia.

De igual manera, aquellos veinticuatro ancianos –que se describen en Apocalipsis 4 oficiado como jueces asistentes– y los mismísimos cuatro seres vivientes –que velan la gloria de Dios–, se postrarán en tierra reconociendo como justo el juicio realizado. Dice: *"Y los veinticuatro ancianos y los cuatro seres vivientes se postraron en tierra y adoraron a Dios, que estaba sentado en el trono, y decían: ¡Amén! ¡Aleluya!" Apocalipsis 19:4*

Es evidente que quien está sentado en el gran trono es Dios Padre. Apocalipsis 4 da cuenta de ello. Él es el gran juez en quien descansa la justicia del Universo y, por esto, en torno suyo se postrarán aquellos representantes del cielo y de la tierra que habrán oficiado en su justo juicio.

El ungimiento del Rey

¿Qué sucederá entonces, es decir, luego de que Dios ponga fin al gobierno de Babilonia? Pues el Padre, habiendo puesto a todos los enemigos de Cristo bajo sus pies, le entregará el reino. Dice: *"Y salió del trono una voz que decía…" Apocalipsis 19:5-6*

Antes de proseguir, otra vez, la voz que sale del trono, evidentemente, corresponde a la voz del Padre, pues es Él quien está sentado allí. En este sentido, creemos que al apóstol Juan se le permitió contemplar la sala donde se encuentra dicho trono, es decir, el lugar Santísimo del Santuario celestial, y a todos los que se encuentran allí, a excepción del rostro del Padre –a fin de preservar su vida–. Por esto, Juan puede escuchar la voz que sale desde el trono pero no ver a aquel que pronuncia dichas palabras.

De hecho, en la descripción que realiza Juan acerca del Padre en Apocalipsis 4, él describe el color de su aspecto y el arco iris que le rodea, pero no realiza ninguna descripción de su rostro. Dice: *"yo estaba en el Espíritu; y he aquí, un trono establecido en el cielo, y en el trono, uno sentado. Y el aspecto del que estaba sentado era semejante a piedra de jaspe y de cornalina; y había alrededor del trono un arco iris, semejante en aspecto a la esmeralda." Apocalipsis 4:2-3*

Y es todo lo que dice respecto al aspecto del Padre.

En contraste con esto, recordemos que en Apocalipsis 1 este mismo apóstol sí puedo contemplar el rostro de Cristo y lo describió con lujo de detalles. Dice: *"Y me volví para ver la voz que hablaba conmigo; y vuelto, vi siete candeleros de oro, y en medio de los siete candeleros, a uno semejante al Hijo del Hombre, vestido de una ropa que llegaba hasta los pies, y ceñido por el pecho con un cinto de oro. Su cabeza y sus cabellos eran blancos como blanca lana, como nieve; sus ojos como llama de fuego; y sus pies semejantes al bronce bruñido, refulgente como en un horno; y su voz como estruendo de muchas aguas. Tenía en su diestra siete estrellas; de su boca salía una espada aguda de dos filos; y su rostro era como el sol cuando resplandece en su fuerza." Apocalipsis 1:12-16*

Ahora, volviendo al texto, aquella voz que sale del trono, ordena: *"Alabad a nuestro Dios todos sus siervos, y los que le teméis, así pequeños como grandes." Apocalipsis 19:5*

Si la voz que sale del trono corresponde al Padre, ¿a que Dios ordena adorar cuando dice "adorad a *'nuestro Dios'* todos sus siervos"? ¿Será que el Padre está reclamando adoración para sí mismo? No. Lo que el Padre está ordenando es que se adore a su Hijo, al cual Él mismo lo reconoce como *'nuestro Dios'*.

El apóstol Pablo, hablando acerca de esto, escribió: *"Dios, habiendo hablado muchas veces y de muchas maneras en otro tiempo a los padres por los profetas, en estos postreros días nos ha hablado por el Hijo, a quien constituyó heredero de todo, y por quien asimismo hizo el universo; el cual, siendo el resplandor de su gloria, y la imagen misma de su sustancia, y quien sustenta todas las cosas con la palabra de su poder, habiendo efectuado la purificación de nuestros pecados por medio de sí mismo, se sentó a la diestra de la Majestad en las alturas, hecho tanto superior a los ángeles, cuanto heredó más excelente nombre que ellos. Porque ¿a cuál de los ángeles dijo Dios jamás: mi Hijo eres tú, yo te he engendrado hoy, y otra vez: yo seré a él Padre, y él me será a mí hijo? Y otra vez, cuando introduce al Primogénito en el mundo, dice: Adórenle todos los ángeles de Dios." Hebreos 1:1-6*

Como podemos observar, Pablo, hablando acerca de la encarnación de Cristo, presenta esta escena en la que el Padre mandará a adorar a un hombre que comparte su divinidad. Escena que, si nos ponemos a pensar, nos llena de asombro y admiración. ¡Un hermano nuestro que sea exaltado hasta las alturas infinitas, y ante el cual debe doblarse toda rodilla en el cielo y en la tierra!

Ante los ojos de la creación, Cristo será un hombre de la tierra, un terrícola, un Adán. Sin embargo, ante los ojos del Padre, 'el Cordero que fue inmolado' es reconocido como 'nuestro Dios', incluyéndose a sí mismo. Sí, ¡el Padre reconocerá a Cristo como *su Dios*! ¿No te explota la cabeza?

Notemos las palabras que el apóstol Pablo afirma, dirá el Padre, respecto de Cristo. Dice: *"Ciertamente de los ángeles dice: El ~~que~~ hace a sus ángeles espíritus, y a sus ministros llama de fuego. Mas del Hijo dice: Tu trono, oh Dios, por el siglo del siglo; cetro de equidad es el cetro de tu reino. Has amado la justicia, y aborrecido la maldad, por lo cual te ungió Dios, el Dios tuyo [es decir, el Padre], con óleo de alegría más que a tus compañeros. Y [continúa diciendo Pablo, respecto de palabras del Padre hacia Cristo]: Tú, oh Señor, en el principio fundaste la tierra, y los cielos son obra de tus manos. Ellos perecerán, mas tú permaneces; y todos ellos se envejecerán como una vestidura, y como un vestido los envolverás, y serán mudados; pero tú eres el mismo, y tus años no acabarán." Hebreos 1:7-12*

Ahora, el hecho de que el Padre reconozca la divinidad de Cristo de esta manera, no quiere decir que lo coloque como superior a Él, sino que lo reconoce como *'Miguel'*, nombre que significa *'quien es como Dios'*.

En este sentido, el apóstol Pablo escribió: *"Haya, pues, en vosotros este sentir que hubo también en Cristo Jesús, el cual, siendo en forma de Dios, no estimó el ser igual a Dios como cosa a que aferrarse, sino que se despojó a sí mismo, tomando forma de siervo, hecho semejante a los hombres; y estando en la condición de hombre, se humilló a sí mismo, haciéndose obediente hasta la muerte, y muerte de cruz. Por lo cual Dios también le exaltó hasta lo sumo, y le dio un nombre que es sobre todo nombre, para que en el nombre de Jesús se doble toda rodilla de los que están en los cielos, y en la tierra, y debajo de la tierra; y toda lengua confiese que Jesucristo es el Señor, para gloria de Dios Padre." Filipenses 2:5-11*

En otra ocasión, este mismo apóstol dijo: *"Porque todas las cosas las sujetó [el Padre] debajo de sus pies [de los de Cristo]. Y cuando dice que todas las cosas han sido sujetadas a él, claramente se exceptúa aquel que sujetó a él todas las cosas. Pero luego que todas las cosas le estén sujetas, entonces también el Hijo mismo se sujetará al que le sujetó a él todas las cosas, para que Dios sea todo en todos." 1 Corintios 15:27-28*

Por esto, en respuesta a la orden del Padre, todos los seres celestiales reconocerán a Cristo no sólo como 'Señor', sino también como 'Dios Todopoderoso' y como 'Rey de reyes'. Dice: *"Y oí como la voz de una gran multitud, como el estruendo de muchas aguas, y como la voz de grandes truenos, que decía: ¡Aleluya, porque el Señor nuestro Dios Todopoderoso reina!" Apocalipsis 19:6*

Entendemos, la voz de la gran multitud –que resonará como estruendo de muchas aguas– corresponderá a la totalidad de los seres que habitan en el cielo, a excepción de Dios Padre, cuya voz resonará también, distinguiéndose, como la voz de grandes truenos, expresando jubilosas hosannas por la llegada del reino de Cristo.

Ahora, ¿qué se imaginan que dirá Cristo en aquel momento? Él mismo lo reveló cuando estaba despidiéndose de sus discípulos, horas antes de entregar su vida por nosotros. El dijo –y volverá a decir en aquel gran día en el que será coronado Rey–: *"Padre, aquellos que me has dado, quiero que donde yo estoy, también ellos estén conmigo, para que vean mi gloria que me has dado; porque me has amado desde antes de la fundación del mundo." Juan 17:24*

¡Sí! ¡En aquella hora de suprema gloria Él se acordará de nosotros! Pobres, indignos, pecadores, pero amados, perdonados y –ahora– purificados por su sangre. ¿Y qué dirá el Padre sino: ¡Ve! ¡Ve a buscarlos!?[252]

---

252 Elena de White, comentando las escenas del fin, escribió: "Los hijos de Dios oyen una voz clara y melodiosa que dice: "Enderezaos", y, al levantar la vista al cielo, contemplan el arco de la promesa. Las nubes negras y amenazadoras que cubrían el firmamento se han desvanecido, y como Esteban, clavan la mirada en el cielo, y ven la gloria de Dios y al Hijo del hombre sentado en su trono. En su divina forma distinguen los rastros de su humillación, y oyen brotar de sus labios la oración dirigida a su Padre y a los santos ángeles: "Yo quiero que aquellos también que me has dado, estén conmigo en donde yo estoy". Juan 17:24 (VM). Luego se oye una voz armoniosa y triunfante, que dice: "¡Helos aquí! ¡Helos aquí! santos, inocentes e inmaculados. Guardaron la palabra de mi paciencia y andarán entre los ángeles"; y de los labios pálidos y trémulos de los que guardaron firmemente la fe, sube una aclamación de victoria." CS 620

Preparativos de bodas

En aquel momento, todo el cielo se pondrá en movimiento para las bodas del Gran Rey. Resonarán por los aires melodías jubilosas y voces que exclamarán: *"Gocémonos y alegrémonos y démosle gloria; porque han llegado las bodas del Cordero, y su esposa se ha preparado. Y a ella se le ha concedido que se vista de lino fino, limpio y resplandeciente; porque el lino fino es [o representa] las acciones justas de los santos." Apocalipsis 19:7-8*

Como vemos, en aquel momento la iglesia de Dios resplandecerá en la hermosura de la santidad. Algo que, para muchos, es imposible –porque no se ha visto a lo largo de toda la historia–; sin embargo, la escritura es clara: Cristo vendrá por una iglesia pura, sin mancha, ni arruga ni cosa semejante. Dice: *"Cristo amó a la iglesia, y se entregó a sí mismo por ella, para santificarla, habiéndola purificado en el lavamiento del agua [símbolo del Espíritu Santo] por la palabra, a fin de presentársela a sí mismo, una iglesia gloriosa, que no tuviese mancha ni arruga ni cosa semejante, sino que fuese santa y sin mancha." Efesios 5:25-27*

En este contexto, el libro de los Salmos también registra las palabras que dirá el Padre. Dice: *"Jehová dijo a mi Señor: siéntate a mi diestra, hasta que ponga a tus enemigos por estrado de tus pies. Jehová enviará desde Sion la vara de tu poder; domina en medio de tus enemigos." Salmo 110:1-2*

Palabras que condicen con el contexto de los juicios de Dios sobre Babilonia. Ahora, luego le profetiza el Padre a Cristo: *"Tu pueblo se te ofrecerá voluntariamente en el día de tu poder, en la hermosura de la santidad. Desde el seno de la aurora, tienes tú el rocío de tu juventud." Salmo 110:3*

Bellas palabras que expresan la pureza inmaculada de aquel santo matrimonio. Él irá al encuentro de su amada viniendo desde el este –desde el seno de la aurora, es decir, desde donde sale el sol de justicia–, en la fuerza y la virilidad del 'rocío de su juventud'. En tanto, ella se presentará ante él en la hermosura de la santidad, con un vestido blanco perfecto, lavado y emblanquecido (Ap 7:14) en la sangre de Cristo, sin mancha, ni arruga ni cosa semejante (Ef 5:27).

¡Oh! ¡Cuán bello será aquel momento! ¿Te lo imaginas?

Ahora, Apocalipsis 7, dice: *"Entonces uno de los ancianos habló, dicién-dome: Estos que están vestidos de ropas blancas, ¿quiénes son, y de dónde han venido? Yo le dije: Señor, tú lo sabes. Y él me dijo: Estos son los que han salido de la gran tribulación, y han lavado sus ropas, y las han emblanquecido en la sangre del Cordero. Por esto están delante del trono de Dios, y le sirven día y noche en su templo; y el que está sentado sobre el trono extenderá su tabernáculo [su morada] sobre ellos." Apocalipsis 7:13-15*

Lo cual implica que no todos serán llamados a participar de la boda de Cristo, sino solo aquellos que se hayan dejado santificar a través del lavamiento que produce el Espíritu Santo, a través de la Palabra de Dios. En este sentido, Apocalipsis 19, continúa diciendo: *"Y el ángel me dijo: Escribe: Bienaventurados los que son llamados a la cena de las bodas del Cordero. Y me dijo: Estas son palabras verdaderas de Dios." Apocalipsis 19:9*

¡Adora a Dios!

Luego, en la revelación del Apocalipsis, se da cuenta de un incidente entre Juan y el ángel que le mostraba todas estas cosas. Dice: *"Yo me postré a sus pies para adorarle. Y él me dijo: Mira, no lo hagas; yo soy consiervo tuyo, y de tus hermanos que retienen el testimonio de Jesús. Adora a Dios; porque el testimonio de Jesús es el espíritu de la profecía." Apocalipsis 19:10*

Evidentemente, el apóstol Juan estaba tan arrobado por la grandeza de aquel ángel y agradecido por la preciosa revelación que estaba recibiendo por medio de él. Pero, ¿cómo es posible que se haya postrado ante sus pies? ¿Acaso él no conocía aquel gran y primer mandamiento que dice: *"Oye, Israel: Jehová nuestro Dios, Jehová uno es. Y amarás a Jehová tu Dios de todo tu corazón, y de toda tu alma, y con todas tus fuerzas… A Jehová tu Dios temerás, y a él solo servirás…" Deuteronomio 6:4-5, 13?*

¿Acaso Juan no sabía que cuando *'el diablo llevó Cristo a un monte muy alto, y le mostró todos los reinos del mundo y la gloria de ellos, y le dijo: todo esto te daré, si postrado me adorares', [Jesús le dijo] Vete, Satanás, porque escrito está: Al Señor tu Dios adorarás, y a él solo servirás." Mateo 4:8-10*

Es difícil de imaginar que el Apóstol ignorara estas cosas. ¿Cómo es posible, entonces, que Juan haya intentado adorar a este ángel postrándose ante sus pies?

Pongámonos en su lugar, y pensemos: luego de haber contemplado tantas escenas tristes −relacionados con la decadencia y los pecados de aquella iglesia que lleva el nombre de Cristo, y las injusticias que se habrán cometido contra los santos, derramando su sangre inocente−, poderla contemplar, por fin, en su blancura inmaculada, y ver los preparativos de bodas y la alegría del cielo por tan ansiado momento, ¿no es entendible que el pobre apóstol Juan, perdiendo toda teología, se haya arrojado a los pies de aquel que le mostraba tan maravillosas escenas, totalmente absorto por el gozo de la revelación recibida?

Ante esta situación, aquel ser superior le habló con la dulzura y la firmeza que caracteriza a los seres santos, impidiendo aquel acto de adoración prohibido, en notable contraste con su antecesor –Lucifer–, diciendo: *"Mira, no lo hagas; yo soy consiervo tuyo, y de tus hermanos que retienen el testimonio de Jesús. Adora a Dios; porque el testimonio de Jesús es el espíritu de la profecía." Apocalipsis 19:10*

Al decirle *'adora a Dios; porque el testimonio de Jesús es el espíritu de la profecía'*, entendemos, el ángel le expresa a Juan que toda la profecía que él le estaba mostrando no le pertenecía, sino que formaba parte *'del testimonio de Jesús'*.

Por esto, la adoración debía ser dirigida a aquel que es *'el autor y consumador de la fe' (Hebreos 12:2)*, y no a los instrumentos a través de los cuales nos es comunicada. Entonces, si no debemos adorar –y, ni siquiera, postrarnos– ante el principal ángel enviado por Dios, ¿cuánto menos ante un ser humano como aquel que se hace llamar 'papa', o ante la Bestia y su imagen –el falso profeta–?

Ahora, este incidente también nos debe hacer pensar en que Jesús es parte de aquel único Dios ante el cual debemos temer, adorar y servir. De otra manera, el mismo Padre, al ordenar que se adore a Cristo, entraría en contradicción con aquel gran y primer mandamiento, antes citado.

Por esto, los verdaderos cristianos adoramos a un único Dios, conformado por el Padre, el Hijo y el Espíritu Santo. No a dos ni tres dioses, ni a un Dios y a un Señor. A un solo Dios Todopoderoso, aquel que nos creó y nos dio la vida desde el principio. Y todo aquel que desee entrar en la iglesia de Cristo, Jesús ordenó, sea bautizado en el nombre de estas tres personas del único Dios (Mateo 28:19).

La salida del Esposo

El profeta Daniel anticipó la 'venida' de Cristo a recibir el reino de manos del Padre, diciendo: *"Miraba yo en la visión de la noche, y he aquí con las nubes del cielo venía uno como un hijo de hombre, que vino hasta el Anciano de días, y le hicieron acercarse delante de él. Y le fue dado dominio, gloria y reino, para que todos los pueblos, naciones y lenguas le sirvieran; su dominio es dominio eterno, que nunca pasará, y su reino uno que no será destruido." Daniel 7:13-14*

Ahora, antes de recibir aquel reino de manos del Padre, debía llevarse a cabo una obra que consistiría en juzgar el destino de todos aquellos que hayan profesado el nombre de Cristo, pretendiendo pertenecer a su Iglesia.[253]

Por esto, luego de que Cristo haya terminado su obra de intercesión ante el Padre –habiendo purificado el santuario de los pecados de aquellos que aceptará como su 'ayuda idónea' por los días de la eternidad, y pronunciado juicio contra la gran ramera, representación máxima de los falsos adoradores–, Apocalipsis relata su 'salida' de aquella corte celestial, en busca de su prometida. Dice: *"Entonces vi el cielo abierto; y he aquí un caballo blanco, y el que lo montaba se llamaba Fiel y Verdadero, y con justicia juzga y pelea. Sus ojos eran como llama de fuego, y había en su cabeza muchas diademas; y tenía un nombre escrito que ninguno conocía sino él mismo. Estaba vestido de una ropa teñida en sangre; y su nombre es: EL VERBO DE DIOS. Y los ejércitos celestiales, vestidos de lino finísimo, blanco y limpio, le seguían en caballos blancos. De su boca sale una espada aguda, para herir con ella a las naciones, y él las regirá con vara de hierro; y él pisa el lagar del vino del furor y de la ira del Dios Todopoderoso. Y en su vestidura y en su muslo tiene escrito este nombre: REY DE REYES Y SEÑOR DE SEÑORES [los énfasis son originales]" Apocalipsis 19:11-16*

---

253 Elena de White explica: "La venida de Cristo descrita aquí no es su segunda venida a la tierra. Él viene hacia el Anciano de días en el cielo para recibir el dominio y la gloria, y un reino, que le será dado a la conclusión de su obra de mediador. Es esta venida, y no su segundo advenimiento a la tierra, la que la profecía predijo que había de realizarse al fin de los 2.300 días, en 1844. Acompañado por ángeles celestiales, nuestro gran Sumo Sacerdote entra en el lugar santísimo, y allí, en la presencia de Dios, da principio a los últimos actos de su ministerio en beneficio del hombre, a saber, cumplir la obra del juicio y hacer expiación por todos aquellos que resulten tener derecho a ella. En el rito típico, solo aquellos que se habían presentado ante Dios arrepintiéndose y confesando sus pecados, y cuyas iniquidades eran llevadas al santuario por medio de la sangre del holocausto, tenían participación en el servicio del día de las expiaciones. Así en el gran día de la expiación final y del juicio, los únicos casos que se consideran son los de quienes hayan profesado ser hijos de Dios. El juicio de los impíos es obra distinta y se verificará en fecha posterior. "Es tiempo de que el juicio comience de la casa de Dios: y si primero comienza por nosotros, ¿qué será el fin de aquellos que no obedecen al evangelio?" 1 Pedro 4:17." CS 472

El testigo que juzga y pelea

Como podemos notar, Cristo se describe, en su salida, con diferentes nombres. El primero es aquel con el que se presenta a la iglesia de Laodicea, cuando le dice: *"He aquí el Amén, el testigo fiel y verdadero, el principio de la creación de Dios, dice esto..." (Ap 3:14)*, lo cual implica que Cristo aún se encuentra en un contexto judicial, dado que se presenta como aquel testigo que tiene pleno conocimiento de todo lo que sucede.

En este mismo sentido, sus *'ojos como llama de fuego'* representan su poder para penetrar en lo profundo del alma y conocer los secretos que gobiernan el corazón, dado que la Biblia simboliza la omnisciencia de Dios mediante la figura de ojos que lo contemplan todo. Dice: *"no hay cosa creada que no sea manifiesta en su presencia; antes bien todas las cosas están desnudas y abiertas a los ojos de aquel a quien tenemos que dar cuenta." Hebreos 4:13*

Ahora, en este contexto de juicio, Cristo, además de manifestarse como quien conoce todas las cosas, se presenta como quien ha recibido autoridad para *'juzgar'* a las naciones y potestad para *'pelear'* la gran batalla del día del Señor.

En este contexto, recordemos que cuando el poder de Babilonia sea destruido –a través del 'secamiento de las aguas del río Éufrates'–, el diablo irá a los reyes de toda la tierra para congregarlos para la batalla del gran día del Dios Todopoderoso, es decir, a la batalla contra Cristo, llamada 'Armagedón". Dice: *"El sexto ángel derramó su copa sobre el gran río Éufrates; y el agua de este se secó, para que estuviese preparado el camino a los reyes del oriente." Apocalipsis 16:12*

Es decir, para que estuviese preparado el camino para la segunda venida de Jesús, el cual, como Rey de reyes e Hijo del gran Rey del Universo, vendrá desde el oriente (desde el este).

Ahora, luego dice: *"Y vi salir de la boca del dragón, y de la boca de la bestia, y de la boca del falso profeta, tres espíritus inmundos a manera de ranas; pues son espíritus de demonios, que hacen señales, y van a los reyes de la tierra en todo el mundo, para reunirlos a la batalla de aquel gran día del Dios Todopoderoso... Y los reunió en el lugar que en hebreo se llama Armagedón." Apocalipsis 16:13-14, 16*

Por esto, luego de la caída de Babilonia, a Cristo aún le quedará una gran batalla que pelear. Batalla que está simbolizada por el caballo blanco que monta, cuyo color también hace referencia a la justicia con que Cristo juzgará y peleará al mando de los ejércitos celestiales –que también le seguirán en caballos blancos–.

Ropa teñida en sangre

Ahora, ¿por qué su ropa estará teñida en sangre? ¿Será que es una representación de su sacrificio en favor de los pecadores? No. Isaías, en el contexto del día de la venganza de Jehová, escribe el siguiente diálogo:

"—¿Quién es este que viene… con vestidos rojos? ¿Este hermoso en su vestido, que marcha en la grandeza de su poder?

— Yo, el que hablo en justicia, grande para salvar.

— ¿Por qué es rojo tu vestido, y tus ropas como del que ha pisado en lagar?

— He pisado yo solo el lagar, y de los pueblos nadie había conmigo; los pisé con mi ira, y los hollé con mi furor; y su sangre salpicó mis vestidos, y manché todas mis ropas. Porque el día de la venganza está en mi corazón, y el año de mis redimidos ha llegado." Isaías 63:1-4

Lo cual está en plena armonía con el contexto del pasaje que estamos analizando, cuando dice: *"De su boca sale una espada aguda, para herir con ella a las naciones, y él las regirá con vara de hierro; y él pisa el lagar del vino del furor y de la ira del Dios Todopoderoso." Apocalipsis 19:15*

Siete coronas

Ahora, ¿por qué dice que en la cabeza de Cristo había muchas diademas o coronas? Porque, a nuestro criterio, representan los diferentes dominios que le pertenecen, es decir, sobre los cuales gobierna.[254]

Pero, ¿por qué decimos siete? Porque, según entendemos, se relacionan con la plenitud de aquellos dominios que el diablo le disputará a lo largo de aquellas 'siete batallas' que expusimos en el análisis de Apocalipsis 12. En consecuencia, las diferentes coronas de Cristo podrían expresar su potestad como:

---

254 Elena de White escribió: "Entonces vi que Jesús se despojaba de sus vestiduras sacerdotales y se revestía de sus más regias galas. Llevaba en la cabeza muchas coronas, una corona dentro de otra. Rodeado de la hueste angélica, dejó el cielo. Las plagas estaban cayendo sobre los moradores de la tierra." PE 280

1. Rey de los cielos

La Biblia menciona que, aún antes que el mundo fuese, Cristo era el Rey de los cielos desde la eternidad. Dios Padre le dice a su Hijo: *"tu trono, oh Dios, por el siglo del siglo; cetro de equidad es el cetro de tu reino." Hebreos 1:8*[255]

Respecto a este reino, en su oración previa al Getsemaní, Cristo le dijo al Padre: *"Ahora pues, Padre, glorifícame tú al lado tuyo, con aquella gloria que tuve contigo antes que el mundo fuese." Juan 17:5*

La gloria del reino celestial, en efecto, le corresponde a Cristo por ser Él quien lo trajo a la existencia. El apóstol Pablo afirma: *"Dios, habiendo hablado muchas veces y de muchas maneras en otro tiempo a los padres por los profetas, en estos postreros días nos ha hablado por el Hijo, a quien constituyó heredero de todo, y por quien asimismo hizo el universo." "Él es la imagen del Dios invisible, el primogénito de toda creación. Porque en él fueron creadas todas las cosas, las que hay en los cielos y las que hay en la tierra, visibles e invisibles; sean tronos, sean dominios, sean principados, sean potestades; todo fue creado por medio de él y para él. Y él es antes de todas las cosas, y todas las cosas en él subsisten." Hebreos 1:1-2; Colosenses 1:15-17*

En este sentido, Apocalipsis dice que Cristo *'tenía un nombre escrito que ninguno conocía sino él mismo' (Ap 19:12).* Dado que los nombres, en la Biblia, representan el carácter, entendemos que aquel nombre apunta al carácter de Cristo como Creador, por eso nadie lo puede conocer, el cual se expresa luego como "el Verbo [o la acción] de Dios".

No es casualidad que este nombre haya sido usado también por Juan –en la introducción de su epístola universal– para describir el carácter creador de Cristo. Él dijo: *"En el principio era el Verbo, y el Verbo era con Dios, y el Verbo era Dios… Todas las cosas por él fueron hechas, y sin él nada de lo que ha sido hecho, fue hecho. En él estaba la vida, y la vida era la luz de los hombres." Juan 1:1-4*

En consecuencia, la primera disputa del diablo hacia Cristo fue sobre este reino, consiguiendo la adoración de la tercera parte de los ángeles del cielo. Sin embargo, Cristo salió vencedor y el diablo fue expulsado de allí.

---

255 Elena de White comenta: "Cuando las naciones de los salvos miren a su Redentor y vean la gloria eterna del Padre brillar en su rostro; cuando contemplen su trono, que es desde la eternidad hasta la eternidad, y sepan que su reino no tendrá fin, entonces prorrumpirán en un cántico de júbilo: "¡Digno, digno es el Cordero que fue inmolado, y nos ha redimido para Dios con su propia preciosísima sangre!" CS 632

2. Rey de la gracia

Como creador de la tierra, Cristo es su legítimo Rey. Dice Daniel –en el contexto del juicio de Dios sobre la Babilonia histórica–: *"La sentencia es por decreto de los vigilantes, y por dicho de los santos la resolución, para que conozcan los vivientes que el Altísimo gobierna el reino de los hombres, y que a quien él quiere lo da…" Daniel 4:17*

En virtud de esta potestad, en el principio, Cristo entregó al hombre el gobierno de la tierra, estableciéndolo como su regente local. Dice Génesis: *"Entonces dijo Dios: Hagamos al hombre a nuestra imagen, conforme a nuestra semejanza; y señoree en los peces del mar, en las aves de los cielos, en las bestias, en toda la tierra, y en todo animal que se arrastra sobre la tierra. Y creó Dios al hombre a su imagen, a imagen de Dios lo creó; varón y hembra los creó. Y los bendijo Dios, y les dijo: Fructificad y multiplicaos; llenad la tierra, y sojuzgadla, y señoread en los peces del mar, en las aves de los cielos, y en todas las bestias que se mueven sobre la tierra." Génesis 1:26-28*

Sin embargo, el diablo también pretendió despojar a Cristo de su derecho sobre la humanidad, a través del engaño y la tentación de nuestros primeros padres. No obstante su caída, Cristo salió en defensa de ellos bajo la promesa de entregar su vida como pago sustitutivo de su pecado. Con lo cual, se presentó por primera vez como el *'Rey de la Gracia'*, un reino que sería conquistado luego, en la cruz del calvario.

En este sentido, el apóstol Pablo dijo: *"No tenemos un sumo sacerdote que no pueda compadecerse de nuestras debilidades, sino uno que fue tentado en todo según nuestra semejanza, pero sin pecado. Acerquémonos, pues, confiadamente al trono de la gracia, para alcanzar misericordia y hallar gracia para el oportuno socorro." Hebreos 4:15-16*

Dicho *'trono de la gracia'* representa el *'reino de la gracia'*; pues la existencia de un trono implica la existencia de un reino. Sin embargo, al ver frustrados sus planes, el diablo albergó la esperanza de vencer a Cristo cuando se manifestara en la debilidad de la carne humana.

3. Rey del infierno

Con el pasar del tiempo, Adán y Eva –y todos sus hijos–, murieron. El diablo, guardando detallado registro de todos los pecados que les había hecho cometer, los reclamaba para sí, pretendiendo poseer el dominio sobre el imperio de los muertos.

Sin embargo, Cristo también salió en defensa de los muertos y también demostró su dominio sobre dicho reino. Dice la Biblia: *"cuando el arcángel Miguel contendía con el diablo, disputando con él por el cuerpo de Moisés, no se atrevió a proferir juicio de maldición contra él, sino que dijo: El Señor te reprenda." Judas 1:9*

Es por esto que Pablo, hablando en relación a los méritos de Cristo, dijo: *"reinó la muerte desde Adán hasta Moisés". Romanos 5:14*

No obstante aquella victoria por el cuerpo de Moisés; en este, así como en todos sus dominios, Cristo obtuvo su derecho a él a través de su victoria en la cruz del calvario. En este sentido, el apóstol Pablo escribió: *"Así que, por cuanto los hijos participaron de carne y sangre, él también participó de lo mismo, para destruir por medio de la muerte al que tenía el imperio de la muerte, esto es, al diablo, y librar a todos los que por el temor de la muerte estaban durante toda la vida sujetos a servidumbre." Hebreos 2:14-15*

Es por esto que, aunque Cristo no fue el primer resucitado –sino Moisés–, Pablo lo presenta como el *'primogénito de entre los muertos'*, porque él es el más importante, el principal, el Rey de los que han estado muertos y han resucitado. Él dijo: *"él que es el principio, [es] el primogénito [es decir, el principal] de entre los muertos, para que en todo tenga la preeminencia; por cuanto agradó al Padre que en él habitase toda plenitud." Colosenses 1:18-19*

En consecuencia, aunque Cristo se ejerció potestad sobre el reino de la muerte al resucitar a Moisés, confirmó su dominio a través de su propia resurrección. Él mismo dijo: *"Por eso me ama el Padre, porque yo pongo mi vida, para volverla a tomar. Nadie me la quita, sino que yo de mí mismo la pongo. Tengo poder para ponerla, y tengo poder para volverla a tomar. Este mandamiento recibí de mi Padre." Juan 10:17-18*

Y es en virtud de aquella entrega que Cristo obtuvo la plena potestad sobre todos los muertos. Por eso, en Apocalipsis, Él mismo nos dice: *"No temas; yo soy el primero y el último; y el que vivo, y estuve muerto; mas he aquí que vivo por los siglos de los siglos, amén. Y tengo las llaves de la muerte y del Hades." Apocalipsis 1:17-18*

Es decir, la plena potestad, el pleno dominio, *'el reino'* sobre todos los que están muertos.

Por esto, en virtud de este reino, Jesús nos dice: *"he descendido del cielo, no para hacer mi voluntad, sino la voluntad del que me envió. Y esta es la voluntad del Padre, el que me envió: Que de todo lo que me diere, no pierda yo nada, sino que lo resucite en el día postrero. Y esta es la voluntad del que me ha enviado: Que todo aquel que ve al Hijo, y cree en él, tenga vida eterna; y yo le resucitaré en el día postrero." Juan 6:38-40*

4. Rey de los sacerdotes

En su plan para rescatar a la humanidad, Cristo fundó para sí un pueblo de sacerdotes. Dice la Biblia: *"Moisés subió a Dios; y Jehová lo llamó desde el monte, diciendo: Así dirás a la casa de Jacob, y anunciarás a los hijos de Israel: Vosotros visteis lo que hice a los egipcios, y cómo os tomé sobre alas de águilas, y os he traído a mí. Ahora, pues, si diereis oído a mi voz, y guardareis mi pacto, vosotros seréis mi especial tesoro sobre todos los pueblos; porque mía es toda la tierra. Y vosotros me seréis un reino de sacerdotes, y gente santa." Éxodo 19:3-6*

En consecuencia, el pueblo de Israel fue establecido bajo la soberanía de Dios como su único Rey y, por esto, en su etapa inicial, no tuvo reyes que lo gobernaran sino sacerdotes, profetas y jueces que comunicaban los designios de Dios y hacían cumplir la voluntad de su único Rey: Jehová de los Ejércitos.[256]

---

256 Elena de White comenta: "Cristo no solo fue el que dirigía a los hebreos en el desierto–el Ángel en quien estaba el nombre de Jehová, y quien, velado en la columna de nube, iba delante de la hueste- sino que también fue él quien dio la ley a Israel (véase el Apéndice, nota 10). En medio de la terrible gloria del Sinaí, Cristo promulgó a todo el pueblo los Diez Mandamientos de la ley de su Padre, y entregó a Moisés esa ley grabada en tablas de piedra." PP 337

"El gobierno de Israel era administrado en el nombre y por la autoridad de Dios. La obra de Moisés, de los setenta ancianos, de los jefes y de los jueces consistía simplemente en hacer cumplir las leyes que Dios les había dado; no tenían autoridad alguna para legislar. Esta era y continuaba siendo la condición impuesta para la existencia de Israel como nación... Cuando los israelitas se establecieron en Canaán, reconocían los principios de la teocracia, y la nación prosperó mucho bajo el gobierno de Josué. Pero el aumento de la población y las relaciones con otras naciones no tardaron en producir un cambio… Cuando dejaron de obedecer a la ley de Dios, desearon liberarse del gobierno de su Soberano divino; se generalizó por toda la tierra de Israel la exigencia de que se creara una monarquía… El Señor previó que Israel desearía un rey, pero no consintió en cambiar en manera alguna los principios en que se había fundado el estado. El rey había de ser el vicegerente del Altísimo. Dios debía ser reconocido como cabeza de la nación, y su ley debía aplicarse como ley suprema del país." PP 591

Por esto, también *"cuando Jesús nació en Belén de Judea en días del rey Herodes, vinieron del oriente a Jerusalén unos magos, diciendo: ¿Dónde está el rey de los judíos, que ha nacido? Porque su estrella hemos visto en el oriente, y venimos a adorarle. Oyendo esto, el rey Herodes se turbó, y toda Jerusalén con él. Y convocados todos los principales sacerdotes, y los escribas del pueblo, les preguntó dónde había de nacer el Cristo. Ellos le dijeron: En Belén de Judea; porque así está escrito por el profeta: Y tú, Belén, de la tierra de Judá, no eres la más pequeña entre los príncipes de Judá; porque de ti saldrá un guiador, que apacentará a mi pueblo Israel." Mateo 2:1-6*

Tiempo más tarde, cuando Jesús estaba a punto de entregar su vida en la cruz del calvario, realizó su entrada triunfal a Jerusalén, manifestándose a aquel pueblo como su Rey. Dice: *"El siguiente día, grandes multitudes que habían venido a la fiesta, al oír que Jesús venía a Jerusalén, tomaron ramas de palmera y salieron a recibirle, y clamaban: ¡Hosanna! ¡Bendito el que viene en el nombre del Señor, el Rey de Israel! Y halló Jesús un asnillo, y montó sobre él, como está escrito: No temas, hija de Sion; he aquí tu Rey viene, montado sobre un pollino de asna." Juan 12:12-15*

Luego, el evangelio de Lucas, relata: *"Cuando llegaban ya cerca de la bajada del monte de los Olivos, toda la multitud de los discípulos, gozándose, comenzó a alabar a Dios a grandes voces por todas las maravillas que habían visto, diciendo: ¡Bendito el rey que viene en el nombre del Señor; paz en el cielo, y gloria en las alturas! Entonces algunos de los fariseos de entre la multitud le dijeron: Maestro, reprende a tus discípulos. Él, respondiendo, les dijo: Os digo que si estos callaran, las piedras clamarían... Y entrando en el templo, comenzó a echar fuera a todos los que vendían y compraban en él, diciéndoles: Escrito está: Mi casa es casa de oración; mas vosotros la habéis hecho cueva de ladrones. Y enseñaba cada día en el templo; pero los principales sacerdotes, los escribas y los principales del pueblo procuraban matarle." Lucas 19:37-40; 45-47*

Como vemos, el diablo también le disputó este reino, consiguiendo la obediencia de los principales sacerdotes, rabinos, escribas y ancianos del pueblo judío. Personas que, en vez de reconocer a Cristo como su Rey, lo denunciaron ante los romanos para que fuese crucificado; cumpliendo, sin saberlo, la voluntad de Jehová. Dice: *"Entonces los principales sacerdotes y los fariseos reunieron el concilio, y dijeron: ¿Qué haremos? Porque este hombre hace muchas señales. Si le dejamos así, todos creerán en él; y vendrán los romanos, y destruirán nuestro lugar santo y nuestra nación. Entonces Caifás, uno de ellos, sumo sacerdote aquel año, les dijo: Vosotros no sabéis nada; ni pensáis que nos conviene que un hombre muera por el pueblo, y no que toda la nación perezca.*

Esto no lo dijo por sí mismo, sino que como era el sumo sacerdote aquel año, profetizó que Jesús había de morir por la nación; y no solamente por la nación, sino también para congregar en uno a los hijos de Dios que estaban dispersos. Así que, desde aquel día acordaron matarle." Juan 11:47-53

Sabida es la historia de su traición y cómo los principales del pueblo demandaron su crucifixión a los romanos. Ahora, el punto de todo esto, es que tanto el pueblo judío como los romanos lo reconocieron como 'el Rey de los judíos'. Dice: *"Entonces los soldados del gobernador llevaron a Jesús al pretorio, y reunieron alrededor de él a toda la compañía; y desnudándole, le echaron encima un manto de escarlata, y pusieron sobre su cabeza una corona tejida de espinas, y una caña en su mano derecha; e hincando la rodilla delante de él, le escarnecían, diciendo: ¡Salve, Rey de los judíos!… Y pusieron sobre su cabeza su causa escrita: ESTE ES JESÚS, EL REY DE LOS JUDÍOS [el énfasis es original]" Mateo 27:29-31, 37*

Sin embargo, Cristo, en su humillación, estaba cumpliendo el plan divino a la perfección, dado que su estrategia consistía en vencer al diablo en la cruz. Por esto, por providencia divina: *"Escribió también Pilato un título, que puso sobre la cruz, el cual decía: JESÚS NAZARENO, REY DE LOS JUDÍOS [el énfasis es original]. Y muchos de los judíos leyeron este título; porque el lugar donde Jesús fue crucificado estaba cerca de la ciudad, y el título estaba escrito en hebreo, en griego y en latín. Dijeron a Pilato los principales sacerdotes de los judíos: No escribas: Rey de los judíos; sino, que él dijo: Soy Rey de los judíos. Respondió Pilato: Lo que he escrito, he escrito." Juan 19:19-22*

Como vemos, cuando quienes deberían proclamar la gloria de Dios no lo hacen, el Soberano del cielo puede hacer que las piedras –y los 'Pilatos'– lo hagan. Ahora, el punto de esto, es que Jesús, como Rey de los judíos, se constituyó en el Rey de los sacerdotes, dado que, como vimos, aquel pueblo fue establecido por Dios como un reino de sacerdotes.

En este sentido, tanto al disponer la muerte de Cristo como al escribir *Jesús, rey de los judíos'* –en los principales idiomas de aquella época–, pilato cumplió aquello que estaba escrito en el libro del profeta Isaías, cuando dice: *"Por cárcel y por juicio fue quitado; y su generación, ¿quién la contará? Porque fue cortado de la tierra de los vivientes, y por la rebelión de mi pueblo fue herido. Y se dispuso con los impíos su sepultura, mas con los ricos fue en su muerte; aunque nunca hizo maldad, ni hubo engaño en su boca. Con todo eso, Jehová quiso quebrantarlo, sujetándole a padecimiento. [Y presta atención aquí:] Cuando haya puesto su vida en expiación por el pecado, verá linaje [es decir, descendencia], vivirá por largos días, y la voluntad de*

Jehová será en su mano prosperada. Verá el fruto de la aflicción de su alma, y quedará satisfecho; por su conocimiento justificará mi siervo justo a muchos, y llevará las iniquidades de ellos. Por tanto, yo le daré parte con los grandes, y con los fuertes repartirá despojos; por cuanto derramó su vida hasta la muerte, y fue contado con los pecadores, habiendo él llevado el pecado de muchos, y orado por los transgresores." Isaías 53:8-12

Fue por esta causa –por el hecho de haber puesto su vida en rescate de muchos–, que cuando Cristo ascendió a los cielos fue ungido Sumo Sacerdote, diciendo el Padre, con juramento divino: *"Tú eres sacerdote para siempre según el orden de Melquisedec." Salmo 110:4*

En aquel momento, Cristo, por voluntad del Padre, se sentó nuevamente en su trono. El mismo Salmo, que acabamos de leer, dice en su introducción: *"Jehová dijo a mi Señor: Siéntate a mi diestra, hasta que ponga a tus enemigos por estrado de tus pies." Salmo 110:1*

Por esto, Pablo, refiriéndose a esta escritura, afirma que Cristo se sentó a la diestra de Dios a fin de ministrar, como Sumo Sacerdote por los pecados de su pueblo. El dice: *"Ahora bien, el punto principal de lo que venimos diciendo es que tenemos tal sumo sacerdote, el cual se sentó a la diestra del trono de la Majestad en los cielos, ministro del santuario, y de aquel verdadero tabernáculo que levantó el Señor, y no el hombre." Hebreos 8:1-2*

Por esto, entendemos que el reino que conquistó Cristo en la cruz del calvario tiene que ver con el reino de la gracia. En este sentido, consideremos como Pablo, en este mismo contexto, llama al trono de Dios 'el trono de la gracia'. Dice: *"Por tanto, teniendo un gran sumo sacerdote que traspasó los cielos, Jesús el Hijo de Dios, retengamos nuestra profesión. Porque no tenemos un sumo sacerdote que no pueda compadecerse de nuestras debilidades, sino uno que fue tentado en todo según nuestra semejanza, pero sin pecado. Acerquémonos, pues, confiadamente al trono de la gracia, para alcanzar misericordia y hallar gracia para el oportuno socorro." Hebreos 4:14-16*

En consecuencia, cuando Cristo dijo a sus discípulos: *"toda potestad me es dada en el cielo y en la tierra. Por tanto, id, y haced discípulos a todas las naciones..." (Mateo 28:18-19)*, se estaba refiriendo a esta potestad de 'Rey Sumo Sacerdotal' que había recibido del Padre; y por esto, con esta autoridad, los instituyó como sus nuevos embajadores –cumpliendo aquello que había dicho a los sacerdotes judíos, cuando les dijo: *"Por tanto os digo, que el reino de Dios será quitado de vosotros, y será dado a gente que produzca los frutos de él." Mateo 21:43–.*[257]

5. Rey de los vencedores

No contento con haber sido derrotado en las anteriores cuatro batallas, el diablo seguirá pretendiendo despojar a Cristo de su potestad como Rey. En este sentido, Apocalipsis 12 revela que, luego de la muerte de Cristo, se daría otra batalla en el cielo, en la que Miguel y sus ángeles lucharían contra el dragón y sus ángeles.

Bajo el aserto de que todos los hombres han pecado y que Cristo venció usando su poder divino, el diablo pretenderá disputar el reino de Cristo sobre su iglesia. Sin embargo, Apocalipsis anticipa su derrota. Presta atención, dice: *"Después [de la ascensión de Cristo y los 1260 días –que representan 1260 años– de persecución del diablo sobre la iglesia, dice:] hubo una gran batalla en el cielo: Miguel y sus ángeles luchaban contra el dragón; y luchaban el dragón y sus ángeles; pero no prevalecieron, ni se halló ya lugar para ellos en el cielo." Apocalipsis 12:7-8*

Hasta aquí el relato de la disputa celestial entre Cristo y Satanás –y su resultado–; sin embargo, prestemos atención a sus implicancias. Dice: *"Entonces oí una gran voz en el cielo, que decía: Ahora ha venido la salvación, el poder, y el reino de nuestro Dios, y la autoridad de su Cristo; porque ha sido lanzado fuera el acusador de nuestros hermanos, el que los acusaba delante de nuestro Dios día y noche." Apocalipsis 12:10*

Es evidente que, en ese momento, Cristo recibirá un nuevo reconocimiento de su autoridad como Rey. Ahora, ¿en qué contexto? ¿Cuál es el trasfondo de la escena? Dice: *"Y ellos [los hermanos] le han vencido por medio de la sangre del Cordero y de la palabra del testimonio de ellos, y menospreciaron sus vidas hasta la muerte." Apocalipsis 12:11*

---

257 Elena de White, amplía diciendo: "La ascensión de Cristo al cielo fue la señal de que sus seguidores iban a recibir la bendición prometida. Habían de esperarla antes de empezar a hacer su obra. Cuando Cristo entró por los portales celestiales, fue entronizado en medio de la adoración de los ángeles. Tan pronto como esta ceremonia hubo terminado, el Espíritu Santo descendió sobre los discípulos en abundantes raudales, y Cristo fue de veras glorificado con la misma gloria que había tenido con el Padre, desde toda la eternidad. El derramamiento pentecostal era la comunicación del Cielo de que el Redentor había iniciado su ministerio celestial. De acuerdo con su promesa, había enviado el Espíritu Santo del cielo a sus seguidores como prueba de que, como sacerdote y rey, había recibido toda autoridad en el cielo y en la tierra, y era el Ungido sobre su pueblo." HAp 31

Lo cual implica que, en este caso, la corona es obtenida por Cristo a consecuencia de la victoria de su pueblo sobre el diablo, por medio del poder de su sangre. Por esto, solo a aquellos que venzan, Jesús les compartirá su trono. Dice: *"Al que venciere, le daré que se siente conmigo en mi trono, así como yo he vencido, y me he sentado con mi Padre en su trono." Apocalipsis 3:21*[258]

En efecto, Apocalipsis describe a Cristo como el Rey de los vencedores, diciendo: *"Después miré, y he aquí el Cordero estaba en pie sobre el monte de Sion, y con él ciento cuarenta y cuatro mil, que tenían el nombre de él y el de su Padre escrito en la frente... Estos son los que siguen al Cordero por dondequiera que va. Estos fueron redimidos de entre los hombres como primicias para Dios y para el Cordero; y en sus bocas no fue hallada mentira, pues son sin mancha delante del trono de Dios." Apocalipsis 14:1, 4-5*

Luego, estas mismas personas –los 144000–, en su cántico triunfal, reconocerán a Cristo como 'El Rey de los Santos'. Dice: *"Y cantan el cántico de Moisés siervo de Dios, y el cántico del Cordero, diciendo: Grandes y maravillosas son tus obras, Señor Dios Todopoderoso; justos y verdaderos son tus caminos, Rey de los santos." Apocalipsis 15:3*

6. Rey de los reyes

Según Apocalipsis 12, no contento con haber sido nuevamente derrotado por Cristo en el justo juicio de Dios sobre su iglesia, el diablo descenderá con grande ira a fin de prepararse para disputar una nueva batalla. Dice: *"Por lo cual alegraos, cielos, y los que moráis en ellos. ¡Ay de los moradores de la tierra y del mar! porque el diablo ha descendido a vosotros con gran ira, sabiendo que tiene poco tiempo. Y cuando vio el dragón que había sido arrojado a la tierra, persiguió a la mujer que había dado a luz al hijo varón." Apocalipsis 12:12-13*

Tal como hemos comentado en el análisis de este capítulo, en aquel tiempo el diablo intentará aplastar a los santos incitando a los reyes de la tierra para que promulguen leyes contra el pueblo de Dios e instigando a las multitudes a que se lancen contra ellos. Momento en el que se manifestará la gloria de Dios sobre su iglesia y las endemoniadas multitudes

---

258 Elena de White comenta: "El Salvador vino para glorificar al Padre demostrando su amor; así el Espíritu iba a glorificar a Cristo revelando su gracia al mundo. La misma imagen de Dios se ha de reproducir en la humanidad. El honor de Dios, el honor de Cristo, están comprometidos en la perfección del carácter de su pueblo." DTG 625

serán contenidas en el acto, volviéndose contra sus engañadores –lo cual es representado por el secamiento de las aguas lanzadas por el dragón–, preparando, de esta manera, el camino para el establecimiento del reino de Dios sobre la tierra.

Es decir, nos encontraremos en el contexto de la séptima trompeta, la cual dice: *"El séptimo ángel tocó la trompeta, y hubo grandes voces en el cielo, que decían: Los reinos del mundo han venido a ser de nuestro Señor y de su Cristo; y él reinará por los siglos de los siglos. Y los veinticuatro ancianos que estaban sentados delante de Dios en sus tronos, se postraron sobre sus rostros, y adoraron a Dios, diciendo: Te damos gracias, Señor Dios Todopoderoso, el que eres y que eras y que has de venir, porque has tomado tu gran poder, y has reinado. Y se airaron las naciones, y tu ira ha venido, y el tiempo de juzgar a los muertos, y de dar el galardón a tus siervos los profetas, a los santos, y a los que temen tu nombre, a los pequeños y a los grandes, y de destruir a los que destruyen la tierra." Apocalipsis 11:15-18*

Este es el contexto en el que nos encontramos aquí, en Apocalipsis 19, donde se describe a Cristo viniendo a la tierra, ostentando un nombre acorde a la ocasión. Dice: *"De su boca sale una espada aguda, para herir con ella a las naciones, y él las regirá con vara de hierro; y él pisa el lagar del vino del furor y de la ira del Dios Todopoderoso. Y en su vestidura y en su muslo tiene escrito este nombre: REY DE REYES Y SEÑOR DE SEÑORES [el énfasis es original]." Apocalipsis 19:15-16*

En aquel momento, el diablo intentará disputar el Señorío de Cristo sobre las naciones incitando a los reyes de la tierra a que presenten batalla armada contra Él. Sin embargo, según se anticipa, serán aplastados por el ejército del Señor. Apocalipsis lo describe con imágenes muy vívidas, diciendo: *"Y vi a un ángel que estaba en pie en el sol, y clamó a gran voz, diciendo a todas las aves que vuelan en medio del cielo: Venid, y congregaos a la gran cena de Dios, para que comáis carnes de reyes y de capitanes, y carnes de fuertes, carnes de caballos y de sus jinetes, y carnes de todos, libres y esclavos, pequeños y grandes. Y vi a la bestia, a los reyes de la tierra y a sus ejércitos, reunidos para guerrear contra el que montaba el caballo, y contra su ejército. Y la bestia fue apresada, y con ella el falso profeta que había hecho delante de ella las señales con las cuales había engañado a los que recibieron la marca de la bestia, y habían adorado su imagen. Estos dos fueron lanzados vivos dentro de un lago de fuego que arde con azufre. Y los demás fueron muertos con la espada que salía de la boca del que montaba el caballo, y todas las aves se saciaron de las carnes de ellos." Apocalipsis 19:17-21*

Es decir, se trata del momento en el que Cristo, como Rey de los reyes de la tierra, quitará los reinos del mundo de manos de aquellos gobernantes que obedecen al enemigo de Dios y se los dará a los santos del Altísimo. Hablando en relación al 'cuerno pequeño', el profeta Daniel escribió: *"hablará palabras contra el Altísimo, y a los santos del Altísimo quebrantará, y pensará en cambiar los tiempos y la ley; y serán entregados en su mano hasta tiempo, y tiempos, y medio tiempo. Pero se sentará el Juez, y le quitarán su dominio para que sea destruido y arruinado hasta el fin, y que el reino, y el dominio y la majestad de los reinos debajo de todo el cielo, sea dado al pueblo de los santos del Altísimo, cuyo reino es reino eterno, y todos los dominios le servirán y obedecerán." Daniel 7:25-27*

En este sentido, entendemos que cuando el Hijo del Hombre obtenga, de manos del Padre –al finalizar su obra como intercesor en la corte celestial–, el señorío sobre los reinos del mundo, ejercerá –con derecho real– plena potestad sobre aquella facultad divina mencionada por el profeta Daniel, cuando dijo: *"Sea bendito el nombre de Dios de siglos en siglos, porque suyos son el poder y la sabiduría. Él muda los tiempos y las edades; quita reyes, y pone reyes; da la sabiduría a los sabios, y la ciencia a los entendidos." Daniel 2:20-21*

Razón por la cual, habrá llegado el momento en el que aquellos reyes –y aquellos señores– que Cristo ha designado para el gobierno de la tierra, recibirán los reinos del mundo. En este sentido, me uno a las palabras del apóstol Juan, y digo: *"a Jesucristo, el testigo fiel, el primogénito de los muertos, y el soberano de los reyes de la tierra. Al que nos amó, y nos lavó de nuestros pecados con su sangre, y nos hizo reyes y sacerdotes para Dios, su Padre; a él sea gloria e imperio por los siglos de los siglos. Amén... Digno eres... porque tú fuiste inmolado, y con tu sangre nos has redimido para Dios, de todo linaje y lengua y pueblo y nación; y nos has hecho para nuestro Dios reyes y sacerdotes, y reinaremos sobre la tierra." Apocalipsis 1:5-6; 5:9-10*

Este reino, en la Biblia, también es llamado 'el reino de la gloria'. Dijo Jesús: *"Cuando el Hijo del Hombre venga en su gloria, y todos los santos ángeles con él, entonces se sentará en su trono de gloria, y serán reunidas delante de él todas las naciones; y apartará los unos de los otros, como aparta el pastor las ovejas de los cabritos. Y pondrá las ovejas a su derecha, y los cabritos a su izquierda. Entonces el Rey dirá a los de su derecha: Venid, benditos de mi Padre, heredad el reino preparado para vosotros desde la fundación del mundo." Mateo 25:31-34*

Este reino, en la Biblia, también es llamado 'el reino de la gloria'. Dijo Jesús: *"Cuando el Hijo del Hombre venga en su gloria, y todos los santos ángeles con él, entonces se sentará en su trono de gloria, y serán reunidas delante de él todas las naciones; y apartará los unos de los otros, como aparta el pastor las ovejas de los cabritos. Y pondrá las ovejas a su derecha, y los cabritos a su izquierda. Entonces el Rey dirá a los de su derecha: Venid, benditos de mi Padre, heredad el reino preparado para vosotros desde la fundación del mundo." Mateo 25:31-34*[259]

---

[259] Elena de White, hablando de todos estos reinos, explica este tema de una manera maravillosa, diciendo: "el 'reino de Dios' que [los discípulos] habían declarado estar próximo, fue establecido por la muerte de Cristo. Este reino no era un imperio terrenal como se les había enseñado a creer. No era tampoco el reino venidero e inmortal que se establecerá cuando "el reino, y el dominio, y el señorío de los reinos por debajo de todos los cielos, será dado al pueblo de los santos del Altísimo"; ese reino eterno en que "todos los dominios le servirán y le obedecerán a él". Daniel 7:27 (VM). La expresión "reino de Dios", tal cual la emplea la Biblia, significa tanto el reino de la gracia como el de la gloria. El reino de la gracia es presentado por San Pablo en la Epístola a los Hebreos. Después de haber hablado de Cristo como del intercesor que puede "compadecerse de nuestras flaquezas", el apóstol dice: "Lleguémonos pues confiadamente al trono de la gracia, para alcanzar misericordia, y hallar gracia". Hebreos 4:16. El trono de la gracia representa el reino de la gracia; pues la existencia de un trono envuelve la existencia de un reino. En muchas de sus parábolas, Cristo emplea la expresión, "el reino de los cielos", para designar la obra de la gracia divina en los corazones de los hombres.

Asimismo el trono de la gloria representa el reino de la gloria y es a este reino al que se refería el Salvador en las palabras: "Cuando el Hijo del hombre venga en su gloria, y todos los santos ángeles con él, entonces se sentará sobre el trono de su gloria; y serán reunidas delante de él todas las gentes". Mateo 25:31, 32. Este reino está aún por venir. No quedará establecido sino en el segundo advenimiento de Cristo.

El reino de la gracia fue instituido inmediatamente después de la caída del hombre, cuando se ideó un plan para la redención de la raza culpable. Este reino existía entonces en el designio de Dios y por su promesa; y mediante la fe los hombres podían hacerse sus súbditos. Sin embargo, no fue establecido en realidad hasta la muerte de Cristo. Aun después de haber iniciado su misión terrenal, el Salvador, cansado de la obstinación e ingratitud de los hombres, habría podido retroceder ante el sacrificio del Calvario. En Getsemaní la copa del dolor le tembló en la mano. Aun entonces, hubiera podido enjugar el sudor de sangre de su frente y dejar que la raza culpable pereciese en su iniquidad. Si así lo hubiera hecho no habría habido redención para la humanidad caída. Pero cuando el Salvador hubo rendido la vida y exclamado en su último aliento: "Consumado es", entonces el cumplimiento del plan de la redención quedó asegurado. La promesa de salvación hecha a la pareja culpable en el Edén quedó ratificada. El reino de la gracia, que hasta entonces existiera por la promesa de Dios, quedó establecido." CS 346 - 347

7. Rey de la nueva creación

La séptima corona tiene que ver con un reino que Cristo recibirá en la tierra, en presencia de los habitantes de ella y del cielo reunidos, cuando, luego del milenio, descienda junto a los santos en la Nueva Jerusalén y produzca la segunda resurrección, es decir, la de los impíos. Dice Apocalipsis: *"Y vi un gran trono blanco y al que estaba sentado en él, de delante del cual huyeron la tierra y el cielo, y ningún lugar se encontró para ellos. Y vi a los muertos, grandes y pequeños, de pie ante Dios; y los libros fueron abiertos, y otro libro fue abierto, el cual es el libro de la vida; y fueron juzgados los muertos por las cosas que estaban escritas en los libros, según sus obras... Y el que no se halló inscrito en el libro de la vida fue lanzado al lago de fuego." Apocalipsis 20:11, 12, 15*

Allí, como explicaremos en el análisis de Apocalipsis 20, el diablo, en su última oportunidad, volverá a intentar despojar a Cristo de sus dominios, más sin éxito. Luego de esto, Cristo ostentará sus *'siete coronas'* como símbolo máximo de la plenitud de su gobierno sobre los cielos nuevos y la tierra nueva que Él mismo creará.[260]

Una espada en la boca

Volviendo al texto, Apocalipsis presenta dos diferentes maneras por medio de las cuales los impíos serán destruidos. En relación a la bestia y al falso profeta –principales actores de poder que ejecutarán la obra del diablo–, dice: *"Y la bestia fue apresada, y con ella el falso profeta que había hecho delante de ella las señales con las cuales había engañado a los que recibieron la marca de la bestia, y habían adorado su imagen. Estos dos fueron lanzados vivos dentro de un lago de fuego que arde con azufre." Apocalipsis 19:20*

Lo cual implica, en nuestra manera de entender, un castigo superior que será proporcional a su grado de rebeldía contra Cristo. Ahora, el resto de las personas perecerá de una manera diferente. Dice: *"Y los demás fueron muertos con la espada que salía de la boca del que montaba el caballo, y todas las aves se saciaron de las carnes de ellos." Apocalipsis 19:21*

En aquel momento, ningún ser humano quedará con vida sobre el planeta tierra, dado que los salvos serán rescatados de ella al tiempo que el resto de los impíos quedará tendido sobre su faz, como alimento para

---

260 Elena de White escribió, en el contexto de la coronación final de Jesús: "Su corona era gloriosa y resplandeciente. Estaba formada por una corona dentro de otra corona, hasta un total de siete." PE 53

las aves, sin haber quien los llore ni entierre. Dice Jeremías: *"Así ha dicho Jehová de los ejércitos: He aquí que el mal irá de nación en nación, y grande tempestad se levantará de los fines de la tierra. Y yacerán los muertos de Jehová en aquel día desde un extremo de la tierra hasta el otro; no se endecharán ni se recogerán ni serán enterrados; como estiércol quedarán sobre la faz de la tierra." Jeremías 25:32-33*

Ahora, ¿qué representa la *'espada'* que sale de la boca de Cristo? Su Palabra. Dijo Pablo: *"Tomad [...] la espada del Espíritu, que es la palabra de Dios." Efesios 6:17*

Por medio de dicha Palabra fueron creados los cielos y la tierra, y todo lo que hay en ellos. Por lo cual, cuando Cristo se manifieste en su ira, también ejecutará su obra de destrucción mediante su Palabra.

¿Cómo será esto? Entendemos, por medio de la actividad del Espíritu Santo. De hecho, dicho Espíritu es representado en la Biblia como el *'soplo de Dios'*, que procede del Padre (Juan 15:26) pero es impartido por Jesús. Presta atención: *"Entonces Jesús les dijo otra vez: Paz a vosotros. Como me envió el Padre, así también yo os envío. Y habiendo dicho esto, sopló, y les dijo: Recibid el Espíritu Santo." Juan 20:21-22*

¿No es de asombrar que aquel que se manifestó con un amor más fuerte que la muerte ejecute ahora tan tremenda obra de destrucción? De igual manera, ¿como se entiende que aquel Espíritu que intercede por nosotros con gemidos indecibles (Romanos 8:26), termine consumiéndolos en el fuego de su celo?

Pues sí, la paciencia de Dios tiene un límite. Y cuando esa medida se haya colmado –quedando los impíos sin nadie que interceda por ellos–, la extraña obra de Dios se efectuará sin mezcla de misericordia. En Isaías dice: *"Mas ellos fueron rebeldes, e hicieron enojar su Santo Espíritu; por lo cual se les volvió enemigo, y él mismo peleó contra ellos." Isaías 63:10*

Luego, hablando en relación al Mesías, Isaías también escribió: *"Saldrá una vara del tronco de Isaí, y un vástago retoñará de sus raíces. Y reposará sobre él el Espíritu de Jehová… juzgará con justicia a los pobres, y argüirá con equidad por los mansos de la tierra; y herirá la tierra con la vara de su boca, y con el espíritu de sus labios matará al impío." Isaías 11:1-4*

Y más adelante, este mismo profeta, dice: *"¡Miren que el nombre del Señor viene de lejos! Arde su ira y es densa la humareda; sus labios desbordan de indignación y su lengua es como fuego devorador. Su aliento es como un torrente desbordado, que sube hasta el cuello, para zarandear a las naciones con la criba destructora y poner el freno del extravío en las quijadas de los pueblos. Entonces, ustedes cantarán como en la noche sagrada de la fiesta, y habrá alegría en los corazones, como cuando se avanza al son de la flauta para ir a la montaña del Señor, hacia la Roca de Israel. El Señor hará oír su voz majestuosa y mostrará su brazo que se descarga en el ardor de su ira, en la llama de un fuego devorador, en el huracán, la tormenta y el granizo…Porque la hoguera está preparada hace tiempo, está dispuesta también para el rey: se ha hecho una pira profunda y ancha, con fuego y leña en abundancia, y el soplo del Señor la encenderá como un torrente de azufre… mi soplo es un fuego que los va a devorar. Los pueblos serán calcinados, como espinas cortadas, arderán en el fuego." Isaías 30:27-30, 33; 33:11-12 LPD.*

Y hay multitud de pasajes en este sentido –que usted puede buscar y entender en el contexto que revela Apocalipsis–. Sin embargo, lo que es necesario resaltar –en medio de tanto horror–, es el amor y la salvación de Dios hacia su pueblo fiel. En este sentido, la Biblia ha sido muy clara en cuanto a que mientras Cristo estará encendido en ira contra los impíos, –al mismo tiempo– será la dulce esperanza y el canto de los redimidos. Dice Joel: *"Y Jehová rugirá desde Sion, y dará su voz desde Jerusalén, y temblarán los cielos y la tierra; pero Jehová será la esperanza de su pueblo, y la fortaleza de los hijos de Israel." Joel 3:16*

En ese bendito Señor descansa mi esperanza.

Vuelve a leer, ahora mismo, Apocalipsis 19, y comprueba como ya se ha abierto ante tus ojos.

Capítulo 20
El juicio de los impíos

En el capítulo anterior, Apocalipsis concluye describiendo la muerte de los impíos por medio de la espada que sale de la boca de Cristo, es decir, por medio del soplo de Dios, y agrega: *"y todas las aves se saciaron de las carnes de ellos" (Ap 19:21),* por no haber quien los enterrara.

El juicio de los impíos

Por esto, Apocalipsis continúa –en este capítulo–, diciendo: *"Vi a un ángel que descendía del cielo, con la llave del abismo, y una gran cadena en la mano. Y prendió al dragón, la serpiente antigua, que es el diablo y Satanás, y lo ató por mil años; y lo arrojó al abismo, y lo encerró, y puso su sello sobre él, para que no engañase más a las naciones, hasta que fuesen cumplidos mil años; y después de esto debe ser desatado por un poco de tiempo." Apocalipsis 20:1-3*

Como vemos, éste será un suceso opuesto a aquel que se menciona en la quinta trompeta, cuando dice: *"El quinto ángel tocó la trompeta, y vi una estrella que cayó del cielo a la tierra; y se le dio la llave del pozo del abismo. Y abrió el pozo del abismo, y subió humo del pozo como humo de un gran horno; y se oscureció el sol y el aire por el humo del pozo. Y del humo salieron langostas sobre la tierra… [las cuales] tienen por rey sobre ellos al ángel del abismo..." Apocalipsis 9:1-3, 11*

En consecuencia, aunque por un breve espacio de tiempo, Dios permitirá que el diablo se manifieste en mayor poder –a fin de que todos puedan ver el resultado de sus obras–, luego del derramamiento de las copas de su ira será puesto en prisión por mil años. Prisión que estará llena de muertos. Por eso se dice: *'lo arrojó al abismo',* porque el abismo es el lugar de los muertos.

Mientras tanto, durante todo este tiempo, los santos juzgarán al mundo, sentados como reyes junto a Cristo, en el cielo. En este sentido, Apocalipsis continúa diciendo: *"Y vi tronos, y se sentaron sobre ellos los que recibieron facultad de juzgar; y vi las almas de los decapitados por causa del testimonio de Jesús y por la palabra de Dios, los que no habían adorado a la bestia ni a su imagen, y que no recibieron la marca en sus frentes ni en sus manos; y vivieron y reinaron con Cristo mil años." Apocalipsis 20:4*

Como vemos, en aquel tiempo Dios volverá a incluir a seres humanos en el juicio de los impíos, tal como lo habrá hecho con los veinticuatro ancianos en el juicio sobre la iglesia. En este sentido, el profeta Daniel escribió: *"Y veía yo que este cuerno [el cuerno pequeño, símbolo del papado] hacía guerra contra los santos, y los vencía, hasta que vino el Anciano de días, y se dio el juicio a los santos del Altísimo; y llegó el tiempo, y los santos recibieron el reino." Daniel 7:21-22*[261]

Ahora, en el juicio de los impíos no se decidirá solamente el destino de los seres humanos que se rebelaron contra Dios, sino que también a los santos también se les concederá la responsabilidad de juzgar a los demonios por todas las obras impías que habrán realizado durante su rebelión −tanto en relación a los pecados que habrán cometido ellos mismos, como aquellos que nos habrán hecho cometer a nosotros−. Dice la Biblia: *"¿Osa alguno de vosotros, cuando tiene algo contra otro, ir a juicio delante de los injustos, y no delante de los santos? ¿O no sabéis que los santos han de juzgar al mundo? Y si el mundo ha de ser juzgado por vosotros, ¿sois indignos de juzgar cosas muy pequeñas? ¿O no sabéis que hemos de juzgar a los ángeles? ¿Cuánto más las cosas de esta vida?" 1 Corintios 6:1-3*[262]

---

261 Elena de White explica: "Durante los mil años que transcurrirán entre la primera resurrección y la segunda, se verificará el juicio de los impíos. El apóstol Pablo señala este juicio como un acontecimiento que sigue al segundo advenimiento. "No juzguéis nada antes de tiempo, hasta que venga el Señor; el cual sacará a luz las obras encubiertas de las tinieblas, y pondrá de manifiesto los propósitos de los corazones". 1 Corintios 4:5 (VM). Daniel declara que cuando vino el Anciano de días, "se dio el juicio a los santos del Altísimo". Daniel 7:22. En ese entonces reinarán los justos como reyes y sacerdotes de Dios. San Juan dice en el Apocalipsis: "Vi tronos, y se sentaron sobre ellos, y les fue dado juicio". "Serán sacerdotes de Dios y de Cristo, y reinarán con él mil años". Apocalipsis 20:4, 6. Entonces será cuando, como está predicho por San Pablo, "los santos han de juzgar al mundo". 1 Corintios 6:2. Junto con Cristo juzgan a los impíos, comparando sus actos con el libro de la ley, la Biblia, y fallando cada caso en conformidad con los actos que cometieron por medio de su cuerpo. Entonces lo que los malos tienen que sufrir es medido según sus obras, y queda anotado frente a sus nombres en el libro de la muerte." CS 641

262 Elena de White agrega: "También Satanás y los ángeles malos son juzgados por Cristo y su pueblo. San Pablo dice: "¿No sabéis que hemos de juzgar a los ángeles?" (1 Corintios 6:3). Y San Judas declara que "a los ángeles que no guardaron su original estado, sino que dejaron su propia habitación, los ha guardado en prisiones eternas, bajo tinieblas, hasta el juicio del gran día". Judas 1:6 (VM)." CS 642

Ahora, es importante insistir en que el reino –y el juicio– de los santos durante el milenio será en el cielo, dado que, en su segunda venida, Jesús no establecerá su reino en la tierra, sino que vendrá para llevarse a sus escogidos. El apóstol Pablo, escribió: *"Os decimos esto en palabra del Señor: que nosotros que vivimos, que habremos quedado hasta la venida del Señor, no precederemos a los que durmieron [es decir, a los que murieron]. Porque el Señor mismo con voz de mando, con voz de arcángel, y con trompeta de Dios, descenderá del cielo; y los muertos en Cristo resucitarán primero. Luego nosotros los que vivimos, los que hayamos quedado, seremos arrebatados juntamente con ellos en las nubes para recibir al Señor en el aire, y así estaremos siempre con el Señor." 1 Tesalonicenses 4:15-17*

Por esto, cuando Jesús regrese establecerá justicia sobre la bestia, el falso profeta y la totalidad de las personas que habitarán la tierra, pero de manera provisoria; dejando a los impíos en la *'prisión de la muerte'* y a los demonios en la *'prisión del abismo'* –es decir, donde estarán aquellos muertos– hasta que los santos pronuncien juicio sobre ellos. En este sentido, Isaías profetizó: *"Acontecerá en aquel día, que Jehová castigará al ejército de los cielos en lo alto, y a los reyes de la tierra sobre la tierra. Y serán amontonados como se amontona a los encarcelados en mazmorra, y en prisión quedarán encerrados, y serán castigados después de muchos días." Isaías 24:21-22*

Dos muertes, dos resurrecciones

En este contexto, Apocalipsis continúa diciendo: *"Pero los otros muertos no volvieron a vivir hasta que se cumplieron mil años… Bienaventurado y santo el que tiene parte en la primera resurrección; la segunda muerte no tiene potestad sobre estos, sino que serán sacerdotes de Dios y de Cristo, y reinarán con él mil años." Apocalipsis 20:5-6*

Como vemos, Cristo reconocerá como reyes no solo a aquellos que estarán de pie cuando él regrese, sino también a todos los que entregaron su vida por él. Ahora, ¿qué es esto de la *'primera resurrección'* y la *'segunda muerte'*? ¿De cuántas muertes y resurrecciones habla la Biblia?

Sin entrar a considerar casos especiales, la Biblia habla acerca de dos muertes y dos resurrecciones. La primera muerte es la que conocemos todos, es decir, cuando las personas dejan de existir por edad avanzada, enfermedad o accidente. Muerte que se produce como consecuencia de la desobediencia de Adán, sin embargo, no representa el castigo final sobre el pecado. Morimos porque Dios quitó el árbol de la vida, pero esta muerte no es definitiva –gracias al plan de salvación ideado por Dios–.

Por esto, las personas que han pasado al descanso −a lo largo de los seis mil años de nuestro mundo−, han quedado en reserva hasta el momento en que Dios ejecute su juicio. Cuando Jesús cumpla su promesa −y regrese a nuestro mundo−, se producirá la primera resurrección −conocida como 'la resurrección de los justos'−. Sin embargo, este gran suceso −que volverá a la vida a multitudes de personas− provocará la muerte de todos los malvados que se encuentren vivos aquel día.

Apocalipsis dice: *"El cielo se replegó como un pergamino que se enrolla, y todas las montañas y las islas fueron arrancadas de sus sitios. Los reyes y los grandes de la tierra, los jefes militares, los ricos y los poderosos, los esclavos y los hombres libres, todos se escondieron en las cavernas y entre las rocas y las montañas, y decían a las montañas y a las rocas: «Caigan sobre nosotros, y ocúltennos de la mirada de aquel que está sentado en el trono y de la ira del Cordero». Porque ha llegado el gran Día de su ira, y ¿quién podrá resistir?" Apocalipsis 6:14-17 LPD*

Y Sofonías aclara: *"¡Está cerca el gran Día del Señor! ¡Está cerca y llega rápidamente! ¡Qué amargo es el clamor del Día del Señor! ¡Hasta el valeroso lanza un grito estridente! ¡Día de ira será aquel día, día de angustia y aflicción, día de ruina y desolación, día de tinieblas y oscuridad, día nublado y de sombríos nubarrones, día de sonidos de trompeta y de gritos de guerra contra las ciudades fortificadas y contra las almenas elevadas! Yo llenaré a los hombres de angustia, y ellos caminarán como ciegos, porque han pecado contra el Señor; su sangre será derramada como polvo y sus entrañas, como estiércol: ni su plata ni su oro podrán librarlos. En el Día de la ira del Señor y por el fuego de sus celos, será devorada toda la tierra; porque él hará un terrible exterminio de todos los habitantes de la tierra." Sofonías 1:14-18 LPD*

Y Jeremías agrega: *"Llega el estruendo hasta el confín de la tierra, porque el Señor está en pleito con las naciones, entabla juicio a todo ser viviente, y a los malvados los entrega a la espada −oráculo [o profecía] del Señor−. Así habla el Señor de los ejércitos: Miren cómo pasa la desgracia de nación en nación; se desata una gran tempestad desde los extremos de la tierra. Habrá víctimas del Señor, en aquel día, desde un extremo a otro de la tierra; no serán lloradas ni recogidas ni enterradas: se convertirán en estiércol sobre la superficie del suelo." Jeremías 25:31-33 LPD*

En aquel gran y terrible día de Jehová, no quedarán seres vivientes sobre la tierra −por esto no habrá quien llore ni sepulte a los exterminados por el Señor−.

Isaías dice: *"Miren, el Señor arrasa la tierra y la deja desierta, trastorna su faz y dispersa a sus habitantes. Correrán la misma suerte tanto el pueblo como el sacerdote, el esclavo como su señor, la esclava como su señora, el comprador como el vendedor, el que pide prestado como el que presta, el acreedor como el deudor. La tierra es arrasada, sí, arrasada, saqueada por completo, porque el Señor ha pronunciado esta palabra. La tierra está de duelo, desfallece, el mundo se marchita, desfallecen las alturas junto con la tierra. La tierra está profanada bajo los pies de los que la habitan, porque ellos violaron las leyes, transgredieron los preceptos, rompieron la alianza eterna. Por eso la Maldición devora la tierra y sus habitantes soportan la pena; por eso se consumen los habitantes de la tierra y no quedan más que unos pocos [según entendemos, los salvos]."* Isaías 24:1-6

Luego de esto, comenzará *'el milenio'*: tiempo durante el cual los escogidos –es decir, aquellos que habrán sido justificados en el juicio de Dios por medio de la sangre de Jesús–, reinarán con Cristo en el cielo. Apocalipsis dice: *¡Felices y santos, los que participan de la primera resurrección! La segunda muerte no tiene poder sobre ellos: serán sacerdotes de Dios y de Cristo, y reinarán con él durante mil años."* Apocalipsis 20:6

Como hemos comentado, durante este período, a los escogidos de Dios se les concederá el privilegio de participar en el juicio de los impíos y, de esta manera, comprobar cuán grande es el amor, la misericordia y la justicia de Dios, tanto en su recompensa a los justos como en el castigo a los malvados. Ahora, mientras esto sucede en el cielo, aquí, en la tierra, todo estará destruido. Olor nauseabundo impregnará toda la atmósfera terrestre, en la que sólo se encontrarán Satanás y sus demonios contemplando el resultado de su rebelión por mil años.

Durante este tiempo, Satanás no tendrá a nadie para engañar, por lo que andará errante de un lado para otro. La ociosidad –en una tierra desolada y llena de cadáveres– será su castigo y padecerá intensamente. Desde su rebelión, su continua actividad maligna impidió que reflexionara sobre que hacía; pero ahora, habiéndosele impedido obrar –con la muerte de los impíos y el arrebatamiento de los santos–, no puede menos que contemplar el resultado de su macabra obra de destrucción. Tembloroso, aguardará aterrorizado el terrible final que le espera.

Cumplidos los mil años, Jesús regresará a la tierra –junto a sus escogidos– en la Ciudad Santa, la Nueva Jerusalén, una imponente ciudad interplanetaria construida por Dios mismo.

En ese momento, Cristo resucitará a los impíos a fin de que reciban el justo pago por sus obras. Apocalipsis dice: *"Pero los otros muertos no volvieron a vivir hasta que se cumplieron mil años." Apocalipsis 20:5*

Esta será la segunda resurrección, la de los impíos. En este sentido, es necesario resaltar que, en Cristo, resucitarán tanto justos como injustos. Jesús dijo: *"No os maravilléis de esto; porque vendrá hora cuando todos los que están en los sepulcros oirán su voz; y los que hicieron lo bueno, saldrán a resurrección de vida; mas los que hicieron lo malo, a resurrección de condenación." Juan 5:28-29*

Ahora, al volver a la vida, los impíos retomarán el curso de sus malos pensamientos, es decir, saldrán de sus tumbas tal como bajaron a ellas, con la misma enemistad hacia Cristo y el mismo espíritu de rebelión, y −en contraste con la majestuosidad y hermosura de los redimidos− en ellos se verán huellas de enfermedad y muerte.

En ese momento, el diablo, al ser liberado de su prisión, volverá a intentar usurpar el reino de Cristo por medio de las inmensas multitudes que habrán vuelto a la vida en la segunda resurrección −todos los impíos que habrán vivido sobre la tierra a lo largo de los siglos−.

Dice Apocalipsis: *"Cuando los mil años se cumplan, Satanás será suelto de su prisión, y saldrá a engañar a las naciones que están en los cuatro ángulos de la tierra, a Gog y a Magog, a fin de reunirlos para la batalla; el número de los cuales es como la arena del mar. Y subieron sobre la anchura de la tierra, y rodearon el campamento de los santos y la ciudad amada; y de Dios descendió fuego del cielo, y los consumió." Apocalipsis 20:7-9*

Esa será la segunda muerte, aquella sobre la cual no quedará esperanza de vida, porque será una muerte eterna en justo pago por el pecado. Ahora, y aunque este es el resumen del asunto, la Biblia, y aún Apocalipsis, brindan mayores detalles sobre lo que sucederá en aquellos días.

La última batalla y la séptima corona

Cuando Jesús regrese a la tierra y produzca la resurrección de los impíos, el enemigo de Dios, al ver tan vastas multitudes −entre los cuales se encontrarán grandes personajes de guerra, científicos nucleares, gente de la industria pesada, estrategas políticos y un sin número de personas con alto potencial destructivo−, creerá que, por medio del esfuerzo coordinado, podrá tomar la Ciudad Santa por asalto y hacerse con el control del reino divino.[263]

---

263 Elena de White, explicando lo que sucederá, escribió: "Entonces Satanás se prepara para la última tremenda lucha por la supremacía. Mientras estaba despojado de su poder e imposibilitado para hacer su obra de engaño, el príncipe del mal se sentía abatido y desgraciado; pero cuando resucitan los impíos y ve las grandes multitudes que tiene al lado suyo, sus esperanzas reviven y resuelve no rendirse en el gran conflicto. Alistará bajo su bandera a todos los ejércitos de los perdidos y por medio de ellos tratará de ejecutar sus planes. Los impíos son sus cautivos. Al rechazar a Cristo aceptaron la autoridad del jefe de los rebeldes. Están listos para aceptar sus sugestiones y ejecutar sus órdenes. No obstante, fiel a su antigua astucia, no se da por Satanás. Pretende ser el príncipe que tiene derecho a la posesión de la tierra y cuya herencia le ha sido arrebatada injustamente. Se presenta ante sus súbditos engañados como redentor, asegurándoles que su poder los ha sacado de sus tumbas y que está a punto de librarlos de la más cruel tiranía. Habiendo desaparecido Cristo, Satanás obra milagros para sostener sus pretensiones. Fortalece a los débiles y a todos les infunde su propio espíritu y energía. Propone dirigirlos contra el real de los santos y tomar posesión de la ciudad de Dios. En un arrebato belicoso señala los innumerables millones que han sido resucitados de entre los muertos, y declara que como jefe de ellos es muy capaz de destruir la ciudad y recuperar su trono y su reino.

Entre aquella inmensa muchedumbre se cuentan numerosos representantes de la raza longeva que existía antes del diluvio; hombres de estatura elevada y de capacidad intelectual gigantesca, que habiendo cedido al dominio de los ángeles caídos, consagraron toda su habilidad y todos sus conocimientos a la exaltación de sí mismos; hombres cuyas obras artísticas maravillosas hicieron que el mundo idolatrase su genio, pero cuya crueldad y malos ardides mancillaron la tierra y borraron la imagen de Dios, de suerte que el Creador los hubo de raer de la superficie de la tierra. Allí hay reyes y generales que conquistaron naciones, hombres valientes que nunca perdieron una batalla, guerreros soberbios y ambiciosos cuya venida hacía temblar reinos. La muerte no los cambió. Al salir de la tumba, reasumen el curso de sus pensamientos en el punto mismo en que lo dejaran. Se levantan animados por el mismo deseo de conquista que los dominaba cuando cayeron.

Satanás consulta con sus ángeles, y luego con esos reyes, conquistadores y hombres poderosos. Consideran la fuerza y el número de los suyos, y declaran que el ejército que está dentro de la ciudad es pequeño, comparado con el de ellos, y que se lo puede vencer. Preparan sus planes para apoderarse de las riquezas y gloria de la nueva Jerusalén. En el acto todos se disponen para la batalla. Hábiles artífices fabrican armas de guerra. Renombrados caudillos organizan en compañías y divisiones las muchedumbres de guerreros.

Al fin se da la orden de marcha, y las huestes innumerables se ponen en movimiento–un ejército cual no fue jamás reunido por conquistadores terrenales ni podría ser igualado por las fuerzas combinadas de todas las edades desde que

Sin embargo, cuando todo ese ejército esté preparado y listo para combatir contra aquella *'invasión extraterrestre'* –como la presentará el diablo–, habiendo rodeado el campamento de los santos y la ciudad de Dios, Cristo aparecerá sobre ella para dar lugar a su coronación como el 'Rey de la nueva creación'. Sin embargo, previo a esto, se procederá a dar lectura de su sentencia contra los impíos. Apocalipsis dice: *"Y vi un gran trono blanco y al que estaba sentado en él, de delante del cual huyeron la tierra y el cielo, y ningún lugar se encontró para ellos. Y vi a los muertos, grandes y pequeños, de pie ante Dios; y los libros fueron abiertos, y otro libro fue abierto, el cual es el libro de la vida; y fueron juzgados los muertos por las cosas que estaban escritas en los libros, según sus obras. Y el mar entregó los muertos que había en él; y la muerte y el Hades entregaron los muertos que había en ellos; y fueron juzgados cada uno según sus obras." Apocalipsis 20:11-13*[264]

En aquel momento las multitudes serán contenidas en el acto ante la majestuosidad de la escena, en la que Cristo les presentará 'a lo vivo' todo el desarrollo del gran conflicto, desde la rebelión de Lucifer hasta su sacrificio en la cruz, y todas las oportunidades que se les dio, a cada uno de ellos, para que se arrepintieran de sus pecados y lo reconocieran como su Rey.[265]

---

empezaron las guerras en la tierra. Satanás, el más poderoso guerrero, marcha al frente, y sus ángeles unen sus fuerzas para esta batalla final. Hay reyes y guerreros en su comitiva, y las multitudes siguen en grandes compañías, cada cual bajo su correspondiente jefe. Con precisión militar las columnas cerradas avanzan sobre la superficie desgarrada y escabrosa de la tierra hacia la ciudad de Dios. Por orden de Jesús, se cierran las puertas de la nueva Jerusalén, y los ejércitos de Satanás circundan la ciudad y se preparan para el asalto." CS 644-645

264 Elena de White comenta: "En presencia de los habitantes de la tierra y del cielo reunidos, se efectúa la coronación final del Hijo de Dios. Y entonces, revestido de suprema majestad y poder, el Rey de reyes falla el juicio de aquellos que se rebelaron contra su gobierno, y ejecuta justicia contra los que transgredieron su ley y oprimieron a su pueblo." CS 646

En este mismo contexto –de la coronación final de Jesús–, ella también escribió: "Su corona era gloriosa y resplandeciente. Estaba formada por una corona dentro de otra corona, hasta un total de siete." PE 53

265 Recomendamos leer todo el capítulo 43 del maravilloso libro 'El Conflicto de los Siglos', de Elena de White, titulado: *'El fin del conflicto'*, a fin de vislumbrar aún mejor lo que sucederá en aquel momento.

QR 9: https://egwwritings.org/read?panels=p1710.3009

Anticipando este momento, al profeta Ezequiel se le dijo: *"Profetiza, hijo de hombre, y di a Gog: Así ha dicho Jehová el Señor: En aquel tiempo, cuando mi pueblo Israel habite con seguridad, ¿no lo sabrás tú? Vendrás de tu lugar, de las regiones del norte, tú y muchos pueblos contigo, todos ellos a caballo [es decir, en carros de guerra], gran multitud y poderoso ejército, y subirás contra mi pueblo Israel como nublado para cubrir la tierra [es decir, como las nubes cubren la tierra, así cubrirá su ejército aquel territorio]; será al cabo de los días; y te traeré sobre mi tierra, para que las naciones me conozcan, cuando sea santificado en ti, oh Gog, delante de sus ojos." Ezequiel 38:14-16*

Es decir, Dios permitirá que el enemigo de Dios intente su maligno plan y engañe a los impíos a fin de que éstos suban a combatir contra Dios, para allí revelarse ante ellos como el Santo de los santos al mostrar los fundamentos de su sentencia.

En aquel momento, luego de que Dios les revele −en magnífica proyección− el resumen del gran conflicto y las causas por las cuales ellos mismo escogieron su triste destino −no permitiendo que Él reine sobre ellos−; todos, desde el mismo diablo hasta el más insignificante de los rebeldes, se postrarán ante Cristo reconociendo su supremacía, su infinito amor y su misericordiosa justicia.[266]

En este sentido, el apóstol Pablo escribió: *"Haya, pues, en vosotros este sentir que hubo también en Cristo Jesús, el cual, siendo en forma de Dios,*

---

266 Elena de White describe: "Todos los impíos del mundo están de pie ante el tribunal de Dios, acusados de alta traición contra el gobierno del cielo. No hay quien sostenga ni defienda la causa de ellos; no tienen disculpa; y se pronuncia contra ellos la sentencia de la muerte eterna. Es entonces evidente para todos que el salario del pecado no es la noble independencia y la vida eterna, sino la esclavitud, la ruina y la muerte. Los impíos ven lo que perdieron con su vida de rebeldía. Despreciaron el maravilloso don de eterna gloria cuando les fue ofrecido; pero ¡cuán deseable no les parece ahora! "Todo eso−exclama el alma perdida−yo habría podido poseerlo; pero preferí rechazarlo. ¡Oh sorprendente infatuación! He cambiado la paz, la dicha y el honor por la miseria, la infamia y la desesperación. Todos ven que su exclusión del cielo es justa. Por sus vidas, declararon: "No queremos que este Jesús reine sobre nosotros". Como fuera de sí, los impíos han contemplado la coronación del Hijo de Dios. Ven en las manos de él las tablas de la ley divina, los estatutos que ellos despreciaron y transgredieron. Son testigos de la explosión de admiración, arrobamiento y adoración de los redimidos; y cuando las ondas de melodía inundan a las multitudes fuera de la ciudad, todos exclaman a una voz: "¡Grandes y maravillosas son tus obras, oh Señor Dios Todopoderoso; justos y verdaderos son tus caminos, oh Rey de los siglos!" Apocalipsis 15:3 (VM). Y cayendo prosternados, adoran al Príncipe de la vida. CS 648-649

no estimó el ser igual a Dios como cosa a que aferrarse, sino que se despojó a sí mismo, tomando forma de siervo, hecho semejante a los hombres; y estando en la condición de hombre, se humilló a sí mismo, haciéndose obediente hasta la muerte, y muerte de cruz. Por lo cual Dios también le exaltó hasta lo sumo, y le dio un nombre que es sobre todo nombre, para que en el nombre de Jesús se doble toda rodilla de los que están en los cielos, y en la tierra, y debajo de la tierra; y toda lengua confiese que Jesucristo es el Señor, para gloria de Dios Padre." Filipenses 2:5-11

Sin embargo, luego de que se haya pronunciado la sentencia y toda rodilla se haya postrado ante Cristo, el diablo pretenderá retomar el control sobre las multitudes en su último y desesperado intento por arrebatar la Ciudad de Dios. Sin embargo, los impíos –habiéndose dado cuenta de sus engaños y su gran fracaso–, se volverán contra él –así como contra todos aquellos que los habrán engañado– con todas sus fuerzas –tal como lo hicieron contra Babilonia–. Por esto, en aquel momento, todo será contienda, confusión y caos dentro del ejército del enemigo.

En este sentido, Ezequiel continúa diciendo: *"En aquel tiempo, cuando venga Gog contra la tierra de Israel, dijo Jehová el Señor, subirá mi ira y mi enojo. Porque he hablado en mi celo, y en el fuego de mi ira: Que en aquel tiempo habrá gran temblor sobre la tierra de Israel; que los peces del mar, las aves del cielo, las bestias del campo y toda serpiente que se arrastra sobre la tierra, y todos los hombres que están sobre la faz de la tierra, temblarán ante mi presencia; y se desmoronarán los montes, y los vallados caerán, y todo muro caerá a tierra. Y en todos mis montes [es decir, en todos sus reinos] llamaré contra él la espada, dice Jehová el Señor; la espada de cada cual será contra su hermano." Ezequiel 38:18-21*

Al Fuego Eterno

En este contexto, Cristo pondrá fin a su juicio ejecutando su sentencia final sobre los impíos. En Ezequiel, dice: *"Y yo litigaré contra él con pestilencia y con sangre; y haré llover sobre él, sobre sus tropas y sobre los muchos pueblos que están con él, impetuosa lluvia, y piedras de granizo, fuego y azufre. Y seré engrandecido y santificado, y seré conocido ante los ojos de muchas naciones; y sabrán que yo soy Jehová." Ezequiel 38:22-32*

El mismo escenario que presenta Apocalipsis, diciendo: *"Y subieron sobre la anchura de la tierra, y rodearon el campamento de los santos y la ciudad amada; y de Dios descendió fuego del cielo, y los consumió." Apocalipsis 20:9*

A partir de allí los malvados desaparecerán para siempre y no existirán nunca más. Claramente la Biblia enseña que el fuego, más que producir un tormento eterno, los consumirá… Dice: "descendió fuego del cielo y los consumió." Y, aunque luego continúa diciendo: *"Y el diablo que los engañaba fue lanzado en el lago de fuego y azufre, donde estaban la bestia y el falso profeta; y serán atormentados día y noche por los siglos de los siglos" (Ap 20:10),* podemos entender que esta sentencia implica un castigo con efectos eternos más que una vida eterna de indescriptible sufrimiento.

En este sentido, consideremos las siguientes preguntas: ¿Podría un Dios que se define como amor gozarse en el sufrimiento de los seres que él mismo creó? ¿Sería Dios justo si condenara a un castigo indescriptible y eterno, sí, eterno, a aquellos que, sin haber elegido nacer, hayan tomado malas decisiones? ¿Podría el cielo ser un lugar de gozo cuando de fondo suenan terribles alaridos y blasfemias de aquellos que arden entre las llamas de un tormento eterno? ¿Permitirá Dios que el mal dure para siempre? Si la respuesta a cada una de estas preguntas es ¡NO!, ¿Cómo entendemos entonces aquellos pasajes de la Biblia que hablan del *'fuego Eterno'*?

En nuestro entendimiento, cuando la Biblia habla de *'fuego Eterno'* se refiere al Espíritu de Dios manifestado como fuego consumidor. Por esto nunca se apaga, porque Dios jamás dejará de existir. Ante su presencia los malvados serán consumidos *'como estopa'* y los santos habitarán seguros.

Para comprobar esto, analicemos la expresión *'hoguera eterna'* del texto donde Dios dice, en relación a los últimos días: *«Ahora me levantaré, dice el Señor, ahora me erguiré, ahora me alzaré… mi soplo es un fuego que los va a devorar. Los pueblos serán calcinados, como espinas cortadas, arderán en el fuego. Los que están lejos, escuchen lo que hice; los que están cerca, reconozcan mi poder». Están aterrados en Sión los pecadores, un temblor invade a los impíos: «¿Quién de nosotros habitará en un fuego devorador? ¿Quién de nosotros habitará en una hoguera eterna?». Isaías 33:10–14 LPD*

Estamos en contexto. Es el fin del tiempo y Dios se ha levantado para hacer justicia. Hasta aquí, ha pronunciado dos aseveraciones muy claras en relación a lo que sucederá con los impíos. Dice: *"mi soplo es un fuego que los va a devorar"* y *"Los pueblos serán calcinados, como espinas cortadas, arderán en el fuego…",* quedando muy claro que Dios consumirá el mal, ¿verdad?

Ahora, luego pregunta: *"¿Quién de nosotros habitará en una hoguera eterna?"* Si dijera que los impíos podría interpretarse que existe el infierno, ahora, ¿y si dijera que los justos habitarán en la hoguera eterna? ¿Qué significaría entonces? ¿Podría ser que –siendo Dios *'fuego consumidor'*– los pecadores serán consumidos pero los justos podrán habitar seguros ante su presencia?

Veamos que contesta la Biblia: *"«¿Quién de nosotros habitará en un fuego devorador? ¿Quién de nosotros habitará en una hoguera eterna?» El que obra con justicia y que habla con rectitud, el que rehúsa una ganancia extorsionada, el que sacude sus manos para no retener el soborno, el que tapa sus oídos a las propuestas sanguinarias, el que cierra los ojos para no ver la maldad: ese hombre habitará en las alturas, rocas fortificadas serán su baluarte, se le dará su pan y tendrá el agua asegurada. Tus ojos verán a un rey en su hermosura, contemplarán un país que se extiende a lo lejos.... Porque el Señor es nuestro Juez, el Señor es nuestro Legislador, el Señor es nuestro Rey: él nos salvará... Ningún habitante dirá: «Me siento mal», y al pueblo que habita allí le será perdonada su culpa."* Isaías 33:14-17, 22 y 24 LPD

¿Ves? Es claro que el *'fuego eterno'* representa a Dios como fuego consumidor. Dice la Biblia:

» *"Guardaos, no os olvidéis del pacto de Jehová vuestro Dios, que él estableció con vosotros... Porque Jehová tu Dios es fuego consumidor, Dios celoso."* Deuteronomio 4:23-24

» *"Y la gloria de Jehová reposó sobre el monte Sinaí... Y la apariencia de la gloria de Jehová era como un fuego abrasador en la cumbre del monte."* Éxodo 24:16-17

» *"La mano de Jehová para con sus siervos será conocida, y se enojará contra sus enemigos. Porque he aquí que Jehová vendrá con fuego, y sus carros como torbellino, para descargar su ira con furor, y su reprensión con llama de fuego. Porque Jehová juzgará con fuego y con su espada a todo hombre; y los muertos de Jehová serán multiplicados."* Isaías 66:14-16

» *"El Dios de dioses, Jehová, ha hablado, y convocado la tierra, desde el nacimiento del sol hasta donde se pone... Vendrá nuestro Dios, y no callará; fuego consumirá delante de él, y tempestad poderosa le rodeará. Convocará a los cielos de arriba, y a la tierra, para juzgar a su pueblo. Juntadme mis santos, los que hicieron conmigo pacto con sacrificio. Y los cielos declararán su justicia, porque Dios es el juez."* Salmo 50:1-6

» *"He aquí viene, ha dicho Jehová de los ejércitos. ¿Y quién podrá soportar el tiempo de su venida? ¿O quién podrá estar en pie cuando él se manifieste? Porque él es como fuego purificador…" Malaquías 3:1-2*

» *"Porque he aquí, viene el día ardiente como un horno, y todos los soberbios y todos los que hacen maldad serán estopa; aquel día que vendrá los abrasará, ha dicho Jehová de los ejércitos, y no les dejará ni raíz ni rama. Mas a vosotros los que teméis mi nombre, nacerá el Sol de justicia, y en sus alas traerá salvación; y saldréis, y saltaréis como becerros de la manada. Hollaréis a los malos, los cuales serán ceniza bajo las plantas de vuestros pies, en el día en que yo actúe, ha dicho Jehová de los ejércitos." Malaquías 4:1-3*

» *"Porque si pecáremos voluntariamente después de haber recibido el conocimiento de la verdad, ya no queda más sacrificio por los pecados, sino una horrenda expectación de juicio, y de hervor de fuego que ha de devorar a los adversarios. El que viola la ley de Moisés, por el testimonio de dos o de tres testigos muere irremisiblemente. ¿Cuánto mayor castigo pensáis que merecerá el que pisoteare al Hijo de Dios, y tuviere por inmunda la sangre del pacto en la cual fue santificado, e hiciere afrenta al Espíritu de gracia? Pues conocemos al que dijo: Mía es la venganza, yo daré el pago, dice el Señor. Y otra vez: El Señor juzgará a su pueblo. ¡Horrenda cosa es caer en manos del Dios vivo!" Hebreos 10:26-31*

» *"…recibiendo nosotros un reino inconmovible, tengamos gratitud, y mediante ella sirvamos a Dios agradándole con temor y reverencia; porque nuestro Dios es fuego consumidor." Hebreos 12:28-29*

Es claro. El *'fuego eterno'* es una expresión simbólica que apunta a la *'destrucción eterna'* que producirá la manifestación de la gloria de Dios sobre los impíos. Interpretación que también se funda en el análisis del castigo que sufrieron las perversas ciudades de Sodoma y Gomorra, las cuales fueron puestas como ejemplo de lo que sucederá al fin de los días. Dice la Biblia: *"También Sodoma y Gomorra, y las ciudades vecinas, que se prostituyeron de un modo semejante a ellos, dejándose arrastrar por relaciones contrarias a la naturaleza, han quedado como ejemplo, sometidas a la pena de un fuego eterno." Judas 1:7 LPD*

Por esto, si el *'fuego eterno'* de Sodoma y Gomorra causó la destrucción total de aquellas ciudades, también causará la destrucción total del diablo y sus seguidores, dado que el *'fuego eterno'* representa a Dios como *'fuego consumidor'* y no a un fuego sin capacidad de consumir lo que quema.

Si bien es cierto que Satanás, sus demonios y los más terribles criminales de este mundo tendrán un castigo de mayor duración, el Creador

–con profundo pesar– le ha dicho, al propio diablo, que dejará de existir. Dice la Biblia: *"Eras un modelo de perfección, lleno de sabiduría y de acabada hermosura. Estabas en Edén, el Jardín de Dios, recubierto de piedras preciosas de todas las especies... Llevabas adornos labrados en oro y encajes preparados para ti el día en que fuiste creado. Yo había hecho de ti un querubín protector, con sus alas desplegadas; estabas en la montaña santa de Dios y te paseabas entre piedras de fuego. Eras irreprochable en tus caminos desde el día en que fuiste creado, hasta que apareció tu iniquidad: a fuerza de tanto traficar, tu interior se llenó de violencia y caíste en el pecado. Por eso yo te expulso como algo profanado lejos de la montaña de Dios; te hago desaparecer, querubín protector, de entre las piedras de fuego. Tu corazón se llenó de arrogancia a causa de tu hermosura; corrompiste tu sabiduría a causa de tu esplendor. Pero yo te arrojé por tierra y te expuse como espectáculo delante de los reyes. Con tus numerosas culpas, con tu comercio venal, profanaste tus santuarios. Pero yo hago brotar de ti mismo el fuego que te devora. Te reduciré a ceniza sobre el suelo delante de todos los que te miran. Todos los pueblos que te conocen están consternados por ti; te has convertido en un motivo de espanto y no existirás nunca más."* Ezequiel 28:12-19 LPD[267]

---

267 Elena de White explica: "Dios hace descender fuego del cielo. La tierra está quebrantada. Salen a relucir las armas escondidas en sus profundidades. Llamas devoradoras se escapan por todas partes de grietas amenazantes. Hasta las rocas están ardiendo. Ha llegado el día que arderá como horno. Los elementos se disuelven con calor abrasador, la tierra también y las obras que hay en ella están abrasadas. Malaquías 4:2; 2 Pedro 3:10. La superficie de la tierra parece una masa fundida un inmenso lago de fuego hirviente. Es la hora del juicio y perdición de los hombres impíos, "es día de venganza de Jehová, año de retribuciones en el pleito de Sión". Isaías 34:8. Los impíos reciben su recompensa en la tierra. Proverbios 11:31. "Serán estopa; y aquel día que vendrá, los abrasará, ha dicho Jehová de los ejércitos". Malaquías 4:1. Algunos son destruidos como en un momento, mientras otros sufren muchos días. Todos son castigados "conforme a sus hechos". Habiendo sido cargados sobre Satanás los pecados de los justos, tiene este que sufrir no solo por su propia rebelión, sino también por todos los pecados que hizo cometer al pueblo de Dios. Su castigo debe ser mucho mayor que el de aquellos a quienes engañó. Después de haber perecido todos los que cayeron por sus seducciones, el diablo tiene que seguir viviendo y sufriendo. En las llamas purificadoras, quedan por fin destruidos los impíos, raíz y rama: Satanás la raíz, sus secuaces las ramas. La penalidad completa de la ley ha sido aplicada; las exigencias de la justicia han sido satisfechas; y el cielo y la tierra al contemplarlo, proclaman la justicia de Jehová." CS 652

"También el diablo y sus ángeles fueron juzgados por Jesús y los santos. El castigo de Satanás debía ser mucho mayor que el de aquellos a quienes engañó. Su sufrimiento será tan grande que no se podrá establecer comparación alguna con el de ellos. Después que perezcan todos los que engañó, el enemigo continuará viviendo para sufrir por mucho tiempo más." HR 436

¿Ves? Si el mismo diablo dejará de ser, ¿qué lógica tiene la doctrina del infierno eterno? ¿No es suficientemente clara la Biblia en relación a que Dios eliminará el mal por completo, desde la raíz hasta la rama? Dice la Palabra de Dios: *"porque los impíos serán aniquilados, y los que esperan al Señor, poseerán la tierra. Un poco más, y el impío ya no existirá; si buscas su casa, ya no estará; pero los humildes poseerán la tierra y gozarán de una gran felicidad... los que el Señor bendice, poseerán la tierra, y los que él maldice, serán exterminados." Salmos 37:9-11, 22 LPD*

Por esto, si estudias con sinceridad, verás que la doctrina de las penas eternas es otro de los engaños de 'Babilonia', y constituye parte de las creencias paganas –y diabólicas– que promueve la Iglesia Romana, junto a la mayoría de las iglesias que salieron de ella, a fin de deformar el carácter de Dios, presentándolo como un Ser severo, que se goza en el sufrimiento de su creación.

Sin embargo, la verdad es que la segunda muerte, así como la primera, implica la destrucción total del ser. La única diferencia será que, esta vez, ya no quedará esperanza para los malvados, porque la condena será eterna.

El fin del juicio

Luego de que Cristo haya ejecutado su condena sobre los impíos, cumpliendo el castigo señalado para la transgresión de su Ley –es, a saber, la muerte–, Cristo pondrá fin a su juicio eliminando la muerte como posibilidad para sus escogidos, es decir, para aquellos que se encontrarán escritos en el libro de la vida. Dice: *"Y la muerte y el Hades fueron lanzados al lago de fuego. Esta es la muerte segunda. Y el que no se halló inscrito en el libro de la vida fue lanzado al lago de fuego." Apocalipsis 20:14-15*

Es decir, a partir de allí, dentro de la plenitud de los dominios de Cristo, la muerte no existirá nunca más; dado que Cristo la habrá destruido en el mismo lago en que consumirá los impíos –junto con todas sus obras de maldad–.

El apóstol Pablo, escribió: *"Cristo ha resucitado de los muertos; primicias de los que durmieron es hecho. Porque por cuanto la muerte entró por un hombre, también por un hombre la resurrección de los muertos. Porque así como en Adán todos mueren, también en Cristo todos serán vivificados. Pero cada uno en su debido orden: Cristo, las primicias; luego los que son de Cristo, en su venida. Luego el fin, cuando entregue el reino al Dios y Padre, cuando haya suprimido todo dominio, toda autoridad y potencia. Porque preciso es que él reine hasta que haya puesto a todos sus enemigos debajo de sus pies. Y el postrer enemigo que será destruido es la muerte." 1 Corintios 15:20-26*

Esto implica que, desde aquel glorioso día, el pecado jamás se volverá a producir en toda la extensión del universo, con sus vastos mundos llenos de seres libres creados por Dios. Y, para festejar esta inmensa victoria, Cristo ofrecerá ante sus escogidos un banquete de su más exquisita selección de alimentos. Isaías dice: *"El Señor de los ejércitos ofrecerá a todos los pueblos sobre esta montaña un banquete de manjares suculentos, un banquete de vinos añejados, de manjares suculentos, medulosos, de vinos añejados, decantados. El arrancará sobre esta montaña el velo que cubre a todos los pueblos, el paño tendido sobre todas las naciones. Destruirá la Muerte para siempre; el Señor enjugará las lágrimas de todos los rostros, y borrará sobre toda la tierra el oprobio de su pueblo, porque lo ha dicho él, el Señor. Y se dirá en aquel día: «Ahí está nuestro Dios, de quien esperábamos la salvación: es el Señor, en quien nosotros esperábamos; ¡alegrémonos y regocijémonos de su salvación!»." Isaías 25:6-9*

¡Oh! ¡Bendita esperanza! ¿Estarás tú allí?

Vuelve a leer, ahora mismo, Apocalipsis 20, y comprueba como ya se ha abierto ante tus ojos.

Capítulo 21
Un nuevo comienzo

En el capítulo anterior, Apocalipsis concluye afirmando que, luego del milenio, Dios destruirá a los impíos junto con todas sus obras y aún sus consecuencias –es decir, la muerte–. Dice: *"la muerte y el Hades fueron lanzados al lago de fuego. Esta es la muerte segunda. Y el que no se halló inscrito en el libro de la vida fue lanzado al lago de fuego." Apocalipsis 20:14-15*

Cielos nuevos y tierra nueva

En sintonía con el magnífico orden en que se ha desarrollado todo el libro, Apocalipsis, en este capítulo, nos revela lo que sucederá después de aquella terrible pero necesaria destrucción. Dice: *"Vi un cielo nuevo y una tierra nueva; porque el primer cielo y la primera tierra pasaron, y el mar ya no existía más." Apocalipsis 21:1*

Esta promesa, mediante la cual Dios nos asegura que recreará todas las cosas, constituye una de las más grandes esperanzas del cristiano; sobre todo, cuando percibe la decadencia atroz e irreversible en la que se encuentran todas las cosas de este mundo, a consecuencia del pecado.

Decadencia que será cada vez más marcada, llegando, tal como lo ha presentado Apocalipsis, a su colapso total en los últimos días de nuestro mundo. Colapso que afectará tanto a la tierra como a las potencias de los cielos. Dijo Jesús: *"Entonces habrá señales en el sol, en la luna y en las estrellas, y en la tierra angustia de las gentes, confundidas a causa del bramido del mar y de las olas; desfalleciendo los hombres por el temor y la expectación de las cosas que sobrevendrán en la tierra; porque las potencias de los cielos serán conmovidas." Lucas 21:25-26*

En efecto, Apocalipsis –a través de los sellos, las trompetas y las copas de la ira de Dios– nos ha permitido vislumbrar la ruina en la que caerá nuestro mundo. En ese terrible contexto, la esperanza en que Dios recreará todas las cosas –con una gloria aún mayor que la que tuvo en un principio–, nos da la paz y la serenidad que todos necesitamos ante tan terribles acontecimientos.

El apóstol Pedro escribió: *"El Señor no retarda su promesa, según algunos la tienen por tardanza, sino que es paciente para con nosotros, no queriendo que ninguno perezca, sino que todos procedan al arrepentimiento. Pero el día del Señor vendrá como ladrón en la noche; en el cual los cielos pasarán con grande estruendo, y los elementos ardiendo serán deshechos, y la tierra y las obras que en ella hay serán quemadas. Puesto que todas estas cosas han de ser deshechas, ¡cómo no debéis vosotros andar en santa y piadosa manera de vivir, esperando y apresurándoos para la venida del día de Dios, en el cual los cielos, encendiéndose, serán deshechos, y los elementos, siendo quemados, se fundirán! Pero nosotros esperamos, según sus promesas, cielos nuevos y tierra nueva, en los cuales mora la justicia. Por lo cual, oh amados, estando en espera de estas cosas, procurad con diligencia ser hallados por él sin mancha e irreprensibles, en paz." 2 Pedro 3:9-14*

En Isaías, también dice: *"Llega la venganza, la represalia de Dios: él mismo viene a salvarlos!». Entonces se abrirán los ojos de los ciegos y se destaparán los oídos de los sordos; entonces el tullido saltará como un ciervo y la lengua de los mudos gritará de júbilo. Porque brotarán aguas en el desierto y torrentes en la estepa; el páramo se convertirá en un estanque y la tierra sedienta en manantiales; la morada donde se recostaban los chacales será un paraje de caña y papiros. Allí habrá una senda y un camino que se llamará «Camino santo». No lo recorrerá ningún impuro ni los necios vagarán por él; no habrá allí ningún león ni penetrarán en él las fieras salvajes. Por allí caminarán los redimidos, volverán los rescatados por el Señor; y entrarán en Sión con gritos de júbilo, coronados de una alegría perpetua: los acompañarán el gozo y la alegría, la tristeza y los gemidos se alejarán." Isaías 35:4-10 LPD*

"El lobo habitará con el cordero y el leopardo se recostará junto al cabrito; el ternero y el cachorro de león pacerán juntos, y un niño pequeño los conducirá, la vaca y la osa vivirán en compañía, sus crías se recostarán juntas, y el león comerá paja lo mismo que el buey. El niño de pecho jugará sobre el agujero de la cobra, y en la cueva de la víbora, meterá la mano el niño apenas destetado. No se hará daño ni estragos en toda mi Montaña santa, porque el conocimiento del Señor llenará la tierra como las aguas cubren el mar." Isaías 11:6-9 LPD

"Las angustias pasadas habrán sido olvidadas y estarán ocultas a mis ojos. Sí, yo voy a crear un cielo nuevo y una tierra nueva. No quedará el recuerdo del pasado ni se lo traerá a la memoria, sino que se regocijarán y se alegrarán para siempre por lo que yo voy a crear: porque voy a crear a Jerusalén para la alegría y a su pueblo para el gozo. Jerusalén será mi alegría, yo estaré gozoso

a causa de mi pueblo, y nunca más se escucharán en ella ni llantos ni alaridos [ni de santos, ni de impíos]." Isaías 65:16-18 LPD

Es en este contexto profético, que Apocalipsis continúa diciendo: *"Y yo Juan vi la santa ciudad, la nueva Jerusalén, descender del cielo, de Dios, dispuesta como una esposa ataviada para su marido. Y oí una gran voz del cielo que decía: He aquí el tabernáculo [es decir, la morada] de Dios con los hombres, y él morará con ellos; y ellos serán su pueblo, y Dios mismo estará con ellos como su Dios. Enjugará Dios toda lágrima de los ojos de ellos; y ya no habrá muerte, ni habrá más llanto, ni clamor, ni dolor; porque las primeras cosas pasaron.*

Y el que estaba sentado en el trono dijo: He aquí, yo hago nuevas todas las cosas. Y me dijo: Escribe; porque estas palabras son fieles y verdaderas. Y me dijo: Hecho está. Yo soy el Alfa y la Omega, el principio y el fin. Al que tuviere sed, yo le daré gratuitamente de la fuente del agua de la vida." Apocalipsis 20:2-6

¿Te has puesto a imaginar lo que será aquello, cuando todo rastro de dolor sea curado por Dios y solo exista vida, alegría y felicidad para los escogidos de Dios, por toda la extensión de la eternidad? ¿Te imaginas viviendo en la mismísima presencia del Creador, entrando en su consejo y participando de sus obras?[268]

Algunas personas, al pensar sobre esto –con imaginación distorsionada por falsas presentaciones del cielo–, creen que la dicha que Dios promete para sus escogidos no será una verdadera dicha que valga la pena vivir, sino que se imaginan estar flotando entre nubes de algodón, inactivos, con sonrisas vacías de emoción. Sin embargo, esto no podría estar más alejado de la realidad de lo que será el cielo y la nueva creación para los redimidos.

En verdad, nos espera una vida real, de acción creativa; tal cual Dios la planificó para aquellos que formó a su imagen y semejanza. Si en este mundo, los seres humanos hemos podido descubrir algo de la ciencia del Altísimo, e inventar cosas maravillosas; no te imaginas lo que seremos capaces de hacer en un contexto en el que todos –libres del egoísmo

---

268 Elena de White describe: "El gran conflicto ha terminado. Ya no hay más pecado ni pecadores. Todo el universo está purificado. La misma pulsación de armonía y de gozo late en toda la creación. De Aquel que todo lo creó manan vida, luz y contentamiento por toda la extensión del espacio infinito. Desde el átomo más imperceptible hasta el mundo más vasto, todas las cosas animadas e inanimadas, declaran en su belleza sin mácula y en júbilo perfecto, que Dios es amor." CS 657

atroz y despojados por fin de todas las limitaciones mentales, físicas y temporales que nos impuso el pecado y la muerte– colaboremos juntos para alcanzar nuevos objetivos por las edades sin fin. [269]

Por otra parte, los seres humanos, en su etapa *'postglorificación'*, serán quienes proclamarán las maravillas del amor redentor de Dios. Razón por lo cual, tendremos el privilegio de recorrer la inmensa cantidad de mundos creados por Dios, a lo largo y ancho del universo.

Sin embargo, aunque estas riquezas serán puestas al alcance de los redimidos, el mayor de todos sus placeres y la mayor de todas sus ciencias, será poder contemplar a Dios y aprender mayores alcances acerca de su misericordioso sacrificio de amor.[270]

---

[269] Elena de White afirma: "El temor de hacer aparecer la futura herencia de los santos demasiado material ha inducido a muchos a espiritualizar aquellas verdades que nos hacen considerar la tierra como nuestra morada. Cristo aseguró a sus discípulos que iba a preparar mansiones para ellos en la casa de su Padre. Los que aceptan las enseñanzas de la Palabra de Dios no ignorarán por completo lo que se refiere a la patria celestial. Y sin embargo son "cosas que ojo no vio, ni oído oyó, y que jamás entraron en pensamiento humano las cosas grandes que ha preparado Dios para los que le aman". 1 Corintios 2:9 (VM). El lenguaje humano no alcanza a describir la recompensa de los justos. Solo la conocerán quienes la contemplen. Ninguna inteligencia limitada puede comprender la gloria del paraíso de Dios." CS 654

"Allí los redimidos conocerán como son conocidos. Los sentimientos de amor y simpatía que el mismo Dios implantó en el alma, se desahogarán del modo más completo y más dulce. El trato puro con seres santos, la vida social y armoniosa con los ángeles bienaventurados y con los fieles de todas las edades que lavaron sus vestiduras y las emblanquecieron en la sangre del Cordero, los lazos sagrados que unen a "toda la familia en los cielos, y en la tierra" (Efesios 3:15, VM), todo eso constituye la dicha de los redimidos. Allí intelectos inmortales contemplarán con eterno deleite las maravillas del poder creador... Toda facultad será desarrollada, toda capacidad aumentada. La adquisición de conocimientos no cansará la inteligencia ni agotará las energías. Las mayores empresas podrán llevarse a cabo, satisfacerse las aspiraciones más sublimes, realizarse las más encumbradas ambiciones; y sin embargo surgirán nuevas alturas que superar, nuevas maravillas que admirar, nuevas verdades que comprender, nuevos objetos que agucen las facultades del espíritu, del alma y del cuerpo." CS 656

[270] Elena de White explica: "Todos los tesoros del universo se ofrecerán al estudio de los redimidos de Dios. Libres de las cadenas de la mortalidad, se lanzan en incansable vuelo hacia los lejanos mundos; mundos a los cuales el espectáculo de las miserias humanas causaba estremecimientos de dolor, y que entonaban cantos de alegría al tener noticia de un alma redimida. Con indescriptible dicha los hijos de la tierra participan del gozo y de la sabiduría de los seres que no cayeron.

Familiares de Dios

En la Biblia encontramos muchas ilustraciones de cómo será la relación de Dios con la humanidad en el futuro. Apocalipsis, como hemos visto, ha utilizado la figura de la 'esposa' –como símbolo de ayuda idónea– para referirse a la iglesia fiel de Dios, diciendo: *"Gocémonos y alegrémonos y démosle gloria; porque han llegado las bodas del Cordero, y su esposa se ha preparado... Y el ángel me dijo: Escribe: Bienaventurados los que son llamados a la cena de las bodas del Cordero. Y me dijo: Estas son palabras verdaderas de Dios." Apocalipsis 19:7-9*

En tanto, el apóstol Pablo afirmó que somos 'hijos' de Dios. El dijo: *"Pues no habéis recibido el espíritu de esclavitud para estar otra vez en temor, sino que habéis recibido el espíritu de adopción, por el cual clamamos: ¡Abba, Padre! El Espíritu mismo da testimonio a nuestro espíritu, de que somos hijos de Dios. Y si hijos, también herederos; herederos de Dios y coherederos con Cristo, si es que padecemos juntamente con él, para que juntamente con él seamos glorificados." Romanos 8:15-17*

Al utilizar la expresión '¡Abba, Padre!', Pablo resalta la intimidad y familiaridad que podemos tener con Dios, dado que la palabra 'Abba' es un término arameo que los niños usaban para dirigirse a su padre de una manera afectuosa y confiada –similar a cómo los niños en español podrían decir 'papá' o 'papito'. Esto quiere decir que los creyentes somos adoptados por Dios y nos convertimos en sus verdaderos hijos, con todos los derechos y privilegios que eso conlleva, tendiendo acceso a su amor incondicional, su guía, su provisión, su protección y, aun, sus riquezas.

Comparten los tesoros de conocimientos e inteligencia adquiridos durante siglos y siglos en la contemplación de las obras de Dios. Con visión clara consideran la magnificencia de la creación, soles y estrellas y sistemas planetarios que en el orden a ellos asignado circuyen el trono de la Divinidad. El nombre del Creador se encuentra escrito en todas las cosas, desde las más pequeñas hasta las más grandes, y en todas ellas se ostenta la riqueza de su poder.

Y a medida que los años de la eternidad transcurran, traerán consigo revelaciones más ricas y aún más gloriosas respecto de Dios y de Cristo. Así como el conocimiento es progresivo, así también el amor, la reverencia y la dicha irán en aumento. Cuanto más sepan los hombres acerca de Dios, tanto más admirarán su carácter. A medida que Jesús les descubra la riqueza de la redención y los hechos asombrosos del gran conflicto con Satanás, los corazones de los redimidos se estremecerán con gratitud siempre más ferviente, y con arrebatadora alegría tocarán sus arpas de oro; y miríadas de miríadas y millares de millares de voces se unirán para engrosar el potente coro de alabanza." CS 656-657

Ahora, el punto de todo esto es que, como *'esposa'* de Cristo e hijos del Padre, se nos promete que estaremos dentro de la morada de Dios para habitar con Él por los siglos sin fin. Apocalipsis dice: *"Y yo Juan vi la santa ciudad, la nueva Jerusalén, descender del cielo, de Dios, dispuesta como una esposa ataviada para su marido. Y oí una gran voz del cielo que decía: He aquí el tabernáculo [es decir, la morada] de Dios con los hombres, y él morará con ellos; y ellos serán su pueblo, y Dios mismo estará con ellos como su Dios." Apocalipsis 21:2-3*

¿Te imaginas viviendo con Dios, el inconmensurable Ser que ha creado –y seguirá creando– los cielos y la tierra, en su propia morada, por los siglos sin fin? ¿Y no solo esto, sino que Dios comparta contigo sus planes como si estuviera hablando con una esposa, con un hijo o con un amigo?

Sabes, todo verdadero discípulo anhela morar con su Maestro. El propio Juan –junto con otro discípulo–, al escuchar a Juan 'el bautista' decir que Cristo era el Cordero de Dios, le siguieron. Dice: *"Y volviéndose Jesús, y viendo que le seguían, les dijo: ¿Qué buscáis? Ellos le dijeron: Rabí (que traducido es, Maestro), ¿dónde moras? Les dijo: Venid y ved. Fueron, y vieron donde moraba, y se quedaron con él aquel día…" Juan 1:38-39*

De esta manera comenzó la relación entre el apóstol Juan –y el resto de los discípulos– con su Maestro. Es más, luego de tanto andar con Él, aquellos discípulos se convirtieron en sus amigos, y Jesús les dijo: *"Nadie tiene mayor amor que este, que uno ponga su vida por sus amigos. Vosotros sois mis amigos, si hacéis lo que yo os mando. Ya no os llamaré siervos, porque el siervo no sabe lo que hace su señor; pero os he llamado amigos, porque todas las cosas que oí de mi Padre, os las he dado a conocer." Juan 15:13-15*

Esto, que Jesús les dijo a sus discípulos, es lo que nos dice a nosotros también, dado que, hoy mismo, nosotros podemos comenzar a 'morar' con Cristo de la misma manera que Abraham lo hizo y se convirtió en 'amigo de Dios'. ¿Y cómo lo hizo Abraham? Dice la Escritura: *"Abraham creyó a Dios, y le fue contado por justicia, y fue llamado amigo de Dios." Santiago 2:23*

En este sentido, Dios ha pronunciado sus más bellas palabras de aceptación y protección a todos aquellos que sean descendientes de Abraham, por la fe en Cristo Jesús, diciendo: *"Pero tú, Israel, siervo mío eres; tú, Jacob, a quien yo escogí, descendencia de Abraham, mi amigo. Porque te tomé de los confines de la tierra, y de tierras lejanas te llamé, y te dije: Mi siervo eres tú; te escogí, y no te deseché. No temas, porque yo estoy contigo; no desmayes, porque yo soy tu Dios que te esfuerzo; siempre te ayudaré, siempre te sustentaré con la diestra de mi justicia. He aquí que todos los que se enojan contra ti serán avergonzados y confundidos; serán como nada y perecerán los que contienden contigo. Buscarás a los que tienen contienda contigo, y no los hallarás; serán como nada, y como cosa que no es, aquellos que te hacen la guerra. Porque yo Jehová soy tu Dios, quien te sostiene de tu mano derecha, y te dice: No temas, yo te ayudo." Isaías 41:8-13*

Por esto, aún en medio de las mayores tribulaciones, los que crean las palabras que Dios ha hablado, podrán cantar confiados el Salmo de David, diciendo: *"Jehová es mi luz y mi salvación; ¿de quién temeré? Jehová es la fortaleza de mi vida; ¿de quién he de atemorizarme? Cuando se juntaron contra mí los malignos, mis angustiadores y mis enemigos, para comer mis carnes, ellos tropezaron y cayeron. Aunque un ejército acampe contra mí, no temerá mi corazón; aunque contra mí se levante guerra, yo estaré confiado. Una cosa he demandado a Jehová, esta buscaré; que esté yo en la casa de Jehová todos los días de mi vida, para contemplar la hermosura de Jehová, y para inquirir en su templo. Porque él me esconderá en su tabernáculo en el día del mal; me ocultará en lo reservado de su morada; sobre una roca me pondrá en alto." Salmos 27:1-5*

¿Te das cuenta? Los que anhelan morar con Dios dicen: *"una cosa he demandado a Jehová, esta buscaré; que esté yo en la casa de Jehová todos los días de mi vida, para contemplar la hermosura de Jehová, y para inquirir en su templo"* (Salmos 27:4) y, justamente, eso es lo que Dios les dará como recompensa de su fe.

A ellos, Jesús les dice, así como antaño: *"No se turbe vuestro corazón; creéis en Dios, creed también en mí. En la casa de mi Padre muchas moradas hay; si así no fuera, yo os lo hubiera dicho; voy, pues, a preparar lugar para vosotros. Y si me fuere y os preparare lugar, vendré otra vez, y os tomaré a mí mismo, para que donde yo estoy, vosotros también estéis." Juan 14:1-3*

Por esto, ellos también podrán decir, aún en los días de su mayor angustia: *"Jehová es mi pastor; nada me faltará. En lugares de delicados pastos me hará descansar; junto a aguas de reposo me pastoreará. Confortará mi alma; me guiará por sendas de justicia por amor de su nombre. Aunque ande en valle de sombra de muerte, no temeré mal alguno, porque tú estarás conmigo; tu vara y tu cayado me infundirán aliento. Aderezas mesa delante de mí en presencia de mis angustiadores; unges mi cabeza con aceite; mi copa está rebosando. Ciertamente el bien y la misericordia me seguirán todos los días de mi vida, y en la casa de Jehová moraré por largos días." Salmo 23*

Si recordamos el mensaje a la iglesia de Filadelfia, vemos que Jesús puso delante de aquellos que atesoran la Palabra de Dios, una puerta abierta a su propia morada, diciéndoles: *"Yo conozco tus obras; he aquí, he puesto delante de ti una puerta abierta, la cual nadie puede cerrar; porque aunque tienes poca fuerza, has guardado mi palabra, y no has negado mi nombre… Al que venciere, yo lo haré columna en el templo de mi Dios, y nunca más saldrá de allí; y escribiré sobre él el nombre de mi Dios, y el nombre de la ciudad de mi Dios, la nueva Jerusalén, la cual desciende del cielo, de mi Dios, y mi nombre nuevo." Apocalipsis 3:8, 12*

La glorificación de los hijos de Dios

Como vemos, tanto en el capítulo 3 como en el 21 de Apocalipsis, se menciona que los santos morarán con Dios en una ciudad que descenderá del cielo llamada *'la Nueva Jerusalén'*.

Sin embargo, esta promesa no es propia del Apocalipsis, sino que existe desde el principio. De hecho, Abraham, conocido como el *'padre de la fe'*, salió de su tierra y vivió como extranjero en este mundo porque creyó a Dios y esperaba morar junto a Él en su ciudad celestial. Dice Hebreos: *"Por la fe Abraham, siendo llamado, obedeció para salir al lugar que había de recibir como herencia; y salió sin saber a dónde iba. Por la fe habitó como extranjero en la tierra prometida como en tierra ajena, morando en tiendas con Isaac y Jacob, coherederos de la misma promesa; porque esperaba la ciudad que tiene fundamentos, cuyo arquitecto y constructor es Dios." Hebreos 11:8-10*

Por esto, todos los que han compartido aquella fe de Abraham, han vivido como advenedizos en esta tierra, aguardando y anhelando aquella Patria Celestial. Hebreos, en la introducción de lo que se conoce como la 'galería de los héroes de la fe', dice: *"Conforme a la fe murieron todos estos sin haber recibido lo prometido, sino mirándolo de lejos, y creyéndolo, y saludándolo, y confesando que eran extranjeros y peregrinos sobre la tierra. Porque los que esto dicen, claramente dan a entender que buscan una patria; pues si hubiesen estado pensando en aquella de donde salieron, ciertamente tenían tiempo de volver. Pero anhelaban una mejor, esto es, celestial; por lo cual Dios no se avergüenza de llamarse Dios de ellos; porque les ha preparado una ciudad." Hebreos 11:13-16*

Por esto, todo verdadero Cristiano, que tiene inscrito su nombre en el libro de la vida, vive de acuerdo a esta fe. Veamos como lo expresa el apóstol Pablo, marcando un notable contraste con aquellos que solo viven para este mundo. El dice: *"Porque por ahí andan muchos, de los cuales os dije muchas veces, y aun ahora lo digo llorando, que son enemigos de la cruz de Cristo; el fin de los cuales será perdición, cuyo dios es el vientre, y cuya gloria es su vergüenza; que solo piensan en lo terrenal. Mas nuestra ciudadanía está en los cielos, de donde también esperamos al Salvador, al Señor Jesucristo; el cual transformará el cuerpo de la humillación nuestra, para que sea semejante al cuerpo de la gloria suya, por el poder con el cual puede también sujetar a sí mismo todas las cosas." Filipenses 3:18-21* [271]

¿Te das cuenta? No solo nos espera una patria gloriosa, sino que también nosotros mismos seremos transformados a semejanza de la gloria de Dios. Dijo el apóstol Juan: *"Mirad cuál amor nos ha dado el Padre, para que seamos llamados hijos de Dios; por esto el mundo no nos conoce, porque no le conoció a él. Amados, ahora somos hijos de Dios, y aún no se ha manifestado lo que hemos de ser; pero sabemos que cuando él se manifieste, seremos semejantes a él, porque le veremos tal como él es. Y todo aquel que tiene esta esperanza en él, se purifica a sí mismo, así como él es puro." 1 Juan 3:1-3*

Por esto Pablo, nos dice también a nosotros, y a todos los que anhelan aquella patria celestial *"os habéis acercado al monte de Sion, a la ciudad del Dios vivo, Jerusalén la celestial, a la compañía de muchos millares de ángeles, a la congregación de los primogénitos que están inscritos en los cielos, a Dios el Juez de todos, a los espíritus de los justos hechos perfectos…" Hebreos 12:22-23*

¿Te imaginas lo que será aquello? Pues todo lo que puedas imaginar no se compara a lo que será. Dice Pablo: *"Antes bien, como está escrito: cosas que ojo no vio, ni oído oyó, ni han subido en corazón de hombre, son las que Dios ha preparado para los que le aman." 1 Corintios 2:9*

---

271 Elena de White comenta: "Muchos continúan siendo probados como lo fue Abraham. No oyen la voz de Dios hablándoles directamente desde el cielo; pero, en cambio, son llamados mediante las enseñanzas de su Palabra y los acontecimientos de su providencia. Se les puede pedir que abandonen una carrera que promete riquezas y honores, que dejen afables y provechosas amistades, y que se separen de sus parientes, para entrar en lo que parece ser únicamente un sendero de abnegación, trabajos y sacrificios. Dios tiene un trabajo para ellos; pero una vida fácil y la influencia de las amistades y los parientes impediría el desarrollo de los rasgos esenciales para su realización. Los llama para que se aparten de las influencias y los auxilios humanos, y les hace sentir la necesidad de su ayuda, y de depender solamente de Dios, para que él mismo pueda revelarse a ellos. ¿Quién está listo para renunciar a los planes que ha abrigado y a las relaciones familiares tan pronto lo llame la Providencia? ¿Quién aceptará nuevas obligaciones y entrará en campos inexplorados para hacer la obra de Dios con buena voluntad y firmeza y contar sus pérdidas como ganancia por amor a Cristo? El que haga esto tiene la fe de Abraham, y compartirá con él el "más excelente y eterno peso de gloria", con el cual no se pueden comparar "las aflicciones del tiempo presente". 2 Corintios 4:17; Romanos 8:18." PP 105

La nueva Jerusalén

Sin embargo, para nutrir un poco nuestra imaginación, uno de aquellos ángeles que tendrán a cargo la destrucción de este mundo–, le mostró a Juan la morada que nos espera en el cielo. Dice: *"Vino entonces a mí uno de los siete ángeles que tenían las siete copas llenas de las siete plagas postreras, y habló conmigo, diciendo: Ven acá, yo te mostraré la desposada, la esposa del Cordero. Y me llevó en el Espíritu a un monte grande y alto, y me mostró la gran ciudad santa de Jerusalén, que descendía del cielo, de Dios, teniendo la gloria de Dios." Apocalipsis 21:9-11*

Aunque aquí se presenta a la nueva Jerusalén como la *'esposa del Cordero'*, es cierto que Cristo no se 'casará con una ciudad', sino con una iglesia compuesta por hijos de Dios glorificados. En este sentido, Apocalipsis, metafóricamente, dice: *"Al que venciere, yo lo haré 'columna' en el templo de mi Dios, y nunca más saldrá de allí…" Apocalipsis 3:12*

Y como en este caso –en donde se presentan a cierto tipo de 'vencedores' como 'columnas' del templo de Dios–, a otros se los relaciona con los 'cimientos' y a otros con las 'puertas' de dicha ciudad –descrita aquí como la 'esposa del Cordero'–. En este sentido, el apóstol Pablo escribió: *"Así que ya no sois extranjeros ni advenedizos, sino conciudadanos de los santos, y miembros de la familia de Dios, edificados sobre el fundamento de los apóstoles y profetas, siendo la principal piedra del ángulo Jesucristo mismo, en quien todo el edificio, bien coordinado, va creciendo para ser un templo santo en el Señor; en quien vosotros también sois juntamente edificados para morada de Dios en el Espíritu." Efesios 2:19-22*

Es decir, cada uno de nosotros es parte de un edificio espiritual que es tan real como el material. El apóstol Pedro, escribió: *"Acercándoos a él, piedra viva, desechada ciertamente por los hombres, mas para Dios escogida y preciosa, vosotros también, como piedras vivas, sed edificados como casa espiritual y sacerdocio santo, para ofrecer sacrificios espirituales aceptables a Dios por medio de Jesucristo." 1 Pedro 2:5-5*

Sin embargo, esto no quiere decir que no exista una ciudad real, física y tangible en la cual habitará Dios junto con todos sus santos. Al contrario. En nuestro entendimiento, –no pudiéndose describir la gloria de los santos– Dios nos revela la gloria de la ciudad en donde ellos habitarán, diciendo: *"su fulgor era semejante al de una piedra preciosísima, como piedra de jaspe, diáfana como el cristal. Tenía un muro grande y alto con doce puertas; y en las puertas, doce ángeles, y nombres inscritos, que son los de las doce tribus de los hijos de Israel; al oriente tres puertas; al norte tres puertas; al sur tres puertas; al occidente tres puertas. Y el muro de la ciudad tenía doce cimientos, y sobre ellos los doce nombres de los doce apóstoles del Cordero. El que hablaba conmigo tenía una caña de medir, de oro, para medir la ciudad, sus puertas y su muro. La ciudad se halla establecida en cuadro, y su longitud es igual a su anchura; y él midió la ciudad con la caña, doce mil estadios; la longitud, la altura y la anchura de ella son iguales. Y midió su muro, ciento cuarenta y cuatro codos, de medida de hombre, la cual es de ángel." Apocalipsis 21:11-17*

Como vemos, hasta aquí se ha distrito a la ciudad de Dios como un cubo perfecto, de lo que vendrían a ser unos 2400 km de lado, rodeada completamente por un muro de unos 70 metros de espesor. Y dice a continuación: *"El material de su muro era de jaspe; pero la ciudad era de oro puro, semejante al vidrio limpio; y los cimientos del muro de la ciudad estaban adornados con toda piedra preciosa. El primer cimiento era jaspe; el segundo, zafiro; el tercero, ágata; el cuarto, esmeralda; el quinto, ónice; el sexto, cornalina; el séptimo, crisólito; el octavo, berilo; el noveno, topacio; el décimo, crisopraso; el undécimo, jacinto; el duodécimo, amatista. Las doce puertas eran doce perlas; cada una de las puertas era una perla. Y la calle de la ciudad era de oro puro, transparente como vidrio. Y no vi en ella templo; porque el Señor Dios Todopoderoso es el templo de ella, y el Cordero. La ciudad no tiene necesidad de sol ni de luna que brillen en ella; porque la gloria de Dios la ilumina, y el Cordero es su lumbrera." Apocalipsis 21:18-23*

Como vemos, todos los materiales nombrados aquí, no sólo permiten el traspaso de la luz a través de ellos, sino que son considerados preciosos por reflejar dicha la luz de una manera gloriosa. Por lo cual, si hoy podemos ver cosas bellísimas haciendo pasar un simple haz de luz por prismas y cubos transparentes, ¿te imaginas como se verá dicha ciudad cuando Dios brille dentro de ella?

En Ezequiel, leemos: *"El esplendor que le rodeaba todo en torno era como el arco iris que aparece en las nubes en día de lluvia. Esta era la apariencia de la imagen de la gloria de Yahvé" Ezequiel 1:28 NC*

La simbología de los números

Como vimos en el análisis del capítulo 7, la ciudad de Dios guarda una correlación numérica muy sorprendente con los 144000. Mientras que éstos últimos, se dice, surgen del sellamiento de 12000 personas por cada una de las doce tribus de Israel (Ap 7:4-8), la Nueva Jerusalén también tendrá: doce puertas con los nombres de las doce tribus de Israel y doce cimientos con los nombres de los doce apóstoles del Cristo. Además estará asentada sobre un cuadrado perfecto de doce mil estadios de lado y un muro de 144 codos de ancho, lo cual equivale a doce veces doce.

Evidentemente todo gira alrededor del número doce. ¿Por qué? Entendemos que este número es escogido por Dios como símbolo del gobierno perfecto. Por esto Jesús escogió doce patriarcas para que gobernaran el pueblo de Israel y doce apóstoles para que instruyeran su iglesia, y por esto su sede de gobierno está construida en relación a este mismo número.

En este sentido, observamos que Jesús prometió a sus apóstoles que en la regeneración, es decir, cuando Dios haga nuevas todas las cosas, ellos se sentarán en doce tronos para gobernar a su pueblo. Dice: *"Entonces respondiendo Pedro, le dijo: He aquí, nosotros lo hemos dejado todo, y te hemos seguido; ¿qué, pues, tendremos? Y Jesús les dijo: De cierto os digo que en la regeneración, cuando el Hijo del Hombre se siente en el trono de su gloria, vosotros que me habéis seguido también os sentaréis sobre doce tronos, para juzgar [o gobernar] a las doce tribus de Israel. Y cualquiera que haya dejado casas, o hermanos, o hermanas, o padre, o madre, o mujer, o hijos, o tierras, por mi nombre, recibirá cien veces más, y heredará la vida eterna. Pero muchos primeros serán postreros, y postreros, primeros." Mateo 19:27-30*

Por lo cual, entendemos que el número 144000 tiene un significado simbólico que apunta a la inmensa multitud de personas que Dios escogerá para incorporar en su sede de gobierno universal. En este sentido, Apocalipsis, hablando sobre una gran multitud que nadie puede contar, dice: *"Estos son los que han salido de la gran tribulación, y han lavado sus ropas, y las han emblanquecido en la sangre del Cordero. Por esto están delante del trono de Dios, y le sirven día y noche en su templo; y el que está sentado sobre el trono extenderá su tabernáculo sobre ellos." Apocalipsis 7:14-15*

Lo cual implica que esta inmensa multitud de redimidos habitará con Cristo, en la mismísima morada de Dios, como su *'ayuda idónea'*. Claramente dice que por haber salido de la gran tribulación, habiendo lavado sus vestiduras en la sangre del Cordero, estarán *'delante del trono de Dios sirviendo día y noche en su templo'* –es decir, ésta será su morada permanente– y, por si quedaban dudas, concluye diciendo: *'el que está sentado sobre el trono –es decir, Dios– extenderá su tabernáculo [o su morada] sobre ellos',* lo cual implica que les dará un lugar permanente dentro de su propia morada.[272]

El verdadero nuevo orden mundial

Cuando la *'Nueva Jerusalén'* descienda del cielo se asentará sobre el Monte de los Olivos, en el sitio de la antigua Jerusalén. En este sentido, el profeta Zacarías escribió: *"Y se afirmarán sus pies en aquel día sobre el monte de los Olivos, que está en frente de Jerusalén al oriente; y el monte de los Olivos se partirá por en medio, hacia el oriente y hacia el occidente, haciendo un valle muy grande; y la mitad del monte se apartará hacia el norte, y la otra mitad hacia el sur." Zacarías 14:4*

---

272 Elena de White incluyó a la gran multitud que nadie puede contar dentro del grupo de los 144000, diciendo: "Delante del trono, sobre el mar de cristal–ese mar de vidrio que parece revuelto con fuego por lo mucho que resplandece con la gloria de Dios–se halla reunida la compañía de los que salieron victoriosos "de la bestia, y de su imagen, y de su señal, y del número de su nombre". Con el Cordero en el monte de Sión, "teniendo las arpas de Dios", están en pie los ciento cuarenta y cuatro mil que fueron redimidos de entre los hombres; se oye una voz, como el estruendo de muchas aguas y como el estruendo de un gran trueno, "una voz de tañedores de arpas que tañían con sus arpas". Cantan "un cántico nuevo" delante del trono, un cántico que nadie podía aprender sino aquellos ciento cuarenta y cuatro mil. Es el cántico de Moisés y del Cordero, un canto de liberación. Ninguno sino los ciento cuarenta y cuatro mil pueden aprender aquel cántico, pues es el cántico de su experiencia, una experiencia que ninguna otra compañía ha conocido jamás. Son "estos, los que siguen al Cordero por donde quiera que fuere". Habiendo sido trasladados de la tierra, de entre los vivos, son contados por "primicias para Dios y para el Cordero". Apocalipsis 15:2, 3; 14:1-5. "Estos son los que han venido de grande tribulación"; han pasado por el tiempo de angustia cual nunca ha sido desde que ha habido nación; han sentido la angustia del tiempo de la aflicción de Jacob; han estado sin intercesor durante el derramamiento final de los juicios de Dios. Pero han sido librados, pues "han lavado sus ropas, y las han blanqueado en la sangre del Cordero". "En sus bocas no ha sido hallado engaño; están sin mácula" delante de Dios. "Por esto están delante del trono de Dios, y le sirven día y noche en su templo; y el que está sentado sobre el trono tenderá su pabellón sobre ellos". Apocalipsis 7:14, 15. Han visto la tierra asolada con hambre y pestilencia, al sol que tenía el poder de quemar a los hombres con un intenso calor, y ellos mismos han soportado padecimientos, hambre y sed. Pero "no tendrán más hambre, ni sed, y el sol no caerá sobre ellos, ni otro ningún calor. Porque el Cordero que está en medio del trono los pastoreará, y los guiará a fuentes vivas de aguas: y Dios limpiará toda lágrima de los ojos de ellos". Apocalipsis 7:14-17." CS 630

"Esforcémonos con todo el poder que Dios nos ha dado para estar entre los ciento cuarenta y cuatro mil... Solo los que reciban el sello del Dios viviente tendrán el pasaporte para pasar por los portales de la santa ciudad." MSV 249

Desde allí en adelante, aquella será la sede del gobierno de Dios. Es decir, desde el lugar donde Cristo ascendió a los cielos, el Creador reinará junto a su selecto grupo identificado como '*los 144000*', mientras que el resto de la tierra nueva será para morada del resto de los redimidos, es decir, de todos aquellos que no sean parte de los 144000.

En consecuencia, aquellos '*reyes y sacerdotes*' que habrán recibido la facultad de juzgar con Cristo en el cielo (Ap 20:4), continuarán reinando con Él aquí, en la tierra, por los siglos de los siglos. Respecto de ellos, Apocalipsis dice: "*No habrá allí más noche; y no tienen necesidad de luz de lámpara, ni de luz del sol, porque Dios el Señor los iluminará; y reinarán por los siglos de los siglos.*" *Apocalipsis 22:5*

En tanto, respecto del resto de los redimidos –es decir, de aquellos que no formarán parte de los 144000–, Apocalipsis dice: "*Y las naciones que hubieren sido salvas andarán a la luz de ella; y los reyes de la tierra traerán su gloria y honor a ella. Sus puertas nunca serán cerradas de día, pues allí no habrá noche. Y llevarán la gloria y la honra de las naciones a ella. No entrará en ella ninguna cosa inmunda, o que hace abominación y mentira, sino solamente los que están inscritos en el libro de la vida del Cordero.*" *Apocalipsis 21:24-27*

Sin embargo, estas mismas personas –que no formarán parte de los 144000–, serán invitadas a la Nueva Jerusalén para que, todas las semanas, todos los meses y todos los años se presenten delante de Dios para adorarle. Dice: "*Porque así como permanecen delante de mí el cielo nuevo y la tierra nueva que yo haré –oráculo del Señor–, así permanecerán la raza y el nombre de ustedes. De luna nueva en luna nueva y de sábado en sábado, todos vendrán a postrarse delante de mí, dice el Señor.*" *Isaías 66:22-23 LPD*

Como vemos, aún en la '*Tierra Nueva*' seguiremos adorando a Dios en sábado. Ahora, ¿por qué de mes en mes? Apocalipsis lo explica, diciendo: "*el Ángel me mostró un río de agua de vida, claro como el cristal, que brotaba del trono de Dios y del Cordero, en medio de la plaza de la Ciudad. A ambos lados del río, había arboles de vida que fructificaban doce veces al año, una vez por mes, y sus hojas servían para curar a los pueblos.*" *Apocalipsis 22:1-2 LPD*

Es claro. Los redimidos subirán todos los meses a la Ciudad de Dios para comer del árbol de la vida... Ahora, ellos también subirán de año en año. Dice la Biblia: "*Y todos los que sobrevivieren de las naciones que vinieron contra Jerusalén, subirán de año en año para adorar al Rey, a Jehová de los ejércitos, y a celebrar la fiesta de los tabernáculos.*" *Zacarías 14:16*

La fiesta de los tabernáculos, en efecto, era una ocasión de gran gozo en Israel, donde ciudadanos de todos los pueblos y naciones eran acogidos en Jerusalén a fin de celebrar el gozo de su salvación –no solo por la liberación de Egipto, sino también en relación al perdón obtenido en Yom Kipur (o día de Expiación)– y todas las bendiciones recibidas durante el año (ver Levítico 23:33-43 y Deuteronomio 16:13-15).

Tristemente, con el transcurrir de los años, aquella ciudad y –con ella– aquel gozo, fue destruido por los romanos. Sin embargo, los planes de Dios respecto a Jerusalén finalmente se cumplirán; cuando, luego de la más grande de todas las liberaciones –la del pecado y los pecadores– y luego de la realización de aquel juicio anunciado por el día de Expiación, Jerusalén volverá a ser una verdadera ciudad de oro y luz, y todos los pueblos andarán a la luz de ella. Dice una bella canción:

> Jerusalén, Jerusalén, eres de perla, oro y luz,
> yo quiero ser un instrumento de tu canción.
> Jerusalén, Jerusalén, eres de perla, oro y luz,
> yo quiero ser un instrumento de tu canción.
>
> Cuando yo vengo a cantarte, sé muy bien que soy
> el más pequeño de tus hijos, el menor trovador.
> Con solo mencionar tu nombre, mis labios arderán.
> No te olvidaré jamás, Jerusalén de Dios.
>
> Jerusalén, Jerusalén, eres de perla oro y luz,
> yo quiero ser un instrumento de tu canción.
> Jerusalén, Jerusalén, eres de perla, oro y luz,
> eres ciudad de mi Rey y Señor Jesús.
> Jesús.[273]

Ojalá que, como recita estas bella alabanza, cada uno de los que meditan en estas palabras pueda ser un instrumento útil para Dios y habite junto a Él, en aquella gloriosa ciudad de oro y luz.

Vuelve a leer, ahora mismo, Apocalipsis 21, y comprueba como ya se ha abierto ante tus ojos.

---

273 Adaptación de 'Jerusalén de oro', escrita por la compositora israelí Naomi Shemer en 1967 e interpretada por ella misma y muchos otros, como Ofra Haza. Fue elegida la "Canción del Año" en Israel en 1967 y es considerada un segundo himno extraoficial de Israel.

Capítulo 22
El fin del Apocalipsis

En el capítulo anterior, Apocalipsis, luego de haber revelado la extinción total y definitiva de los impíos, junto con todas sus obras y aún sus consecuencias –la mismísima muerte–, nos mostró la nueva Jerusalén, aquella ciudad de oro y luz que Dios establecerá como su morada entre los redimidos de la tierra.

La vida de los redimidos

Ahora, así como en el primer libro de la Biblia, inmediatamente después del relato de la creación se presenta la caída de Adán y Eva y se explica la causa de la maldición de la tierra; en su último, la Biblia nos sitúa en aquel nuevo comienzo que tendrá la humanidad, luego de que Cristo haya puesto fin al pecado. Dice: *"Después me mostró un río limpio de agua de vida, resplandeciente como cristal, que salía del trono de Dios y del Cordero. En medio de la calle de la ciudad, y a uno y otro lado del río, estaba el árbol de la vida, que produce doce frutos, dando cada mes su fruto; y las hojas del árbol eran para la sanidad de las naciones." Apocalipsis 22:1-2*

Como vemos, –lo que se le muestra a Juan– es el Edén original, restaurado en la tierra nueva. Dice Génesis: *"Y Jehová Dios plantó un huerto en Edén, al oriente; y puso allí al hombre que había formado. Y Jehová Dios hizo nacer de la tierra todo árbol delicioso a la vista, y bueno para comer; también el árbol de vida en medio del huerto, y el árbol de la ciencia del bien y del mal. Y salía de Edén un río para regar el huerto." Génesis 2:8-10*

Edén del que fueron privados nuestros primeros padres a consecuencia de su pecado, cuando: *"Dijo Jehová Dios: He aquí el hombre es como uno de nosotros, sabiendo el bien y el mal; ahora, pues, que no alargue su mano, y tome también del árbol de la vida, y coma, y viva para siempre. Y lo sacó Jehová del huerto de Edén, para que labrase la tierra de la que fue tomado." Génesis 3:22-23*

Tierra sobre la cual pesaría, desde aquel momento, una enorme maldición. Le dijo Dios a Adán: *"Por cuanto obedeciste a la voz de tu mujer,*

543

y comiste del árbol que te mandé diciendo: No comerás de él; maldita será la tierra por tu causa; con dolor comerás de ella todos los días de tu vida. Espinos y cardos te producirá, y comerás plantas del campo. Con el sudor de tu rostro comerás el pan hasta que vuelvas a la tierra, porque de ella fuiste tomado; pues polvo eres, y al polvo volverás." Génesis 3:17-19

Maldición que, al igual que la muerte, no fue anunciada por Dios en represalia por la desobediencia de Adán y Eva, sino como ineludible consecuencia de aquel pecado por el cual Adán entregó el dominio de la tierra en manos de Satanás. Es decir, la maldición sería provocada por la acción directa del diablo –y sus seguidores– sobre la tierra; la cual se agravaría más y más a medida que el mal se fuera propagando sobre ella.

De hecho, como hemos comentado, la palabra profética de nuestro Señor anticipa que dicha maldición llegará a su punto máximo cuando la tierra –y aún las potencias de los cielos– sean conmovidas. En su sermón apocalíptico, Jesús dijo: *"Entonces habrá señales en el sol, en la luna y en las estrellas, y en la tierra angustia de las gentes, confundidas a causa del bramido del mar y de las olas; desfalleciendo los hombres por el temor y la expectación de las cosas que sobrevendrán en la tierra; porque las potencias de los cielos serán conmovidas." Lucas 21:25-26*

Sin embargo, Dios no permitirá la destrucción total de la tierra sino que intervendrá en el momento exacto en el que todas las cosas se salgan del equilibrio en el cual fueron creadas. De esta manera, luego de que Dios haya puesto fin al pecado y recreado todas las cosas, Apocalipsis dice: *"[entonces] no habrá más maldición; y el trono de Dios y del Cordero estará en ella, y sus siervos le servirán, y verán su rostro, y su nombre estará en sus frentes." Apocalipsis 22:3-4*

Lo cual nos revela dos cosas. La primera, es que cuando Dios quite la maldición de nuestro mundo, el dominio –o la regencia– de la tierra le será devuelta a su legítimo poseedor original, es decir, a Adán y a su descendencia santa. Claramente dice: 'y reinarán por los siglos de los siglos' (Ap 22:4). Eso fue anticipado al profeta Daniel, cuando se le dijo, en relación a aquel cuerno que simboliza el reino del papado: *"Pero se sentará el Juez, y le quitarán su dominio para que sea destruido y arruinado hasta el fin, y que el reino, y el dominio y la majestad de los reinos debajo de todo el cielo, sea dado al pueblo de los santos del Altísimo, cuyo reino es reino eterno, y todos los dominios le servirán y obedecerán." Daniel 7:26-27*

Por esto, los planes de Dios, tarde o temprano, se cumplen. Dijo Salomón: *"Todo lo hizo hermoso en su tiempo; y ha puesto eternidad en el corazón de ellos, sin que alcance el hombre a entender la obra que ha hecho Dios desde el principio hasta el fin… He entendido que todo lo que Dios hace será perpetuo; sobre aquello no se añadirá, ni de ello se disminuirá; y lo hace Dios, para que delante de él teman los hombres. Aquello que fue, ya es; y lo que ha de ser, fue ya; y Dios restaura lo que pasó." Eclesiastés 3:11, 14-15*

Ahora, la segunda cosa que nos revela esta porción del Apocalipsis, es que el futuro de la humanidad será mucho más glorioso que aquel estado que tuvo en un principio. ¿Por qué? Porque el trono del gobierno universal de Dios se encontrará aquí, en este pequeño planeta; desde donde gobernará, morando junto con sus más preciados escogidos y todos sus ángeles, el Universo entero.

Esto implica que los santos serán capacitados para morar en la mismísima presencia de Dios, sin ser consumidos. Claramente dice: *'no habrá más maldición', 'el trono de Dios y del Cordero estará en ella', y 'sus siervos le servirán, y verán su rostro, y su nombre estará en sus frentes' (Ap 22:3).*

Es decir, no solo moraremos con Dios —al igual que los ángeles–, sino que también recibiremos el nombre de Dios en nuestras frentes. Lo cual, en primer lugar, implica que Dios pondrá en nosotros su propio carácter, dado que, como hemos comentado, en la antigüedad, el nombre de la persona describía su carácter.

En este sentido, Jeremías dice: *"He aquí que vienen días, dice Jehová, en los cuales haré nuevo pacto con la casa de Israel y con la casa de Judá. No como el pacto que hice con sus padres el día que tomé su mano para sacarlos de la tierra de Egipto; porque ellos invalidaron mi pacto, aunque fui yo un marido para ellos, dice Jehová. Pero este es el pacto que haré con la casa de Israel después de aquellos días, dice Jehová: Daré mi ley en su mente, y la escribiré en su corazón; y yo seré a ellos por Dios, y ellos me serán por pueblo. Y no enseñará más ninguno a su prójimo, ni ninguno a su hermano, diciendo: Conoce a Jehová; porque todos me conocerán, desde el más pequeño de ellos hasta el más grande, dice Jehová; porque perdonaré la maldad de ellos, y no me acordaré más de su pecado." Jeremías 31:31-34*

El carácter de Dios, efectivamente, está expresado en su Ley de amor y libertad. Por eso Él la escribirá en nuestra mente —es decir, en nuestra conciencia– y en nuestro corazón, lo cual implica nuestros sentimientos. Por lo que, a partir de allí, cumpliremos la ley de Dios y efectuaremos su voluntad siguiendo nuestra propia voluntad, nuestros propios afectos y nuestras propias inclinaciones.

Ahora, el hecho de que podamos ver su rostro, también involucra muchas otras cosas que hoy nos es difícil imaginar, dado que la humanidad ha sido creada con la capacidad de ser transformada mediante la contemplación. Pensemos en la infancia: si contemplamos perversión, nos volvemos perversos, si contemplamos pereza nos hacemos perezosos; en cambio, si contemplamos un padre esforzado seremos trabajadores, si contemplamos una madre abnegada, seremos bondadosos, si contemplamos un maestro sabio, alcanzaremos sabiduría, si contemplamos santidad, seremos santificados. El apóstol Juan escribió: *"Amados, ahora somos hijos de Dios, y aún no se ha manifestado lo que hemos de ser; pero sabemos que cuando él se manifieste [refiriéndose a Cristo], seremos semejantes a él, porque le veremos tal como él es." 1 Juan 3:2*

Razón por la cual, la glorificación de los santos seguirá ampliándose –paulatinamente– a medida que transcurran las edades eternas, dado que dicha glorificación será efectuada mediante la contemplación del carácter, las obras y aún la misma presencia de Dios. Dijo Pablo: *"Nosotros, ~~en cambio~~, con el rostro descubierto, reflejamos, como en un espejo, la gloria del Señor, y somos [desde hoy] transfigurados a su propia imagen con un esplendor cada vez más glorioso, por la acción del Señor, que es Espíritu." 2 Corintios 3:18 LPD*

Lo cual, si lo proyectamos por las edades eternas, nos lleva a concluir que seremos 'hijos de Dios' no solamente de nombre, sino en semejanza de Cristo. Lo cual implica que cuando Él se hizo hombre, ¡no fue para degradar su status original sino para elevar el de la humanidad a la inconmensurable altura de los llamados 'hijos de Dios'! En este sentido, el apóstol Pablo escribió: *"El Espíritu mismo da testimonio a nuestro espíritu, de que somos hijos de Dios. Y si hijos, también herederos; herederos de Dios y coherederos con Cristo, si es que padecemos juntamente con él, para que juntamente con él seamos glorificados." Romanos 8:16-17*

Cuando personas impías, que ocupaban posiciones de liderazgo dentro del pueblo de Dios, acusaron a Cristo de 'blasfemia' por haberse hecho a sí mismo hijo de Dios, Jesús les citó un salmo que dice: *"Dios está en la reunión de los dioses; en medio de los dioses juzga. ¿Hasta cuándo juzgaréis injustamente, y aceptaréis las personas de los impíos?… Yo dije: Vosotros sois dioses, y todos vosotros hijos del Altísimo; pero como hombres moriréis, y como cualquiera de los príncipes caeréis." Salmo 82:1-2, 6-7*

Por esto, ¿hasta dónde llegarán los planes de Dios para la humanidad? No lo sabemos. Sin embargo, una cosa salta a la vista, y es que aquella semejanza con Dios que el diablo quiso ocupar por medio de la fuerza y el engaño, Dios la ha reservado para los que le aman. En efecto, los santos *subirán al cielo; en lo alto, junto a las estrellas de Dios se colocarán sus tronos, y en el monte de Dios se sentarán [en el mismísimo trono de Dios], sobre las alturas de las nubes subirán, y serán semejantes al Altísimo.'* Isaías 14:13-14

David, en un salmo que nos sitúa en los días de la gran tribulación, escribió: *"Levántate, oh Jehová; sal a su encuentro, póstrales; libra mi alma de los malos con tu espada, de los hombres con tu mano, oh Jehová. De los hombres mundanos, cuya porción la tienen en esta vida... En cuanto a mí, veré tu rostro en justicia; estaré satisfecho cuando despierte a tu semejanza."* Salmo 17:13-15

Otras traducciones dan la idea de que el salmista estaría satisfecho cuando despierte para contemplar el rostro de Dios, es decir, su 'semejanza'. Lo cual es lógico en ambos sentidos, dado que fuimos creados originalmente a imagen de Dios, y cuando seamos transformados 'en un abrir y cerrar de ojos' −ante la segunda venida de Cristo− nuevamente 'a su semejanza' (1 Corintios 15:52), seguiremos creciendo de gloria en gloria, día a día, año a año, por medio de la contemplación de su rostro.

Por esto el diablo nos odia: por la envidia que tiene respecto de los planes de Dios para con la humanidad, sumado al recelo que nos tiene por el hecho de que seremos nosotros quienes ocuparemos los lugares vacíos que él y sus demonios dejaron en el cielo.[274]

---

274 Elena de White escribió: "De los labios del Rey de gloria se escuchará la bendición, que resonará como la más dulce música a sus oídos: "Venid, benditos de mi Padre, heredad el reino preparado para vosotros desde la fundación del mundo". Mateo 25:34. Entonces los redimidos serán bienvenidos a las mansiones que Jesús está preparando para ellos. Allí no serán acompañados por los viles de la tierra, sino por aquellos que, mediante la ayuda divina, han formado caracteres perfectos. Cada tendencia pecaminosa, cada imperfección, ha sido removida por la sangre de Cristo. Y la excelencia y brillo de su gloria, que excede a la del sol al mediodía, les es impartida. La belleza moral y la perfección del carácter de Cristo brilla a través de ellos con un esplendor mayor que la gloria externa. Están sin falta delante del gran trono blanco, compartiendo la dignidad y los privilegios de los ángeles.—The Southern Work, 31 de marzo de 1908." VAAn 287

"En el mundo por venir, Cristo llevará a los redimidos junto al río de la vida, y les enseñará maravillosas lecciones de verdad. Abrirá ante ellos los misterios de la naturaleza; verán que hay una Mano Maestra que mantiene a los mundos en su

En aquel precioso día, no necesitaremos luz de ningún tipo porque Dios brillará delante nuestro. Allí no tendremos necesidad de estudiar una palabra escrita, porque el Dios de la Palabra se revelará delante de sus santos, dejando ver su rostro. Por esto, allí nadie será enseñará a otros respecto de Dios, porque Él mismo será su maestro. Dice Apocalipsis: *"No habrá allí más noche; y no tienen necesidad de luz de lámpara, ni de luz del sol, porque Dios el Señor los iluminará; y reinarán por los siglos de los siglos." Apocalipsis 22:5*

En este sentido, entendemos que la 'no necesidad de sol' que tendrán los redimidos en la ciudad de Dios, no quiere decir que no habrá más sol en relación al planeta tierra. De hecho, la Biblia anuncia la permanencia de los astros –y del tiempo fijado por ellos–, diciendo: *"Porque así como permanecen delante de mí el cielo nuevo y la tierra nueva que yo haré –oráculo del Señor–, así permanecerán la raza y el nombre de ustedes. De luna nueva en luna nueva y de sábado en sábado, todos vendrán a postrarse delante de mí, dice el Señor." Isaías 66:22-23 LPD*

---

lugar; presenciarán las habilidades del Gran Artista al colorear las flores del campo, y comprenderán los propósitos de un Padre misericordioso que dispensa cada rayo de luz. Junto a los santos ángeles, los redimidos reconocerán en canciones de agradecida adoración, el supremo amor de Dios por un mundo desagradecido. Entonces se comprenderá plenamente que "de tal manera amó Dios al mundo, que ha dado a su Hijo unigénito, para que todo aquel que en él cree, no se pierda, mas tenga vida eterna". Juan 3:16.—The Review and Herald, 3 de enero de 1907." VAAn 290

"[Los herederos de la gracia] tienen con Dios una relación aun más sagrada que la de los ángeles que nunca cayeron.—Joyas de los Testimonios 2:337." VAAn 291

"Dios desea que se cumplan en nosotros los propósitos de su gracia. Por el poder de su amor y mediante la obediencia, el hombre caído, un gusano en el polvo, debe ser transformado y capacitado para ser miembro de la familia celestial, compañero de Dios, de Cristo y de los santos ángeles a través de las edades eternas. El Cielo triunfará, porque los lugares dejados vacantes por Satanás y su hueste serán ocupados por los redimidos del Señor.—Alza tus Ojos, 59." VAAn 291

"Dios creó al hombre para su propia gloria, a fin de que, después de la prueba y el juicio, la familia humana llegara a ser una con la familia celestial. El propósito de Dios era repoblar el cielo con la familia humana, si ésta se mostraba obediente a cada una de sus palabras. Adán iba a ser probado, para ver si sería obediente, como los ángeles leales, o desobediente. Si superaba la prueba, su instrucción a sus hijos habría sido sólo de lealtad. Su mente y sus pensamientos habrían sido como la mente y los pensamientos de Dios. Él habría sido enseñado por Dios como Su labranza y construcción. Su carácter habría sido moldeado de acuerdo con el carácter de Dios.—Carta 91, 1900. 1BC 1082.4" VAAn 291

Por lo cual, entendemos que así como la luna, el sol también permanecerá junto a la tierra, fijando sus intervalos de tiempos, de tal manera que se puedan contar los días, las semanas, las estaciones y los años.

En consecuencia, lo que anuncia Apocalipsis es que no habrá noche dentro de la ciudad de Dios, y que sus moradores 'no tendrán necesidad de sol' –así como de lámparas–, porque su mismísima presencia los iluminará 'las veinticuatro horas del día'. Es decir, no se anuncia la destrucción del sol ni de las lámparas, sino su inutilidad para aquellos que habitarán en la ciudad de luz.

La proximidad del tiempo

Luego, Apocalipsis concluye, diciendo: *"Estas palabras son fieles y verdaderas. Y el Señor, el Dios de los espíritus de los profetas, ha enviado su ángel, para mostrar a sus siervos las cosas que deben suceder pronto. [A lo cual Cristo añade:] ¡He aquí, vengo pronto! Bienaventurado el que guarda las palabras de la profecía de este libro." Apocalipsis 22:6-7*

Si hay algo que se repite en Apocalipsis, es aquella idea que nos indica la proximidad del tiempo en que todas sus revelaciones, efectivamente, se cumplirán. Ahora, debemos preguntarnos, ¿en qué contexto han sido dadas? Tal como comentamos en nuestro capítulo inicial, en el contexto del gran día del Señor, dado que Juan dijo: *"Yo estaba en el Espíritu en el día del Señor, y oí detrás de mí una gran voz como de trompeta que decía: Yo soy el Alfa y la Omega, el primero y el último." Apocalipsis 1:10-11*

Por esto, estas palabras –referidas a la proximidad del tiempo– tomarán mucho más significado a medida que nos acerquemos a aquel gran y terrible día del Señor, descrito en el Apocalipsis. De hecho, las palabras que Cristo dice a continuación, indican que esta cercanía del tiempo está relacionada con el momento en el cual se acabará su tiempo de gracia. El dijo: *"No selles las palabras de la profecía de este libro, porque el tiempo está cerca. El que es injusto, sea injusto todavía; y el que es inmundo, sea inmundo todavía; y el que es justo, practique la justicia todavía; y el que es santo, santifíquese todavía. He aquí yo vengo pronto, y mi galardón conmigo, para recompensar a cada uno según sea su obra. Yo soy el Alfa y la Omega, el principio y el fin, el primero y el último." Apocalipsis 22:10-13*

Por lo cual, entendemos que Apocalipsis es un libro especialmente importante para todos aquellos que viviremos en el tiempo en el cual se desate la terrible tempestad del *'gran día de Dios'* sobre nosotros, y que, en este contexto, puede ser un libro completamente abierto para aquellos que pongan todo su interés en él, guardando las cosas escritas en sus corazones.

Por esto, y entendiendo que nos encontramos en aquella última generación que habitará en esta tierra, es a nosotros que Cristo nos dice: *"¡He aquí, vengo pronto! Bienaventurado el que guarda las palabras de la profecía de este libro." Apocalipsis 22:7*

¡Adora a Dios!

Luego, en la revelación del Apocalipsis, se vuelve a mencionar aquel incidente entre Juan y el ángel que le mostraba todas estas cosas, diciendo: *"Yo Juan soy el que oyó y vio estas cosas. Y después que las hube oído y visto, me postré para adorar a los pies del ángel que me mostraba estas cosas. Pero él me dijo: Mira, no lo hagas; porque yo soy consiervo tuyo, de tus hermanos los profetas, y de los que guardan las palabras de este libro. Adora a Dios." Apocalipsis 22:8-9*

Sinceramente, no sabemos si Juan intentó postrarse dos veces ante los pies del ángel o si es simplemente una repetición de aquello que se mencionó anteriormente, cuando dice: *"Y el ángel me dijo: Escribe: Bienaventurados los que son llamados a la cena de las bodas del Cordero. Y me dijo: Estas son palabras verdaderas de Dios. Yo me postré a sus pies para adorarle. Y él me dijo: Mira, no lo hagas; yo soy consiervo tuyo, y de tus hermanos que retienen el testimonio de Jesús. Adora a Dios; porque el testimonio de Jesús es el espíritu de la profecía" Apocalipsis 19:9-10*

Lo que sí observamos –al comparar ambos textos–, es que sus contextos son muy similares. Por ejemplo, en Apocalipsis 19 el ángel le dice al apóstol –a modo de conclusión de la revelación que le ha dado– *'estas son palabras verdaderas de Dios' (Ap 19:9)*, mientras en Apocalipsis 22 también le dice *'estas palabras son fieles y verdaderas' (Ap 22:6)*. Además, en ambos casos, se menciona una bienaventuranza: en Apocalipsis 19 para todos aquellos que son *'llamados a la cena de bodas del Cordero (Ap 19:9)*, mientras que, en Apocalipsis 22, la bienaventuranza es para todos aquellos que *'guardan las palabras de la profecía escritas en este libro' (Ap 22:7)* –los cuales vendrían a ser los mismos–.

También la respuesta del ángel –cuando Juan intenta postrarse ante sus pies–, es muy similar: en ambos casos le dice *'mira, no lo hagas, porque yo soy consiervo tuyo' (Ap 19:10 y 22:9),* incluyendo, en la primera ocasión a *'tus hermanos que retienen el testimonio de Jesús'* –aclarando que *'el testimonio de Jesús es el espíritu de la profecía' (Ap:19:10)*–, mientras que, en esta segunda, le dice *'soy consiervo tuyo, de tus hermanos los profetas, y de los que guardan las palabras de este libro' (Ap 22:9)*.

Ahora, ya sea que Juan haya intentado postrarse una o dos veces ante el ángel, el hecho de que se repita el registro de este incidente es, de por sí, un indicativo de que contiene una enseñanza muy importante para aquellos a los cuales es dirigido Apocalipsis; es decir, aquellos que vivirán en el tiempo en el que se le permitirá al diablo presentarse como un ángel de luz –falsificando aún la segunda venida de Jesús, en aquella *'hora de prueba que ha de venir sobre el mundo entero' (Ap 3:10)*–.

Y el mensaje para nosotros es: *¡Adora a Dios!* Un mensaje que, efectivamente, constituye el núcleo de Apocalipsis, dado que coincide con aquellas palabras que proclama el primer ángel de Apocalipsis 14, cuando dice: *"Vi volar por en medio del cielo a otro ángel, que tenía el evangelio eterno para predicarlo a los moradores de la tierra, a toda nación, tribu, lengua y pueblo, diciendo a gran voz: Temed a Dios, y dadle gloria, porque la hora de su juicio ha llegado; y adorad a aquel que hizo el cielo y la tierra, el mar y las fuentes de las aguas." Apocalipsis 14:6-7*

La segundo que comprobamos por medio de este incidente, es que el propio ángel Gabriel no se avergüenza de vincularse con Juan, llamándose a sí mismo *'consiervo'*, tanto en relación a dicho apóstol, como de todos los profetas de Dios –entendiéndose por tales a aquellos que comunican fielmente la palabra de Dios por haberla guardado en sus corazones–.

En este sentido, cada uno de nosotros puede ser un *'consiervo'* de Gabriel –aquel ángel que fue enviado para transmitirnos la revelación de Jesucristo– comunicando a otros las inmensas promesas de la Palabra de Dios. Por eso, dijo el ángel: *"yo soy consiervo tuyo, de tus hermanos los profetas, y de los que guardan las palabras de este libro." Apocalipsis 22:9*

Una cordial invitación

Luego, dirigiéndose a cada uno de nosotros, Apocalipsis dice: *"Bienaventurados los que lavan sus ropas, para tener derecho al árbol de la vida, y para entrar por las puertas en la ciudad. Mas los perros estarán fuera, y los hechiceros, los fornicarios, los homicidas, los idólatras, y todo aquel que ama y hace mentira." Apocalipsis 22:14-15*

Esta bienaventuranza es, realmente, esperanzadora; porque nos asegura que tenemos la posibilidad de limpiar nuestras vidas en la sangre de Jesús. Sí, hay esperanza para todo aquel que lo desee de corazón, y es mi anhelo que muchos de los que estén leyendo estas líneas se encuentren entre aquella inmensa multitud vestida de ropas blancas, mencionada en Apocalipsis 7, cuando dice: *"Estos son los que han salido de la gran tribulación, y han lavado sus ropas, y las han emblanquecido en la sangre del Cordero. Por esto están delante del trono de Dios, y le sirven día y noche en su templo; y el que está sentado sobre el trono extenderá su tabernáculo sobre ellos." Apocalipsis 7:14-15*

Sin embargo, para todos aquellos que prefieran continuar en sus pecados, la sentencia es clara: no entrarán en la *'Nueva Jerusalén'*, ni tendrán derecho al árbol de la vida.

En este sentido, debemos aclarar que la palabra *'perros'* era usada, en el contexto hebreo, de manera figurativa para describir a personas –tales como los sodomitas– que por su inmoralidad e impureza les era negado el entrar en el templo. Por esto, en este pasaje se los incluye junto a otros grupos de personas a los cuales no se les permitirá entrar por las puertas de la ciudad celestial, tales como los hechiceros, los fornicarios, los homicidas, los idólatras y todos aquellos que aman y practican la mentira.

Sin embargo, la buena noticia, para todos los que alguna vez hemos practicado estos pecados, es que, en Cristo, tenemos esperanza. Dice la Biblia: *"¿No sabéis que los injustos no heredarán el reino de Dios? No erréis; ni los fornicarios, ni los idólatras, ni los adúlteros, ni los afeminados, ni los que se echan con varones, ni los ladrones, ni los avaros, ni los borrachos, ni los maldicientes, ni los estafadores, heredarán el reino de Dios. Y esto erais algunos; mas ya habéis sido lavados, ya habéis sido santificados, ya habéis sido justificados en el nombre del Señor Jesús, y por el Espíritu de nuestro Dios." 1 Corintios 6:9-11*

Por esto, la gran pregunta es ¿quieres lavar tu vida en la sangre de Jesús? Si quieres, bien puedes. En Apocalipsis, nuestro Salvador nos extiende la mano y nos dice: *"Yo Jesús he enviado mi ángel para daros testimonio de estas cosas en las iglesias. Yo soy la raíz y el linaje de David, la estrella resplandeciente de la mañana." Apocalipsis 22:16*

Lo primero que salta a la vista es que Apocalipsis, de principio a fin, es un mensaje de parte de Dios para su iglesia. Desde el capítulo 1, se le dice: *"Escribe en un libro lo que ves, y envíalo a las siete iglesias" (Ap 1:11);* y, al final, concluye diciendo: *"Yo Jesús he enviado mi ángel para daros testimonio de estas cosas en las iglesias" (Ap 22:16).*

Ahora, cuando Cristo se presenta como *'la raíz y el linaje de David',* se está manifestando como aquel que constituiría aquel *'renuevo'* que surgiría del tronco o la simiente de David, a fin de liberar a su pueblo por medio de su justo juicio. En Jeremías, dice: *"He aquí que vienen días, dice Jehová, en que levantaré a David renuevo justo, y reinará como Rey, el cual será dichoso, y hará juicio y justicia en la tierra. En sus días será salvo Judá, e Israel habitará confiado; y este será su nombre con el cual le llamarán: Jehová, justicia nuestra." Jeremías 23:5-6*

Lo cual confirma nuestro análisis en relación a que Apocalipsis trata acerca del juicio de Dios. Ahora, ¿de qué manera Cristo realizará este juicio? En el libro del profeta Isaías, dice: *"Saldrá una vara del tronco de Isaí [padre de David], y un vástago [un renuevo] retoñará de sus raíces. Y reposará sobre él el Espíritu de Jehová." Isaías 11:1-2*

¿A fin de qué estaría el Espíritu de Dios sobre Él? En el mismo Isaías, Cristo dice: *"El Espíritu de Jehová el Señor está sobre mí, porque me ungió Jehová; me ha enviado a predicar buenas nuevas a los abatidos, a vendar a los quebrantados de corazón, a publicar libertad a los cautivos, y a los presos apertura de la cárcel; a proclamar el año de la buena voluntad de Jehová, y el día de venganza del Dios nuestro; a consolar a todos los enluta-dos…" Isaías 61:1-2*

¿Te das cuenta? El objetivo del juicio, que realizaría aquel renuevo, sería para la salvación de su Pueblo. El mismo Jesús lo declaró cuando estuvo entre nosotros, diciendo: *"Porque el Hijo del Hombre vino a buscar y a salvar lo que se había perdido." Lucas 19:10*

Lo cual, implica que Cristo vino para darte una nueva oportunidad. Para decirte 'no todo está perdido, en mí tienes esperanza'. Es por esto que Él se define como 'la estrella resplandeciente de la mañana', porque Él es aquel Mensajero de Dios que anuncia que, después de la noche, un nuevo día –lleno de luz– está por comenzar.

Ahora, lo más grandioso es que nos invita a todos nosotros, y a todo el que quiera venir, a participar de aquel glorioso día en que se acabará la oscuridad para siempre.

Y no sólo Cristo nos invita, también: *"el Espíritu y la Esposa [es decir, el Espíritu Santo y la Iglesia fiel, también] dicen: Ven. [Y dice:] Y el que oye, diga: Ven. Y el que tiene sed, venga; y el que quiera, tome del agua de la vida gratuitamente." Apocalipsis 22:17*

¿Tienes alguna excusa para continuar errante? Cristo entregó su vida por ti, y te llama. Aún más, el Espíritu Santo, aquel que puede transformarte por completo desde tu interior –dándote una nueva vida–, también te llama y te dice ¡ven!. Y, por si esto no fuera suficiente, la verdadera iglesia de Dios, aquellos que morarán con Cristo por la eternidad, también te dice ¡ven!, aquí tenemos un lugar para ti.

¿Qué esperas? Cristo hoy te dice: *"Yo reprendo y castigo a todos los que amo; sé, pues, celoso, y arrepiéntete. He aquí, yo estoy a la puerta y llamo; si alguno oye mi voz y abre la puerta, entraré a él, y cenaré con él, y él conmigo. Al que venciere, le daré que se siente conmigo en mi trono, así como yo he vencido, y me he sentado con mi Padre en su trono." Apocalipsis 3:19-21*

¿Hasta cuándo le dejarás llamar en vano? Ábrele la puerta de tu corazón y deja que Él se ocupe de ti.

"El que da testimonio de estas cosas [el cual es Jesucristo, el testigo fiel] dice: Ciertamente vengo en breve. [A lo que el apóstol Juan, y toda la iglesia fiel con él, responde:] Amén; sí, ven, Señor Jesús.[Que] La gracia de nuestro Señor Jesucristo sea con todos vosotros. Amén." Apocalipsis 22:20-21

Cuidado con Apocalipsis

Previo a este magnífico cierre, Apocalipsis presenta una advertencia que es digna de nuestra consideración. Dice: *"Yo testifico a todo aquel que oye las palabras de la profecía de este libro: Si alguno añadiere a estas cosas, Dios traerá sobre él las plagas que están escritas en este libro. Y si alguno quitare de las palabras del libro de esta profecía, Dios quitará su parte del libro de la vida, y de la santa ciudad y de las cosas que están escritas en este libro." Apocalipsis 22:18-19*

Advertencia que es especialmente importante para nosotros, y para todos aquellos que comentan las palabras de este libro. En nuestro caso, esperamos haber analizado todas sus enseñanzas a la luz de la propia Palabra de Dios, sin haber añadido ni quitado nada para adaptarlo a nuestra conveniencia. Sin embargo, si en algo hemos errado, sepa Dios –y nuestros lectores– corregir con amor nuestras deficiencias.

Nuestro objetivo, al escribir estas líneas, es que hayas podido ver el cielo abierto a través del estudio de este libro –tal como creemos haberlo visto nosotros–, para que, a todos nosotros, se nos grabe en la mente y el corazón el carácter que todos debemos desarrollar a fin de recibir la recompensa de los de corazón puro.[275]

La oportunidad está pasando, y vos ¿qué estás haciendo?

---

275 Elena de White aseguró: "Cuando los libros de Daniel y Apocalipsis sean mejor entendidos, los creyentes tendrán una experiencia religiosa completamente distinta. Recibirán tales vislumbres de los portales abiertos del cielo que se les grabará en la mente y el corazón el carácter que todos deben desarrollar a fin de comprender la bendición que será la recompensa de los de corazón puro." TM 114

Si este libro ha sido de utilidad para ti, y deseas extender esta bendición a otras personas, puedes acceder a su versión electrónica escaneando este código. Luego, compárteles el enlace.

QR 10: https://www.diloalmundo.org/apocalipsis

Made in United States
Troutdale, OR
10/22/2023

13921573R00308